（下）

关务相关法规速查手册

《关务相关法规速查手册》编委会 编

中国海关出版社有限公司
中国·北京

# 目 录

## 下 册

## 检验检疫篇

▽ 综合管理

中华人民共和国进出口商品检验法 …………………………………… 1585
　（主席令第 14 号）
中华人民共和国进出口商品检验法实施条例 ………………………… 1588
　（国务院令第 447 号）
进出口商品免验办法 ……………………………………………………… 1594
　（国家质量监督检验检疫总局令第 23 号）
进口商品残损检验鉴定管理办法 ………………………………………… 1597
　（国家质量监督检验检疫总局令第 97 号）
进出口商品数量重量检验鉴定管理办法 ………………………………… 1600
　（国家质量监督检验检疫总局令第 103 号）
进出口商品检验鉴定机构管理办法 ……………………………………… 1603
　（国家质量监督检验检疫总局令第 180 号）
出入境检验检疫报检规定 ………………………………………………… 1607
　（国家出入境检验检疫局令第 16 号）
出入境检验检疫封识管理办法 …………………………………………… 1610
　（国家出入境检验检疫局令第 22 号）
出入境检验检疫报检企业管理办法 ……………………………………… 1612
　（国家质量监督检验检疫总局令第 161 号）
出入境检验检疫签证管理办法 …………………………………………… 1614
　（国质检通〔2009〕38 号）
出入境交通工具电讯卫生检疫管理办法 ………………………………… 1622
　（国家质量监督检验检疫总局公告 2016 年第 78 号）
边境贸易出入境检验检疫管理办法（试行） …………………………… 1626
　（国质检通〔2009〕36 号）

国境口岸突发公共卫生事件出入境检验检疫应急处理规定 …………………… 1628
　　（国家质量监督检验检疫总局令第 57 号）
进出口工业品风险管理办法 …………………………………………………… 1632
　　（国家质量监督检验检疫总局令第 188 号）
进境动物和动物产品风险分析管理规定 ……………………………………… 1635
　　（国家质量监督检验检疫总局令第 40 号）
进境植物和植物产品风险分析管理规定 ……………………………………… 1638
　　（国家质量监督检验检疫总局令第 41 号）
进境植物繁殖材料隔离检疫圃管理办法 ……………………………………… 1640
　　（国家质量监督检验检疫总局令第 11 号）
进境动物隔离检疫场使用监督管理办法 ……………………………………… 1642
　　（国家质量监督检验检疫总局令第 122 号）
关于调整对外援助物资检验和验放管理的公告 ……………………………… 1646
　　（商务部　海关总署　国家质量监督检验检疫总局联合公告 2016 年第 89 号）

## ▽竹木及其制品

出境竹木草制品检疫管理办法 ………………………………………………… 1649
　　（国家质量监督检验检疫总局令第 45 号）
出境货物木质包装检疫处理管理办法 ………………………………………… 1652
　　（国家质量监督检验检疫总局令第 69 号）
进境货物木质包装检疫监督管理办法 ………………………………………… 1654
　　（国家质量监督检验检疫总局令第 84 号）
关于公布进境货物使用的木质包装检疫要求的公告 ………………………… 1656
　　（国家质检总局　海关总署　商务部　林业局公告 2005 年第 11 号）

## ▽乳　品

进出口乳品检验检疫监督管理办法 …………………………………………… 1658
　　（国家质量监督检验检疫总局令 152 号）
关于实施《进出口乳品检验检疫监督管理办法》有关要求的公告 ………… 1664
　　（国家质量监督检验检疫总局公告 2013 年第 53 号）
婴幼儿配方乳粉产品配方注册管理办法 ……………………………………… 1665
　　（国家食品药品监督管理总局令第 26 号）
质检总局关于加强进口婴幼儿配方乳粉管理的公告 ………………………… 1671
　　（国家质量监督检验检疫总局公告 2013 年第 133 号）

## ▽水　果

进境水果检验检疫监督管理办法 ……………………………………………… 1672
　　（国家质量监督检验检疫总局令第 68 号）
出境水果检验检疫监督管理办法 ……………………………………………… 1674
　　（国家质量监督检验检疫总局令第 91 号）

# 目 录

## ▽ 动物（水陆）及其产品

进境动物遗传物质检疫管理办法 ·················· 1679
　　（国家质量监督检验检疫总局令第47号）
出境水生动物检验检疫监督管理办法 ················ 1681
　　（国家质量监督检验检疫总局令第99号）
进出口水产品检验检疫监督管理办法 ················ 1687
　　（国家质量监督检验检疫总局令第135号）
进境水生动物检验检疫监督管理办法 ················ 1692
　　（国家质量监督检验检疫总局令第183号）
关于加强进口三文鱼检验检疫的公告 ················ 1698
　　（国家质量监督检验检疫总局公告2011年第9号）
关于调整水产品海关商品编码的公告 ················ 1699
　　（农业部　海关总署公告第1696号）
实施合法捕捞通关证明联网核查的水产品清单 ··········· 1700
　　（农业部　海关总署公告第2157号）
进出口肉类产品检验检疫监督管理办法 ··············· 1702
　　（国家质量监督检验检疫总局令第136号）
进出境非食用动物产品检验检疫监督管理办法 ··········· 1707
　　（国家质量监督检验检疫总局令第159号）
关于进一步规范携带宠物入境检疫监管工作的公告 ········ 1716
　　（海关总署公告2019年第5号）

## ▽ 其他货物

出口烟花爆竹检验管理办法 ······················ 1718
　　（国家出入境检验检疫局令第9号）
进出境集装箱检验检疫管理办法 ··················· 1719
　　（国家出入境检验检疫局令第17号）
出口蜂蜜检验检疫管理办法 ······················ 1721
　　（国家出入境检验检疫局令第20号）
进口涂料检验监督管理办法 ······················ 1723
　　（国家质量监督检验检疫总局令第18号）
中华人民共和国实施金伯利进程国际证书制度管理规定 ····· 1725
　　（国家质量监督检验检疫总局令第42号）
汽车运输出境危险货物包装容器检验管理办法 ··········· 1727
　　（国家质量监督检验检疫总局令第48号）
进出境转基因产品检验检疫管理办法 ················ 1729
　　（国家质量监督检验检疫总局令第62号）
尸体出入境和尸体处理的管理规定 ·················· 1731
　　（卫生部　科技部　公安部　民政部　司法部　商务部　海关总署　国家工商
　　行政管理总局　国家质量监督检验检疫总局联合令第47号）
出入境尸体骸骨卫生检疫管理办法 ·················· 1732
　　（国家质量监督检验检疫总局令第189号）

3

进出口煤炭检验管理办法 ………………………………………………… 1735
　　（国家质量监督检验检疫总局令第 90 号）
进出口玩具检验监督管理办法 ……………………………………………… 1736
　　（国家质量监督检验检疫总局令第 111 号）
供港澳蔬菜检验检疫监督管理办法 ………………………………………… 1739
　　（国家质量监督检验检疫总局令第 120 号）
进口棉花检验监督管理办法 ………………………………………………… 1745
　　（国家质量监督检验检疫总局令第 151 号）
进出境粮食检验检疫监督管理办法 ………………………………………… 1749
　　（国家质量监督检验检疫总局令第 177 号）

# 保税监管篇

## 特殊监管区

### ▽综合管理

保税区海关监管办法 ………………………………………………………… 1759
　　（海关总署令第 65 号）
中华人民共和国海关保税核查办法 ………………………………………… 1762
　　（海关总署令第 173 号）
关于海关特殊监管区域企业双重身份管理问题 …………………………… 1765
　　（海关总署公告 2008 年第 17 号）
关于公布海关特殊监管区域有关管理事宜 ………………………………… 1766
　　（海关总署公告 2010 年第 22 号）
关于实施海关特殊监管区域账册"一次备案、多次使用"有关问题的公告 … 1769
　　（海关总署公告 2016 年第 70 号）
关于海关特殊监管区域"仓储货物按状态分类监管"有关问题的公告 …… 1770
　　（海关总署公告 2016 年第 72 号）
关于调整优惠贸易协定项下进出海关特殊监管区域（场所）货物申报要求的公告 … 1770
　　（海关总署公告 2019 年第 178 号）
中华人民共和国海关对出口加工区监管的暂行办法 ……………………… 1771
　　（海关总署令第 81 号）
出口加工区加工贸易管理暂行办法 ………………………………………… 1775
　　（商务部令 2005 年第 27 号）
关于出口加工区边角料、废品、残次品出区处理问题的通知 …………… 1777
　　（署加发〔2009〕172 号）
中华人民共和国海关对保税物流园区的管理办法 ………………………… 1778
　　（海关总署令第 134 号）
关于公告保税物流园区统计办法 …………………………………………… 1784
　　（海关总署公告 2005 年第 71 号）
中华人民共和国海关珠澳跨境工业区珠海园区管理办法 ………………… 1786
　　（海关总署令第 160 号）

中华人民共和国海关保税港区管理暂行办法 …………………………… 1791
　　（海关总署令第164号）
关于实施综合保税区"四自一简"监管创新措施有关事项的公告 ……… 1795
　　（海关总署公告2019年第26号）
关于简化综合保税区进出区管理的公告 ………………………………… 1796
　　（海关总署公告2019年第50号）
关于在综合保税区推广增值税一般纳税人资格试点的公告 …………… 1797
　　（国家税务总局公告2019年第29号）

## ▽ 检验检疫

出口加工区检验检疫监督管理办法 ……………………………………… 1799
　　（国检法〔2001〕63号）
保税区检验检疫监督管理办法 …………………………………………… 1801
　　（国家质量监督检验检疫总局令第71号）
特殊监管区域检验检疫工作流程规范 …………………………………… 1803
　　（国质检通〔2015〕116号）
关于境外进入综合保税区动植物产品检验项目实行"先入区、后检测"有关事项的
　　公告 ……………………………………………………………………… 1810
　　（海关总署公告2019年第36号）

## ▽ 税收政策

出口加工区税收管理暂行办法 …………………………………………… 1811
　　（国税发〔2000〕155号）
关于国内采购材料进入出口加工区等海关特殊监管区域适用退税政策的通知 … 1812
　　（财税〔2008〕10号）
关于国内采购材料进入海关特殊监管区域适用退税政策的通知 ……… 1813
　　（财税〔2009〕107号）
关于部分进入海关特殊监管区域的产品不征收出口关税 ……………… 1813
　　（海关总署公告2008年第21号）
关于部分进入特殊监管区域的货物不征收出口关税和退税 …………… 1815
　　（海关总署公告2008年第34号）
关于进入中哈霍尔果斯国际边境合作中心的货物适用增值税退（免）税政策的通知 …… 1816
　　（财税〔2015〕17号）

## ▽ 特殊业务

中华人民共和国海关出口加工区货物出区深加工结转管理办法 ……… 1817
　　（海关总署令第126号）
关于海关特殊监管区域间保税货物结转管理的公告 …………………… 1819
　　（海关总署公告2014年第83号）
关于原油和铁矿石期货保税交割业务增值税政策的通知 ……………… 1821
　　（财税〔2015〕35号）
关于进口铁矿石期货保税交割检验工作的公告 ………………………… 1822
　　（海关总署公告2019年第139号）

关于开展原油期货保税交割业务的公告 …………………………………………… 1823
　　（海关总署公告 2015 年第 40 号）
关于做好期货原油检验监管工作的公告 …………………………………………… 1824
　　（国家质量监督检验检疫总局公告 2018 年第 19 号）
关于明确保税油跨关区直供业务有关事项的公告 ………………………………… 1825
　　（海关总署公告 2017 年第 47 号）
关于优化进境保税油检验监管工作的公告 ………………………………………… 1826
　　（海关总署公告 2019 年第 204 号）
关于做好保税展示交易有关工作的通知 …………………………………………… 1827
　　（署加发〔2015〕266 号）
关于海关特殊监管区域内保税维修业务有关监管问题的公告 …………………… 1828
　　（海关总署公告 2015 年第 59 号）
关于保税维修业务监管有关问题的公告 …………………………………………… 1830
　　（海关总署公告 2018 年第 203 号）
关于支持综合保税区内企业开展维修业务的公告 ………………………………… 1832
　　（商务部　生态环境部　海关总署公告 2020 年第 16 号）
关于海关特殊监管区域内开展委内加工业务的公告 ……………………………… 1836
　　（海关总署公告 2016 年第 68 号）
关于支持综合保税区内企业承接境内（区外）企业委托加工业务的公告 ……… 1837
　　（海关总署公告 2019 年第 28 号）
关于海关特殊监管区域"大宗商品现货保税交易"有关监管问题的公告 ……… 1839
　　（海关总署公告 2016 年第 71 号）
关于"保税混矿"有关事项的公告 ………………………………………………… 1839
　　（海关总署公告 2018 年第 199 号）
关于支持综合保税区开展保税研发业务的公告 …………………………………… 1840
　　（海关总署公告 2019 年第 27 号）
关于简化综合保税区艺术品审批及监管手续的公告 ……………………………… 1841
　　（海关总署　文化和旅游部公告 2019 年第 67 号）
关于优化综合保税区文物进出境管理有关问题的通知 …………………………… 1842
　　（署贸发〔2019〕92 号）
关于开展天然橡胶期货保税交割业务的公告 ……………………………………… 1843
　　（海关总署公告 2019 年第 121 号）
关于综合保税区内开展保税货物租赁和期货保税交割业务的公告 ……………… 1844
　　（海关总署公告 2019 年第 158 号）

## 保税监管场所

### ▽综合管理

中华人民共和国海关对保税仓库及所存货物的管理规定 ………………………… 1847
　　（海关总署令第 105 号）
中华人民共和国海关对保税物流中心（A 型）的暂行管理办法 ………………… 1850
　　（海关总署令第 129 号）

中华人民共和国海关对保税物流中心（B型）的暂行管理办法 …………………… 1854
　　（海关总署令第 130 号）
关于保税物流中心（B型）设立申请和审批有关事项的公告 …………………… 1858
　　（海关总署　财政部　国家税务总局　国家外汇局联合公告 2016 年第 18 号）
关于海关特殊监管区域和保税物流中心（B型）保税货物流转管理的公告 …………… 1859
　　（海关总署公告 2018 年第 52 号）
中华人民共和国海关对出口监管仓库及所存货物的管理办法 …………………… 1860
　　（海关总署令第 133 号）
海关总署关于"先出区、后报关"有关事项的公告 …………………………………… 1863
　　（海关总署公告 2018 年第 198 号）

## ▽ 税收政策

关于在深圳、厦门关区符合条件的出口监管仓库进行入仓退税政策试点的通知 …… 1864
　　（署加发〔2005〕39 号）
关于第二批出口监管仓库享受入仓退税政策扩大试点的通知 …………………… 1866
　　（署加发〔2008〕506 号）
关于出口监管仓库享受入仓退税政策扩大试点的通知 ……………………………… 1867
　　（署加发〔2010〕347 号）

# 加工贸易

## ▽ 综合管理

中华人民共和国海关加工贸易企业联网监管办法 …………………………………… 1869
　　（海关总署令第 150 号）
中华人民共和国海关加工贸易货物监管办法 ……………………………………… 1871
　　（海关总署令第 219 号）
关于试行加工贸易分册管理有关问题的通知 ………………………………………… 1875
　　（署税〔1999〕816 号）
关于简化境外加工贸易项目审批程序和下放权限有关问题的通知 ……………… 1881
　　（商合发〔2003〕126 号）
关于面向广大中小型企业推广 H2000 电子手册系统中的有关事项 ……………… 1883
　　（海关总署公告 2008 年第 40 号）
关于明确加工贸易政策调整相关事项 ………………………………………………… 1884
　　（海关总署公告 2008 年第 87 号）
关于在全国范围内取消加工贸易业务审批的公告 …………………………………… 1885
　　（商务部　海关总署联合公告 2016 年第 45 号）
关于明确取消商务主管部门加工贸易审批后手（账）册填制方式的公告 ……… 1886
　　（海关总署公告 2016 年第 46 号）
关于《商务部　海关总署 2016 年第 45 号公告》执行有关问题的公告 ………… 1886
　　（海关总署公告 2016 年第 56 号）
关于推广加工贸易银行保证金台帐电子化联网管理工作有关问题 ……………… 1887
　　（海关总署公告 2010 年第 5 号）

关于取消加工贸易银行保证金台帐制度有关事宜的公告 …………………… 1889
　　（海关总署　商务部联合公告 2017 年第 33 号）
关于全面取消加工贸易台帐保证金制度过渡期结束后有关业务办理事宜的公告 …… 1890
　　（海关总署公告 2017 年第 62 号）
关于保证金台帐"实转"管理事项转为海关事务担保事项有关手续的公告 ……… 1890
　　（海关总署公告 2018 年第 18 号）
关于全面推广以企业为单元加工贸易监管改革的公告 …………………………… 1891
　　（海关总署公告 2018 年第 59 号）
关于加工贸易监管有关事宜的公告 ………………………………………………… 1893
　　（海关总署公告 2018 年第 104 号）
关于取消《加工贸易企业经营状况及生产能力证明》的公告 …………………… 1895
　　（商务部　海关总署公告 2018 年第 109 号）
关于精简和规范作业手续　促进加工贸易便利化的公告 ………………………… 1896
　　（海关总署公告 2019 年第 218 号）

## ▽ 出境加工

关于出境加工货物监管有关问题的通知 …………………………………………… 1898
　　（署加发〔2016〕225 号）
关于出境加工业务有关问题的公告 ………………………………………………… 1900
　　（海关总署公告 2016 年第 69 号）
关于启用出境加工电子账册的公告 ………………………………………………… 1902
　　（海关总署公告 2019 年第 57 号）

## ▽ 异地/外发加工

海关总署关于废止《中华人民共和国海关关于异地加工贸易的管理办法》的决定 ……… 1903
　　（海关总署令第 234 号）
关于加工贸易保税货物外发加工业务有关事项 …………………………………… 1903
　　（海关总署公告 2009 年第 51 号）

## ▽ 深加工结转

关于进一步加强加工贸易深加工结转售付汇及核销管理有关问题的通知 ……… 1906
　　（汇发〔2001〕64 号）
关于对深加工结转管理系统进行优化推广使用 …………………………………… 1907
　　（海关总署公告 2013 年第 2 号）

## ▽ 商品管理

关于加强冻鸡加工贸易审批管理有关问题的紧急通知 …………………………… 1908
　　（〔2000〕外经贸管发第 646 号）
关于变更黄金及其制品的加工贸易进出口监管条件 ……………………………… 1909
　　（中国人民银行　海关总署公告 2003 年第 19 号）
关于农产品关税配额商品和天然橡胶加工贸易审批管理有关问题的通知 ……… 1910
　　（内部明电 2003 年第 2947 号）

# 目 录

关于加工贸易成品油形式出口复进口试点有关问题的公告 ·············· 1911
    （海关总署公告 2004 年第 22 号）
加工贸易禁止类商品目录 ·············································· 1912
    （商务部 海关总署 国家环境保护总局公告 2004 年第 55 号）
商务部等发布对加工贸易禁止类目录进行调整公告 ······················ 1915
    （商务部 海关总署联合公告 2008 年第 121 号）
关于公布加工贸易禁止类目录的公告 ···································· 1917
    （商务部 海关总署公告 2014 年第 90 号）
关于调整加工贸易禁止类商品目录的公告 ································ 1918
    （商务部 海关总署公告 2015 年第 59 号）
调整加工贸易限制类政策 ·············································· 1919
    （商务部 海关总署公告 2008 年第 97 号）
商务部等发布对加工贸易限制类目录进行调整的公告 ···················· 1925
    （海关总署 商务部公告 2008 年第 120 号）
关于加工贸易限制类商品目录的公告 ···································· 1925
    （商务部 海关总署联合公告 2015 年第 63 号）
对生皮加工贸易政策进行调整 ·········································· 1926
    （商务部 环境保护部 海关总署联合公告 2009 年第 8 号）
加工贸易联网监管进出口商品归并规则（试行） ························ 1927
    （海关总署公告 2010 年第 55 号）
关于取消加工贸易项下进口钢材保税政策的通知 ························ 1929
    （财关税〔2014〕37 号）
关于取消加工贸易项下进口钢材保税政策的补充通知 ···················· 1932
    （财关税〔2014〕54 号）
关于暂停多晶硅加工贸易进口的公告 ···································· 1933
    （商务部 海关总署联合公告 2014 年第 58 号）
关于调整光盘复制管理政策的公告 ······································ 1933
    （国家新闻出版广电总局 商务部 海关总署联合公告 2016 年第 2 号）
关于规范加工贸易项下进口消耗性物料管理的公告 ······················ 1934
    （海关总署公告 2016 年第 67 号）

## ▽ 单耗管理

中华人民共和国海关加工贸易单耗管理办法 ······························ 1936
    （海关总署令第 155 号）
关于设立"加工贸易单耗标准审定委员会"的通知 ························ 1939
    （署办函〔2001〕309 号）
关于颁布加工贸易单耗复核程序 ········································ 1940
    （海关总署公告 2008 年第 32 号）
关于外商投资企业进口触媒剂、催化剂、磨料、燃料有关事宜 ············ 1941
    （海关总署公告 2011 年第 2 号）
关于 H2000 系统 1.0.96 版更新后加工贸易单耗申报 ······················ 1942
    （海关总署公告 2011 年第 77 号）

## ▽ 后续管理

关于加工贸易边角料、剩余料件、残次品、副产品和受灾保税货物的管理办法 …………1943
　　（海关总署令第111号）
关于全面推广加工贸易边角废料内销网上公开拍卖共管机制的公告 ……1946
　　（海关总署公告2018年第218号）
中华人民共和国海关审定内销保税货物完税价格办法 …………………1947
　　（海关总署令第211号）
关于内销保税货物审价问题的公告 ………………………………………1949
　　（海关总署公告2014年第14号）
关于加工贸易企业国内提购柴油内销有关问题的复函 …………………1950
　　（国经贸厅外经函〔2001〕339号）
海关总署关于加工贸易企业国内提购柴油内销免验进口许可证的通知 …1950
　　（署法函〔2001〕193号）
关于《海关总署、外经贸部、质检总局关于进一步明确加工贸易项下外商提供的
不作价进口设备解除海关监管有关问题的通知》有关问题 ……………1951
　　（海关总署公告2001年第16号）
关于加工贸易进口涉证商品转内销有关问题的通知 ……………………1952
　　（商机电函〔2004〕14号）
关于加工贸易保税货物内销征收缓税利息适用利息率调整 ……………1954
　　（海关总署公告2009年第13号）
关于加工贸易保税货物内销缓税利息的征收及退还 ……………………1954
　　（海关总署公告2009年第14号）
关于加工贸易集中办理内销征税手续的公告 ……………………………1956
　　（海关总署公告2013年第70号）
关于加工贸易货物销毁处置有关问题的公告 ……………………………1957
　　（海关总署公告2014年第33号）
关于推广加工贸易料件内销征税"自报自缴"的公告 …………………1959
　　（海关总署公告2018年第196号）
关于暂免征收加工贸易货物内销缓税利息的公告 ………………………1959
　　（海关总署公告2020年第55号）
关于调整部分监管方式代码名称及适用范围的公告 ……………………1959
　　（海关总署公告2014年第31号）
关于选择性征收关税有关问题的通知 ……………………………………1960
　　（署加发〔2014〕130号）
关于开展加工贸易工单式核销有关事项的公告 …………………………1963
　　（海关总署公告2015年第53号）
关于扩大内销选择性征收关税政策试点的通知 …………………………1964
　　（财关税〔2016〕40号）
关于扩大内销选择性征收关税政策试点的公告 …………………………1964
　　（财政部　海关总署　税务总局公告2020年第20号）
关于启用保税核注清单的公告 ……………………………………………1965
　　（海关总署公告2018年第23号）

关于临时延长加工贸易手（账）册核销期限和有关注册登记备案事宜的公告 …………… 1970
　　（海关总署公告2020年第21号）

# 行邮物品篇

## ▽ 行李物品

中华人民共和国海关对旅客携运和个人邮寄文物出口的管理规定 …………………… 1973
　　（署行字第93号）
中华人民共和国海关对进出境旅客行李物品监管办法 ……………………………………… 1973
　　（海关总署令第9号）
中华人民共和国海关对旅客携带和个人邮寄中药材、中成药出境的管理规定 ……… 1977
　　（海关总署令第12号）
中华人民共和国海关关于过境旅客行李物品管理规定 …………………………………… 1977
　　（海关总署令第25号）
中华人民共和国海关对进出境旅客旅行自用物品的管理规定 ………………………… 1978
　　（海关总署令第35号）
中华人民共和国海关关于进出境旅客通关的规定 ………………………………………… 1979
　　（海关总署令第55号）
中华人民共和国海关对中国籍旅客进出境行李物品的管理规定 ……………………… 1981
　　（海关总署令第58号）
中华人民共和国海关对非居民长期旅客进出境自用物品监管办法 …………………… 1983
　　（海关总署令第116号）
中华人民共和国海关对高层次留学人才回国和海外科技专家来华工作进出境物品管理
办法 ……………………………………………………………………………………………… 1986
　　（海关总署令第154号）
关于实施《中华人民共和国海关对高层次留学人才回国和海外科技专家来华工作
进出境物品管理办法》有关问题的通知 ……………………………………………… 1988
　　（署监发〔2006〕622号）
关于暂不予放行旅客行李物品暂存有关事项的公告 …………………………………… 1989
　　（海关总署公告2016年第14号）
中华人民共和国海关关于境外登山团体和个人进出境物品管理规定 ………………… 1990
　　（海关总署令第30号）

## ▽ 物品征税

中华人民共和国海关关于入境旅客行李物品和个人邮递物品征收进口税办法（1994）……… 1992
　　（海关总署令第47号）
边民互市贸易管理办法 …………………………………………………………………………… 1993
　　（海关总署令第56号）
关于调整进出境个人邮递物品管理措施有关事宜 ……………………………………… 1994
　　（海关总署公告2010年第43号）

11

关于修订《中华人民共和国进境物品归类表》和《中华人民共和国进境物品完税
价格表》的公告 ………………………………………………………… 1995
　　（海关总署公告 2012 年第 15 号）
关于调整进境物品进口税有关问题的通知 ………………………………… 1996
　　（税委会〔2019〕17 号）

## ▽ 购物退税

关于实施境外旅客购物离境退税政策的公告 ……………………………… 1998
　　（财政部公告 2015 年第 3 号）
关于境外旅客购物离境退税业务海关监管规定的公告 …………………… 2000
　　（海关总署公告 2015 年第 25 号）
关于发布《境外旅客购物离境退税管理办法（试行）》的公告 ………… 2001
　　（国家税务总局公告 2015 年第 41 号）

## ▽ 免税购物

关于在海南开展境外旅客购物离境退税政策试点的公告 ………………… 2006
　　（财政部公告 2010 年第 88 号）
关于发布《境外旅客购物离境退税海南试点管理办法》的公告 ………… 2010
　　（国家税务总局公告 2010 年第 28 号）
关于在海南开展境外旅客购物离境退税政策试点有关问题的通知 ……… 2013
　　（财税〔2011〕10 号）
关于发布海南离岛旅客免税购物监管办法的公告 ………………………… 2014
　　（海关总署公告 2020 年第 79 号）

## ▽ 其他相关

海关对进口遗物的管理规定 ………………………………………………… 2017
　　（海关总署〔84〕署行字第 285 号）
中华人民共和国海关总署关于外国驻中国使馆和使馆人员进出境物品的规定 … 2017
中华人民共和国禁止、限制进出境物品表 ………………………………… 2019
　　（海关总署令第 43 号）
关于《中华人民共和国禁止进出境物品表》和《中华人民共和国限制进出境物品表》
有关问题解释 ……………………………………………………………… 2020
　　（海关总署公告 2013 年第 46 号）
外国在华常驻人员携带进境物品进口税收暂行规定 ……………………… 2020
中华人民共和国海关对外国驻中国使馆和使馆人员进出境物品监管办法 … 2021
　　（海关总署令第 174 号）
关于外国驻中国使馆和使馆人员转让免税进境机动车辆海关手续 ……… 2025
　　（海关总署公告 2008 年第 66 号）
关于驻外使领馆工作人员离任回国进境自用车辆缴纳车辆购置税有关问题的通知 … 2026
　　（国税发〔2005〕180 号）
关于常驻机构和常驻人员进境机动车辆有关事宜 ………………………… 2027
　　（海关总署公告 2010 年第 32 号）

出入境人员携带物检疫管理办法 ·········································· 2027
　　（国家质量监督检验检疫总局令第 146 号）
关于加强对出入境旅客携带、邮寄及快递进出境应检物品检验检疫管理工作的通知 ······ 2032
　　（署监发〔2001〕212 号）
关于调整国家货币出入境限额的公告 ·········································· 2033
　　（中国人民银行公告〔2004〕第 18 号）

# 跨境电商篇

## ▽ 基本政策

中华人民共和国电子商务法 ················································ 2037
　　（主席令第 7 号）
国务院关于大力发展电子商务加快培育经济新动力的意见 ······················ 2045
　　（国发〔2015〕24 号）
优化口岸营商环境促进跨境贸易便利化工作方案 ································ 2051
　　（国发〔2018〕37 号）
关于实施支持跨境电子商务零售出口有关政策的意见 ··························· 2054
　　（国办发〔2013〕89 号）
关于促进跨境电子商务健康快速发展的指导意见 ································ 2055
　　（国办发〔2015〕46 号）
关于推动实体零售创新转型的意见 ············································ 2057
　　（国办发〔2016〕78 号）
关于完善跨境电子商务零售进口监管有关工作的通知 ··························· 2060
　　（商财发〔2018〕486 号）
关于促进跨境电子商务寄递服务高质量发展的若干意见（暂行） ················· 2064
　　（国邮发〔2019〕17 号）

## ▽ 综合试验区

关于扩大跨境电商零售进口试点的通知 ········································ 2066
　　（商财发〔2020〕15 号）
关于同意设立中国（杭州）跨境电子商务综合试验区的批复 ····················· 2067
　　（国函〔2015〕44 号）
关于同意在天津等 12 个城市设立跨境电子商务综合试验区的批复 ················ 2068
　　（国函〔2016〕17 号）
国务院关于同意在北京等 22 个城市设立跨境电子商务综合试验区的批复 ·········· 2069
　　（国函〔2018〕93 号）
国务院关于同意在石家庄等 24 个城市设立跨境电子商务综合试验区的批复 ········ 2070
　　（国函〔2019〕137 号）
关于同意在雄安新区等 46 个城市和地区设立跨境电子商务综合试验区的批复 ······ 2071
　　（国函〔2020〕47 号）

## ▽ 综合管理

跨境电子商务经营主体和商品备案管理工作规范 ·················· 2073
　　（国家质量监督检验检疫总局公告 2015 年第 137 号）
关于进一步发挥检验检疫职能作用促进跨境电子商务发展的意见 ·············· 2074
　　（国质检通〔2015〕202 号）
关于加强跨境电子商务进出口消费品检验监管工作的指导意见 ·············· 2076
　　（国质检检〔2015〕250 号）
关于加强跨境电子商务网购保税进口监管工作的通知 ·················· 2078
　　（署加发〔2016〕246 号）
跨境电子商务零售进出口商品监管 ·················· 2079
　　（海关总署公告 2018 年第 194 号）
关于跨境电子商务企业海关注册登记管理有关事宜的公告 ·············· 2084
　　（海关总署公告 2018 年第 219 号）
关于调整扩大跨境电子商务零售进口商品清单的公告 ·················· 2084
　　（财政部　发展改革委　工业和信息化部　生态环境部　农业农村部　商务部　人民银行
　　海关总署　税务总局　市场监管总局　药监局　密码局　濒管办联合公告 2019 年
　　第 96 号）
关于全面推广跨境电子商务出口商品退货监管措施有关事宜的公告 ············ 2085
　　（海关总署公告 2020 年第 44 号）
关于跨境电子商务零售进口商品退货有关监管事宜的公告 ·············· 2085
　　（海关总署公告 2020 年第 45 号）
关于开展跨境电子商务企业对企业出口监管试点 ·················· 2086
　　（海关总署公告 2020 年第 75 号）
关于扩大跨境电子商务企业对企业出口监管试点范围的公告 ·············· 2087
　　（海关总署公告 2020 年第 92 号）

## ▽ 税务政策

关于跨境电子商务零售出口税收政策的通知 ·················· 2088
　　（财税〔2013〕96 号）
关于跨境电子商务综合试验区零售出口货物税收政策的通知 ·············· 2089
　　（财税〔2018〕103 号）
关于跨境电子商务综合试验区零售出口企业所得税核定征收有关问题的公告 ········ 2090
　　（国家税务总局公告 2019 年第 36 号）
关于跨境电子商务零售进口税收政策的通知 ·················· 2091
　　（财关税〔2016〕18 号）
关于明确跨境电商进口商品完税价格有关问题的通知 ·················· 2092
　　（税管函〔2016〕73 号）
关于完善跨境电子商务零售进口税收政策的通知 ·················· 2093
　　（财关税〔2018〕49 号）

# 税务相关篇

## ▽ 综合管理

出口货物劳务增值税和消费税管理办法 …………………………………… 2097
　　（国家税务总局公告 2012 年第 24 号）
关于出口货物劳务增值税和消费税有关问题的公告 ………………………… 2107
　　（国家税务总局公告 2013 年第 65 号）
关于出口货物劳务增值税和消费税政策的通知 ……………………………… 2110
　　（财税〔2012〕39 号）
关于对骗取出口退税企业给予行政处罚的暂行规定 ………………………… 2123
　　（〔2000〕外经贸发展发第 513 号）
关于规范出口贸易和退税程序防范打击骗取出口退税行为的通知 ………… 2125
　　（国税发〔1998〕84 号）
关于进一步规范外贸出口经营秩序切实加强出口货物退（免）税管理的通知 …… 2126
　　（国税发〔2006〕24 号）
关于停止为骗取出口退税企业办理出口退税有关问题的通知 ……………… 2127
　　（国税发〔2008〕32 号）
关于货物贸易外汇管理制度改革试点后有关出口退税问题的通知 ………… 2128
　　（国税函〔2011〕643 号）

## ▽ 退（免）税管理

出口货物退（免）税管理办法（试行） ……………………………………… 2130
　　（国税发〔2005〕51 号）
适用增值税零税率应税服务退（免）税管理办法 …………………………… 2134
　　（国家税务总局公告 2014 年第 11 号）
关于出口企业申报出口退（免）税免予提供纸质出口货物报关单的公告 … 2138
　　（国家税务总局公告 2015 年第 26 号）
关于出口退（免）税有关问题的公告 ………………………………………… 2138
　　（国家税务总局公告 2015 年第 29 号）
关于《适用增值税零税率应税服务退（免）税管理办法》的补充公告 …… 2140
　　（国家税务总局公告 2015 年第 88 号）
关于进一步加强出口退（免）税事中事后管理有关问题的公告 …………… 2142
　　（国家税务总局公告 2016 年第 1 号）
出口退（免）税企业分类管理办法 …………………………………………… 2143
　　（国家税务总局公告 2016 年第 46 号）
关于进一步优化外贸综合服务企业出口货物退（免）税管理的公告 ……… 2148
　　（国家税务总局公告 2016 年第 61 号）
关于调整完善外贸综合服务企业办理出口货物退（免）税有关事项的公告 …… 2149
　　（国家税务总局公告 2017 年第 35 号）
关于出口退（免）税申报有关问题的公告 …………………………………… 2152
　　（国家税务总局公告 2018 年第 16 号）

关于统一小规模纳税人标准有关出口退（免）税问题的公告 ·················· 2155
　　（国家税务总局公告2018年第20号）
关于外贸综合服务企业办理出口货物退（免）税有关事项的公告 ············ 2156
　　（国家税务总局公告2018年第25号）
启运港退（免）税管理办法 ····························································· 2156
　　（国家税务总局公告2018年第66号）
关于扩大跨境贸易人民币结算试点有关问题的通知 ······························ 2158
　　（银发〔2010〕186号）
关于跨境贸易人民币结算试点企业评审以及出口货物退（免）税有关事项的通知 ······ 2159
　　（国税函〔2010〕303号）
关于进一步推进出口退（免）税无纸化申报试点工作的通知 ··················· 2161
　　（国家税务总局税总函〔2017〕176号）

## ▽监管方式与退税

融资租赁货物出口退税管理办法 ······················································ 2162
　　（国家税务总局公告2014年第56号）
市场采购贸易方式出口货物免税管理办法（试行） ································ 2164
　　（国家税务总局公告2015年第89号）
关于企业出口集装箱有关退（免）税问题的公告 ·································· 2165
　　（国家税务总局公告2014年第59号）
关于对外承接外轮修理修配业务有关退税问题的通知 ···························· 2165
　　（国税发〔1998〕87号）
关于境外带料加工装配业务有关出口退税问题的通知 ···························· 2166
　　（国税发〔1999〕76号）
关于对中国免税品（集团）总公司经营的国产商品监管和退税有关事宜的通知 ······ 2167
　　（署监发〔2004〕403号）
关于边境地区一般贸易和边境小额贸易出口货物以人民币结算准予退（免）税试点的
　　通知 ···································································································· 2168
　　（财税〔2010〕26号）
关于边境地区一般贸易和边境小额贸易出口货物以人民币结算准予退（免）税试点的
　　补充通知 ···························································································· 2169
　　（财税〔2011〕8号）
关于印发《融资租赁船舶出口退税管理办法》的通知 ···························· 2170
　　（国税发〔2010〕52号）
关于在全国开展融资租赁货物出口退税政策试点的通知 ························ 2172
　　（财税〔2014〕62号）
关于融资租赁货物出口退税政策有关问题的通知 ·································· 2174
　　（财税〔2016〕87号）

# 外汇相关篇

中华人民共和国外汇管理条例 ························································· 2177
　　（国务院令第532号）

境内外汇划转管理暂行规定 ·································································· 2181
　　（〔97〕汇管函字第 250 号）
国家外汇管理局外汇检查处罚权限管理规定 ······································ 2183
　　（汇发〔2001〕219 号）
国家外汇管理局行政处罚听证程序 ···················································· 2184
　　（汇发〔2002〕79 号）
国家外汇管理局行政复议程序 ··························································· 2189
　　（汇发〔2002〕80 号）
国家外汇管理局　海关总署关于印发《携带外币现钞出入境管理暂行办法》的通知 ······ 2194
　　（汇发〔2003〕102 号）
携带外币现钞出入境管理操作规程 ···················································· 2197
　　（汇发〔2004〕21 号）
关于融资租赁业务外汇管理有关问题的通知 ······································ 2199
　　（汇发〔2017〕21 号）
调运外币现钞进出境管理规定 ··························································· 2200
　　（汇发〔2019〕16 号）
国家外汇管理局关于印发《经常项目外汇业务指引（2020 年版）》的通知 ······ 2202
　　（汇发〔2020〕14 号）
关于货物贸易外汇管理制度改革的公告 ············································· 2203
　　（国家外汇管理局公告 2012 年第 1 号）
关于服务贸易等项目对外支付税务备案有关问题的公告 ····················· 2204
　　（国家税务总局　国家外汇管理局公告 2013 年第 40 号）
关于加强技术进口合同售付汇管理的通知 ········································· 2206
　　（外经贸技发〔2002〕50 号）
关于取消报关单收、付汇证明联和海关核销联的公告 ······················· 2208
　　（海关总署　国家外汇管理局公告 2019 年第 93 号）

# 其他相关篇

## ▽单一窗口

关于国际贸易"单一窗口"建设的框架意见 ······································· 2211
　　（署岸函〔2016〕498 号）
关于进行《海关专用缴款书》打印改革试点的公告 ···························· 2216
　　（海关总署　国家税务总局公告 2018 年第 10 号）
关于进行《海关专用缴款书》打印改革试点的公告 ···························· 2217
　　（海关总署　财政部　国家税务总局　国家档案局公告 2018 年第 100 号）
关于全面推广《海关专用缴款书》打印改革的公告 ···························· 2217
　　（海关总署公告 2018 年第 169 号）
关于推广新一代海关税费电子支付系统的公告 ································· 2218
　　（海关总署公告 2018 年第 74 号）
关于启用中华人民共和国海关单证专用章电子印章的公告 ················ 2220
　　（海关总署公告 2018 年第 132 号）

关于启动实施中哈海关"关铁通"项目试运行有关事项的公告 ····················· 2220
　　（海关总署公告 2018 年第 166 号）
关于原产地证书打印改革试点的公告 ········································· 2221
　　（海关总署公告 2019 年第 49 号）
关于全面推广原产地证书自助打印的公告 ····································· 2222
　　（海关总署公告 2019 年第 77 号）
关于新增查询报关单数据传输状态信息有关事宜的公告 ························· 2222
　　（海关总署公告 2019 年第 62 号）
关于统一通过国际贸易"单一窗口"办理主要申报业务的公告 ···················· 2223
　　（海关总署　交通运输部　国家移民管理局公告 2019 年第 197 号）
关于"单一窗口"标准版报关单信息、舱单运抵报告状态订阅推送功能推广应用的
　　通知 ······························································· 2223
　　（国岸函〔2020〕20 号）
关于开通报关单回执数据订阅服务及接口的公告 ······························· 2224
　　（海关总署公告 2020 年第 54 号）

## 自贸区

### ▽营商环境

关于做好自由贸易试验区新一批改革试点经验复制推广工作的通知 ·················· 2225
　　（国发〔2016〕63 号）
关于做好自由贸易试验区第四批改革试点经验复制推广工作的通知 ·················· 2226
　　（国发〔2018〕12 号）
关于积极有效利用外资推动经济高质量发展若干措施的通知 ························ 2227
　　（国发〔2018〕19 号）
关于支持自由贸易试验区深化改革创新若干措施的通知 ··························· 2231
　　（国发〔2018〕38 号）
关于扩大进口促进对外贸易平衡发展意见的通知 ·································· 2235
　　（国办发〔2018〕53 号）
关于加快发展流通促进商业消费的意见 ········································· 2237
　　（国办发〔2019〕42 号）
关于同意深化服务贸易创新发展试点的批复 ····································· 2240
　　（国函〔2018〕79 号）
关于做好自由贸易试验区第五批改革试点经验复制推广工作的通知 ·················· 2246
　　（国函〔2019〕38 号）
国务院关于中国—上海合作组织地方经贸合作示范区建设总体方案的批复 ·············· 2247
　　（国函〔2019〕87 号）
关于在自由贸易试验区暂时调整实施有关行政法规规定的通知 ······················· 2247
　　（国函〔2020〕8 号）

### ▽综合管理

关于复制推广自由贸易试验区新一批改革试点经验的公告 ·························· 2249
　　（国家质量监督检验检疫总局公告 2016 年第 120 号）

关于复制推广自由贸易试验区第三批改革试点经验的公告 ………………… 2255
 （国家质量监督检验检疫总局 2017 年第 105 号）
关于授权国务院在自由贸易试验区暂时调整适用有关法律规定的决定 ……… 2260
 （第十三届全国人民代表大会常务委员会第十四次会议通过）
关于开展"证照分离"改革全覆盖试点的公告 …………………………… 2261
 （海关总署公告 2019 年第 182 号）
在自由贸易试验区开展"证照分离"改革全覆盖试点工作的实施方案 ……… 2262

# 附 录

## ▽ 归类与原产地

| | |
|---|---|
| 世界海关组织归类决定 | 2269 |
| 海关总署归类决定 | 2269 |
| 商品归类行政裁定 | 2270 |
| 原产地 | 2270 |

## ▽ 禁止进出口货物目录

| | |
|---|---|
| 禁止进口货物目录 | 2272 |
| 禁止出口货物目录 | 2272 |

## ▽ 双反政策

| | |
|---|---|
| 非色散位移单模光纤 | 2273 |
| 氯丁橡胶 | 2273 |
| 马铃薯淀粉 | 2274 |
| 壬基酚 | 2274 |
| 电解电容器纸 | 2274 |
| 双酚 A | 2274 |
| 丙酮 | 2274 |
| 聚酰胺-6,6 切片 | 2275 |
| 己二酸 | 2275 |
| 锦纶 6 切片 | 2275 |
| 碳钢紧固件 | 2275 |
| 苯二甲酸 | 2275 |
| 己内酰胺 | 2276 |
| 相纸 | 2276 |
| 乙二醇和二甘醇 | 2276 |
| 间苯二酚 | 2276 |
| 甲苯胺 | 2276 |
| 高温承压用合金钢无缝钢管 | 2276 |
| 太阳能级多晶硅 | 2276 |
| 浆粕 | 2277 |

| 名称 | 页码 |
|---|---|
| 光纤预制棒 | 2277 |
| 甲基丙烯酸甲酯 | 2277 |
| 腈　纶 | 2277 |
| 取向电工钢 | 2277 |
| 玉米酒糟 | 2277 |
| 白羽肉鸡 | 2278 |
| 共聚聚甲醛 | 2278 |
| 邻氯对硝基苯胺 | 2278 |
| 不锈钢钢坯和不锈钢热轧板/卷 | 2278 |
| 苯　酚 | 2278 |
| 四氯乙烯 | 2278 |
| 单模光纤 | 2278 |
| 未漂白纸袋纸 | 2278 |
| 铁基非晶合金带材 | 2278 |
| 偏二氯乙烯-氯乙烯共聚树脂 | 2278 |
| 氨　纶 | 2278 |
| 甲苯二异氰酸酯 | 2279 |
| 甲基异丁基（甲）酮 | 2279 |
| 高　粱 | 2279 |
| 间苯氧基苯甲醛 | 2279 |
| 磺胺甲噁唑 | 2279 |
| 苯乙烯 | 2279 |
| 卤化丁基橡胶 | 2279 |
| 氢碘酸 | 2279 |
| 乙醇胺 | 2279 |
| 丁腈橡胶 | 2279 |
| 正丁醇 | 2279 |
| 邻二氯苯 | 2279 |
| 聚氯乙烯 | 2279 |
| 吡　啶 | 2279 |
| 甲乙酮 | 2280 |
| 立式加工中心 | 2280 |

# 检验检疫篇

# 综合管理

## 中华人民共和国进出口商品检验法

(主席令第 14 号)

(1989 年 2 月 21 日第七届全国人民代表大会常务委员会第六次会议通过；根据 2002 年 4 月 28 日第九届全国人民代表大会常务委员会第二十七次会议《关于修改〈中华人民共和国进出口商品检验法〉的决定》第一次修正，根据 2013 年 6 月 29 日第十二届全国人民代表大会常务委员会第三次会议《关于修改〈中华人民共和国文物保护法〉等十二部法律的决定》第二次修正，根据 2018 年 4 月 27 日第十三届全国人民代表大会常务委员会第二次会议《关于修改〈中华人民共和国国境卫生检疫法〉等六部法律的决定》第三次修正，根据 2018 年 12 月 29 日第十三届全国人民代表大会常务委员会第七次会议《关于修改〈中华人民共和国产品质量法〉等五部法律的决定》第四次修正；现行版本自 2018 年 12 月 29 日起施行；法规类型为法律。)

### 第一章 总 则

**第一条** 为了加强进出口商品检验工作，规范进出口商品检验行为，维护社会公共利益和进出口贸易有关各方的合法权益，促进对外经济贸易关系的顺利发展，制定本法。

**第二条** 国务院设立进出口商品检验部门（以下简称国家商检部门），主管全国进出口商品检验工作。国家商检部门设在各地的进出口商品检验机构（以下简称商检机构）管理所辖地区的进出口商品检验工作。

**第三条** 商检机构和经国家商检部门许可的检验机构，依法对进出口商品实施检验。

**第四条** 进出口商品检验应当根据保护人类健康和安全、保护动物或者植物的生命和健康、保护环境、防止欺诈行为、维护国家安全的原则，由国家商检部门制定、调整必须实施检验的进出口商品目录（以下简称目录）并公布实施。

**第五条** 列入目录的进出口商品，由商检机构实施检验。

前款规定的进口商品未经检验的，不准销售、使用；前款规定的出口商品未经检验合格的，不准出口。

本条第一款规定的进出口商品，其中符合国家规定的免予检验条件的，由收货人或者发货人申请，经国家商检部门审查批准，可以免予检验。

**第六条** 必须实施的进出口商品检验，是指确定列入目录的进出口商品是否符合国家技术规范的强制性要求的合格评定活动。

合格评定程序包括：抽样、检验和检查；评估、验证和合格保证；注册、认可和批准以及各项的组合。

**第七条** 列入目录的进出口商品,按照国家技术规范的强制性要求进行检验;尚未制定国家技术规范的强制性要求的,应当依法及时制定,未制定之前,可以参照国家商检部门指定的国外有关标准进行检验。

**第八条** 经国家商检部门许可的检验机构,可以接受对外贸易关系人或者外国检验机构的委托,办理进出口商品检验鉴定业务。

**第九条** 法律、行政法规规定由其他检验机构实施检验的进出口商品或者检验项目,依照有关法律、行政法规的规定办理。

**第十条** 国家商检部门和商检机构应当及时收集和向有关方面提供进出口商品检验方面的信息。

国家商检部门和商检机构的工作人员在履行进出口商品检验的职责中,对所知悉的商业秘密负有保密义务。

## 第二章 进口商品的检验

**第十一条** 本法规定必须经商检机构检验的进口商品的收货人或者其代理人,应当向报关地的商检机构报检。

**第十二条** 本法规定必须经商检机构检验的进口商品的收货人或者其代理人,应当在商检机构规定的地点和期限内,接受商检机构对进口商品的检验。商检机构应当在国家商检部门统一规定的期限内检验完毕,并出具检验证单。

**第十三条** 本法规定必须经商检机构检验的进口商品以外的进口商品的收货人,发现进口商品质量不合格或者残损短缺,需要由商检机构出证索赔的,应当向商检机构申请检验出证。

**第十四条** 对重要的进口商品和大型的成套设备,收货人应当依据对外贸易合同约定在出口国装运前进行预检验、监造或者监装,主管部门应当加强监督;商检机构根据需要可以派出检验人员参加。

## 第三章 出口商品的检验

**第十五条** 本法规定必须经商检机构检验的出口商品的发货人或者其代理人,应当在商检机构规定的地点和期限内,向商检机构报检。商检机构应当在国家商检部门统一规定的期限内检验完毕,并出具检验证单。

**第十六条** 经商检机构检验合格发给检验证单的出口商品,应当在商检机构规定的期限内报关出口;超过期限的,应当重新报检。

**第十七条** 为出口危险货物生产包装容器的企业,必须申请商检机构进行包装容器的性能鉴定。生产出口危险货物的企业,必须申请商检机构进行包装容器的使用鉴定。使用未经鉴定合格的包装容器的危险货物,不准出口。

**第十八条** 对装运出口易腐烂变质食品的船舱和集装箱,承运人或者装箱单位必须在装货前申请检验。未经检验合格的,不准装运。

## 第四章 监督管理

**第十九条** 商检机构对本法规定必须经商检机构检验的进出口商品以外的进出口商品,根据国家规定实施抽查检验。

国家商检部门可以公布抽查检验结果或者向有关部门通报抽查检验情况。

**第二十条** 商检机构根据便利对外贸易的需要,可以按照国家规定对列入目录的出口商品进行出厂前的质量监督管理和检验。

**第二十一条** 为进出口货物的收发货人办理报检手续的代理人办理报检手续时应当向商检机构提交授权委托书。

**第二十二条** 国家商检部门可以按照国家有关规定,通过考核,许可符合条件的国内外检验机构承担委托的进出口商品检验鉴定业务。

**第二十三条** 国家商检部门和商检机构依法对经国家商检部门许可的检验机构的进出口商品检验鉴定业务活动进行监督,可以对其检验的商品抽查检验。

**第二十四条** 国务院认证认可监督管理部门根据国家统一的认证制度,对有关的进出口商品实施认证管理。

**第二十五条** 认证机构可以根据国务院认证认可监督管理部门同外国有关机构签订的协议或者接受外国有关机构的委托进行进出口商品质量认证工作,准许在认证合格的进出口商品上使用质量认证标志。

**第二十六条** 商检机构依照本法对实施许可制度的进出口商品实行验证管理,查验单证,核对证货是否相符。

**第二十七条** 商检机构根据需要,对检验合格的进出口商品,可以加施商检标志或者封识。

**第二十八条** 进出口商品的报检人对商检机构作出的检验结果有异议的,可以向原商检机构或者其上级商检机构以至国家商检部门申请复验,由受理复验的商检机构或者国家商检部门及时作出复验结论。

**第二十九条** 当事人对商检机构、国家商检部门作出的复验结论不服或者对商检机构作出的处罚决定不服的,可以依法申请行政复议,也可以依法向人民法院提起诉讼。

**第三十条** 国家商检部门和商检机构履行职责,必须遵守法律,维护国家利益,依照法定职权和法定程序严格执法,接受监督。

国家商检部门和商检机构应当根据依法履行职责的需要,加强队伍建设,使商检工作人员具有良好的政治、业务素质。商检工作人员应当定期接受业务培训和考核,经考核合格,方可上岗执行职务。

商检工作人员必须忠于职守,文明服务,遵守职业道德,不得滥用职权,谋取私利。

**第三十一条** 国家商检部门和商检机构应当建立健全内部监督制度,对其工作人员的执法活动进行监督检查。

商检机构内部负责受理报检、检验、出证放行等主要岗位的职责权限应当明确,并相互分离、相互制约。

**第三十二条** 任何单位和个人均有权对国家商检部门、商检机构及其工作人员的违法、违纪行为进行控告、检举。收到控告、检举的机关应当依法按照职责分工及时查处,并为控告人、检举人保密。

## 第五章 法律责任

**第三十三条** 违反本法规定,将必须经商检机构检验的进口商品未报经检验而擅自销售或者使用的,或者将必须经商检机构检验的出口商品未报经检验合格而擅自出口的,由商检机构没收违法所得,并处货值金额百分之五以上百分之二十以下的罚款;构成犯罪的,依法追究刑事责任。

**第三十四条** 违反本法规定,未经国家商检部门许可,擅自从事进出口商品检验鉴定业务的,由商检机构、认证认可监督管理部门依据各职责责令停止非法经营,没收违法所得,并处违法所得一倍以上三倍以下的罚款。

**第三十五条** 进口或者出口属于掺杂掺假、以假充真、以次充好的商品或者以不合格进出口商品冒充合格进出口商品的，由商检机构责令停止进口或者出口，没收违法所得，并处货值金额百分之五十以上三倍以下的罚款；构成犯罪，依法追究刑事责任。

**第三十六条** 伪造、变造、买卖或者盗窃商检单证、印章、标志、封识、质量认证标志的，依法追究刑事责任；尚不够刑事处罚的，由商检机构、认证认可监督管理部门依据各职责责令改正，没收违法所得，并处货值金额等值以下的罚款。

**第三十七条** 国家商检部门、商检机构的工作人员违反本法规定，泄露所知悉的商业秘密的，依法给予行政处分，有违法所得的，没收违法所得；构成犯罪，依法追究刑事责任。

**第三十八条** 国家商检部门、商检机构的工作人员滥用职权，故意刁难的，徇私舞弊，伪造检验结果的，或者玩忽职守，延误检验出证的，依法给予行政处分；构成犯罪，依法追究刑事责任。

## 第六章 附 则

**第三十九条** 商检机构和其他检验机构依照本法的规定实施检验和办理检验鉴定业务，依照国家有关规定收取费用。

**第四十条** 国务院根据本法制定实施条例。

**第四十一条** 本法自1989年8月1日起施行。

# 中华人民共和国进出口商品检验法实施条例

（国务院令第447号）

（2005年8月31日由中华人民共和国国务院发布；根据2013年7月18日《国务院关于废止和修改部分行政法规的决定》第一次修订，根据2016年2月6日《国务院关于修改部分行政法规的决定》第二次修订，根据2017年3月1日《国务院关于修改和废止部分行政法规的决定》第三次修订，根据2019年3月2日《国务院关于修改部分行政法规的决定》第四次修订；现行版本自2019年3月2日起施行；法规类型为行政法规）

## 第一章 总 则

**第一条** 根据《中华人民共和国进出口商品检验法》（以下简称商检法）的规定，制定本条例。

**第二条** 海关总署主管全国进出口商品检验工作。

海关总署设在省、自治区、直辖市以及进出口商品的口岸、集散地的出入境检验检疫机构，管理所负责地区的进出口商品检验工作。

**第三条** 海关总署应当依照商检法第四条规定，制定、调整必须实施检验的进出口商品目录（以下简称目录）并公布实施。

目录应当至少实施之日30日前公布；在紧急情况下，应当不迟于实施之日公布。

海关总署制定、调整目录时，应当征求国务院对外贸易主管部门等有关方面的意见。

**第四条** 出入境检验检疫机构对列入目录的进出口商品以及法律、行政法规规定须经出入境检验检疫机构检验的其他进出口商品实施检验（以下称法定检验）。

出入境检验检疫机构对法定检验以外的进出口商品，根据国家规定实施抽查检验。

**第五条** 进出口药品的质量检验、计量器具的量值检定、锅炉压力容器的安全监督检验、船舶（包括海上平台、主要船用设备及材料）和集装箱的规范检验、飞机（包括飞机发动机、机载设备）的适航检验以及核承压设备的安全检验等项目，由有关法律、行政法规规定的机构实施检验。

**第六条** 进出境的样品、礼品、暂时进出境的货物以及其他非贸易性物品，免予检验。但是，法律、行政法规另有规定的除外。

列入目录的进出口商品符合国家规定的免予检验条件的，由收货人、发货人或者生产企业申请，经海关总署审查批准，出入境检验检疫机构免予检验。

免予检验的具体办法，由海关总署商有关部门制定。

**第七条** 法定检验的进出口商品，由出入境检验检疫机构依照商检法第七条规定实施检验。

海关总署根据进出口商品检验工作的实际需要和国际标准，可以制定进出口商品检验方法的技术规范和标准。

进出口商品检验依照或者参照的技术规范、标准以及检验方法的技术规范和标准，应当至少在实施之日 6 个月前公布；在紧急情况下，应当不迟于实施之日公布。

**第八条** 出入境检验检疫机构根据便利对外贸易的需要，对进出口企业实施分类管理，并按照根据国际通行的合格评定程序确定的检验监管方式，对进出口商品实施检验。

**第九条** 出入境检验检疫机构对进出口商品实施检验的内容，包括是否符合安全、卫生、健康、环境保护、防止欺诈等要求以及相关的品质、数量、重量等项目。

**第十条** 出入境检验检疫机构依照商检法的规定，对实施许可制度和国家规定必须经过认证的进出口商品实行验证管理，查验单证，核对证货是否相符。

实行验证管理的进出口商品目录，由海关总署商有关部门后制定、调整并公布。

**第十一条** 进出口商品的收货人或者发货人可以自行办理报检手续，也可以委托代理报检企业办理报检手续；采用快件方式进出口商品的，收货人或者发货人应当委托出入境快件运营企业办理报检手续。

**第十二条** 进出口商品的收货人或者发货人办理报检手续，应当依法向出入境检验检疫机构备案。

**第十三条** 代理报检企业接受进出口商品的收货人或者发货人的委托，以委托人的名义办理报检手续的，应当向出入境检验检疫机构提交授权委托书，遵守本条例对委托人的各项规定；以自己的名义办理报检手续的，应当承担与收货人或者发货人相同的法律责任。

出入境快件运营企业接受进出口商品的收货人或者发货人的委托，应当以自己的名义办理报检手续，承担与收货人或者发货人相同的法律责任。

委托人委托代理报检企业、出入境快件运营企业办理报检手续的，应当向代理报检企业、出入境快件运营企业提供所委托报检事项的真实情况；代理报检企业、出入境快件运营企业接受委托人的委托办理报检手续的，应当对委托人所提供情况的真实性进行合理审查。

**第十四条** 海关总署建立进出口商品风险预警机制，通过收集进出口商品检验方面的信息，进行风险评估，确定风险的类型，采取相应的风险预警措施及快速反应措施。

海关总署和出入境检验检疫机构应当及时向有关方面提供进出口商品检验方面的信息。

**第十五条** 出入境检验检疫机构工作人员依法执行职务，有关单位和个人应当予以配合，任何单位和个人不得非法干预和阻挠。

## 第二章　进口商品的检验

**第十六条** 法定检验的进口商品的收货人应当持合同、发票、装箱单、提单等必要的凭证和相关批准文件，向报关地的出入境检验检疫机构报检；通关放行后20日内，收货人应当依照本条例第十八条的规定，向出入境检验检疫机构申请检验。法定检验的进口商品未经检验的，不准销售，不准使用。

进口实行验证管理的商品，收货人应当向报关地的出入境检验检疫机构申请验证。出入境检验检疫机构按照海关总署的规定实施验证。

**第十七条** 法定检验的进口商品、实行验证管理的进口商品，海关按照规定办理海关通关手续。

**第十八条** 法定检验的进口商品应当在收货人报检时申报的目的地检验。

大宗散装商品、易腐烂变质商品、可用作原料的固体废物以及已发生残损、短缺的商品，应当在卸货口岸检验。

对前两款规定的进口商品，海关总署可以根据便利对外贸易和进出口商品检验工作的需要，指定在其他地点检验。

**第十九条** 除法律、行政法规另有规定外，法定检验的进口商品经检验，涉及人身财产安全、健康、环境保护项目不合格的，由出入境检验检疫机构责令当事人销毁，或者出具退货处理通知单，办理退运手续；其他项目不合格的，可以在出入境检验检疫机构的监督下进行技术处理，经重新检验合格的，方可销售或者使用。当事人申请出入境检验检疫机构出证的，出入境检验检疫机构应当及时出证。

出入境检验检疫机构对检验不合格的进口成套设备及其材料，签发不准安装使用通知书。经技术处理，并经出入境检验检疫机构重新检验合格的，方可安装使用。

**第二十条** 法定检验以外的进口商品，经出入境检验检疫机构抽查检验不合格的，依照本条例第十九条的规定处理。

实行验证管理的进口商品，经出入境检验检疫机构验证不合格的，参照本条例第十九条的规定处理或者移交有关部门处理。

法定检验以外的进口商品的收货人，发现进口商品质量不合格或者残损、短缺，申请出证的，出入境检验检疫机构或者其他检验机构应当在检验后及时出证。

**第二十一条** 对属于法定检验范围内的关系国计民生、价值较高、技术复杂的以及其他重要的进口商品和大型成套设备，应当按照对外贸易合同约定监造、装运前检验或者监装。收货人保留到货后最终检验和索赔的权利。

出入境检验检疫机构可以根据需要派出检验人员参加或者组织实施监造、装运前检验或者监装。

**第二十二条** 国家对进口可用作原料的固体废物的国外供货商、国内收货人实行注册登记制度，国外供货商、国内收货人在签订对外贸易合同前，应当取得海关总署或者出入境检验检疫机构的注册登记。国家对进口可用作原料的固体废物实行装运前检验制度，进口时，收货人应当提供出入境检验检疫机构或者检验机构出具的装运前检验证书。

对价值较高、涉及人身财产安全、健康、环境保护项目的高风险进口旧机电产品，应当依照国家有关规定实施装运前检验，进口时，收货人应当提供出入境检验检疫机构或者检验机构出具的装运前检验证书。

进口可用作原料的固体废物、国家允许进口的旧机电产品到货后，由出入境检验检疫机构依法实施检验。

**第二十三条** 进口机动车辆到货后，收货人凭出入境检验检疫机构签发的进口机动车辆检验证单以及有关部门签发的其他单证向车辆管理机关申领行车牌证。在使用过程中发现有涉及人身财产安全的质量缺陷的，出入境检验检疫机构应当及时作出相应处理。

## 第三章 出口商品的检验

**第二十四条** 法定检验的出口商品的发货人应当在海关总署统一规定的地点和期限内，持合同等必要的凭证和相关批准文件向出入境检验检疫机构报检。法定检验的出口商品未经检验或者经检验不合格的，不准出口。

出口商品应当在商品的生产地检验。海关总署可以根据便利对外贸易和进出口商品检验工作的需要，指定在其他地点检验。

出口实行验证管理的商品，发货人应当向出入境检验检疫机构申请验证。出入境检验检疫机构按照海关总署的规定实施验证。

**第二十五条** 在商品生产地检验的出口商品需要在口岸验证出口的，由商品生产地的出入境检验检疫机构按照规定签发检验换证凭单。发货人应当在规定的期限内持检验换证凭单和必要的凭证，向口岸出入境检验检疫机构申请查验。经查验合格的，由口岸出入境检验检疫机构签发货物通关单。

**第二十六条** 法定检验的出口商品、实行验证管理的出口商品，海关凭按照规定办理海关通关手续。

**第二十七条** 法定检验的出口商品经出入境检验检疫机构检验或者经口岸出入境检验检疫机构查验不合格的，可以在出入境检验检疫机构的监督下进行技术处理，经重新检验合格的，方准出口；不能进行技术处理或者技术处理后重新检验仍不合格的，不准出口。

**第二十八条** 法定检验以外的出口商品，经出入境检验检疫机构抽查检验不合格的，依照本条例第二十七条的规定处理。

实行验证管理的出口商品，经出入境检验检疫机构验证不合格的，参照本条例第二十七条的规定处理或者移交有关部门处理。

**第二十九条** 出口危险货物包装容器的生产企业，应当向出入境检验检疫机构申请包装容器的性能鉴定。包装容器经出入境检验检疫机构鉴定合格并取得性能鉴定证书的，方可用于包装危险货物。

出口危险货物的生产企业，应当向出入境检验检疫机构申请危险货物包装容器的使用鉴定。使用未经鉴定或者经鉴定不合格的包装容器的危险货物，不准出口。

**第三十条** 对装运出口的易腐烂变质食品、冷冻品的集装箱、船舱、飞机、车辆等运载工具，承运人、装箱单位或者其代理人应当在装运前向出入境检验检疫机构申请清洁、卫生、冷藏、密固等适载检验。未经检验或者经检验不合格的，不准装运。

## 第四章 监督管理

**第三十一条** 出入境检验检疫机构根据便利对外贸易的需要，可以对列入目录的出口商品进行出厂前的质量监督管理和检验。

出入境检验检疫机构进行出厂前的质量监督管理和检验的内容，包括对生产企业的质量保证工作进行监督检查，对出口商品进行出厂前的检验。

**第三十二条** 国家对进出口食品生产企业实施卫生注册登记管理。获得卫生注册登记的出口食品生产企业，方可生产、加工、储存出口食品。获得卫生注册登记的进出口食品生产企业生产的食品，方可进口或者出口。

实施卫生注册登记管理的进口食品生产企业，应当按照规定向海关总署申请卫生注册登记。

实施卫生注册登记管理的出口食品生产企业，应当按照规定向出入境检验检疫机构申请卫生注册登记。

出口食品生产企业需要在国外卫生注册的，依照本条第三款规定进行卫生注册登记后，由海关总署统一对外办理。

**第三十三条** 出入境检验检疫机构根据需要，对检验合格的进出口商品加施商检标志，对检验合格的以及其他需要加施封识的进出口商品加施封识。具体办法由海关总署制定。

**第三十四条** 出入境检验检疫机构按照有关规定对检验的进出口商品抽取样品。验余的样品，出入境检验检疫机构应当通知有关单位在规定的期限内领回；逾期不领回的，由出入境检验检疫机构处理。

**第三十五条** 进出口商品的报检人对出入境检验检疫机构作出的检验结果有异议的，可以自收到检验结果之日起15日内，向作出检验结果的出入境检验检疫机构或其上级出入境检验检疫机构以至海关总署申请复验，受理复验的出入境检验检疫机构或者海关总署应当自收到复验申请之日起60日内作出复验结论。技术复杂，不能在规定期限内作出复验结论的，经本机构负责人批准，可以适当延长，但是延长期限最多不超过30日。

**第三十六条** 海关总署或者出入境检验检疫机构根据进出口商品检验工作的需要，可以指定符合规定资质条件的国内外检测机构承担出入境检验检疫机构委托的进出口商品检测。被指定的检测机构经检查不符合规定要求的，海关总署或者出入境检验检疫机构可以取消指定。

**第三十七条** 在中华人民共和国境内设立从事进出口商品检验鉴定业务的检验机构，应当依法办理工商登记，并符合有关法律、行政法规、规章规定的注册资本、技术能力等条件，经海关总署和有关主管部门审核批准，获得许可，方可接受委托办理进出口商品检验鉴定业务。

**第三十八条** 对检验机构的检验鉴定业务活动有异议的，可以向海关总署或者出入境检验检疫机构投诉。

**第三十九条** 海关总署、出入境检验检疫机构实施监督管理或者对涉嫌违反进出口商品检验法律、行政法规的行为进行调查，有权查阅、复制当事人的有关合同、发票、账簿以及其他有关资料。出入境检验检疫机构对有根据认为涉及人身财产安全、健康、环境保护项目不合格的进出口商品，经本机构负责人批准，可以查封或者扣押。

**第四十条** 海关总署、出入境检验检疫机构应当根据便利对外贸易的需要，采取有效措施，简化程序，方便进出口。

办理进出口商品报检、检验、鉴定等手续，符合条件的，可以采用电子数据文件的形式。

**第四十一条** 出入境检验检疫机构依照有关法律、行政法规的规定，签发出口货物普惠制原产地证明、区域性优惠原产地证明、专用原产地证明。

出口货物一般原产地证明的签发，依照有关法律、行政法规的规定执行。

**第四十二条** 出入境检验检疫机构对进出保税区、出口加工区等海关特殊监管区域的货物以及边境小额贸易进出口商品的检验管理，由海关总署另行制定办法。

## 第五章 法律责任

**第四十三条** 擅自销售、使用未报检或者未经检验的属于法定检验的进口商品，或者擅自销售、使用应当申请进口验证而未申请的进口商品的，由出入境检验检疫机构没收违法所得，并处商品货值金额5%以上20%以下罚款；构成犯罪的，依法追究刑事责任。

**第四十四条** 擅自出口未报检或者未经检验的属于法定检验的出口商品，或者擅自出口应当申请出口验证而未申请的出口商品的，由出入境检验检疫机构没收违法所得，并处商品货值金额5%以上20%以下罚款；构成犯罪的，依法追究刑事责任。

**第四十五条** 销售、使用经法定检验、抽查检验或者验证不合格的进口商品，或者出口经法定检验、抽查检验或者验证不合格的商品的，由出入境检验检疫机构责令停止销售、使用或者出口，没收违法所得和违法销售、使用或者出口的商品，并处违法销售、使用或者出口的商品货值金额等值以上3倍以下罚款；构成犯罪的，依法追究刑事责任。

第四十六条 进出口商品的收货人、发货人、代理报检企业或者出入境快件运营企业、报检人员不如实提供进出口商品的真实情况，取得出入境检验检疫机构的有关证单，或者对法定检验的进出口商品不予报检，逃避进出口商品检验的，由出入境检验检疫机构没收违法所得，并处商品货值金额5%以上20%以下罚款。

进出口商品的收货人或者发货人委托代理报检企业、出入境快件运营企业办理报检手续，未按照规定向代理报检企业、出入境快件运营企业提供所委托报检事项的真实情况，取得出入境检验检疫机构的有关证单的，对委托人依照前款规定予以处罚。

代理报检企业、出入境快件运营企业、报检人员对委托人所提供情况的真实性未进行合理审查或者因工作疏忽，导致骗取出入境检验检疫机构有关证单的结果的，由出入境检验检疫机构对代理报检企业、出入境快件运营企业处2万元以上20万元以下罚款。

第四十七条 伪造、变造、买卖或者盗窃检验证单、印章、标志、封识、货物通关单或者使用伪造、变造的检验证单、印章、标志、封识、货物通关单，构成犯罪的，依法追究刑事责任；尚不够刑事处罚的，由出入境检验检疫机构责令改正，没收违法所得，并处商品货值金额等值以下罚款。

第四十八条 擅自调换出入境检验检疫机构抽取的样品或者出入境检验检疫机构检验合格的进出口商品的，由出入境检验检疫机构责令改正，给予警告；情节严重的，并处商品货值金额10%以上50%以下罚款。

第四十九条 进口或者出口国家实行卫生注册登记管理而未获得卫生注册登记的生产企业生产的食品的，由出入境检验检疫机构责令停止进口或者出口，没收违法所得，并处商品货值金额10%以上50%以下罚款。

已获得卫生注册登记的进出口食品生产企业，经检查不符合规定要求的，由海关总署或者出入境检验检疫机构责令限期整改；整改仍未达到规定要求或者有其他违法行为，情节严重的，吊销其卫生注册登记证书。

第五十条 进口可用作原料的固体废物，国外供货商、国内收货人未取得注册登记，或者未进行装运前检验的，按照国家有关规定责令退货；情节严重的，由出入境检验检疫机构并处10万元以上100万元以下罚款。

已获得注册登记的可用作原料的固体废物的国外供货商、国内收货人违反国家有关规定，情节严重的，由出入境检验检疫机构撤销其注册登记。

进口国家允许进口的旧机电产品未按照规定进行装运前检验的，按照国家有关规定予以退货；情节严重的，由出入境检验检疫机构并处100万元以下罚款。

第五十一条 提供或者使用未经出入境检验检疫机构鉴定的出口危险货物包装容器的，由出入境检验检疫机构处10万元以下罚款。

提供或者使用经出入境检验检疫机构鉴定不合格的包装容器装运出口危险货物的，由出入境检验检疫机构处20万元以下罚款。

第五十二条 提供或者使用未经出入境检验检疫机构适载检验的集装箱、船舱、飞机、车辆等运载工具装运易腐烂变质食品、冷冻品出口的，由出入境检验检疫机构处10万元以下罚款。

提供或者使用经出入境检验检疫机构检验不合格的集装箱、船舱、飞机、车辆等运载工具装运易腐烂变质食品、冷冻品出口的，由出入境检验检疫机构处20万元以下罚款。

第五十三条 擅自调换、损毁出入境检验检疫机构加施的商检标志、封识的，由出入境检验检疫机构处5万元以下罚款。

第五十四条 从事进出口商品检验鉴定业务的检验机构超出其业务范围，或者违反国家有关规定，扰乱检验鉴定秩序的，由出入境检验检疫机构责令改正，没收违法所得，可以并处10万元以下罚款，海关总署或者出入境检验检疫机构可以暂停其6个月以内检验鉴定业务；情节严重的，由海关总署吊销其检验鉴定资格证书。

**第五十五条** 代理报检企业、出入境快件运营企业违反国家有关规定，扰乱报检秩序的，由出入境检验检疫机构责令改正，没收违法所得，可以处10万元以下罚款，海关总署或者出入境检验检疫机构可以暂停其6个月以内代理报检业务。

**第五十六条** 出入境检验检疫机构的工作人员滥用职权，故意刁难当事人的，徇私舞弊，伪造检验结果的，或者玩忽职守，延误检验出证的，依法给予行政处分；违反有关法律、行政法规规定签发出口货物产地证明的，依法给予行政处分，没收违法所得；构成犯罪的，依法追究刑事责任。

**第五十七条** 出入境检验检疫机构对没收的商品依法予以处理所得价款、没收的违法所得、收缴的罚款，全部上缴国库。

## 第六章 附 则

**第五十八条** 当事人对出入境检验检疫机构、海关总署作出的复验结论不服、处罚决定不服的，可以依法申请行政复议，也可以依法向人民法院提起诉讼。

当事人逾期不履行处罚决定，又不申请行政复议或者向人民法院提起诉讼的，作出处罚决定的机构可以申请人民法院强制执行。

**第五十九条** 出入境检验检疫机构实施法定检验、经许可的检验机构办理检验鉴定业务，按照国家有关规定收取费用。

**第六十条** 本条例自2005年12月1日起施行。1992年10月7日国务院批准、1992年10月23日原国家进出口商品检验局发布的《中华人民共和国进出口商品检验法实施条例》同时废止。

# 进出口商品免验办法

（国家质量监督检验检疫总局令第23号）

（2002年7月24日由国家质量监督检验检疫总局发布；根据2018年4月28日海关总署令第238号《海关总署关于修改部分规章的决定》第一次修正，根据2018年5月29日海关总署令第240号《海关总署关于修改部分规章的决定》第二次修正；现行版本自2018年7月1日起施行；法规类型为部门规章）

## 第一章 总 则

**第一条** 为保证进出口商品质量，鼓励优质商品进出口，促进对外经济贸易的发展，根据《中华人民共和国进出口商品检验法》及其实施条例的有关规定，制定本办法。

**第二条** 列入必须实施检验的进出口商品目录的进出口商品（本办法第六条规定的商品除外），由收货人、发货人或者其生产企业（以下简称申请人）提出申请，经海关总署审核批准，可以免予检验（以下简称免验）。

**第三条** 海关总署统一管理全国进出口商品免验工作，负责对申请免验生产企业的考核、审查批准和监督管理。

主管海关负责所辖地区内申请免验生产企业的初审和监督管理。

**第四条** 进出口商品免验的申请、审查、批准以及监督管理应当按照本办法规定执行。

## 第二章 免验申请

**第五条** 申请进出口商品免验应当符合以下条件：

（一）申请免验的进出口商品质量应当长期稳定，在国际市场上有良好的质量信誉，无属于生产企业责任而引起的质量异议、索赔和退货，海关检验合格率连续3年达到百分之百；

（二）申请人申请免验的商品应当有自己的品牌，在相关国家或者地区同行业中，产品档次、产品质量处于领先地位；

（三）申请免验的进出口商品，其生产企业的质量管理体系应当符合ISO9000质量管理体系标准或者与申请免验商品特点相应的管理体系标准要求，并获得权威认证机构认证；

（四）为满足工作需要和保证产品质量，申请免验的进出口商品的生产企业应当具有一定的检测能力；

（五）申请免验的进出口商品的生产企业应当符合《进出口商品免验审查条件》的要求。

**第六条** 对下列进出口商品不予受理免验申请：

（一）食品、动植物及其产品；

（二）危险品及危险品包装；

（三）品质波动大或者散装运输的商品；

（四）需出具检验检疫证书或者依据检验检疫证书所列重量、数量、品质等计价结汇的商品。

**第七条** 申请人应当按照以下规定提出免验申请：

（一）申请进口商品免验的，申请人应当向海关总署提出。申请出口商品免验的，申请人应当先向所在地直属海关提出，经所在地直属海关依照本办法相关规定初审合格后，方可向海关总署提出正式申请。

（二）申请人应当填写并向海关总署提交进出口商品免验申请书，同时提交申请免验进出口商品生产企业的ISO9000质量管理体系或者与申请免验商品特点相应的管理体系认证证书、质量标准、用户意见等文件。

**第八条** 海关总署对申请人提交的文件进行审核，并于1个月内做出以下书面答复意见：

（一）申请人提交的文件符合本办法规定的，予以受理；不符合本办法规定的，不予受理，并书面通知申请人。

（二）提交的文件不齐全的，通知申请人限期补齐，过期不补的或者补交不齐的，视为撤销申请。

## 第三章 免验审查

**第九条** 海关总署受理申请后，应当组成免验专家审查组（以下简称审查组），在3个月内完成考核、审查。

审查组应当由非申请人所在地主管海关人员组成，组长负责组织审查工作。审查人员应当熟悉申请免验商品的检验技术和管理工作。

**第十条** 申请人认为审查组成员与所承担的免验审查工作有利害关系，可能影响公正评审的，可以申请该成员回避。审查组成员是否回避，由海关总署决定。

**第十一条** 审查组按照以下程序进行工作：

（一）审核申请人提交的免验申请表及有关材料；

（二）审核海关初审表及审查报告；

（三）研究制定具体免验审查方案并向申请人宣布审查方案；

（四）对申请免验的商品进行检验和测试，并提出检测报告；

（五）按照免验审查方案和《进出口商品免验审查条件》对生产企业进行考核。

（六）根据现场考核情况，向海关总署提交免验审查情况的报告，并明确是否免验的意见，同时填写《进出口商品免验审查报告》表。

第十二条　海关总署根据审查组提交的审查报告，对申请人提出的免验申请进行如下处理：

符合本办法规定的，海关总署批准其商品免验，并向免验申请人颁发《进出口商品免验证书》（以下简称免验证书）。

对不符合本办法规定的，海关总署不予批准其商品免验，并书面通知申请人。

第十三条　未获准进出口商品免验的申请人，自接到书面通知之日起1年后，方可再次向海关提出免验申请。

第十四条　审查组应当对申请人的生产技术、生产工艺、检测结果、审查结果保密。

第十五条　对已获免验的进出口商品，需要出具检验检疫证书的，海关应当对该批进出口商品实施检验检疫。

## 第四章　监督管理

第十六条　免验证书有效期为3年。期满要求续延的，免验企业应当在有效期满3个月前，向海关总署提出免验续延申请，经海关总署组织复核合格后，重新颁发免验证书。

复核程序依照本办法第三章规定办理。

第十七条　免验企业不得改变免验商品范围，如有改变，应当重新办理免验申请手续。

第十八条　免验商品进出口时，免验企业可以凭外贸合同、该商品的品质证明和包装合格单等文件到海关办理放行手续。

第十九条　免验企业应当在每年1月底前，向海关提交上年度免验商品进出口情况报告，其内容包括上年度进出口情况、质量情况、质量管理情况等。

第二十条　海关负责对所辖地区进出口免验商品的日常监督管理工作。

第二十一条　海关在监督管理工作中，发现免验企业的质量管理工作或者产品质量不符合免验要求的，责令该免验企业限期整改，整改期限为3至6个月。

免验企业在整改期间，其进出口商品暂停免验。

第二十二条　免验企业在整改限期内完成整改后，应当向直属海关提交整改报告，经海关总署审核合格后方可恢复免验。

第二十三条　直属海关在监督管理工作中，发现免验企业有下列情况之一的，经海关总署批准，可对该免验企业作出注销免验的决定：

（一）不符合本办法第五条规定的；

（二）经限期整改后仍不符合要求的；

（三）弄虚作假，假冒免验商品进出口的；

（四）其他违反检验检疫法律法规的。

第二十四条　被注销免验的企业，自收到注销免验决定通知之日起，不再享受进出口商品免验，3年后方可重新申请免验。

## 第五章　附　则

第二十五条　海关对进出口免验商品在免验期限内不得收取检验费。

对获准免验的进出口商品需出具检验检疫证书、签证和监督抽查的,由海关实施并按照规定收取费用。

**第二十六条** 申请人及免验企业违反本办法,有弄虚作假、隐瞒欺骗行为的,按照有关法律法规的规定予以处罚。

**第二十七条** 海关工作人员在考核、审查、批准或者日常工作过程中违反本办法规定,滥用职权、玩忽职守、徇私舞弊的,根据情节轻重,按照有关法律法规的规定予以处理。

**第二十八条** 本办法所规定的文书由海关总署另行制定并且发布。

**第二十九条** 本办法由海关总署负责解释。

**第三十条** 本办法自2002年10月1日起施行。原国家商检局1991年9月6日公布的《免验商品生产企业考核条件(试行)》和1994年8月1日公布的《进出口商品免验办法》同时废止。

# 进口商品残损检验鉴定管理办法

(国家质量监督检验检疫总局令第97号)

(2007年7月6日由国家质量监督检验检疫总局发布,根据2018年4月28日海关总署令第238号《海关总署关于修改部分规章的决定》修正,现行版本自2018年5月1日起施行,法规类型为部门规章)

## 第一章 总 则

**第一条** 为加强进口商品残损检验鉴定工作,规范海关和社会各类检验机构进口商品残损检验鉴定行为,维护社会公共利益和进口贸易有关各方的合法权益,促进对外贸易的顺利发展,根据《中华人民共和国进出口商品检验法》及其实施条例,以及其他相关法律、行政法规的规定,制订本办法。

**第二条** 本办法适用于中华人民共和国境内的进口商品残损检验鉴定活动。

**第三条** 海关总署主管全国进口商品残损检验鉴定工作,主管海关负责所辖地区的进口商品残损检验鉴定及其监督管理工作。

**第四条** 主管海关负责对法定检验进口商品的残损检验鉴定工作。法检商品以外的其他进口商品发生残损需要进行残损检验鉴定的,对外贸易关系人可以向主管海关申请残损检验鉴定,也可以向经海关总署许可的检验机构申请残损检验鉴定。

海关对检验机构的残损检验鉴定行为进行监督管理。

**第五条** 海关根据需要对有残损的下列进口商品实施残损检验鉴定:

(一)列入海关必须实施检验检疫的进出境商品目录内的进口商品;

(二)法定检验以外的进口商品的收货人或者其他贸易关系人,发现进口商品质量不合格或者残损、短缺,申请出证的;

(三)进口的危险品、废旧物品;

(四)实行验证管理、配额管理,并需由海关检验的进口商品;

(五)涉嫌有欺诈行为的进口商品;

(六)收货人或者其他贸易关系人需要海关出证索赔的进口商品;

（七）双边、多边协议协定、国际条约规定，或国际组织委托、指定的进口商品；
（八）相关法律、行政法规规定须经海关检验的其他进口商品。

## 第二章 申 报

**第六条** 法定检验进口商品发生残损需要实施残损检验鉴定的，收货人应当向主管海关申请残损检验鉴定；法定检验以外的进口商品发生残损需要实施残损检验鉴定的，收货人或者其他贸易关系人可以向主管海关或者经海关总署许可的检验机构申请残损检验鉴定。

**第七条** 进口商品的收货人或者其他贸易关系人可以自行向海关申请残损检验鉴定，也可以委托办理申请手续。

**第八条** 需由海关实施残损检验鉴定的进口商品，申请人应当在海关规定的地点和期限内办理残损检验申请手续。

**第九条** 进口商品发生残损或者可能发生残损需要进行残损检验鉴定的，进口商品的收货人或者其他贸易关系人应当向进口商品卸货口岸所在地海关申请残损检验鉴定。

进口商品在运抵进口卸货口岸前已发现残损或者其运载工具在装运期间存在、遭遇或者出现不良因素而可能使商品残损、灭失的，进口商品收货人或者其他贸易关系人应当在进口商品抵达进口卸货口岸前申请，最迟应当于船舱或者集装箱的拆封、开舱、开箱前申请。

进口商品在卸货中发现或者发生残损的，应当停止卸货并立即申请。

**第十条** 进口商品发生残损需要对外索赔出证的，进口商品的收货人或者其他贸易关系人应当在索赔有效期届满 20 日前申请。

**第十一条** 需由海关实施残损检验鉴定的进口商品，收货人或者其他贸易关系人应当保护商品及其包装物料的残损现场现状，将残损商品合理分卸分放、收集地脚、妥善保管；对易扩大损失的残损商品或者正在发生的残损事故，应当及时采取有效施救措施，中止事故和防止残损扩大。

**第十二条** 收货人或者其他贸易关系人在办理进口商品残损检验鉴定申请手续时，还应当根据实际情况并结合国际通行做法向海关申请下列检验项目：
（一）监装监卸；
（二）船舱或集装箱检验；
（三）集装箱拆箱过程检验；
（四）其他相关的检验项目。

## 第三章 检验鉴定

**第十三条** 海关按国家技术规范的强制性要求实施残损检验鉴定。尚未制订规范、标准的可以参照国外有关技术规范、标准检验。

**第十四条** 进口商品有下列情形的，应当在卸货口岸实施检验鉴定：
（一）散装进口的商品有残损的；
（二）商品包装或商品外表有残损的；
（三）承载进口商品的集装箱有破损的。

**第十五条** 进口商品有下列情形的，应当转单至商品到达地实施检验鉴定：
（一）国家规定必须迅速运离口岸的；
（二）打开包装检验后难以恢复原状或难以装卸运输的；
（三）需在安装调试或使用中确定其致损原因、损失程度、损失数量和损失价值的；
（四）商品包装和商品外表无明显残损，需在安装调试或使用中进一步检验的。

**第十六条** 海关在实施残损检验鉴定时，发现申请项目的实际状况与检验技术规范、标准的要求不符，影响检验正常进行或者检验结果的准确性，应当及时通知收货人或者其他贸易关系人；收货人或者其他贸易关系人应当配合检验检疫工作。

**第十七条** 海关在实施残损检验鉴定过程中，收货人或者其他贸易关系人应当采取有效措施保证现场条件和状况，符合检验技术规范、标准的要求。

海关未依法作出处理意见之前，任何单位和个人不得擅自处理。

如果现场条件和状况不符合本办法规定或检验技术标准、规范要求，海关可以暂停检验鉴定，责成收货人或者其他贸易关系人及时采取有效措施，确保检验顺利进行。

**第十八条** 涉及人身财产安全、卫生、健康、环境保护的残损的进口商品申请残损检验鉴定后，申请人和有关各方应当按海关的要求，分卸分放、封存保管和妥善处置。

**第十九条** 对涉及人身财产安全、卫生、健康、环境保护等项目不合格的发生残损的进口商品，海关责令退货或者销毁的，收货人或者其他贸易关系人应当按照规定向海关办理退运手续，或者实施销毁，并将处理情况报作出决定的海关。

**第二十条** 海关实施残损检验鉴定应当实施现场勘查，并进行记录、拍照或录音、录像。有关单位和个人应当予以配合，并在记录上签字确认，如有意见分歧，应当备注。

## 第四章 监督管理

**第二十一条** 海关依法对在境内设立的各类进出口商品检验机构和在境内从事涉及进口商品残损检验鉴定的机构、人员及活动实行监督管理。

**第二十二条** 未经海关总署的许可，任何机构和个人不得在境内从事进口商品残损检验鉴定活动。

**第二十三条** 已经海关总署许可的境内外各类检验机构必须在许可的范围内，接受对外经济贸易关系人的委托办理进口商品的残损检验鉴定。

上述各检验机构应当遵守法律、行政法规的规定，接受海关的监督管理和对其违法违规活动的查处。

## 第五章 附 则

**第二十四条** 收货人或者其他贸易关系人对主管海关的残损检验鉴定结果有异议的，可以在规定的期限内向作出检验鉴定结果的主管海关或者其上一级海关以至海关总署申请复验，同时应当保留现场和货物现状。受理复验的海关应当按照有关复验的规定作出复验结论。

当事人对海关作出的复验结论不服的，可以依法申请行政复议，也可以依法向人民法院提起诉讼。

**第二十五条** 当事人对所委托的其他检验机构的残损检验鉴定结果有异议的，可以向当地海关投诉，同时应当保留现场和货物现状。

**第二十六条** 主管海关以及经海关总署许可的检验机构及其工作人员应当遵守本办法的规定。

对违反本办法规定的，海关应当按照《中华人民共和国进出口商品检验法》及其实施条例的规定对有关责任人进行处罚。

**第二十七条** 海关依法实施残损检验鉴定，按照国家有关规定收取费用。

**第二十八条** 本办法所称其他贸易关系人，是指除进口商品收货人之外的进口商、代理报检企业、承运人、仓储单位、装卸单位、货运代理以及其他与进口商品残损检验鉴定相关的单位和个人。

**第二十九条** 本办法由海关总署负责解释。

**第三十条** 本办法自2007年10月1日起施行，1989年7月8日原国家进出口商品检验局发布的《海运进出口商品残损鉴定办法》同时废止。

# 进出口商品数量重量检验鉴定管理办法

(国家质量监督检验检疫总局令第 103 号)

(2007 年 8 月 27 日由国家质量监督检验检疫总局发布;根据 2015 年 11 月 23 日国家质量监督检验检疫总局令第 172 号《国家质量监督检验检疫总局关于修改〈进出口商品数量重量检验鉴定管理办法〉的决定》修订,根据 2018 年 4 月 28 日海关总署令第 238 号《海关总署关于修改部分规章的决定》第一次修正,根据 2018 年 5 月 29 日海关总署令第 240 号《海关总署关于修改部分规章的决定》第二次修正;现行版本自 2018 年 7 月 1 日起施行;法规类型为部门规章)

## 第一章 总 则

**第一条** 为加强进出口商品数量、重量检验鉴定工作,规范海关及社会各类检验机构进出口商品数量、重量检验鉴定行为,维护社会公共利益和进出口贸易有关各方的合法权益,促进对外经济贸易关系的顺利发展,根据《中华人民共和国进出口商品检验法》(以下简称《商检法》)及其实施条例,以及其他相关法律、行政法规的规定,制订本办法。

**第二条** 本办法适用于中华人民共和国境内的进出口商品数量、重量检验鉴定活动。

**第三条** 海关总署主管全国进出口商品数量、重量检验鉴定管理工作。

主管海关负责所辖地区的进出口商品数量、重量检验鉴定及其监督管理工作。

**第四条** 海关实施数量、重量检验的范围是:

(一)列入海关实施检验检疫的进出境商品目录内的进出口商品;

(二)法律、行政法规规定必须经海关检验的其他进出口商品;

(三)进出口危险品和废旧物品;

(四)实行验证管理、配额管理,并需由海关检验的进出口商品;

(五)涉嫌有欺诈行为的进出口商品;

(六)双边、多边协议协定、国际条约规定,或者国际组织委托、指定的进出口商品;

(七)国际政府间协定规定,或者国内外司法机构、仲裁机构和国际组织委托、指定的进出口商品。

**第五条** 海关根据国家规定对上述规定以外的进出口商品的数量、重量实施抽查检验。

## 第二章 报 检

**第六条** 需由海关实施数量、重量检验的进出口商品,收发货人或者其代理人应当在海关规定的地点和期限内办理报检手续。

**第七条** 进口商品数量、重量检验的报检手续,应当在卸货前向海关办理。

**第八条** 散装出口商品数量、重量检验的报检手续,应当在规定的期限内向装货口岸海关办理。

包(件)装出口商品数量、重量检验的报检手续,应当在规定的期限内向商品生产地海关办理。需要在口岸换证出口的,发货人应当在规定的期限内向出口口岸海关申请查验。

对于批次或者标记不清、包装不良,或者在到达出口口岸前的运输中数量、重量发生变化的商品,收发货人应当在出口口岸重新申报数量、重量检验。

**第九条** 以数量交接计价的进出口商品,收发货人应当申报数量检验项目。对数量有明确要求或者需以件数推算全批重量的进出口商品,在申报重量检验项目的同时,收发货人应当申报数量检验项目。

**第十条** 以重量交接计价的进出口商品,收发货人应当申报重量检验项目。对按照公量或者干量计价交接或含水率有明确规定的进出口商品,在申报数量、重量检验时,收发货人应当同时申报水分检测项目。

进出口商品数量、重量检验中需要使用密度(比重)进行计重的,收发货人应当同时申报密度(比重)检测项目。

船运进口散装液体商品在申报船舱计重时,收发货人应当同时申报干舱鉴定项目。

**第十一条** 收发货人在办理进出口商品数量、重量检验报检手续时,应当根据实际情况并结合国际通行做法向海关申请下列检验项目:

(一)衡器鉴重;
(二)水尺计重;
(三)容器计重:分别有船舱计重、岸罐计重、槽罐计重三种方式;
(四)流量计重;
(五)其他相关的检验项目。

**第十二条** 进出口商品有下列情形之一的,报检人应当同时申报船舱计重、水尺计重、封识、监装监卸等项目:

(一)海运或陆运进口的散装商品需要运离口岸进行岸罐计重或衡器鉴重,并依据其结果出证的;
(二)海运或陆运出口的散装商品进行岸罐计重或衡器鉴重后需要运离检验地装运出口,并以岸罐计重或衡器鉴重结果出证的。

**第十三条** 收发货人或其代理报检企业在报检时所缺少的单证资料,应当在海关规定的期限内补交。

## 第三章 检 验

**第十四条** 进口商品应当在收货人报检时申报的目的地检验。大宗散装商品、易腐烂变质商品、可用作原料的固体废物以及已发生残损、短缺的进口商品,应当在卸货口岸实施数量、重量检验。

出口商品应当在商品生产地实施数量、重量检验。散装出口商品应当在装货口岸实施数量、重量检验。

**第十五条** 主管海关按照国家技术规范的强制性要求实施数量、重量检验。尚未制订技术规范、标准的,主管海关可以参照指定的有关标准检验。

**第十六条** 海关在实施数量、重量检验时,发现报检项目的实际状况与检验技术规范、标准的要求不符,影响检验正常进行或检验结果的准确性,应当及时通知报检人;报检人应当配合海关工作,并在规定的期限内改报或者增报检验项目。

**第十七条** 海关实施数量、重量现场检验的条件应当符合检验技术规范、标准的要求。

收发货人、有关单位和个人应当采取有效措施,提供符合检验技术规范、标准要求的条件和必要的设备。

收发货人、有关单位和个人未及时提供必要的条件和设备,海关应当责成其及时采取有效措施,确保检验顺利进行;对不具备检验条件,可能影响检验结果准确性的,不得实施检验。

**第十八条** 海关实施衡器鉴重的方式包括全部衡重、抽样衡重、监督衡重和抽查复衡。

**第十九条** 固体散装物料或者不定重包装且不逐件标明重量的进出口商品可以采用全部衡重的检验方式;对裸装件或者不定重包装且逐件标明重量的包装件应当逐件衡重并核对报检人提交的原发货重量明细单。

对定重包装件可以全部衡重或按照有关的检验鉴定技术规范、标准,抽取一定数量的包装件衡重后以每件平均净重结合数量检验结果推算全批净重。

**第二十条** 以公量、干量交接计价或者对含水率有明确规定的进出口商品,海关在检验数量、重量的同时应当抽取样品检测水分。

检验中发现有异常水的,海关应当责成有关单位及时采取有效措施,确保检验的顺利进行。

**第二十一条** 报检人提供用于进出口商品数量、重量检验的各类衡器计重系统、流量计重系统、船舶及其计量货舱、计量油罐槽罐及相关设施、计算机处理系统、相关图表、数据资料必须符合有关的技术规范、标准要求;用于数量、重量检验的各类计量器具,应当依法经检定合格并在有效期内方可使用。

**第二十二条** 进出口商品的装卸货单位在装卸货过程中应当落实防漏撒措施和收集地脚;对有残损的,应当合理分卸分放。

**第二十三条** 海关实施数量、重量检验时应当记录,可以拍照、录音或者录像。有关单位和个人应当予以配合,并在记录上签字确认,如有意见分歧,应当备注或者共同签署备忘录。

**第二十四条** 承担进口接用货或者出口备发货的单位的计重器具、设施、管理措施以及接发货过程应当接受海关的监督管理和检查,并在海关规定的期限内对影响检验鉴定工作及其结果准确性的因素进行整改。

## 第四章 监督管理

**第二十五条** 海关依法对在境内设立的各类进出口商品检验机构和在境内从事涉及进出口商品数量、重量检验的机构、人员及活动实施监督管理。

**第二十六条** 检验机构从事进出口商品数量、重量鉴定活动,应当依法经海关总署许可。未经许可的,任何机构不得在境内从事进出口商品数量、重量鉴定活动。

**第二十七条** 已经海关总署许可的境内外各类检验鉴定机构必须在许可的范围内接受对外经济贸易关系人的委托,办理进出口商品的数量、重量鉴定,并接受海关的检查。

## 第五章 法律责任

**第二十八条** 擅自破坏进出口商品数量、重量检验现场条件或者进出口商品,影响检验结果的,由海关责令改正,并处3万元以下罚款。

**第二十九条** 违反本办法规定,未经海关总署许可,擅自从事进出口商品检验鉴定业务的,由主管海关责令停止非法经营,没收违法所得,并处违法所得一倍以上三倍以下的罚款。

从事进出口商品检验鉴定业务的检验机构超出其业务范围的,或者违反国家有关规定,扰乱检验鉴定秩序的,由主管海关责令改正,没收违法所得,可以并处10万元以下的罚款,海关可以暂停其6个月以内检验鉴定业务;情节严重的,由海关总署吊销其检验鉴定资格证书。

**第三十条** 海关的工作人员滥用职权,故意刁难当事人的,徇私舞弊,伪造检验结果的,或者玩忽职守,延误检验出证的,依法给予行政处分;构成犯罪的,依法追究刑事责任。

## 第六章 附 则

**第三十一条** 本办法下列用语的含义:

公量,是指商品在衡重和化验水分含量后,折算到规定回潮率(标准回潮率)或者规定含水率时的净重（以公量结算的商品主要有棉花、羊毛、生丝和化纤等，这些商品容易吸潮，价格高）。

干量，是指商品的干态重量，商品实际计得的湿态重量扣去按照实测含水率计得的水分后得到的即商品的干态重量（以干量结算的商品主要有贵重的矿产品等）。

岸罐计重，是指以经过国家合法的计量检定部门检定合格的罐式容器（船舱除外）为工具，对其盛装的散装液体商品或者液化气体商品进行的数、重量检验鉴定（包括测量、计算）。其中，罐式容器包括了立式罐、卧式罐、槽罐（可拆卸或者不可拆卸的槽罐）。

抽查复ην，是衡器鉴重合格评定程序中的一个环节。指针对合格评定对象（主要是经常进出口大宗定重包装的商品的收货人或者发货人），由海关从中随机抽取部分有代表性的商品在同一衡器上进行复衡，检查两次衡重的差值是否在允许范围内，以评定其程序是否处于合格状态的检验方法。

收集地脚，是指在装卸过程中由于撒、漏的或者是在装卸后残留的小部分商品称为地脚货物，地脚货物应当及时收集计重，扣除杂质，合并进整批重量出证，而不能简单作为损耗扣除。

**第三十二条** 报检人对主管海关的数量、重量检验结果有异议的，可以在规定的期限内向作出检验结果的主管海关或者其上一级海关以至海关总署申请复验，同时应当保留现场和货物现状。受理复验的海关应当在规定的期限内作出复验结论。

当事人对海关作出的复验结论不服的，可以依法申请行政复议，也可以依法向人民法院提起诉讼。

**第三十三条** 对外经济贸易关系人对所委托的其他检验鉴定机构的数量、重量鉴定结果有异议的，可以向当地主管海关以至海关总署投诉，同时应当保留现场和货物现状。

**第三十四条** 海关依法实施数量、重量检验，按照国家有关规定收取费用。

**第三十五条** 本办法由海关总署负责解释。

**第三十六条** 本办法自 2007 年 10 月 1 日起施行，原国家进出口商品检验局 1993 年 12 月 16 日发布的《进出口商品重量鉴定管理办法》同时废止。

# 进出口商品检验鉴定机构管理办法

（国家质量监督检验检疫总局令第 180 号）

（2016 年 1 月 26 日由国家质量监督检验检疫总局、商务部、国家工商行政管理总局发布，2016 年 5 月 1 日起施行，法规类型为部门规章）

## 第一章 总 则

**第一条** 为加强对进出口商品检验鉴定机构的管理，维护进出口商品检验鉴定市场秩序，保护进出口贸易各方的合法权益，促进对外贸易的发展，根据《中华人民共和国进出口商品检验法》及其实施条例等法律法规规定，制定本办法。

**第二条** 本办法适用于在中华人民共和国境内从事进出口商品检验鉴定业务机构的许可和监督管理。

**第三条** 本办法所称进出口商品检验鉴定机构，是指依据我国有关法律法规以及本办法规定，经国家质量监督检验检疫总局（以下简称国家质检总局）许可，接受对外贸易关系人或者国内外检验机构及其他有关单位的委托，办理进出口商品检验鉴定业务的中资进出口商品检验鉴定机构及其分支机构和中外合资、中外合作、外商独资进出口商品检验鉴定机构及其分支机构（以下简称外商投资进出口商品检验鉴定机构）。

**第四条** 中资进出口商品检验鉴定机构应当经国家质检总局的许可，方可办理进出口商品检验鉴定业务。

外商投资进出口商品检验鉴定机构应当经国家质检总局和省级商务主管部门许可，方可办理进出口商品检验鉴定业务。

未经工商登记注册和许可的进出口商品检验鉴定机构不得承担委托的进出口商品检验鉴定业务。

**第五条** 进出口商品检验鉴定机构应当遵守我国法律法规和国家质检总局的有关规定，以第三方的身份独立、公正地从事业务范围内的进出口商品检验鉴定业务，并承担相应的法律责任。

**第六条** 国家质检总局、商务部、国家工商行政管理总局根据各自职责分工，依法对进出口商品检验鉴定机构实施管理。

国家质检总局设在各地的直属出入境检验检疫局（以下简称直属检验检疫局）接受国家质检总局委托受理设立进出口商品检验鉴定机构的许可申请。直属检验检疫局应当对接受委托实施行政许可的有关内容予以公开。

## 第二章　中资进出口商品检验鉴定机构的设立

**第七条** 申请设立中资进出口商品检验鉴定机构应当符合下列条件：

（一）投资者或者投资一方应当是以第三方身份，依法在国内专门从事检验鉴定业务 3 年以上的法人或者自然人；

（二）具有与从事检验鉴定业务相适应的检测条件和技术资源；具有固定的住所/办公地点、检测场所和相应规模；

（三）具有符合相关通用要求的质量管理体系；

（四）法律、行政法规规定的其他条件。

**第八条** 申请设立中资进出口商品检验鉴定机构，应当向所在地直属检验检疫局提出申请。

**第九条** 申请设立中资进出口商品检验鉴定机构应当提交下列材料：

（一）设立进出口商品检验鉴定机构的申请文件；

（二）工商营业执照；

（三）住所/办公地点、检测场所的使用权或者所有权的证明文件；

（四）检测条件、技术能力材料；

（五）质量管理文件；

（六）以第三方身份依法在国内从事检验鉴定业务 3 年以上的证明；

（七）法定代表人身份证明（复印件）；

（八）法律、行政法规规定的其他文件。

**第十条** 国家质检总局应当自直属检验检疫局受理申请之日起 20 个工作日内完成审核，作出许可或者不予许可的书面决定；经审核许可的签发《进出口商品检验鉴定机构资格证书》，不予许可的应当说明理由。20 个工作日内不能作出决定的，经国家质检总局负责人批准，可以延长 10 个工作日，并应当将延长期限的理由告知申请人。

国家质检总局应当对提交的材料组织进行专家评审，必要时可以进行现场审核，专家评审及现场审核所需时间不计算在本条规定的期限内。

## 第三章 外商投资进出口商品检验鉴定机构的设立

**第十一条** 申请设立外商投资进出口商品检验鉴定机构应当符合下列条件：

（一）外商投资进出口商品检验鉴定机构的外方投资者应当是在所在国独立注册从事检验鉴定业务3年以上的合法机构或者自然人；

（二）中外合资、中外合作进出口商品检验鉴定机构的中方投资者或投资一方应当是以第三方身份，在我国国内专门从事检验鉴定业务3年以上的法人或者自然人；

（三）具有与从事检验鉴定业务相适应的检测条件和技术资源，具有固定的住所/办公地点、检测场所；

（四）具有符合相关通用要求的质量管理体系；

（五）法律、行政法规规定的其他条件。

**第十二条** 申请设立外商投资进出口商品检验鉴定机构的申请人应当向工商行政管理部门申请办理机构名称预先核准。

**第十三条** 设立外商投资进出口商品检验鉴定机构的申请人应当向省级商务主管部门提出设立申请，并提交以下材料：

（一）工商行政管理部门核发的机构名称预先核准通知书；

（二）设立进出口商品检验鉴定机构申请文件；

（三）地方商务主管部门或者大型企业的国务院主管部门同意申请设立外商投资进出口商品检验鉴定机构的意见；

（四）董事会成员名单及任命书；

（五）申请设立外商投资进出口商品检验鉴定机构的项目建议书；

（六）投资各方的资信证明、注册登记证明（复印件）、法定代表人身份证明（复印件）；

（七）投资各方签署的可行性研究报告、合同和章程；

（八）法律、行政法规规定的其他文件。

**第十四条** 省级商务主管部门对所提交的材料进行审核，并于20个工作日内作出许可或者不予许可的书面决定，同意的，颁发外商投资企业批准证书；不同意的，应当说明理由。

**第十五条** 外商投资进出口商品检验鉴定机构申请人凭省级商务主管部门颁发的许可文件及相关资料向工商行政管理部门登记注册。

**第十六条** 申请设立外商投资进出口商品检验鉴定机构的，应当向所在地直属检验检疫局提出申请并提交下列材料：

（一）设立进出口商品检验鉴定机构申请文件；

（二）工商营业执照；

（三）投资各方签署的可行性研究报告；

（四）检测条件、技术能力材料；

（五）质量管理文件；

（六）住所/办公地点、检测场所使用权或者所有权的证明文件；

（七）投资各方在所在国提供检验鉴定业务3年以上当地政府或者有关部门的证明；

（八）法定代表人身份证明（复印件）；

（九）法律、行政法规规定的其他文件。

**第十七条** 国家质检总局应当自受理申请之日起20个工作日内完成审核，作出许可或者不予许可的书面决定；经审核许可的签发《进出口商品检验鉴定机构资格证书》，不予许可的应当说明理由。20个工作日内不能作出决定的，经国家质检总局负责人批准，可以延长10个工作日，并应当将延长期限的理由告知申请人。

国家质检总局应当对提交的材料组织进行专家评审，必要时可以进行现场审核，专家评审及现场审核所需时间不计算在本条规定的期限内。

## 第四章 监督管理

**第十八条** 进出口商品检验鉴定机构发生合并、分立或转让股权等重大事项的，应当按照本办法重新提出申请。

**第十九条** 进出口商品检验鉴定机构涉及《进出口商品检验鉴定机构资格证书》事项变更的，应当向国家质检总局申请换发资格证书；进出口商品检验鉴定机构破产、解散和关闭的，应当向国家质检总局办理注销资格证书手续。

**第二十条** 进出口商品检验鉴定机构设立分支机构的审批按照设立程序办理。

外国检验鉴定机构和境内进出口商品检验鉴定机构设立的常驻代表机构、办事机构，一律不得在境内从事进出口商品检验鉴定业务。

**第二十一条** 国家质检总局设在各地的出入境检验检疫部门（以下简称检验检疫部门）负责对进出口商品检验鉴定机构的日常监督管理工作。必要时，可会同地方商务主管部门和工商行政管理部门或者其他有关部门进行监督检查。

**第二十二条** 对进出口商品检验鉴定机构实施日常监督管理的主要内容包括：

（一）机构的设立、变更事项的报批手续；

（二）业务经营状况；

（三）检测条件和技术能力；

（四）管理和内部控制；

（五）是否按照有关法律法规和本办法规定开展业务活动。

**第二十三条** 《进出口商品检验鉴定机构资格证书》有效期 6 年。进出口商品检验鉴定机构应当在证书有效期满前 3 个月内向国家质检总局换发证书。

**第二十四条** 进出口商品检验鉴定机构应当在每年 5 月 30 日前如实向所在地直属检验检疫局提供上一年度的业务报告、财务报告、年审报告等资料。报送的资料应当真实、完整、准确。

**第二十五条** 国家质检总局和直属检验检疫局在对进出口商品检验鉴定机构实施监督检查时，可以对进出口商品检验鉴定机构管理文件的建立及执行情况、检验鉴定工作质量实施检查；可以对其检验鉴定的商品实施抽查检验；可以查阅和复制当事人有关资料，被检查的进出口商品检验鉴定机构必须予以配合。

**第二十六条** 进出口商品检验鉴定机构的检验鉴定结果应当真实、客观、公正。对经举报、投诉或者其他途径发现涉嫌违法违规行为的，检验检疫部门可以进行调查，并可以对其检验鉴定结果进行复查。

**第二十七条** 国家质检总局和检验检疫部门人员对履行进出口商品检验鉴定机构许可及监督管理职责时知悉的商业及技术秘密负有保密义务。

**第二十八条** 国家质检总局及检验检疫部门人员不得滥用职权，谋取私利。

**第二十九条** 国家质检总局及直属检验检疫局应当建立进出口商品检验鉴定机构监督管理信息通报制度。

## 第五章 法律责任

**第三十条** 违反本办法规定，未经国家质检总局许可，擅自从事进出口商品检验鉴定业务的，由检验检疫部门责令停止非法经营，没收违法所得，并处违法所得一倍以上三倍以下的罚款。

第三十一条　进出口商品检验鉴定机构超出其业务范围，或者有下列违反有关规定扰乱检验鉴定秩序行为的，由检验检疫部门按照《进出口商品检验法实施条例》的规定责令改正，可以并处10万元以下罚款，国家质检总局或者检验检疫部门可以暂停其6个月以内检验鉴定业务；情节严重的，由国家质检总局吊销行政许可：

（一）提供虚假的有关年度文件和资料的；
（二）出具虚假的检验结果和证明或者提供的报告有重大失误的；
（三）机构有关事项发生变更时，未按照本办法规定办理有关变更手续的；
（四）未经许可擅自设立分支机构的；
（五）进出口商品检验鉴定机构的常驻代表机构、办事机构擅自从事进出口商品检验鉴定业务的；
（六）以合作、委托、转让等方式将其空白检验鉴定证书或者报告交由其他检验鉴定机构使用以及将相关业务交由未经国家质检总局许可设立的检验鉴定机构承担的；
（七）其他扰乱检验鉴定秩序的行为。

第三十二条　进出口商品检验鉴定机构有其他违反法律法规行为的，按照相关规定处理。

## 第六章　附　则

第三十三条　香港特别行政区、澳门特别行政区、台湾地区的投资者在中国其他地区投资设立进出口商品检验鉴定机构，参照本办法对外商投资进出口商品检验鉴定机构的规定执行。

第三十四条　本办法由国家质检总局、商务部和国家工商行政管理总局按照职责分工负责解释。

第三十五条　本办法自2016年5月1日起施行，国家质检总局、商务部、国家工商行政管理总局2003年9月4日公布的《进出口商品检验鉴定机构管理办法》同时废止。

# 出入境检验检疫报检规定

（国家出入境检验检疫局令第16号）

（1999年12月17日由国家出入境检验检疫局发布；根据2018年3月6日国家质量监督检验检疫总局令第196号《国家质量监督检验检疫总局关于废止和修改部分规章的决定》第一次修正，根据2018年4月28日海关总署令第238号《海关总署关于修改部分规章的决定》第二次修正，根据2018年5月29日海关总署令第240号《海关总署关于修改部分规章的决定》第三次修正，根据2018年11月23日海关总署令第243号《海关总署关于修改部分规章的决定》第四次修正；现行版本自2018年11月23日起施行；法规类型为部门规章）

## 第一章　总　则

第一条　为加强出入境检验检疫报检管理，规范报检行为，根据《中华人民共和国进出口商品检验法》及其实施条例、《中华人民共和国进出境动植物检疫法》及其实施条例、《中华人民共和国国境卫生检疫法》及其实施细则、《中华人民共和国食品安全法》等法律法规的有关规定，制定本规定。

**第二条** 根据法律法规规定办理出入境检验检疫报检/申报的行为均适用本规定。

**第三条** 报检范围：

（一）国家法律法规规定须经检验检疫的；

（二）输入国家或地区规定必须凭检验检疫证书方准入境的；

（三）有关国际条约规定须经检验检疫的；

（四）申请签发原产地证明书及普惠制原产地证明书的。

**第四条** 报检人在报检时应填写规定格式的报检单，提供与出入境检验检疫有关的单证资料，按规定交纳检验检疫费。

**第五条** 报检单填制要求为：

（一）报检人须按要求填写报检单所列内容；书写工整、字迹清晰，不得涂改；报检日期按海关受理报检日期填写。

（二）报检单必须加盖报检单位印章。

## 第二章 报检资格

**第六条** 报检单位办理业务应当向海关备案，并由该企业在海关备案的报检人员办理报检手续。

**第七条** 代理报检的，须向海关提供委托书，委托书由委托人按海关规定的格式填写。

**第八条** 非贸易性质的报检行为，报检人凭有效证件可直接办理报检手续。

## 第三章 入境报检

**第九条** 入境报检时，应填写入境货物报检单并提供合同、发票、提单等有关单证。

**第十条** 入境报检时除按第九条规定办理外，还应当符合下列要求：

（一）国家实施许可制度管理的货物，应提供有关证明。

（二）品质检验的还应提供国外品质证书或质量保证书、产品使用说明书及有关标准和技术资料；凭样成交的，须加附成交样品；以品级或公量计价结算的，应同时申请重量鉴定。

（三）报检入境废物原料时，还应当取得装运前检验证书；属于限制类废物原料的，应当取得进口许可证明。海关对有关进口许可证明电子数据进行系统自动比对验核。

（四）申请残损鉴定的还应提供理货残损单、铁路商务记录、空运事故记录或海事报告等证明货损情况的有关单证。

（五）申请重（数）量鉴定的还应提供重量明细单，理货清单等。

（六）货物经收、用货部门验收或其他单位检测的，应随附验收报告或检测结果以及重量明细单等。

（七）入境的国际旅行者，国内外发生重大传染病疫情时，应当填写《出入境检疫健康申明卡》。

（八）入境的动植物及其产品，在提供贸易合同、发票、产地证书的同时，还必须提供输出国家或地区官方的检疫证书；需办理入境检疫审批手续的，还应当取得入境动植物检疫许可证。

（九）过境动植物及其产品报检时，应持运单和输出国家或地区官方出具的检疫证书；运输动物过境时，还应当取得海关总署签发的动植物过境许可证。

（十）报检入境运输工具、集装箱时，应提供检疫证明，并申报有关人员健康状况。

（十一）入境旅客、交通员工携带伴侣动物的，应提供入境动物检疫证书及预防接种证明。

（十二）因科研等特殊需要，输入禁止入境物的，应当取得海关总署签发的特许审批证明。

（十三）入境特殊物品的，应提供有关的批件或规定的文件。

## 第四章 出境报检

**第十一条** 出境报检时，应填写出境货物报检单并提供对外贸易合同（售货确认书或函电）、发票、装箱单等必要的单证。

**第十二条** 出境报检时除按第十一条规定办理外，还应当符合下列要求：

（一）国家实施许可制度管理的货物，应提供有关证明。

（二）出境货物须经生产者或经营者检验合格并加附检验合格证或检测报告；申请重量鉴定的，应加附重量明细单或磅码单。

（三）凭样成交的货物，应提供经买卖双方确认的样品。

（四）出境人员应向海关申请办理国际旅行健康证明书及国际预防接种证书。

（五）报检出境运输工具、集装箱时，还应提供检疫证明，并申报有关人员健康状况。

（六）生产出境危险货物包装容器的企业，必须向海关申请包装容器的性能鉴定。

生产出境危险货物的企业，必须向海关申请危险货物包装容器的使用鉴定。

（七）报检出境危险货物时，应当取得危险货物包装容器性能鉴定结果单和使用鉴定结果单。

（八）申请原产地证明书和普惠制原产地证明书的，应提供商业发票等资料。

（九）出境特殊物品的，根据法律法规规定应提供有关的审批文件。

## 第五章 报检及证单的更改

**第十三条** 报检人申请撤销报检时，应书面说明原因，经批准后方可办理撤销手续。

**第十四条** 报检后30天内未联系检验检疫事宜的，作自动撤销报检处理。

**第十五条** 有下列情况之一的应重新报检：

（一）超过检验检疫有效期限的；

（二）变更输入国家或地区，并又有不同检验检疫要求的；

（三）改换包装或重新拼装的；

（四）已撤销报检的。

**第十六条** 报检人申请更改证单时，应填写更改申请单，交附有关函电等证明单据，并交还原证单，经审核同意后方可办理更改手续。

品名、数（重）量、检验检疫结果、包装、发货人、收货人等重要项目更改后与合同、信用证不符的，或者更改后与输出、输入国家或地区法律法规规定不符的，均不能更改。

## 第六章 报检时限和地点

**第十七条** 对入境货物，应在入境前或入境时向入境口岸、指定的或到达站的海关办理报检手续；入境的运输工具及人员应在入境前或入境时申报。

**第十八条** 入境货物需对外索赔出证的，应在索赔有效期前不少于20天内向到货口岸或货物到达地的海关报检。

**第十九条** 输入微生物、人体组织、生物制品、血液及其制品或种畜、禽及其精液、胚胎、受精卵的，应当在入境前30天报检。

**第二十条** 输入其他动物的，应当在入境前15天报检。

**第二十一条** 输入植物、种子、种苗及其他繁殖材料的，应当在入境前7天报检。

**第二十二条** 出境货物最迟应于报关或装运前7天报检，对于个别检验检疫周期较长的货物，应留有相应的检验检疫时间。

**第二十三条** 出境的运输工具和人员应在出境前向口岸海关报检或申报。

**第二十四条** 需隔离检疫的出境动物在出境前60天预报，隔离前7天报检。

**第二十五条** 报检人对检验检疫证单有特殊要求的，应在报检单上注明并交附相关文件。

## 第七章 附 则

**第二十六条** 报检单位和报检人伪造、买卖、变造、涂改、盗用海关的证单、印章的，按有关法律法规予以处罚。

**第二十七条** 司法鉴定业务、行政机关委托及其他委托检验和鉴定业务，参照本规定执行。

**第二十八条** 本规定由海关总署负责解释。

**第二十九条** 本规定自2000年1月1日起施行，原国家商检局发布的《进出口商品报验规定》和原国家卫生检疫局发布的《关于对入、出境集装箱、货物实行报检制度的通知》同时废止。

# 出入境检验检疫封识管理办法

（国家出入境检验检疫局令第22号）

（2000年4月3日由国家出入境检验检疫局发布，根据2018年4月28日海关总署令第238号《海关总署关于修改部分规章的决定》修正，现行版本自2018年4月28日起施行，法规类型为部门规章）

## 第一章 总 则

**第一条** 为加强出入境检验检疫封识管理，做好出入境检验检疫监督管理工作，根据《中华人民共和国进出口商品检验法》、《中华人民共和国进出境动植物检疫法》、《中华人民共和国国境卫生检疫法》和《中华人民共和国食品安全法》的有关规定，制定本办法。

**第二条** 本办法适用于出入境检验检疫封识（以下简称封识）的制定、使用和管理。

**第三条** 本办法所称封识系指海关在出入境检验检疫工作中实施具有强制性和约束力的封存和控制措施而使用的专用标识。

**第四条** 海关总署统一管理封识的制定、修订、发布、印制、发放和监督工作。

主管海关负责辖区内封识的使用和监督管理工作，并对封识的使用情况进行登记备案。

## 第二章 封识的制定

**第五条** 封识的种类、式样、规格由海关总署统一规定。封识的种类包括：封条封识、卡扣封识、印章封识三种。

主管海关如需使用其他封识，必须报经海关总署批准。

**第六条** 封识应当标有各直属海关的简称字样。

## 第三章 封识的使用和管理

**第七条** 封识应加施在需要施封的检验检疫物及其运载工具、集装箱、装载容器和包装物上，或存放检验检疫物的场所。

**第八条** 有下列情况之一的，根据检验检疫工作需要可以加施封识：

（一）因口岸条件限制等原因，由海关决定运往指定地点检验检疫的；

（二）进境货物在口岸已作外包装检验检疫，需运往指定地点生产、加工、存放，并由到达地海关检验检疫和监管的；

（三）根据出入境检验检疫法律法规规定，对禁止进境物作退回、销毁处理的；

（四）经检验检疫不合格，作退回、销毁、除害等处理的；

（五）经检验检疫合格，避免掺假作伪或发生批次混乱的；

（六）经检验检疫发现进境的船舶、飞机、车辆等运载工具和集装箱装有禁止进境或应当在中国境内控制使用的自用物品的，或者在上述运载工具上发现有传染病媒介（鼠、病媒昆虫）和危险性病虫害须密封控制、防止扩散的；

（七）对已造成食物中毒事故或有证据证明可能导致食物中毒事故的食品及生产、经营场所，需要进一步实施口岸卫生监督和调查处理的；

（八）正在进行密闭熏蒸除害处理的；

（九）装载过境检验检疫物的运载工具、集装箱、装载容器、包装物等；

（十）凭样成交的样品及进口索赔需要签封的样品；

（十一）外贸合同约定或政府协议规定需要加施封识的；

（十二）其他因检验检疫需要施封的。

**第九条** 海关根据检验检疫物的包装材料的性质和储运条件，确定应采用的封识材料和封识方法。选用的封识应醒目、牢固，不易自然损坏。

**第十条** 封识由海关加施，有关单位和人员应当给予协助和配合。

**第十一条** 海关加施封识时，应向货主或其代理人出具施封通知书。

**第十二条** 未经海关许可，任何单位或个人不得开拆或者损毁检验检疫封识。

货主、代理人或承运人发现检验检疫封识破损的，应及时报告海关。海关应及时处理，必要时重新加施封识。

**第十三条** 检验检疫封识的启封，由海关执行，或由海关委托的有关单位或人员执行，并根据需要，由海关出具启封通知书。

施封海关与启封海关不一致时，应及时互通情况。

**第十四条** 在特殊情况下，如需提前启封，有关单位应办理申请启封手续。

## 第四章 附 则

**第十五条** 违反本办法规定，依照有关法律法规予以处罚。

**第十六条** 本办法所规定的文书由海关总署另行制定并且发布。

**第十七条** 本办法由海关总署负责解释。

**第十八条** 本办法自 2000 年 5 月 1 日起施行。原国家商检局 1987 年 8 月 22 日发布的《进出口商品封识管理办法》同时废止。过去发布的有关进出境动植物检疫、卫生检疫和食品卫生检验的封识管理办法与本办法相抵触的，以本办法为准。

# 出入境检验检疫报检企业管理办法

(国家质量监督检验检疫总局令第 161 号)

(2015 年 2 月 15 日由国家质量监督检验检疫总局发布;根据 2016 年 10 月 18 日国家质量监督检验检疫总局令第 184 号《国家质量监督检验检疫总局关于修改和废止部分规章的决定》第一次修正,根据 2018 年 4 月 28 日海关总署令第 238 号《海关总署关于修改部分规章的决定》第二次修正,根据 2018 年 5 月 29 日海关总署令第 240 号《海关总署关于修改部分规章的决定》第三次修正;现行版本自 2018 年 7 月 1 日起施行;法规类型为部门规章)

## 第一章 总 则

**第一条** 为加强对出入境检验检疫报检企业的监督管理,规范报检行为,维护正常的检验检疫工作秩序,促进对外贸易健康发展,根据《中华人民共和国进出口商品检验法》及其实施条例、《中华人民共和国进出境动植物检疫法》及其实施条例、《中华人民共和国国境卫生检疫法》及其实施细则、《中华人民共和国食品安全法》及其实施条例等法律法规规定,制定本办法。

**第二条** 海关总署主管全国报检企业的管理工作。

主管海关负责所辖区域报检企业的日常监督管理工作。

**第三条** 本办法所称报检企业,包括自理报检企业和代理报检企业。

自理报检企业,是指向海关办理本企业报检业务的进出口货物收发货人、出口货物的生产、加工单位办理报检业务的,按照本办法有关自理报检企业的规定管理。

代理报检企业,是指接受进出口货物收发货人(以下简称委托人)委托,为委托人向海关办理报检业务的境内企业。

**第四条** 本办法所称报检人员,是指负责向海关办理所在企业报检业务的人员。

报检企业对其报检人员的报检行为承担相应的法律责任。

## 第二章 备案管理

**第五条** 报检企业办理报检业务应当向海关备案,备案时应当提供以下材料:

(一)《报检企业备案表》;

(二)《报检人员备案表》及报检人员的身份证复印件;

(三)出入境快件运营企业应当提交国际快递业务经营许可证复印件。

以上材料应当加盖企业公章。

**第六条** 材料齐全、符合要求的,海关应当为报检企业办理备案手续,核发报检企业及报检人员备案号。

**第七条** 鼓励报检企业在报检前向海关办理备案。已经办理备案手续的报检企业,再次报检时可以免予提交本办法第五条所列材料。

**第八条** 已备案报检企业向海关办理报检业务,应当由该企业在海关备案的报检人员办理。

报检人员办理报检业务时应当提供备案号及报检人员身份证明。

## 第三章 报检业务

**第九条** 报检企业可以向海关办理下列报检业务：
（一）办理报检手续；
（二）缴纳出入境检验检疫费；
（三）联系和配合海关实施检验检疫；
（四）领取检验检疫证单。

**第十条** 报检企业应当在中华人民共和国境内口岸或者检验检疫监管业务集中的地点向海关办理本企业的报检业务。

自理报检企业可以委托代理报检企业，代为办理报检业务。

**第十一条** 代理报检企业办理报检业务时，应当向海关提交委托人授权的代理报检委托书，委托书应当列明货物信息、具体委托事项、委托期限等内容，并加盖委托人的公章。

代理报检企业应当在委托人授权范围内从事报检业务，并对委托人所提供材料的真实性进行合理审查。

**第十二条** 代理报检企业代缴出入境检验检疫费的，应当将出入境检验检疫收费情况如实告知委托人，不得假借海关名义向委托人收取费用。

## 第四章 监督管理

**第十三条** 报检企业办理报检业务应当遵守国家有关法律、行政法规和检验检疫规章的规定，承担相应的法律责任。

**第十四条** 报检企业办理备案手续时，应当对所提交的材料以及所填报信息内容的真实性负责且承担法律责任。

**第十五条** 海关对报检企业的报检业务进行监督检查，报检企业应当积极配合，如实提供有关情况和材料。

代理报检企业应当在每年3月底前提交上一年度的《代理报检业务报告》，主要内容包括企业基本信息、遵守检验检疫法律法规情况、报检业务管理制度建设情况、报检人员管理情况、报检档案管理情况、报检业务情况及分析、报检差错及原因分析、自我评估等。

**第十六条** 海关对报检企业实施信用管理和分类管理，对报检人员实施报检差错记分管理。报检人员的差错记分情况列入报检企业的信用记录。

海关可以公布报检企业的信用等级、分类管理类别和报检差错记录情况。

**第十七条** 《报检企业备案表》《报检人员备案表》中载明的备案事项发生变更的，企业应当自变更之日起30日内凭变更证明文件等相关材料向备案的海关办理变更手续。

**第十八条** 报检企业可以向备案的海关申请注销报检企业或者报检人员备案信息。报检企业注销备案信息的，报检企业的报检人员备案信息一并注销。

**第十九条** 因未及时办理备案变更、注销而产生的法律责任由报检企业承担。

**第二十条** 鼓励报检协会等行业组织实施报检企业行业自律管理，开展报检人员能力水平认定和报检业务培训等，促进报检行业的规范化、专业化，防止恶性竞争。

**第二十一条** 海关应当加强对报检协会等行业组织的指导，充分发挥行业组织的预警、组织、协调作用，推动其建立和完善行业自律制度。

## 第五章 法律责任

**第二十二条** 代理报检企业违反规定扰乱报检秩序，有下列行为之一的，由海关按照《中华人民共和国进出口商品检验法实施条例》的规定进行处罚：

（一）假借海关名义向委托人收取费用的；

（二）拒绝配合海关实施检验检疫，拒不接受海关监督管理，或者威胁、贿赂检验检疫工作人员的；

（三）其他扰乱报检秩序的行为。

**第二十三条** 报检企业有其他违反出入境检验检疫法律法规规定行为的，海关按照相关法律法规规定追究其法律责任。

## 第六章 附 则

**第二十四条** 海关按照"出入境检验检疫企业信用信息采集条目"对报检人员的报检差错进行计分。

**第二十五条** 出入境快件运营企业代理委托人办理出入境快件报检业务的，免予提交报检委托书。海关参照代理报检企业进行管理。

**第二十六条** 机关单位、事业单位、社会团体等非企业单位按照国家有关规定需要从事非贸易性进出口活动的，凭有效证明文件可以直接办理报检手续。

**第二十七条** 本办法所称"以上"包含本数，"以下"不含本数。"年度"指1个公历年度。

**第二十八条** 本办法由海关总署负责解释。

**第二十九条** 本办法自2015年4月1日起施行。《出入境检验检疫报检员管理规定》（国家质检总局令第33号）、《出入境检验检疫代理报检管理规定》（国家质检总局令第128号）同时废止。《出入境快件检验检疫管理办法》（国家质检总局令第3号）、《出入境检验检疫报检规定》（国家检验检疫局令第16号）与本办法不一致的，以本办法为准。

# 出入境检验检疫签证管理办法[①]

（国质检通〔2009〕38号）

（2009年1月23日由国家质量监督检验检疫总局发布，2009年3月1日起施行，法规类型为规范性文件）

## 第一章 总 则

**第一条** 为加强出入境检验检疫签证管理，保证检验检疫签证工作质量，根据《中华人民共和国进出口商品检验法》及其实施条例、《中华人民共和国进出境动植物检疫法》及其实施条例、《中华人民共和国国境卫生检疫法》及其实施细则、《中华人民共和国食品卫生法》等法律法规的有关规定，制定本办法。

**第二条** 国家质量监督检验检疫总局（以下简称国家质检总局）统一管理全国出入境检验检疫签证工作。国家质检总局设在各地的出入境检验检疫机构（以下简称检验检疫机构）负责签证工作的实施。

---

[①] 关检合并后暂无修改文件公布。

**第三条** 出入境检验检疫签证流程一般包括受理报检（或申报）、审单、计费、收费、拟制与审签证稿、缮制与审校证单、签发证单、归档。

签证流程由检务部门统一管理。受理报检（或申报）、审单、计费、缮制与审校证单、签发证单、归档一般由检务部门负责和集中办理，收费由财务部门负责，拟制与审签证稿由施检部门负责。

**第四条** 按规定使用计算机业务管理系统签发的电子证单及其签证信息与纸质证单在全国检验检疫系统内等效。

## 第二章 受理报检和审单

**第五条** 受理报检人员应当按照"出入境检验检疫报检规定"的要求核查报检人的报检资格，并审核报检单及随附单证是否齐全和符合要求。

**第六条** 受理入境流向货物检验申请时，须凭电子转单信息受理报检；因特殊原因无法正常调用电子转单信息的，可按一般报检流程受理，但需在报检的"特殊要求"栏内注明入境口岸检验检疫机构签发的通关单号。

**第七条** 受理出境货物报检时，如发现信用证与合同不一致，应要求报检人对合同或信用证进行修改，不能修改的以信用证为准。

**第八条** 受理口岸查验换证申请时，应要求报检人提供出境货物换证凭条或注明"一般报检"的"出境货物换证凭单"正本。对检验检疫机构原因造成证单信息错漏的，口岸检验检疫机构应及时与产地检验检疫机构联系解决。

**第九条** 对信用等级高且具备电子方式传输随附单证条件的报检人，经检验检疫机构批准，可凭电子形式的随附单证受理报检。

**第十条** 采用电子审单的，应结合电子审单指令对报检单及随附单证进行审核。

## 第三章 计费和收费

**第十一条** 计费人员应严格按照《出入境检验检疫收费办法》等关于检验检疫收费的有关规定进行计费。

**第十二条** 计费人员应核实业务系统的计费结果，系统的计费结果与应收费用不符的，应人工更正。

**第十三条** 收费人员应按计费结果收取检验检疫费，并出具规定使用的票据。有条件的检验检疫机构可采用电子缴费方式收费。

## 第四章 拟制证稿与缮制证单

### 第一节 一般规定

**第十四条** 施检部门应根据检验检疫结果和合格评定标准，及时、准确地按照规定的证单种类、证单格式和证稿拟制规范拟制检验检疫证稿。

涉及品质检验的证稿应包括抽（采）样情况、检验依据、检验结果、评定意见等四项基本内容。

证稿应符合有关法律法规、进口国（或地区）对证书内容的要求以及国际贸易通行的做法，用词准确，文字通顺，符合逻辑。

**第十五条** 检务部门应按规定的证单种类、用途、格式和证稿内容及时缮制与审校证单，并在兽医官、授权检疫官、检疫医师、医师、授权签字人等签名后签发证单。缮制证单人员不得同时承担签发证单工作。

第十六条　检验检疫证单编号必须与报检单编号一致。同一批货物分批出具同一种证书的，在原编号后加-1、-2、-3……以示区别。

第十七条　对外签发的证单（含副本）应加盖签证印章。中英文签证印章适用于签发证书、中外文凭单以及国外关于签证的查询；检验检疫专用章适用于签发中文凭单以及国内关于签证的查询。

两页或两页以上的证单，应将相邻两页并行排列后在前页的右上角（证书编号处）与后页的左上角之间加盖骑缝章，进口国有特殊要求的从其规定。

第十八条　检验检疫证单一般由一正三副组成，其中正本对外签发，可同时向报检人提供二份副本，检验检疫机构留存一份副本。

第十九条　国外对检验检疫证书有备案要求的，由国家质检总局统一办理。

第二十条　检验检疫证单实行手签制度，分别由兽医官、授权检疫官、检疫医师、医师、授权签字人等签发。

国外官方机构对签字人有备案要求的，由备案签字人签发相应的证书。

### 第二节　证书文字和文本

第二十一条　检验检疫证书必须严格按照国家质检总局制定或批准的格式，分别使用英文、中文、中英文合璧签发。进口国（或地区）政府要求证书文字使用本国官方语言的，或有特定内容要求的，应视情况予以办理。

索赔证书一般使用中英文合璧签发，根据报检人需要也可使用中文签发。

第二十二条　证书一般只签发一份正本。报检人要求两份或两份以上正本的，须经检务部门负责人审批同意，并在证书备注栏内声明"本证书是XXX号证书正本的重本"。

第二十三条　证书的数量、重量栏目中数字前应加限制符"＊＊"；证书的证明内容编制结束后，应在下一行中间位置打上结束符"＊＊＊＊＊＊＊＊＊"。

加注证明内容以外的有关项目的，应加注在证书结束符号上面。

第二十四条　进口国（或地区）有要求或用于索赔、结算等的证书，可根据需要在备注栏内加注检验检疫费金额。

### 第三节　证单日期和有效期

第二十五条　检验检疫证单一般应以检讫日期作为签发日期。

第二十六条　检验检疫证单的有效期不得超过检验检疫有效期。检验检疫有效期由施检部门根据国家有关规定，结合对货物的检验检疫监管情况确定。下列证单的有效期为：

"入境货物通关单"的有效期为60天。

一般报检的"出境货物换证凭单"（含电子转单方式）和"出境货物通关单"的有效期为：一般货物60天；植物和植物产品21天，北方冬季可适当延长至35天；鲜活类货物14天。

用于电讯卫生检疫的"交通工具卫生证书"的有效期为：用于船舶的12个月，用于飞机、列车的6个月。

"船舶免予卫生控制措施证书/船舶卫生控制措施证书"的有效期为6个月。

"国际旅行健康检查证明书"的有效期为12个月；"疫苗接种或预防措施国际证书"的有效时限根据疫苗的有效保护期确定。

国家质检总局对检验检疫证单有效期另有规定的从其规定。

第二十七条　检务部门签发证单，出境应在收到证稿后两个工作日、入境应在收到证稿后三个工作日内完成，特殊情况除外。

## 第四节 证稿的审签

**第二十八条** 入境货物经检验检疫合格的，其证稿由施检人员拟制并签字，部门审核人员审签。入境货物检验检疫不合格或对外签发索赔证书的，其证稿应由施检部门负责人审签。

属于以下情况的，应由施检部门报分管局领导核定：

（一）案情复杂、索赔数额较大或损失较大的；

（二）其他机构检验或收用货单位自行验收，其结果与检验检疫机构检验检疫结果相差较大的；

（三）办理异地检验检疫汇总出证，汇总签证机构需要改变原评定意见的；

（四）经检验检疫不合格，需作销毁或退运处理的。

**第二十九条** 出境货物经检验检疫合格，需拟制证稿的，其证稿由施检人员拟制并签字，部门审核人员核签；经检验检疫不合格的，应由施检部门负责人核签。

**第三十条** 现场签证的，经施检、检务部门负责人和分管局领导同意，施检人员可直接签发证单，但应及时补办核签手续。有计算机管理系统的，还应补录有关数据。

**第三十一条** 一份证书涉及多个施检部门的，由主施检部门拟制证稿并组织会签。

**第三十二条** 并批出境的货物，由施检部门核准并根据需要拟制证稿。

## 第五节 代签和汇总签证

**第三十三条** 对产地检验检疫口岸查验换证的出境货物，应报检人申请，需要在口岸更改或补充原证单的内容的，口岸检验检疫机构可凭产地检验检疫机构书面委托予以办理。

**第三十四条** 入境货物一批到货分拨数地的，由口岸检验检疫机构出证。特殊情况不能在口岸进行整批检验检疫的，可办理异地检验检疫手续，并由口岸检验检疫机构汇总有关检验检疫机构出具的检验检疫结果出证；口岸无到货的，由到货最多地的检验检疫机构汇总出证，如需口岸检验检疫机构出证的，应由该口岸检验检疫机构负责组织落实检验检疫和出证工作。

**第三十五条** 入境货物发生品质、重量或残损等问题，应根据致损原因、责任对象的不同，分别出证。因多种原因造成综合损失的变质、短重或残损，可以汇总出证，但应具体列明不同的致损原因。

## 第六节 更改、补充或重发证单

**第三十六条** 检验检疫证单发出后，报检人提出更改或补充内容的，应填写更改申请单，经检务部门审核批准后，予以办理。更改、补充涉及检验检疫内容的，还需由施检部门核准。

品名、数（重）量、包装、发货人、收货人等重要项目更改后与合同、信用证不符的，或者更改后与输入国法律法规规定不符的，均不能更改。

超过检验检疫证单有效期的，不予更改、补充或重发。

**第三十七条** 更改证单的，应收回原证单（含副本）。确有特殊情况不能退回的，应要求申请人书面说明理由，经法定代表人签字、加盖公章，并在指定的报纸上声明作废，经检务部门负责人审批后，方可重新签发。

**第三十八条** 对更改证单，能够退回原证单的，签发日期为原证签发日期；不能退回原证单的，更改后的证单（REVISION）在原证编号前加"R"，并在证单上加注"本证书/单系××
×日签发的×××号证书/单的更正，原发×××号证书/单作废"，签发日期为更改证单的实际签发日期。

签发重发证单（DUPLICATE），能够退回原证单的，签发日期为原证签发日期；不能退回原证单的，在原证编号前加"D"，并在证单上加注"本证书/单系×××日签发的×××号证书/单的重本，原发×××号证书/单作废"，签发日期为重发证单的实际签发日期。

签发补充证单（SUPPLEMENT），在原编号前加"S"，并在证单上加注"本证书/单系××
×日签发的 XXX 号证书/单的补充"，签发日期为补充证单的实际签发日期。

## 第五章　通关与放行

**第三十九条**　列入实施检验检疫的进出境商品目录的进出口货物，检验检疫机构应签发
"入境货物通关单"或"出境货物通关单"交由货主办理通关手续，并按有关规定实施通关单
联网核查。

**第四十条**　入境货物由报关地检验检疫机构签发"入境货物通关单"。

由报关地检验检疫机构施检的，签发"入境货物通关单"（三联）。

需由目的地检验检疫机构施检的，签发"入境货物通关单"（四联），并及时将相关电子
信息及"入境货物调离通知单"（流向联）传递给目的地检验检疫机构。通关单备注栏应注明
目的地收（用）货单位的联系信息。

需实施通关前查验的入境货物，经查验合格，或经查验不合格、但可进行有效处理的，签
发"入境货物通关单"；经查验不合格又无有效处理方法，需作退货或销毁处理的，签发"检
验检疫处理通知书"，并书面告知海关和当事人。

**第四十一条**　入境货物通关后经检验检疫合格，或经检验检疫不合格、但已进行有效处理
合格的，签发"入境货物检验检疫证明"，进口食品还需签发卫生证书；不合格需作退货或销
毁处理的，签发"检验检疫处理通知书"，并书面告知海关和当事人。

**第四十二条**　"一般报检"的出境货物经检验检疫合格的，按以下情况办理：

在本地报关的，签发"出境货物通关单"和有关证书；

在异地报关的，签发有关证书，并出具注明"一般报检"的"出境货物换证凭单"；实施
电子转单的，出具"出境货物转单凭条"。报关地检验检疫机构凭"出境货物换证凭单"正本
或电子转单信息受理换证申请，按规定对货物进行口岸查验，查验合格的出具"出境货物通
关单"。

**第四十三条**　受理出口预验申请，须出具标明"预验"字样的"出境货物换证凭单"。

预验货物不得实施电子转单，须在本机构或直属检验检疫局范围内授权的机构办理一般报
检手续后方可实施电子转单。

检验检疫机构不得凭标明"预验"字样的"出境货物换证凭单"换发通关单。

**第四十四条**　根据工作需要，可以使用换证凭单作为生产原料的检验检测报告，但须注明
"原料供应"字样，并不得实施电子转单或凭以直接签发通关单。

**第四十五条**　分批出境的货物，经核准在"出境货物换证凭单"正本上核销本批出境货
物的数量并留下复印件存档，换证凭单正本退回报检人。检务部门办理分批手续，分批核销次
数不得超过换证凭单栏目数量。整批货物全部出境后收回换证凭单正本存档。

电子转单一次有效，不得分批核销。

**第四十六条**　出境货物经检验检疫或口岸核查货证不合格的，签发"出境货物不合格通
知单"。口岸验证不合格，属于检验检疫机构证单信息错漏造成的，口岸检验检疫机构应及时
与产地检验检疫机构联系解决；其他情况按有关规定办理。

**第四十七条**　实施电子监管等方式监管并符合快速核放条件的出境货物，可由检务部门直
接签发通关单或实施电子转单。

**第四十八条**　对实施绿色通道、直通放行等通关便利措施的货物，按有关规定办理放行手
续。

**第四十九条**　出入境运输工具、集装箱申报后，符合检验检疫要求的，按相关规定签发检

验检疫证单予以放行。需检疫除害处理的，处理后签发检疫处理证书予以放行。

**第五十条** 出入境人员接受检疫查验和健康检查的，按卫生检疫的有关规定签发证明或证书。

**第五十一条** 尸体、棺柩、骸骨入出境，由报关地检验检疫机构签发尸体/棺柩/骸骨入出境放行证明。

## 第六章 空白证单、签证印章及检务档案管理

### 第一节 空白证单管理

**第五十二条** 国家质检总局统一管理检验检疫空白证单，统一确定空白证单的格式、规格、种类、证单用纸及用途，统一印制。

各种检验检疫证单（含副本）实行印刷流水号管理。

**第五十三条** 国家质检总局指定专门机构负责全国检验检疫空白证单的征订发放工作。负责证单征订发放的机构应建立健全征订发放的规章制度。

**第五十四条** 各地检验检疫机构所领用的空白证单应由检务部门统一管理，并建立空白证单的入库、保管、调拨、领用和核销等制度。

**第五十五条** 各地检验检疫机构必须使用规定的计算机管理系统对空白证单的入库、调拨、领用和核销等进行管理，并保存相应的管理记录。

**第五十六条** 各直属检验检疫局应按照国家质检总局的要求，根据本局证单使用量和业务发展的实际需要拟定空白证单订购计划，于每年的十月份统一上报国家质检总局指定的证单征订发放单位，次年五月份可根据实际使用情况增订一次。临时增订的，应提前一个月联系国家质检总局指定的证单征订发放单位。

**第五十七条** 各地检验检疫机构收到空白证单后，应认真核对发货清单和实物证单并及时登记入库。发现异常情况的，应及时上报国家质检总局。

**第五十八条** 空白证单应专人保管。存放空白证单必须设立专用库房，并应具备防火、防盗、防潮、防虫等安全措施。

**第五十九条** 需要领取空白证单的，应按规定登记，登记内容包括申领证单种类、编号、数量及申领人员姓名，并及时进行核销。

施检部门需要领取空白证单的，应由施检部门负责人签字，检务部门负责人批准。

**第六十条** 空白证单不得携带外出。确需携带外出的，应经分管局领导批准，并限定核销时间。

**第六十一条** 空白证单应按照国家质检总局规定的种类、格式、用途正确使用。

**第六十二条** 作废的空白证单不得擅自毁弃，正副本均应标明"作废"字样，及时交回。检务部门日常工作中产生的作废空白证单应及时核销；施检部门工作中产生的作废空白证单，应在规定期限内退回，由检务部门统一办理核销手续。

**第六十三条** 启用新的证单时，各直属检验检疫局应对相应废止的空白证单进行清查，由检务部门按规定统一集中处理，其他部门不得自行处理。

**第六十四条** 各地检验检疫机构应建立空白证单管理定期检查制度，定期检查空白证单的保管、使用情况。如发现丢失、毁坏等问题，应及时上报。对因丢失证单造成不良后果的要追究有关人员责任，对违法倒卖证单的，移交司法机关处理。

**第六十五条** 建档或对外备案所需的空白证单样本须经检务部门负责人审批同意，并加盖中英文对照的"样本（SPECIMEN）"戳记。

## 第二节 签证印章管理

**第六十六条** 国家质检总局统一管理检验检疫业务签证印章，统一确定签证印章的样式、种类、规格、材质及用途，统一制作，使用统一的印油。

**第六十七条** 国家质检总局根据情况指定负责全国检验检疫业务签证印章的征订发放单位。承制单位应建立健全签证印章征订发放的管理制度。

**第六十八条** 各地检验检疫机构所领用的签证印章应由检务部门统一管理，建立签证印章的登记、保管、领用和核销等管理制度。

**第六十九条** 检务部门领取的签证印章应由专人保管。存放签证印章必须设立保险柜，具备相应的安全防护措施。

**第七十条** 签证印章应按照国家质检总局规定的种类和用途正确使用。

签证印章不得携带外出。需现场检验检疫并签证的，应经分管局领导授权，接受检务部门的监督管理。

**第七十一条** 签证印章与空白证单应分开存放，分别由专人负责保管。

**第七十二条** 各直属检验检疫局启用或增刻签证印章的，应向国家质检总局提出申请。

**第七十三条** 签证印章达到使用寿命或因故障、字迹不清、变形等影响签证质量的，应停止使用，并及时向国家质检总局指定的签证印章征订发放单位申请修理或更换。更换的需交回原印章。

**第七十四条** 作废印章应及时上交国家质检总局指定的签证印章征订发放单位，签证印章征订发放单位应按规定对作废印章和更换的旧印章进行销毁处理。

**第七十五条** 各地检验检疫机构应建立签证印章管理定期检查制度，定期检查签证印章的保管、使用情况。如发现签证印章丢失、毁坏等问题，应及时上报。对造成不良后果的要追究有关人员责任，情节严重构成犯罪的，移交司法机关处理。

## 第三节 检务档案管理

**第七十六条** 检务档案应由检务部门统一管理，并建立登记、保管、查阅等制度。

**第七十七条** 检务档案包括报检单及所附单证、检验检疫记录、证稿、证单存档联等纸质资料、电子数据等相关原始资料。

**第七十八条** 施检部门完成检验检疫工作之后，应及时将检务档案资料送交检务部门，并保证档案资料的完整性和有效性。

检务部门收到施检部门送交的检务档案资料后，应审核档案资料的完整性和有效性，按规定建档。发现资料有缺失、错误或检验检疫工作流程某环节未完成的，应补齐或纠正后归档。

**第七十九条** 存放检务档案必须设立专用库房，并应具备防火、防盗、防潮、防虫等安全措施。

电子数据形式的检务档案应采用适当方式保存和备份，防止电子数据被散发、盗取、遗失或损毁。

**第八十条** 检务档案的保管期限，一般出境检验检疫检务档案为二年；入境检验检疫检务档案为三年。电子数据应长期保存。涉及重大案件、典型案例等事项的档案，作长期或永久保存。

**第八十一条** 检务档案仅供检验检疫机构内部查阅，查阅纸质检务档案，应经所在部门和检务部门负责人同意。内部人员可按权限查阅电子档案；未经批准，不得复制，不得对外提供、传播或散布。

第八十二条 纸质检务档案一般应当场查阅，不得带出档案库。特殊情况确需带出的，应经分管局领导批准。

查阅检务档案时应保持档案的原始状态。纸质检务档案不得换页、抽页、插页，不得涂改、污损；电子档案不得修改、删除。

第八十三条 因司法调查需要查阅检务档案的，按照有关规定办理。

第八十四条 纸质检务档案达到保存期限的可以销毁，销毁工作按保密资料的销毁程序进行。

第八十五条 各地检验检疫机构应建立检务档案管理定期检查制度，定期检查检务档案的保管情况。如发现档案资料丢失、毁坏等问题，应及时报告，及时查处，并根据规定追究相关人员的责任。

## 第七章 签证人员职责

第八十六条 检务部门负责人：负责本单位及下属机构签证和证书质量管理，协调和处理涉及各业务部门的签证工作。

第八十七条 施检部门负责人：负责本部门的检验检疫证稿拟制及相应的管理工作，严格执行分级核签把关制度，保证证稿质量。

第八十八条 受理报检人员：负责审核报检单、电子报检数据和随附单证是否齐全和符合规定形式，对不符合要求的报检情况进行记录。受理报检完毕，负责将报检单及所附资料按流程规定转下一环节。

第八十九条 计费人员：负责按照计费的规定和要求准确计费。

第九十条 收费人员：负责根据计费结果收取检验检疫费，并按规定出具收费收据。

第九十一条 施检人员：负责审核所附专业单证资料是否符合检验检疫有关规定和货物实际情况，按检验检疫规程等标准施检后填写检验检疫记录、出具检验检疫结果，并根据需要拟制证稿。出具外文证书的，应将证稿准确地译成外文。

第九十二条 施检部门核签人员：负责审核检验检疫记录、检验检疫结果和证稿等，证稿符合要求的，核签后交检务部门。

第九十三条 检务审核人员：负责审核报检单和证稿内容是否符合法律法规规定，是否与合同、信用证规定相符，译文是否正确。对不符合要求的证稿，提出修改意见或退回施检部门。

第九十四条 制证人员：负责正确使用各种证单。严格按照证稿内容缮制证单，做到排版得当、证面清晰、整洁、美观。将缮制完毕的证单及时送交审校人员。按规定做好领用证单的保管、核销。

第九十五条 审校人员：负责审核所用证单是否符合规定；证单内容是否与证稿相一致，有无错字、漏字，证面是否清晰、整洁、美观。发现有差错或不符合规定的，退回有关人员。

第九十六条 授权签字人员：负责审核证稿结果和用语是否正确、所用证单是否符合规定，与合同、信用证以及有关签证规定是否相符。审核无误后在证单上签名。

第九十七条 签发证单人员：负责对经签署的证单加盖签证印章，核实报检人已交纳检验检疫费后，办理发证手续，并将证书副本、证稿、报检单及所附资料整理成档。

第九十八条 空白证单管理人员：负责证单使用计划的制定、整理及上报工作；负责证单清点入库、建帐、分类保管、发放和核销。

第九十九条 签证印章管理人员：负责签证印章的领用、发放、保管等工作，并建立相应记录。

第一百条 检务档案管理人员：负责对完成检验检疫流程的检务档案建档、保管、调档、销毁等工作。

## 第八章 附 则

**第一百零一条** 原产地证及其他有特殊签发要求的证单，按照相关规定办理。

**第一百零二条** 司法鉴定业务、行政机关委托的检验鉴定业务、对外贸易合同或信用证规定由检验检疫机构出证的检验鉴定业务，以及其他委托检验和鉴定业务的签证管理，参照本办法执行。

**第一百零三条** 检验检疫工作人员违反本办法有关规定的，按照有关规定追究责任。

**第一百零四条** 本办法由国家质检总局负责解释。

**第一百零五条** 本办法自2009年3月1日起施行。原国家出入境检验检疫局于1999年12月17日发布的《出入境检验检疫签证管理办法》、《出入境检验检疫证单和签证印章管理规定》（国检法〔1999〕386号）同时废止。国家质检总局于2001年7月17日发布的《出入境检验检疫电子转单管理办法》（国质检〔2001〕51号）与本办法不一致的以本办法为准。

# 出入境交通工具电讯卫生检疫管理办法

（国家质量监督检验检疫总局公告2016年第78号）

（2016年8月15日由国家质量监督检验检疫总局发布，2016年9月1日起施行，法规类型为规范性文件）

## 第一章 总 则

**第一条** 为规范全国口岸出入境交通工具的电讯卫生检疫（简称电讯检疫）管理，通过风险评估，科学有效防止传染病疫情通过口岸传播和扩散，保护人体健康，维护国门安全，便利口岸通关，服务经贸发展，依据《中华人民共和国国境卫生检疫法》及其实施细则、《国际卫生条例（2005）》等有关法律法规的规定，制定本办法。

**第二条** 本办法适用于出入中华人民共和国国境的船舶、航空器、列车等交通工具的电讯检疫和管理。

**第三条** 所有出入境交通工具应当实施卫生检疫。根据交通工具运营者或其代理人申请，经检验检疫机构进行风险评估，可以对符合条件的出入境交通工具，实施电讯检疫。

**第四条** 电讯检疫是指出入境的交通工具通过无线通讯或其他便捷通讯方式，按要求向出入境检验检疫机构（以下称检验检疫机构）申报规定内容。经检验检疫机构进行风险评估，认为其符合检疫要求，准予其无疫通行，不实施登交通工具检疫。

**第五条** 检验检疫机构根据所提供材料、诚信档案、既往卫生检疫和卫生监督结果，开展风险评估。

**第六条** 口岸运营者应当为检验检疫机构开展电讯检疫提供必需的场地、通道和功能用房，给予必要的支持和保障。口岸核心能力建设达标的口岸方可开展电讯检疫业务。

**第七条** 质检总局主管全国口岸出入境交通工具的电讯检疫管理。各检验检疫机构负责所辖口岸出入境交通工具电讯检疫的监督管理和具体实施。

## 第二章 船舶电讯检疫

**第八条** 出入境船舶申请电讯检疫的，船舶运营者或其代理人应当在船舶预计抵达或驶离口岸24小时前向检验检疫机构申报。入境船舶航程不足24小时的，在驶离上一口岸时申请入境电讯检疫。出境船舶在港时间不足24小时的，可在抵达本口岸时申请出境电讯检疫。

船舶运营者或其代理人可采用电子化、信息化及书面等方式申请电讯检疫。如船舶动态或者申报内容有变化，应当及时向检验检疫机构更正。

**第九条** 国际航行船舶申请出入境电讯检疫应申报以下信息：
（一）船名、国籍、呼号、国际海事组织编号、预定抵离时间；
（二）发航港、最后寄港、4周内寄港；
（三）船员和旅客人数；
（四）载货清单、船载主要物品清单；
（五）航海健康申报书、相关卫生证书等。

**第十条** 入境船舶有以下情形之一的，检验检疫机构不给予电讯检疫：
（一）申报资料不全的；
（二）来自或经停受染地区的；
（三）本航次发现受染人或受染嫌疑人的；
（四）本航次有人非因意外伤害而死亡并死因不明的；
（五）本航次发现啮齿动物反常死亡或死因不明，或在船上发现活鼠、鼠迹、新鲜鼠粪的；
（六）本航次发现可疑的核与辐射、生物、化学污染源或危害事实的；
（七）未持有有效《船舶免予卫生控制措施证书/船舶卫生控制措施证书》的；
（八）船上载有散装废旧物品的；
（九）入境船舶为废旧船舶的；
（十）来自动植物疫区，国家有明确要求的，或装载的货物为活动物的。

**第十一条** 出境船舶有以下情形之一的，检验检疫机构不给予电讯检疫：
（一）申报资料不全的；
（二）国内航行或在港期间发现受染人或受染嫌疑人的；
（三）国内航行或在港期间有人非因意外伤害而死亡并死因不明的；
（四）国内航行或在港期间船上发现啮齿动物反常死亡或死因不明，或在船上发现活鼠、鼠迹、新鲜鼠粪的；
（五）国内航行或在港期间发现可疑的核与辐射、生物、化学污染源或危害事实的；
（六）未持有有效《船舶免予卫生控制措施证书/船舶卫生控制措施证书》的。

**第十二条** 船舶在收到检验检疫机构给予电讯检疫批准和回复后，入境船舶解除检疫信号，在抵达后可以直接上下人员、装卸货物，出境船舶可以直接离港。

船舶运营者或其代理人应当在船舶抵达口岸24小时内，或离开口岸1小时前办理检验检疫手续。

对实施电讯检疫的船舶，检验检疫机构可以根据实际情况对其实施抽查和卫生监督。

检验检疫机构对不予实施电讯检疫的出入境船舶，应确定其他检疫方式，及时通知船舶运营者或其代理人。

## 第三章 航空器电讯检疫

**第十三条** 出入境航空器申请电讯检疫的，入境航空器在预计降落30分钟前，出境航空器在离境关闭舱门 15 分钟前向检验检疫机构申报。

航空器运营者或其代理人可采用电子化、信息化及书面等方式申请电讯检疫。如航班动态或者申报内容有变化,应当及时向检验检疫机构更正。

**第十四条** 出入境航空器申请电讯检疫应申报以下信息:

(一)航班号、国籍、机身识别号、机型、预定抵离时间;

(二)始发机场、经停机场;

(三)总申报单、旅客名单、货物舱单;

(四)必要时,提交有效灭蚊证书等其他检疫有关证书、文件。

**第十五条** 入境航空器有以下情形之一的,检验检疫机构不给予电讯检疫:

(一)申报资料不全的;

(二)来自或经停受染地区的;

(三)本航次发现受染人或受染嫌疑人的;

(四)本航次有人非因意外伤害而死亡并死因不明的;

(五)本航次发现啮齿动物反常死亡或死因不明,或发现活鼠、鼠迹、新鲜鼠粪的;

(六)本航次发现可疑的核与辐射、生物、化学污染源或危害事实的;

(七)入境维修的航空器。

**第十六条** 出境航空器有以下情形之一的,检验检疫机构不给予电讯检疫:

(一)申报资料不全的;

(二)出境前发现受染人或受染嫌疑人的;

(三)出境前有人非因意外伤害而死亡并死因不明的;

(四)出境前发现啮齿动物反常死亡或死因不明,或发现活鼠、鼠迹、新鲜鼠粪的;

(五)出境前发现可疑的核与辐射、生物、化学污染源或危害事实的。

**第十七条** 出入境航空器在收到检验检疫机构给予电讯检疫批准回复后,入境航空器在抵港后可以直接上下人员、装卸货物,出境航空器可以直接起飞离港。

对实施电讯检疫的航空器,检验检疫机构可以根据实际情况对其进行抽查和卫生监督。

检验检疫机构对不予实施电讯检疫的出入境航空器,确定其他检疫方式,及时通知航空器运营者或其代理人。

### 第四章 列车电讯检疫

**第十八条** 出入境列车申请电讯检疫的,列车运营者或其代理人应当在列车预计抵达或离开口岸 30 分钟前申报。

列车运营者或其代理人可采用电子化、信息化及书面等方式申请电讯检疫。如列车动态或者申报内容有变化,应当及时向检验检疫机构更正。

**第十九条** 出入境列车申请电讯检疫应申报以下信息:

(一)车次、国籍、预定抵离时间;

(二)本车次起点站、停靠车站;

(三)总申报单、旅客名单、货物舱单、其他检疫有关证书、文件。

**第二十条** 入境列车有以下情形之一的,检验检疫机构不给予电讯检疫:

(一)申报资料不全的;

(二)来自或经停受染地区的;

(三)本车次发现受染人或受染嫌疑人的;

(四)本车次发现有人非因意外伤害而死亡并死因不明的;

(五)本车次发现啮齿动物反常死亡或死因不明,或发现活鼠、鼠迹、新鲜鼠粪;

（六）本车次发现可疑的核与辐射、生物、化学污染源或危害事实的；
（七）载有散装废旧物品的；
（八）来自动植物疫区，国家有明确要求的，或装载的货物为活动物的。

**第二十一条** 出境列车有以下情形之一的，检验检疫机构不给予电讯检疫：
（一）申报资料不全的；
（二）本车次发现受染人或受染嫌疑人的；
（三）本车次列车上发现有人非因意外伤害而死亡并死因不明的；
（四）本车次列车上发现啮齿动物反常死亡或死因不明，或发现活鼠、鼠迹、新鲜鼠粪的；
（五）本车次发现可疑的核与辐射、生物、化学污染源或危害事实的；
（六）载有散装废旧物品的。

**第二十二条** 出入境列车在收到检验检疫机构给予电讯检疫批复后，入境列车在抵站后可以直接上下人员、装卸货物，出境列车可直接离境。

列车运营者或其代理人必须在列车抵达口岸2小时内，或离开口岸30分钟前办理检验检疫手续。

对实施电讯检疫的列车，检验检疫机构可以根据实际情况对其进行抽查和卫生监督。

检验检疫机构对不予实施电讯检疫的出入境列车，确定其他检疫方式，及时通知运营者或其代理人。

## 第五章 日常管理

**第二十三条** 检验检疫机构对出入境交通工具的运营者及其代理人实施诚信管理，建立信息档案，内容包括：
（一）营业执照；
（二）运营航线信息；
（三）运营交通工具信息。
相关信息改变时，应及时变更。

**第二十四条** 检验检疫机构根据口岸抽查、卫生监督、诚信管理对已实施电讯检疫的出入境交通工具实施监督抽查，抽查比例不高于20%。对交通工具存在不符合电讯检疫要求情况的，停止受理该交通工具的电讯检疫申请6个月。

**第二十五条** 电讯检疫入境档案保存3年，出境档案保存2年，电子数据应长期保存，涉及重大疫情和案件、典型案例等事项的档案，作长期或永久保存。

## 第六章 附 则

**第二十六条** 本管理办法由国家质检总局负责解释。

**第二十七条** 本办法所涉及的主要术语定义：

本办法所指传染病包括《国境卫生检疫法》规定的检疫传染病、《国际卫生条例（2005）》附件2中的可能构成国际关注的突发公共卫生事件的疾病以及国务院规定按照检疫传染病管理的其他传染病。

受染是指人员、行李、货物、集装箱、交通工具、物品、邮包或尸体（骸骨）受到感染或污染或携带感染源或污染源以至于构成公共卫生风险。

受染嫌疑是指人员、行李、货物、集装箱、交通工具、船用物品或尸体（骸骨）已经暴露或可能暴露于公共卫生风险，并且有可能引起疾病传播。

受染地区是指世界卫生组织依据《国际卫生条例（2005）》建议采取卫生措施的某个特

定地理区域，或国家质检总局发布的传染病疫情公告、警示通报所列国家或某个特定地理区域。

无疫通行是指允许船舶进入港口、离岸或登岸、卸载货物或储备用品；允许航空器着陆后登机或下机、卸载货物或储备用品；允许陆地运输车辆到达后上车或下车、卸载货物或储备用品。

**第二十八条** 本办法自2016年9月1日起施行。

# 边境贸易出入境检验检疫管理办法（试行）

（国质检通〔2009〕36号）

（2009年1月23日由国家质量监督检验检疫总局发布，2009年1月23日起施行，法规类型为规范性文件）

## 第一章 总 则

**第一条** 为规范边境贸易出入境检验检疫管理，促进边境贸易健康发展，根据《中华人民共和国进出口商品检验法》及其实施条例、《中华人民共和国进出境动植物检疫法》及其实施条例、《中华人民共和国国境卫生检疫法》及其实施细则、《中华人民共和国食品卫生法》以及其他相关法律法规，制定本办法。

**第二条** 本办法适用于边境贸易进出口商品的出入境检验检疫和监督管理。

**第三条** 本办法所称边境贸易包括边境小额贸易和边民互市贸易及其他边境贸易方式。

边境小额贸易指沿陆地边境线经国家批准对外开放的边境县（旗）、边境城市辖区内（以下简称边境地区）经批准有边境小额贸易经营权的企业，通过国家指定的陆地边境口岸，与毗邻国家边境地区的企业或其他贸易机构之间进行的贸易活动。

边民互市贸易指边境地区边民在边境线20公里以内、经政府批准的开放点或指定的集市上，在不超过规定的金额或数量范围内进行的商品交换活动。

**第四条** 国家质量监督检验检疫总局（以下简称：国家质检总局）主管全国边境贸易出入境检验检疫工作，国家质检总局设在各地的出入境检验检疫机构负责本辖区内边境贸易出入境检验检疫和监督管理工作。

**第五条** 各地出入境检验检疫机构应按照安全监管、便利通关、因地制宜、分类管理的原则，做好本地区边境贸易出入境检验检疫相关工作。

## 第二章 边境贸易商品的检验检疫申报

**第六条** 出入境检验检疫机构对边境贸易进出口商品实行全申报（报检）管理制度。

**第七条** 边境小额贸易中属《出入境检验检疫机构实施检验检疫的进出境商品目录》（以下简称：《法检目录》）内的进出口商品，边境小额贸易公司或其代理人应当依照有关法律、法规和规章的要求，向出入境检验检疫机构办理报检手续。

**第八条** 边境小额贸易中不属《法检目录》的进出口商品、边民互市贸易的所有进出口商品，边境小额贸易公司或其代理人、边民互市贸易的货主或其代理人应当向口岸出入境检验检疫机构如实申报进出口商品的品名、数量、金额、国别等信息，具体申报项目和格式由边境贸易所在地直属出入境检验检疫局制订。

## 第三章 进口商品的检验检疫

**第九条** 出入境检验检疫机构应根据边境贸易实际情况和风险评估,对边境小额贸易进口商品实施逐批检验检疫和监督抽查管理两种工作模式。

**第十条** 《逐批检验检疫的边境小额贸易进口商品清单》由边境贸易所在地的直属出入境检验检疫局制订和调整,报送总局并组织实施。对《逐批检验检疫的边境小额贸易进口商品清单》外的商品,出入境检验检疫机构实施监督抽查管理。

进口可用作原料的固体废物以及检验检疫高风险的边境小额贸易进口商品,应当实施逐批检验检疫。

**第十一条** 出入境检验检疫机构对边民互市贸易进口商品原则上仅实施现场检疫和查验,对检验检疫高风险的边境互市贸易进口商品,可视情况实施实验室监督抽查。

**第十二条** 边境贸易进口商品原则上应当在进境口岸实施检验检疫,必要时也可根据便利贸易和检验检疫工作需要,在出入境检验检疫机构指定的其他地点实施检验检疫。

**第十三条** 出入境检验检疫机构按照国家技术规范的强制性要求,对边境贸易进口商品进行检验检疫和监督管理;我国没有检验检疫强制标准的,依照边境贸易合同(合约、确认书)或双方确认的样品要求,对边境贸易进口商品进行检验检疫和监督管理。

## 第四章 出口商品的检验检疫

**第十四条** 出入境检验检疫机构应根据边境贸易实际情况和风险评估,对边境小额贸易出口商品实施逐批检验检疫和监督抽查管理两种工作模式。

**第十五条** 《逐批检验检疫的边境小额贸易出口商品清单》由边境贸易所在地的直属出入境检验检疫局制订和调整,报送总局组织实施。对《逐批检验检疫的边境小额贸易出口商品清单》外的商品,出入境检验检疫机构实施监督抽查管理。

出入境检验检疫机构应当对食品、农产品和日常消费品等检验检疫高风险类的边境小额贸易出口商品严格按照国家有关规定实施检验检疫和监督管理。

**第十六条** 边民互市贸易出口商品中,具有国家相关主管部门认可,且标有 QS 标志、CCC 标志、CIQ 标志等产品质量、安全、卫生合格标识的商品,可快速查验放行。其他边民互市贸易出口商品的检验检疫工作原则上仅实施现场检疫和查验,根据需要,可实行监督抽查。

**第十七条** 边境小额贸易出口商品原则上应当在商品生产地检验,在口岸进行现场检疫和查验。

为方便边境小额贸易通关,促进边境贸易发展,边境贸易所在地的直属出入境检验检疫局可根据实际情况和风险评估结果,具体制订和调整在口岸实施检验检疫的边境小额贸易出口商品范围,并报总局备案后组织实施。

**第十八条** 边民互市贸易出口商品原则上在口岸实施检验检疫。

**第十九条** 出入境检验检疫机构应当按照进口国家或地区强制性标准,对边境贸易出口商品进行检验检疫和监督管理;进口国或地区没有强制性标准要求的,依照我国标准或边境贸易合同(合约、确认书)或双方确认的样品要求,对边境贸易出口商品进行检验检疫和监督管理。

## 第五章 监督管理

**第二十条** 适当简化边境贸易进口商品检疫审批许可程序,边境贸易所在地的直属出入境检验检疫局根据国家质检总局制定的"进境检验检疫审批的产品目录"负责制定本辖区内实行检疫审批许可的边境贸易进口商品目录,并报国家质检总局批准后,具体执行本辖区内边境贸易进口商品检疫审批许可工作。

**第二十一条** 适当简化边境贸易出口商品的企业卫生注册登记程序,边境贸易所在地的直属出入境检验检疫局负责制定本辖区相关政策,报送国家质检总局并组织实施。

**第二十二条** 出入境检验检疫机构应建立边境贸易商品可追溯管理机制。

**第二十三条** 出入境检验检疫机构应对获得备案资格的边境小额贸易经营企业或其代理人、边境贸易出口商品供货企业、边境口岸(通道)销售边境贸易商品的店铺加强日常监督管理。

### 第六章 附　则

**第二十四条** 边境地区境外替代种植、边境地区毗邻国家经济技术合作以及其他边境贸易方式项下进出口商品的出入境检验检疫工作,按照国家质检总局有关规定执行,国家质检总局没有特别规定的,可参照本办法的有关规定执行。

**第二十五条** 边境贸易进出口商品的出入境检验检疫收费,按照国家有关规定执行。

**第二十六条** 边境贸易所在地的直属出入境检验检疫局可根据本办法,本着针对同一毗邻国家实行统一政策的原则,结合边境贸易特点,具体制定本辖区的边境贸易出入境检验检疫管理实施细则,报国家质检总局备案后执行。

**第二十七条** 本办法由国家质检总局负责解释。

**第二十八条** 本办法下发之日起施行,原国家商检局发布的《边境贸易进出口商品检验管理办法》同时废止。

## 国境口岸突发公共卫生事件出入境检验检疫应急处理规定

(国家质量监督检验检疫总局令第57号)

(2003年11月7日由国家质量监督检验检疫总局发布,根据2018年4月28日海关总署令第238号《海关总署关于修改部分规章的决定》修正,现行版本自2018年5月1日起施行,法规类型为部门规章)

### 第一章 总　则

**第一条** 为有效预防、及时缓解、控制和消除突发公共卫生事件的危害,保障出入境人员和国境口岸公众身体健康,维护国境口岸正常的社会秩序,依据《中华人民共和国国境卫生检疫法》及其实施细则和《突发公共卫生事件应急条例》,制定本规定。

**第二条** 本规定所称突发公共卫生事件(以下简称突发事件)是指突然发生,造成或可能造成出入境人员和国境口岸公众健康严重损害的重大传染病疫情、群体性不明原因疾病、重大食物中毒以及其他严重影响公众健康的事件,包括:

(一)发生鼠疫、霍乱、黄热病、肺炭疽、传染性非典型肺炎病例的;

(二)乙类、丙类传染病较大规模的暴发、流行或多人死亡的;

(三)发生罕见的或者国家已宣布消除的传染病等疫情的;

(四)传染病菌种、毒种丢失的;

（五）发生临床表现相似的但致病原因不明且有蔓延趋势或可能蔓延趋势的群体性疾病的；

（六）中毒人数10人以上或者中毒死亡的；

（七）国内外发生突发事件，可能危及国境口岸的。

**第三条** 本规定适用于在涉及国境口岸和出入境人员、交通工具、货物、集装箱、行李、邮包等范围内，对突发事件的应急处理。

**第四条** 国境口岸突发事件出入境检验检疫应急处理，应当遵循预防为主、常备不懈的方针，贯彻统一领导、分级负责、反应及时、措施果断、依靠科学、加强合作的原则。

**第五条** 海关对参加国境口岸突发事件出入境检验检疫应急处理做出贡献的人员应给予表彰和奖励。

### 第二章 组织管理

**第六条** 海关建立国境口岸突发事件出入境检验检疫应急指挥体系。

**第七条** 海关总署统一协调、管理国境口岸突发事件出入境检验检疫应急指挥体系，并履行下列职责：

（一）研究制订国境口岸突发事件出入境检验检疫应急处理方案；

（二）指挥和协调全国海关做好国境口岸突发事件出入境检验检疫应急处理工作，组织调动本系统的技术力量和相关资源；

（三）检查督导全国海关有关应急工作的落实情况，督察各项应急处理措施落实到位；

（四）协调与国家相关行政主管部门的关系，建立必要的应急协调联系机制；

（五）收集、整理、分析和上报有关情报信息和事态变化情况，为国家决策提供处置意见和建议；向全国海关传达、部署上级机关有关各项命令；

（六）鼓励、支持和统一协调开展国境口岸突发事件出入境检验检疫监测、预警、反应处理等相关技术的国际交流与合作。

海关总署成立国境口岸突发事件出入境检验检疫应急处理专家咨询小组，为应急处理提供专业咨询、技术指导，为应急决策提供建议和意见。

**第八条** 直属海关负责所辖区域内的国境口岸突发事件出入境检验检疫应急处理工作，并履行下列职责：

（一）在本辖区组织实施国境口岸突发事件出入境检验检疫应急处理预案；

（二）调动所辖关区的力量和资源，开展应急处置工作；

（三）及时向海关总署报告应急工作情况、提出工作建议；

（四）协调与当地人民政府及其卫生行政部门以及口岸管理部门、边检等相关部门的联系。

直属海关成立国境口岸突发事件出入境检验检疫应急处理专业技术机构，承担相应工作。

**第九条** 隶属海关应当履行下列职责：

（一）组建突发事件出入境检验检疫应急现场指挥部，根据具体情况及时组织现场处置工作；

（二）与直属海关突发事件出入境检验检疫应急处理专业技术机构共同开展现场应急处置工作，并随时上报信息；

（三）加强与当地人民政府及其相关部门的联系与协作。

### 第三章 应急准备

**第十条** 海关总署按照《突发公共卫生事件应急条例》的要求，制订全国国境口岸突发事件出入境检验检疫应急预案。

主管海关根据全国国境口岸突发事件出入境检验检疫应急预案，结合本地口岸实际情况，制订本地国境口岸突发事件出入境检验检疫应急预案，并报上一级海关和当地政府备案。

**第十一条** 海关应当定期开展突发事件出入境检验检疫应急处理相关技能的培训，组织突发事件出入境检验检疫应急演练，推广先进技术。

**第十二条** 海关应当根据国境口岸突发事件出入境检验检疫应急预案的要求，保证应急处理人员、设施、设备、防治药品和器械等资源的配备、储备，提高应对突发事件的处理能力。

**第十三条** 海关应当依照法律、行政法规、规章的规定，开展突发事件应急处理知识的宣传教育，增强对突发事件的防范意识和应对能力。

## 第四章 报告与通报

**第十四条** 海关总署建立国境口岸突发事件出入境检验检疫应急报告制度，建立重大、紧急疫情信息报告系统。

有本规定第二条规定情形之一的，直属海关应当在接到报告1小时内向海关总署报告，并同时向当地政府报告。

海关总署对可能造成重大社会影响的突发事件，应当及时向国务院报告。

**第十五条** 隶属海关获悉有本规定第二条规定情形之一的，应当在1小时内向直属海关报告，并同时向当地政府报告。

**第十六条** 海关总署和主管海关应当指定专人负责信息传递工作，并将人员名单及时向所辖系统内通报。

**第十七条** 国境口岸有关单位和个人发现有本规定第二条规定情形之一的，应当及时、如实地向所在口岸的海关报告，不得隐瞒、缓报、谎报或者授意他人隐瞒、缓报、谎报。

**第十八条** 接到报告的海关应当依照本规定立即组织力量对报告事项调查核实、确证，采取必要的控制措施，并及时报告调查情况。

**第十九条** 海关总署应当将突发事件的进展情况，及时向国务院有关部门和直属海关通报。

接到通报的直属海关，应当及时通知本关区内的有关隶属海关。

**第二十条** 海关总署建立突发事件出入境检验检疫风险预警快速反应信息网络系统。

主管海关负责将发现的突发事件通过网络系统及时向上级报告，海关总署通过网络系统及时通报。

## 第五章 应急处理

**第二十一条** 突发事件发生后，发生地海关经上一级海关批准，应当对突发事件现场采取下列紧急控制措施：

（一）对现场进行临时控制，限制人员出入；对疑为人畜共患的重要疾病疫情，禁止病人或者疑似病人与易感动物接触；

（二）对现场有关人员进行医学观察，临时隔离留验；

（三）对出入境交通工具、货物、集装箱、行李、邮包等采取限制措施，禁止移运；

（四）封存可能导致突发事件发生或者蔓延的设备、材料、物品；

（五）实施紧急卫生处理措施。

**第二十二条** 海关应当组织专家对突发事件进行流行病学调查、现场监测、现场勘验，确定危害程度，初步判断突发事件的类型，提出启动国境口岸突发事件出入境检验检疫应急预案的建议。

**第二十三条** 海关总署国境口岸突发事件出入境检验检疫应急预案应当报国务院批准后实施；主管海关的国境口岸突发事件出入境检验检疫应急预案的启动，应当报上一级海关批准后实施，同时报告当地政府。

**第二十四条** 国境口岸突发事件出入境检验检疫技术调查、确证、处置、控制和评价工作由直属海关应急处理专业技术机构实施。

**第二十五条** 根据突发事件应急处理的需要，国境口岸突发事件出入境检验检疫应急处理指挥体系有权调集海关人员、储备物资、交通工具以及相关设施、设备；必要时，海关总署可以依照《中华人民共和国国境卫生检疫法》第六条的规定，提请国务院下令封锁有关的国境或者采取其他紧急措施。

**第二十六条** 参加国境口岸突发事件出入境检验检疫应急处理的工作人员，应当按照预案的规定，采取卫生检疫防护措施，并在专业人员的指导下进行工作。

**第二十七条** 出入境交通工具上发现传染病病人、疑似传染病病人，其负责人应当以最快的方式向当地口岸海关报告，海关接到报告后，应当立即组织有关人员采取相应的卫生检疫处置措施。

对出入境交通工具上的传染病病人密切接触者，应当依法予以留验和医学观察；或依照卫生检疫法律、行政法规的规定，采取控制措施。

**第二十八条** 海关应当对临时留验、隔离人员进行必要的检查检验，并按规定作详细记录；对需要移送的病人，应当按照有关规定将病人及时移交给有关部门或机构进行处理。

**第二十九条** 在突发事件中被实施留验、就地诊验、隔离处置、卫生检疫观察的病人、疑似病人和传染病病人密切接触者，在海关采取卫生检疫措施时，应当予以配合。

## 第六章 法律责任

**第三十条** 在国境口岸突发事件出入境检验检疫应急处理工作中，口岸有关单位和个人有下列情形之一的，依照有关法律法规的规定，予以警告或者罚款，构成犯罪的，依法追究刑事责任：

（一）向海关隐瞒、缓报或者谎报突发事件的；

（二）拒绝海关进入突发事件现场进行应急处理的；

（三）以暴力或其他方式妨碍海关应急处理工作人员执行公务的。

**第三十一条** 海关未依照本规定履行报告职责，对突发事件隐瞒、缓报、谎报或者授意他人隐瞒、缓报、谎报的，对主要负责人及其他直接责任人员予以行政处分；构成犯罪的，依法追究刑事责任。

**第三十二条** 突发事件发生后，海关拒不服从上级海关统一指挥，贻误采取应急控制措施时机或者违背应急预案要求拒绝上级海关对人员、物资的统一调配的，对单位予以通报批评；造成严重后果的，对主要负责人或直接责任人员予以行政处分，构成犯罪的，依法追究刑事责任。

**第三十三条** 突发事件发生后，海关拒不履行出入境检验检疫应急处理职责的，对上级海关的调查不予配合或者采取其他方式阻碍、干涉调查的，由上级海关责令改正，对主要负责人及其他直接责任人员予以行政处分；构成犯罪的，依法追究刑事责任。

**第三十四条** 海关工作人员在突发事件应急处理工作中滥用职权、玩忽职守、徇私舞弊的，对主要负责人及其他直接责任人员予以行政处分；构成犯罪的，依法追究刑事责任。

## 第七章 附 则

**第三十五条** 本规定由海关总署负责解释。

**第三十六条** 本规定自发布之日起施行。

# 进出口工业品风险管理办法

（国家质量监督检验检疫总局令第 188 号）

（2017 年 3 月 6 日由国家质量监督检验检疫总局发布，根据 2018 年 4 月 28 日海关总署令第 238 号《海关总署关于修改部分规章的决定》修正，现行版本自 2018 年 5 月 1 日起施行，法规类型为部门规章）

## 第一章 总 则

**第一条** 为了加强进出口工业品质量安全风险管理，促进贸易便利化，根据《中华人民共和国进出口商品检验法》及其实施条例、《中华人民共和国食品安全法》及其实施条例等法律法规的规定，制定本办法。

**第二条** 本办法适用于对进出口工业品的风险信息收集、风险信息评估、风险预警及快速反应和监督管理等工作。

本办法不适用于食品、化妆品、动植物产品的风险管理工作。

**第三条** 本办法所称风险即质量安全风险，是指进出口工业品对人类健康和安全、动植物生命和健康、环境保护、国家安全以及对进出口贸易有关各方合法权益造成危害的可能和程度。本办法所称风险信息，是指进出口工业品在安全、卫生、环境保护、健康、反欺诈等方面形成或者可能形成的系统性、区域性危害或者影响，以及为限制、减少或者消除上述危害或者影响需要进行收集、评估、处置的进出口工业品质量安全方面的信息。

本办法所称生产经营者，是指进出口工业品的收货人及其代理人，出口工业品的生产企业、发货人及其代理人等。

**第四条** 海关总署统一管理全国进出口工业品风险信息收集、风险信息评估、风险预警及快速反应工作。

主管海关负责辖区内进出口工业品风险信息收集、风险信息评估、风险预警及快速反应工作。

**第五条** 海关总署指定符合规定资质条件的技术机构承担进出口工业品风险信息国家监测工作（以下简称国家监测中心），对特定时段、特定区域内的特定工业品进行风险信息的收集、评估，并提出相应的风险处置建议。

**第六条** 海关总署建立进出口工业品质量安全风险预警平台（以下简称风险预警平台），依托 E-CIQ 主干系统，应用信息化技术，收集和发布进出口工业品风险信息。

**第七条** 进出口工业品生产经营者应当建立进出口工业品风险追溯体系，保证进出口工业品质量安全，接受社会监督，承担社会责任。

## 第二章 风险信息收集

**第八条** 进出口工业品风险信息的来源可以包括：进出口检验监管信息、进出口认证监管信息、检验检测机构提供的信息、境外通报召回信息、出口退运信息、抽查检验信息、各级政府部门及行业协会通报信息、境外政府部门通报信息、医院伤害报告信息、交通事故信息、消防事故信息、产品安全事故信息、技术法规标准信息、媒体舆情信息、生产经营者报告信息、消费者投诉信息以及其他风险信息。

**第九条** 任何组织或者个人可以向海关或者国家监测中心实名提供有关进出口工业品风险信息。

**第十条** 进出口工业品的生产经营者应当建立风险信息报告制度。发现产品存在风险时，应当及时向海关或者国家监测中心报告相关风险信息。

检验检测机构开展进出口工业品检验检测业务的，应当建立风险报告机制。发现进出口工业品存在风险时，应当及时向海关或者国家监测中心报告相关风险信息。

**第十一条** 海关和国家监测中心对收集的风险信息进行调查核实，按照规定录入风险预警平台。海关可以委托符合规定资质条件的技术机构（以下简称技术机构）实施。

## 第三章 风险信息评估

**第十二条** 海关可以委托技术机构或者组建专家小组对进出口工业品风险信息进行评估。

**第十三条** 技术机构、专家小组应当在规定时间内运用国际通行的规则完成风险评估工作，得出风险评估结果，出具书面报告。

书面报告应当包括：风险评估的方法、风险类别、等级、危害、范围、残余风险、风险处置建议等内容。

**第十四条** 产品风险发生重大变化时，做出评估的海关或者国家监测中心应当及时组织对产品风险进行重新评估。

## 第四章 风险处置

**第十五条** 海关依照职责对风险评估报告进行研判，根据研判结论作出风险处置决定。需要采取风险预警措施和快速反应措施的，确定并实施相应的措施。

**第十六条** 风险预警措施包括：

（一）向相关海关发布风险警示通报；

（二）向生产经营者、相关机构发布风险警示通告，提醒或者通知其及时采取措施，消减风险；

（三）发布风险警示公告，确定对进出口工业品的风险和危害的强制性措施，提醒消费者和使用者警惕涉及进出口工业品的风险和危害。

**第十七条** 快速反应措施包括：

（一）调整检验监管模式；

（二）责令生产经营者对存在风险的进出口工业品实施退运或者销毁、停止进出口、停止销售和使用或者召回；

（三）按照有关法律法规的规定，对存在风险的进出口工业品实施查封或者扣押；

（四）组织调查特定时间段中，同类产品、相关行业或者关联区域内的产品质量安全状况；

（五）通报有关部门和机构，并提出协同处置的建议。

**第十八条** 紧急情况下，海关总署可以参照国际通行做法，对不确定的进出口工业品风险，按照本办法第十六、十七条规定采取风险预警或者快速反应措施。

**第十九条** 当风险发生变化时，海关应当及时调整所采取的风险预警和快速反应措施。

**第二十条** 海关应当将采取的风险预警和快速反应措施报告上一级海关备案。

**第二十一条** 风险预警和快速反应措施规定有实施期限的，期满后风险预警和快速反应措施自动解除。

风险预警和快速反应措施实施期限内，风险已经不存在或者已经降低到适当程度时，海关应当主动或者根据生产经营者的申请解除风险预警和快速反应措施。

生产经营者申请解除风险预警和快速反应措施时，应当提交风险消减评价报告。接受申请的部门应当对提交的风险消减报告的真实性、符合性进行评估。

**第二十二条** 生产经营者明知其产品已经或者可能存在风险时，应当履行以下义务：

（一）实施风险消减措施；

（二）及时向利益相关方通报真实情况和采取的风险消减措施；

（三）及时向海关总署或者主管海关报告采取的风险消减措施及实施结果；

（四）积极配合海关总署或者主管海关进行的风险信息调查和风险消减措施的监督。

## 第五章 监督管理

**第二十三条** 海关可以委托技术机构或者组建专家小组对下列事项进行评估：

（一）已采取的风险预警和快速反应措施；

（二）生产经营者采取的风险消减措施。

**第二十四条** 当进出口工业品存在风险，生产经营者未及时采取消减措施的，海关可以对其法定代表人或者主要责任人进行责任约谈。

海关未及时发现进出口工业品系统性风险，未及时消除辖区内风险的，海关总署或者上级主管海关可以对其主要负责人进行责任约谈。

**第二十五条** 进出口工业品风险预警及快速反应管理工作应当遵守保密规定。需要对外发布的信息应当按照海关总署相关规定予以公布。

**第二十六条** 海关和国家监测中心对收到的进出口工业品风险信息进行分类、归档、统计，并做好风险信息的档案管理工作。

进出口工业品风险信息档案保存期限为3年。涉及重大案件、典型案例等事项的档案，做长期或者永久保存。

## 第六章 法律责任

**第二十七条** 生产经营者违反本办法规定，有下列情形之一的，海关总署、主管海关可以责令其改正；拒不改正，且造成严重后果的，可以处3万元以下的罚款：

（一）明知其产品存在 风险未主动向海关报告相关信息，或者存在瞒报、漏报的；

（二）不配合海关实施风险预警和快速反应措施或者对其风险消减措施实施监督管理的；

（三）未及时实施退运、销毁、停止进出口、停止销售和使用、召回等风险消减措施或者因措施不当未有效控制风险的；

（四）未向利益相关方通报真实情况以及风险消减措施的。

**第二十八条** 技术机构、专家小组应当提交客观、真实、准确的评估报告，对提供虚假报告或者篡改评估结果的机构或者个人，依法追究责任。

**第二十九条** 检验检测机构应当出具真实客观的报告。对提供虚假信息或者瞒报信息的机构，依法追究责任。

**第三十条** 海关工作人员应当秉公执法、忠于职守，不得滥用职权、玩忽职守、徇私舞弊。对违法失职的，依法追究责任。

## 第七章 附 则

**第三十一条** 本办法由海关总署负责解释。

**第三十二条** 本办法自2017年4月1日起施行。

# 进境动物和动物产品风险分析管理规定

(国家质量监督检验检疫总局令第 40 号)

(2002 年 12 月 31 日由国家质量监督检验检疫总局发布，根据 2018 年 4 月 28 日海关总署令第 238 号《海关总署关于修改部分规章的决定》修正，现行版本自 2018 年 5 月 1 日起施行，法规类型为部门规章)

## 第一章 总 则

**第一条** 为规范进境动物和动物产品风险分析工作，防范动物疫病传入风险，保障农牧渔业生产，保护人体健康和生态环境，根据《中华人民共和国进出境动植物检疫法》及其实施条例，参照世界贸易组织（WTO）关于《实施卫生和植物卫生措施协定》（SPS 协定）的有关规定，制定本规定。

**第二条** 本规定所称动物和动物产品风险分析，包括对进境动物、动物产品、动物遗传物质、动物源性饲料、生物制品和动物病理材料的风险分析。

**第三条** 海关总署统一管理进境动物、动物产品风险分析工作。

**第四条** 开展风险分析应当遵守我国法律法规的规定，并遵循下列原则：

（一）以科学为依据；

（二）执行或者参考有关国际标准、准则和建议；

（三）透明、公开和非歧视原则；

（四）不对国际贸易构成变相限制。

**第五条** 当有关国际标准、准则和建议不能达到我国农牧渔业生产、人体健康和生态环境的必要保护水平时，海关总署根据风险分析的结果可采取高于国际标准、准则和建议的措施。

**第六条** 风险分析过程应当包括危害因素确定、风险评估、风险管理和风险交流。

**第七条** 风险分析应当形成书面报告。报告内容应当包括背景、方法、程序、结论和管理措施等。

## 第二章 危害因素确定

**第八条** 对进境动物、动物产品、动物遗传物质、动物源性饲料、生物制品和动物病理材料应当进行危害因素确定。

**第九条** 危害因素主要是指：

（一）《中华人民共和国进境一、二类动物传染病寄生虫名录》所列动物传染病、寄生虫病病原体；

（二）国外新发现并对农牧渔业生产和人体健康有危害或潜在危害的动物传染病、寄生虫病病原体；

（三）列入国家控制或者消灭计划的动物传染病、寄生虫病病原体；

（四）对农牧渔业生产、人体健康和生态环境可能造成危害或者负面影响的有毒有害物质和生物活性物质。

第十条  经确定进境动物、动物产品、动物遗传物质、动物源性饲料、生物制品和动物病理材料不存在危害因素的,不再进行风险评估。

## 第三章  风险评估

第十一条  进境动物、动物产品、动物遗传物质、动物源性饲料、生物制品和动物病理材料存在危害因素的,启动风险评估程序。

第十二条  根据需要,对输出国家或者地区的动物卫生和公共卫生体系进行评估。

动物卫生和公共卫生体系的评估以书面问卷调查的方式进行,必要时可以进行实地考察。

第十三条  风险评估采用定性、定量或者两者相结合的分析方法。

第十四条  风险评估过程包括传入评估、发生评估、后果评估和风险预测。

第十五条  传入评估应当考虑以下因素:

(一)生物学因素,如动物种类、年龄、品种、病原感染部位、免疫、试验、处理和检疫技术的应用;

(二)国家因素,如疫病流行率,动物卫生和公共卫生体系,危害因素的监控计划和区域化措施;

(三)商品因素,如进境数量,减少污染的措施,加工过程的影响,贮藏和运输的影响。

传入评估证明危害因素没有传入风险的,风险评估结束。

第十六条  发生评估应当考虑下列因素:

(一)生物学因素,如易感动物、病原性质等;

(二)国家因素,如传播媒介,人和动物数量,文化和习俗,地理、气候和环境特征;

(三)商品因素,如进境商品种类、数量和用途,生产加工方式,废弃物的处理。

发生评估证明危害因素在我国境内不造成危害的,风险评估结束。

第十七条  后果评估应当考虑以下因素:

(一)直接后果,如动物感染、发病和造成的损失,以及对公共卫生的影响等;

(二)间接后果,如危害因素监测和控制费用,补偿费用,潜在的贸易损失,对环境的不利影响。

第十八条  对传入评估、发生评估和后果评估的内容综合分析,对危害发生作出风险预测。

## 第四章  风险管理

第十九条  当境外发生重大疫情和有毒有害物质污染事件时,海关总署根据我国进出境动植物检疫法律法规,并参照国际标准、准则和建议,采取应急措施,禁止从发生国家或者地区输入相关动物、动物产品、动物遗传物质、动物源性饲料、生物制品和动物病理材料。

第二十条  根据风险评估的结果,确定与我国适当保护水平相一致的风险管理措施。风险管理措施应当有效、可行。

第二十一条  进境动物的风险管理措施包括产地选择、时间选择、隔离检疫、预防免疫、实验室检验、目的地或者使用地限制和禁止进境等。

第二十二条  进境动物产品、动物遗传物质、动物源性饲料、生物制品和动物病理材料的风险管理措施包括产地选择、产品选择、生产、加工、存放、运输方法及条件控制,生产、加工、存放企业的注册登记,目的地或者使用地限制,实验室检验和禁止进境等。

## 第五章 风险交流

**第二十三条** 风险交流应当贯穿于风险分析的全过程。风险交流包括收集与危害和风险有关的信息和意见，讨论风险评估的方法、结果和风险管理措施。

**第二十四条** 政府机构、生产经营单位、消费团体等可了解风险分析过程中的详细情况，可提供意见和建议。

对有关风险分析的建议和意见应当组织审查并反馈。

## 第六章 附 则

**第二十五条** 术语解释。

"风险"是指动物传染病、寄生虫病病原体、有毒有害物质随进境动物、动物产品、动物遗传物质、动物源性饲料、生物制品和动物病理材料传入的可能性及其对农牧渔业生产、人体健康和生态环境造成的危害。

"风险分析"是指危害因素确定、风险评估、风险管理和风险交流的过程。

"危害因素确定"是指确定进境动物、动物产品、动物遗传物质、动物源性饲料、生物制品和动物病理材料可能传入病原体和有毒有害物质的过程。

"有毒有害物质"是指对农牧渔业生产、人体健康和生态环境造成危害的生物、物理和化学物质。

"风险评估"是指对病原体、有毒有害物质传入、扩散的可能性及其造成危害的评估。

"风险管理"是指制定和实施降低风险措施的过程。

"风险交流"是指在风险分析过程中与有关方面进行的信息交流。

"传入评估"是指对危害因素的传入途径以及通过该途径传入的可能性的评估。

"发生评估"是指危害因素传入后，对我国农牧渔业生产、人体健康和生态环境造成危害的途径以及发生危害的可能性的评估。

"后果评估"是指危害因素传入后，对我国农牧渔业生产、人体健康及生态环境所造成的后果的评估。

"风险预测"是指对传入评估、发生评估和后果评估的结果综合分析以获得对进口风险的估计。

"定性分析"是指用定性术语如高、中、低或者极低等表示可能性或者后果严重性的风险评估方式。

"定量分析"是指用数据或概率表示风险分析结果的风险评估方式。

**第二十六条** 本规定由海关总署负责解释。

**第二十七条** 本规定自2003年2月1日起施行。

# 进境植物和植物产品风险分析管理规定

（国家质量监督检验检疫总局令第 41 号）

（2002 年 12 月 31 日由国家质量监督检验检疫总局发布，根据 2018 年 4 月 28 日海关总署令第 238 号《海关总署关于修改部分规章的决定》修正，现行版本自 2018 年 5 月 1 日起施行，法规类型为部门规章）

## 第一章 总 则

**第一条** 为防止外来植物检疫性有害生物传入，保护我国农、林业生产安全及生态环境，根据《中华人民共和国进出境动植物检疫法》及其实施条例，参照世界贸易组织（WTO）关于《实施卫生与植物卫生措施协定》（SPS 协定）和国际植物保护公约（IPPC）的有关规定，制定本规定。

**第二条** 本规定适用于对进境植物、植物产品和其他检疫物传带检疫性有害生物的风险分析。

**第三条** 海关总署统一管理进境植物、植物产品和其他检疫物的风险分析工作。

**第四条** 开展风险分析应当遵守我国法律法规的规定，并遵循下列原则：

（一）以科学为依据；

（二）遵照国际植物保护公约组织制定的国际植物检疫措施标准、准则和建议；

（三）透明、公开和非歧视性原则；

（四）对贸易的不利影响降低到最小程度。

**第五条** 当有关国际标准确定的措施不能达到我国农、林业生产安全或者生态环境的必要保护水平时，海关总署根据科学的风险分析结果可采取高于国际标准、准则和建议的科学措施。

**第六条** 有害生物风险分析包括风险分析启动、风险评估和风险管理。

**第七条** 风险分析完成后应当提交风险分析报告，重要的风险分析报告应当交由中国进出境动植物检疫风险分析委员会审议。

## 第二章 风险分析启动

**第八条** 出现下列情况之一时，海关总署可以启动风险分析：

（一）某一国家或者地区官方植物检疫部门首次向我国提出输出某种植物、植物产品和其他检疫物申请的；

（二）某一国家或者地区官方植物检疫部门向我国提出解除禁止进境物申请的；

（三）因科学研究等特殊需要，国内有关单位或者个人需要引进禁止进境物的；

（四）我国海关从进境植物、植物产品和其他检疫物上截获某种可能对我国农、林业生产安全或者生态环境构成威胁的有害生物；

（五）国外发生某种植物有害生物并可能对我国农、林业生产安全或者生态环境构成潜在威胁；

（六）修订《中华人民共和国进境植物检疫危险性病、虫、杂草名录》、《中华人民共和国进境植物检疫禁止进境物名录》或者对有关植物检疫措施作重大调整；

（七）其他需要开展风险分析的情况。

第九条  首次向我国输出某种植物、植物产品和其他检疫物或者向我国提出解除禁止进境物申请的国家或者地区，应当由其官方植物检疫部门向海关总署提出书面申请，并提供开展风险分析的必要技术资料。

第十条  海关总署根据有关输出国家或者地区提交申请的时间、提供技术资料的完整性、国外植物疫情的变化以及检验检疫管理等情况确定开展风险分析的先后顺序。

第十一条  国内有关单位或者个人因科学研究等特殊需要引进禁止进境物的，应当提出申请并提供必要的技术资料。

第十二条  出现本规定第八条第（四）、（五）、（六）项情形之一的，海关总署自行启动风险分析。

第十三条  在启动风险分析时，应当核查该产品是否已进行过类似的风险分析。如果已进行过风险分析，应当根据新的情况核实其有效性；经核实原风险分析仍然有效的，不再进行新的风险分析。

## 第三章　风险评估

第十四条  海关总署采用定性、定量或者两者结合的方法开展风险评估。

第十五条  风险评估是确定有害生物是否为检疫性有害生物，并评价其传入和扩散的可能性以及有关潜在经济影响的过程。

第十六条  确定检疫性有害生物时应当考虑以下因素：

（一）有害生物的分类地位及在国内外的发生、分布、危害和控制情况；

（二）具有定殖和扩散的可能性；

（三）具有不可接受的经济影响（包括环境影响）的可能性。

第十七条  评价有害生物传入和扩散应当考虑以下因素：

（一）传入可能性评价应当考虑传播途径、运输或者储存期间存活可能性、现有管理措施下存活可能性、向适宜寄主转移可能性，以及是否存在适宜寄主、传播媒介、环境适生性、栽培技术和控制措施等因素；

（二）扩散可能性评价应当考虑自然扩散、自然屏障、通过商品或者运输工具转移可能性、商品用途、传播媒介以及天敌等因素。

第十八条  评价潜在经济影响应当考虑以下因素：

（一）有害生物的直接影响：对寄主植物损害的种类、数量和频率、产量损失、影响损失的生物因素和非生物因素、传播和繁殖速度、控制措施、效果及成本、生产方式的影响以及对环境的影响等；

（二）有害生物的间接影响：对国内和出口市场的影响、费用和投入需求的变化、质量变化、防治措施对环境的影响、根除或者封锁的可能性及成本、研究所需资源以及对社会等影响。

第十九条  海关总署根据风险分析工作需要，可以向输出国家或者地区官方检疫部门提出补充、确认或者澄清有关技术信息的要求，派出技术人员到输出国家或者地区进行检疫考察。必要时，双方检疫专家可以共同开展技术交流或者合作研究。

## 第四章　风险管理

第二十条  海关总署根据风险评估的结果，确定与我国适当保护水平相一致的风险管理措施。风险管理措施应当合理、有效、可行。

风险管理是指评价和选择降低检疫性有害生物传入和扩散风险的决策过程。

**第二十一条** 风险管理措施包括提出禁止进境的有害生物名单，规定在种植、收获、加工、储存、运输过程中应当达到的检疫要求，适当的除害处理，限制进境口岸与进境后使用地点，采取隔离检疫或者禁止进境等。

**第二十二条** 当境外发生重大疫情并可能传入我国时，或者在进境检疫截获重要有害生物时，根据初步的风险分析，海关总署可以直接采取紧急临时风险管理措施；并在随后收集有关信息和资料，开展进一步的风险分析。

**第二十三条** 海关总署拟定风险管理措施应当征求有关部门、行业、企业、专家及WTO成员意见，对合理意见应当予以采纳。

**第二十四条** 海关总署应当在完成必要的法律程序后对风险管理措施予以发布，并通报WTO；必要时，通知相关输出国家或者地区官方植物检疫部门。

## 第五章 附 则

**第二十五条** 对进境植物种子、苗木等繁殖材料传带限定的非检疫性有害生物的风险分析，参照本规定执行。

**第二十六条** 术语解释。

"禁止进境物"是指《中华人民共和国进境植物检疫禁止进境物名录》中列明的和我国公告予以禁止进境的植物、植物产品或者其他检疫物。

"限定的非检疫性有害生物"是指存在于供种植的植物中且危及其预期用途，并将产生无法接受的经济影响，因而受到管制的非检疫性有害生物。

**第二十七条** 本规定由海关总署负责解释。

**第二十八条** 本规定自2003年2月1日起施行。

# 进境植物繁殖材料隔离检疫圃管理办法

（国家质量监督检验检疫总局令第11号）

（1999年12月9日由国家质量监督检验检疫总局发布；根据2018年3月6日国家质量监督检验检疫总局令第196号《国家质量监督检验检疫总局关于废止和修改部分规章的决定》第一次修正，根据2018年4月28日海关总署令第238号《海关总署关于修改部分规章的决定》第二次修正，现行版本自2018年5月1日起施行；法规类型为部门规章）

**第一条** 为做好进境植物繁殖材料隔离检疫工作，防止植物危险性有害生物传入我国，根据《中华人民共和国进出境动植物检疫法》及其实施条例等有关法律法规的规定，制定本办法。

**第二条** 本办法所指的进境植物繁殖材料隔离检疫圃（以下简称隔离检疫圃）应当由海关总署或直属海关指定，授予承担进境植物繁殖材料隔离检疫工作的资格。

**第三条** 隔离检疫圃根据海关的要求，承担进境的高、中风险的植物繁殖材料的隔离检疫，出具隔离检疫结果和报告，并负责隔离检疫期间进境植物繁殖材料的保存和防疫工作。

**第四条** 隔离检疫圃依据隔离条件、技术水平和运作方式分为：

（一）国家隔离检疫圃（以下简称国家圃）：承担进境高、中风险植物繁殖材料的隔离检疫工作。

（二）专业隔离检疫圃（以下简称专业圃）：承担因科研、教学等需要引进的高、中风险植物繁殖材料的隔离检疫工作。

（三）地方隔离检疫圃（以下简称地方圃）：承担中风险进境植物繁殖材料的隔离检疫工作。

**第五条** 申请从事进境植物繁殖材料隔离工作的隔离检疫圃的隔离条件、设施、仪器设备、人员、管理措施应当符合隔离检疫需要。

**第六条** 从事进境植物繁殖材料隔离工作的隔离检疫圃须按以下程序办理申请手续：

（一）申请成为国家圃或者专业圃的隔离检疫圃，须事先向海关总署提出书面申请，并同时提交符合第五条规定的证明材料，经审核符合要求的可以指定为国家圃或者专业圃。

（二）申请成为地方圃的隔离检疫圃，须在进境植物繁殖材料入圃前30日向直属海关提出书面申请，并同时提交符合第五条规定的证明材料，经审核符合要求的可以指定为地方圃。

（三）对于已经核准为国家圃、专业圃或地方圃的隔离检疫圃，海关将对其进行定期考核。

**第七条** 进境植物繁殖材料进入隔离检疫圃之前，隔离检疫圃负责根据有关检疫要求制定具体的检疫方案，并报所在地海关核准、备案。

**第八条** 进境植物繁殖材料的隔离种植期限按检疫审批要求执行。检疫审批不明确的，则按以下要求执行：

（一）一年生植物繁殖材料至少隔离种植一个生长周期；

（二）多年生植物繁殖材料一般隔离种植2~3年；

（三）因特殊原因，在规定时间内未得出检疫结果的可适当延长隔离种植期限。

**第九条** 隔离检疫圃须严格按照所在地海关核准的隔离检疫方案按期完成隔离检疫工作，并定期向所在地海关报告隔离检疫情况，接受检疫监督。如发现疫情，须立即报告所在地海关，并采取有效防疫措施。

**第十条** 隔离检疫期间，隔离检疫圃应当妥善保管隔离植物繁殖材料；未经海关同意，不得擅自将正在进行隔离检疫的植物繁殖材料调离、处理或作它用。

**第十一条** 隔离检疫圃内，同一隔离场地不得同时隔离两批（含两批）以上的进境植物繁殖材料，不准将与检疫无关的植物种植在隔离场地内。

**第十二条** 隔离检疫完成后，隔离检疫圃负责出具隔离检疫结果和有关的检疫报告。隔离检疫圃所在地海关负责审核有关结果和报告，结合进境检疫结果做出相应的处理，并出具有关单证。

在地方隔离检疫圃隔离检疫的，由具体负责隔离检疫的海关出具结果和报告。

**第十三条** 隔离检疫圃完成进境植物繁殖材料隔离检疫后，应当对进境植物繁殖材料的残体作无害化处理。隔离场地使用前后，应当对用具、土壤等进行消毒。

**第十四条** 违反本办法规定的，依照《中华人民共和国进出境动植物检疫法》及其实施条例的规定予以处罚。

**第十五条** 本办法由海关总署负责解释。

**第十六条** 本办法自2000年1月1日起施行。原国家动植物检疫局1991年发布的《引进植物种苗隔离检疫圃管理办法（试行）》同时废止。

# 进境动物隔离检疫场使用监督管理办法

（国家质量监督检验检疫总局令第 122 号）

（2009 年 10 月 22 日由国家质量监督检验检疫总局发布；根据 2018 年 4 月 28 日海关总署令第 238 号《海关总署关于修改部分规章的决定》第一次修正，根据 2018 年 5 月 29 日海关总署令第 240 号《海关总署关于修改部分规章的决定》第二次修正，根据 2018 年 11 月 23 日海关总署令第 243 号《海关总署关于修改部分规章的决定》第三次修正；现行版本自 2018 年 11 月 23 日起施行；法规类型为部门规章）

## 第一章 总 则

**第一条** 为做好进境动物隔离检疫场（以下简称隔离场）的管理工作，根据《中华人民共和国进出境动植物检疫法》及其实施条例等法律法规的规定，制定本办法。

**第二条** 本办法所称隔离场是指专用于进境动物隔离检疫的场所。包括两类，一是海关总署设立的动物隔离检疫场所（以下简称国家隔离场），二是由各直属海关指定的动物隔离场所（以下简称指定隔离场）。

**第三条** 申请使用隔离场的单位或者个人（以下简称使用人）和国家隔离场或者指定隔离场的所有单位或者个人（以下简称所有人）应当遵守本办法的规定。

**第四条** 海关总署主管全国进境动物隔离场的监督管理工作。

主管海关负责辖区内进境动物隔离场的监督管理工作。

**第五条** 隔离场的选址、布局和建设，应当符合国家相关标准和要求。

相关标准与要求由海关总署另行发文明确。

**第六条** 使用国家隔离场，应当经海关总署批准。使用指定隔离场，应当经所在地直属海关批准。

进境种用大中动物应当在国家隔离场隔离检疫，当国家隔离场不能满足需求，需要在指定隔离场隔离检疫时，应当报经海关总署批准。

进境种用大中动物之外的其他动物应当在国家隔离场或者指定隔离场隔离检疫。

**第七条** 进境种用大中动物隔离检疫期为 45 天，其他动物隔离检疫期为 30 天。

需要延长或者缩短隔离检疫期的，应当报海关总署批准。

## 第二章 使用申请

**第八条** 申请使用国家隔离场的，使用人应当向海关总署提交如下材料：

（一）填制真实准确的《中华人民共和国进境动物隔离检疫场使用申请表》；

（二）使用人（法人或者自然人）身份证明材料复印件；

（三）进境动物从入境口岸进入隔离场的运输安排计划和运输路线。

**第九条** 申请使用指定隔离场的，应当建立隔离场动物防疫、饲养管理等制度。使用人应当在办理《中华人民共和国进境动植物检疫许可证》前，向所在地直属海关提交如下材料：

（一）填制真实准确的《中华人民共和国进境动物隔离检疫场使用申请表》；

（二）使用人（法人或者自然人）身份证明材料复印件；

（三）隔离场整体平面图及显示隔离场主要设施和环境的照片或者视频资料；
（四）进境动物从入境口岸进入隔离场的运输安排计划和运输路线；
（五）当隔离场的使用人与所有人不一致时，使用人还须提供与所有人签订的隔离场使用协议。

**第十条** 海关总署、直属海关应当按照规定对隔离场使用申请进行审核。

隔离场使用人申请材料不齐全或者不符合法定形式的，应当当场或者在 5 个工作日内一次告知使用人需要补正的全部内容，逾期不告知的，自收到申请材料之日起即为受理。

受理申请后，海关总署、直属海关应当根据本办法规定，对使用人提供的有关材料进行审核，并对申请使用的隔离场组织实地考核。

申请使用指定隔离场用于隔离种用大中动物的，由直属海关审核提出审核意见报海关总署批准；用于种用大中动物之外的其他动物隔离检疫的，由直属海关审核、批准。

**第十一条** 海关总署、直属海关应当自受理申请之日起 20 个工作日内做出书面审批意见。经审核合格的，直属海关受理的，由直属海关签发《隔离场使用证》。海关总署受理的，由海关总署在签发的《中华人民共和国进境动植物检疫许可证》中列明批准内容。20 个工作日内不能做出决定的，经本机构负责人批准，可以延长 10 个工作日，并应当将延长期限的理由告知使用人。其他法律、法规另有规定的，依照其规定执行。

不予批准的，应当书面说明理由，告知申请人享有依法申请行政复议或者提起行政诉讼的权利。

**第十二条** 《隔离场使用证》有效期为 6 个月。

隔离场使用人凭有效《隔离场使用证》向隔离场所在地直属海关申请办理《中华人民共和国进境动植物检疫许可证》。

**第十三条** 《隔离场使用证》的使用一次有效。

同一隔离场再次申请使用的，应当重新办理审批手续。两次使用的间隔期间不得少于 30 天。

**第十四条** 已经获得《隔离场使用证》，发生下列情形之一时，隔离场使用人应当重新申请办理：
（一）《隔离场使用证》超过有效期的；
（二）《隔离场使用证》内容发生变更的；
（三）隔离场设施和环境卫生条件发生改变的。

**第十五条** 已经获得《隔离场使用证》，发生下列情况之一时，由发证机关撤回：
（一）隔离场原有设施和环境卫生条件发生改变，不符合隔离动物检疫条件和要求的；
（二）隔离场所在地发生一类动物传染病、寄生虫病或者其他突发事件的。

**第十六条** 使用人以欺骗、贿赂等不正当手段取得《隔离场使用证》的，海关应当依法将其《隔离场使用证》撤销。

## 第三章  检疫准备

**第十七条** 隔离场经批准使用后，使用人应当做好隔离场的维护，保持隔离场批准时的设施完整和环境卫生条件，保证相关设施的正常运行。

**第十八条** 动物进场前，海关应当派员实地核查隔离场设施和环境卫生条件的维护情况。

**第十九条** 使用人应当确保隔离场使用前符合下列要求：
（一）动物进入隔离场前 10 天，所有场地、设施、工具必须保持清洁，并采用海关认可的有效方法进行不少于 3 次的消毒处理，每次消毒之间应当间隔 3 天；
（二）应当准备供动物隔离期间使用的充足的饲草、饲料和垫料。饲草、垫料不得来自严重动物传染病或者寄生虫病疫区，饲料应当符合法律法规的规定，并建立进场检查验收登记制度；

饲草、饲料和垫料应当在海关的监督下，由海关认可的单位进行熏蒸消毒处理；

水生动物不得饲喂鲜活饵料，遇特殊需要时，应当事先征得海关的同意；

（三）应当按照海关的要求，适当储备必要的防疫消毒器材、药剂、疫苗等，并建立进场检查验收和使用登记制度；

（四）饲养人员和隔离场管理人员，在进入隔离场前，应当到具有相应资质的医疗机构进行健康检查并取得健康证明。未取得健康证明的，不准进入隔离场。健康检查项目应当包括活动性肺结核、布氏杆菌病、病毒性肝炎等人畜共患病；

（五）饲养人员和管理人员在进入隔离场前应当接受海关的动物防疫、饲养管理等基础知识培训，经考核合格后方可上岗；

（六）人员、饲草、饲料、垫料、用品、用具等应当在隔离场作最后一次消毒前进入隔离检疫区；

（七）用于运输隔离检疫动物的运输工具及辅助设施，在使用前应当按照海关的要求进行消毒，人员、车辆的出入通道应当设置消毒池或者放置消毒垫。

## 第四章　隔离检疫

**第二十条**　经入境口岸海关现场检验检疫合格的进境动物方可运往隔离场进行隔离检疫。

**第二十一条**　海关对隔离场实行监督管理，监督和检查隔离场动物饲养、防疫等措施的落实。对进境种用大中动物，隔离检疫期间实行24小时海关工作人员驻场监管。

**第二十二条**　海关工作人员、隔离场使用人应当按照要求落实各项管理措施，认真填写《进出境动物隔离检疫场检验检疫监管手册》。

**第二十三条**　海关负责隔离检疫期间样品的采集、送检和保存工作。隔离动物样品采集工作应当在动物进入隔离场后7天内完成。样品保存时间至少为6个月。

**第二十四条**　海关按照有关规定，对动物进行临床观察和实验室项目的检测，根据检验检疫结果出具相关的单证，实验室检疫不合格的，应当尽快将有关情况通知隔离场使用人并对阳性动物依法及时进行处理。

**第二十五条**　海关按照相关的规定对进口动物进行必要的免疫和预防性治疗。隔离场使用人在征得海关同意后可以对患病动物进行治疗。

**第二十六条**　动物隔离检疫期间，隔离场使用人应当做到：

（一）门卫室实行24小时值班制，对人员、车辆、用具、用品实行严格的出入登记制度。发现有异常情况及时向海关报告。

（二）保持隔离场完好和场内环境清洁卫生，做好防火、防盗和灭鼠、防蚊蝇等工作；

（三）人员、车辆、物品出入隔离场的应当征得海关的同意，并采取有效的消毒防疫措施后，方可进出隔离区；人员在进入隔离场前15天内未从事与隔离动物相关的实验室工作，也未参观过其他农场、屠宰厂或者动物交易市场等；

（四）不得将与隔离动物同类或者相关的动物及其产品带入隔离场内；

（五）不得饲养除隔离动物以外的其他动物。特殊情况需使用看门犬的，应当征得海关同意。犬类动物隔离场，不得使用看门犬；

（六）饲养人员按照规定作息时间做好动物饲喂、饲养场地的清洁卫生，定期对饲养舍、场地进行清洗、消毒，保持动物、饲养舍、场区和所有用具的清洁卫生，并做好相关记录；

（七）隔离检疫期间所使用的饲料、饲料添加剂与农业投入品应当符合法律、行政法规的规定和国家强制性标准的规定；

（八）严禁转移隔离检疫动物和私自采集、保存、运送检疫动物血液、组织、精液、分泌物等样品或者病料。未经海关同意，不得将生物制品带入隔离场内，不得对隔离动物进行药物治疗、疫苗注射、人工授精和胚胎移植等处理；

（九）隔离检疫期间，严禁将隔离动物产下的幼畜、蛋及乳等移出隔离场；

（十）隔离检疫期间，应当及时对动物栏舍进行清扫，粪便、垫料及污物、污水应当集中放置或者及时进行无害化处理。严禁将粪便、垫料及污物移出隔离场；

（十一）发现疑似患病或者死亡的动物，应当立即报告所在地海关，并立即采取下列措施：

1. 将疑似患病动物移入患病动物隔离舍（室、池），由专人负责饲养管理；
2. 对疑似患病和死亡动物停留过的场所和接触过的用具、物品进行消毒处理；
3. 禁止自行处置（包括解剖、转移、急宰等）患病、死亡动物；
4. 死亡动物应当按照规定作无害化处理。

第二十七条　隔离检疫期间，隔离场内发生重大动物疫情的，应当按照《进出境重大动物疫情应急处置预案》处理。

## 第五章　后续监管

第二十八条　隔离场使用完毕后，应当在海关的监督下，作如下处理：

（一）动物的粪便、垫料及污物、污水进行无害化处理确保符合防疫要求后，方可运出隔离场；

（二）剩余的饲料、饲草、垫料和用具等应当作无害化处理或者消毒后方可运出场外；

（三）对隔离场场地、设施、器具进行消毒处理。

第二十九条　隔离场使用人及隔离场所在地海关应当按照规定记录动物流向和《隔离场检验检疫监管手册》，档案保存期至少5年。

第三十条　种用大中动物隔离检疫结束后，承担隔离检疫任务的直属海关应当在2周内将检疫情况书面上报海关总署并通报目的地海关。检疫情况包括：隔离检疫管理、检疫结果、动物健康状况、检疫处理情况及动物流向。

## 第六章　法律责任

第三十一条　动物隔离检疫期间，隔离场使用人有下列情形之一的，由海关按照《进出境动植物检疫法实施条例》第六十条规定予以警告；情节严重的，处以3000元以上3万元以下罚款：

（一）将隔离动物产下的幼畜、蛋及乳等移出隔离场的；

（二）未经海关同意，对隔离动物进行药物治疗、疫苗注射、人工授精和胚胎移植等处理；

（三）未经海关同意，转移隔离检疫动物或者采集、保存其血液、组织、精液、分泌物等样品或者病料的；

（四）发现疑似患病或者死亡的动物，未立即报告所在地海关，并自行转移和急宰患病动物，自行解剖和处置患病、死亡动物的；

（五）未将动物按照规定调入隔离场的。

第三十二条　动物隔离检疫期间，隔离场使用人有下列情形之一的，由海关予以警告；情节严重的，处以1万元以下罚款：

（一）人员、车辆、物品未经海关同意，并未采取有效的消毒防疫措施，擅自进入隔离场的；

（二）饲养隔离动物以外的其他动物的；
（三）未经海关同意，将与隔离动物同类或者相关动物及其产品、动物饲料、生物制品带入隔离场内的。

**第三十三条** 隔离场使用完毕后，隔离场使用人有下列情形的，由海关责令改正；情节严重的，处以 1 万元以下罚款：
（一）未在海关的监督下对动物的粪便、垫料及污物、污水进行无害化处理，不符合防疫要求即运出隔离场的；
（二）未在海关的监督下对剩余的饲料、饲草、垫料和用具等作无害化处理或者消毒后即运出隔离场的；
（三）未在海关的监督下对隔离场场地、设施、器具进行消毒处理的。

**第三十四条** 隔离场检疫期间，有下列情形之一的，由海关对隔离场使用人处以 1 万元以下罚款：
（一）隔离场发生动物疫情隐瞒不报的；
（二）存放、使用我国或者输入国家/地区禁止使用的药物或者饲料添加剂的；
（三）拒不接受海关监督管理的。

**第三十五条** 隔离场使用人有下列违法行为之一的，由海关按照《进出境动植物检疫法实施条例》第六十二条规定处 2 万元以上 5 万元以下的罚款；构成犯罪的，依法追究刑事责任：
（一）引起重大动物疫情的；
（二）伪造、变造动物检疫单证、印章、标志、封识的。

## 第七章　附　则

**第三十六条** 我国与进口国家/地区政府主管部门签署的议定书中规定或者进口国家/地区官方要求对出境动物必须实施隔离检疫的，出境动物隔离检疫场使用监督工作按照进口国的要求并参照本办法执行。

**第三十七条** 本办法由海关总署负责解释。

**第三十八条** 本办法所列各类表格及证书式样另行发布。

**第三十九条** 本办法自 2009 年 12 月 10 日起施行。

# 关于调整对外援助物资检验和验放管理的公告

（商务部　海关总署　国家质量监督检验检疫总局联合公告 2016 年第 89 号）

（2016 年 12 月 30 日由商务部、海关总署、国家质量监督检验检疫总局发布，2017 年 1 月 1 日起施行，法规类型为规范性文件）

为落实党中央、国务院关于促进外贸回稳向好的系列决策部署，顺应质检系统"管办分离"的改革方向，自 2017 年 1 月 1 日起对外援助物资（以下简称援外物资）将实行市场化的商检制度改革，现公告如下：

一、关于法定检验物资的检验

属于《出入境检验检疫机构实施检验检疫的进出境商品名录》范围内的产品以及法律、

行政法规规定须经相关检验检疫机构实施检验检疫的援外物资（以下简称法定检验物资），按照国家有关法律法规和相应工作流程进行出口检验检疫。

二、关于不属于法定检验范围的物资的检验

对于不属于法定检验范围的援外物资，将采用市场化检验方式，由援外项目实施企业自主委托社会化检验机构实施检验，原则上遵循"产地检验、装运前核验和口岸监装"的基本原则。产地检验合格后，检验机构向实施企业出具第三方检验合格证明；装运前核验和口岸监装合格后，检验机构向实施企业出具检验报告，实施企业向援外项目管理机构备案。全部物资在产地检验、装运前核验、口岸监装合格并由检验机构出具合格检验报告后，方可通关验放、启运出境。

对于符合以下条件之一的援外物资，可以免于检验：

1. 紧急人道主义援助物资；
2. 单个供货企业所供物资总价累计不超过10万元人民币的援助物资（采购文件另有规定的除外）；
3. 向已建成援外成套项目提供的零配件；
4. 援外成套项目项下产权属于援外成套项目总承包企业的施工机械、器具以及施工用周转材料、临时设施材料；
5. 按"已进口再出口"方式向生产厂家境内代理商或境内经销商采购的境外生产的援外物资；
6. 援外项目管理机构依据其有关规定认定质量具备保证条件，不需进行检验的援助物资；
7. 因对外工作需要或产品特殊等原因，可免于品质检验的其他援外物资。

三、关于社会化检验机构选定

不属于法定检验范围的物资，实施企业选定承担商品检验任务的检验机构应具备以下基本条件：

1. 在中华人民共和国境内（不含港、澳、台地区）注册，具备独立承担民事责任能力的中资机构；
2. 具备依据《中华人民共和国进出口商品检验法》从事进出口商品检验鉴定业务的许可；
3. 具备中国合格评定国家认可委员会和省级以上质量监督部门及国家计量认证行业评审组认可的 CNAS 认可和 CMA 计量认证资质；
4. 具备 ISO/IEC17020 检验机构运行体系认证；
5. 应在实施援外物资检验的主要省份及主要港口设有分支机构或实验室，并承诺可在其他需实施检验检测的产地或采购地提供相应检验检测服务。

社会化检验机构选定的具体条件，由项目管理机构根据援外项目具体情况另行确定。

四、关于海关验放

援外项目实施企业应当提交援外项目任务通知函（由商务部、紧急援助部际工作机制领导小组或项目管理机构出具），办理报关验放手续。监管方式为"援外物资"（代码为3511），且免于提交出口许可证。

五、检验和验放协调工作机制

为更好地服务援外项目实施企业，做好援外物资检验和验放工作，商务部、海关总署和国家质量监督检验检疫总局（以下简称质检总局）三家单位继续保留并完善有关援外物资检验和验放协调工作机制，共同研究解决重大问题。如出现援外物资重大质量安全问题，商务部和质检总局可联合进行调查，并根据有关规定进行处罚。实施企业有逃避海关监管以及私自夹带非援外出口物资出境等重大违法违规行为时，海关各地监管部门将通过海关总署向检验及验放协调工作机制通报相关情况，并根据有关规定对违规企业进行处罚。

具体事宜请与商务部或援外项目管理机构联系。
联系电话：
对外援助司：010-85093550，国际经济合作事务局：010-68108030，中国国际经济技术交流中心：010-84000707。

# 竹木及其制品

## 出境竹木草制品检疫管理办法

(国家质量监督检验检疫总局令第 45 号)

(2003 年 4 月 16 日由国家质量监督检验检疫总局发布;根据 2018 年 4 月 28 日海关总署令第 238 号《海关总署关于修改部分规章的决定》第一次修正,根据 2018 年 5 月 29 日海关总署令第 240 号《海关总署关于修改部分规章的决定》第二次修正;现行版本自 2018 年 7 月 1 日起施行;法规类型为部门规章)

### 第一章 总 则

**第一条** 为规范出境竹木草制品的检疫管理工作,提高检疫工作质量和效率,根据《中华人民共和国进出境动植物检疫法》及其实施条例等法律法规的规定,制定本办法。

**第二条** 本办法适用于出境竹木草制品(包括竹、木、藤、柳、草、芒等制品)的检疫及监督管理。

**第三条** 海关总署主管全国出境竹木草制品检疫和监督管理工作。

主管海关负责所辖区域内出境竹木草制品的检疫和监督管理工作。

**第四条** 海关总署对出境竹木草制品及其生产加工企业(以下简称企业)实施分级分类监督管理。

### 第二章 分级分类管理

**第五条** 根据生产加工工艺及防疫处理技术指标等,竹木草制品分为低、中、高 3 个风险等级:

(一)低风险竹木草制品:经脱脂、蒸煮、烘烤及其他防虫、防霉等防疫处理的;

(二)中风险竹木草制品:经熏蒸或者防虫、防霉药剂处理等防疫处理的;

(三)高风险竹木草制品:经晾晒等其他一般性防疫处理的。

**第六条** 海关对出境竹木草制品的企业进行评估、考核,将企业分为一类、二类、三类 3 个企业类别。

**第七条** 一类企业应当具备以下条件:

(一)遵守检验检疫法律法规等有关规定;

(二)应当建立完善的质量管理体系,包括生产、加工、存放等环节的防疫措施及厂检员管理制度等;

(三)配备专职的厂检员,负责生产、加工、存放等环节防疫措施的监督、落实及产品厂检工作；

（四）在生产过程中采用防虫、防霉加工工艺，并配备与其生产能力相适应的防虫、防霉处理设施及相关的检测仪器；

（五）原料、生产加工、成品存放场所，应当专用或者相互隔离，并保持环境整洁、卫生；

（六）年出口批次不少于100批；

（七）检验检疫年批次合格率达99%以上；

（八）海关依法规定的其他条件。

**第八条** 二类企业应当具备以下条件：

（一）遵守检验检疫法律法规等有关规定；

（二）企业建立质量管理体系，包括生产、加工、存放等环节的防疫措施及厂检员管理制度等；

（三）配备专职或者兼职的厂检员，负责生产、加工、存放等环节防疫措施的监督、落实及产品厂检工作；

（四）在生产过程中采用防虫、防霉加工工艺，具有防虫、防霉处理设施；

（五）成品存放场所应当独立，生产加工环境整洁、卫生；

（六）年出口批次不少于30批次；

（七）检验检疫年批次合格率达98%以上；

（八）海关依法规定的其他条件。

**第九条** 不具备一类或者二类条件的企业以及未申请分类考核的企业定为三类企业。

**第十条** 企业本着自愿的原则，向所在地海关提出实施分类管理的书面申请，并提交以下资料：

（一）《出境竹木草制品生产加工企业分类管理考核申请表》；

（二）企业厂区平面图；

（三）生产工艺及流程图。

**第十一条** 海关自接到申请资料之日起10个工作日内，完成对申请资料的初审。

企业提交的申请资料不齐全的，应当在规定期限内补齐；未能在规定期限补齐的，视为撤回申请。

**第十二条** 初审合格后，海关在10个工作日内完成对申请企业的考核。根据考核结果，由直属海关确定企业类别，并及时公布。

**第十三条** 有以下情况之一的，企业应当重新提出申请：

（一）申请企业类别升级的；

（二）企业名称、法定代表人或者生产加工地点变更的；

（三）生产工艺和设备等发生重大变化的。

## 第三章 出境检疫

**第十四条** 输出竹木草制品的检疫依据：

（一）我国与输入国家或者地区签订的双边检疫协定（含协议、备忘录等）；

（二）输入国家或者地区的竹木草制品检疫规定；

（三）我国有关出境竹木草制品的检疫规定；

（四）贸易合同、信用证等订明的检疫要求。

**第十五条** 企业或者其代理人办理出境竹木草制品报检手续时，应当按照检验检疫报检规定提供有关单证。一类、二类企业报检时应当同时提供《出境竹木草制品厂检记录单》（以下简称厂检记录单）。

**第十六条** 根据企业的类别和竹木草制品的风险等级，出境竹木草制品的批次抽查比例为：

（一）一类企业的低风险产品，抽查比例 5%~10%；

（二）一类企业的中风险产品、二类企业的低风险产品，抽查比例 10%~30%；

（三）一类企业的高风险产品、二类企业的中风险产品和三类企业的低风险产品，抽查比例 30%~70%；

（四）二类企业的高风险产品，三类企业的中风险和高风险产品，抽查比例 70%~100%。

**第十七条** 海关根据企业日常监督管理情况、出口季节和输往国家（地区）的差别以及是否出具《植物检疫证书》或者《熏蒸/消毒证书》等，在规定范围内，确定出境竹木草制品的批次抽查比例。

**第十八条** 出境竹木草制品经检疫合格的，按照有关规定出具相关证单；经检疫不合格的，经过除害、重新加工等处理合格后方可放行；无有效处理方法的，不准出境。

## 第四章  监督管理

**第十九条** 海关对出境竹木草制品的生产、加工、存放实施全过程的监督管理。

**第二十条** 海关对企业实施日常监督管理，内容主要包括：

（一）检查企业质量管理体系有效运行和生产、加工、存放等环节的防疫措施执行情况；

（二）检查企业生产、加工、存放等条件是否符合防疫要求；

（三）检查厂检记录以及厂检员对各项防疫措施实施监督的情况和相应记录；

（四）企业对质量问题的整改情况；

（五）其他应当检查的内容。

在实施日常监督管理中，海关应当填写《出境竹木草制品监管记录》。

**第二十一条** 海关应当建立竹木草制品企业的检疫管理档案。

**第二十二条** 海关对企业的分类实行动态管理，有以下情况之一的，对企业做类别降级处理：

（一）生产、加工、存放等环节的防疫措施不到位；

（二）厂检员未按要求实施检查与监督；

（三）海关对出境竹木草制品实施检疫，连续 2 次以上检疫不合格；

（四）1 年内出境检验检疫批次合格率达不到所在类别要求；

（五）其他不符合有关检验检疫要求的。

对做类别降级处理的企业限期整改，经整改合格的，可恢复原类别。

**第二十三条** 企业不如实填写厂检记录单或者伪造、变造、出售和盗用厂检记录单的，直接降为三类企业管理。

**第二十四条** 海关对企业厂检员进行培训，厂检员经考核合格方可上岗。厂检员应当如实填写厂检记录单，并对厂检结果负责。

## 第五章  附  则

**第二十五条** 违反本办法规定的，海关按照有关法律法规规定处理。

**第二十六条** 本办法所规定的文书由海关总署另行制定并且发布。

**第二十七条** 本办法由海关总署负责解释。

**第二十八条** 本办法自 2003 年 7 月 1 日起施行。

# 出境货物木质包装检疫处理管理办法

(国家质量监督检验检疫总局令第 69 号)

(2005 年 1 月 10 日由国家质量监督检验检疫总局发布;根据 2018 年 4 月 28 日海关总署令第 238 号《海关总署关于修改部分规章的决定》第一次修正,根据 2018 年 5 月 29 日海关总署令第 240 号《海关总署关于修改部分规章的决定》第二次修正;现行版本自 2018 年 7 月 1 日起施行;法规类型为部门规章)

**第一条** 为规范木质包装检疫监督管理,确保出境货物使用的木质包装符合输入国家或者地区检疫要求,依据《中华人民共和国进出境动植物检疫法》及其实施条例,参照国际植物检疫措施标准第 15 号《国际贸易中木质包装材料管理准则》(简称第 15 号国际标准)的规定,制定本办法。

**第二条** 本办法所称木质包装是指用于承载、包装、铺垫、支撑、加固货物的木质材料,如木板箱、木条箱、木托盘、木框、木桶、木轴、木楔、垫木、枕木、衬木等。

经人工合成或者经加热、加压等深度加工的包装用木质材料(如胶合板、纤维板等)除外。薄板旋切芯、锯屑、木丝、刨花等以及厚度等于或者小于 6mm 的木质材料除外。

**第三条** 海关总署统一管理全国出境货物木质包装的检疫监督管理工作。主管海关负责所辖地区出境货物木质包装的检疫监督管理。

**第四条** 对木质包装实施除害处理并加施标识的企业(以下简称标识加施企业)应当建立木质包装生产防疫制度和质量控制体系。

出境货物木质包装应当按照《出境货物木质包装除害处理方法》列明的检疫除害处理方法实施处理,并按照《出境货物木质包装除害处理标识要求》的要求加施专用标识。

**第五条** 标识加施企业应当向所在地海关提出除害处理标识加施资格申请并提供以下材料:

(一)《出境货物木质包装除害处理标识加施申请考核表》;

(二)厂区平面图,包括原料库(场)、生产车间、除害处理场所、成品库平面图;

(三)热处理或者熏蒸处理等除害设施及相关技术、管理人员的资料。

**第六条** 直属海关对标识加施企业的热处理或者熏蒸处理设施、人员及相关质量管理体系等进行考核,符合《出境货物木质包装除害处理标识加施企业考核要求》的,颁发除害处理标识加施资格证书,并公布标识加施企业名单,同时报海关总署备案,标识加施资格有效期为三年;不符合要求的,不予颁发资格证书,并连同不予颁发的理由一并书面告知申请企业。未取得资格证书的,不得擅自加施除害处理标识。

**第七条** 标识加施企业出现以下情况之一的,应当向海关重新申请标识加施资格。

(一)热处理或者熏蒸处理设施改建、扩建;

(二)木质包装成品库改建、扩建;

(三)企业迁址;

(四)其他重大变更情况。

未重新申请的,海关暂停直至取消其标识加施资格。

**第八条** 标识加施企业应当将木质包装除害处理计划在除害处理前向所在地海关申报,海关对除害处理过程和加施标识情况实施监督管理。

**第九条** 除害处理结束后，标识加施企业应当出具处理结果报告单。经海关认定除害处理合格的，标识加施企业按照规定加施标识。

再利用、再加工或者经修理的木质包装应当重新验证并重新加施标识，确保木质包装材料的所有组成部分均得到处理。

**第十条** 标识加施企业对加施标识的木质包装应当单独存放，采取必要的防疫措施防止有害生物再次侵染，建立木质包装销售、使用记录，并按照海关的要求核销。

**第十一条** 未获得标识加施资格的木质包装使用企业，可以从海关公布的标识加施企业购买木质包装，并要求标识加施企业提供出境货物木质包装除害处理合格凭证。

海关对出境货物使用的木质包装实施抽查检疫。

**第十二条** 海关对标识加施企业实施日常监督检查。

**第十三条** 标识加施企业出现下列情况之一的，海关责令整改，整改期间暂停标识加施资格。

（一）热处理/熏蒸处理设施、检测设备达不到要求的；
（二）除害处理达不到规定温度、剂量、时间等技术指标的；
（三）经除害处理合格的木质包装成品库管理不规范，存在有害生物再次侵染风险的；
（四）木质包装标识加施不符合规范要求的；
（五）木质包装除害处理、销售等情况不清的；
（六）相关质量管理体系运转不正常，质量记录不健全的；
（七）未按照规定向海关申报的；
（八）其他影响木质包装检疫质量的。

**第十四条** 因标识加施企业方面原因出现下列情况之一的，海关将暂停直至取消其标识加施资格，并予以公布。

（一）因第十三条的原因，在国外遭除害处理、销毁或者退货的；
（二）未经有效除害处理加施标识的；
（三）倒卖、挪用标识等弄虚作假行为的；
（四）出现严重安全质量事故的；
（五）其他严重影响木质包装检疫质量的。

**第十五条** 伪造、变造、盗用标识的，依照《中华人民共和国进出境动植物检疫法》及其实施条例的有关规定处罚。

**第十六条** 输入国家或者地区对木质包装有其他特殊检疫要求的，按照输入国家或者地区的规定执行。

**第十七条** 本办法所规定的文书由海关总署另行制定并且发布。

**第十八条** 本办法由海关总署负责解释。

**第十九条** 本办法自 2005 年 3 月 1 日起实施。

# 进境货物木质包装检疫监督管理办法

(国家质量监督检验检疫总局令第 84 号)

(2005 年 12 月 31 日由国家质量监督检验检疫总局发布,根据 2018 年 4 月 28 日海关总署令第 238 号《海关总署关于修改部分规章的决定》修正,现行版本自 2018 年 5 月 1 日起施行,法规类型为部门规章)

**第一条** 为规范进境货物木质包装检疫监督管理,防止林木有害生物随进境货物木质包装传入,保护我国森林、生态环境,便利货物进出境,根据《中华人民共和国进出境动植物检疫法》及其实施条例,制定本办法。

**第二条** 本办法所称木质包装是指用于承载、包装、铺垫、支撑、加固货物的木质材料,如木板箱、木条箱、木托盘、木框、木桶(盛装酒类的橡木桶除外)、木轴、木楔、垫木、枕木、衬木等。

本办法所称木质包装不包括经人工合成或者经加热、加压等深度加工的包装用木质材料(如胶合板、刨花板、纤维板等)以及薄板旋切芯、锯屑、木丝、刨花等以及厚度等于或者小于 6mm 的木质材料。

**第三条** 海关总署统一管理全国进境货物木质包装的检疫监督管理工作。

主管海关负责所辖地区进境货物木质包装的检疫监督管理工作。

**第四条** 进境货物使用木质包装的,应当在输出国家或者地区政府检疫主管部门监督下按照国际植物保护公约(以下简称 IPPC)的要求进行除害处理,并加施 IPPC 专用标识。除害处理方法和专用标识应当符合相关规定。

**第五条** 进境货物使用木质包装的,货主或者其代理人应当向海关报检。海关按照以下情况处理:

(一)对已加施 IPPC 专用标识的木质包装,按规定抽查检疫,未发现活的有害生物的,立即予以放行;发现活的有害生物的,监督货主或者其代理人对木质包装进行除害处理。

(二)对未加施 IPPC 专用标识的木质包装,在海关监督下对木质包装进行除害处理或者销毁处理。

(三)对报检时不能确定木质包装是否加施 IPPC 专用标识的,海关按规定抽查检疫。经抽查确认木质包装加施了 IPPC 专用标识,且未发现活的有害生物的,予以放行;发现活的有害生物的,监督货主或者其代理人对木质包装进行除害处理;经抽查发现木质包装未加施 IPPC 专用标识的,对木质包装进行除害处理或者销毁处理。

**第六条** 海关对未报检且经常使用木质包装的进境货物,可以实施重点抽查,抽查时按照以下情况处理:

(一)经抽查确认未使用木质包装的,立即放行。

(二)经抽查发现使用木质包装的,按照本办法第五条规定处理,并依照有关规定予以行政处罚。

**第七条** 主管海关对木质包装违规情况严重的,在报经海关总署批准同意后,监督货主或者其代理人连同货物一起作退运处理。

**第八条** 对木质包装进行现场检疫时应当重点检查是否携带天牛、白蚁、蠹虫、树蜂、吉丁虫、象虫等钻蛀性害虫及其为害迹象,对有昆虫为害迹象的木质包装应当剖开检查;对带有疑似松材线虫等病害症状的,应当取样送实验室检验。

**第九条** 需要将货物运往指定地点实施检疫或者除害处理的,货主或者其代理人应当按照海关的要求,采取必要的防止疫情扩散的措施。集装箱装运的货物,应当在海关人员的监督下开启箱门,以防有害生物传播扩散。

需要实施木质包装检疫的货物,除特殊情况外,未经海关许可,不得擅自卸离运输工具和运递及拆除、遗弃木质包装。

**第十条** 过境货物裸露的木质包装以及作为货物整批进境的木质包装,按照本办法规定执行。

进境船舶、飞机使用的垫舱木料卸离运输工具的,按照本办法规定执行;不卸离运输工具的,应当接受海关的监督管理,在监管过程中发现检疫性有害生物的,应当实施除害或者销毁处理。

**第十一条** 海关应当加强与港务、运输、货物代理等部门的信息沟通,通过联网、电子监管及审核货物载货清单等方式获得货物及包装信息,根据情况作出是否抽查的决定。

**第十二条** 主管海关应当根据检疫情况做好进出口商和输出国家或者地区木质包装标识企业的诚信记录,对其诚信作出评价,实施分类管理。对诚信好的企业,可以采取减少抽查比例和先行通关后在工厂或其他指定地点实施检疫等便利措施。对诚信不良的企业,可以采取加大抽查比例等措施。对多次出现问题的,海关总署可以向输出国家或者地区发出通报,暂停相关标识加施企业的木质包装入境。

**第十三条** 来自中国香港、澳门特别行政区(以下简称港澳地区)和中国台湾地区的货物使用木质包装的,参照本办法规定执行。

**第十四条** 经港澳地区中转进境货物使用木质包装,不符合本办法第四条规定的,货主或者其代理人可以申请海关总署认定的港澳地区检验机构实施除害处理并加施 IPPC 标识或者出具证明文件,入境时,主管海关按照本办法的规定进行抽查或者检疫。

**第十五条** 为便利通关,对于经港澳地区中转进境未使用木质包装的货物,货主或者其代理人可以向海关总署认定的港澳地区检验机构申请对未使用木质包装情况进行确认并出具证明文件。入境时,主管海关审核证明文件,不再检查木质包装,必要时可以进行抽查。

**第十六条** 旅客携带物、邮寄物使用的木质包装未加施 IPPC 标识的,经检疫未发现活的有害生物的,准予入境;发现活的有害生物的,对木质包装进行除害处理。

**第十七条** 有下列情况之一的,海关依照《中华人民共和国进出境动植物检疫法》及其实施条例的相关规定予以行政处罚:

(一)未按照规定向海关报检的;
(二)报检与实际情况不符的;
(三)未经海关许可擅自将木质包装货物卸离运输工具或者运递的;
(四)其他违反《中华人民共和国进出境动植物检疫法》及其实施条例的。

**第十八条** 有下列情况之一的,由海关处以 3 万元以下罚款:

(一)未经海关许可,擅自拆除、遗弃木质包装的;
(二)未按海关要求对木质包装采取除害或者销毁处理的;
(三)伪造、变造、盗用 IPPC 专用标识的。

**第十九条** 海关总署认定的检验机构违反有关法律法规以及本办法规定的,海关总署应当根据情节轻重责令限期改正或者取消认定。

第二十条 海关人员徇私舞弊、滥用职权、玩忽职守，违反相关法律法规和本办法规定的，依法给予行政处分；情节严重，构成犯罪的，依法追究刑事责任。

第二十一条 本办法由海关总署负责解释。

第二十二条 本办法自 2006 年 1 月 1 日起施行。本办法施行前颁布的有关规章及规范性文件与本办法规定不一致的，按照本办法执行。

# 关于公布进境货物使用的木质包装检疫要求的公告

（国家质检总局　海关总署　商务部　林业局公告2005年第11号）

（2005 年 1 月 31 日由国家质检总局、海关总署、商务部、林业局发布，2006 年 1 月 1 日起施行，法规类型为规范性文件）

为防止林木有害生物随进境货物木质包装传入我国，保护我国森林、生态环境及旅游资源，根据《中华人民共和国进出境动植物检疫法》及其实施条例，参照国际植物保护公约组织（IPPC）公布的国际植物检疫措施标准第 15 号《国际贸易中木质包装材料管理准则》，现将进境货物使用的木质包装检疫要求公告如下：

一、本公告所称术质包装是指用于承载、包装、铺垫、支撑、加固货物的木质材料，如木板箱、木条箱、木托盘、木框、木桶、木轴、木楔、垫木、枕木、衬木等。

以下除外：

经人工合成或经加热、加压等深度加工的包装用木质材料，如胶合板、刨花板、纤维板等。

薄板旋切芯、锯屑、木丝、刨花等木质材料以及厚度等于或小于 6mm 的木质材料。

二、进境货物使用的木质包装应当由输出国家或地区政府植物检疫机构认可的企业按中国确认的检疫除害处理方法处理，并加施政府植物检疫机构批准的 IPPC 专用标识。检疫除害处理方法由国家质检总局另行公布。

三、进境货物使用木质包装的，货主或其代理人应当向出入境检验检疫机构报检，并配合出入境检验检疫机构实施检疫。对未报检的，出入境检验检疫机构依照有关法律规定进行处罚。

四、出入境检验检疫机构对进境货物使用的术质包装检疫实施分类管理，加强与港务、船代、海关等部门的信息沟通，通过审核货物载货清单等信息对经常使用木质包装的货物实施重点检疫。

五、列入《出入境检验检疫机构实施检验检疫的进出境商品目录》（以下简称目录）的进境货物使用木质包装的，检验检疫机构签发《入境货物通关单》并对木质包装实施检疫。未列入目录的进境货物使用木质包装的，出入境检验检疫机构可在海关放行后实施检疫。

六、经检疫发现木质包装标识不符合要求或截获活的有害生物的，出入境检验检疫机构监督货主或其代理人对木质包装实施除害处理、销毁处理或联系海关连同货物作退运处理，所需费用由货主承担。需实施木质包装检疫的货物，未经检疫合格的，不得擅自使用。

七、来自中国香港、澳门特别行政区和中国台湾地区的货物使用的木质包装适用本公告的规定。

八、本公告自 2006 年 1 月 1 日起正式实施，原进境货物木质包装检疫规定的有关公告同时废止。正式实施前，已经符合本公告第二条规定的进境货物木质包装，出入境检验检疫机构应当接受报检。

特此公告。

# 乳 品

## 进出口乳品检验检疫监督管理办法

（国家质量监督检验检疫总局令 152 号）

（2013 年 1 月 24 日由国家质量监督检验检疫总局发布，根据 2018 年 11 月 23 日海关总署令第 243 号《海关总署关于修改部分规章的决定》修正，现行版本自 2018 年 11 月 23 日起施行，法规类型为部门规章）

### 第一章 总 则

**第一条** 为了加强进出口乳品检验检疫监督管理，根据《中华人民共和国食品安全法》（以下简称食品安全法）及其实施条例、《中华人民共和国进出口商品检验法》及其实施条例、《中华人民共和国进出境动植物检疫法》及其实施条例、《国务院关于加强食品等产品安全监督管理的特别规定》（以下简称特别规定）、《乳品质量安全监督管理条例》等法律法规规定，制定本办法。

**第二条** 本办法所称乳品包括初乳、生乳和乳制品。

本办法所称初乳是指奶畜产犊后 7 天内的乳。

本办法所称生乳是指从符合中国有关要求的健康奶畜乳房中挤出的无任何成分改变的常乳。奶畜初乳、应用抗生素期间和休药期间的乳汁、变质乳不得用作生乳。

本办法所称乳制品是指由乳为主要原料加工而成的食品，如：巴氏杀菌乳、灭菌乳、调制乳、发酵乳、干酪及再制干酪、稀奶油、奶油、无水奶油、炼乳、乳粉、乳清粉、乳清蛋白粉和乳基婴幼儿配方食品等。其中，由生乳加工而成、加工工艺中无热处理杀菌过程的产品为生乳制品。

**第三条** 海关总署主管全国进出口乳品检验检疫监督管理工作。

主管海关负责所辖地区进出口乳品检验检疫监督管理工作。

**第四条** 进出口乳品生产经营者应当依法从事生产经营活动，对社会和公众负责，保证食品安全，诚实守信，接受社会监督，承担社会责任。

### 第二章 乳品进口

**第五条** 海关总署依据中国法律法规规定对向中国出口乳品的国家或者地区的食品安全管理体系和食品安全状况进行评估，并根据进口乳品安全状况及监督管理需要进行回顾性审查。

首次向中国出口乳品的国家或者地区，其政府主管部门应当向海关总署提供兽医卫生和公共卫生的法律法规体系、组织机构、兽医服务体系、安全卫生控制体系、残留监控体系、动物疫病的检测监控体系及拟对中国出口的产品种类等资料。

海关总署依法组织评估，必要时，可以派专家组到该国家或者地区进行现场调查。经评估风险在可接受范围内的，确定相应的检验检疫要求，包括相关证书和出证要求，允许其符合要求的相关乳品向中国出口。双方可以签署议定书确认检验检疫要求。

**第六条** 海关总署对向中国出口乳品的境外食品生产企业（以下简称境外生产企业）实施注册制度，注册工作按照海关总署相关规定执行。

境外生产企业应当经出口国家或者地区政府主管部门批准设立，符合出口国家或者地区法律法规相关要求。

境外生产企业应当熟悉并保证其向中国出口的乳品符合中国食品安全国家标准和相关要求，并能够提供中国食品安全国家标准规定项目的检测报告。境外生产企业申请注册时应当明确其拟向中国出口的乳品种类、品牌。

获得注册的境外生产企业应当在海关总署网站公布。

**第七条** 向中国出口的乳品，应当附有出口国家或者地区政府主管部门出具的卫生证书。证书应当证明下列内容：

（一）乳品原料来自健康动物；

（二）乳品经过加工处理不会传带动物疫病；

（三）乳品生产企业处于当地政府主管部门的监管之下；

（四）乳品是安全的，可供人类食用。

证书应当有出口国家或者地区政府主管部门印章和其授权人签字，目的地应当标明为中华人民共和国。

证书样本应当经海关总署确认，并在海关总署网站公布。

**第八条** 需要办理检疫审批手续的进口乳品，应当在取得《中华人民共和国进境动植物检疫许可证》后，方可进口。

海关总署可以依法调整并公布实施检疫审批的乳品种类。

**第九条** 向中国境内出口乳品的出口商或者代理商应当向海关总署备案。申请备案的出口商或者代理商应当按照备案要求提供备案信息，对信息的真实性负责。

备案名单应当在海关总署网站公布。

**第十条** 海关对进口乳品的进口商实施备案管理。进口商应当有食品安全专业技术人员、管理人员和保证食品安全的规章制度，并按照海关总署规定，向其工商注册登记地海关申请备案。

**第十一条** 进口乳品的进口商或者其代理人，应当凭下列材料向海关报检：

（一）合同、发票、装箱单、提单等必要凭证；

（二）符合本办法第七条规定的卫生证书。

（三）首次进口的乳品，应当提供相应食品安全国家标准中列明项目的检测报告。首次进口，指境外生产企业、产品名称、配方、境外出口商、境内进口商等信息完全相同的乳品从同一口岸第一次进口。

（四）非首次进口的乳品，应当提供首次进口检测报告的复印件以及海关总署要求项目的检测报告。非首次进口检测报告项目由海关总署根据乳品风险监测等有关情况确定并在海关总署网站公布。

（五）进口乳品安全卫生项目（包括致病菌、真菌毒素、污染物、重金属、非法添加物）不合格，再次进口时，应当提供相应食品安全国家标准中列明项目的检测报告；连续5批次未发现安全卫生项目不合格，再次进口时提供相应食品安全国家标准中列明项目的检测报告复印件和海关总署要求项目的检测报告。

（六）进口预包装乳品的，应当提供原文标签样张、原文标签中文翻译件、中文标签样张等资料。

（七）进口需要检疫审批的乳品，应当取得进境动植物检疫许可证。

（八）涉及有保健功能的，应当取得有关部门出具的许可证明文件。海关对有关许可证明文件电子数据进行系统自动比对验核。

（九）标注获得奖项、荣誉、认证标志等内容的，应当提供经外交途径确认的有关证明文件。

**第十二条** 进口乳品的进口商应当保证其进口乳品符合中国食品安全国家标准，并公布其进口乳品的种类、产地、品牌。

进口尚无食品安全国家标准的乳品，应当符合国务院卫生行政部门出具的许可证明文件中的相关要求。

**第十三条** 进口乳品的包装和运输工具应当符合安全卫生要求。

**第十四条** 进口预包装乳品应当有中文标签、中文说明书，标签、说明书应当符合中国有关法律法规规定和食品安全国家标准。

**第十五条** 进口乳品在取得入境货物检验检疫证明前，应当存放在海关指定或者认可的场所，未经海关许可，任何单位和个人不得擅自动用。

**第十六条** 海关应当按照《中华人民共和国进出口商品检验法》规定的方式对进口乳品实施检验；进口乳品存在动植物疫情疫病传播风险的，应当按照《中华人民共和国进出境动植物检疫法》规定实施检疫。

**第十七条** 进口乳品经检验检疫合格的，由海关出具入境货物检验检疫证明后，方可销售、使用。

进口乳品入境货物检验检疫证明中应当列明产品名称、品牌、出口国家或者地区、规格、数/重量、生产日期或者批号、保质期等信息。

**第十八条** 进口乳品经检验检疫不合格的，由海关出具不合格证明。涉及安全、健康、环境保护项目不合格的，海关责令当事人销毁，或者出具退货处理通知单，由进口商办理退运手续。其他项目不合格的，可以在海关监督下进行技术处理，经重新检验合格后，方可销售、使用。

进口乳品销毁或者退运前，进口乳品进口商应当将不合格乳品自行封存，单独存放于海关指定或者认可的场所，未经海关许可，不得擅自调离。

进口商应当在3个月内完成销毁，并将销毁情况向海关报告。

**第十九条** 进口乳品的进口商应当建立乳品进口和销售记录制度，如实记录进口乳品的入境货物检验检疫证明编号、名称、规格、数量、生产日期或者批号、保质期、出口商和购货者名称及联系方式、交货日期等内容。记录应当真实，记录保存期限不得少于2年。

主管海关应当对本辖区内进口商的进口和销售记录进行检查。

**第二十条** 进口乳品原料全部用于加工后复出口的，海关可以按照出口目的国家或者地区的标准或者合同要求实施检验，并在出具的入境货物检验检疫证明上注明"仅供出口加工使用"。

**第二十一条** 海关应当建立进口乳品进口商信誉记录。

海关发现不符合法定要求的进口乳品时，可以将不符合法定要求的进口乳品进口商、报检人、代理人列入不良记录名单；对有违法行为并受到处罚的，可以将其列入违法企业名单并对外公布。

## 第三章 乳品出口

**第二十二条** 海关总署对出口乳品生产企业实施备案制度，备案工作按照海关总署相关规定执行。

出口乳品应当来自备案的出口乳品生产企业。

**第二十三条** 出口生乳的奶畜养殖场应当向海关备案。海关在风险分析的基础上对备案养殖场进行动物疫病、农兽药残留、环境污染物及其他有毒有害物质的监测。

**第二十四条** 出口生乳奶畜养殖场应当建立奶畜养殖档案，载明以下内容：

（一）奶畜的品种、数量、繁殖记录、标识情况、来源和进出场日期；

（二）饲料、饲料添加剂、兽药等投入品的来源、名称、使用对象、时间和用量；

（三）检疫、免疫、消毒情况；

（四）奶畜发病、死亡和不合格生乳的处理情况；

（五）生乳生产、贮存、检验、销售情况。

记录应当真实，保存期限不得少于2年。

**第二十五条** 出口生乳奶畜养殖不得使用中国及进口国家或者地区禁用的饲料、饲料添加剂、兽药以及其他对动物和人体具有直接或者潜在危害的物质。禁止出口奶畜在规定用药期和休药期内产的乳。

**第二十六条** 出口乳品生产企业应当符合良好生产规范要求，建立并实施危害分析与关键控制点体系（HACCP），并保证体系有效运行。

**第二十七条** 出口乳制品生产企业应当建立下列制度：

（一）原料、食品添加剂、食品相关产品进货查验制度，如实记录其名称、规格、数量、供货者名称及联系方式、进货日期等；

（二）生产记录制度，如实记录食品生产过程的安全管理情况；

（三）出厂检验制度，对出厂的乳品逐批检验，并保存检验报告，留取样品；

（四）乳品出厂检验记录制度，查验出厂乳品检验合格证和质量安全状况，如实记录产品的名称、规格、数量、生产日期、保质期、生产批号、检验合格证号、购货者名称及联系方式、销售日期等。

上述记录应当真实，保存期不得少于2年。

**第二十八条** 出口乳品生产企业应当对出口乳品加工用原辅料及成品进行检验或者委托有资质的检验机构检验，并出具检验报告。

**第二十九条** 出口乳品的包装和运输方式应当符合安全卫生要求。

对装运出口易变质、需要冷冻或者冷藏乳品的集装箱、船舱、飞机、车辆等运载工具，承运人、装载单位或者其代理人应当按照规定对运输工具和装载容器进行清洗消毒并做好记录，在装运前向海关申请清洁、卫生、冷藏、密固等适载检验；未经检验或者经检验不合格的，不准装运。

**第三十条** 出口乳品的出口商或者其代理人应当按照海关总署的报检规定，向出口乳品生产企业所在地海关报检。

**第三十一条** 海关根据出口乳品的风险状况、生产企业的安全卫生质量管理水平、产品安全卫生质量记录、既往出口情况、进口国家或者地区要求等，制定出口乳品抽检方案，按照下列要求对出口乳品实施检验：

（一）双边协议、议定书、备忘录确定的检验检疫要求；

（二）进口国家或者地区的标准；

（三）贸易合同或者信用证注明的检验检疫要求。

均无上述标准或者要求的，按照中国法律法规及相关食品安全国家标准规定实施检验。

出口乳品的生产企业、出口商应当保证其出口乳品符合上述要求。

**第三十二条** 出口乳品经检验检疫符合相关要求的，海关出具检验检疫证书；经检验检疫不合格的，出具《出境货物不合格通知单》，不得出口。

**第三十三条** 出口乳品出境口岸海关按照出境货物换证查验的相关规定，检查货证是否相符。查验不合格的，由口岸海关出具不合格证明，不准出口。

产地海关与口岸海关应当建立信息交流机制，及时通报出口乳品在检验检疫过程中发现的卫生安全问题，并按照规定上报。

**第三十四条** 出口乳品生产经营者应当建立产品追溯制度，建立相关记录，保证追溯有效性。记录保存期限不得少于2年。

**第三十五条** 出口乳品生产企业应当建立样品管理制度，样品保管的条件、时间应当适合产品本身的特性，数重量应当满足检验要求。

**第三十六条** 海关发现不符合法定要求的出口乳品时，可以将其生产经营者列入不良记录名单；对有违法行为并受到处罚的，可以将其列入违法企业名单并对外公布。

## 第四章 风险预警

**第三十七条** 海关应当收集和整理主动监测、执法监管、实验室检验、境外通报、国内机构组织通报、媒体网络报道、投诉举报以及相关部门转办等乳品安全信息。

**第三十八条** 进出口乳品生产经营者应当建立风险信息报告制度，制定乳品安全风险信息应急方案，并配备应急联络员；设立专职的风险信息报告员，对已发现的进出口乳品召回和处理情况等风险信息及时报告海关。

**第三十九条** 海关应当对经核准、整理的进出口乳品安全信息提出初步处理意见，并按照规定的要求和程序向海关总署报告，向地方政府、有关部门通报。

**第四十条** 海关总署和直属海关应当根据进出口乳品安全风险信息的级别发布风险预警通报。海关总署视情况可以发布风险预警通告，并决定采取以下措施：

（一）有条件地限制进出口，包括严密监控、加严检验、责令召回等；

（二）禁止进出口，就地销毁或者作退运处理；

（三）启动进出口乳品安全应急处置预案。

海关负责组织实施风险预警及控制措施。

**第四十一条** 向中国出口乳品的国家或者地区发生可能影响乳品安全的动物疫病或者其他重大食品安全事件时，海关总署可以根据中国法律法规规定，对进口乳品采取本办法第四十条规定的风险预警及控制措施。

海关总署可以依据疫情变化、食品安全事件处置情况、出口国家或者地区政府主管部门和乳品生产企业提供的相关资料，经评估后调整风险预警及控制措施。

**第四十二条** 进出口乳品安全风险已不存在或者已降低到可接受的程度时，应当及时解除风险预警通报和风险预警通告及控制措施。

**第四十三条** 进口乳品存在安全问题，已经或者可能对人体健康和生命安全造成损害的，进口乳品进口商应当主动召回并向所在地海关报告。进口乳品进口商应当向社会公布有关信息，通知批发、销售者停止批发、销售，告知消费者停止使用，做好召回乳品情况记录。

海关接到报告后应当进行核查，根据进口乳品影响范围按照规定上报。

进口乳品进口商不主动实施召回的，由直属海关向其发出责令召回通知书并报告海关总署。必要时，海关总署可以责令召回。海关总署可以发布风险预警通报或者风险预警通告，并采取本办法第四十条规定的措施以及其他避免危害发生的措施。

**第四十四条** 发现出口的乳品存在安全问题，已经或者可能对人体健康和生命安全造成损害的，出口乳品生产经营者应当采取措施，避免和减少损害的发生，并立即向所在地海关报告。

**第四十五条** 海关在依法履行进出口乳品检验检疫监督管理职责时有权采取下列措施：

（一）进入生产经营场所实施现场检查；
（二）查阅、复制、查封、扣押有关合同、票据、账簿以及其他有关资料；
（三）查封、扣押不符合法定要求的产品，违法使用的原料、辅料、添加剂、农业投入品以及用于违法生产的工具、设备；
（四）查封存在危害人体健康和生命安全重大隐患的生产经营场所。

**第四十六条** 海关应当按照有关规定将采取的控制措施向海关总署报告并向地方政府、有关部门通报。

海关总署按照有关规定将相关进出口乳品安全信息及采取的控制措施向有关部门通报。

## 第五章 法律责任

**第四十七条** 进口乳品经检验检疫不符合食品安全国家标准，擅自销售、使用的，由海关按照食品安全法第一百二十四条、第一百二十九条的规定，没收违法所得、违法生产经营的乳品和用于违法生产经营的工具、设备、原料等物品；违法生产经营的乳品货值金额不足1万元的，并处5万元以上10万元以下罚款；货值金额1万元以上的，并处货值金额10倍以上20倍以下罚款；情节严重的，吊销许可证。

**第四十八条** 进口乳品进口商有下列情形之一，由海关依照食品安全法第一百二十六条、第一百二十九条的规定，责令改正，给予警告；拒不改正的，处5000元以上5万元以下罚款；情节严重的，取消备案：
（一）未建立乳品进口、销售记录制度的；
（二）进口、销售记录制度不全面、不真实的；
（三）进口、销售记录保存期限不足2年的；
（四）记录发生涂改、损毁、灭失或者有其他情形无法反映真实情况的；
（五）伪造、变造进口、销售记录的。

**第四十九条** 进口乳品进口商有本办法第四十八条所列情形以外，其他弄虚作假行为的，由海关按照特别规定第八条规定，没收违法所得和乳品，并处货值金额3倍的罚款；构成犯罪的，依法追究刑事责任。

**第五十条** 出口乳品出口商有下列情形之一，未遵守食品安全法规定出口乳品的，由海关按照食品安全法第一百二十四条、第一百二十九条的规定，没收违法所得、违法生产经营的乳品和用于违法生产经营的工具、设备、原料等物品；违法生产经营的乳品货值金额不足1万元的，并处5万元以上10万元以下罚款；货值金额1万元以上的，并处货值金额10倍以上20倍以下罚款；情节严重的，取消出口乳品生产企业备案：
（一）未报检或者未经监督、检验合格擅自出口的；
（二）出口乳品经检验不合格，擅自出口的；
（三）擅自调换经海关监督、抽检并已出具检验检疫证明的出口乳品的；
（四）出口乳品来自未经海关备案的出口乳品生产企业的。

**第五十一条** 出口乳品生产经营者有本办法第五十条所列情形以外，其他弄虚作假行为的，由海关按照特别规定第七条规定，没收违法所得和乳品，并处货值金额3倍的罚款；构成犯罪的，依法追究刑事责任。

**第五十二条** 有下列情形之一的，由海关责令改正，有违法所得的，处以违法所得3倍以下罚款，最高不超过3万元；没有违法所得的，处1万元以下罚款。
（一）进口乳品进口商未在规定的期限内按照海关要求处置不合格乳品的；
（二）进口乳品进口商违反本办法第十八条规定，在不合格进口乳品销毁或者退运前，未采取必要措施进行封存并单独存放的；

（三）进口乳品进口商将不合格进口乳品擅自调离海关指定或者认可的场所的；
（四）出口生乳的奶畜养殖场奶畜养殖过程中违规使用农业化学投入品的；
（五）出口生乳的奶畜养殖场相关记录不真实或者保存期少于2年的；
（六）出口乳品生产经营者未建立追溯制度或者无法保证追溯制度有效性的；
（七）出口乳品生产企业未建立样品管理制度，或者保存的样品与实际不符的；
（八）出口乳品生产经营者违反本办法关于包装和运输相关规定的。

**第五十三条** 进出口乳品生产经营者、海关及其工作人员有其他违法行为的，按照相关法律法规的规定处理。

## 第六章 附 则

**第五十四条** 进出口乳品进出口商对检验检疫结果有异议的，可以按照《进出口商品复验管理办法》的规定申请复验。

**第五十五条** 饲料用乳品、其他非食用乳品以及以快件、邮寄或者旅客携带方式进出口的乳品，按照国家有关规定办理。

**第五十六条** 本办法由海关总署负责解释。

**第五十七条** 本办法自2013年5月1日起施行。


# 关于实施《进出口乳品检验检疫监督管理办法》有关要求的公告

### （国家质量监督检验检疫总局公告2013年第53号）

（2013年4月15日由国家质量监督检验检疫总局发布，2013年4月15日起施行，法规类型为规范性文件）

国家质检总局2013年1月24日公布的《进出口乳品检验检疫监督管理办法》（国家质检总局令第152号，以下简称《办法》），将于2013年5月1日起实施。为进一步明确《办法》的相关内容，保证《办法》顺利实施，现将有关事项公告如下。

一、国家质检总局将根据国家法律法规及食品安全国家标准变化情况，对适用《办法》的乳品范围进行调整，并在国家质检总局网站公布。《办法》第二条中规定的乳粉包括牛初乳粉；乳基婴幼儿配方食品包括基粉原料。特殊医学用途婴幼儿配方食品不适用《办法》。

二、国家质检总局对向中国出口乳品的境外食品生产企业实施注册制度。国家质检总局将公布境外乳品生产企业注册的相关规定，并给予企业一定的过渡期以完成注册工作。在过渡期内，未完成注册的境外乳品生产企业仍可以按《办法》要求继续向我国出口乳品。

三、需要办理检疫审批手续的进口乳品（见附件1），应当按照《进境动植物检疫审批管理办法》（国家质检总局令第25号）规定办理检疫审批手续。国家质检总局可以确定、调整需要办理检疫审批的进口乳品种类并在国家质检总局网站公布。

四、无论《办法》实施之前是否有进口记录，自《办法》施行之日起从境外启运的某一产品从某一口岸第一次进口，均视为首次进口。该产品从同一口岸（指同一直属局辖区）进口的后续批次，视为非首次进口。境外生产企业、产品名称（包括产品品牌）、配方、境外出口商、境内进口商等信息完全一致的产品视为同一产品。

五、首次进口的乳品，进口商或者其代理人报检时应提供相应产品的食品安全国家标准中列明的项目的检测报告,包括标准中引用的食品中污染物和真菌毒素的标准。

非首次进口的乳品,进口商或者其代理人报检时应当提供首次进口时提供的检测报告和报检单的复印件,以及国家质检总局规定项目(见附件2)的检测报告。非首次进口检测报告项目由国家质检总局根据乳品风险监测等有关情况调整、确定,并在国家质检总局网站公布。

首次进口的婴幼儿配方食品基粉原料(乳basic预混料),进口商或者其代理人报检时应当提供对应产品标准规定的微生物、污染物和真菌毒素项目的检测报告。非首次进口的基粉原料应当提供微生物项目的检测报告。

上述检测报告应与进口乳品的生产日期或生产批号一一对应。

六、为进口乳品出具检测报告的检测机构,可以是境外官方实验室、第三方检测机构或企业实验室,也可以是境内取得食品检验机构资质认定的检测机构。

七、进口乳品的进口商或者其代理人在报检时如不能提供《办法》所要求的检测报告,应当提交书面材料说明理由并承诺在一定期限内补充提交符合《办法》规定的检测报告。检验检疫机构审核材料后可先接受报检,并在收到进口商或者其代理人补充提交的检测报告后,对进口乳品实施检验。其间进口乳品应当按照办法第十五条规定,存放在检验检疫机构指定或者认可的监管场所。

八、进口乳品安全卫生项目不合格的,再次进口时,进口商或者其代理人应当连续5批(指5个不同生产批次或生产日期)提供相应食品安全国家标准中列明的项目(包括标准中引用的污染物和真菌毒素项目)的检测报告。如检测不合格项目为非法添加物,则检测报告应当包括该项目。

九、进口乳品标签上标注获得的国外奖项、荣誉、认证标志等内容,应当提供经外交途径确认的有关证明文件。外交途径确认是指经我国驻外使领馆或外国驻中国使领馆确认。

十、进口乳品的进口商应通过面向公众的媒体(包括企业官网)及时公布进口乳品的种类、产地、品牌等信息。

十一、需做销毁或退运处理的不合格进口乳品,进口商完成销毁或退运后,应在5个工作日内将销毁或退运情况向检验检疫机构报告。

附件:1. 需要办理检疫审批手续的进口乳品种类(略)
2. 非首次进口乳品检测项目列表(略)

# 婴幼儿配方乳粉产品配方注册管理办法

(国家食品药品监督管理总局令第26号)

(2016年6月6日由国家食品药品监督管理总局发布,2016年10月1日起施行,法规类型为部门规章)

## 第一章 总 则

**第一条** 严格婴幼儿配方乳粉产品配方注册管理,保证婴幼儿配方乳粉质量安全,根据《中华人民共和国食品安全法》等法律法规,制定本办法。

**第二条** 在中华人民共和国境内生产销售和进口的婴幼儿配方乳粉产品配方注册管理,适用本办法。

**第三条** 婴幼儿配方乳粉产品配方注册,是指国家食品药品监督管理总局依据本办法规定的程序和要求,对申请注册的婴幼儿配方乳粉产品配方进行审评,并决定是否准予注册的活动。

**第四条** 婴幼儿配方乳粉产品配方注册管理,应当遵循科学、严格、公开、公平、公正的原则。

**第五条** 国家食品药品监督管理总局负责婴幼儿配方乳粉产品配方注册管理工作。

国家食品药品监督管理总局行政受理机构(以下简称受理机构)负责婴幼儿配方乳粉产品配方注册申请的受理工作。国家食品药品监督管理总局食品审评机构(以下简称审评机构)负责婴幼儿配方乳粉产品配方注册申请的审评工作。

国家食品药品监督管理总局审核查验机构(以下简称核查机构)负责婴幼儿配方乳粉产品配方注册的现场核查工作。省、自治区、直辖市食品药品监督管理部门负责配合国家食品药品监督管理总局开展本行政区域婴幼儿配方乳粉产品配方注册的现场核查等工作。

**第六条** 申请人应当对提交材料的真实性、完整性、合法性负责,并承担法律责任。申请人应当协助食品药品监督管理部门开展与注册相关的现场核查、抽样检验等工作。

## 第二章 申请与注册

**第七条** 申请人应当为拟在中华人民共和国境内生产并销售婴幼儿配方乳粉的生产企业或者拟向中华人民共和国出口婴幼儿配方乳粉的境外生产企业。申请人应当具备与所生产婴幼儿配方乳粉相适应的研发能力、生产能力、检验能力,符合粉状婴幼儿食品良好生产规范要求,实施危害分析与关键控制点体系,对出厂产品按照有关法律法规和婴幼儿配方乳粉食品安全国家标准规定的项目实施逐批检验。

**第八条** 申请注册产品配方应当符合有关法律法规和食品安全国家标准的要求,并提供证明产品配方科学性、安全性的研发与论证报告和充足依据。申请婴幼儿配方乳粉产品配方注册,应当向国家食品药品监督管理总局提交下列材料:

(一)婴幼儿配方乳粉产品配方注册申请书;

(二)申请人主体资质证明文件;

(三)原辅料的质量安全标准;

(四)产品配方研发报告;

(五)生产工艺说明;

(六)产品检验报告;

(七)研发能力、生产能力、检验能力的证明材料;

(八)其他表明配方科学性、安全性的材料。

**第九条** 同一企业申请注册两个以上同年龄段产品配方时,产品配方之间应当有明显差异,并经科学证实。每个企业原则上不得超过3个配方系列9种产品配方,每个配方系列包括婴儿配方乳粉(0~6月龄,1段)、较大婴儿配方乳粉(6~12月龄,2段)、幼儿配方乳粉(12~36月龄,3段)。

**第十条** 同一集团公司已经获得婴幼儿配方乳粉产品配方注册及生产许可的全资子公司可以使用集团公司内另一全资子公司已经注册的婴幼儿配方乳粉产品配方。组织生产前,集团公司应当向国家食品药品监督管理总局提交书面报告。

**第十一条** 受理机构对申请人提出的婴幼儿配方乳粉产品配方注册申请,应当根据下列情况分别作出处理:

（一）申请事项依法不需要进行注册的，应当即时告知申请人不受理；

（二）申请事项依法不属于国家食品药品监督管理总局职权范围的，应当即时作出不予受理的决定，并告知申请人向有关行政机关申请；

（三）申请材料存在可以当场更正的错误的，应当允许申请人当场更正；

（四）申请材料不齐全或者不符合法定形式的，应当当场或者在5个工作日内一次告知申请人需要补正的全部内容；逾期不告知的，自收到申请材料之日起即为受理；

（五）申请材料齐全、符合法定形式，或者申请人按照要求提交全部补正申请材料的，应当受理注册申请。受理机构受理或者不予受理注册申请，应当出具加盖国家食品药品监督管理总局行政许可受理专用章和注明日期的书面凭证。

第十二条　受理机构应当在受理后3个工作日内将申请材料送交审评机构。

第十三条　审评机构应当对申请材料以及产品配方声称与产品配方注册内容的一致性进行审查，并根据实际需要通知核查机构对申请人开展现场核查，组织检验机构开展抽样检验，组织专家对专业问题进行论证，自收到受理材料之日起60个工作日内完成审评工作。特殊情况下需要延长审评时间的，经审评机构负责人同意，可以延长30个工作日，延长决定应当书面告知申请人。

第十四条　核查机构应当自接到审评机构通知之日起20个工作日内完成对申请人研发能力、生产能力、检验能力等情况的现场核查，出具现场核查报告。核查机构应当通知申请人所在地省级食品药品监督管理部门参与现场核查，省级食品药品监督管理部门应当派员参与。

第十五条　审评机构应当委托具有法定资质的食品检验机构开展抽样检验。检验机构应当自接受委托之日起30个工作日内完成抽样检验工作，出具产品检验报告。

第十六条　对境外生产企业现场核查、抽样检验的工作时限，根据实际情况确定。

第十七条　审评机构应当根据申请人申请材料、现场核查报告、产品检验报告开展审评，并作出审评结论。

第十八条　审评机构作出不予注册审评结论的，应当向申请人发出拟不予注册的书面通知。申请人对通知有异议的，应当自收到通知之日起20个工作日内向审评机构提出书面复审申请并说明复审理由。复审的内容仅限于原申请事项及申请材料。审评机构应当自受理复审申请之日起30个工作日内作出复审决定，并书面通知申请人。

第十九条　审评机构认为需要申请人补正材料的，应当一次性告知需要补正的全部内容。申请人应当在3个月内按照补正通知的要求一次补正材料。补正材料的时间不计算在审评时间内。逾期未补正的，按申请人不再提供补正材料处理。

第二十条　国家食品药品监督管理总局自受理申请之日起20个工作日内根据审评结论作出准予注册或者不予注册的决定。受理机构应当自国家食品药品监督管理总局作出决定之日起10个工作日内向申请人发出婴幼儿配方乳粉产品配方注册证书或者不予注册决定。

第二十一条　现场核查、抽样检验、复审所需时间不计算在技术审评和注册决定的期限内。审评时间不计算在注册决定的期限内。

第二十二条　申请人对国家食品药品监督管理总局作出不予注册决定有异议的，可以向国家食品药品监督管理总局提出书面行政复议申请或者向人民法院提起行政诉讼。

第二十三条　婴幼儿配方乳粉产品配方注册证书及附件应当载明下列事项：

（一）产品名称；

（二）企业名称、法定代表人、生产地址；

（三）注册号、批准日期及有效期；

（四）生产工艺；

（五）产品配方。

婴幼儿配方乳粉产品配方注册号格式为：国食注字 YP+4 位年代号+4 位顺序号，其中 YP 代表婴幼儿配方乳粉产品配方。婴幼儿配方乳粉产品配方注册证书有效期为 5 年。

第二十四条　婴幼儿配方乳粉产品配方注册有效期内，婴幼儿配方乳粉产品配方注册证书遗失或者损毁的，申请人应当向受理机构提出书面申请并说明理由。因遗失申请补发的，应当在省、自治区、直辖市食品药品监督管理部门网站上发布遗失声明；因损坏申请补发的，应当交回婴幼儿配方乳粉产品配方注册证书原件。国家食品药品监督管理总局自受理之日起 20 个工作日内予以补发。补发的婴幼儿配方乳粉产品配方注册证书应当标注原批准日期，并注明"补发"字样。

第二十五条　婴幼儿配方乳粉产品配方注册证书有效期内，需要变更注册证书及其附件载明事项的，申请人应当向国家食品药品监督管理总局提出变更注册申请，并提交下列材料：

（一）婴幼儿配方乳粉产品配方变更注册申请书；

（二）婴幼儿配方乳粉产品配方注册证书及附件；

（三）与变更事项有关的证明材料。

第二十六条　申请人申请产品配方变更等可能影响产品配方科学性、安全性的，审评机构应当根据实际需要按照本办法第十三条的规定组织开展审评，并作出审评结论。申请人申请企业名称变更、生产地址名称变更等不影响产品配方科学性、安全性的，审评机构应当进行核实，并自受理机构受理之日起 10 个工作日内作出结论。申请人名称变更的，应当由变更后的申请人申请变更。国家食品药品监督管理总局自接到审评结论之日起 10 个工作日内根据审评结论作出准予变更或者不予变更的决定。对符合条件的，依法办理变更手续，注册证书发证日期以变更批准日期为准，原注册号不变，证书有效期保持不变；不予变更注册的，作出不予变更注册决定。

第二十七条　婴幼儿配方乳粉产品配方注册证书有效期届满需要延续的，申请人应当在注册证书有效期届满 6 个月前向国家食品药品监督管理总局提出延续注册申请，并提交下列材料：

（一）婴幼儿配方乳粉产品配方延续注册申请书；

（二）申请人主体资质证明文件；

（三）企业研发能力、生产能力、检验能力情况；

（四）企业生产质量管理体系自查报告；

（五）产品营养、安全方面的跟踪评价情况；

（六）生产企业所在地省、自治区、直辖市食品药品监督管理部门延续注册意见书；

（七）婴幼儿配方乳粉产品配方注册证书及附件。审评机构应当根据实际需要对延续注册申请按照本办法第十三条组织开展审评，并作出审评结论。国家食品药品监督管理总局自受理申请之日起 20 个工作日内作出准予延续注册或者不予延续注册的决定。准予延续注册的，向申请人换发注册证书，原注册号不变，证书有效期自批准之日起重新计算；不予延续注册的，应当作出不予延续注册决定。逾期未作决定的，视为准予延续。

第二十八条　有下列情形之一的，不予延续注册：

（一）未在规定时限内提出延续注册申请的；

（二）申请人在产品配方注册后 5 年内未按照注册配方组织生产的；

（三）企业未能保持注册时研发能力、生产能力、检验能力的；

（四）其他不符合有关规定的情形。

第二十九条　婴幼儿配方乳粉产品配方变更注册与延续注册的程序未作规定的，适用本办法有关婴幼儿乳粉产品配方注册的相关规定。

## 第三章  标签与说明书

**第三十条**  申请人申请婴幼儿配方乳粉产品配方注册的，应当提交标签和说明书样稿及标签、说明书中声称的说明、证明材料。标签和说明书涉及婴幼儿配方乳粉产品配方的，应当与获得注册的产品配方的内容一致，并标注注册号。

**第三十一条**  产品名称中有动物性来源的，应当根据产品配方在配料表中如实标明使用的生乳、乳粉、乳清（蛋白）粉等乳制品原料的动物性来源。使用的乳制品原料有两种以上动物性来源时，应当标明各种动物性来源原料所占比例。

配料表应当将食用植物油具体的品种名称按照加入量的递减顺序标注。

营养成分表应当按照婴幼儿配方乳粉食品安全国家标准规定的营养素顺序列出，并按照能量、蛋白质、脂肪、碳水化合物、维生素、矿物质、可选择性成分等类别分类列出。

**第三十二条**  声称生乳、原料乳粉等原料来源的，应当如实标明具体来源地或者来源国，不得使用"进口奶源""源自国外牧场""生态牧场""进口原料"等模糊信息。

**第三十三条**  声称应当注明婴幼儿配方乳粉适用月龄，可以同时使用"1段、2段、3段"的方式标注。

**第三十四条**  标签和说明书不得含有下列内容：

（一）涉及疾病预防、治疗功能；

（二）明示或者暗示具有保健作用；

（三）明示或者暗示具有益智、增加抵抗力或者免疫力、保护肠道等功能性表述；

（四）对于按照食品安全标准不应当在产品配方中含有或者使用的物质，以"不添加""不含有""零添加"等字样强调未使用或者不含有；

（五）虚假、夸大、违反科学原则或者绝对化的内容；

（六）与产品配方注册的内容不一致的声称。

## 第四章  监督管理

**第三十五条**  承担婴幼儿配方乳粉产品配方注册技术审评、现场核查、抽样检验、专家论证的机构和人员应当对出具的审评结论、现场核查报告、产品检验报告、专家意见等负责。婴幼儿配方乳粉产品配方注册技术审评、现场核查、抽样检验、专家论证的机构和人员应当依照有关法律、法规、规章的规定，恪守职业道德，按照食品安全国家标准、技术规范等对婴幼儿配方乳粉产品配方进行技术审评、现场核查和抽样检验，保证相关工作科学、客观和公正。

**第三十六条**  食品药品监督管理部门接到有关单位或者个人举报的婴幼儿配方乳粉产品配方注册受理、技术审评、现场核查、抽样检验、专家论证、审批等工作中的违法违规行为，应当及时核实处理。

**第三十七条**  国家食品药品监督管理总局自批准之日起20个工作日内公布婴幼儿配方乳粉产品配方注册目录信息。

**第三十八条**  参与婴幼儿配方乳粉注册申请受理、技术审评、现场核查、抽样检验、专家论证等工作的机构和人员，应当保守在注册中知悉的商业秘密。申请人应当按照国家有关规定对申请材料中的商业秘密进行标注并注明依据。

**第三十九条**  申请人拒绝现场核查或者抽样检验的，国家食品药品监督管理总局不批准其产品配方注册申请。

**第四十条**  有下列情形之一的，国家食品药品监督管理总局依据职权或者根据利害关系人的请求，可以撤销婴幼儿配方乳粉产品配方注册：

（一）工作人员滥用职权、玩忽职守作出准予注册决定的；

（二）超越法定职权作出准予注册决定的；
（三）违反法定程序作出准予注册决定的；
（四）对不具备申请资格或者不符合法定条件的申请人准予注册的；
（五）依法可以撤销注册的其他情形。

**第四十一条** 有下列情形之一的，由国家食品药品监督管理总局注销婴幼儿配方乳粉产品配方注册：
（一）企业申请注销的；
（二）企业依法终止的；
（三）注册证书有效期届满未延续的；
（四）注册依法被撤销、撤回，或者注册证书依法被吊销的；
（五）法律法规规定应当注销的其他情形。

## 第五章 法律责任

**第四十二条** 食品安全法等法律法规对婴幼儿配方乳粉产品配方注册违法行为已有规定的，从其规定。

**第四十三条** 申请人隐瞒有关情况或者提供虚假材料、样品申请婴幼儿配方乳粉产品配方注册的，国家食品药品监督管理总局不予受理或者不予注册，对申请人给予警告，并向社会公告。申请人在1年内不得再次申请婴幼儿配方乳粉产品配方注册；涉嫌犯罪的，依法移送公安机关，追究刑事责任。

申请人以欺骗、贿赂等不正当手段，或者隐瞒真实情况、提交虚假材料等方式取得婴幼儿配方乳粉产品配方注册证书的，国家食品药品监督管理总局依法予以撤销，处1万元以上3万元以下罚款。被许可人在3年内不得再次申请注册；涉嫌犯罪的，依法移送公安机关，追究刑事责任。

**第四十四条** 申请人变更不影响产品配方科学性、安全性的事项，未依法申请变更的，由县级以上食品药品监督管理部门责令改正，给予警告；拒不改正的，处1万元以上3万元以下罚款。

申请人变更可能影响产品配方科学性、安全性的事项，未依法申请变更的，由县级以上食品药品监督管理部门依照食品安全法第一百二十四条的规定处罚。

**第四十五条** 伪造、涂改、倒卖、出租、出借、转让婴幼儿配方乳粉产品配方注册证书的，由县级以上食品药品监督管理部门责令改正，给予警告，并处1万元以下罚款；情节严重的，处1万元以上3万元以下罚款；涉嫌犯罪的，依法移送公安机关，追究刑事责任。

**第四十六条** 婴幼儿配方乳粉生产销售者违反本办法第三十条至第三十四条规定的，由食品药品监督管理部门责令改正，并依法处以1万元以上3万元以下罚款。

**第四十七条** 食品药品监督管理部门及其工作人员对不符合条件的申请人准予注册，或者超越法定职权准予注册的，依照食品安全法第一百四十四条的规定处理。

食品药品监督管理部门及其工作人员在注册审评过程中滥用职权、玩忽职守、徇私舞弊的，依照食品安全法第一百四十五条的规定处理。

## 第六章 附 则

**第四十八条** 本办法所称婴幼儿配方乳粉产品配方，是指生产婴幼儿配方乳粉使用的食品原料、食品添加剂及其使用量，以及产品中营养成分的含量。

**第四十九条** 本办法自2016年10月1日起施行。

## 质检总局关于加强进口婴幼儿配方乳粉管理的公告

(国家质量监督检验检疫总局公告2013年第133号)

(2013年9月23日由国家质量监督检验检疫总局发布，2013年9月23日起施行，法规类型为规范性文件)

为贯彻落实国务院关于进一步加强婴幼儿乳粉质量安全工作的部署，现就有关要求公告如下。

一、本公告所称婴幼儿配方乳粉指婴儿配方乳粉、较大婴儿和幼儿配方乳粉。

二、对华出口婴幼儿配方乳粉的境外生产企业应按照《进出口乳品检验检疫监督管理办法》(国家质量监督检验检疫总局令第152号)、《进口食品境外生产企业注册管理规定》(国家质量监督检验检疫总局令第145号)及《质检总局关于公布〈进口食品境外生产企业注册实施目录〉的公告》(质检总局公告2013年第62号)的规定，办理注册。自2014年5月1日起，未经注册的境外生产企业的婴幼儿配方乳粉不允许进口。

三、进口婴幼儿配方乳粉，其报检日期到保质期截止日不足3个月的，不予进口。

四、严禁进口大包装婴幼儿配方乳粉到境内分装，进口的婴幼儿配方乳粉必须已罐装在向消费者出售的最小零售包装中。

五、自2014年4月1日起，进口婴幼儿配方乳粉的中文标签必须在入境前已直接印制在最小销售包装上，不得在境内加贴。产品包装上无中文标签或者中文标签不符合中国法律法规和食品安全国家标准的，一律按不合格产品做退货或销毁处理。

除另有说明外，本公告之各项要求自发布之日起实施。

# 进境水果检验检疫监督管理办法

(国家质量监督检验检疫总局令第 68 号)

(2005 年 1 月 5 日由国家质量监督检验检疫总局发布;根据 2018 年 4 月 28 日海关总署令第 238 号《海关总署关于修改部分规章的决定》第一次修正,根据 2018 年 11 月 23 日海关总署令第 243 号《海关总署关于修改部分规章的决定》第二次修正;现行版本自 2018 年 11 月 23 日起施行;法规类型为部门规章)

**第一条** 为了防止进境水果传带检疫性有害生物和有毒有害物质,保护我国农业生产、生态安全和人体健康,根据《中华人民共和国进出境动植物检疫法》及其实施条例、《中华人民共和国进出口商品检验法》及其实施条例和《中华人民共和国食品安全法》及其他有关法律法规的规定,制定本办法。

**第二条** 本办法适用于我国进境新鲜水果(以下简称水果)的检验检疫和监督管理。

**第三条** 海关总署统一管理全国进境水果检验检疫监督管理工作。

主管海关负责所辖地区进境水果检验检疫监督管理工作。

**第四条** 禁止携带、邮寄水果进境,法律法规另有规定的除外。

**第五条** 在签订进境水果贸易合同或协议前,应当按照有关规定向海关总署申请办理进境水果检疫审批手续,并获得《中华人民共和国进境动植物检疫许可证》(以下简称《检疫许可证》)。

**第六条** 输出国或地区官方检验检疫部门出具的植物检疫证书(以下简称植物检疫证书)(正本),应当在报检时由货主或其代理人向海关提供。

**第七条** 植物检疫证书应当符合以下要求:

(一)植物检疫证书的内容与格式应当符合国际植物检疫措施标准 ISPM 第 12 号《植物检疫证书准则》的要求;

(二)用集装箱运输进境的,植物检疫证书上应注明集装箱号码;

(三)已与我国签订协定(含协议、议定书、备忘录等,下同)的,还应符合相关协定中有关植物检疫证书的要求。

**第八条** 海关根据以下规定对进境水果实施检验检疫:

(一)中国有关检验检疫的法律法规、标准及相关规定;

(二)中国政府与输出国或地区政府签订的双边协定;

(三)海关总署与输出国或地区检验检疫部门签订的议定书;

(四)《检疫许可证》列明的有关要求。

**第九条** 进境水果应当符合以下检验检疫要求：
（一）不得混装或夹带植物检疫证书上未列明的其他水果；
（二）包装箱上须用中文或英文注明水果名称、产地、包装厂名称或代码；
（三）不带有中国禁止进境的检疫性有害生物、土壤及枝、叶等植物残体；
（四）有毒有害物质检出量不得超过中国相关安全卫生标准的规定；
（五）输出国或地区与中国签订有协定或议定书的，还须符合协定或议定书的有关要求。

**第十条** 海关依照相关工作程序和标准对进境水果实施现场检验检疫：
（一）核查货证是否相符；
（二）按第七条和第九条的要求核对植物检疫证书和包装箱上的相关信息及官方检疫标志；
（三）检查水果是否带虫体、病征、枝叶、土壤和病虫为害状；现场检疫发现可疑疫情的，应送实验室检疫鉴定；
（四）根据有关规定和标准抽取样品送实验室检测。

**第十一条** 海关应当按照相关工作程序和标准实施实验室检验检疫。
对在现场或实验室检疫中发现的虫体、病菌、杂草等有害生物进行鉴定，对现场抽取的样品进行有毒有害物质检测，并出具检验检疫结果单。

**第十二条** 根据检验检疫结果，海关对进境水果分别作以下处理：
（一）经检验检疫合格的，签发入境货物检验检疫证明，准予放行；
（二）发现检疫性有害生物或其他有检疫意义的有害生物，须实施除害处理，签发检验检疫处理通知书；经除害处理合格的，准予放行；
（三）不符合本办法第九条所列要求之一的、货证不符的或经检验检疫不合格又无有效除害处理方法的，签发检验检疫处理通知书，在海关的监督下作退运或销毁处理。
需对外索赔的，签发相关检验检疫证书。

**第十三条** 进境水果有下列情形之一的，海关总署将视情况暂停该种水果进口或暂停从相关水果产区、果园、包装厂进口：
（一）进境水果果园、加工厂地区或周边地区爆发严重植物疫情的；
（二）经检验检疫发现中方关注的进境检疫性有害生物的；
（三）经检验检疫发现有毒有害物质含量超过中国相关安全卫生标准规定的；
（四）不符合中国有关检验检疫法律法规、双边协定或相关国际标准的。
前款规定的暂停进口的水果需恢复进口的，应当经海关总署依照有关规定进行确认。

**第十四条** 经香港、澳门特别行政区（以下简称港澳地区）中转进境的水果，应当以集装箱运输，按照原箱、原包装和原植物检疫证书（简称"三原"）进境。进境前，应当经海关总署认可的港澳地区检验机构对是否属允许进境的水果种类及"三原"进行确认。经确认合格的，经海关总署认可的港澳地区检验机构对集装箱加施封识，出具相应的确认证明文件，并注明所加封识号、原证书号、原封识号，同时将确认证明文件及时传送给入境口岸海关。对于一批含多个集装箱的，可附有一份植物检疫证书，但应当同时由海关总署认可的港澳地区检验机构进行确认。

**第十五条** 海关总署根据工作需要，并商输出国家或地区政府检验检疫机构同意，可以派海关人员到产地进行预检、监装或调查产地疫情和化学品使用情况。

**第十六条** 未完成检验检疫的进境水果，应当存放在海关指定的场所，不得擅自移动、销售、使用。
进境水果存放场所由所在地海关依法实施监督管理，并应符合以下条件：
（一）有足够的独立存放空间；

1673

(二) 具备保质、保鲜的必要设施；
(三) 符合检疫、防疫要求；
(四) 具备除害处理条件。

**第十七条** 因科研、赠送、展览等特殊用途需要进口国家禁止进境水果的，货主或其代理人须事先向海关总署或海关总署授权的海关申请办理特许检疫审批手续；进境时，应向入境口岸海关报检，并接受检疫。

对于展览用水果，在展览期间，应当接受海关的监督管理，未经海关许可，不得擅自调离、销售、使用；展览结束后，应当在海关的监督下作退回或销毁处理。

**第十八条** 违反本办法规定的，海关依照《中华人民共和国进出境动植物检疫法》及其实施条例、《中华人民共和国进出口商品检验法》、《中华人民共和国食品卫生法》及相关法律法规的规定予以处罚。

**第十九条** 本办法由海关总署负责解释。

**第二十条** 本办法自 2005 年 7 月 5 日起施行。原国家出入境检验检疫局 1999 年 12 月 9 日发布的《进境水果检疫管理办法》同时废止。

# 出境水果检验检疫监督管理办法

（国家质量监督检验检疫总局令第 91 号）

（2006 年 12 月 25 日由国家质量监督检验检疫总局发布；根据 2018 年 4 月 28 日海关总署令第 238 号《海关总署关于修改部分规章的决定》第一次修正，根据 2018 年 5 月 29 日海关总署令第 240 号《海关总署关于修改部分规章的决定》第二次修正，根据 2018 年 11 月 23 日海关总署令第 243 号《海关总署关于修改部分规章的决定》第三次修正；现行版本自 2018 年 11 月 23 日起施行；法规类型为部门规章）

## 第一章 总 则

**第一条** 为规范出境水果检验检疫和监督管理工作，提高出境水果质量和安全，根据《中华人民共和国进出境动植物检疫法》及其实施条例、《中华人民共和国进出口商品检验法》及其实施条例和《中华人民共和国食品安全法》等有关法律法规规定，制定本办法。

**第二条** 本办法适用于我国出境新鲜水果（含冷冻水果，以下简称水果）的检验检疫与监督管理工作。

**第三条** 海关总署统一管理全国出境水果检验检疫与监督管理工作。

主管海关负责所辖地区出境水果检验检疫与监督管理工作。

**第四条** 我国与输入国家或者地区签定的双边协议、议定书等明确规定，或者输入国家或者地区法律法规要求对输入该国家的水果果园和包装厂实施注册登记的，海关应当按照规定对输往该国家或者地区的出境水果果园和包装厂实行注册登记。

我国与输入国家或地区签定的双边协议、议定书未有明确规定，且输入国家或者地区法律法规未明确要求的，出境水果果园、包装厂可以向海关申请注册登记。

## 第二章 注册登记

**第五条** 申请注册登记的出境水果果园应当具备以下条件：

（一）连片种植，面积在 100 亩以上；
（二）周围无影响水果生产的污染源；
（三）有专职或者兼职植保员，负责果园有害生物监测防治等工作；
（四）建立完善的质量管理体系。质量管理体系文件包括组织机构、人员培训、有害生物监测与控制、农用化学品使用管理、良好农业操作规范等有关资料；
（五）近两年未发生重大植物疫情；
（六）双边协议、议定书或者输入国家或者地区法律法规对注册登记有特别规定的，还须符合其规定。

**第六条** 申请注册登记的出境水果包装厂应当具备以下条件：
（一）厂区整洁卫生，有满足水果贮存要求的原料场、成品库；
（二）水果存放、加工、处理、储藏等功能区相对独立、布局合理，且与生活区采取隔离措施并有适当的距离；
（三）具有符合检疫要求的清洗、加工、防虫防病及除害处理设施；
（四）加工水果所使用的水源及使用的农用化学品均须符合有关食品卫生要求及输入国家或地区的要求；
（五）有完善的卫生质量管理体系，包括对水果供货、加工、包装、储运等环节的管理；对水果溯源信息、防疫监控措施、有害生物及有毒有害物质检测等信息有详细记录；
（六）配备专职或者兼职植保员，负责原料水果验收、加工、包装、存放等环节防疫措施的落实、有毒有害物质的控制、弃果处理和成品水果自检等工作；
（七）有与其加工能力相适应的提供水果货源的果园，或者与供货果园建有固定的供货关系；
（八）双边协议、议定书或者输入国家或者地区法律法规对注册登记有特别规定的，还须符合其规定。

**第七条** 申请注册登记的果园，应当向所在地海关提出书面申请，并提交以下材料：
（一）《出境水果果园注册登记申请表》；
（二）果园示意图、平面图。

**第八条** 申请注册登记的包装厂，应当向所在地海关提出书面申请，并提交以下材料：
（一）《出境水果包装厂注册登记申请表》；
（二）包装厂厂区平面图，包装厂工艺流程及简要说明；
（三）提供水果货源的果园名单及包装厂与果园签订的有关水果生产、收购合约复印件。

**第九条** 海关按照规定对申请材料进行审核，确定材料是否齐全、是否符合有关规定要求，作出受理或者不受理的决定，并出具书面凭证。提交的材料不齐全或者不规范的，应当当场或者在接到申请后 5 个工作日内一次告知申请人补正。逾期不告知的，自收到申请材料之日起即为受理。

受理申请后，海关应当对申请注册登记的出境水果果园和包装厂提交的申请资料进行审核，并组织专家组进行现场考核。

**第十条** 海关应当自受理申请之日起 20 个工作日内，作出准予注册登记或者不予注册登记的决定。

隶属海关受理的，应当自受理之日起 10 个工作日内，完成对申请资料的初审工作；初审合格后，提交直属海关，直属海关应当在 10 个工作日内作出准予注册登记或者不予注册登记的决定。

直属海关应当将注册登记的果园、包装厂名单报海关总署备案。

**第十一条** 注册登记证书有效期为 3 年，注册登记证书有效期满前 3 个月，果园、包装厂应当向所在地海关申请换证。

**第十二条** 注册登记的果园、包装厂出现以下情况之一的,应当向海关办理申请变更手续:

（一）果园种植面积扩大;

（二）果园承包者或者负责人、植保员发生变化;

（三）包装厂法人代表或者负责人发生变化;

（四）向包装厂提供水果货源的注册登记果园发生改变;

（五）包装厂加工水果种类改变;

（六）其他较大变更情况。

**第十三条** 注册登记的果园、包装厂出现以下情况之一的,应当向海关重新申请注册登记:

（一）果园位置及种植水果种类发生变化;

（二）包装厂改建、扩建、迁址;

（三）其他重大变更情况。

**第十四条** 我国与输入国家或者地区签定的双边协议、议定书等明确规定,或者输入国家或者地区法律法规要求对输入该国家或者地区的水果果园和包装厂实施注册登记的,出境水果果园、包装厂应当经海关总署集中组织推荐,获得输入国家或地区检验检疫部门认可后,方可向有关国家输出水果。

## 第三章 监督管理

**第十五条** 海关对所辖地区出境水果果园、包装厂进行有害生物监测、有毒有害物质监控和监督管理。监测结果及监管情况作为出境水果检验检疫分类管理的重要依据。

**第十六条** 出境水果果园、包装厂应当采取有效的有害生物监测、预防和综合管理措施,避免和控制输入国家或者地区关注的检疫性有害生物发生。出境水果果园和包装厂应当遵守相关法规标准,安全合理使用农用化学品,不得购买、存放和使用我国或者输入国家或者地区禁止在水果上使用的化学品。

出境水果包装材料应当干净卫生、未使用过,并符合有关卫生质量标准。输入国家或地区有特殊要求的,水果包装箱应当按照要求,标明水果种类、产地以及果园、包装厂名称或者代码等相关信息。

**第十七条**[①] 海关对出境水果果园实施监督管理内容包括:

（一）果园周围环境、水果生长状况、管理人员情况;

（二）果园有害生物发生、监测、防治情况及有关记录;

（三）果园农用化学品存放状况、购买、领取及使用记录;

（四）果园水果有毒有害物质检测记录;

（五）双边协议、议定书或者输入国家或者地区法律法规相关规定的落实情况。

**第十八条** 海关对出境水果包装厂实施监督管理内容包括:

（一）包装厂区环境及卫生状况、生产设施及包装材料的使用情况,管理人员情况;

（二）化学品存放状况、购买、领取及使用记录;

（三）水果的来源、加工、自检、存储、出口等有关记录;

（四）水果有毒有害物质检测控制记录;

---

[①] 根据海关总署公告 2020 年第 99 号《关于调整部分进出境货物监管要求的公告》取消法规第十七条第四项和第十八条第四项。

（五）冷藏设施使用及防疫卫生情况、温湿度控制记录；
（六）双边协议、议定书或者输入国家或者地区法律法规相关规定的落实情况。

第十九条　出境果园和包装厂出现下列情况之一的，海关应责令其限期整改，并暂停受理报检，直至整改符合要求：
（一）不按规定使用农用化学品的；
（二）周围有环境污染源的；
（三）包装厂的水果来源不明；
（四）包装厂内来源不同的水果混放，没有隔离防疫措施，难以区分；
（五）未按规定在包装上标明有关信息或者加施标识的；
（六）包装厂检疫处理设施出现较大技术问题的；
（七）海关检出国外关注的有害生物或者有毒有害物质超标的；
（八）输入国家或者地区检出检疫性有害生物或者有毒有害物质超标的。

第二十条　海关在每年水果采收季节前对注册登记的出境水果果园、包装厂进行年度审核，对年审考核不合格的果园、包装厂限期整改。

第二十一条　已注册登记的出境水果果园、包装厂出现以下情况之一的，取消其注册登记资格：
（一）限期整改不符合要求的；
（二）隐瞒或者瞒报质量和安全问题的；
（三）拒不接受海关监督管理的；
（四）未按第十三条规定重新申请注册登记的。

第二十二条　出境水果果园、包装厂应当建立稳定的供货与协作关系。包装厂应当要求果园加强疫情、有毒有害物质监测与防控工作，确保提供优质安全的水果货源。

注册登记果园向包装厂提供出境水果时，应当随附产地供货证明，注明水果名称、数量及果园名称或者注册登记编号等信息。

## 第四章　出境检验检疫

第二十三条　出境水果应当向包装厂所在地海关报检，按报检规定提供有关单证及产地供货证明；出境水果来源不清楚的，不予受理报检。

第二十四条　根据输入国家或者地区进境水果检验检疫规定和果园、包装厂的注册登记情况，结合日常监督管理，海关实施相应的出境检验检疫措施。

第二十五条　海关根据下列要求对出境水果实施检验检疫：
（一）我国与输入国家或者地区签订的双边检疫协议（含协定、议定书、备忘录等）；
（二）输入国家或者地区进境水果检验检疫规定或者要求；
（三）国际植物检疫措施标准；
（四）我国出境水果检验检疫规定；
（五）贸易合同和信用证等订明的检验检疫要求。

第二十六条　海关依照相关工作程序和技术标准实施现场检验检疫和实验室检测：
（一）核查货证是否相符；
（二）植物检疫证书和包装箱的相关信息是否符合输入国或者地区的要求；
（三）检查水果是否带虫体、病症、枝叶、土壤和病虫为害状，发现可疑疫情，应及时按有关规定和要求将相关样品和病虫体送实验室检疫鉴定。

第二十七条　海关对出境水果实施出境检验检疫及日常监督管理。
出境水果经检验检疫合格的，按照有关规定签发检验检疫证书、出境货物换证凭单等有关检验检疫证单。未经检验检疫或者检验检疫不合格的，不准出境。

出境水果经检验检疫不合格的，海关应当向出境水果果园、包装厂反馈有关信息，并协助调查原因，采取改进措施。出境水果果园、包装厂不在本辖区的，实施检验检疫的海关应当将有关情况及时通知出境水果果园、包装厂所在地海关。

## 第五章 附 则

**第二十八条** 本办法下列用语含义：

（一）"果园"，是指没有被障碍物（如道路、沟渠和高速公路）隔离开的单一水果的连续种植地。

（二）"包装厂"，是指水果采收后，进行挑选、分级、加工、包装、储藏等一系列操作的固定场所，一般包括初选区、加工包装区、储藏库等。

（三）"冷冻水果"，是指加工后，在-18℃以下储存、运输的水果。

**第二十九条** 有关单位和个人违反《中华人民共和国进出境动植物检疫法》及其实施条例、《中华人民共和国进出口商品检验法》及其实施条例和《中华人民共和国食品安全法》的，海关将按有关规定予以处罚。

**第三十条** 有以下情况之一的，海关处以3万元以下罚款：

（一）来自注册果园、包装厂的水果混有非注册果园、包装厂水果的；

（二）盗用果园、包装厂注册登记编号的；

（三）伪造或变造产地供货证明的；

（四）经检验检疫合格后的水果被调换的；

（五）其他违反本办法规定导致严重安全、卫生质量事故的。

**第三十一条** 海关人员徇私舞弊、滥用职权、玩忽职守，违反相关法律法规和本办法规定的，依法给予行政处分；情节严重，构成犯罪的，依法追究刑事责任。

**第三十二条** 本办法由海关总署负责解释。

**第三十三条** 本办法自2007年2月1日起施行。

# 动物（水陆）及其产品

## 进境动物遗传物质检疫管理办法

（国家质量监督检验检疫总局令第47号）

（2003年5月14日由国家质量监督检验检疫总局发布；根据2018年4月28日海关总署令第238号《海关总署关于修改部分规章的决定》第一次修正，根据2018年5月29日海关总署令第240号《海关总署关于修改部分规章的决定》第二次修正；现行版本自2018年7月1日起施行；法规类型为部门规章）

### 第一章 总则

**第一条** 为规范进境动物遗传物质的检疫和监督管理，保护我国畜牧业生产安全，根据《中华人民共和国进出境动植物检疫法》及其实施条例等法律法规的规定，制定本办法。

**第二条** 本办法适用于进境动物遗传物质的检疫和监督管理。

**第三条** 本办法所称动物遗传物质是指哺乳动物精液、胚胎和卵细胞。

**第四条** 海关总署统一管理全国进境动物遗传物质的检疫和监督管理工作。

主管海关负责辖区内的进境动物遗传物质的检疫和监督管理。

**第五条** 海关总署对进境动物遗传物质实行风险分析管理。根据风险分析结果，海关总署与拟向中国输出动物遗传物质的国家或地区政府有关主管机构签订双边检疫协定（包括协定、协议、议定书、备忘录等）。

### 第二章 检疫审批

**第六条** 输入动物遗传物质的，必须事先办理检疫审批手续，取得《中华人民共和国进境动植物检疫许可证》（以下简称《检疫许可证》），并在贸易合同或者有关协议中订明我国的检疫要求。

**第七条** 申请办理动物遗传物质检疫审批的，应当向所在地直属海关提交下列资料：

（一）《中华人民共和国进境动植物检疫许可证申请表》；

（二）代理进口的，提供与货主签订的代理进口合同或者协议复印件。

**第八条** 直属海关应当在海关总署规定的时间内完成初审。初审合格的，报海关总署审核，海关总署应当在规定的时间内完成审核。审核合格的，签发《检疫许可证》；审核不合格的，签发《中华人民共和国进境动植物检疫许可证申请未获批准通知单》。

### 第三章 进境检疫

**第九条** 输入动物遗传物质前，海关总署根据检疫工作的需要，可以派检疫人员赴输出国家或者地区进行动物遗传物质产地预检。

第十条 海关总署对输出动物遗传物质的国外生产单位实行检疫注册登记，并对注册的国外生产单位定期或者不定期派出检疫人员进行考核。

第十一条 输入的动物遗传物质，应当按照《检疫许可证》指定的口岸进境。

第十二条 输入动物遗传物质的货主或者其代理人，应当在动物遗传物质进境前，凭贸易合同或者协议、发票等有效单证向进境口岸海关报检。动物遗传物质进境时，应当向进境口岸海关提交输出国家或者地区官方检疫机构出具的检疫证书正本。

第十三条 进境动物遗传物质无输出国家或者地区官方检疫机构出具的有效检疫证书，或者未办理检疫审批手续的，进境口岸海关可以根据具体情况，作退回或者销毁处理。

第十四条 输入的动物遗传物质运抵口岸时，检疫人员实施现场检疫：

（一）查验检疫证书是否符合《检疫许可证》以及我国与输出国家或者地区签订的双边检疫协定的要求；

（二）核对货、证是否相符；

（三）检查货物的包装、保存状况。

第十五条 经进境口岸海关现场检疫合格的，调往《检疫许可证》指定的地点实施检疫。

第十六条 动物遗传物质需调离进境口岸的，货主或者其代理人应当向目的地海关申报。

第十七条 海关按照《检疫许可证》的要求实施检疫。检疫合格的动物遗传物质，由海关依法实施检疫监督管理；检疫不合格的，在海关的监督下，作退回或者销毁处理。

## 第四章 检疫监督

第十八条 海关对进境动物遗传物质的加工、存放、使用（以下统称使用）实施检疫监督管理；对动物遗传物质的第一代后裔实施备案。

第十九条 进境动物遗传物质的使用单位应当到所在地直属海关备案。

第二十条 使用单位应当填写《进境动物遗传物质使用单位备案表》，并提供以下说明材料：

（一）单位法人资格证明文件复印件；

（二）具有熟悉动物遗传物质保存、运输、使用技术的专业人员；

（三）具备进境动物遗传物质的专用存放场所及其他必要的设施。

第二十一条 直属海关将已备案的使用单位，报告海关总署。

第二十二条 使用单位应当建立进境动物遗传物质使用的管理制度，填写《进境动物遗传物质检疫监管档案》，接受海关监管；每批进境动物遗传物质使用结束，应当将《进境动物遗传物质检疫监管档案》报海关备案。

第二十三条 海关根据需要，对进境动物遗传物质后裔的健康状况进行监测，有关单位应当予以配合。

## 第五章 附 则

第二十四条 对违反本办法规定的，海关依照有关法律法规的规定予以处罚。

第二十五条 本办法所规定的文书由海关总署另行制定并且发布。

第二十六条 本办法由海关总署负责解释。

第二十七条 本办法自二〇〇三年七月一日起施行。

# 出境水生动物检验检疫监督管理办法

(国家质量监督检验检疫总局令第 99 号)

(2007 年 8 月 27 日由国家质量监督检验检疫总局发布；根据 2018 年 3 月 6 日国家质量监督检验检疫总局令第 196 号《国家质量监督检验检疫总局关于废止和修改部分规章的决定》第一次修正，根据 2018 年 4 月 28 日海关总署令第 238 号《海关总署关于修改部分规章的决定》第二次修正，根据 2018 年 5 月 29 日海关总署令第 240 号《海关总署关于修改部分规章的决定》第三次修正，根据 2018 年 11 月 23 日海关总署令第 243 号《海关总署关于修改部分规章的决定》第四次修正；现行版本自 2018 年 11 月 23 日起施行；法规类型为部门规章)

## 第一章 总 则

**第一条** 为了规范出境水生动物检验检疫工作，提高出境水生动物安全卫生质量，根据《中华人民共和国进出境动植物检疫法》及其实施条例、《中华人民共和国进出口商品检验法》及其实施条例、《中华人民共和国食品安全法》《中华人民共和国农产品质量安全法》《国务院关于加强食品等产品安全监督管理的特别规定》等法律法规规定和国际条约规定，制定本办法。

**第二条** 本办法适用于对养殖和野生捕捞出境水生动物的检验检疫和监督管理。从事出境水生动物养殖、捕捞、中转、包装、运输、贸易应当遵守本办法。

**第三条** 海关总署主管全国出境水生动物的检验检疫和监督管理工作。
主管海关负责所辖区域出境水生动物的检验检疫和监督管理工作。

**第四条** 对输入国家或者地区要求中国对向其输出水生动物的生产、加工、存放单位注册登记的，海关总署对出境水生动物养殖场、中转场实施注册登记制度。

## 第二章 注册登记

### 第一节 注册登记条件

**第五条**① 出境水生动物养殖场、中转场申请注册登记应当符合下列条件：
(一) 周边和场内卫生环境良好，无工业、生活垃圾等污染源和水产品加工厂，场区布局合理，分区科学，有明确的标识；
(二) 养殖用水符合国家渔业水质标准，具有政府主管部门或者海关出具的有效水质监测或者检测报告；
(三) 具有符合检验检疫要求的养殖、包装、防疫、饲料和药物存放等设施、设备和材料；
(四) 具有符合检验检疫要求的养殖、包装、防疫、疫情报告、饲料和药物存放及使用、废弃物和废水处理、人员管理、引进水生动物等专项管理制度；

---

① 根据海关总署公告 2020 年第 99 号《关于调整部分进出境货物监管要求的公告》取消法规第五条第二项、第五项中"从业人员持有健康证明"。

（五）配备有养殖、防疫方面的专业技术人员，有从业人员培训计划，从业人员持有健康证明；

（六）中转场的场区面积、中转能力应当与出口数量相适应。

**第六条** 出境食用水生动物非开放性水域养殖场、中转场申请注册登记除符合本办法第五条规定的条件外，还应当符合下列条件：

（一）具有与外部环境隔离或者限制无关人员和动物自由进出的设施，如隔离墙、网、栅栏等；

（二）养殖场养殖水面应当具备一定规模，一般水泥池养殖面积不少于 20 亩，土池养殖面积不少于 100 亩；

（三）养殖场具有独立的引进水生动物的隔离池；各养殖池具有独立的进水和排水渠道；养殖场的进水和排水渠道分设。

**第七条** 出境食用水生动物开放性水域养殖场、中转场申请注册登记除符合本办法第五条规定的条件外，还应当符合下列条件：

（一）养殖、中转、包装区域无规定的水生动物疫病；

（二）养殖场养殖水域面积不少于 500 亩，网箱养殖的网箱数一般不少于 20 个。

**第八条** 出境观赏用和种用水生动物养殖场、中转场申请注册登记除符合本办法第五条规定的条件外，还应当符合下列条件：

（一）场区位于水生动物疫病的非疫区，过去 2 年内没有发生国际动物卫生组织（OIE）规定应当通报和农业部规定应当上报的水生动物疾病；

（二）养殖场具有独立的引进水生动物的隔离池和水生动物出口前的隔离养殖池，各养殖池具有独立的进水和排水渠道。养殖场的进水和排水渠道分设；

（三）具有与外部环境隔离或者限制无关人员和动物自由进出的设施，如隔离墙、网、栅栏等；

（四）养殖场面积水泥池养殖面积不少于 20 亩，土池养殖面积不少于 100 亩；

（五）出口淡水水生动物的包装用水必须符合饮用水标准；出口海水水生动物的包装用水必须清洁、透明并经有效消毒处理；

（六）养殖场有自繁自养能力，并有与养殖规模相适应的种用水生动物；

（七）不得养殖食用水生动物。

第二节 注册登记申请

**第九条** 出境水生动物养殖场、中转场应当向所在地直属海关申请注册登记，并提交下列材料：

（一）注册登记申请表；

（二）养殖许可证或者海域使用证（不适用于中转场）；

（三）场区平面示意图，并提供重点区域的照片或者视频资料；

（四）水质检测报告；

（五）废弃物、废水处理程序；

（六）进口国家或者地区对水生动物疾病有明确检测要求的，需提供有关检测报告。

**第十条** 直属海关应当对申请材料及时进行审查，根据下列情况在 5 日内作出受理或者不予受理决定，并书面通知申请人：

（一）申请材料存在可以当场更正的错误的，允许申请人当场更正；

（二）申请材料不齐全或者不符合法定形式的，应当当场或者在 5 日内一次书面告知申请人需要补正的全部内容，逾期不告知的，自收到申请材料之日起即为受理；

（三）申请材料齐全、符合法定形式或者申请人按照要求提交全部补正申请材料的，应当受理申请。

第十一条 每一注册登记养殖场或者中转包装场使用一个注册登记编号。

同一企业所有的不同地点的养殖场或者中转场应当分别申请注册登记。

### 第三节 注册登记审查与决定

第十二条 直属海关应当在受理申请后组成评审组，对申请注册登记的养殖场或者中转场进行现场评审。评审组应当在现场评审结束后向直属海关提交评审报告。

第十三条 直属海关应当自受理申请之日起 20 日内对申请人的申请事项作出是否准予注册登记的决定；准予注册登记的，颁发《出境水生动物养殖场/中转场检验检疫注册登记证》（以下简称《注册登记证》），并上报海关总署。

直属海关自受理申请之日起 20 日内不能作出决定的，经直属海关负责人批准，可以延长 10 日，并应当将延长期限的理由告知申请人。

第十四条 进口国家或者地区有注册登记要求的，直属海关评审合格后，报海关总署，由海关总署统一向进口国家或者地区政府主管部门推荐并办理有关手续。进口国家或者地区政府主管部门确认后，注册登记生效。

第十五条 《注册登记证》自颁发之日起生效，有效期 5 年。

经注册登记的养殖场或者中转场的注册登记编号专场专用。

### 第四节 注册登记变更与延续

第十六条 出境水生动物养殖场、中转场变更企业名称、法定代表人、养殖品种、养殖能力等的，应当在 30 日内向所在地直属海关提出书面申请，填写《出境水生动物养殖场/中转包装场检验检疫注册登记申请表》，并提交与变更内容相关的资料。

变更养殖品种或者养殖能力的，由直属海关审核有关资料并组织现场评审，评审合格后，办理变更手续。

养殖场或者中转场迁址的，应当重新向海关申请办理注册登记手续。

因停产、转产、倒闭等原因不再从事出境水生动物业务的注册登记养殖场、中转场，应当向所在地海关办理注销手续。

第十七条 获得注册登记的出境水生动物养殖场、中转包装场需要延续注册登记有效期的，应当在有效期届满 30 日前按照本办法规定提出申请。

第十八条 直属海关应当在完成注册登记、变更或者注销工作后 30 日内，将辖区内相关信息上报海关总署备案。

## 第三章 检验检疫

第十九条 海关按照下列依据对出境水生动物实施检验检疫：

（一）中国法律法规规定的检验检疫要求、强制性标准；

（二）双边检验检疫协议、议定书、备忘录；

（三）进口国家或者地区的检验检疫要求；

（四）贸易合同或者信用证中注明的检验检疫要求。

第二十条 出境野生捕捞水生动物的货主或者其代理人应当在水生动物出境 3 天前向出境口岸海关报检，并提供捕捞渔船与出口企业的供货协议（含捕捞船只负责人签字）。

进口国家或者地区对捕捞海域有特定要求的，报检时应当申明捕捞海域。

第二十一条 出境养殖水生动物的货主或者其代理人应当在水生动物出境 7 天前向注册登

记养殖场、中转场所在地海关报检。

**第二十二条** 除捕捞后直接出口的野生捕捞水生动物外，出境水生动物必须来自注册登记养殖场或者中转场。

注册登记养殖场、中转场应当保证其出境水生动物符合进口国或者地区的标准或者合同要求，并出具《出境水生动物供货证明》。

中转场凭注册登记养殖场出具的《出境水生动物供货证明》接收水生动物。

**第二十三条** 产地海关受理报检后，应当查验注册登记养殖场或者中转场出具的《出境水生动物供货证明》，根据疫病和有毒有害物质监控结果、日常监控记录、企业分类管理等情况，对出境养殖水生动物进行检验检疫。

**第二十四条** 经检验检疫合格的，海关对装载容器或者运输工具加施封识，并按照进口国家或者地区的要求出具《动物卫生证书》。

**第二十五条** 出境水生动物用水、冰、铺垫和包装材料、装载容器、运输工具、设备应当符合国家有关规定、标准和进口国家或者地区的要求。

**第二十六条** 出境养殖水生动物外包装或者装载容器上应当标注出口企业全称、注册登记养殖场和中转场名称和注册登记编号、出境水生动物的品名、数（重）量、规格等内容。来自不同注册登记养殖场的水生动物，应当分开包装。

**第二十七条** 经检验检疫合格的出境水生动物，不更换原包装异地出口的，经离境口岸海关现场查验，货证相符、封识完好的准予放行。

需在离境口岸换水、加冰、充氧、接驳更换运输工具的，应当在离境口岸海关监督下，在海关指定的场所进行，并加施封识后准予放行。

出境水生动物运输途中需换水、加冰、充氧的，应当在海关指定的场所进行。

**第二十八条** 产地海关与口岸海关应当及时交流出境水生动物信息，对在检验检疫过程中发现疫病或者其他卫生安全问题，应当采取相应措施，并及时上报海关总署。

## 第四章 监督管理

**第二十九条** 海关对辖区内取得注册登记的出境水生动物养殖场、中转场实行日常监督管理和年度审查制度。

**第三十条** 海关总署负责制定出境水生动物疫病和有毒有害物质监控计划。

直属海关根据监控计划制定实施方案，上报年度监控报告。

取得注册登记的出境水生动物养殖场、中转场应当建立自检自控体系，并对其出口水生动物的安全卫生质量负责。

**第三十一条** 取得注册登记的出境水生动物养殖场、中转场应当建立完善的养殖生产和中转包装记录档案，如实填写《出境水生动物养殖场/中转场检验检疫监管手册》，详细记录生产过程中水质监测、水生动物的引进、疫病发生、药物和饲料的采购及使用情况，以及每批水生动物的投苗、转池/塘、网箱分流、用药、用料、出场等情况，并存档备查。

**第三十二条** 养殖、捕捞器具等应当定期消毒。运载水生动物的容器、用水、运输工具应当保持清洁，并符合动物防疫要求。

**第三十三条** 取得注册登记的出境水生动物养殖场、中转场应当遵守国家有关药物管理规定，不得存放、使用我国和进口国家或者地区禁止使用的药物；对允许使用的药物，遵守药物使用和停药期的规定。

中转、包装、运输期间，食用水生动物不得饲喂和用药，使用的消毒药物应当符合国家有关规定。

**第三十四条** 出境食用水生动物饲用饲料应当符合下列规定：

（一）海关总署《出境食用动物饲用饲料检验检疫管理办法》；
（二）进口国家或者地区的要求；
（三）我国其他有关规定。

鲜活饵料不得来自水生动物疫区或者污染水域，且须经海关认可的方法进行检疫处理，不得含有我国和进口国家或者地区政府规定禁止使用的药物。

观赏和种用水生动物禁止饲喂同类水生动物（含卵和幼体）鲜活饵料。

**第三十五条** 取得注册登记的出境水生动物养殖场应当建立引进水生动物的安全评价制度。

引进水生动物应当取得所在地海关批准。

引进水生动物应当隔离养殖30天以上，根据安全评价结果，对疫病或者相关禁用药物残留进行检测，经检验检疫合格后方可投入正常生产。

引进的食用水生动物，在注册登记养殖场养殖时间需达到该品种水生动物生长周期的三分之一且不少于2个月，方可出口。

出境水生动物的中转包装期一般不超过3天。

**第三十六条** 取得注册登记的出境水生动物养殖场、中转场发生国际动物卫生组织（OIE）规定需要通报或者农业部规定需要上报的重大水生动物疫情时，应当立即启动有关应急预案，采取紧急控制和预防措施并按照规定上报。

**第三十七条** 海关对辖区内注册登记的养殖场和中转场实施日常监督管理的内容包括：
（一）环境卫生；
（二）疫病控制；
（三）有毒有害物质自检自控；
（四）引种、投苗、繁殖、生产养殖；
（五）饲料、饵料使用及管理；
（六）药物使用及管理；
（七）给、排水系统及水质；
（八）发病水生动物隔离处理；
（九）死亡水生动物及废弃物无害化处理；
（十）包装物、铺垫材料、生产用具、运输工具、运输用水或者冰的安全卫生；
（十一）《出口水生动物注册登记养殖场/中转场检验检疫监管手册》记录情况。

**第三十八条** 海关每年对辖区内注册登记的养殖场和中转场实施年审，年审合格的在《注册登记证》上加注年审合格记录。

**第三十九条** 海关应当给注册登记养殖场、中转场、捕捞、运输和贸易企业建立诚信档案。根据上一年度的疫病和有毒有害物质监控、日常监督、年度审核和检验检疫情况，建立良好记录企业名单和不良记录企业名单，对相关企业实行分类管理。

**第四十条** 从事出境水生动物捕捞、中转、包装、养殖、运输和贸易的企业有下列情形之一的，海关可以要求其限期整改，必要时可以暂停受理报检：
（一）出境水生动物被国内外检验检疫机构检出疫病、有毒有害物质或者其他安全卫生质量问题的；
（二）未经海关同意擅自引进水生动物或者引进用水生动物未按照规定期限实施隔离养殖的；
（三）未按照本办法规定办理注册登记变更或者注销手续的；
（四）年审中发现不合格项的。

**第四十一条** 注册登记养殖场、中转场有下列情形之一的，海关应当注销其相关注册登记：
（一）注册登记有效期届满，未按照规定办理延续手续的；
（二）企业依法终止或者因停产、转产、倒闭等原因不再从事出境水生动物业务的；
（三）注册登记依法被撤销、撤回或者《注册登记证》被依法吊销的；
（四）年审不合格且在限期内整改不合格的；
（五）一年内没有水生动物出境的；
（六）因不可抗力导致注册登记事项无法实施的；
（七）检验检疫法律、法规规定的应当注销注册登记的其他情形。

## 第五章 法律责任

**第四十二条** 从事出境水生动物捕捞、养殖、中转、包装、运输和贸易的企业有下列情形之一的，由海关处三万元以下罚款，情节严重的，吊销其注册登记证书：
（一）发生应该上报的疫情隐瞒不报的；
（二）在海关指定的场所之外换水、充氧、加冰、改变包装或者接驳更换运输工具的；
（三）人为损毁检验检疫封识的；
（四）存放我国或者进口国家或者地区禁止使用的药物的；
（五）拒不接受海关监督管理的。

**第四十三条** 从事出境水生动物捕捞、养殖、中转、包装、运输和贸易的企业有下列情形之一的，由海关按照《国务院关于加强食品等产品安全监督管理的特别规定》予以处罚。
（一）以非注册登记养殖场水生动物冒充注册登记养殖场水生动物的；
（二）以养殖水生动物冒充野生捕捞水生动物的；
（三）提供、使用虚假《出境水生动物供货证明》的；
（四）违法使用饲料、饵料、药物、养殖用水及其他农业投入品的；
（五）有其他逃避检验检疫或者弄虚作假行为的。

**第四十四条** 海关工作人员滥用职权，故意刁难，徇私舞弊，伪造检验结果，或者玩忽职守，延误检验出证，依法给予行政处分；构成犯罪的，依法追究刑事责任。

## 第六章 附则

**第四十五条** 本办法下列用语的含义是：
水生动物：指活的鱼类、软体类、甲壳类及其他在水中生活的无脊椎动物等，包括其繁殖用的精液、卵、受精卵。
养殖场：指水生动物的孵化、育苗、养殖场所。
中转场：指用于水生动物出境前短期集中、存放、分类、加工整理、包装等用途的场所。

**第四十六条** 出境龟、鳖、蛇、蛙、鳄鱼等两栖和爬行类动物的检验检疫和监督管理参照本办法执行。

**第四十七条** 本办法由海关总署负责解释。

**第四十八条** 本办法自 2007 年 10 月 1 日起施行。原国家出入境检验检疫局 1999 年 11 月 24 日发布的《出口观赏鱼检疫管理办法》，国家质检总局 2001 年 12 月 4 日发布的《供港澳食用水生动物检验检疫管理办法》自施行之日起废止。

# 进出口水产品检验检疫监督管理办法

（国家质量监督检验检疫总局令第 135 号）

（2011 年 1 月 4 日由国家质量监督检验检疫总局发布，根据 2018 年 11 月 23 日海关总署令第 243 号《海关总署关于修改部分规章的决定》修正，现行版本自 2018 年 11 月 23 日起施行，法规类型为部门规章）

## 第一章 总　则

**第一条**　为加强进出口水产品检验检疫及监督管理，保障进出口水产品的质量安全，防止动物疫情传入传出国境，保护渔业生产安全和人类健康，根据《中华人民共和国进出口商品检验法》及其实施条例、《中华人民共和国进出境动植物检疫法》及其实施条例、《中华人民共和国国境卫生检疫法》及其实施细则、《中华人民共和国食品安全法》及其实施条例、《国务院关于加强食品等产品安全监督管理的特别规定》等有关法律法规规定，制定本办法。

**第二条**　本办法适用于进出口水产品的检验检疫及监督管理。

**第三条**　本办法所称水产品是指供人类食用的水生动物产品及其制品，包括水母类、软体类、甲壳类、棘皮类、头索类、鱼类、两栖类、爬行类、水生哺乳类动物等其他水生动物产品以及藻类等海洋植物产品及其制品，不包括活水生动物及水生动植物繁殖材料。

**第四条**　海关总署主管全国进出口水产品检验检疫及监督管理工作。

主管海关负责所辖区域进出口水产品检验检疫及监督管理工作。

**第五条**　海关依法对进出口水产品进行检验检疫、监督抽查，对进出口水产品生产加工企业（以下简称生产企业）根据监管需要和海关总署相关规定实施信用管理及分类管理制度。

**第六条**　进出口水产品生产企业应当依照法律、行政法规和有关标准从事生产经营活动，对社会和公众负责，保证水产品质量安全，接受社会监督，承担社会责任。

**第七条**　海关总署对签发进出口水产品检验检疫证明的人员实行备案管理制度，未经备案的人员不得签发证书。

## 第二章　进口检验检疫

**第八条**　进口水产品应当符合中国法律、行政法规、食品安全国家标准要求，以及中国与输出国家或者地区签订的相关协议、议定书、备忘录等规定的检验检疫要求和贸易合同注明的检疫要求。

进口尚无食品安全国家标准的水产品，海关应当按照国务院卫生行政部门决定暂予适用的标准进行检验。

**第九条**　海关总署根据法律、行政法规规定、食品安全国家标准要求、国内外水产品疫情疫病和有毒有害物质风险分析结果，结合对拟向中国出口水产品国家或者地区的质量安全管理体系的有效性评估情况，制定并公布中国进口水产品的检验检疫要求；或者与拟向中国出口水产品国家或者地区签订检验检疫协定，确定检验检疫要求和相关证书。

**第十条**　海关总署对向中国境内出口水产品的出口商或者代理商实施备案管理，并定期公布已获准入资质的境外生产企业和已经备案的出口商、代理商名单。

进口水产品的境外生产企业的注册管理按照海关总署相关规定执行。

**第十一条** 海关对进口水产品收货人实施备案管理。已经实施备案管理的收货人，方可办理水产品进口手续。

**第十二条** 进口水产品收货人应当建立水产品进口和销售记录制度。记录应当真实，保存期限不得少于二年。

**第十三条** 海关总署对安全卫生风险较高的进口两栖类、爬行类、水生哺乳类动物以及其他养殖水产品等实行检疫审批制度。上述产品的收货人应当在签订贸易合同前办理检疫审批手续，取得进境动植物检疫许可证。

海关总署根据需要，按照有关规定，可以派员到输出国家或者地区进行进口水产品预检。

**第十四条**① 水产品进口前或者进口时，收货人或者其代理人应当凭输出国家或者地区官方签发的检验检疫证书正本、原产地证书、贸易合同、提单、装箱单、发票等单证向进口口岸海关报检。

进口水产品随附的输出国家或者地区官方检验检疫证书，应当符合海关总署对该证书的要求。

**第十五条** 海关对收货人或者其代理人提交的相关单证进行审核，符合要求的，受理报检，对检疫审批数量进行核销。

**第十六条** 进口水产品应当存储在海关指定的存储冷库或者其他场所。进口口岸应当具备与进口水产品数量相适应的存储冷库。存储冷库应当符合进口水产品存储冷库检验检疫要求。

**第十七条** 装运进口水产品的运输工具和集装箱，应当在进口口岸海关的监督下实施防疫消毒处理。未经海关许可，不得擅自将进口水产品卸离运输工具和集装箱。

**第十八条** 进口口岸海关依照规定对进口水产品实施现场检验检疫。现场检验检疫包括以下内容：

（一）核对单证并查验货物；

（二）查验包装是否符合进口水产品包装基本要求；

（三）对易滋生植物性害虫的进口盐渍或者干制水产品实施植物检疫，必要时进行除害处理；

（四）查验货物是否腐败变质，是否含有异物，是否有干枯，是否存在血冰、冰霜过多。

**第十九条** 进口预包装水产品的中文标签应当符合中国食品标签的相关法律、行政法规、规章的规定以及国家技术规范的强制性要求。海关依照规定对预包装水产品的标签进行检验。

**第二十条** 海关依照规定对进口水产品采样，按照有关标准、监控计划和警示通报等要求对下列项目进行检验或者监测：

（一）致病性微生物、重金属、农兽药残留等有毒有害物质；

（二）疫病、寄生虫；

（三）其他要求的项目。

**第二十一条** 进口水产品经检验检疫合格的，由进口口岸海关签发《入境货物检验检疫证明》，准予生产、加工、销售、使用。《入境货物检验检疫证明》应当注明进口水产品的集装箱号、生产批次号、生产厂家及唛头等追溯信息。

进口水产品经检验检疫不合格的，由海关出具《检验检疫处理通知书》。涉及人身安全、健康和环境保护以外项目不合格的，可以在海关的监督下进行技术处理，经重新检验检疫合格的，方可销售或者使用。

---

① 根据海关总署公告 2020 年第 99 号《关于调整部分进出境货物监管要求的公告》删除法规第十四条中"原产地证书"、第二十六条第八项、第三十二条第二项中"原辅料及"。

当事人申请需要出具索赔证明等其他证明的，海关签发相关证明。

**第二十二条** 有下列情形之一的，作退回或者销毁处理：

（一）需办理进口检疫审批的产品，无有效进口动植物检疫许可证的；

（二）需办理注册的水产品生产企业未获得中方注册的；

（三）无输出国家或者地区官方机构出具的有效检验检疫证书的；

（四）涉及人身安全、健康和环境保护项目不合格的。

## 第三章　出口检验检疫

**第二十三条** 出口水产品由海关进行监督、抽检。

**第二十四条** 海关按照下列要求对出口水产品及其包装实施检验检疫：

（一）输入国家或者地区检验检疫要求；

（二）中国政府与输入国家或者地区政府签订的检验检疫协议、议定书、备忘录等规定的检验检疫要求；

（三）中国法律、行政法规和海关总署规定的检验检疫要求；

（四）输入国家或者地区官方关于品质、数量、重量、包装等要求；

（五）贸易合同注明的检疫要求。

**第二十五条** 海关对出口水产品养殖场实施备案管理。出口水产品生产企业所用的原料应当来自于备案的养殖场、经渔业行政主管部门批准的捕捞水域或者捕捞渔船，并符合拟输入国家或者地区的检验检疫要求。

**第二十六条** 备案的出口水产品养殖场应当满足以下基本条件和卫生要求：

（一）取得渔业行政主管部门养殖许可；

（二）具有一定的养殖规模：土塘或者开放性海域养殖的水面总面积 50 亩以上，水泥池养殖的水面总面积 10 亩以上，场区内养殖池有规范的编号；

（三）水源充足，养殖用水水质符合《渔业水质标准》；

（四）周围无畜禽养殖场、医院、化工厂、垃圾场等污染源，具有与外界环境隔离的设施，内部环境卫生良好；

（五）布局合理，符合卫生防疫要求，避免进排水交叉污染；

（六）具有独立分设的药物和饲料仓库，仓库保持清洁干燥，通风良好，有专人负责记录入出库登记；

（七）养殖密度适当，配备与养殖密度相适应的增氧设施；

（八）投喂的饲料来自经海关备案的饲料加工厂，符合《出口食用动物饲用饲料检验检疫管理办法》的要求；

（九）不存放和使用中国、输入国家或者地区禁止使用的药物和其他有毒有害物质。使用的药物应当标注有效成份，有用药记录，并严格遵守停药期规定；

（十）有完善的组织管理机构和书面的水产养殖管理制度（包括种苗收购、养殖生产、卫生防疫、药物饲料使用等）；

（十一）配备具有相应资质的养殖技术员和质量监督员，养殖技术员和质量监督员应当由不同人员担任，养殖技术员须凭处方用药，药品由质量监督员发放。养殖技术员和质量监督员应当具备以下条件：

1. 熟悉并遵守检验检疫有关法律、行政法规、规章等规定；

2. 熟悉并遵守农业行政主管部门有关水生动物疫病和兽药管理规定；

3. 熟悉输入国家或者地区相关药残控制法规和标准；

4. 有一定养殖工作经验或者具有养殖专业中专以上学历。

（十二）建立重要疫病和重要事项及时报告制度。

**第二十七条** 出口水产品养殖场按照以下程序进行备案：

（一）出口水产品养殖场向所在地海关提出备案申请，并提供相关材料；

（二）海关按照本办法第二十六条规定的基本条件和卫生要求，对申请备案的出口水产品养殖场进行审核。符合基本条件和卫生要求的，由直属海关审查批准颁发备案证明；

（三）备案证明自颁发之日起生效，有效期四年。出口水产品养殖场应当在有效期届满三个月前提出延续申请；

（四）备案的出口水产品养殖场地址、名称、养殖规模、所有权、法定代表人等发生变更的，应当及时向所在地海关重新申请备案或者办理变更手续。

**第二十八条** 出口水产品备案养殖场应当为其生产的每一批出口水产品原料出具供货证明。

**第二十九条** 出口水产品备案养殖场应当依照输入国家或者地区要求，或者中国食品安全国家标准和有关规定使用饲料、兽药等农业投入品，禁止采购或者使用不符合输入国家或者地区要求，或者中国食品安全国家标准的农业投入品。

**第三十条** 海关对出口水产品备案养殖场实施监督管理，组织监督检查，并做好相关记录。监督检查包括日常监督检查和年度审核等形式。

海关应当在风险分析的基础上对备案的出口水产品养殖场实施水生动物疫病、农兽药残留、环境污染物、水质状况以及其他有毒有害物质监测，建立完善出口水产品安全风险信息管理制度。

**第三十一条** 海关按照出口食品生产企业备案管理规定对出口水产品生产企业实施备案管理。

输入国家或者地区对中国出口水产品生产企业有注册要求，需要对外推荐注册企业的，按照海关总署相关规定执行。

**第三十二条** 出口水产品生产企业应当建立完善可追溯的质量安全控制体系，确保出口水产品从原料到成品不得违规使用保鲜剂、防腐剂、保水剂、保色剂等物质。

出口水产品生产企业应当对加工用原辅料及成品的微生物、农兽药残留、环境污染物等有毒有害物质进行自检，没有自检能力的，应当委托有资质的检验机构检验，并出具有效检验报告。

**第三十三条** 出口水产品生产企业生产加工水产品应当以养殖场为单位实施生产批次管理，不同养殖场的水产品不得作为同一个生产批次的原料进行生产加工。从原料水产品到成品，生产加工批次号应当保持一致。

生产加工批次号标注要求另行公告。

**第三十四条** 出口水产品生产企业应当建立原料进货查验记录制度，核查原料随附的供货证明。进货查验记录应当真实，保存期限不得少于二年。

出口水产品生产企业应当建立出厂检验记录制度，查验出厂水产品的检验合格证和安全状况，如实记录其水产品的名称、规格、数量、生产日期、生产批号、检验合格证号、购货者名称及联系方式、销售日期等内容。

水产品出厂检验记录应当真实，保存期限不得少于二年。

**第三十五条** 出口水产品包装上应当按照输入国家或者地区的要求进行标注，在运输包装上注明目的地国家或者地区。

**第三十六条** 出口水产品生产企业或者其代理人应当按照海关总署报检规定，凭贸易合同、生产企业检验报告（出厂合格证明）、出货清单等有关单证向产地海关报检。

出口水产品出口报检时，需提供所用原料中药物残留、重金属、微生物等有毒有害物质含量符合输入国家或者地区以及我国要求的书面证明。

**第三十七条** 海关应当对出口水产品中致病性微生物、农兽药残留和环境污染物等有毒有害物质在风险分析的基础上进行抽样检验，并对出口水产品生产加工全过程的质量安全控制体系进行验证和监督。

**第三十八条** 没有经过抽样检验的出口水产品，海关应当根据输入国家或者地区的要求对出口水产品的检验报告、装运记录等进行审核，结合日常监管、监测和抽查检验等情况进行综合评定。符合规定要求的，签发有关检验检疫证单；不符合规定要求的，签发不合格通知单。

**第三十九条** 出口水产品生产企业应当确保出口水产品的运输工具有良好的密封性能，装载方式能有效地避免水产品受到污染，保证运输过程中所需要的温度条件，按规定进行清洗消毒，并做好记录。

**第四十条** 出口水产品生产企业应当保证货证相符，并做好装运记录。海关应当随机抽查。经产地检验检疫合格的出口水产品，口岸海关发现单证不符的，不予放行。

**第四十一条** 出口水产品检验检疫有效期为：

（一）冷却（保鲜）水产品：七天；

（二）干冻、单冻水产品：四个月；

（三）其他水产品：六个月。

出口水产品超过检验检疫有效期的，应当重新报检。输入国家或者地区另有要求的，按照其要求办理。

## 第四章 监督管理

**第四十二条** 海关总署对进出口水产品实行安全监控制度，依据风险分析和检验检疫实际情况制定重点监控计划，确定重点监控的国家或者地区的进出口水产品种类和检验项目。

主管海关应当根据海关总署年度进出口水产品安全风险监控计划，制定并实施所辖区域内进出口水产品风险管理的实施方案。

**第四十三条** 海关对进出口水产品实施风险管理。

**第四十四条** 进出口水产品的生产企业、收货人、发货人应当合法生产和经营。

海关应当建立进出口水产品生产企业、收货人、发货人不良记录制度，对有违法行为并受到行政处罚的，可以将其列入违法企业名单并对外公布。

**第四十五条** 海关应当按照食品安全风险信息管理的有关规定及时向有关部门、机构和企业通报进出口水产品安全风险信息，并按照有关规定上报。

**第四十六条** 出口水产品备案养殖场所在地海关和出口水产品生产企业所在地海关应当加强协作。备案养殖场所在地海关应当将养殖场监管情况定期通报出口水产品生产企业所在地海关；出口水产品生产企业所在地海关应当将生产企业对供货证明核查情况、原料和成品质量安全情况等定期通报备案养殖场所在地海关。

**第四十七条** 进口水产品存在安全问题，可能或者已经对人体健康和生命安全造成损害的，收货人应当主动召回并立即向所在地海关报告。收货人不主动召回的，海关应当按照有关规定责令召回。

出口水产品存在安全问题，可能或者已经对人体健康和生命安全造成损害的，出口水产品生产经营企业应当采取措施避免和减少损害的发生，并立即向所在地海关报告。

有前二款规定情形的，收货人所在地直属海关应当及时向海关总署报告。

**第四十八条** 出口水产品备案养殖场有下列行为之一的，取消备案：

（一）存放或者使用中国、拟输入国家或者地区禁止使用的药物和其他有毒有害物质，使用的药物未标明有效成份或者使用含有禁用药物的药物添加剂，未按规定在休药期停药的；

（二）提供虚假供货证明、转让或者变相转让备案号的；
（三）隐瞒重大养殖水产品疫病或者未及时向海关报告的；
（四）拒不接受海关监督管理的；
（五）备案养殖场的名称、法定代表人发生变化后30日内未申请变更的；
（六）养殖规模扩大、使用新药或者新饲料，或者质量安全体系发生重大变化后30日内未向海关报告的；
（七）一年内没有出口供货的；
（八）逾期未申请备案延续的；
（九）年度审核不合格的。

**第四十九条** 出口水产品生产企业有下列行为之一的，海关可以责令整改以符合要求：
（一）首次因致病性微生物、环境污染物、农兽药残留等安全卫生项目不合格，遭到输入国家或者地区退货的；
（二）连续抽检三个报检批次的产品出现安全卫生项目不合格的；
（三）原料来源不清，批次管理混乱的；
（四）一年内日常监督检查中发现同一不符合项达到三次的；
（五）未建立产品追溯制度的。

**第五十条** 进出口水产品生产经营企业有其他违法行为的，按照相关法律、行政法规的规定予以处罚。

**第五十一条** 海关及其工作人员在对进出口水产品实施检验检疫和监督管理工作中，违反法律法规及本办法规定的，按照规定查处。

## 第五章 附 则

**第五十二条** 本办法由海关总署负责解释。

**第五十三条** 本办法自2011年6月1日起施行。国家质检总局2002年11月6日公布的《进出境水产品检验检疫管理办法》（国家质检总局令第31号）同时废止。

# 进境水生动物检验检疫监督管理办法

（国家质量监督检验检疫总局令第183号）

（2016年7月26日由国家质量监督检验检疫总局发布，根据2018年11月23日海关总署令第243号《海关总署关于修改部分规章的决定》修正，现行版本自2018年11月23日起施行，法规类型为部门规章）

## 第一章 总 则

**第一条** 为了防止水生动物疫病传入国境，保护渔业生产、人体健康和生态环境，根据《中华人民共和国进出境动植物检疫法》及其实施条例、《中华人民共和国进出口商品检验法》及其实施条例、《中华人民共和国农产品质量安全法》《国务院关于加强食品等产品安全监督管理的特别规定》等法律法规的规定，制定本办法。

**第二条** 本办法适用于进境水生动物的检验检疫监督管理。

**第三条** 海关总署主管全国进境水生动物检验检疫和监督管理工作。

主管海关负责所辖地区进境水生动物的检验检疫和监督管理工作。

**第四条** 海关对进境水生动物在风险分析基础上实施检验检疫风险管理,对进境有关企业实施分类管理和信用管理。

**第五条** 进境水生动物企业应当按照法律法规和有关标准从事生产经营活动,对社会和公众负责,保证进境水生动物的质量安全,接受社会监督,承担社会责任。

## 第二章 检疫准入

**第六条** 海关总署对进境水生动物实施检疫准入制度,包括产品风险分析、安全卫生控制体系评估与审查、检验检疫要求确定、境外养殖和包装企业注册登记。

**第七条** 海关总署分类制定、公布进境水生动物的检验检疫要求。根据检验检疫要求,对首次向中国输出水生动物的国家或者地区进行产品风险分析和安全卫生控制体系评估,对曾经或者正在向中国输出水生动物的国家或者地区水生动物安全卫生控制体系进行回顾性审查。

海关总署可以派出专家组到输出国家或者地区对其水生动物安全卫生控制体系进行现场审核评估。

**第八条** 海关总署根据风险分析、评估审查结果和检验检疫要求,与向中国输出水生动物的国家或者地区官方主管部门协商签订有关议定书或者确定检验检疫证书。

海关总署制定、调整并公布允许进境水生动物种类及输出国家或者地区名单。

**第九条** 海关总署对向中国输出水生动物的养殖和包装企业实施注册登记管理。

向中国输出水生动物的境外养殖和包装企业(以下简称注册登记企业)应当符合输出国家或者地区有关法律法规,输出国家或者地区官方主管部门批准后向海关总署推荐。推荐材料应当包括:

(一)企业信息:企业名称、地址、官方主管部门批准编号、养殖、包装能力等;

(二)水生动物信息:养殖和包装的水生动物品种学名、用途等;

(三)监控信息:企业最近一次疫病、有毒有害物质的官方监控结果。

**第十条** 海关总署应当对推荐材料进行审查。审查不合格的,通知输出国家或者地区官方主管部门补正;审查合格的,海关总署可以派出专家组对申请注册登记企业进行抽查。对抽查不符合要求的企业不予注册登记;对抽查符合要求的及未被抽查的其他推荐企业,结合水生动物安全卫生控制体系评估结果,决定是否给予注册登记。

海关总署定期公布、调整注册登记企业名单。

**第十一条** 境外养殖和包装企业注册登记有效期为3年。

需要延期注册登记的企业,应当在有效期届满前至少6个月,由输出国家或者地区主管部门向海关总署提出延期申请。海关总署可以派出专家组到输出国家或者地区对其安全卫生控制体系进行回顾性审查,并对申请延期的境外养殖和包装企业进行抽查。

对回顾性审查符合要求的国家或者地区,抽查符合要求的及未被抽查的其他申请延期的注册登记企业,注册登记有效期延长3年。

**第十二条** 逾期未提出注册登记延期申请的,海关总署注销其注册登记。

**第十三条** 注册登记企业向中国输出的水生动物检验检疫不合格,情节严重的,海关总署可以撤销其注册登记。

## 第三章 境外检验检疫

**第十四条** 注册登记企业和相关捕捞区域应当符合输出国家有关法律法规,并处于输出国家或者地区官方主管部门的有效监管之下。

种用、养殖和观赏水生动物的注册登记企业,应当由输出国家或者地区官方主管部门按照世界动物卫生组织推荐的方法和标准,按照输出国家或者地区的规定和双边检验检疫协定规定连续监测两年以上,未发现有关疫病。

食用水生动物的注册登记企业,应当经过输出国家或者地区官方主管部门有关水生动物疫病、有毒有害物质和致病微生物监测,结果符合双边检验检疫协定规定、中国强制性标准或者海关总署指定标准的要求。

**第十五条** 向中国输出水生动物的国家或者地区发生重大水生动物疫病,或者向中国输出水生动物的注册登记企业、捕捞区域发生水生动物不明原因的大规模死亡时,输出国家或者地区官方主管部门应当主动停止向中国出口并向海关总署通报相关信息。

**第十六条** 向中国输出的水生动物精液和受精卵,必须来自健康的亲代种群。种用、养殖和观赏水生动物输出前,应当在输出国家或者地区官方主管部门认可的场所实施隔离检疫。隔离检疫期间,不得与其他水生动物接触。

海关总署可以派遣检疫官员赴输出国家或者地区协助开展出口前隔离检疫。

**第十七条** 向中国输出水生动物的注册登记企业和隔离检疫场所应当具备适当的生物安全防护设施和防疫管理制度,能有效防止其他水域的水生动物入侵,确保输出水生动物的安全卫生。

**第十八条** 不同养殖场或者捕捞区域的水生动物应当分开包装,不同种类的水生动物应当独立包装,能够满足动物生存和福利需要。包装容器应当是全新的或者经消毒处理,能够防止渗漏,内包装应当透明,便于检查。

**第十九条** 向中国输出水生动物的包装用水或者冰及铺垫材料应当符合安全卫生要求,不能含有危害动植物和人体健康的病原微生物、有毒有害物质以及可能破坏水体生态环境的水生生物。

**第二十条** 向中国输出的水生动物在运输前48小时内,不得有动物传染病和寄生虫病的临床症状。必要时,应当使用输出国家或者地区官方主管部门批准的有效药物进行消毒和驱虫。

**第二十一条** 输出国家或者地区官方主管部门应当按照与海关总署确认的检验检疫证书格式和内容对向中国输出的水生动物出具检验检疫证书。

## 第四章 进境检验检疫

**第二十二条** 进境水生动物应当符合下列要求:
(一)中国法律法规规定和强制性标准要求;
(二)海关总署分类制定的检验检疫要求;
(三)双边检验检疫协定确定的相关要求;
(四)双方确认的检验检疫证书规定的相关要求;
(五)进境动植物检疫许可证(以下简称检疫许可证)列明的要求;
(六)海关总署规定的其他检验检疫要求。

**第二十三条** 食用水生动物应当从海关总署公布的指定口岸进境。海关总署定期考核指定口岸,公布指定口岸名单。

进境食用水生动物指定口岸相关要求由海关总署另行制定。

**第二十四条** 进境水生动物收货人或者其代理人应当按照相关规定办理检疫许可证。

进境水生动物自输出国家或者地区出境后中转第三方国家或者地区进境的,收货人或者其代理人办理检疫许可证时应当详细填写运输路线及在第三方国家或者地区中转处理情况,包括是否离开海关监管区、更换运输工具、拆换包装以及进入第三方国家或者地区水体环境等。

进境种用、养殖和观赏水生动物收货人或者其代理人,应当在指定隔离场所地海关办理检疫许可证,办理前应当按照《进境动物隔离检疫场使用监督管理办法》的规定取得隔离场使用证;进境食用水生动物的,应当在进境口岸海关办理检疫许可证。

**第二十五条** 水生动物进境前或者进境时,收货人或者其代理人应当凭检疫许可证、输出国家或者地区官方主管部门出具的检验检疫证书正本、贸易合同、提单、装箱单、发票等单证向进境口岸海关报检。

检疫许可证上的申请单位、国外官方主管部门出具的检验检疫证书上的收货人和货运提单上的收货人应当一致。

**第二十六条** 海关对收货人或者其代理人提交的相关单证进行审核,符合要求的受理报检,并按照有关规定对检疫许可证批准的数量进行核销。

**第二十七条** 进境口岸海关按照下列规定对进境水生动物实施现场查验:

(一)开箱查验比例:进境种用、养殖和观赏水生动物,低于10件的全部开箱,10件以上的每增加10件,开箱数增加2件,最高不超过20件;进境食用水生动物,开箱比例不高于10%,最低不少于3件。发现问题的,适当增加开箱查验比例。

海关总署有分类管理规定的,按照有关规定开箱查验;

(二)核对货证:品名、数(重)量、包装、输出日期、运输工具信息、输出国家或者地区、中转国家或者地区等是否相符;

(三)包装和标签检查:包装容器是否完好;包装容器上是否有牢固、清晰易辨的中文或者英文标识,标明水生动物的品名、学名、产地、养殖或者包装企业批准编号等内容。活鱼运输船、活鱼集装箱等难以加贴标签的除外;

(四)临床检查:水生动物的健康状况,主要包括游动是否异常、体表有无溃疡、出血、囊肿及寄生虫感染、体色是否异常,鱼类腹部有无肿胀、肛门有无红肿,贝类闭壳肌收缩有无异常,甲壳类体表和头胸甲是否有黑斑或者白斑、鳃部发黑等;

(五)包装用水或者冰、铺垫材料:是否带有土壤及危害动植物和人体健康的有害生物等法律法规规定的禁止进境物。

**第二十八条** 海关应当按照有关规定对装载进境水生动物的外包装、运输工具和装卸场地进行防疫消毒处理。

**第二十九条** 现场查验发现有下列情形的,海关按照有关规定进行处理:

(一)发现内包装容器损坏并有装载水洒漏的,要求货主或者其代理人对包装容器进行整理、更换包装或者对破损包装内的水生动物作销毁处理,并对现场及包装容器等进行消毒;

(二)现场需要开拆包装加水或者换水的,所用水必须达到中国规定的渔业水质标准,并经消毒处理,对废弃的原包装、包装用水或者冰及铺垫材料,按照有关规定实施消毒处理;

(三)对发现的禁止进境物进行销毁处理;

(四)临床检查发现异常时可以抽样送实验室进行检测;

(五)对已经死亡的水生动物,监督货主或者其代理人作无害化处理。

**第三十条** 受理报检或者现场查验发现有下列情形之一的,海关签发《检验检疫处理通知书》,由收货人或其代理人在海关的监督下,作退回或者销毁处理:

(一)未被列入允许进境水生动物种类及输出国家或者地区名单的;

(二)无有效检疫许可证的;

(三)无输出国家或者地区官方主管部门出具的有效检验检疫证书的;

(四)检疫许可证上的申请单位、检验检疫证书上的收货人和货运提单上的收货人不一致的;实际运输路线与检疫许可证不一致的;

(五)来自未经注册登记企业的;

（六）货证不符的，包括品种不符、进境水生动物数（重）量超过检验检疫证书载明数（重）量、谎报用途、无标签、标签内容不全或者与检验检疫证书载明内容不符的；

（七）临床检查发现异常死亡且出现水生动物疫病临床症状的；

（八）临床检查发现死亡率超过50%的。

**第三十一条** 进境食用水生动物的，进境口岸海关按照有关标准、监控计划和警示通报等要求对其实施采样，对下列项目进行检验或者监测：

（一）水生动物疫病病原、食源性致病微生物、寄生虫；

（二）贝类毒素等生物毒素；

（三）重金属、农兽药残留；

（四）其他要求的项目。

**第三十二条** 进境食用水生动物，经海关现场查验合格后予以放行；查验不合格的，作退回或者销毁处理。监控计划和警示通报有要求的，按照要求实施抽样检测。

**第三十三条** 实验室检测不合格的，进境食用水生动物收货人或其代理人应当主动召回不合格食用水生动物并采取有效措施进行处理。

**第三十四条** 根据风险监控不合格发生频次和危害程度，经风险评估，对海关总署采取扣留检测措施的进境食用水生动物，收货人或者其代理人应当将进境食用水生动物调运至海关指定扣检暂存场所，实验室检测合格后方可放行。实验室检测不合格的，作退回或者销毁处理。

**第三十五条** 进境种用、养殖和观赏水生动物应当在指定隔离场进行至少14天的隔离检疫。现场查验合格后，由进境口岸海关出具《入境货物调离通知单》，运抵指定隔离场所在地后，收货人或其代理人应当向海关申报。指定隔离场所在地海关应当核对货证，并实施以下检验检疫措施：

（一）对已经死亡的水生动物作无害化处理；

（二）对原包装、装载用水或者冰和铺垫材料作消毒处理；

（三）隔离检疫期间，海关按照年度水生动物疫病监测计划、检疫许可证要求和其他有关规定抽样，实施水生动物疫病检测。

隔离检疫合格的，签发《入境货物检验检疫证明》，予以放行；不合格的，签发《检验检疫处理通知书》，对同一隔离设施内全部水生动物实行扑杀或者销毁处理，并对隔离场所进行消毒。

## 第五章 过境和中转检验检疫

**第三十六条** 运输水生动物过境的，承运人或者押运人应当按照规定办理检疫审批手续，并凭货运单、检疫许可证和输出国家或者地区官方主管部门出具的证书，向进境口岸海关报检。

**第三十七条** 装载过境水生动物的包装容器应当完好，无散漏。经进境口岸海关检查，发现包装容器在运输过程中可能存在散漏的，承运人或者押运人应当按照海关的要求进行整改。无法有效整改的，不准过境。

**第三十八条** 经香港或者澳门中转运到内地的，发货人或其代理人应当向海关总署指定的检验机构申请中转检验。未经中转检验或者中转检验不合格的，不得转运内地。

经第三方国家或者地区中转的，须由第三方国家或者地区官方主管部门按照海关总署有关要求出具中转证明文件，无有效中转证明文件的，不得进境。

## 第六章 监督管理

**第三十九条** 海关总署对进境水生动物实施安全风险监控和疫病监测，制定进境水生动物年度安全风险监控计划和水生动物疫病监测计划，编制年度工作报告。

直属海关结合本地实际情况制定实施方案并组织实施。

**第四十条** 直属海关应当按照有关规定将进境水生动物检验检疫不合格信息上报海关总署，海关总署应当向输出国家或者地区官方主管部门通报不合格信息。

**第四十一条** 海关总署根据进境水生动物检验检疫不合格情况、国内外相关官方主管部门或者组织通报的风险信息以及国内外市场发现的问题等，在风险分析的基础上按照有关规定发布警示通报，采取提高监控比例、扣留检测直至暂停进口等风险控制措施。

**第四十二条** 海关对进境水生动物收货人实施信用管理。

**第四十三条** 海关对进境食用水生动物收货人实施备案管理。

**第四十四条** 进境食用水生动物收货人应当建立进境水生动物经营档案，记录进境水生动物的报检号、品名、数/重量、输出国家或者地区、境外注册养殖和包装企业及注册号、进境水生动物流向等信息，经营档案保存期限不得少于2年。

**第四十五条** 海关对进境食用水生动物收货人的经营档案进行定期审核，审核不合格的，责令整改。

**第四十六条** 进境种用、养殖和观赏水生动物收货人应当按照《进境动物隔离检疫场使用监督管理办法》的规定做好进境水生动物隔离期间的养殖和防疫工作，并保存相关记录。海关按照有关规定对指定隔离场进行监督管理。

**第四十七条** 进境水生动物存在安全卫生问题的，收货人应当主动采取召回、销毁等控制措施并立即向海关报告，同时报告地方政府主管部门。收货人拒不履行召回义务的，海关可以责令收货人召回。

## 第七章 法律责任

**第四十八条** 有下列情形之一的，由海关按照《中华人民共和国进出境动植物检疫法实施条例》的规定处5000元以下的罚款：

（一）未报检或者未依法办理检疫审批手续或者未按检疫审批的规定执行的；

（二）报检的进境水生动物与实际不符的。

有前款第（二）项所列行为，已取得检疫单证的，予以吊销。

**第四十九条** 有下列情形之一的，由海关按照《中华人民共和国进出境动植物检疫法实施条例》的规定处3000元以上3万元以下罚款：

（一）未经海关许可擅自将进境、过境水生动物卸离运输工具或者运递的；

（二）擅自调离或者处理在海关指定的隔离场所中隔离检疫的进境水生动物的；

（三）擅自开拆过境水生动物的包装，或者擅自开拆、损毁检验检疫封识或者标志的；

（四）擅自抛弃过境水生动物的尸体、铺垫材料或者其他废弃物，或者未按规定处理包装用水的。

**第五十条** 有下列情形之一的，依法追究刑事责任；尚不构成犯罪或者犯罪情节显著轻微依法不需要判处刑罚的，由海关按照《中华人民共和国进出境动植物检疫法实施条例》的规定处2万元以上5万元以下的罚款：

（一）引起重大动物疫情的；

（二）伪造、变造检疫单证、印章、标志、封识的。

**第五十一条** 有下列情形之一的，由海关按照《国务院关于加强食品等产品安全监督管理的特别规定》予以处罚：

（一）明知有安全隐患，隐瞒不报，拒不履行事故报告义务继续进口的；

（二）拒不履行产品召回义务的。

第五十二条　有下列情形之一的，由海关处3万元以下罚款：
（一）使用伪造、变造的检疫单证、印章、标志、封识的；
（二）使用伪造、变造的输出国家或者地区官方主管部门检疫证明文件的；
（三）使用伪造、变造的其他相关证明文件的；
（四）未建立经营档案或者未按照规定记录、保存经营档案的；
（五）擅自调离或者处理在海关指定场所中扣留的进境食用水生动物的；
（六）拒不接受海关监督管理的。
第五十三条　进境水生动物收货人或者其代理人、海关及其工作人员有其他违法行为的，按照相关法律法规的规定处理。

## 第八章　附　则

第五十四条　本办法中下列用语的含义是：
水生动物：指人工养殖或者天然水域捕捞的活的鱼类、软体类、甲壳类、水母类、棘皮类、头索类、两栖类动物，包括其繁殖用的精液、受精卵。
养殖场：指水生动物的孵化、育苗、养殖场所。
包装场：指水生动物出境前短期集中、存放、分类、加工整理、包装的场所。
输出国家或者地区：指对进境水生动物出具官方检验检疫证书的官方主管部门所属的国家或者地区。
中转：指因运输原因，水生动物自输出国家或者地区出境后须途经第三方国家或者地区，在第三方国家或者地区期间货物离开海关监管区等特殊监管区域并变换运输工具后运输到中国内地的运输方式。
包装用水：指与水生动物直接接触的水，不包括密封的、用于调节温度的冰块或者水袋。
扣留检测：指进境食用水生动物因存在安全卫生隐患，进境口岸查验合格后调运至海关指定暂存场所，待抽样检测合格后允许放行的检验检疫措施。
第五十五条　进境龟、鳖、蛇、鳄鱼等爬行类动物的检验检疫和监督管理参照本办法执行。
第五十六条　边境贸易进境水生动物检验检疫和监督管理参照本办法执行。
第五十七条　本办法由海关总署负责解释。
第五十八条　本办法自2016年9月1日起施行。国家质检总局2003年11月1日实施的《进境水生动物检验检疫管理办法》（国家质检总局令第44号）同时废止。

## 关于加强进口三文鱼检验检疫的公告

（国家质量监督检验检疫总局公告2011年第9号）

（2011年1月28日由国家质量监督检验检疫总局发布，2011年1月28日起施行，法规类型为规范性文件）

2010年以来，出入境检验检疫机构从部分进口冰鲜三文鱼中检出寄生虫鱼虱、致病微生物、兽药残留超标等问题，并已依法做了妥善处理。为保护我国消费者健康和公共卫生安全，应加强对进口三文鱼的检验检疫工作。现公告如下：

一、从 2 月 20 日起，各出入境检验检疫机构要按照《中华人民共和国进出境动植物检疫法》及其实施条例和有关规定，对进口养殖三文鱼实施进境检疫审批。所有进口养殖三文鱼（HS 编码：0302121000、0302122000、0302190090、0303110000、0303190000、0303221000、0303290090、0305411000、0305412000）须事先申请进境动植物检疫许可证，未获许可证者不得进境。进口野生捕捞三文鱼须提供出口国（地区）官方出具的、注明捕捞渔船编号及捕捞区域的书面证明，否则一律视为养殖三文鱼。

二、各出入境检验检疫机构要按照《中华人民共和国食品安全法》及其实施条例、《中华人民共和国进出境动植物检疫法》及其实施条例、《关于做好进口食品境外出口商或代理商备案准备工作的通知》（国质检食函〔2009〕618 号）等法律法规规定，对进口冰鲜三文鱼（HS 编码：0302121000、0302122000、0302190090、0305411000、0305412000）境外出口商及代理商、国内收货人及代理商做好备案管理。

三、要对进口冰鲜三文鱼（HS 编码同上）加强现场查验，官方卫生证书等证单不符合规定，或货证不符者不得入境。要按照中国有关法规标准要求，对进口冰鲜三文鱼进行检验，检验合格后方准入境。

四、请消费者注意防范潜在风险，若发现进口三文鱼存在安全卫生问题，请及时与当地出入境检验检疫机构联系。

# 关于调整水产品海关商品编码的公告

（农业部　海关总署公告第 1696 号）

（2011 年 12 月 29 日由农业部、海关总署发布，现行版本自 2012 年 1 月 1 日起施行，法规类型为规范性文件）

为有效履行我国政府相关义务，树立我国负责任渔业国际形象，遏制非法捕鱼活动和有效养护有关渔业资源，中华人民共和国农业部和中华人民共和国海关总署于 2010 年 6 月 1 日发布《中华人民共和国农业部　中华人民共和国海关总署　公告》（第 1389 号），决定自 2010 年 7 月 1 日起，对进口部分水产品启用《合法捕捞产品通关证明》，实施合法捕捞证明的水产品共 4 类鱼种，13 个海关商品编号的水产品。

为进一步完善对进口水产品的查验机制，根据 2012 年《中华人民共和国进出口税则》，农业部和海关总署对实施合法捕捞证明的水产品海关商品编码进行了调整，现将调整后的水产品海关商品编码予以公布，公告如下：

一、自 2012 年 1 月 1 日起，进口附件 1 所列水产品（包括进境样品、暂时进口、加工贸易进口以及进入海关特殊监管区域和海关保税监管场所等），有关单位应向农业部申请《合法捕捞产品通关证明》（附件 2）。进境时，有关单位应主动、如实向海关申报，并持《合法捕捞产品通关证明》向海关办理相关手续。有关水产品原产地按照有关规定申报、确定。

二、申请《合法捕捞产品通关证明》时应提交由船旗国政府主管机构签发的合法捕捞证明原件。如在船旗国以外的国家或地区加工附件 1 所列产品进入我国，申请单位应提交由船旗国政府主管机构签发的合法捕捞产品副本和加工国或者地区授权机构签发的再出口证明原件。

三、自 2012 年 1 月 1 日起，中华人民共和国农业部和中华人民共和国海关总署于 2010 年 6 月 1 日发布的《中华人民共和国农业部　中华人民共和国海关总署　公告》（第 1389 号）废止。

特此公告。

附件：1. 实施合法捕捞证明的水产品清单
　　　2. 合法捕捞产品通关证明（略）

附件1

### 实施合法捕捞证明的水产品清单

| 中文名 | 海关商品编码 | 英文名 | 拉丁名 | 中文商品名 | 英文商品名 | 英文缩写 |
|---|---|---|---|---|---|---|
| 冻大眼金枪鱼 | 0303440000 | Bigeye tuna | Thunnus obesus | 大眼金枪鱼 | Bigeye tuna | BET |
| 剑鱼 | 0302470000<br>0303570000<br>0304450000<br>0304540000<br>0304840000<br>0304910000 | Sword fish | Xiphias gladius | 剑鱼 | Sword fish | SWO |
| 蓝鳍金枪鱼 | 0302351000<br>0303451000 | Bluefin tuna | Thunnus maccoyii | 大西洋蓝鳍金枪鱼 | Bluefin tuna | BFT |
| 南极犬牙鱼 | 0302830000<br>0303830000<br>0304460000<br>0304550000<br>0304850000<br>0304920000 | Toothfish | Dissostichus sp | 银鲈 | Sea bass 或 Toothfish | |

# 实施合法捕捞通关证明联网核查的水产品清单

（农业部　海关总署公告第2157号）

（2014年10月28日由农业部、海关总署发布，2014年11月1日起施行，法规类型为规范性文件）

根据《中华人民共和国农业部　中华人民共和国海关总署公告》（第1696号），对金枪鱼等4类水产品进口实施《合法捕捞产品通关证明》制度；根据《中华人民共和国农业部　中华人民共和国海关总署公告》（第2146号），对从俄罗斯进口的狭鳕等水产品实施《合法捕捞产品通关证明》制度。为加强对合法捕捞产品进口监管，有效防范和打击非法捕鱼活动，提高通关效率，农业部、海关总署决定实施《合法捕捞产品通关证明》联网核查系统。现将有关事项公告如下：

一、对附件所列水产品实行电子数据联网核查，农业部不再签发纸质版《合法捕捞产品通关证明》。具体办法为：有关单位向农业部申请《合法捕捞产品通关证明》，办结后，农业部授权单位中国远洋渔业协会通知申请单位，并实时将《合法捕捞产品通关证明》电子数据传输至海关，海关凭电子数据接受企业报关。

二、有关单位在申请《合法捕捞产品通关证明》时，应严格按照附件所列水产品清单内容，如实申报，并保证在报关时相关申报内容与申请内容一致。

本公告自2014年11月1日起正式执行。由农业部、海关总署负责解释。

附件：实施合法捕捞通关证明联网核查的水产品清单

**附件**

**实施合法捕捞通关证明联网核查的水产品清单**

1. 进口自俄罗斯的水产品：

| 中文 | 拉丁文 | 海关编码（鲜/冷冻） |
| --- | --- | --- |
| 红大麻哈鱼、细鳞大麻哈鱼、大麻哈鱼（种）、大鳞大麻哈鱼、银大麻哈鱼、马苏大麻哈鱼、玫瑰大麻哈鱼（太平洋鲑属） | Oncorhynchus nerka, Oncorhynchus gorbuscha, Oncorhynchus keta, Oncorhynchus tschawytscha, Oncorhynchus kisutch, Oncorhynchus masou, Oncorhynchus rhodurus | 03021300.00 |
| 细鳞大麻哈鱼、大麻哈鱼（种）、大鳞大麻哈鱼、银大麻哈鱼、马苏大麻哈鱼、玫瑰大麻哈鱼（太平洋鲑属） | Oncorhynchus gorbuscha, Oncorhynchus keta, Oncorhynchus tschawytscha, Oncorhynchus kisutch, Oncorhynchus masou, Oncorhynchus rhodurus | 03031200.00 |
| 狭鳕（明太鱼） | Theragra chalcogramma | 03025500.00/03036700.00 |
| 平鲉属 | genus Sebastes | 03028990.20/03038990.20 |
| 亚洲箭齿鲽 | Atherestes evermanni | 03022900.10/03033900.10 |
| 大西洋庸鲽（庸鲽） | Hippoglossus hippoglossus | 03022100.10/03033190.10 |
| 马舌鲽 | Reinhardtius hippoglossoids | 03022100.20/03033190.20 |
| 太平洋鲱鱼 | Clupea pallasii | 03024100.10/03035100.10 |
| 鲲鲉属（叶鳍鲉属） | genus Sebastolobus | 03028990.30/03038990.30 |
| 毛蟹、金霸王蟹（帝王蟹）、仿石蟹（仿岩蟹）、堪察加拟石蟹、短足拟石蟹、扁足拟石蟹、雪蟹、日本雪蟹 | Erimacrus spp., Lithodes aequispinus, Paralomis verrilliParalithodes camtschaticus, Paralithodes brevipes, Paralithodes platypus, Chionoecetes spp., Chionoecetes japonicus | 03062499.10/03061490.10 |

续表

| 中文 | 拉丁文 | 海关编码（鲜/冷冻） |
|---|---|---|
| 粗饰蚶 | Anadara broughtoni | 03077199.20/03077990.20 |
| 蚬属 | genus Corbicula | 03079190.20/03079900.20 |
| 刺参，暗色刺参除外 | Apostichopus japonicus | 03081190.20/03081900.20 |
| 食用海胆纲 | Class Echinoidea | 03082190.10/03082900.10 |

2. 其他进口水产品：

| 中文 | 拉丁文 | 海关编码（鲜/冷冻） |
|---|---|---|
| 冻大眼金枪鱼 | Thunnus obesus | 03034400.00 |
| 剑鱼 | Xiphias gladius | 03024700.00　03035700.00<br>03044500.00　03045400.00<br>03048400.00　03049100.00 |
| 蓝鳍金枪鱼 | Thunnus thynnus | 03023510.00　03034510.00 |
| 南极犬牙鱼 | Dissostichus spp. | 03028300.00　03038300.00<br>03044600.00　03045500.00<br>03048500.00　03049200.00 |

# 进出口肉类产品检验检疫监督管理办法

（国家质量监督检验检疫总局令第136号）

（2011年1月4日由国家质量监督检验检疫总局发布，根据2018年11月23日海关总署令第243号《海关总署关于修改部分规章的决定》修正，现行版本自2018年11月23日起施行，法规类型为部门规章）

## 第一章　总　则

**第一条**　为加强进出口肉类产品检验检疫及监督管理，保障进出口肉类产品质量安全，防止动物疫情传入传出国境，保护农牧业生产安全和人类健康，根据《中华人民共和国进出口商品检验法》及其实施条例、《中华人民共和国进出境动植物检疫法》及其实施条例、《中华人民共和国国境卫生检疫法》及其实施细则、《中华人民共和国食品安全法》及其实施条例、《国务院关于加强食品等产品安全监督管理的特别规定》等法律法规的规定，制定本办法。

**第二条**　本办法适用于进出口肉类产品的检验检疫及监督管理。

**第三条**　本办法所称肉类产品是指动物屠体的任何可供人类食用部分，包括胴体、脏器、副产品以及以上述产品为原料的制品，不包括罐头产品。

**第四条**　海关总署主管全国进出口肉类产品检验检疫及监督管理工作。

主管海关负责所辖区域进出口肉类产品检验检疫及监督管理工作。

**第五条** 海关依法对进出口肉类产品进行检验检疫及监督抽查，对进出口肉类产品生产加工企业（以下简称生产企业）、收货人、发货人根据监管需要实施信用管理及分类管理制度。

**第六条** 进出口肉类产品生产企业应当依照法律、行政法规和有关标准从事生产经营活动，对社会和公众负责，保证肉类产品质量安全，接受社会监督，承担社会责任。

## 第二章 进口检验检疫

**第七条** 进口肉类产品应当符合中国法律、行政法规规定、食品安全国家标准的要求，以及中国与输出国家或者地区签订的相关协议、议定书、备忘录等规定的检验检疫要求以及贸易合同注明的检疫要求。

进口尚无食品安全国家标准的肉类产品，海关应当按照国务院卫生行政部门决定暂予适用的标准进行检验。

**第八条** 海关总署根据中国法律、行政法规规定、食品安全国家标准要求、国内外肉类产品疫情疫病和有毒有害物质风险分析结果，结合对拟向中国出口肉类产品国家或者地区的质量安全管理体系的有效性评估情况，制定并公布中国进口肉类产品的检验检疫要求；或者与拟向中国出口肉类产品国家或者地区签订检验检疫协定，确定检验检疫要求和相关证书。

**第九条** 海关总署对向中国境内出口肉类产品的出口商或者代理商实施备案管理，并定期公布已经备案的出口商、代理商名单。

进口肉类产品境外生产企业的注册管理按照海关总署相关规定执行。

**第十条** 海关对进口肉类产品收货人实施备案管理。已经实施备案管理的收货人，方可办理肉类产品进口手续。

**第十一条** 进口肉类产品收货人应当建立肉类产品进口和销售记录制度。记录应当真实，保存期限不得少于二年。

**第十二条** 海关总署对进口肉类产品实行检疫审批制度。进口肉类产品的收货人应当在签订贸易合同前办理检疫审批手续，取得进境动植物检疫许可证。

海关总署根据需要，按照有关规定，可以派员到输出国家或者地区进行进口肉类产品预检。

**第十三条** 进口肉类产品应当从海关总署指定的口岸进口。

进口口岸的主管海关应当具备进口肉类产品现场查验和实验室检验检疫的设备设施和相应的专业技术人员。

进口肉类产品应当存储在海关认可并报海关总署备案的存储冷库或者其他场所。肉类产品进口口岸应当具备与进口肉类产品数量相适应的存储冷库。存储冷库应当符合进口肉类产品存储冷库检验检疫要求。

**第十四条** 进口鲜冻肉类产品包装应当符合下列要求：

（一）内外包装使用无毒、无害的材料，完好无破损；

（二）内外包装上应当标明产地国、品名、生产企业注册号、生产批号；

（三）外包装上应当以中文标明规格、产地（具体到州/省/市）、目的地、生产日期、保质期、储存温度等内容，目的地应当标明为中华人民共和国，加施输出国家或者地区官方检验检疫标识。

**第十五条** 肉类产品进口前或者进口时，收货人或者其代理人应当凭进口动植物检疫许可证、输出国家或者地区官方出具的相关证书、贸易合同、提单、装箱单、发票等单证向进口口岸海关报检。

进口肉类产品随附的输出国家或者地区官方检验检疫证书，应当符合海关总署对该证书的要求。

**第十六条** 海关对收货人或者其代理人报检的相关单证进行审核,符合要求的,受理报检,并对检疫审批数量进行核销。

**第十七条** 装运进口肉类产品的运输工具和集装箱,应当在进口口岸海关的监督下实施防疫消毒处理。未经海关许可,进口肉类产品不得卸离运输工具和集装箱。

**第十八条** 进口口岸海关依照规定对进口肉类产品实施现场检验检疫,现场检验检疫包括以下内容:

(一)检查运输工具是否清洁卫生、有无异味,控温设备设施运作是否正常,温度记录是否符合要求;

(二)核对货证是否相符,包括集装箱号码和铅封号、货物的品名、数(重)量、输出国家或者地区、生产企业名称或者注册号、生产日期、包装、唛头、输出国家或者地区官方证书编号、标志或者封识等信息;

(三)查验包装是否符合食品安全国家标准要求;

(四)预包装肉类产品的标签是否符合要求;

(五)对鲜冻肉类产品还应当检查新鲜程度、中心温度是否符合要求、是否有病变以及肉眼可见的寄生虫包囊、生活害虫、异物及其他异常情况,必要时进行蒸煮试验。

**第十九条** 进口鲜冻肉类产品经现场检验检疫合格后,运往海关指定地点存放。

**第二十条** 海关依照规定对进口肉类产品采样,按照有关标准、监控计划和警示通报等要求进行检验或者监测。

**第二十一条** 口岸海关根据进口肉类产品检验检疫结果作出如下处理:

(一)经检验检疫合格的,签发《入境货物检验检疫证明》,准予生产、加工、销售、使用。《入境货物检验检疫证明》应当注明进口肉类产品的集装箱号、生产批次号、生产厂家名称和注册号、唛头等追溯信息。

(二)经检验检疫不合格的,签发检验检疫处理通知书。有下列情形之一的,作退回或者销毁处理:

1. 无有效进口动植物检疫许可证的;
2. 无输出国家或者地区官方机构出具的相关证书的;
3. 未获得注册的生产企业生产的进口肉类产品的;
4. 涉及人身安全、健康和环境保护项目不合格的。

(三)经检验检疫,涉及人身安全、健康和环境保护以外项目不合格的,可以在海关的监督下进行技术处理,合格后,方可销售或者使用。

(四)需要对外索赔的,签发相关证书。

**第二十二条** 目的地为内地的进口肉类产品,在香港或者澳门卸离原运输船只并经港澳陆路运输到内地的、在香港或者澳门码头卸载后到其他港区装船运往内地的,发货人应当向海关总署指定的检验机构申请中转预检。未经预检或者预检不合格的,不得转运内地。

指定的检验机构应当按照海关总署的要求开展预检工作,合格后另外加施新的封识并出具证书,进境口岸海关受理报检时应当同时验核该证书。

### 第三章 出口检验检疫

**第二十三条** 出口肉类产品由海关进行监督、抽检。

**第二十四条** 海关按照下列要求对出口肉类产品实施检验检疫:

(一)输入国家或者地区检验检疫要求;

(二)中国政府与输入国家或者地区签订的检验检疫协议、议定书、备忘录等规定的检验检疫要求；

（三）中国法律、行政法规和海关总署规定的检验检疫要求；

（四）输入国家或者地区官方关于品质、数量、重量、包装等要求；

（五）贸易合同注明的检验检疫要求。

**第二十五条** 海关按照出口食品生产企业备案管理规定，对出口肉类产品的生产企业实施备案管理。

输入国家或者地区对中国出口肉类产品生产企业有注册要求，需要对外推荐注册企业的，按照海关总署相关规定执行。

**第二十六条** 出口肉类产品加工用动物应当来自经海关备案的饲养场。

海关在风险分析的基础上对备案饲养场进行动物疫病、农兽药残留、环境污染物及其他有毒有害物质的监测。未经所在地农业行政部门出具检疫合格证明的或者疫病、农兽药残留及其他有毒有害物质监测不合格的动物不得用于屠宰、加工出口肉类产品。

**第二十七条** 出口肉类产品加工用动物备案饲养场或者屠宰场应当为其生产的每一批出口肉类产品原料出具供货证明。

**第二十八条** 出口肉类产品生产企业应当按照输入国家或者地区的要求，对出口肉类产品的原辅料、生产、加工、仓储、运输、出口等全过程建立有效运行的可追溯的质量安全自控体系。

出口肉类产品生产企业应当配备专职或者兼职的兽医卫生和食品安全管理人员。

**第二十九条** 出口肉类产品生产企业应当建立原料进货查验记录制度，核查原料随附的供货证明。进货查验记录应当真实，保存期限不得少于二年。

出口肉类产品生产企业应当建立出厂检验记录制度，查验出厂肉类产品的检验合格证和安全状况，如实记录其肉类产品的名称、规格、数量、生产日期、生产批号、检验合格证号、购货者名称及联系方式、销售日期等内容。

肉类产品出厂检验记录应当真实，保存期限不得少于二年。

**第三十条** 出口肉类产品生产企业应当对出口肉类产品加工用原辅料①及成品进行自检，没有自检能力的应当委托有资质的检验机构检验，并出具有效检验报告。

**第三十一条** 海关应当对出口肉类产品中致病性微生物、农兽药残留和环境污染物等有毒有害物质在风险分析的基础上进行抽样检验，并对出口肉类生产加工全过程的质量安全控制体系进行验证和监督。

**第三十二条** 用于出口肉类产品包装的材料应当符合食品安全标准，包装上应当按照输入国家或者地区的要求进行标注，运输包装上应当注明目的地国家或者地区。

**第三十三条** 海关根据需要可以向出口肉类产品生产企业派出官方兽医或者检验检疫人员，对出口肉类产品生产企业进行监督管理。

**第三十四条** 发货人或者其代理人应当在出口肉类产品启运前，按照海关总署的报检规定向出口肉类产品生产企业所在地海关报检。

**第三十五条** 出口肉类产品的运输工具应当有良好的密封性能和制冷设备，装载方式能有效避免肉类产品受到污染，保证运输过程中所需要的温度条件，按照规定进行清洗消毒，并做好记录。

发货人应当确保装运货物与报检货物相符，做好装运记录。

**第三十六条** 海关对报检的出口肉类产品的检验报告、装运记录等进行审核，结合日常监

---

① 根据海关总署公告 2020 年第 99 号《关于调整部分进出境货物监管要求的公告》删除法规第三十条中"原辅料及"。

管、监测和抽查检验等情况进行合格评定。符合规定要求的，签发有关检验检疫证单；不符合规定要求的，签发不合格通知单。

**第三十七条** 海关根据需要，可以按照有关规定对检验检疫合格的出口肉类产品、包装物、运输工具等加施检验检疫标志或者封识。

**第三十八条** 存放出口肉类产品的中转冷库应当经所在地海关备案并接受监督管理。

出口肉类产品运抵中转冷库时应当向其所在地海关申报。中转冷库所在地海关凭生产企业所在地海关签发的检验检疫证单监督出口肉类产品入库。

**第三十九条** 出口冷冻肉类产品应当在生产加工后六个月内出口，冰鲜肉类产品应当在生产加工后72小时内出口。输入国家或者地区另有要求的，按照其要求办理。

**第四十条** 用于出口肉类产品加工用的野生动物，应当符合输入国家或者地区和中国有关法律法规要求，并经国家相关行政主管部门批准。

## 第四章 过境检验检疫

**第四十一条** 运输肉类产品过境的，应当事先获得海关总署批准，按照指定的口岸和路线过境。承运人或者押运人应当凭货运单和输出国家或者地区出具的证书，在进口时向海关报检，由进口口岸海关验核单证。进口口岸海关应当通知出口口岸海关，出口口岸海关监督过境肉类产品出口。

进口口岸海关可以派官方兽医或者其他检验检疫人员监运至出口口岸。

**第四十二条** 过境肉类产品运抵进口口岸时，由进口口岸海关对运输工具、装载容器的外表进行消毒。

装载过境肉类产品的运输工具和包装物、装载容器应当完好。经海关检查，发现运输工具或者包装物、装载容器有可能造成途中散漏的，承运人或者押运人应当按照海关的要求，采取密封措施；无法采取密封措施的，不准过境。

**第四十三条** 过境肉类产品运抵出口口岸时，出口口岸海关应当确认货物原集装箱、原铅封未被改变。

过境肉类产品过境期间，未经海关批准，不得开拆包装或者卸离运输工具。

**第四十四条** 过境肉类产品在境内改换包装，按照进口肉类产品检验检疫规定办理。

## 第五章 监督管理

**第四十五条** 海关总署对进出口肉类产品实行安全监控制度，依据风险分析和检验检疫实际情况制定重点监控计划，确定重点监控国家或者地区的进出口肉类产品种类和检验项目。

主管海关应当根据海关总署年度进出口食品安全风险监控计划，制定并实施所辖区域内进口肉类产品风险管理的实施方案。

**第四十六条** 海关对进出口肉类实施风险管理。

**第四十七条** 海关应当及时向相关部门、机构和企业通报进出口肉类产品安全风险信息。发现进出口肉类产品安全事故，或者接到有关进出口肉类产品安全事故的举报，应当立即向卫生、农业行政部门通报并按照有关规定上报。

**第四十八条** 进出口肉类产品的生产企业、收货人、发货人应当合法生产和经营。

海关应当建立进出口肉类产品的收货人、发货人和出口肉类产品生产企业不良记录制度，对有违法行为并受到行政处罚的，可以将其列入违法企业名单并对外公布。

**第四十九条** 进口肉类产品存在安全问题，可能或者已经对人体健康和生命安全造成损害的，收货人应当主动召回并立即向所在地海关报告。收货人不主动召回的，海关应当按照有关规定责令召回。

出口肉类产品存在安全问题,可能或者已经对人体健康和生命安全造成损害,出口肉类产品生产企业应当采取措施避免和减少损害的发生,并立即向所在地海关报告。

有前二款规定情形的,有关企业所在地直属海关应当及时向海关总署报告。

**第五十条** 出口肉类产品加工用动物备案饲养场有下列行为之一的,取消备案:

(一)存放或者使用中国、拟输入国家或者地区禁止使用的药物和其他有毒有害物质,使用的药物未标明有效成份或者使用含有禁用药物和药物添加剂,未按照规定在休药期停药的;

(二)提供虚假供货证明、转让或者变相转让备案号的;

(三)隐瞒重大动物疫病或者未及时向海关报告的;

(四)拒不接受海关监督管理的;

(五)备案饲养场的名称、法定代表人发生变化后 30 日内未申请变更的;

(六)养殖规模扩大、使用新药或者新饲料或者质量安全体系发生重大变化后 30 日内未向海关报告的;

(七)一年内没有出口供货的。

**第五十一条** 进出口肉类产品生产企业有其他违法行为的,按照相关法律、行政法规的规定予以处罚。

**第五十二条** 海关及其工作人员在对进出口肉类产品实施检验检疫和监督管理工作中,违反法律法规及本办法规定的,按照规定查处。

### 第六章 附 则

**第五十三条** 本办法由海关总署负责解释。

**第五十四条** 本办法自 2011 年 6 月 1 日起施行。国家质检总局 2002 年 8 月 22 日公布的《进出境肉类产品检验检疫管理办法》(国家质检总局令第 26 号)同时废止。

# 进出境非食用动物产品检验检疫监督管理办法

(国家质量监督检验检疫总局令第 159 号)

(2014 年 11 月 13 日由国家质量监督检验检疫总局发布;根据 2016 年 10 月 18 日国家质量监督检验检疫总局令第 184 号《国家质量监督检验检疫总局关于修改和废止部分规章的决定》第一次修正,根据 2018 年 4 月 28 日海关总署令第 238 号《海关总署关于修改部分规章的决定》第二次修正,根据 2018 年 5 月 29 日海关总署令第 240 号《海关总署关于修改部分规章的决定》第三次修正;现行版本自 2018 年 7 月 1 日起施行;法规类型为部门规章)

### 第一章 总 则

**第一条** 为了规范进出境非食用动物产品的检验检疫和监督管理工作,防止动物传染病、寄生虫病及其他有害生物传入传出国境,保护农、林、牧、渔业生产和人体健康,根据《中华人民共和国进出境动植物检疫法》及其实施条例、《中华人民共和国进出口商品检验法》及其实施条例等法律法规规定,制定本办法。

**第二条** 本办法适用于进境、出境及过境非食用动物产品的检验检疫监督管理。

动物源性饲料和饲料添加剂、动物遗传物质、动物源性生物材料及制品不适用本办法。

**第三条** 海关总署主管全国进出境非食用动物产品的检验检疫和监督管理工作。

主管海关负责所辖地区进出境非食用动物产品的检验检疫和监督管理工作。

**第四条** 进出境非食用动物产品生产、加工、存放和贸易企业应当依照法律法规和有关标准从事生产经营活动，对社会和公众负责，保证进出境非食用动物产品的质量安全，接受社会监督，承担社会责任。

## 第二章 风险管理

**第五条** 海关总署对进出境非食用动物产品实施风险管理，在风险分析的基础上，实施产品风险分级、企业分类、检疫准入、风险警示及其他风险管理措施。

**第六条** 海关总署根据进出境非食用动物产品动物卫生和公共卫生风险，确定产品风险级别。产品风险级别及检疫监管模式在海关总署网站公布。

**第七条** 海关根据企业诚信程度、质量安全控制能力等，对进出境非食用动物产品生产、加工、存放企业实施分类管理，采取相应检验检疫监管措施。

**第八条** 海关总署根据进出境非食用动物产品质量安全形势、检验检疫中发现的问题、国内外相关组织机构的通报以及国内外发生的动物卫生和公共卫生问题，在风险分析的基础上发布风险警示信息并决定采取启动应急处置预案、限制进出境和暂停进出境等风险管理措施。

## 第三章 进境检验检疫

### 第一节 检疫准入

**第九条** 海关总署对进境非食用动物产品实施检疫准入制度，包括产品风险分析、监管体系评估与审查、确定检验检疫要求、境外生产企业注册登记等。

**第十条** 海关总署对首次向中国输出非食用动物产品的国家或者地区进行产品风险分析、监管体系评估，对曾经或者正在向中国输出非食用动物产品的国家或者地区的监管体系进行回顾性审查。

根据风险分析、评估审查结果，海关总署与输出国家或者地区主管部门协商确定向中国输出非食用动物产品的检验检疫要求，并商签有关双边协定或者确定检验检疫证书。

海关总署负责制定、调整并在海关总署网站公布允许进境非食用动物产品的国家或者地区名单以及产品种类。

**第十一条** 海关总署对向中国输出非食用动物产品的境外生产、加工、存放企业（以下简称境外生产加工企业）实施注册登记制度。

需要实施境外生产加工企业注册登记的非食用动物产品名录由海关总署制定、调整并公布。

### 第二节 境外生产加工企业注册登记

**第十二条** 向中国输出非食用动物产品的境外生产加工企业应当符合输出国家或者地区法律法规和标准的相关要求，并达到中国有关法律法规和强制性标准的要求。

**第十三条** 实施注册登记管理的非食用动物产品境外生产加工企业，经输出国家或者地区主管部门审查合格后向海关总署推荐。

海关总署收到推荐材料并经书面审查合格后，必要时经与输出国家或者地区主管部门协商，派出专家到输出国家或者地区对其监管体系进行评估或者回顾性审查，对申请注册登记的境外生产加工企业进行检查。

符合要求的国家或者地区的境外生产加工企业，经检查合格的予以注册登记。

**第十四条** 境外生产加工企业注册登记有效期为 5 年。

需要延期的境外生产加工企业,由输出国家或者地区主管部门在有效期届满 6 个月前向海关总署提出延期申请。海关总署可以派出专家到输出国家或者地区对其监管体系进行回顾性审查,并对申请延期的境外生产加工企业进行抽查。

对回顾性审查符合要求的国家或者地区,抽查符合要求的及未被抽查的其他申请延期的境外生产加工企业,注册登记有效期延长 5 年。

**第十五条** 注册登记的境外生产加工企业不再向中国输出非食用动物产品的,输出国家或者地区主管部门应当通报海关总署,海关总署注销其注册登记。

**第十六条** 注册登记的境外生产加工企业向中国输出的非食用动物产品经检验检疫不合格,情节严重的,海关总署可以撤销其注册登记。

### 第三节 检验检疫

**第十七条** 进境非食用动物产品应当符合下列要求:
(一)双边协议、议定书、备忘录以及其他双边协定确定的相关要求;
(二)双方确认的检验检疫证书规定的相关要求;
(三)中国法律法规规定和强制性标准要求;
(四)进境动植物检疫许可证(以下简称检疫许可证)列明的要求;
(五)海关总署规定的其他检验检疫要求。

**第十八条** 进境非食用动物产品需要办理检疫许可证的,货主或者其代理人应当按照相关规定办理。

产品风险级别较高的非食用动物产品,因口岸条件限制等原因,进境后应当运往指定的存放、加工场所(以下简称指定企业)检疫的,办理检疫许可证时,货主或者其代理人应当明确指定企业并提供相应证明文件。

**第十九条** 货主或者其代理人应当在非食用动物产品进境前或者进境时向进境口岸海关报检,报检时应当提供原产地证书、贸易合同、发票、提单、输出国家或者地区主管部门出具的检验检疫证书等单证,须办理检疫审批的应当取得检疫许可证。

**第二十条** 进境口岸海关对货主或者其代理人报检时所提供的单证进行审核,并对检疫许可证的批准数(重)量进行核销。

对有证书要求的产品,如无有效检疫许可证或者输出国家或者地区主管部门出具的有效检验检疫证书的,作退回或者销毁处理。

**第二十一条** 进境非食用动物产品,由进境口岸海关实施检验检疫。

因口岸条件限制等原因,进境后应当运往指定企业检疫的非食用动物产品,由进境口岸海关实施现场查验和相应防疫消毒处理后,通知指定企业所在地海关。货主或者其代理人将非食用动物产品运往检疫许可证列明的指定企业后,应当向指定企业所在地海关申报,由指定企业所在地海关实施检验检疫,并对存放、加工过程实施检疫监督。

**第二十二条** 海关按照以下要求对进境非食用动物产品实施现场查验:
(一)查询启运时间、港口、途经国家或者地区、装载清单等,核对单证是否真实有效,单证与货物的名称、数(重)量、输出国家或者地区、包装、唛头、标记等是否相符;
(二)包装、容器是否完好,是否带有动植物性包装、铺垫材料并符合我国相关规定;
(三)有无腐败变质现象,有无携带有害生物、动物排泄物或者其他动物组织等;
(四)有无携带动物尸体、土壤及其他禁止进境物。

**第二十三条** 现场查验时,海关应当对运输工具有关部位、装载非食用动物产品的容器、包装外表、铺垫材料、污染场地等进行防疫消毒处理。

**第二十四条** 现场查验有下列情形之一的，海关签发《检验检疫处理通知书》，并作相应检疫处理：

（一）属于法律法规禁止进境的、带有禁止进境物的、货证不符的、发现严重腐败变质的，作退回或者销毁处理；

（二）对散包、容器破裂的，由货主或者其代理人负责整理完好，方可卸离运输工具。海关对受污染的场地、物品、器具进行消毒处理；

（三）带有检疫性有害生物、动物排泄物或者其他动物组织等的，按照有关规定进行检疫处理。不能有效处理的，作退回或者销毁处理；

（四）对疑似受病原体和其他有毒有害物质污染的，封存有关货物并采样进行实验室检测，对有关污染现场进行消毒处理。

**第二十五条** 转关的非食用动物产品，应当在进境前或者进境时由货主或者其代理人向进境口岸海关申报，根据产品的不同要求提供输出国家或者地区主管部门出具的检验检疫证书等单证。

进境口岸海关对提供的单证进行书面审核。审核不合格的，作退回或者销毁处理。审核合格的，依据有关规定对装载非食用动物产品的集装箱体表、运输工具实施防疫消毒处理。货物到达结关地后，货主或者其代理人应当向结关地海关报检。结关地海关对货物实施检验检疫和检疫监督。

**第二十六条** 海关按照对非食用动物产品的检验检疫要求抽取样品，出具《抽/采样凭证》，送实验室进行有关项目的检测。

**第二十七条** 进境非食用动物产品经检验检疫合格，海关签发《进境货物检验检疫证明》后，方可销售、使用或者在指定企业加工。

经检验检疫不合格的，海关签发《检验检疫处理通知书》，由货主或者其代理人在海关的监督下，作除害、退回或者销毁处理，经除害处理合格的准予进境。需要对外索赔的，由海关出具相关证书。

进境非食用动物产品检验检疫不合格信息应当上报海关总署。

**第二十八条** 未经海关同意，不得将进境非食用动物产品卸离运输工具或者运递。

**第二十九条** 进境非食用动物产品在从进境运输工具上卸离及运递过程中，货主或者其代理人应当采取措施，防止货物的容器、包装破损而造成渗漏、散落。

**第三十条** 运往指定企业检疫的非食用动物产品，应当在检疫许可证列明的指定企业存放、加工。因特殊原因，需要变更指定企业的，货主或者其代理人应当办理检疫许可证变更，并向变更后的指定企业所在地海关申报，接受检验检疫和检疫监督。

**第三十一条** 经香港或者澳门转运的目的地为内地的进境非食用动物产品，在香港或者澳门卸离原运输工具并经港澳陆路、水路运到内地的，发货人应当向海关总署指定的检验机构申请中转检验。未经检验或者检验不合格的，不得转运内地。

指定的检验机构应当按照海关总署的要求开展中转检验，合格后加施封识并出具中转检验证书，进境口岸海关受理报检时应当同时核查中转检验证书和其他有关检验检疫单证。

### 第四节　监督管理

**第三十二条** 海关对进境非食用动物产品存放、加工过程，实施检疫监督制度。

**第三十三条** 拟从事产品风险级别较高的进境非食用动物产品存放、加工业务的企业可以向所在地直属海关提出指定申请。

直属海关按照海关总署制定的有关要求，对申请企业的申请材料、工艺流程、兽医卫生防疫制度等进行检查评审，核定存放、加工非食用动物产品种类、能力。

第三十四条 指定企业应当符合动物检疫和兽医防疫的规定，遵守下列要求：

（一）按照规定的兽医卫生防疫制度开展防疫工作；

（二）按照规定的工艺加工、使用进境非食用动物产品；

（三）按照规定的方法对废弃物进行处理；

（四）建立并维护企业档案，包括出入库、生产加工、防疫消毒、废弃物处理等记录，档案至少保留2年；

（五）如实填写《进境非食用动物产品生产、加工、存放指定企业监管手册》；

（六）涉及安全卫生的其他规定。

第三十五条 海关按照本办法第三十四条的规定对指定企业实施日常监督管理。

指定企业应当按照要求向所在地直属海关提交年度报告，确保其符合海关总署制定的有关要求。

第三十六条 海关应当建立指定企业、收货人及其代理人诚信档案，建立良好记录企业名单和不良记录企业名单。

第三十七条 指定企业、收货人及其代理人发现重大动物疫情或者公共卫生问题时，应当立即向所在地海关报告，海关应当按照有关规定处理并上报。

第三十八条 指定企业名称、地址、法定代表人、进境非食用动物产品种类、存放、生产加工能力、加工工艺以及其他兽医卫生、防疫条件发生变化的，应当及时向所在地直属海关报告并办理变更手续。

第三十九条 海关发现指定企业出现以下情况的，取消指定：

（一）企业依法终止的；

（二）不符合本办法第三十四条规定，拒绝整改或者未整改合格的；

（三）未提交年度报告的；

（四）连续两年未从事进境非食用动物产品存放、加工业务的；

（五）未按照本办法第三十八条规定办理变更手续的；

（六）法律法规规定的应当取消指定的其他情形。

第四十条 直属海关应当在完成存放、加工企业指定、变更后30日内，将相关信息上报海关总署备案。

## 第四章 出境检验检疫

### 第一节 出境生产加工企业注册登记

第四十一条 输入国家或者地区要求中国对向其输出非食用动物产品生产、加工、存放企业（以下简称出境生产加工企业）注册登记的，海关总署对出境生产加工企业实行注册登记。

第四十二条 申请注册登记的出境生产加工企业应当符合进境国家或者地区的法律法规有关规定，并遵守下列要求：

（一）建立并维持进境国家或者地区有关法律法规规定的注册登记要求；

（二）按照建立的兽医卫生防疫制度组织生产；

（三）按照建立的合格原料供应商评价制度组织生产；

（四）建立并维护企业档案，确保原料、产品可追溯；

（五）如实填写《出境非食用动物产品生产、加工、存放注册登记企业监管手册》；

（六）符合中国其他法律法规规定的要求。

第四十三条 出境生产加工企业应当向所在地直属海关申请注册登记。申请注册登记时，应当提交下列材料：

（一）《出境非食用动物产品生产、加工、存放企业检验检疫注册登记申请表》；
（二）厂区平面图，并提供重点区域的照片或者视频资料；
（三）工艺流程图，包括生产、加工的温度、使用化学试剂的种类、浓度和 pH 值、处理的时间和使用的有关设备等情况。

**第四十四条** 直属海关对申请人提出的申请，应当根据下列情况分别作出处理：
（一）申请事项依法不需要取得行政许可的，应当即时告知申请人；
（二）申请事项依法不属于本行政机关职权范围的，应当即时作出不予受理的决定，并告知申请人向有关行政机关申请；
（三）申请材料存在可以当场更正的错误的，应当允许申请人当场更正；
（四）申请材料不齐全或者不符合法定形式的，应当当场或者在 5 个工作日内一次告知申请人需要补正的全部内容，逾期不告知的，自收到申请材料之日起即为受理；
（五）申请材料齐全、符合法定形式或者申请人按照要求提交全部补正申请材料的，应当受理申请。

直属海关受理或者不予受理申请，应当出具加盖本行政机关专用印章和注明日期的书面凭证。

**第四十五条** 直属海关应当在受理申请后组成评审组，对申请注册登记的出境生产加工企业进行现场评审。评审组应当在现场评审结束后及时向直属海关提交评审报告。

**第四十六条** 直属海关应当自受理申请之日起 20 日内对申请人的申请事项作出是否准予注册登记的决定；准予注册登记的，颁发《出境非食用动物产品生产、加工、存放企业检验检疫注册登记证》（以下简称《注册登记证》）。

直属海关自受理申请之日起 20 日内不能作出决定的，经直属海关负责人批准，可以延长 10 日，并应当将延长期限的理由告知申请人。

**第四十七条** 直属海关应当将准予注册登记企业名单上报海关总署。海关总署组织进行抽查评估，统一向进境国家或者地区主管部门推荐并办理有关手续。

**第四十八条** 《注册登记证》自颁发之日起生效，有效期 5 年。

**第四十九条** 注册登记的出境生产加工企业变更企业名称、法定代表人、产品种类、存放、生产加工能力等的，应当在变更后 30 日内向准予注册登记的直属海关提出书面申请，填写《出境非食用动物产品生产、加工、存放企业检验检疫注册登记申请表》，并提交与变更内容相关的资料。

变更企业名称、法定代表人的，由直属海关审核有关资料后，直接办理变更手续。

变更产品种类或者生产能力的，由直属海关审核有关资料并组织现场评审，评审合格后，办理变更手续。

企业迁址的，应当重新向直属海关申请办理注册登记手续。

**第五十条** 获得注册登记的出境生产加工企业需要延续注册登记有效期的，应当在有效期届满 3 个月前按照本办法规定提出申请。

**第五十一条** 海关对注册登记的出境生产加工企业实施年审，年审合格的在《注册登记证》（副本）上加注年审合格记录。

**第五十二条** 注册登记的出境生产加工企业发生下列情况之一，准予注册登记所依据的客观情况发生重大变化，达不到注册登记条件要求的，由直属海关撤回其注册登记：
（一）注册登记内容发生变更，未办理变更手续的；
（二）年审不合格的；
（三）所依据的客观情况发生其他重大变化的。

**第五十三条** 有下列情形之一的，直属海关根据利害关系人的请求或者依据职权，可以撤销其注册登记：

（一）直属海关工作人员滥用职权、玩忽职守作出准予注册登记的；

（二）超越法定职权作出准予注册登记的；

（三）违反法定程序作出准予注册登记的；

（四）对不具备申请资格或者不符合法定条件的出境生产加工企业准予注册登记的；

（五）依法可以撤销注册登记的其他情形。

出境生产加工企业以欺骗、贿赂等不正当手段取得注册登记的，应当予以撤销。

**第五十四条** 出境生产加工企业有下列情形之一的，直属海关应当依法办理注册登记的注销手续：

（一）注册登记有效期届满未申请延续的；

（二）出境生产加工企业依法终止的；

（三）出境生产加工企业因停产、转产、倒闭等原因不再从事出境非食用动物产品生产、加工或者存放业务的；

（四）注册登记依法被撤销、撤回或者吊销的；

（五）因不可抗力导致注册登记事项无法实施的；

（六）法律、法规规定的应当注销注册登记的其他情形。

## 第二节 检验检疫

**第五十五条** 海关按照下列要求对出境非食用动物产品实施检验检疫：

（一）双边协议、议定书、备忘录和其他双边协定；

（二）输入国家或者地区检验检疫要求；

（三）中国法律法规、强制性标准和海关总署规定的检验检疫要求；

（四）贸易合同或者信用证注明的检疫要求。

**第五十六条** 非食用动物产品出境前，货主或者其代理人应当向产地海关报检，并提供贸易合同、自检自控合格证明等相关单证。海关对所提供的单证进行审核，符合要求的受理报检。

**第五十七条** 受理报检后，海关按照下列规定实施现场检验检疫：

（一）核对货证：核对单证与货物的名称、数（重）量、生产日期、批号、包装、唛头、出境生产企业名称或者注册登记号等是否相符；

（二）抽样：根据相应标准、输入国家或者地区的要求进行抽样，出具《抽/采样凭证》；

（三）感官检查：包装、容器是否完好，外观、色泽、组织状态、黏度、气味、异物、异色及其他相关项目。

**第五十八条** 海关对需要进行实验室检验检疫的产品，按照相关规定，抽样送实验室检测。

**第五十九条** 经检验检疫合格的，海关出具检验检疫证书。检验检疫不合格的，经有效方法处理并重新检验检疫合格的，可以按照规定出具相关单证，准予出境；无有效方法处理或者虽经处理重新检验检疫仍不合格的，不予出境，并出具《出境货物不合格通知单》。

**第六十条** 出境口岸海关按照相关规定查验，重点核查货证是否相符。查验不合格的，不予放行。

**第六十一条** 产地海关与出境口岸海关应当及时交流信息。

在检验检疫过程中发现重大安全卫生问题，应当采取相应措施，并及时上报海关总署。

## 第三节 监督管理

**第六十二条** 取得注册登记的出境生产加工企业应当遵守下列规定：

（一）有效运行自检自控体系；
（二）按照输入国家或者地区的标准或者合同要求生产出境产品；
（三）按照海关认可的兽医卫生防疫制度开展卫生防疫工作；
（四）企业档案维护，包括出入库、生产加工、防疫消毒、废弃物检疫处理等记录，记录档案至少保留2年；
（五）如实填写《出境非食用动物产品生产、加工、存放注册登记企业监管手册》。

第六十三条 海关对辖区内注册登记的出境生产加工企业实施日常监督管理，内容包括：
（一）兽医卫生防疫制度的执行情况；
（二）自检自控体系运行，包括原辅料、成品自检自控情况、生产加工过程控制、原料及成品出入库及生产、加工的记录等；
（三）涉及安全卫生的其他有关内容；
（四）《出境非食用动物产品生产、加工、存放注册登记企业监管手册》填写情况。

第六十四条 海关应当建立注册登记的出境生产加工企业诚信档案，建立良好记录企业名单和不良记录企业名单。

第六十五条 出境非食用动物产品被检出疫病、有毒有害物质超标或者其他安全卫生问题的，海关核实有关情况后，实施加严检验检疫监管措施。

第六十六条 注册登记的出境生产加工企业发现相关产品可能受到污染并影响非食用动物产品安全，或者其出境产品在国外涉嫌引发非食用动物产品安全事件时，应当在24小时内报告所在地海关，同时采取控制措施，防止不合格产品继续出厂。所在地海关接到报告后，应当于24小时内逐级上报至海关总署。

## 第五章 过境检验检疫

第六十七条 运输非食用动物产品过境的，承运人或者押运人应当持货运单和输出国家或者地区主管部门出具的证书，并书面提交过境运输路线，向进境口岸海关报检。

第六十八条 装载过境非食用动物产品的运输工具和包装物、装载容器应当完好。经进境口岸海关检查，发现过境非食用动物产品存在途中散漏隐患的，承运人或者押运人应当按照口岸海关的要求，采取密封措施；无法采取密封措施的，不准过境。

第六十九条 过境非食用动物产品的输出国家或者地区未被列入本办法第十条规定的名单的，应当获得海关总署的批准方可过境。

第七十条 过境的非食用动物产品，由进境口岸海关查验单证，加施封识后放行，同时通知出境口岸海关。到达出境口岸后，由出境口岸海关确认原货柜、原包装、原封识完好后，允许出境。

## 第六章 法律责任

第七十一条 违反本办法规定，擅自销售、使用未报检或者未经检验的属于法定检验的进境非食用动物产品的，由海关按照《中华人民共和国进出口商品检验法实施条例》第四十三条的规定没收违法所得，并处非食用动物产品货值金额5%以上20%以下罚款；构成犯罪的，依法追究刑事责任。

第七十二条 违反本办法规定，擅自出口未报检或者未经检验的属于法定检验的出境非食用动物产品的，由海关按照《中华人民共和国进出口商品检验法实施条例》第四十四条的规定没收违法所得，并处非食用动物产品货值金额5%以上20%以下罚款；构成犯罪的，依法追究刑事责任。

第七十三条 销售、使用经法定检验、抽查检验不合格的进境非食用动物产品，或者出经法定检验、抽查检验不合格的非食用动物产品的，由海关按照《中华人民共和国进出口商品检验法实施条例》第四十五条的规定责令停止销售、使用或者出口，没收违法所得和违法销售、使用或者出口的非食用动物产品，并处没收销售、使用或者出口的非食用动物产品货值金额等值以上3倍以下罚款；构成犯罪的，依法追究刑事责任。

**第七十四条** 进出境非食用动物产品的收货人、发货人、代理报检企业或者报检人员不如实提供属于法定检验的进出境非食用动物产品的真实情况，取得海关的有关证单，或者对法定检验的进出境非食用动物产品不予报检，逃避进出口商品检验的，由海关按照《中华人民共和国进出口商品检验法实施条例》第四十六条第一款的规定没收违法所得，并处非食用动物产品货值金额5%以上20%以下罚款。

进出境非食用动物产品的收货人或者发货人委托代理报检企业办理报检手续，未按照规定向代理报检企业提供所委托报检事项的真实情况，取得海关的有关证单的，对委托人依照前款规定予以处罚。

**第七十五条** 伪造、变造、买卖或者盗窃检验证单、印章、标志、封识或者使用伪造、变造的检验证单、印章、标志、封识，构成犯罪的，依法追究刑事责任；尚不够刑事处罚的，由海关按照《中华人民共和国进出口商品检验法实施条例》第四十七条的规定责令改正，没收违法所得，并处非食用动物产品货值金额等值以下罚款。

**第七十六条** 擅自调换海关抽取的样品或者海关检验合格的进出境非食用动物产品的，由海关按照《中华人民共和国进出口商品检验法实施条例》第四十八条的规定责令改正，给予警告；情节严重的，并处非食用动物产品货值金额10%以上50%以下罚款。

**第七十七条** 有下列违法行为之一的，由海关按照《中华人民共和国进出境动植物检疫法实施条例》第五十九条的规定处5000元以下的罚款：

（一）未报检或者未依法办理检疫审批手续或者未按检疫审批的规定执行的；

（二）报检的非食用动物产品与实际不符的。

有前款第（二）项所列行为，已取得检疫单证的，予以吊销。

**第七十八条** 有下列情形之一的，由海关按照《中华人民共和国进出境动植物检疫法实施条例》第六十条的规定处3000元以上3万元以下罚款：

（一）未经海关批准，擅自将进境、出境、过境非食用动物产品卸离运输工具或者运递的；

（二）擅自开拆过境非食用动物产品的包装，或者擅自开拆、损毁动植物检疫封识或者标志的。

**第七十九条** 有下列情形之一的，依法追究刑事责任；尚不构成犯罪或者犯罪情节显著轻微依法不需要判处刑罚的，由海关按照《中华人民共和国进出境动植物检疫法实施条例》第六十二条的规定处2万元以上5万元以下的罚款：

（一）引起重大动植物疫情的；

（二）伪造、变造动植物检疫单证、印章、标志、封识的。

**第八十条** 有下列情形之一，有违法所得的，由海关处以违法所得3倍以下罚款，最高不超过3万元；没有违法所得的，处以1万元以下罚款：

（一）未经注册登记或者指定擅自生产、加工、存放需要实施企业注册登记或者指定管理的非食用动物产品的；

（二）擅自销售、使用或者出口应当经抽查检验而未经抽查检验的进出境非食用动物产品的；

（三）买卖或者使用伪造、变造的动植物检疫单证、印章、标志、封识的；

（四）买卖或者使用伪造、变造的输出国家或者地区主管部门检验检疫证明文件的；

（五）买卖或者使用伪造、变造的其他相关证明文件的；

（六）拒不接受海关监督管理的；

（七）未按照有关规定向指定企业所在地海关申报的；

（八）实施企业注册登记或者指定管理的进境非食用动物产品，未经批准，货主或者其代理人擅自变更生产、加工、存放企业的；

（九）擅自处置未经检疫处理的进境非食用动物产品使用、加工过程中产生的废弃物的。

第八十一条 申请注册登记的生产、加工、存放企业隐瞒有关情况或者提供虚假材料申请注册登记的，海关不予受理申请或者不予注册登记，并可以给予警告。

经注册登记的生产、加工、存放企业以欺骗、贿赂等不正当手段取得注册登记的，有违法所得的，由海关处以违法所得3倍以下罚款，最高不超过3万元；没有违法所得的，处以1万元以下罚款。

第八十二条 海关工作人员滥用职权，故意刁难当事人的，徇私舞弊，伪造检验检疫结果的，或者玩忽职守，延误检验检疫出证的，依法给予行政处分；构成犯罪的，依法追究刑事责任。

## 第七章 附 则

第八十三条 本办法中非食用动物产品是指非直接供人类或者动物食用的动物副产品及其衍生物、加工品，如非直接供人类或者动物食用的动物皮张、毛类、纤维、骨、蹄、角、油脂、明胶、标本、工艺品、内脏、动物源性肥料、蚕产品、蜂产品、水产品、奶产品等。

第八十四条 进出境非食用动物产品应当实施卫生检疫的，按照国境卫生检疫法律法规的规定执行。

第八十五条 本办法由海关总署负责解释。

第八十六条 本办法自2015年2月1日起施行。自施行之日起，进出境非食用动物产品检验检疫管理规定与本办法不一致的，以本办法为准。

# 关于进一步规范携带宠物入境检疫监管工作的公告

（海关总署公告2019年第5号）

（2019年1月2日由海关总署发布，2019年5月1日起施行，法规类型为规范性文件）

为进一步适应口岸执法新形势，安全、科学、规范做好携带入境宠物（犬、猫）的检疫监管工作。现将有关事项公告如下：

一、携带入境的活动物仅限犬或者猫（以下称"宠物"），并且每人每次限带1只。携带宠物入境的，携带人应当向海关提供输出国家或者地区官方动物检疫机构出具的有效检疫证书和狂犬病疫苗接种证书。宠物应当具有电子芯片。

二、携带入境的宠物应在海关指定的隔离场隔离检疫30天（截留期限计入在内）。需隔离检疫的宠物应当从建设有隔离检疫设施的口岸入境。海关对隔离检疫的宠物实行监督检查。海关按照指定国家或地区和非指定国家或地区对携带入境的宠物实施分类管理，具有以下情形的宠物免于隔离检疫：

（一）来自指定国家或者地区携带入境的宠物，具有有效电子芯片，经现场检疫合格的；

（二）来自非指定国家或者地区的宠物，具有有效电子芯片，提供采信实验室出具的狂犬病抗体检测报告（抗体滴度或免疫抗体量须在0.5IU/ml以上）并经现场检疫合格的；

（三）携带宠物属于导盲犬、导听犬、搜救犬的，具有有效电子芯片，携带人提供相应使用者证明和专业训练证明并经现场检疫合格的。

指定国家或地区名单、采信狂犬病抗体检测结果的实验室名单、建设有隔离检疫设施的口岸名单以海关总署公布为准。

三、携带宠物入境有下列情况之一的，海关按照有关规定予以限期退回或者销毁处理：

（一）携带宠物超过限额的；

（二）携带人不能向海关提供输出国家或者地区官方动物检疫机构出具的有效检疫证书或狂犬病疫苗接种证书的；

（三）携带需隔离检疫的宠物，从不具有隔离检疫设施条件的口岸入境的；

（四）宠物经隔离检疫不合格的。

对仅不能提供疫苗接种证书的导盲犬、导听犬、搜救犬，经携带人申请，可以在有资质的机构对其接种狂犬病疫苗。

作限期退回处理的宠物，携带人应当在规定的期限内持海关签发的截留凭证，领取并携带宠物出境；逾期不领取的，作自动放弃处理。

四、关于携带宠物入境的具体检疫要求详见附件《中华人民共和国携带入境宠物检疫要求》。

本公告内容自2019年5月1日起施行。

特此公告。

附件：1. 中华人民共和国携带宠物入境检疫要求（略）
　　　2. 海关总署采信狂犬病抗体检测结果的实验室名单（略）
　　　3. 携带入境宠物（犬、猫）信息登记表（略）
　　　4. 具备进境宠物隔离检疫条件的口岸名单（略）

# 其他货物

## 出口烟花爆竹检验管理办法

（国家出入境检验检疫局令第 9 号）

（1999 年 12 月 2 日由国家出入境检验检疫局发布，根据 2018 年 4 月 28 日海关总署令第 238 号《海关总署关于修改部分规章的决定》修正，现行版本自 2018 年 5 月 1 日起施行，法规类型为部门规章）

**第一条** 为加强出口烟花爆竹的检验管理工作，保证出口烟花爆竹的质量，保障公共安全和人身安全，促进对外贸易的发展，根据《中华人民共和国进出口商品检验法》及其实施条例，制定本办法。

**第二条** 海关总署统一管理全国出口烟花爆竹检验和监督管理工作，主管海关负责所辖地区出口烟花爆竹的检验和监督管理工作。

**第三条** 出口烟花爆竹的检验和监督管理工作采取产地检验与口岸查验相结合的原则。

**第四条** 主管海关对出口烟花爆竹的生产企业实施登记管理制度。生产企业登记管理的条件与程序按《出口烟花爆竹生产企业登记细则》办理。

主管海关将已登记的生产企业名称、登记代码等情况应当及时报海关总署备案。登记代码标记按照《出口烟花爆竹生产企业登记代码标记编写规定》确定。

**第五条** 出口烟花爆竹的生产企业应当按照《联合国危险货物建议书规章范本》和有关法律、法规的规定生产、储存出口烟花爆竹。

**第六条** 出口烟花爆竹的生产企业在申请出口烟花爆竹的检验时，应当向海关提交《出口烟花爆竹生产企业声明》。

**第七条** 出口烟花爆竹的检验应当严格执行国家法律法规规定的标准，对进口国以及贸易合同高于我国法律法规规定标准的，按其标准进行检验。

**第八条** 海关对首次出口或者原材料、配方发生变化的烟花爆竹应当实施烟火药剂安全稳定性能检测。对长期出口的烟花爆竹产品，每年应当进行不少于一次的烟火药剂安全性能检验。

**第九条** 盛装出口烟花爆竹的运输包装，应当标有联合国规定的危险货物包装标记和出口烟花爆竹生产企业的登记代码标记。

海关应当对出口烟花爆竹运输包装进行使用鉴定，以及检查其外包装标识的名称、数量、规格、生产企业登记代码等与实际是否一致。经检查上述内容不一致的，不予放行。

**第十条** 凡经检验合格的出口烟花爆竹，由海关在其运输包装明显部位加贴验讫标志。

**第十一条** 各口岸与内地海关应当密切配合、共同把关，加强出口烟花爆竹检验管理和质量情况等信息交流。

**第十二条** 主管海关每年应当对所辖地区出口烟花爆竹质量情况进行分析并书面报告海关总署,海关总署对各关出口烟花爆竹的检验、管理工作和质量情况进行监督抽查。

**第十三条** 对违反本办法规定的,根据《中华人民共和国进出口商品检验法》及其实施条例的有关规定予以行政处罚。

**第十四条** 本办法所规定的文书由海关总署另行制定并且发布。

**第十五条** 本办法由海关总署负责解释。

**第十六条** 本办法自 2000 年 1 月 1 日起实施。

# 进出境集装箱检验检疫管理办法

(国家出入境检验检疫局令第 17 号)

(2000 年 1 月 11 日由国家出入境检验检疫局发布,根据 2018 年 4 月 28 日海关总署令 238 号《海关总署关于修改部分规章的决定》修正,现行版本自 2018 年 5 月 1 日起施行,法规类型为部门规章)

## 第一章 总 则

**第一条** 为加强进出境集装箱检验检疫管理工作,根据《中华人民共和国进出口商品检验法》、《中华人民共和国进出境动植物检疫法》、《中华人民共和国国境卫生检疫法》、《中华人民共和国食品安全法》及有关法律法规的规定,制定本办法。

**第二条** 本办法所称进出境集装箱是指国际标准化组织所规定的集装箱,包括出境、进境和过境的实箱及空箱。

**第三条** 海关总署主管全国进出境集装箱的检验检疫管理工作。主管海关负责所辖地区进出境集装箱的检验检疫和监督管理工作。

**第四条** 集装箱进出境前、进出境时或过境时,承运人、货主或其代理人(以下简称报检人),必须向海关报检。海关按照有关规定对报检集装箱实施检验检疫。

**第五条** 过境应检集装箱,由进境口岸海关实施查验,离境口岸海关不再检验检疫。

## 第二章 进境集装箱的检验检疫

**第六条** 进境集装箱应按有关规定实施下列检验检疫:

(一)所有进境集装箱应实施卫生检疫;

(二)来自动植物疫区的,装载动植物、动植物产品和其他检验检疫物的,以及箱内带有植物性包装物或辅垫材料的集装箱,应实施动植物检疫;

(三)法律、行政法规、国际条约规定或者贸易合同约定的其他应当实施检验检疫的集装箱,按有关规定、约定实施检验检疫。

**第七条** 进境集装箱报检人应当向进境口岸海关报检,未经海关许可,不得提运或拆箱。

**第八条** 进境集装箱报检时,应提供集装箱数量、规格、号码、到达或离开口岸的时间、装箱地点和目的地、货物的种类、数量和包装材料等单证或情况。

**第九条** 海关受理进境集装箱报检后,对报检人提供的相关材料进行审核,并将审核结果通知报检人。

第十条　在进境口岸结关的以及国家有关法律法规规定必须在进境口岸查验的集装箱，在进境口岸实施检验检疫或作卫生除害处理。

指运地结关的集装箱，进境口岸海关受理报检后，检查集装箱外表（必要时进行卫生除害处理），办理调离和签封手续，并通知指运地海关，到指运地进行检验检疫。

第十一条　装运经国家批准进口的废物原料的集装箱，应当由进境口岸海关实施检验检疫。经检验检疫符合国家环保标准的，签发检验检疫情况通知单；不符合国家环保标准的，出具检验检疫证书，并移交环保部门处理。

第十二条　进境集装箱及其装载的应检货物经检验检疫合格的，准予放行；经检验检疫不合格的，按有关规定处理。

第十三条　过境集装箱经查验发现有可能中途撒漏造成污染的，报检人应按进境口岸海关的要求，采取密封措施；无法采取密封措施的，不准过境。发现被污染或危险性病虫害的，应作卫生除害处理或不准过境。

## 第三章　出境集装箱的检验检疫

第十四条　出境集装箱应按有关规定实施下列检验检疫：

（一）所有出境集装箱应实施卫生检疫；

（二）装载动植物、动植物产品和其他检验检疫物的集装箱应实施动植物检疫；

（三）装运出口易腐烂变质食品、冷冻品的集装箱应实施适载检验；

（四）输入国要求实施检验检疫的集装箱，按要求实施检验检疫；

（五）法律、行政法规、国际条约规定或贸易合同约定的其他应当实施检验检疫的集装箱按有关规定、约定实施检验检疫。

第十五条　出境集装箱应在装货前向所在地海关报检，未经海关许可，不准装运。

第十六条　装载出境货物的集装箱，出境口岸海关凭启运地海关出具的检验检疫证单验证放行。法律、法规另有规定的除外。

第十七条　在出境口岸装载拼装货物的集装箱，由出境口岸海关实施检验检疫。

## 第四章　进出境集装箱的卫生除害处理

第十八条　进出境集装箱有下列情况之一的，应当作卫生除害处理：

（一）来自检疫传染病或监测传染病疫区的；

（二）被传染病污染的或可能传播检疫传染病的；

（三）携带有与人类健康有关的病媒昆虫或啮齿动物的；

（四）检疫发现有国家公布的一、二类动物传染病、寄生虫病名录及植物危险性病、虫、杂草名录中所列病虫害和对农、林、牧、渔业有严重危险的其他病虫害的；发现超过规定标准的一般性病虫害的；

（五）装载废旧物品或腐败变质有碍公共卫生物品的；

（六）装载尸体、棺柩、骨灰等特殊物品的；

（七）输入国家或地区要求作卫生除害处理的；

（八）国家法律、行政法规或国际条约规定必须作卫生除害处理的。

第十九条　对集装箱及其所载货物实施卫生除害处理时应当避免造成不必要的损害。

第二十条　用于集装箱卫生除害处理的方法、药物须经海关总署认可。

## 第五章　监督管理

第二十一条　从事进出境集装箱清洗、卫生除害处理的单位须经海关考核认可，接受海关的指导和监督。

**第二十二条** 海关对装载法检商品的进出境集装箱实施监督管理。监督管理的具体内容包括查验集装箱封识、标志是否完好,箱体是否有损伤、变形、破口等。

## 第六章 附 则

**第二十三条** 进出境集装箱装载的应检货物按有关规定实施检验检疫。

**第二十四条** 海关在对进出境集装箱实施检验检疫工作时,有关单位和个人应当提供必要的工作条件及辅助人力、用具等。

**第二十五条** 违反本办法规定的,依照国家有关法律法规予以处罚。

**第二十六条** 本办法由海关总署负责解释。

**第二十七条** 本办法自2000年2月1日起施行。原国家商检局发布的《集装箱检验办法》、原国家动植物检疫局发布的《进出境集装箱动植物检疫管理的若干规定》、原国家卫生检疫局发布的《关于实施〈进境、出境集装箱卫生管理规定〉的要求》同时废止。


# 出口蜂蜜检验检疫管理办法

(国家出入境检验检疫局令2000年第20号)

(2000年2月22日由国家出入境检验检疫局发布,根据2018年4月28日海关总署令第238号《海关总署关于修改部分规章的决定》修正,现行版本自2018年5月1日起施行,法规类型为部门规章)

## 第一章 总 则

**第一条** 为加强出口蜂蜜检验检疫管理工作,提高我国出口蜂蜜的质量,适应国际市场的要求,根据《中华人民共和国进出口商品检验法》、《中华人民共和国进出境动植物检疫法》、《中华人民共和国食品安全法》等有关法律法规,制定本办法。

**第二条** 本办法适用于出口蜂蜜的检验检疫与监督管理工作。

**第三条** 海关总署统一管理全国出口蜂蜜检验检疫工作。主管海关负责所辖地区出口蜂蜜的检验检疫与日常监督管理工作。

**第四条** 国家对出口蜂蜜加工企业实行卫生注册制度。未获得卫生注册的出口蜂蜜加工企业生产的蜂蜜不得出口。

**第五条** 出口蜂蜜检验检疫内容包括品质、规格、数量、重量、包装以及是否符合卫生要求。

出口蜂蜜未经检验检疫或经检验检疫不合格的,不准出口。

## 第二章 检验检疫

**第六条** 海关对出口蜂蜜实行产地检验检疫、口岸查验的管理方式。

**第七条** 产地海关应按规定的检验标准或方法抽取有代表性的样品进行检验检疫。对于农、兽药残留等卫生项目及其他特殊项目需进行委托检验检疫的,由海关将签封样品寄送至认可的检测机构进行检验检疫。

第八条　经检验检疫发现蜂蜜中农、兽药残留、重金属、微生物等卫生指标以及其他特殊项目不符合进口国规定或合同要求的，判为不合格，签发出境货物不合格通知单，不允许返工整理。必要时由海关加施封识，按有关规定处理。

第九条　海关对出口蜂蜜的包装进行卫生及安全性能鉴定。出口蜂蜜包装桶应符合有关的国家标准规定，包装桶的内涂料应符合食品包装的卫生要求。

第十条　产地海关应严格按照出口批次进行检验检疫，出具的检验检疫证书上除列明检验项目和结果外还应注明生产批次及数量。

第十一条　离境口岸海关进行查验，经查验合格的予以放行。未经产地海关检验的出口蜂蜜不得放行。

第十二条　出口蜂蜜检验检疫结果的有效期为 60 天。

## 第三章　监督管理

第十三条　出口蜂蜜加工企业必须符合《出口食品厂、库卫生要求》、《出口食品厂、库卫生注册细则》等有关规定。海关对获得卫生注册的出口蜂蜜加工企业进行监督管理。

加工企业卫生注册代号实行专厂专号专用，任何企业及个人不得借用、冒用、盗用及转让卫生注册代号。

第十四条　海关对出口蜂蜜实施批次管理。出口蜂蜜加工企业应按照生产批次逐批检验，并按规定要求在包装桶或外包装箱印上该批蜂蜜的生产批次，厂检单应注明生产批次与数量。

第十五条　海关对出口蜂蜜加工企业实施日常监督管理，包括查看生产现场，检查原料收购验收记录、检验原始记录等，发现问题应督促加工企业限期改正。

第十六条　出口蜂蜜加工企业必须对原料蜜的收购加强把关，不得收购蜂群发生疫情或违反兽医部门用药规定的蜂蜜，不得收购掺杂掺假的、严重发酵或品质发生变化的蜂蜜。

第十七条　出口蜂蜜加工企业必须根据进口国对蜂蜜的品质与卫生要求对原料蜜中农、兽药残留以及其他特殊项目进行检测或委托检测，不符合要求的原料蜜不得投入生产。

第十八条　出口蜂蜜加工企业必须建立原料蜜收购记录及生产用原料蜜的投配料记录，详细记录每批成品蜜所用原料蜜的蜜种、批号、产地、数量及品质情况等。

第十九条　出口蜂蜜加工企业应对成品蜜包装桶进行严格的验收并进行清洗干燥；对原料蜜包装桶加强管理，确保包装桶对原料蜜与成品蜜不产生污染。

第二十条　出口蜂蜜加工企业应加强对原料蜜与成品蜜的储存管理，原料蜜与成品蜜均应存放在阴凉干燥通风的地方，严防日晒雨淋，并做到标识明显，分批堆放。

第二十一条　主管海关应严格执行《中华人民共和国动物及动物源食品残留物质监控计划》及各年度的具体要求，按规定抽取蜂蜜的官方样品送监测实验室进行监控检测。蜂蜜残留物监测基准实验室应协助海关总署做好监控工作。

## 第四章　附　则

第二十二条　对违反本办法规定的，依照有关法律法规予以处罚。

第二十三条　出口蜂王浆及其他蜂产品的检验检疫与监督管理工作参照本办法执行。

第二十四条　本办法由海关总署负责解释。

第二十五条　本办法自 2000 年 5 月 1 日起施行。原国家商检局发布的关于出口蜂蜜检验检疫的有关文件同时废止。

# 进口涂料检验监督管理办法

(国家质量监督检验检疫总局令第 18 号)

(2002 年 4 月 19 日由国家质量监督检验检疫总局发布;根据 2018 年 4 月 28 日海关总署令第 238 号《海关总署关于修改部分规章的决定》第一次修正,根据 2018 年 5 月 29 日海关总署令第 240 号《海关总署关于修改部分规章的决定》第二次修正;现行版本自 2018 年 7 月 1 日起施行;法规类型为部门规章)

## 第一章 总 则

**第一条** 为了保护我国人民居住环境,保障人体健康,根据《中华人民共和国进出口商品检验法》及其实施条例、《中华人民共和国货物进出口管理条例》的有关规定,制定本办法。

**第二条** 本办法所称涂料是指《商品名称及编码协调制度》中编码为 3208 项下和 3209 项下的商品。

**第三条** 海关总署主管全国进口涂料的检验监管工作。主管海关负责对进口涂料实施检验。

**第四条** 国家对进口涂料实行登记备案和专项检测制度。

**第五条** 海关总署指定涂料专项检测实验室(以下简称专项检测实验室)和进口涂料备案机构(以下简称备案机构)。

专项检测实验室根据技术法规的要求,负责进口涂料的强制性控制项目的专项检测工作,出具进口涂料专项检测报告。

备案机构负责受理进口涂料备案申请,确认专项检测结果等事宜。

## 第二章 登记备案

**第六条** 进口涂料的生产商、进口商或者进口代理商(以下称备案申请人)根据需要,可以向备案机构申请进口涂料备案。

**第七条** 备案申请应当在涂料进口至少 2 个月前向备案机构提出,同时备案申请人应当提交以下资料:

(一)《进口涂料备案申请表》;

(二)进口涂料生产商对其产品中有害物质含量符合中华人民共和国国家技术规范要求的声明;

(三)关于进口涂料产品的基本组成成份、品牌、型号、产地、外观、标签及标记、分装厂商和地点、分装产品标签等有关材料(以中文文本为准)。

**第八条** 备案机构接到备案申请后,对备案申请人的资格及提供的材料进行审核,在 5 个工作日内,向备案申请人签发《进口涂料备案申请受理情况通知书》。

**第九条** 备案申请人收到《进口涂料备案申请受理情况通知书》后,受理申请的,由备案申请人将被检样品送指定的专项检测实验室,备案申请人提供的样品应当与实际进口涂料一致,样品数量应当满足专项检测和留样需要;未受理申请的,可按照《进口涂料备案申请受理情况通知书》的要求进行补充和整改后，可重新提出申请。

**第十条** 专项检测实验室应当在接到样品15个工作日内，完成对样品的专项检测及进口涂料专项检测报告，并将报告提交备案机构。

**第十一条** 备案机构应当在收到进口涂料专项检测报告3个工作日内，根据有关规定及专项检测报告进行审核，经审核合格的，签发《进口涂料备案书》；经审核不合格的，书面通知备案申请人。

**第十二条** 《进口涂料备案书》有效期为2年。当有重大事项发生，可能影响涂料性能时，应当对进口涂料重新申请备案。

**第十三条** 有下列情形之一的，由备案机构吊销《进口涂料备案书》，并且在半年内停止其备案申请资格：

（一）涂改、伪造《进口涂料备案书》的；

（二）经海关检验，累计两次发现报检商品与备案商品严重不符的；

（三）经海关抽查检验，累计3次不合格的。

**第十四条** 备案机构定期将备案情况报告海关总署。海关总署通过网站（http://www.customs.gov.cn）等公开媒体公布进口涂料备案机构、专项检测实验室、已备案涂料等信息。

## 第三章　进口检验

**第十五条** 对已经备案的涂料，海关接受报检后，按照以下规定实施检验：

（一）核查《进口涂料备案书》的符合性。核查内容包括品名、品牌、型号、生产厂商、产地、标签等。

（二）专项检测项目的抽查。同一品牌涂料的年度抽查比例不少于进口批次的10%，每个批次抽查不少于进口规格型号种类的10%，所抽取样品送专项检测实验室进行专项检测。

**第十六条** 对未经备案的进口涂料，海关接受报检后，按照有关规定抽取样品，并由报检人将样品送专项检测实验室检测，海关根据专项检测报告进行符合性核查。

**第十七条** 按照第十五条及第十六条规定检验合格的进口涂料，海关签发入境货物检验检疫证明。

**第十八条** 按照第十五条及第十六条规定检验不合格的进口涂料，主管海关出具检验检疫证书，并报海关总署。对专项检测不合格的进口涂料，收货人须将其退运出境或者按照有关部门要求妥善处理。

## 第四章　附　则

**第十九条** 本办法所规定的文书由海关总署另行制定并且发布。

**第二十条** 本办法由海关总署负责解释。

**第二十一条** 本办法自2002年5月20日起施行。

# 中华人民共和国实施金伯利进程国际证书制度管理规定

(国家质量监督检验检疫总局令第42号)

(2002年12月31日由国家质量监督检验检疫总局发布;根据2018年3月6日国家质量监督检验检疫总局令第196号《国家质量监督检验检疫总局关于废止和修改部分规章的决定》第一次修正,根据2018年4月28日海关总署令第238号《海关总署关于修改部分规章的决定》第二次修正,根据2018年5月29日海关总署令第240号《海关总署关于修改部分规章的决定》第三次修正,根据2018年11月23日海关总署令第243号《海关总署关于修改部分规章的决定》第四次修正;现行版本自2018年11月23日起施行;法规类型为部门规章)

## 第一章 总 则

**第一条** 为履行国际义务,维护非洲地区的和平与稳定,制止冲突钻石非法交易,根据我国有关法律法规规定和联合国大会第55/56号决议以及金伯利进程国际证书制度的要求,制定本规定。

**第二条** 本规定所称的毛坯钻石是指未经加工或者经简单切割或者部分抛光,归入《商品名称及编码协调制度》7102.10、7102.21和7102.31的钻石。

**第三条** 海关总署是我国实施金伯利进程国际证书制度的管理部门。海关总署指定的主管海关负责对进出口毛坯钻石的原产国(地)或者来源国(地)进行核查,并对毛坯钻石进行验证、检验、签证。

**第四条** 金伯利进程国际证书是具有法律约束力的官方证明文件。

**第五条** 本规定适用于金伯利进程国际证书制度成员国(以下简称成员国)之间的毛坯钻石进出口贸易。海关只受理成员国之间的毛坯钻石进出口的申报。

**第六条** 进出口毛坯钻石的受理申报、核查检验,由主管海关办理。

## 第二章 进口核查检验

**第七条** 毛坯钻石入境前,毛坯钻石的进出口企业或者其代理人以及承运人(以下简称申报人)应当向海关提交《中华人民共和国进口毛坯钻石申报单》、毛坯钻石出口国政府主管机构签发的金伯利进程国际证书正本等有关资料,办理入境申报手续。未提供上述单证的,不予受理申报。

**第八条** 海关受理申报后,应当严格审查所提交的金伯利进程国际证书,必要时可以进行成员国间核对,并按照金伯利进程国际证书制度的要求,审核申报内容是否与出口国政府主管机构签发的金伯利进程国际证书相符。

**第九条** 海关应当在指定地点及申报人在场的情况下,核查货物原产地标记、封识及内外包装;检查原产国(地)/来源国(地)、收货人、证书编号等是否与随附的金伯利进程国际证书所列内容一致;对申报金额进行核定;对毛坯钻石的克拉重量(数量)等按照金伯利进程国际证书制度的要求实施检验。

**第十条** 核查、检验结束后,海关应当签发进口毛坯钻石确认书,发送至货物原产国(地)/来源国(地)政府主管机构,同时以电子邮件方式确认该批钻石已到达目的地。

**第十一条** 海关应当将《中华人民共和国进口毛坯钻石申报单》、毛坯钻石出口国政府主管机构签发的金伯利进程国际证书正本和进口毛坯钻石确认书副本等有关资料一并归档。档案保存期为3年。

## 第三章 出口核查检验

**第十二条** 毛坯钻石出境前，申报人应当向海关提交《中华人民共和国出口毛坯钻石申报单》，声明所申报的出口毛坯钻石为非冲突钻石、目的国为成员国，并保证出口毛坯钻石储存在防损容器中运输，同时提供合同、发票以及其他证明毛坯钻石合法性的有关资料。

**第十三条** 海关受理申报后，应当在指定地点及申报人在场的情况下，对毛坯钻石原产地的真实性等进行核实，对毛坯钻石的克拉重量（数量）进行检验，并对申报金额进行核定。在确认申报人所申报的内容正确无误后，对符合金伯利进程国际证书制度要求的毛坯钻石及其包装容器进行封识，加施原产地注册标记，并签发《金伯利进程国际证书》。

海关签发《金伯利进程国际证书》后，应当以电子邮件方式将相关信息发送至进口国。

**第十四条** 海关在收到进口国政府主管机构发出的进口毛坯钻石确认书后，应当将确认书、《中华人民共和国出口毛坯钻石申报单》《金伯利进程国际证书》副本以及合同、发票等有关资料一并归档。档案保存期为3年。

## 第四章 统计管理

**第十五条** 海关应当按照金伯利进程国际证书制度要求，对毛坯钻石进出口贸易相关数据进行统计管理，建立统计数据库。统计数据包括：HS编码、原产国（地）和来源国（地）、贸易国别、进出口企业、克拉重量（数量）、金额、签证份数、证书编号、确认证书份数等。统计信息保存期为3年。

**第十六条** 海关总署按照金伯利进程国际证书制度的要求及时交换数据，统一对外发布有关信息。

**第十七条** 申报人要保存完整的贸易证单，同时对有关贸易数据进行统计，统计内容主要包括：客户名称、进出口毛坯钻石的克拉重量（数量）和金额等。贸易证单和统计数据保存期为3年。

## 第五章 附 则

**第十八条** 对过境毛坯钻石，海关在申报人确保毛坯钻石密封包装容器未开封和未受损情况下，可以不予核查金伯利进程国际证书。

**第十九条** 为方便贸易，便于监管，有关钻石交易机构应当配合海关工作，并提供必要的条件。

**第二十条** 对未如实申报毛坯钻石的原产国（地）和来源国（地）的，伪造、涂改金伯利进程国际证书等有关证单的，违反金伯利进程国际证书制度有关规定、从事冲突钻石进出口的，按照有关法律法规规定予以处罚。

**第二十一条** 本办法所规定的文书由海关总署另行制定并且发布。

**第二十二条** 本规定由海关总署负责解释。

**第二十三条** 本规定自2003年1月1日起施行。

# 汽车运输出境危险货物包装容器检验管理办法

(国家质量监督检验检疫总局令第 48 号)

(2003 年 5 月 28 日由国家质量监督检验检疫总局发布,现行版本自 2003 年 12 月 1 日起施行,法规类型为部门规章)

## 第一章 总 则

**第一条** 为了加强汽车运输出境危险货物包装容器的检验和监督管理,保障汽车运输安全,促进我国对外经济贸易的发展,根据《中华人民共和国进出口商品检验法》(以下简称商检法)的规定,制定本办法。

**第二条** 本办法适用于直接由公路口岸运输出境的《联合国关于危险货物运输建议书》规定的危险货物常压包装容器(包括汽车运输液体危险货物包装容器、罐体)的检验和管理。

**第三条** 国家质量监督检验检疫总局(以下简称国家质检总局)主管全国汽车运输出境危险货物包装容器的检验和管理工作。

国家质检总局设在各地的出入境检验检疫机构(以下简称检验检疫机构)管理和办理所辖地区汽车运输出境危险货物包装容器的检验工作。

**第四条** 汽车运输出境危险货物包装容器检验包括性能检验和使用鉴定,其检验、鉴定标准必须符合我国国家技术规范的强制性要求以及国家质检总局指定的标准,未经检验检疫机构检验合格的包装容器不准用于盛装汽车运输出境危险货物。

**第五条** 生产、经营出境危险货物包装容器的单位对危险货物的包装容器负有直接责任,必须根据法律、法规有关规定,正确地设计、生产和使用危险货物的包装容器。

**第六条** 交通部门设立的口岸交通运输管理站负责对出境危险货物包装及包装容器进行查验,发现不符合《汽车危险货物运输规则》或者无检验检疫机构签发的《出境危险货物运输包装容器使用鉴定结果单》(以下简称《使用鉴定结果单》),口岸交通运输管理站不予放行。口岸交通运输管理站将每批出境的危险货物《使用鉴定结果单》保存备查。保存期为 1 年。

## 第二章 检 验

**第七条** 国家对出境危险货物包装容器生产企业实行质量许可制度。出境危险货物包装容器生产企业应当向检验检疫机构申请并取得《出口危险货物包装容器质量许可证》后,方可从事出境危险货物包装容器的生产。

**第八条** 取得《出口危险货物包装容器质量许可证》的汽车运输出境危险货物包装容器生产企业(以下简称生产企业),其产品经自检合格后,应当向所在地检验检疫机构申请汽车运输出境危险货物包装容器性能检验,同时提供厂检合格单。

首次申请性能检验的或者经性能检验合格后产品设计、材质或者加工工艺发生改变的,在申请性能检验时应当同时提供该包装容器的设计、制造工艺及原材料检验合格单等资料。

**第九条** 检验检疫机构检验合格后,签发适于汽车运输出境危险货物包装容器性能检验结果单(以下简称《性能检验结果单》)。

**第十条** 汽车运输出境危险货物包装容器的《性能检验结果单》有效期根据包装容器的

材料性质和所装货物的性质确定,自《性能检验结果单》签发之日起计算。有效期的终止日期在性能检验合格证书上注明。

钢桶、复合桶、纤维板桶、纸桶盛装固体货物的《性能检验结果单》有效期为18个月;盛装液体货物的有效期为1年;盛装腐蚀性货物的(包括带有腐蚀副标志的货物),从罐装之日起有效期不应超过6个月。

其他包装容器的《性能检验结果单》有效期为1年;但是盛装腐蚀性货物,从灌装之日起有效期不应超过6个月。

经性能检验合格的危险化学品的包装物、容器,应当在《性能检验结果单》有效期内使用完毕。如未能在有效期内使用完毕,需重新进行性能检验。

第十一条 汽车运输出境危险货物包装容器的性能检验采取周期检验和不定期抽查检验相结合的方式。

同一规格、材质、制造工艺的包装容器的检验周期为3个月。汽车运输常压液体危险货物罐体及附件检验周期为1年。

检验检疫机构根据生产企业的质量情况,在检验周期内实施定期、不定期的产品质量抽查检验。

第十二条 汽车运输出境危险货物包装容器的使用单位(以下简称使用单位)对包装容器的使用情况自检合格后,逐批向检验检疫机构申请汽车运输危险货物包装容器的使用鉴定,并同时提供所盛装危险货物的危险特性评价报告、相容性报告等有关的证明材料。

第十三条 检验检疫机构检验合格后,签发适于汽车运输出境危险货物包装容器的《使用鉴定结果单》。

第十四条 当同一批包装容器有不同使用单位时,生产企业可凭《性能检验结果单》到所在地检验检疫机构办理分证。当不同的外贸经营单位使用同一份《使用鉴定结果单》装运危险货物时,外贸经营单位可凭《使用鉴定结果单》(正本)到所在地检验检疫机构办理分证。

### 第三章 监督管理

第十五条 经检验合格的包装容器应当按照我国有关国家技术规范的强制性要求以及国家质检总局指定的标准规定,在包装容器上铸压或者印刷包装标记、工厂代号及生产批号。

第十六条 使用单位使用进口的包装容器或者使用国外收货人自备的包装容器,须附有生产国主管部门认可的检验机构出具的符合《联合国关于危险货物运输建议书》要求的包装性能检验证书,否则不允许使用该包装容器。

第十七条 生产企业和使用单位应当正确制造和使用包装容器,建立健全包装容器的生产验收和使用检验制度。

第十八条 汽车运输出境危险货物包装容器的检验人员须经国家质检总局考核并取得国家质检总局颁发的资格证书后,方准从事汽车运输出境危险货物包装容器检验工作。

第十九条 出境危险货物运输时,托运人应当凭检验检疫机构出具的《使用鉴定结果单》(正本)办理托运。承运人应当凭《使用鉴定结果单》受理托运,并按照有关规定进行包装查验,当发现货物和包装容器与《使用鉴定结果单》不相符或者发现包装破损、渗漏时,承运人不得承运。

第二十条 申请汽车运输出境危险货物包装容器性能检验、使用鉴定的单位对检验检疫机构的检验结果有异议的,可申请复验。具体方法按照《进出口商品复验办法》的规定办理。

### 第四章 附则

第二十一条 压力容器和用于放射性物质、感染性物质的包装容器按照国家有关规定办理。

**第二十二条** 违反本办法规定，按照商检法及其实施条例、《危险化学品安全管理条例》等有关法律法规规定处罚。

**第二十三条** 检验检疫机构办理汽车运输出境危险货物包装容器检验收取性能检验和使用鉴定费用，同种性能检验、使用鉴定项目参照海运、铁路运输出境危险货物包装容器检验、鉴定标准收取检验费。

**第二十四条** 本办法由国家质检总局负责解释。

**第二十五条** 本办法自 2003 年 12 月 1 日起施行。

# 进出境转基因产品检验检疫管理办法

（国家质量监督检验检疫总局令第 62 号）

（2004 年 5 月 24 日由国家质量监督检验检疫总局发布；根据 2018 年 3 月 6 日国家质量监督检验检疫总局令第 196 号《国家质量监督检验检疫总局关于废止和修改部分规章的决定》第一次修正，根据 2018 年 4 月 28 日海关总署令第 238 号《海关总署关于修改部分规章的决定》第二次修正，根据 2018 年 11 月 23 日海关总署令第 243 号《海关总署关于修改部分规章的决定》第三次修正；现行版本自 2018 年 11 月 23 日起施行；法规类型为部门规章）

## 第一章 总 则

**第一条** 为加强进出境转基因产品检验检疫管理，保障人体健康和动植物、微生物安全，保护生态环境，根据《中华人民共和国进出口商品检验法》《中华人民共和国食品安全法》《中华人民共和国进出境动植物检疫法》及其实施条例、《农业转基因生物安全管理条例》等法律法规的规定，制定本办法。

**第二条** 本办法适用于对通过各种方式（包括贸易、来料加工、邮寄、携带、生产、代繁、科研、交换、展览、援助、赠送以及其他方式）进出境的转基因产品的检验检疫。

**第三条** 本办法所称"转基因产品"是指《农业转基因生物安全管理条例》规定的农业转基因生物及其他法律法规规定的转基因生物与产品。

**第四条** 海关总署负责全国进出境转基因产品的检验检疫管理工作，主管海关负责所辖地区进出境转基因产品的检验检疫以及监督管理工作。

**第五条** 海关总署对过境转移的农业转基因产品实行许可制度。其他过境转移的转基因产品，国家另有规定的按相关规定执行。

## 第二章 进境检验检疫

**第六条** 海关总署对进境转基因动植物及其产品、微生物及其产品和食品实行申报制度。

**第七条** 货主或者其代理人在办理进境报检手续时，应当在《入境货物报检单》的货物名称栏中注明是否为转基因产品。申报为转基因产品的，除按规定提供有关单证外，还应当取得法律法规规定的主管部门签发的《农业转基因生物安全证书》或者相关批准文件。海关对《农业转基因生物安全证书》电子数据进行系统自动比对验核。

**第八条** 对列入实施标识管理的农业转基因生物目录（国务院农业行政主管部门制定并

公布）的进境转基因产品，如申报是转基因的，海关应当实施转基因项目的符合性检测，如申报是非转基因的，海关应进行转基因项目抽查检测；对实施标识管理的农业转基因生物目录以外的进境动植物及其产品、微生物及其产品和食品，海关可根据情况实施转基因项目抽查检测。

海关按照国家认可的检测方法和标准进行转基因项目检测。

**第九条** 经转基因检测合格的，准予进境。如有下列情况之一的，海关通知货主或者其代理人作退货或者销毁处理：

（一）申报为转基因产品，但经检测其转基因成分与《农业转基因生物安全证书》不符的；

（二）申报为非转基因产品，但经检测其含有转基因成分的。

**第十条** 进境供展览用的转基因产品，须凭法律法规规定的主管部门签发的有关批准文件进境，展览期间应当接受海关的监管。展览结束后，所有转基因产品必须作退回或者销毁处理。如因特殊原因，需改变用途的，须按有关规定补办进境检验检疫手续。

### 第三章 过境检验检疫

**第十一条** 过境转基因产品进境时，货主或者其代理人须持规定的单证向进境口岸海关申报，经海关审查合格的，准予过境，并由出境口岸海关监督其出境。对改换原包装及变更过境线路的过境转基因产品，应当按照规定重新办理过境手续。

### 第四章 出境检验检疫

**第十二条** 对出境产品需要进行转基因检测或者出具非转基因证明的，货主或者其代理人应当提前向所在地海关提出申请，并提供输入国家或者地区官方发布的转基因产品进境要求。

**第十三条** 海关受理申请后，根据法律法规规定的主管部门发布的批准转基因技术应用于商业化生产的信息，按规定抽样送转基因检测实验室作转基因项目检测，依据出具的检测报告，确认为转基因产品并符合输入国家或者地区转基因产品进境要求的，出具相关检验检疫单证；确认为非转基因产品的，出具非转基因产品证明。

### 第五章 附　则

**第十四条** 对进出境转基因产品除按本办法规定实施转基因项目检测和监管外，其他检验检疫项目内容按照法律法规和海关总署的有关规定执行。

**第十五条** 承担转基因项目检测的实验室必须通过国家认证认可监督管理部门的能力验证。

**第十六条** 对违反本办法规定的，依照有关法律法规的规定予以处罚。

**第十七条** 本办法由海关总署负责解释。

**第十八条** 本办法自公布之日起施行。

## 尸体出入境和尸体处理的管理规定

（卫生部　科技部　公安部　民政部　司法部　商务部　海关总署
国家工商行政管理总局　国家质量监督检验检疫总局联合令第47号）

(2006年5月12日由卫生部、科技部、公安部、民政部、司法部、商务部、海关总署、国家工商行政管理总局、国家质量监督检验检疫总局发布，2006年8月1日起施行，法规类型为部门规章)

**第一条** 为保护社会公共利益，维护社会公共道德，防止传染病由境外传入或者由境内传出，根据《中华人民共和国国境卫生检疫法》、《中华人民共和国海关法》和《殡葬管理条例》等有关法律法规的规定，制定本规定。

**第二条** 本规定所称尸体，是指人去世后的遗体及其标本（含人体器官组织、人体骨骼及其标本）。

**第三条** 需要入境或者出境对遗体进行殡葬的，应当按照民政部、公安部、外交部、铁道部、交通部、卫生部、海关总署、民用航空局《关于尸体运输管理的若干规定》（民事发〔1993〕2号）和民政部、海关总署、国家出入境检验检疫局《关于遗体运输入出境事宜有关问题的通知》（民事发〔1998〕11号）以及国家其他有关规定，向民政部门、海关、出入境检验检疫机构办理有关殡葬和出入境手续。

**第四条** 因医学科研需要，由境内运出或者由境外运进尸体，应当按照国务院办公厅转发的《人类遗传资源管理暂行办法》和卫生部、质检总局《关于加强医用特殊物品出入境卫生检疫管理的通知》（卫科教发〔2003〕230号）的规定，办理相关审批手续。

**第五条** 除第三条、第四条规定情形外，尸体不得由境内运出或者由境外运进。

**第六条** 对属于殡葬遗体出入境的，出入境检验检疫机构应当对申报资料进行认真核查，并对承运物进行卫生监管，合格者签发《尸体/棺柩/骸骨/骨灰入/出境许可证》。对因医学科研原因出入境的尸体，出入境检验检疫机构凭中国人类遗传资源管理办公室核发的《人类遗传资源材料出口、出境证明》或者卫生部和省、自治区、直辖市卫生行政部门出具的《医用特殊物品准出入境证明》，按照规定实施卫生检疫审批，并依法实施卫生检疫查验和卫生处理；对符合条件的，签发《出入境货物通关单》。

**第七条** 申请办理尸体出入境的单位和个人应主动、如实地向海关申报进出口尸体的相关情况，包括尸体来源等，并提交有关进出口证件。对属于殡葬遗体出入境的，海关凭出入境检验检疫机构签发的《尸体/棺柩/骸骨/骨灰入/出境许可证》办理验放手续。对属医学科研原因出入境的，海关凭出入境检验检疫机构签发的《出入境货物通关单》办理验放手续；对涉及我国人类遗传资源的出境尸体，海关加验中国人类遗传资源管理办公室核发的《人类遗传资源材料出口、出境证明》。对经海关查验可能为尸体的，无论是否列入《出入境检验检疫机构实施检验检疫的进出境商品目录》，海关一律验凭出入境检验检疫机构签发的《出入境货物通关单》或者《尸体/棺柩/骸骨/骨灰入/出境许可证》放行。

**第八条** 严禁进行尸体买卖，严禁利用尸体进行商业性活动。

**第九条** 除医疗机构、医学院校、医学科研机构以及法医鉴定科研机构因临床、医学教学和科研需要外，任何单位和个人不得接受尸体捐赠。前款规定情况下使用完毕的尸体，由接受尸体的单位负责对尸体进行殡葬意义上的最终处理。

**第十条** 违反上述规定的，由有关主管部门按照相关规定查处；构成犯罪的，依法追究刑事责任。

**第十一条** 本规定由各部门按照各自职责进行解释。

**第十二条** 本规定自2006年8月1日起施行。

# 出入境尸体骸骨卫生检疫管理办法

(国家质量监督检验检疫总局令第189号)

(2017年3月9日由国家质量监督检验检疫总局发布；根据2018年4月28日海关总署令第238号《海关总署关于修改部分规章的决定》第一次修改，根据2018年5月29日海关总署令第240号《海关总署关于修改部分规章的决定》第二次修改；2018年7月1日起施行；法规类型为部门规章)

## 第一章 总 则

**第一条** 为了规范国境口岸入出境尸体、骸骨卫生检疫工作，防止传染病传入传出，根据《中华人民共和国国境卫生检疫法》及其实施细则、《中华人民共和国传染病防治法》及其实施办法等法律法规的规定，制定本办法。

**第二条** 海关总署统一管理全国入出境尸体、骸骨卫生检疫工作。

主管海关负责所辖地区的入出境尸体、骸骨卫生检疫工作。

**第三条** 本办法所称入出境尸体、骸骨包括：

(一) 需要入境或者出境进行殡葬的尸体、骸骨；

(二) 入出境及过境途中死亡人员的尸体、骸骨。

因医学科研需要，由境外运进或者由境内运出的尸体、骸骨，按照出入境特殊物品管理。除上述情形外，不得由境内运出或者由境外运入尸体和骸骨。

**第四条** 海关对入出境尸体、骸骨实施卫生检疫工作包括：材料核查、现场查验、检疫处置、签发卫生检疫证书等。符合卫生检疫要求的，准予入出境。

## 第二章 申 报

**第五条** 尸体、骸骨入境前，托运人或者其代理人应当向入境口岸海关申报，按照要求提供以下材料：

(一) 尸体、骸骨入出境卫生检疫申报单；

(二) 死者身份证明 (如：护照、海员证、通行证、身份证或者使领馆等相关部门出具的证明)；

(三) 出境国家或者地区官方机构签发的死亡报告或者医疗卫生部门签发的死亡诊断书；

(四) 入殓证明；

(五) 防腐证明；

(六) 托运人或者其代理人身份证明 (如：护照、通行证或者身份证等)。

**第六条** 需要运送尸体、骸骨出境的，托运人或者其代理人应当取得国务院殡葬主管部门认可的从事国际运尸服务单位出具的尸体、骸骨入出境入殓证明、防腐证明和尸体、骸骨入出境卫生监管申报单。

**第七条** 需要运送尸体、骸骨出境的，原则上应当从入殓地所在口岸出境。尸体、骸骨出境前，托运人或者其代理人应当向出境口岸海关申报，并按照要求提供以下材料：

（一）尸体、骸骨入出境卫生检疫申报单；

（二）死者有效身份证明；

（三）县级以上医疗机构出具的死亡证明书或者公安、司法部门出具的死亡鉴定书或者其他相应的公证材料；

（四）本办法第六条所列证明文件；

（五）托运人或者其代理人身份证明。

**第八条** 需要从异地口岸运送尸体、骸骨出境的，托运人或者其代理人应当向入殓地所在地海关申请检疫查验，检疫查验合格的，海关签发《尸体/棺柩/骸骨入/出境卫生检疫证书》。

运送尸体、骸骨出境时，托运人或者其代理人应当凭下列材料向出境口岸海关申报：

（一）死者有效身份证明；

（二）托运人或者其代理人身份证明。

**第九条** 在入出境或者过境途中发生人员死亡，需要运送尸体入境的，托运人或者其代理人应当向海关申报并提交以下材料：

（一）尸体、骸骨入出境卫生检疫申报单；

（二）死者有效身份证明；

（三）有效死亡证明或者由公安机关出具的死亡鉴定书。

**第十条** 从事运送尸体、骸骨入出境的单位应当取得国务院殡葬主管部门准予从事国际运尸业务的证明文件。

托运人或者代理人运送尸体、骸骨入出境的，应当委托符合本条第一款规定的单位从事运尸业务。

尸体、骸骨入出境时，应当提供运送尸体、骸骨入出境的单位的法人证书及国务院殡葬主管部门准予从事国际运尸业务的证明文件等资料。

## 第三章 现场查验

**第十一条** 入境尸体、骸骨由入境口岸海关进行材料核查并实施现场查验；出境尸体、骸骨由入殓地海关进行材料核查并实施现场查验，出境口岸海关负责在出境现场核查是否与申报内容相符，检查外部包装是否完整、破损、渗漏等。

**第十二条** 疑似或者因患检疫传染病、炭疽、国家公布按甲类传染病管理的疾病以及国务院规定的其他新发烈性传染病死亡的尸体、骸骨，禁止入出境。

因患检疫传染病而死亡的尸体，必须就近火化。

**第十三条** 口岸海关对入出境尸体、骸骨实施现场查验，填写入出境尸体、骸骨现场查验工作记录。

**第十四条** 海关对未入殓尸体的现场查验内容包括：

（一）检查尸体腐烂程度，所有腔道、孔穴是否用浸泡过消毒、防腐药剂的棉球堵塞，有无体液外流；

（二）对死因不明的尸体，注意检查有否皮疹（斑疹、丘疹、疱疹、脓疱）、表皮脱落、溃疡、渗液、出血点和色素沉着，异常排泄物、分泌物、腔道出血等现象；

（三）对入出境或者过境途中死亡人员的尸体，口岸海关应当实施检疫，并根据检疫结果及申报人要求采取相应的处理及卫生控制措施，未经海关许可不得移运。

第十五条　海关对已入殓尸体的棺柩现场查验内容包括：
（一）检查入出境棺柩包装是否密闭，有无破损、渗漏及异味。棺柩若无渗液、漏气等特殊原因或者无流行病学意义，原则上不开棺检查验；
（二）出境棺柩的现场查验应当在尸体入殓时同时进行，要求尸体经防腐处理，包装密闭无破损、渗漏及异味。

第十六条　海关对骸骨的现场查验内容包括：
（一）检查骸骨的包装容器是否密闭，有无渗漏；
（二）包装容器非密闭的，检查骸骨是否干爽，是否带肌腱，有无异味、病媒昆虫等。

第十七条　根据申报材料核查、流行病学调查以及现场查验情况，对需要进一步调查死亡原因的尸体，海关可以采取标本送有资质的实验室进行检验。

## 第四章　检疫处置

第十八条　海关发现有下列情况之一的，可以判定为卫生检疫查验不合格：
（一）外部包装不密闭、破损，有渗漏、异味及病媒昆虫的；
（二）入出境尸体未经防腐处理、包装入殓的；
（三）入境途中死亡且死因不明的。

第十九条　对卫生检疫查验不合格的尸体、骸骨，海关按照以下规定进行检疫处置：
（一）禁止入出境的尸体、骸骨，必须就地火化后，以骨灰的形式入出境；
（二）有渗液、漏气的棺柩，必须进行卫生处理，托运人或者其代理人应当采取改换包装、重新防腐处理、冷冻运输等措施；
（三）骸骨的包装容器不密闭，有异味散发、渗漏或者病媒昆虫的，必须进行卫生处理，并更换包装；
（四）入出境途中不明原因死亡的，应当进行死因鉴定。无法作出死因鉴定的，尸体及棺柩一并火化，以骨灰的形式入出境；
（五）无死亡报告或者死亡医学诊断书的尸体，且托运人或者其代理人未能在规定期限内补交的，按照死因不明处置，以骨灰的形式入出境；
（六）经卫生处理后仍不符合卫生检疫要求的应当就近火化，以骨灰的形式入出境。
有前款规定情形应当火化但是托运人或者其代理人不同意火化的，禁止入出境。

第二十条　尸体、骸骨符合入出境卫生检疫要求的，海关签发《尸体/棺柩/骸骨入/出境卫生检疫证书》，准予入出境。

第二十一条　对入境后再出境的尸体、骸骨，出境口岸海关应当查验入境口岸海关签发的《尸体/棺柩/骸骨入/出境卫生检疫证书》及相关材料。

## 第五章　附　则

第二十二条　本办法下列用语的含义：
尸体是指人死亡后的遗体及以殡葬为目的的人体器官组织。
棺柩是指盛放有尸体的固定形态的坚固密闭容器。
骸骨是指以殡葬为目的的人体骨骼。

第二十三条　本办法由海关总署负责解释。

第二十四条　本办法自 2017 年 5 月 1 日起施行。

# 进出口煤炭检验管理办法

(国家质量监督检验检疫总局令第 90 号)

(2006 年 6 月 26 日由国家质量监督检验检疫总局发布,根据 2018 年 4 月 28 日海关总署令第 238 号《海关总署关于修改部分规章的决定》修正,现行版本自 2018 年 5 月 1 日起施行,法规类型为部门规章)

## 第一章 总 则

**第一条** 为规范进出口煤炭检验工作,保护人民健康和安全,保护环境,提高进出口煤炭质量和促进煤炭贸易发展,根据《中华人民共和国进出口商品检验法》(以下简称商检法)及其实施条例等相关法律法规的规定,制定本办法。

**第二条** 本办法适用于进出口煤炭的检验和监督管理。

**第三条** 海关总署主管全国进出口煤炭的检验监管工作。

主管海关按照职能分工对进出口煤炭实施检验和监督管理。

**第四条** 海关对进口煤炭实施口岸检验监管的方式。

## 第二章 进口煤炭检验

**第五条** 进口煤炭由卸货口岸海关检验。

**第六条** 进口煤炭的收货人或者其代理人应当在进口煤炭卸货之前按照海关总署相关规定向卸货口岸主管海关报检。

进口煤炭应当在口岸主管海关的监督下,在具备检验条件的场所卸货。

**第七条** 海关对进口煤炭涉及安全、卫生、环保的项目及相关品质、数量、重量实施检验,并在 10 个工作日内根据检验结果出具证书。

未经检验或者检验不合格的进口煤炭不准销售、使用。

**第八条** 对进口煤炭中发现的质量问题,主管海关应当责成收货人或者其代理人在监管下进行有效处理;发现安全、卫生、环保项目不合格的,按照商检法实施条例有关规定处理,并及时上报海关总署。

## 第三章 监督管理

**第九条** 口岸海关按照相关国家技术规范的强制性要求对本口岸进出口煤炭的除杂、质量验收等情况进行监督管理。

**第十条** 海关应当根据便利对外贸易的需要,采取有效措施,简化程序,方便进出口。

办理进出口煤炭报检和检验监管等手续,符合条件的,可以采用电子数据文件的形式。

**第十一条** 主管海关应当及时将收集到的国内外反映强烈的进出口煤炭安全、卫生、环保质量问题向海关总署报告。

海关总署对进口煤炭涉及安全、卫生、环保问题严重的情况发布预警通报。

**第十二条** 海关对伪造、涂改、冒用《出境货物换证凭单》及其他违反商检法有关规定的行为,依照商检法有关规定进行处理。

**第十三条** 海关及其工作人员履行职责时,应当遵守法律,维护国家利益,依照法定职权和法定程序严格执法,接受监督。

海关工作人员应当定期接受业务培训和考核,经考核合格,方可上岗执行职务。

海关工作人员应当忠于职守,文明服务,遵守职业道德,不得滥用职权,谋取私利。

**第十四条** 海关工作人员违反商检法规定,泄露所知悉的商业秘密的,依法给予行政处分,有违法所得的,没收违法所得;构成犯罪的,依法追究刑事责任。

海关工作人员滥用职权,故意刁难的,徇私舞弊,伪造检验结果的,或者玩忽职守,延误检验出证的,依法给予行政处分;构成犯罪的,依法追究刑事责任。

## 第四章 附 则

**第十五条** 本办法由海关总署负责解释。

**第十六条** 本办法自2006年8月1日起施行,原国家出入境检验检疫局发布的《出口煤炭检验管理办法》(国家检验检疫局第18号令)同时废止。

# 进出口玩具检验监督管理办法

(国家质量监督检验检疫总局令第111号)

(2009年3月2日由国家质量监督检验检疫发布;根据2015年11月23日国家质量监督检验检疫总局令第173号《国家质量监督检验检疫总局关于修改〈进出口玩具检验监督管理办法〉的决定》修订,根据2018年4月28日海关总署令第238号《海关总署关于修改部分规章的决定》第一次修正,根据2018年5月29日海关总署令第240号《海关总署关于修改部分规章的决定》第二次修正,根据2018年11月23日海关总署令第243号《海关总署关于修改部分规章的决定》第三次修正;现行版本自2018年11月23日起施行;法规类型为部门规章)

## 第一章 总 则

**第一条** 为规范进出口玩具的检验监管工作,加强对进出口玩具的管理,保护消费者人身健康和安全,根据《中华人民共和国进出口商品检验法》及其实施条例和《国务院关于加强食品等产品安全监督管理的特别规定》等有关规定,制定本办法。

**第二条** 海关总署主管全国进出口玩具检验监督管理工作。

主管海关负责辖区内进出口玩具的检验监督管理工作。

**第三条** 本办法适用于列入必须实施检验的进出口商品目录(以下简称目录)以及法律、行政法规规定必须实施检验的进出口玩具的检验和监督管理。海关和从事进出口玩具的生产、经营企业应当遵守本办法。

海关对目录外的进出口玩具按照海关总署的规定实施抽查检验。

**第四条** 进口玩具按照我国国家技术规范的强制性要求实施检验。

出口玩具按照输入国家或者地区的技术法规和标准实施检验,如贸易双方约定的技术要求高于技术法规和标准的,按照约定要求实施检验。输入国家或者地区的技术法规和标准无明确规定的,按照我国国家技术规范的强制性要求实施检验。

政府间已签订协议的,应当按照协议规定的要求实施检验。

**第五条** 海关总署对存在缺陷可能导致儿童伤害的进出口玩具的召回实施监督管理。

## 第二章 进口玩具的检验

**第六条** 进口玩具的收货人或者其代理人在办理报检时，应当按照《出入境检验检疫报检规定》如实填写入境货物报检单，提供有关单证。对列入强制性产品认证目录的进口玩具还应当取得强制性产品认证证书。海关对强制性产品认证证书电子数据进行系统自动比对核。

**第七条** 海关对列入强制性产品认证目录内的进口玩具，按照《进口许可制度民用商品入境验证管理办法》的规定实施验证管理。

对未列入强制性产品认证目录内的进口玩具，报检人已提供进出口玩具检测实验室（以下简称玩具实验室）出具的合格的检测报告的，海关对报检人提供的有关单证与货物是否符合进行审核。

对未能提供检测报告或者经审核发现有关单证与货物不相符的，应当对该批货物实施现场检验并抽样送玩具实验室检测。

**第八条** 进口玩具经检验合格的，海关出具检验证明。

**第九条** 进口玩具经检验不合格的，由海关出具检验检疫处理通知书。涉及人身财产安全、健康、环境保护项目不合格的，由海关责令当事人退货或者销毁；其他项目不合格的，可以在海关的监督下进行技术处理，经重新检验合格后，方可销售或者使用。

**第十条** 在国内市场销售的进口玩具，其安全、使用标识应当符合我国玩具安全的有关强制性要求。

## 第三章 出口玩具的检验

**第十一条** 出口玩具报检时，报检人应当如实填写出境货物报检单，除按照《出入境检验检疫报检规定》提供相关材料外，还需提供产品质量安全符合性声明。

出口玩具首次报检时，还应当提供玩具实验室出具的检测报告以及海关总署规定的其他材料等。

**第十二条** 海关根据本办法第四条的规定对出口玩具实施检验。

出口玩具应当由产地海关实施检验。出口玩具经检验合格的，产地海关出具换证凭单。出口玩具经检验不合格的，出具不合格通知单。

**第十三条** 出口玩具经产地海关检验合格后，发货人应当在规定的期限内向口岸海关申请查验。

未能在检验有效期内出口或者在检验有效期内变更输入国家或者地区且检验要求不同的，应当重新向海关报检。

**第十四条** 出口玩具生产、经营企业应当建立完善的质量安全控制体系及追溯体系，加强对玩具成品、部件或者部分工序分包的质量控制和管理，建立并执行进货检查验收制度，审验供货商、分包商的经营资格，验明产品合格证明和产品标识，并建立产品及高风险原材料的进货台帐，如实记录产品名称、规格、数量、供货商、分包商及其联系方式、进货时间等内容。

## 第四章 监督管理

**第十五条** 海关对出口玩具生产企业实施分类管理。

**第十六条** 海关应当对出口玩具生产、经营企业实施监督管理，监督管理包括对企业质量保证能力的检查以及对质量安全重点项目的检验。

**第十七条** 主管海关对具有下列情形之一的玩具生产、经营企业实施重点监督管理：

（一）企业安全质量控制体系未能有效运行的；
（二）发生国外预警通报或者召回、退运事件经主管海关调查确属企业责任的；
（三）出口玩具经抽批检验连续2次，或者6个月内累计3次出现安全项目检验不合格的；
（四）进口玩具在销售和使用过程中发现存在安全质量缺陷，或者发生相关安全质量事件，未按要求主动向海关总署或者主管海关报告和配合调查的；
（五）违反检验检疫法律法规规定受到行政处罚的。

**第十八条** 对实施重点监督管理的企业，海关对该企业加严管理，对该企业的进出口产品加大抽查比例，期限一般为6个月。

**第十九条** 海关总署对玩具实验室实施监督管理。玩具实验室应当通过中国合格评定国家认可委员会（CNAS）的资质认可并获得海关总署指定。

海关总署对出现检测责任事故的玩具实验室，暂停其检测资格，责令整改，整改合格后，方可恢复；情节严重的，取消其指定实验室资格。

**第二十条** 进出口玩具的收货人或者发货人对海关出具的检验结果有异议的，可以按照《进出口商品复验办法》的规定申请复验。

**第二十一条** 海关总署对进出口玩具的召回实施监督管理。

进入我国国内市场的进口玩具存在缺陷的，进口玩具的经营者、品牌商应当主动召回；不主动召回的，由海关总署责令召回。

进口玩具的经营者、品牌商和出口玩具生产经营者、品牌商获知其提供的玩具可能存在缺陷，应当进行调查，确认产品质量安全风险，同时在24小时内报告所在地主管海关。实施召回时应当制作并保存完整的召回记录，并在召回完成时限期满后15个工作日内，向海关总署和所在地直属海关提交召回总结。

已经出口的玩具在国外被召回、通报或者出现安全质量问题的，其生产经营者、品牌商应当向主管海关报告相关信息。

## 第五章　法律责任

**第二十二条** 擅自销售未经检验的进口玩具，或者擅自销售应当申请进口验证而未申请的进口玩具的，由海关没收违法所得，并处货值金额5%以上20%以下罚款。

**第二十三条** 擅自出口未经检验的出口玩具的，由海关没收违法所得，并处货值金额5%以上20%以下罚款。

**第二十四条** 擅自销售经检验不合格的进口玩具，或者出口经检验不合格的玩具的，由海关责令停止销售或者出口，没收违法所得和违法销售或者出口的玩具，并处违法销售或者出口的玩具货值金额等值以上3倍以下罚款。

**第二十五条** 进出口玩具的收货人、发货人、代理报检企业、快件运营企业、报检人员未如实提供进出口玩具的真实情况，取得海关的有关证单，或者逃避检验的，由海关没收违法所得，并处货值金额5%以上20%以下罚款。

进出口玩具的收货人或者发货人委托代理报检企业、出入境快件运营企业办理报检手续，未按照规定向代理报检企业、出入境快件运营企业提供所委托报检事项的真实情况，取得海关的有关证单的，对委托人依照前款规定予以处罚。

代理报检企业、出入境快件运营企业、报检人员对委托人所提供情况的真实性未进行合理审查或者因工作疏忽，导致骗取海关有关证单的结果的，由海关对代理报检企业、出入境快件运营企业处2万元以上20万元以下罚款。

**第二十六条** 伪造、变造、买卖或者盗窃检验检疫证单、印章、封识或者使用伪造、变造的检验检疫证单、印章、封识，由海关责令改正，没收违法所得，并处货值金额等值以下罚款；构成犯罪的，依法追究刑事责任。

**第二十七条** 擅自调换海关抽取的样品或者海关检验合格的进出口玩具的，由海关责令改正，给予警告；情节严重的，并处货值金额10%以上50%以下罚款。

**第二十八条** 擅自调换、损毁海关加施的标志、封识的，由海关处5万元以下罚款。

**第二十九条** 我国境内的进出口玩具生产企业、经营者、品牌商有下列情形之一的，海关可以给予警告或者处3万元以下罚款：

（一）对出口玩具在进口国家或者地区发生质量安全事件隐瞒不报并造成严重后果的；

（二）对应当向海关报告玩具缺陷而未报告的；

（三）对应当召回的缺陷玩具拒不召回的。

**第三十条** 海关的工作人员滥用职权，故意刁难当事人的，徇私舞弊，伪造检验检疫结果的，或者玩忽职守，延误出证的，依法给予行政处分，没收违法所得；构成犯罪的，依法追究刑事责任。

**第三十一条** 违反本办法规定，构成犯罪的，依法追究刑事责任。

## 第六章 附 则

**第三十二条** 本办法所称质量安全重点项目是指海关在对输入国家或者地区技术法规和标准、企业产品质量安全历史数据和产品通报召回等信息进行风险评估的基础上，确定的产品质量安全高风险检验项目。

本办法所称产品抽批检验是指海关根据出口产品生产企业分类管理类别，对报检的出口产品按照规定的比例实施现场检验和抽样送实验室检测。

**第三十三条** 本办法由海关总署负责解释。

**第三十四条** 本办法自2009年9月15日起施行。

# 供港澳蔬菜检验检疫监督管理办法

（国家质量监督检验检疫总局令第120号）

（2009年9月10日由国家质量监督检验检疫总局发布；根据2018年3月6日国家质量监督检验检疫总局令第196号《国家质量监督检验检疫总局关于废止和修改部分规章的决定》第一次修正，根据2018年4月28日海关总署令第238号《海关总署关于修改部分规章的决定》第二次修正；现行版本自2018年5月1日起施行；法规类型为部门规章）

## 第一章 总 则

**第一条** 为规范供港澳蔬菜检验检疫监督管理工作，保障供港澳蔬菜的质量安全和稳定供应，根据《中华人民共和国食品安全法》及其实施条例、《中华人民共和国进出口商品检验法》及其实施条例、《中华人民共和国进出境动植物检疫法》及其实施条例、《国务院关于加强食品等产品安全监督管理的特别规定》等法律、法规的规定，制定本办法。

**第二条** 本办法适用于供港澳新鲜和保鲜蔬菜的检验检疫监督管理工作。

**第三条** 海关总署主管全国供港澳蔬菜检验检疫监督管理工作。

主管海关负责所辖区域供港澳蔬菜检验检疫监督管理工作。

**第四条** 海关对供港澳蔬菜种植基地（以下简称种植基地）和供港澳蔬菜生产加工企业（以下简称生产加工企业）实施备案管理。种植基地和生产加工企业应当向海关备案。

**第五条** 种植基地、生产加工企业或者农民专业合作经济组织对供港澳蔬菜质量安全负责，种植基地和生产加工企业应当依照我国法律、法规、规章和食品安全标准从事种植、生产加工活动，建立健全从种植、加工到出境的全过程的质量安全控制体系和质量追溯体系，保证供港澳蔬菜符合香港或者澳门特别行政区的相关检验检疫要求。香港或者澳门特别行政区没有相关检验检疫要求的，应当符合内地相关检验检疫要求。

**第六条** 海关对供港澳蔬菜种植、生产加工过程进行监督，对供港澳蔬菜进行抽检。

**第七条** 海关对供港澳蔬菜建立风险预警与快速反应制度。

## 第二章 种植基地备案与管理

**第八条** 海关对种植基地实施备案管理。非备案基地的蔬菜不得作为供港澳蔬菜的加工原料，海关总署另有规定的小品种蔬菜除外。

**第九条** 种植基地、生产加工企业或者农民专业合作经济组织（以下简称种植基地备案主体）应当向种植基地所在地海关申请种植基地备案。

对实施区域化管理的种植基地，可以由地方政府有关部门向海关推荐备案。

**第十条** 申请备案的种植基地应当具备以下条件：

（一）有合法用地的证明文件。

（二）土地固定连片，周围具有天然或者人工的隔离带（网），符合各地海关根据实际情况确定的土地面积要求。

（三）土壤和灌溉用水符合国家有关标准的要求，周边无影响蔬菜质量安全的污染源。

（四）有专门部门或者专人负责农药等农业投入品的管理，有专人管理的农业投入品存放场所；有专用的农药喷洒工具及其他农用器具。

（五）有完善的质量安全管理体系，包括组织机构、农业投入品使用管理制度、有毒有害物质监控制度等。

（六）有植物保护基本知识的专职或者兼职管理人员。

（七）有农药残留检测能力。

**第十一条** 种植基地备案由其备案主体向基地所在地海关提出书面申请，提交以下材料，一式二份：

（一）供港澳蔬菜种植基地备案申请表；

（二）工商营业执照的复印件；

（三）种植基地合法使用土地的有效证明文件以及种植基地示意图、平面图；

（四）种植基地负责人或者经营者身份证复印件；

（五）种植基地质量安全管理制度。

**第十二条** 种植基地备案主体提交材料齐全的，海关应当受理备案申请。

种植基地备案主体提交材料不齐全的，海关应当当场或者在接到申请后 5 个工作日内一次性书面告知种植基地备案主体补正，以申请单位补正资料之日为受理日期。

海关受理申请后，应当根据本办法第十条和第十一条的规定进行审核。审核工作应当自受理之日起 10 个工作日内完成。符合条件的，予以备案，按照"省（自治区、直辖市）行政区划代码+SC+五位数字"的规则进行备案编号，发放备案证书。不符合条件的，不予备案，海关书面通知种植基地备案主体。

**第十三条** 种植基地负责人发生变更的，应当自变更之日起 30 日内向种植基地所在地海关申请办理种植基地备案变更手续。

种植基地备案主体更名、种植基地位置或者面积发生变化、周边环境有较大改变可能直接或者间接影响基地中种植产品质量安全的,以及有其他较大变更情况的,应当自变更之日起30日内重新申请种植基地的备案。

种植基地备案证书的有效期为4年。种植基地备案主体应当在基地备案资格有效期届满30日前向种植基地所在地海关提出备案延续申请。

海关按照本办法第十条和第十一条的要求进行审查。审查合格的,予以延续;不合格的,不予延续。

**第十四条** 种植基地备案主体应当建立供港澳蔬菜生产记录制度,如实记载下列事项:
(一)使用农业投入品的名称、来源、用法、用量、使用日期和农药安全间隔期;
(二)植物病虫害的发生和防治情况;
(三)收获日期和收获量;
(四)产品销售及流向。
生产记录应当保存2年。禁止伪造生产记录。

**第十五条** 种植基地负责人应当依照香港、澳门特别行政区或者内地食品安全标准和有关规定使用农药、肥料和生长调节剂等农业投入品,禁止采购或者使用不符合香港、澳门特别行政区或者内地食品安全标准的农业投入品。

**第十六条** 种植基地负责人应当为其生产的每一批供港澳蔬菜原料出具供港澳蔬菜加工原料证明文件。

## 第三章 生产加工企业备案与管理

**第十七条** 海关对生产加工企业实施备案管理。

**第十八条** 申请备案的生产加工企业应当具备以下条件:
(一)企业周围无影响蔬菜质量安全的污染源,生产加工用水符合国家有关标准要求。
(二)厂区有洗手消毒、防蝇、防虫、防鼠设施,生产加工区与生活区隔离。生产加工车间面积与生产加工能力相适应,车间布局合理,排水畅通,地面用防滑、坚固、不透水的无毒材料修建。
(三)有完善的质量安全管理体系,包括组织机构、产品溯源制度、有毒有害物质监控制度等。
(四)蔬菜生产加工人员符合食品从业人员的健康要求。
(五)有农药残留检测能力。

**第十九条**[①] 生产加工企业向其所在地海关提出书面申请,提交以下材料,一式二份:
(一)供港澳蔬菜生产加工企业备案申请表;
(二)生产加工企业工商营业执照的复印件;
(三)生产加工企业厂区平面图、车间平面图、工艺流程图、关键工序及主要加工设备照片;
(四)生产加工企业法定代表人身份证复印件;
(五)生产加工企业的质量安全管理体系文件;
(六)生产加工用水的水质检测报告。

**第二十条** 生产加工企业提交材料齐全的,海关应当受理备案申请。
生产加工企业提交材料不齐全的,海关应当当场或者在接到申请后5个工作日内一次性书

---

[①] 根据海关总署公告2020年第99号《关于调整部分进出境货物监管要求的公告》,取消法规第十九条第六项及第二十五条"报检时应当提交供港澳蔬菜加工原料证明文件、出货清单以及出厂合格证明。"

面告知生产加工企业补正,以生产加工企业补正资料之日为受理日期。

海关受理申请后,应当根据本办法第十八条和第十九条的规定进行审核。审核工作应当自受理之日起10个工作日内完成。符合条件的,予以备案,按照"省(自治区、直辖市)行政区划代码+GC+五位数字"的规则进行备案编号,发放备案证书。不符合条件的,不予备案,海关书面通知生产加工企业。

第二十一条 生产加工企业厂址或者办公地点发生变化的,应当向其所在地海关申请办理生产加工企业备案变更手续。

生产加工企业法定代表人、企业名称、生产车间变化的,应当重新申请生产加工企业的备案。

生产加工企业备案证书的有效期为4年。生产加工企业应当在备案资格有效期届满30日前向所在地海关提出备案延续申请。海关按照本办法第十八条和第十九条的要求进行审核。审查合格的,予以延续;审查不合格的,不予延续。

第二十二条 生产加工企业应当建立供港澳蔬菜原料进货查验记录制度,核查进厂原料随附的供港澳蔬菜加工原料证明文件;属于另有规定的小品种蔬菜,应当如实记录进厂原料的名称、数量、供货者名称及联系方式、进货日期等内容。进货查验记录应当真实,保存期限不得少于2年。

第二十三条 生产加工企业应当建立出厂检验记录制度,依照香港、澳门特别行政区或者内地食品安全标准对其产品进行检验。如实记录出厂产品的名称、规格、数量、生产日期、生产批号、购货者名称及联系方式等内容,检验合格后方可出口。出厂检验记录应当真实,保存期限不得少于2年。

用于检测的设备应当符合计量器具管理的有关规定。

第二十四条 生产加工企业应当在其供港澳蔬菜的运输包装和销售包装的标识上注明以下内容:生产加工企业名称、地址、备案号、产品名称、生产日期和批次号等。

## 第四章 检验检疫

第二十五条 生产加工企业应当保证供港澳蔬菜符合香港、澳门特别行政区或者内地的相关检验检疫要求,对供港澳蔬菜进行检测,检测合格后报检人向所在地海关报检,报检时应当提交供港澳蔬菜加工原料证明文件、出货清单以及出厂合格证明。

第二十六条 海关依据香港、澳门特别行政区或者内地的相关检验检疫要求对供港澳蔬菜进行抽检。

海关根据监管和抽检结果,签发《出境货物换证凭单》等有关检验检疫证单。

第二十七条 生产加工企业应当向海关申领铅封,并对装载供港澳蔬菜的运输工具加施铅封,建立台账,实行核销管理。

海关根据需要可以派员或者通过视频等手段对供港澳蔬菜进行监装,并对运输工具加施铅封。

海关将封识号和铅封单位记录在《出境货物换证凭单》或者其他单证上。

供港澳蔬菜需经深圳或者珠海转载到粤港或者粤澳直通货车的,应当在口岸海关指定的场所进行卸装,并重新加施铅封。海关对该过程实施监管,并将新铅封号记录在原单证上。

第二十八条 出境口岸海关对供港澳蔬菜实施分类查验制度。未经海关监装和铅封的,除核查铅封外,还应当按规定比例核查货证,必要时可以进行开箱抽查检验。经海关实施监装和铅封的,在出境口岸核查铅封后放行。

供港澳蔬菜经出境口岸海关查验符合要求的,准予放行;不符合要求的,不予放行,并将有关情况书面通知生产加工企业所在地海关。

**第二十九条** 供港澳蔬菜出货清单或者《出境货物换证凭单》实行一车/柜一单制度。

广东、深圳、珠海检验检疫机构出具的《出境货物通关单》或者《出境货物换证凭单》有效期为3个工作日；其他海关出具的通关单证有效期为7个工作日。

## 第五章　监督管理

**第三十条** 供港澳蔬菜应当来自备案的种植基地和生产加工企业。未经备案的种植基地及其生产加工企业不得从事供港澳蔬菜的生产加工和出口。

**第三十一条** 种植基地所在地海关对备案的种植基地进行监督管理，生产加工企业所在地海关对备案的生产加工企业进行监督管理。

海关应当建立备案的种植基地和生产加工企业监督管理档案。监督管理包括日常监督检查、年度审核等形式。

备案种植基地、生产加工企业的监督频次由海关根据实际情况确定。

**第三十二条** 海关对备案的种植基地实施日常监督检查，主要内容包括：

（一）种植基地周围环境状况；

（二）种植基地的位置和种植情况；

（三）具体种植品种和种植面积；

（四）生产记录；

（五）病虫害防治情况；

（六）有毒有害物质检测记录；

（七）加工原料证明文件出具情况以及产量核销情况。

根据需要，海关可以对食品安全相关项目进行抽检。

**第三十三条** 海关对备案的生产加工企业实施日常监督检查，主要内容包括：

（一）生产区域环境状况；

（二）进货查验记录和出厂检验记录；

（三）加工原料证明文件查验情况；

（四）标识和封识加施情况；

（五）质量安全自检自控体系运行情况；

（六）有毒有害物质监控记录。

根据需要，海关可以对食品安全相关项目进行抽检。

**第三十四条** 种植基地备案主体和备案的生产加工企业应当于每年12月底前分别向其所在地海关提出年度审核申请。

海关次年1月底前对其所辖区域内备案种植基地和备案生产加工企业的基本情况进行年度审核。

**第三十五条** 种植基地有下列情形之一的，海关应当责令整改以符合要求：

（一）周围环境有污染源的；

（二）发现检疫性有害生物的；

（三）存放香港、澳门特别行政区或者内地禁用农药的；

（四）违反香港、澳门特别行政区或者内地规定以及基地安全用药制度，违规使用农药的；

（五）蔬菜农药残留或者有毒有害物质超标的；

（六）种植基地负责人发生变更后30日内未申请备案变更的；

（七）种植基地实际供货量超出基地供货能力的。

**第三十六条** 生产加工企业有下列情形之一的，海关应当责令整改以符合要求：

（一）质量管理体系运行不良的；
（二）设施设备与生产能力不能适应的；
（三）进货查验记录和出厂检验记录不全的；
（四）违反规定收购非备案基地蔬菜作为供港澳蔬菜加工原料的；
（五）标识不符合要求的；
（六）产品被检出含有禁用农药、有毒有害物质超标或者携带检疫性有害生物的；
（七）生产加工企业办公地点发生变化后30天内未申请变更的；
（八）被港澳有关部门通报产品质量安全不合格的。

第三十七条 种植基地有下列行为之一的，海关取消备案：
（一）隐瞒或者谎报重大疫情的；
（二）拒绝接受检验检疫机构监督管理的；
（三）使用香港、澳门特别行政区或者内地禁用农药的；
（四）蔬菜农药残留或者有毒有害物质超标1年内达到3次的；
（五）蔬菜农药残留与申报或者农药施用记录不符的；
（六）种植基地备案主体更名、种植基地位置或者面积发生变化、周边环境有较大改变可能直接或者间接影响基地种植产品质量安全以及有其他较大变更情况的，未按规定及时进行变更或者重新申请备案的；
（七）1年内未种植供港澳蔬菜原料的；
（八）种植基地实际供货量超出基地供货能力1年内达到3次的；
（九）逾期未申请年审或者备案资格延续的；
（十）年度审核不合格的，责令限期整改，整改后仍不合格的。

第三十八条 生产加工企业有下列行为之一的，海关取消备案：
（一）整改后仍不合格的；
（二）隐瞒或者谎报重大质量安全问题的；
（三）被港澳有关部门通报质量安全不合格1年内达到3次的；
（四）违反规定收购非备案基地蔬菜作为供港澳蔬菜加工原料1年内达到3次的；
（五）企业法定代表人和企业名称发生变化、生产车间地址变化或者有其他较大变更情况的，未按规定及时进行变更的；
（六）1年内未向香港、澳门出口蔬菜的；
（七）逾期未申请年审或者备案资格延续的。

第三十九条 备案种植基地所在地海关和备案生产加工企业所在地海关应当加强协作。备案种植基地所在地海关应当将种植基地监管情况定期通报备案生产加工企业所在地海关；备案生产加工企业所在地海关应当将备案生产加工企业对原料证明文件核查情况、原料和成品质量安全情况等定期通报备案种植基地所在地海关。

海关总署应当对海关的配合协作情况进行督察。

第四十条 备案种植基地所在地海关根据海关总署疫病疫情监测计划和有毒有害物质监控计划，对备案种植基地实施病虫害疫情监测和农药、重金属等有毒有害物质监控。

第四十一条 生产加工企业所在地海关可以向生产加工企业派驻检验检疫工作人员，对生产加工企业的进厂原料、生产加工、装运出口等实施监督。

第四十二条 海关应当建立生产加工企业违法行为记录制度，对违法行为的情况予以记录；对于存在违法行为并受到行政处罚的，海关可以将其列入违法企业名单并对外公布。

第四十三条 生产加工企业发现其不合格产品需要召回，应当按照有关规定主动召回。

## 第六章 法律责任

**第四十四条** 供港澳蔬菜运输包装或者销售包装上加贴、加施的标识不符合要求的,由海关责令改正,并处1000元以上1万元以下的罚款。

**第四十五条** 对供港澳蔬菜在香港、澳门特别行政区发生质量安全事件隐瞒不报并造成严重后果的生产加工企业,没有违法所得的,由海关处以1万元以下罚款;有违法所得的,由海关处以3万元以下罚款。

**第四十六条** 有其他违反相关法律、法规行为的,海关依照相关法律、法规规定追究其法律责任。

## 第七章 附 则

**第四十七条** 本办法所称的种植基地,是指供港澳蔬菜的种植场所。
本办法所称的生产加工企业,是指供港澳新鲜和保鲜蔬菜的收购、初级加工的生产企业。
本办法所称的小品种蔬菜,是指日供港澳蔬菜量小,不具备种植基地备案条件的蔬菜。
**第四十八条** 本办法由海关总署负责解释。
**第四十九条** 本办法自2009年11月1日起施行。国家质检总局2002年4月19日发布的《供港澳蔬菜检验检疫管理办法》(国家质检总局第21号令)同时废止。

# 进口棉花检验监督管理办法

(国家质量监督检验检疫总局令第151号)

(2013年1月18日由国家质量监督检验检疫总局发布;根据2018年4月28日海关总署令第238号《海关总署关于修改部分规章的决定》第一次修正,根据2018年5月29日海关总署令第240号《海关总署关于修改部分规章的决定》第二次修正;现行版本自2018年7月1日起施行;法规类型为部门规章)

## 第一章 总 则

**第一条** 为了加强进口棉花检验监督管理,提高进口棉花质量,维护正常贸易秩序,根据《中华人民共和国进出口商品检验法》(以下简称商检法)及其实施条例的规定,制定本办法。
**第二条** 本办法适用于进口棉花的检验监督管理。
**第三条** 海关总署主管全国进口棉花的检验监督管理工作。
主管海关负责所辖地区进口棉花的检验监督管理工作。
**第四条** 国家对进口棉花的境外供货企业(以下简称境外供货企业)实施质量信用管理,对境外供货企业可以实施登记管理。
**第五条** 海关依法对进口棉花实施到货检验。

## 第二章 境外供货企业登记管理

**第六条** 为了便利通关,境外供货企业按照自愿原则向海关总署申请登记。
**第七条** 申请登记的境外供货企业(以下简称申请人)应当具备以下条件:

（一）具有所在国家或者地区合法经营资质；
（二）具有固定经营场所；
（三）具有稳定供货来源，并有相应质量控制体系；
（四）熟悉中国进口棉花检验相关规定。
第八条　申请人申请登记时应当向海关总署提交下列书面材料：
（一）进口棉花境外供货企业登记申请表（以下简称登记申请表）；
（二）合法商业经营资质证明文件复印件；
（三）组织机构图及经营场所平面图；
（四）质量控制体系的相关材料；
（五）质量承诺书。
以上材料应当提供中文或者中外文对照文本。

第九条　境外供货企业可以委托代理人申请登记。代理人申请登记时，应当提交境外供货企业的委托书。

第十条　海关总署对申请人提交的申请，应当根据下列情形分别作出处理：
（一）申请材料不齐全或者不符合法定形式的，应当当场或者自收到申请材料之日起5个工作日内一次告知申请人需要补正的全部内容；逾期不告知的，自收到申请材料之日起即为受理；
（二）申请材料齐全、符合规定形式，或者申请人按照海关总署的要求提交全部补正材料的，应当受理；
（三）申请人自被告知之日起20个工作日内未补正申请材料，视为撤销申请；申请人提供的补正材料仍不符合要求的，不予受理，并书面告知申请人。

第十一条　受理当事人提交的申请后，海关总署应当组成评审组，开展书面评审，必要时开展现场评审。上述评审应当自受理之日起3个月内完成。

第十二条　经审核合格的，海关总署应当对境外供货企业予以登记，颁发《进口棉花境外供货企业登记证书》（以下简称登记证书）并对外公布。

第十三条　经审核不合格的，海关总署对境外供货企业不予登记，并书面告知境外供货企业。

第十四条　登记证书有效期为3年。

第十五条　不予登记的境外供货企业自不予登记之日起2个月后方可向海关总署重新申请登记。

第十六条　已登记境外供货企业的名称、经营场所或者法定代表人等登记信息发生变化的，应当及时向海关总署申请变更登记，提交本办法第八条规定的登记申请表及变更事项的证明材料，海关总署应当自收到变更登记材料之日起30个工作日内作出是否予以变更登记的决定。

第十七条　需要延续有效期的，已登记境外供货企业应当在登记证书有效期届满3个月前向海关总署申请复查换证，复查换证时提交本办法第八条规定的材料，海关总署应当在登记证书有效期届满前作出是否准予换证的决定。
到期未申请复查换证的，海关总署予以注销。

### 第三章　质量信用管理

第十八条　海关总署对境外供货企业实行质量信用管理。直属海关根据进口棉花的实际到货质量和境外供货企业的履约情况，对境外供货企业的质量信用进行评估，并上报海关总署。

第十九条　按照质量信用，境外供货企业分为A、B、C三个层级：

（一）A级：境外供货企业自获得海关总署登记后即列为A级；

（二）B级：A级境外供货企业发生本办法第二十条所列情形之一的降为B级；

（三）C级：未获得海关总署登记的境外供货企业默认为C级；B级境外供货企业发生本办法第二十条所列情形之一的降为C级。

第二十条　登记境外供货企业进口的同合同、同发票、同规格的棉花发生下列情形之一的，海关应当对该境外供货企业的质量信用进行评估并作相应调整：

（一）等级降级幅度在2级及以上的棉包数量超过总包数20%的；

（二）长度降级幅度在1/16英寸（约1.58毫米）及以上的棉包数量超过总包数20%的；

（三）马克隆值不合格的棉包数量超过总包数60%的；

（四）到货重量短少率超过3%，未及时赔偿的；

（五）货物中发生严重油污、水渍、霉变、板结的棉包数量超过总包数的5%的；

（六）货物包装发生影响运输、搬运、装卸的严重破损，破损棉包数量超过总包数20%的；

（七）混有异性纤维、棉短绒、废棉和危害性杂物，经核查对企业造成严重损失的。

第二十一条　进口棉花发生本办法第二十条所列情形时，海关应当将有关检验结果告知收货人，收货人应当及时书面通知境外供货企业。未经海关允许，收货人不得销售、使用该批进口棉花。海关应当及时将进口棉花的检验情况及相关证明材料上报直属海关。

第二十二条　直属海关对检验情况及相关证明材料进行审核，初步评估确定境外供货企业的质量信用层级，并将评估结果及理由书面告知境外供货企业。

第二十三条　境外供货企业对初步评估结果有异议的，应当自收到书面通知之日起15个工作日内，向作出评估结果的直属海关提出书面申辩，并提交相关证明材料。经复核，原评估结果有误的，予以更正。

无异议或者期限届满未申辩的，直属海关确定最终评估结果，书面告知境外供货企业，同时上报海关总署。

第二十四条　海关总署根据评估结果及时调整境外供货企业质量信用层级，并通知主管海关及相关单位。

第二十五条　实施质量信用评估过程中发生复验、行政复议或者行政诉讼的，应当暂停评估。待复验、行政复议或者行政诉讼结束后，继续组织评估。

第二十六条　海关总署对获得登记的境外供货企业质量信用层级按下列方式进行动态调整：

（一）A级境外供货企业进口的棉花发生本办法第二十条所列情形的，境外供货企业的质量信用层级由A级降为B级；

（二）自直属海关书面通知境外供货企业质量信用层级之日起5个月内，从B级境外供货企业进口的棉花发生本办法第二十条所列情形的，境外供货企业的质量信用层级由B级降为C级；如未发生本办法第二十条所列情形的，质量信用层级由B级升为A级；

（三）自直属海关书面通知境外供货企业质量信用层级之日起5个月内，从C级境外供货企业进口的棉花未发生本办法第二十条所列情形的，境外供货企业（不含未在海关总署登记的企业）的质量信用层级由C级升为B级。

## 第四章　进口检验

第二十七条　进口棉花的收货人或者其代理人应当向入境口岸海关报检。

第二十八条　海关根据境外供货企业的质量信用层级，按照下列方式对进口棉花实施检验：

（一）对 A 级境外供货企业的棉花，应当在收货人报检时申报的目的地检验，由目的地海关按照检验检疫行业标准实施抽样检验；

（二）对 B 级境外供货企业的棉花，应当在收货人报检时申报的目的地检验，由目的地海关实施两倍抽样量的加严检验；

（三）对 C 级境外供货企业的棉花，海关在入境口岸实施两倍抽样量的加严检验。

第二十九条　实施进口棉花现场检验工作的场所应当具备以下条件：

（一）具有适合棉花存储的现场检验场地；

（二）配备开箱、开包、称重、取样等所需的设备和辅助人员；

（三）其他检验工作所需的通用现场设施。

第三十条　海关对进口棉花实施现场查验。查验时应当核对进口棉花批次、规格、标记等，确认货证相符；查验包装是否符合合同等相关要求，有无包装破损；查验货物是否存在残损、异性纤维、以次充好、掺杂掺假等情况。对集装箱装载的，检查集装箱铅封是否完好。

第三十一条　海关按照相关规定对进口棉花实施数重量检验、品质检验和残损鉴定，并出具证书。

第三十二条　进口棉花的收货人或者发货人对海关出具的检验结果有异议的，可以按照《进出口商品复验办法》的规定申请复验。

## 第五章　监督管理

第三十三条　境外供货企业质量控制体系应当持续有效。

海关总署可以依法对境外供货企业实施现场核查。

第三十四条　收货人应当建立进口棉花销售、使用记录以及索赔记录，海关可以对其记录进行检查，发现未建立记录或者记录不完整的，书面通知收货人限期整改。

第三十五条　主管海关应当建立质量信用评估和检验监管工作档案。海关总署对质量信用评估和检验监管工作进行监督检查。

第三十六条　已登记境外供货企业发生下列情形之一的，海关总署撤销其登记。境外供货企业自撤销之日起 6 个月后方可向海关总署重新申请登记。

（一）提供虚假材料获取登记证书的；

（二）在海关总署组织的现场检查中被发现其质量控制体系无法保证棉花质量的；

（三）C 级已登记境外供货企业发生本办法第二十条所列情形的；

（四）不接受监督管理的。

## 第六章　法律责任

第三十七条　收货人发生下列情形之一的，有违法所得的，由海关处违法所得 3 倍以下罚款，最高不超过 3 万元；没有违法所得的，处 1 万元以下罚款：

（一）书面通知限期整改仍未建立进口棉花销售或者使用记录以及索赔记录的；

（二）不如实提供进口棉花的真实情况造成严重后果的；

（三）不接受监督管理的。

第三十八条　有其他违反相关法律、行政法规行为的，海关依照相关法律、行政法规追究其法律责任。

第三十九条　海关的工作人员滥用职权、故意刁难当事人、徇私舞弊、伪造检验检疫结果的，或者玩忽职守、延误出证的，按照《中华人民共和国进出口商品检验法实施条例》第五十六条规定依法给予行政处分；构成犯罪的，依法追究刑事责任。

## 第七章 附 则

**第四十条** 进口棉花的动植物检疫、卫生检疫按照法律法规及相关规定执行。

**第四十一条** 香港、澳门和台湾地区的棉花供货企业的登记管理和质量信用评估管理按照本办法执行。

**第四十二条** 从境外进入保税区、出口加工区等海关特殊监管区域的进口棉花，按照相关规定执行。

**第四十三条** 本办法由海关总署负责解释。

**第四十四条** 本办法自 2013 年 2 月 1 日起施行。

# 进出境粮食检验检疫监督管理办法

（国家质量监督检验检疫总局令第 177 号）

（2016 年 1 月 20 日由国家质量监督检验检疫总局发布；根据 2018 年 4 月 28 日海关总署令第 238 号《海关总署关于修改部分规章的决定》第一次修正，根据 2018 年 5 月 29 日海关总署令第 240 号《海关总署关于修改部分规章的决定》第二次修正，根据 2018 年 11 月 23 日海关总署令第 243 号《海关总署关于修改部分规章的决定》第三次修正；现行版本自 2018 年 11 月 23 日起施行；法规类型为部门规章）

## 第一章 总 则

**第一条** 根据《中华人民共和国进出境动植物检疫法》及其实施条例、《中华人民共和国食品安全法》及其实施条例、《中华人民共和国进出口商品检验法》及其实施条例、《农业转基因生物安全管理条例》《国务院关于加强食品等产品安全监督管理的特别规定》等法律法规的规定，制定本办法。

**第二条** 本办法适用于进出境（含过境）粮食检验检疫监督管理。

本办法所称粮食，是指用于加工、非繁殖用途的禾谷类、豆类、油料类等作物的籽实以及薯类的块根或者块茎等。

**第三条** 海关总署统一管理全国进出境粮食检验检疫监督管理工作。

主管海关负责所辖区域内进出境粮食的检验检疫监督管理工作。

**第四条** 海关总署及主管海关对进出境粮食质量安全实施风险管理，包括在风险分析的基础上，组织开展进出境粮食检验检疫准入，包括产品携带有害生物风险分析、监管体系评估与审查、确定检验检疫要求、境外生产企业注册登记等。

**第五条** 进出境粮食收发货人及生产、加工、存放、运输企业应当依法从事生产经营活动，建立并实施粮食质量安全控制体系和疫情防控体系，对进出境粮食质量安全负责，诚实守信，接受社会监督，承担社会责任。

## 第二章 进境检验检疫

### 第一节 注册登记

**第六条** 海关总署对进境粮食境外生产、加工、存放企业（以下简称境外生产加工企业）

实施注册登记制度。

境外生产加工企业应当符合输出国家或者地区法律法规和标准的相关要求，并达到中国有关法律法规和强制性标准的要求。

实施注册登记管理的进境粮食境外生产加工企业，经输出国家或者地区主管部门审查合格后向海关总署推荐。海关总署收到推荐材料后进行审查确认，符合要求的国家或者地区的境外生产加工企业，予以注册登记。

境外生产加工企业注册登记有效期为4年。

需要延期的境外生产加工企业，由输出国家或者地区主管部门在有效期届满6个月前向海关总署提出延期申请。海关总署确认后，注册登记有效期延长4年。必要时，海关总署可以派出专家到输出国家或者地区对其监管体系进行回顾性审查，并对申请延期的境外生产加工企业进行抽查。

注册登记的境外生产加工企业向中国输出粮食经检验检疫不合格，情节严重的，海关总署可以撤销其注册登记。

**第七条** 向我国出口粮食的境外生产加工企业应当获得输出国家或者地区主管部门的认可，具备над筛清杂、烘干、检测、防疫等质量安全控制设施及质量管理制度，禁止添加杂质。

根据情况需要，海关总署组织专家赴境外实施体系性考察，开展疫情调查，生产、加工、存放企业检查及预检监装等工作。

## 第二节 检验检疫

**第八条** 海关总署对进境粮食实施检疫准入制度。

首次从输出国家或者地区进口某种粮食，应当由输出国家或者地区官方主管机构向海关总署提出书面申请，并提供该种粮食种植及储运过程中发生有害生物的种类、为害程度及防控情况和质量安全控制体系等技术资料。特殊情况下，可以由进口企业申请并提供技术资料。海关总署可以组织开展进境粮食风险分析、实地考察及对外协商。

海关总署依照国家法律法规及国家技术规范的强制性要求等，制定进境粮食的具体检验检疫要求，并公布允许进境的粮食种类及来源国家或者地区名单。

对于已经允许进境的粮食种类及相应来源国家或者地区，海关总署将根据境外疫情动态、进境疫情截获及其他质量安全状况，组织开展进境粮食具体检验检疫要求的回顾性审查，必要时派专家赴境外开展实地考察、预检、监装及对外协商。

**第九条** 进境粮食应当从海关总署指定的口岸入境。指定口岸条件及管理规范由海关总署制定。

**第十条** 海关总署对进境粮食实施检疫许可制度。进境粮食货主应当在签订贸易合同前，按照《进境动植物检疫审批管理办法》等规定申请办理检疫审批手续，取得《中华人民共和国进境动植物检疫许可证》（以下简称《检疫许可证》），并将国家粮食质量安全要求、植物检疫要求及《检疫许可证》中规定的相关要求列入贸易合同。

因口岸条件限制等原因，进境粮食应当运往符合防疫及监管条件的指定存放、加工场所（以下简称指定企业），办理《检疫许可证》时，货主或者其代理人应当明确指定场所并提供相应证明文件。

未取得《检疫许可证》的粮食，不得进境。

**第十一条** 海关按照下列要求，对进境粮食实施检验检疫：

（一）中国政府与粮食输出国家或者地区政府签署的双边协议、议定书、备忘录以及其他双边协定确定的相关要求；

（二）中国法律法规、国家技术规范的强制性要求和海关总署规定的检验检疫要求；

（三）《检疫许可证》列明的检疫要求。

**第十二条** 货主或者其代理人应当在粮食进境前向进境口岸海关报检，并按要求提供以下材料：

（一）粮食输出国家或者地区主管部门出具的植物检疫证书；

（二）产地证书；

（三）贸易合同、提单、装箱单、发票等贸易凭证；

（四）双边协议、议定书、备忘录确定的和海关总署规定的其他单证。

进境转基因粮食的，还应当取得《农业转基因生物安全证书》。海关对《农业转基因生物安全证书》电子数据进行系统自动比对审核。

鼓励货主向境外粮食出口商索取由输出国家或者地区主管部门，或者由第三方检测机构出具的品质证书、卫生证书、适载证书、重量证书等其他单证。

**第十三条** 进境粮食可以进行随航熏蒸处理。

现场查验前，进境粮食承运人或者其代理人应当向进境口岸海关书面申报进境粮食随航熏蒸处理情况，并提前实施通风散气。未申报的，海关不实施现场查验；经现场检查，发现熏蒸剂残留物，或者熏蒸残留气体浓度超过安全限量的，暂停检验检疫及相关现场查验活动；熏蒸剂残留物经有效清除且熏蒸残留气体浓度低于安全限量后，方可恢复现场查验活动。

**第十四条** 使用船舶装载进境散装粮食的，海关应当在锚地对货物表层实施检验检疫，无重大异常质量安全情况后船舶方可进港，散装粮食应当在港口继续接受检验检疫。

需直接靠泊检验检疫的，应当事先征得海关的同意。

以船舶集装箱、火车、汽车等其他方式进境粮食的，应当在海关指定的查验场所实施检验检疫，未经海关同意不得擅自调离。

**第十五条** 海关应当对进境粮食实施现场检验检疫。现场检验检疫包括：

（一）货证核查。核对证单与货物的名称、数（重）量、出口储存加工企业名称及其注册登记号等信息。船舶散装的，应当核查上一航次装载货物及清仓检验情况，评估对装载粮食的质量安全风险；集装箱装载的，应当核查集装箱箱号、封识等信息。

（二）现场查验。重点检查粮食是否水湿、发霉、变质，是否携带昆虫及杂草籽等有害生物，是否有混杂粮谷、植物病残体、土壤、熏蒸剂残渣、种衣剂污染、动物尸体、动物排泄物及其他禁止进境物等。

（三）抽取样品。根据有关规定和标准抽取样品送实验室检测。

（四）其他现场查验活动。

**第十六条** 海关应当按照相关工作程序及标准，对现场查验抽取的样品及发现的可疑物进行实验室检测鉴定，并出具检验检疫结果单。

实验室检测样品应当妥善存放并至少保留3个月。如检测异常需要对外出证的，样品应当至少保留6个月。

**第十七条** 进境粮食有下列情形之一的，应当在海关监督下，在口岸锚地、港口或者指定的检疫监管场所实施熏蒸、消毒或者其他除害处理：

（一）发现检疫性有害生物或者其他具有检疫风险的活体有害昆虫，且可能造成扩散的；

（二）发现种衣剂、熏蒸剂污染、有毒杂草籽超标等安全卫生问题，且有有效技术处理措施的；

（三）其他原因造成粮食质量安全受到危害的。

**第十八条** 进境粮食有下列情形之一的，作退运或者销毁处理：

（一）未列入海关总署进境准入名单，或者无法提供输出粮食国家或者地区主管部门出具的《植物检疫证书》等单证的，或者无《检疫许可证》的；

（二）有毒有害物质以及其他安全卫生项目检测结果不符合国家技术规范的强制性要求，且无法改变用途或者无有效处理方法的；

（三）检出转基因成分，无《农业转基因生物安全证书》，或者与证书不符的；

（四）发现土壤、检疫性有害生物以及其他禁止进境物且无有效检疫处理方法的；

（五）因水湿、发霉等造成腐败变质或者受到化学、放射性等污染，无法改变用途或者无有效处理方法的；

（六）其他原因造成粮食质量安全受到严重危害的。

**第十九条** 进境粮食经检验检疫后，海关签发入境货物检验检疫证明等相关单证；经检验检疫不合格的，由海关签发《检验检疫处理通知书》、相关检验检疫证书。

**第二十条** 海关对进境粮食实施检疫监督。进境粮食应当在具备防疫、处理等条件的指定场所加工使用。未经有效的除害处理或加工处理，进境粮食不得直接进入市场流通领域。

进境粮食装卸、运输、加工、下脚料处理等环节应当采取防止撒漏、密封等防疫措施。进境粮食加工过程应当具备有效杀灭杂草籽、病原菌等有害生物的条件。粮食加工下脚料应当进行有效的热处理、粉碎或者焚烧等除害处理。

海关应当根据进境粮食检出杂草等有害生物的程度、杂质含量及其他质量安全状况，并结合拟指定加工、运输企业的防疫处理条件等因素，确定进境粮食的加工监管风险等级，并指导与监督相关企业做好疫情控制、监测等安全防控措施。

**第二十一条** 进境粮食用作储备、期货交割等特殊用途的，其生产、加工、存放应当符合海关总署相应检验检疫监督管理规定。

**第二十二条** 因科研、参展、样品等特殊原因而少量进境未列入海关总署准入名单内粮食的，应当按照有关规定提前申请办理进境特许检疫审批并取得《检疫许可证》。

**第二十三条** 进境粮食装卸、储存、加工涉及不同海关的，各相关海关应当加强沟通协作，建立相应工作机制，及时互相通报检验检疫情况及监管信息。

对于分港卸货的进境粮食，海关应当在放行前及时互相通报检验检疫情况。需要对外方出证的，相关海关应当充分协商一致，并按相关规定办理。

对于调离进境口岸的进境粮食，口岸海关应当在调离前及时向指运地海关开具进境粮食调运联系单。

**第二十四条** 境外粮食需经我国过境的，货主或者其代理人应当提前向海关总署或者主管海关提出申请，提供过境路线、运输方式及管理措施等，由海关总署组织制定过境粮食检验检疫监管方案后，方可依照该方案过境，并接受主管海关的监督管理。

过境粮食应当密封运输，杜绝撒漏。未经主管海关批准，不得开拆包装或者卸离运输工具。

## 第三章 出境检验检疫

### 第一节 注册登记

**第二十五条** 输入国家或者地区要求中国对向其输出粮食生产、加工、存放企业（以下简称出境生产加工企业）注册登记的，直属海关负责组织注册登记，并向海关总署备案。

**第二十六条** 出境粮食生产加工企业应当满足以下要求：

（一）具有法人资格，在工商行政管理部门注册，持有《企业法人营业执照》；

（二）建立涉及本企业粮食业务的全流程管理制度并有效运行，各台账记录清晰完整，能准确反映从出库粮食物流信息，具备可追溯性，台账保存期限不少于2年；

（三）具有过筛清杂、烘干、检测、防疫等质量安全控制设施以及有效的质量安全和溯源

管理体系;

(四) 建立有害生物监控体系,配备满足防疫需求的人员,具有对虫、鼠、鸟等的防疫措施及能力;

(五) 不得建在有碍粮食卫生和易受有害生物侵染的区域。仓储区内不得兼营、生产、存放有毒有害物质。库房和场地应当硬化、平整、无积水。粮食分类存放,离地、离墙,标识清晰。

### 第二节 检验检疫

**第二十七条** 装运出境粮食的船舶、集装箱等运输工具的承运人、装箱单位或者其代理人,应当在装运前向海关申请清洁、卫生、密固等适载检验。未经检验检疫或者检验检疫不合格的,不得装运。

**第二十八条**① 货主或者其代理人应当在粮食出境前向储存或者加工企业所在地海关报检,并提供贸易合同、发票、自检合格证明等材料。

贸易方式为凭样成交的,还应当提供成交样品。

**第二十九条** 海关按照下列要求对出境粮食实施现场检验检疫和实验室项目检测:

(一) 双边协议、议定书、备忘录和其他双边协定;

(二) 输入国家或者地区检验检疫要求;

(三) 中国法律法规、强制性标准和海关总署规定的检验检疫要求;

(四) 贸易合同或者信用证注明的检疫要求。

**第三十条** 对经检验检疫符合要求的,或者通过有效除害或者技术处理并经重新检验检疫符合要求的,海关按照规定签发《出境货物换证凭单》。输入国家或者地区要求出具检验检疫证书的,按照国家相关规定出具证书。输入国家或者地区对检验检疫证书形式或者内容有新要求的,经海关总署批准后,方可对证书进行变更。

经检验检疫不合格且无有效除害或者技术处理方法的,或者虽经处理但经重新检验检疫仍不合格的,海关签发《出境货物不合格通知单》,粮食不得出境。

**第三十一条** 出境粮食检验有效期最长不超过 2 个月;检疫有效期原则定为 21 天,黑龙江、吉林、辽宁、内蒙古和新疆地区冬季(11 月至次年 2 月底)可以酌情延长至 35 天。超过检验检疫有效期的粮食,出境前应当重新报检。

**第三十二条** 产地与口岸海关应当建立沟通协作机制,及时通报检验检疫情况等信息。

出境粮食经产地检验检疫合格后,出境口岸海关按照相关规定查验,重点检查货证是否相符、是否感染有害生物等。查验不合格的,不予放行。

出境粮食到达口岸后拼装的,应当重新报检,并实施检疫。出境粮食到达口岸后因变更输入国家或者地区而有不同检验检疫要求的,应当重新报检,并实施检验检疫。

### 第四章 风险及监督管理

### 第一节 风险监测及预警

**第三十三条** 海关总署对进出境粮食实施疫情监测制度,相应的监测技术指南由海关总署制定。

海关应当在粮食进境港口、储存库、加工厂周边地区、运输沿线粮食换运、换装等易洒落

---

① 根据海关总署公告 2020 年第 99 号《关于调整部分进出境货物监管要求的公告》删除法规第二十八条"自检合格证明"改为"质量合格声明"。

地段等，开展杂草等检疫性有害生物监测与调查。发现疫情的，应当及时组织相关企业采取应急处置措施，并分析疫情来源，指导企业采取有效的整改措施。相关企业应当配合实施疫情监测及铲除措施。

根据输入国家或者地区的检疫要求，海关应当在粮食种植地、出口储存库及加工企业周边地区开展疫情调查与监测。

**第三十四条** 海关总署对进出境粮食实施安全卫生项目风险监控制度，制定进出境粮食安全卫生项目风险监控计划。

**第三十五条** 海关总署及主管海关建立粮食质量安全信息收集报送系统，信息来源主要包括：

（一）进出境粮食检验检疫中发现的粮食质量安全信息；

（二）进出境粮食贸易、储存、加工企业质量管理中发现的粮食质量安全信息；

（三）海关实施疫情监测、安全卫生项目风险监控中发现的粮食质量安全信息；

（四）国际组织、境外政府机构、国内外行业协会或消费者反映的粮食质量安全信息；

（五）其他关于粮食质量安全风险的信息。

**第三十六条** 海关总署及主管海关对粮食质量安全信息进行风险评估，确定相应粮食的风险级别，并实施动态的风险分级管理。依据风险评估结果，调整进出境粮食检验检疫管理及监管措施方案、企业监督措施等。

**第三十七条** 进出境粮食发现重大疫情和重大质量安全问题的，海关总署及主管海关依照相关规定，采取启动应急处置预案等应急处置措施，并发布警示通报。当粮食安全风险已不存在或者降低到可接受的水平时，海关总署及主管海关应当及时解除警示通报。

**第三十八条** 海关总署及主管海关根据情况将重要的粮食安全风险信息向地方政府、农业和粮食行政管理部门、国外主管机构、进出境粮食企业等相关机构和单位进行通报，并协同采取必要措施。粮食安全信息公开应当按照相关规定程序进行。

### 第二节 监督管理

**第三十九条** 拟从事进境粮食存放、加工业务的企业可以向所在地主管海关提出指定申请。

主管海关按照海关总署制定的有关要求，对申请企业的申请材料、工艺流程等进行检验评审，核定存放、加工粮食种类、能力。

从事进境粮食储存、加工的企业应当具备有效的质量安全及溯源管理体系，符合防疫、处理等质量安全控制要求。

**第四十条** 海关对指定企业实施检疫监督。

指定企业、收货人及代理人发现重大疫情或者公共卫生问题时，应当立即向所在地海关报告，海关应当按照有关规定处理并上报。

**第四十一条** 从事进出境粮食的收发货人及生产、加工、存放、运输企业应当建立相应的粮食进出境、接卸、运输、存放、加工、下脚料处理、发运流向等生产经营档案，做好质量追溯和安全防控等详细记录，记录至少保存 2 年。

**第四十二条** 进境粮食存在重大安全质量问题，已经或者可能会对人体健康或者农林牧渔业生产生态安全造成重大损害的，进境粮食收货人应当主动召回。采取措施避免或者减少损失发生，做好召回记录，并将召回和处理情况向所在地海关报告。

收货人不主动召回的，由直属海关发出责令召回通知书并报告海关总署。必要时，海关总署可以责令召回。

**第四十三条** 海关总署及主管海关根据质量管理、设施条件、安全风险防控、诚信经营状况，对企业实施分类管理。针对不同级别的企业，在粮食进境检疫审批、进出境检验检疫查验及日常监管等方面采取相应的检验检疫监管措施。具体分类管理规范由海关总署制定。

## 第五章　法律责任

**第四十四条**　有下列情形之一的，由海关按照《进出境动植物检疫法实施条例》规定处5000元以下罚款：

（一）未报检的；

（二）报检的粮食与实际不符的。

有前款第（二）项所列行为，已取得检疫单证的，予以吊销。

**第四十五条**　进境粮食未依法办理检疫审批手续或者未按照检疫审批规定执行的，由海关按照《进出境动植物检疫法实施条例》规定处5000元以下罚款。

**第四十六条**　擅自销售、使用未报检或者未经检验的列入必须实施检验的进出口商品目录的进出境粮食，由海关按照《进出口商品检验法实施条例》规定，没收非法所得，并处商品货值金额5%以上20%以下罚款。

**第四十七条**　进出境粮食收发货人生产、加工、存放、运输企业未按照本办法第四十一条的规定建立生产经营档案并做好记录，由海关责令改正，给予警告；拒不改正的，处3000元以上1万元以下罚款。

**第四十八条**　有下列情形之一的，由海关按照《进出境动植物检疫法实施条例》规定，处3000元以上3万元以下罚款：

（一）未经海关批准，擅自将进境、过境粮食卸离运输工具，擅自将粮食运离指定查验场所的；

（二）擅自开拆过境粮食的包装，或者擅自开拆、损毁动植物检疫封识或者标志的。

**第四十九条**　列入必须实施检验的进出口商品目录的进出境粮食收发货人或者其代理人、报检人员不如实提供进出境粮食真实情况，取得海关有关证单，或者不予报检，逃避检验，由海关按照《进出口商品检验法实施条例》规定，没收违法所得，并处商品货值金额5%以上20%以下罚款。

**第五十条**　伪造、变造、买卖或者盗窃检验证单、印章、标志、封识、货物通关单或者使用伪造、变造的检验证单、印章、标志、封识，尚不够刑事处罚的，由海关按照《进出口商品检验法实施条例》规定，责令改正，没收违法所得，并处商品货值金额等值以下罚款。

**第五十一条**　有下列违法行为之一，尚不构成犯罪或者犯罪情节显著轻微依法不需要判处刑罚的，由海关按照《进出境动植物检疫法实施条例》规定，处2万元以上5万元以下的罚款：

（一）引起重大动植物疫情的；

（二）伪造、变造动植物检疫单证、印章、标志、封识的。

**第五十二条**　依照本办法规定注册登记的生产、加工、存放单位，进出境的粮食经检疫不合格，除依照本办法有关规定作退回、销毁或者除害处理外，情节严重的，由海关按照《进出境动植物检疫法实施条例》规定，注销注册登记。

**第五十三条**　擅自调换海关抽取的样品或者海关检验合格的进出境粮食的，由海关按照《进出口商品检验法实施条例》规定，责令改正，给予警告；情节严重的，并处商品货值金额10%以上50%以下罚款。

**第五十四条**　提供或者使用未经海关适载检验的集装箱、船舱、飞机、车辆等运载工具装运出境粮食的，由海关按照《进出口商品检验法实施条例》规定，处10万元以下罚款。

提供或使用经海关检验不合格的集装箱、船舱、飞机、车辆等运载工具装运出境粮食的，由海关按照《进出口商品检验法实施条例》规定，处 20 万元以下罚款。

第五十五条  有下列情形之一的，由海关处 3000 元以上 1 万元以下罚款：

（一）进境粮食存在重大安全质量问题，或者可能会对人体健康或农林牧渔业生产生态安全造成重大损害的，没有主动召回的；

（二）进境粮食召回或者处理情况未向海关报告的；

（三）进境粮食未在海关指定的查验场所卸货的；

（四）进境粮食有本办法第十七条所列情形，拒不做有效的检疫处理的。

第五十六条  有下列情形之一的，由海关处 3 万元以下罚款：

（一）进出境粮食未按规定注册登记或者在指定场所生产、加工、存放的；

（二）买卖、盗窃动植物检疫单证、印章、标识、封识，或者使用伪造、变造的动植物检疫单证、印章、标识、封识的；

（三）使用伪造、变造的输出国家或者地区官方检疫证明文件的；

（四）拒不接受海关检疫监督的。

第五十七条  海关工作人员滥用职权，故意刁难，徇私舞弊，伪造检验检疫结果，或者玩忽职守，延误检验出证，依法给予行政处分；构成犯罪的，依法追究刑事责任。

## 第六章  附  则

第五十八条  进出境用作非加工而直接销售粮食的检验检疫监督管理，由海关总署另行规定。

第五十九条  以边贸互市方式的进出境小额粮食，参照海关总署相关规定执行。

第六十条  本办法由海关总署负责解释。

第六十一条  本办法自 2016 年 7 月 1 日起施行。国家质检总局 2001 年 12 月发布的《出入境粮食和饲料检验检疫管理办法》（国家质检总局令第 7 号）同时废止。此前进出境粮食检验检疫监管规定与本办法不一致的，以本办法为准。

# 保税监管篇

# 特殊监管区

## 综合管理

## 保税区海关监管办法

(海关总署令第 65 号)

(1997 年 8 月 1 日由海关总署发布,根据 2011 年 1 月 8 日中华人民共和国国务院令第 588 号《国务院关于废止和修改部分行政法规的决定》修正,现行版本自 2011 年 1 月 8 日起施行,法规类型为部门规章)

### 第一章 总 则

**第一条** 为了加强与完善海关对保税区的监管,促进保税区的健康发展,根据海关法和其他关法律的规定,制定本办法。

**第二条** 在中华人民共和国国境内设立保税区,必须经国务院批准。

**第三条** 保税区是海关监管的特定区域。海关依照本办法对进出保税区的货物、运输工具、个人携带物品实施监管。

保税区与中华人民共和国境内的其他地区(以下简称非保税区)之间,应当设置符合海关监管要求的隔离设施。

**第四条** 保税区内仅设置保税区行政管理机构和企业。除安全保卫人员外,其他人员不得在保税区内居住。

**第五条** 在保税区内设立的企业(以下简称区内企业),应当向海关办理注册手续。

区内企业应当依照国家有关法律、行政法规的规定设置帐簿、编制报表,凭合法、有效凭证记帐并进行核算,记录有关进出保税区货物和物品的库存、转让、转移、销售、加工、使用和损耗等情况。

**第六条** 保税区实行海关稽查制度。

区内企业应当与海关实行电子计算机联网,进行电子数据交换。

**第七条** 海关对进出保税区的货物、物品、运输工具、人员及区内有关场所,有权依照海关法的规定进行检查、查验。

**第八条** 国家禁止进出口的货物、物品,不得进出保税区。

## 第二章 对保税区与境外之间进出货物的监管

**第九条** 海关对保税区与境外之间进出的货物，实施简便、有效的监管。

**第十条** 保税区与境外之间进出的货物，由货物的收货人、发货人或其代理人向海关备案。

**第十一条** 对保税区与境外之间进出的货物，除实行出口被动配额管理的外，不实行进出口配额、许可证管理。

**第十二条** 从境外进入保税区的货物，其进口关税和进口环节税收，除法律、行政法规另有规定外，按照下列规定办理：

（一）区内生产性的基础设施建设项目所需的机器、设备和其他基建物资，予以免税；

（二）区内企业自用的生产、管理设备和自用合理数量的办公用品及其所需的维修零配件，生产用燃料，建设生产厂房、仓储设施所需的物资、设备，予以免税；

（三）保税区行政管理机构自用合理数量的管理设备和办公用品及其所需的维修零配件，予以免税；

（四）区内企业为加工出口产品所需的原材料、零部件、元器件、包装物件，予以保税。

前款第（一）项至第（四）项规定范围以外的货物或者物品从境外进入保税区，应当依法纳税。

转口货物和在保税区内储存的货物按照保税货物管理。

## 第三章 对保税区与非保税区之间进出货物的监管

**第十三条** 从保税区进入非保税区的货物，按照进口货物办理手续；从非保税区进入保税区的货物，按照出口货物办理手续，出口退税按照国家有关规定办理。

海关对保税区与非保税区之间进出的货物，按照国家有关进出口管理的规定实施监管。

**第十四条** 从非保税区进入保税区供区内使用的机器、设备、基建物资和物品，使用单位应当向海关提供上述货物或者物品的清单，经海关查验后放行。

前款货物或者物品，已经缴纳进口关税和进口环节税收的，已纳税款不予退还。

**第十五条** 保税区的货物需从非保税区口岸进出口或者保税区内的货物运往另一保税区的，应当事先向海关提出书面申请，经海关批准后，按照海关转关运输及有关规定办理。

## 第四章 对保税区内货物的监管

**第十六条** 保税区内的货物可以在区内企业之间转让、转移；双方当事人应当就转让、转移事项向海关备案。

**第十七条** 保税区内的转口货物可以在区内仓库或者区内其他场所进行分级、挑选、刷贴标志、改换包装形式等简单加工。

**第十八条** 区内企业在保税区内举办境外商品和非保税区商品的展示活动，展示的商品应当接受海关监管。

## 第五章 对保税区加工贸易货物的管理

**第十九条** 区内加工企业应当向海关办理所需料、件进出保税区备案手续。

**第二十条** 区内加工企业生产属于被动配额管理的出口产品，应当事先经国务院有关主管部门批准。

**第二十一条** 区内加工企业加工的制成品及其在加工过程中产生的边角余料运往境外时，应当按照国家有关规定向海关办理手续；除法律、行政法规另有规定外，免征出口关税。

区内加工企业将区内加工的制成品、副次品或者在加工过程中产生的边角余料运往非保税区时,应当按照国家有关规定向海关办理进口报关手续,并依法纳税。

**第二十二条** 区内加工企业全部用境外运入料、件加工的制成品销往非保税区时,海关按照进口制成品征税。

用含有境外运入料、件加工的制成品销往非保税区时,海关对其制成品按照所含境外运入料、件征税;对所含境外运入料、件的品名、数量、价值申报不实的,海关按照进口制成品征税。

**第二十三条** 区内加工企业委托非保税区企业或者接受非保税区企业委托进行加工业务,应当事先经海关批准,并符合上列条件:

(一)在区内拥有生产场所,并已经正式开展加工业务;

(二)委托非保税区企业的加工业务,主要工序应当在区内进行;

(三)委托非保税区企业加工业务的期限为6个月;有特殊情况需要延长期限的,应当向海关申请展期,展期期限为6个月。在非保税区加工完毕的产品应当运回保税区;需要从非保税区直接出口的,应当向海关办理核销手续;

(四)接受非保税区企业委托加工的,由区内加工企业向海关办理委托加工料、件的备案手续,委托加工的料、件及产品应当与区内企业的料、件及产品分别建立帐册并分别使用。加工完毕的产品应当运回非保税区企业,并由区内加工企业向海关销案。

**第二十四条** 海关对区内加工企业进料加工、来料加工业务,不实行加工贸易银行保证金台帐制度。

委托非保税区企业进行加工业务的,由非保税区企业向当地海关办理合同登记备案手续,并实行加工贸易银行保证金台帐制度。

### 第六章 对进出保税区运输工具和个人携带物品的监管

**第二十五条** 运输工具和人员进出保税区,应当经由海关指定的专用通道,并接受海关检查。

**第二十六条** 进出保税区的运输工具的负责人,应当持保税区主管机关批准的证件连同运输工具的名称、数量、牌照号码及驾驶员姓名等清单,向海关办理登记备案手续。

**第二十七条** 未经海关批准,从保税区到非保税区的运输工具和人员不得运输、携带保税区内的免税货物、物品,保税货物,以及用保税料、件生产的产品。

### 第七章 附 则

**第二十八条** 违反本办法规定的,由海关依照《中华人民共和国海关法》及《中华人民共和国海关行政处罚实施条例》的规定处理;情节严重的,海关可以取消区内企业在海关的注册资格。

**第二十九条** 本办法规定的有关备案的具体办法,由海关总署制定。

**第三十条** 本办法自发布之日起施行。《中华人民共和国海关对进出上海外高桥保税区货物、运输工具和个人携带物品的管理办法》同时废止。

# 中华人民共和国海关保税核查办法

(海关总署令第 173 号)

(2008 年 3 月 31 日由海关总署发布，根据 2018 年 5 月 29 日海关总署令第 240 号《海关总署关于修改部分规章的决定》修正，现行版本自 2018 年 7 月 1 日起施行，法规类型为部门规章)

## 第一章 总 则

**第一条** 为了规范海关保税核查，加强海关对保税业务的监督管理，根据《中华人民共和国海关法》(以下简称《海关法》) 以及其他有关法律、行政法规的规定，制定本办法。

**第二条** 本办法所称的保税核查，是指海关依法对监管期限内的保税加工货物、保税物流货物进行验核查证，检查监督保税加工企业、保税物流企业和海关特殊监管区域、保税监管场所内保税业务经营行为真实性、合法性的行为。

**第三条** 保税核查由海关保税监管部门组织实施。

**第四条** 保税核查应当由两名或者两名以上海关核查人员共同实施。

海关核查人员实施核查时，应当出示海关核查证。海关核查证由海关总署统一制发。

**第五条** 保税加工企业、保税物流企业以及海关特殊监管区域、保税监管场所经营企业(以下简称被核查人) 可以书面向海关提出为其保守商业秘密的要求，并具体列明需要保密的内容。

海关应当按照国家有关规定，妥善保管被核查人提供的涉及商业秘密的资料。

**第六条** 被核查人应当对保税货物和非保税货物统一记账、分别核算。

被核查人应当按照《中华人民共和国会计法》及有关法律、行政法规的规定，设置规范的财务账簿、报表，记录保税企业的财务状况和有关保税货物的进出口、存储、转移、销售、使用和损耗等情况，如实填写有关单证、账册，凭证法、有效的凭证记账和核算。

被核查人应当在保税货物海关监管期限以及其后 3 年内保存上述资料。

**第七条** 海关可以通过数据核实、单证检查、实物盘点、账物核对等形式对被核查人进行实地核查，也可以根据被核查人提交的有关单证材料进行书面核查。

## 第二章 保税核查范围

### 第一节 保税加工业务核查

**第八条** 海关自保税加工企业向海关申请办理保税加工业务备案手续之日起至海关对保税加工手册核销结案之日止，或者自实施联网监管的保税加工企业电子底账核销周期起始之日起至其电子底账核销周期核销结束之日止，可以对保税加工货物以及相关的保税加工企业开展核查。

**第九条** 海关对保税加工企业开展核查的，应当核查以下内容：

(一) 保税加工企业的厂房、仓库和主要生产设备以及法定代表人、主要负责人等企业基本情况与备案资料是否相符；

（二）保税加工企业账册设置是否规范、齐全；

（三）保税加工企业出现分立、合并或者破产等情形的，是否依照规定办理海关手续；

（四）保税加工企业开展深加工结转、外发加工业务的，是否符合海关对深加工结转或者外发加工条件和生产能力的有关规定。

**第十条** 海关对保税加工货物开展核查的，应当核查以下内容是否与实际情况相符：

（一）保税加工企业申报的进口料件和出口成品的商品名称、商品编码、规格型号、价格、原产地、数量等情况；

（二）保税加工企业申报的单耗情况；

（三）保税加工企业申报的内销保税货物的商品名称、商品编码、规格型号、价格、数量等情况；

（四）保税加工企业申报的深加工结转以及外发加工货物的商品名称、商品编码、规格型号、数量等情况；

（五）保税加工企业申请放弃的保税货物的商品名称、商品编码、规格型号、数量等情况；

（六）保税加工企业申报的受灾保税货物的商品名称、商品编码、规格型号、数量、破损程度以及价值认定等情况；

（七）保税加工企业的不作价设备的名称、数量等情况。

### 第二节 保税物流业务核查

**第十一条** 海关自保税物流货物运入海关特殊监管区域、保税监管场所之日起至运出海关特殊监管区域、保税监管场所之日止，可以对保税物流货物以及相关保税物流企业开展核查。

**第十二条** 海关对保税物流企业进行核查的，应当核查以下内容：

（一）保税物流企业的厂房、仓库以及法定代表人、主要负责人等企业基本情况与备案资料是否相符；

（二）保税物流企业账册设置是否规范、齐全；

（三）保税物流企业出现分立、合并或者破产等情形的，是否依照规定办理海关手续。

**第十三条** 海关对保税物流货物开展核查的，应当核查以下内容是否与实际情况相符：

（一）保税物流货物的进出、库存、转移、简单加工、使用等情况；

（二）保税物流货物的出售、转让、抵押、质押、留置、移作他用或者进行其他处置情况；

（三）保税物流企业内销保税货物的商品名称、商品编码、规格型号、价格、数量等情况；

（四）保税物流企业申请放弃的保税货物的商品名称、商品编码、规格型号、数量等情况；

（五）保税物流企业申报的受灾保税货物的商品名称、商品编码、规格型号、数量、破损程度以及价值认定等情况。

### 第三节 海关特殊监管区域、保税监管场所核查

**第十四条** 海关自海关特殊监管区域、保税监管场所验收合格之日起至其经营期限结束之日止，可以对海关特殊监管区域、保税监管场所管理和经营情况开展核查。

**第十五条** 海关对海关特殊监管区域开展核查的，应当核查以下内容是否符合有关规定：

（一）海关特殊监管区域隔离设施、监视监控设施情况；

（二）海关特殊监管区域内人员居住和建立商业性消费设施情况；

（三）海关特殊监管区域管理机构建立计算机公共信息平台情况；
（四）海关特殊监管区域内被核查人应用计算机管理系统情况；
（五）海关特殊监管区域经营企业设置账簿、报表情况。

第十六条 海关应当对保税监管场所开展下列核查：
（一）海关保税监管场所是否专库专用；
（二）海关保税监管场所内被核查人是否应用符合海关监管要求的计算机管理系统，并与海关实行计算机联网；
（三）海关保税监管场所经营企业是否设置符合海关监管要求的账簿、报表等。

## 第三章 保税核查程序

### 第一节 核查准备

**第十七条** 海关实施核查前，应当根据保税企业、保税货物进出口以及海关特殊监管区域、保税监管场所经营情况，确定被核查人，编制海关核查工作方案。

**第十八条** 海关实施核查前，应当通知被核查人。

特殊情况下，经海关关长批准，海关可以径行核查。

**第十九条** 被核查人提供具备相关资质和能力的专业机构出具的审计报告，并经海关审核认定的，海关可以对被核查人免于实施保税核查；海关认为必要时，可以委托专业机构作出专业结论。

### 第二节 核查实施

**第二十条** 海关核查人员开展核查可以行使下列职权：
（一）查阅、复制被核查人与保税业务有关的合同、发票、单据、账册、业务函电和其他有关资料（以下简称账簿、单证）；
（二）进入被核查人的生产经营场所、货物存放场所，检查与保税业务有关的生产经营情况和货物；
（三）询问被核查人的法定代表人、主要负责人或者其他有关人员与保税业务有关的情况。

**第二十一条** 被核查人应当接受并配合海关实施保税核查，提供必要的工作条件，如实反映情况，提供海关保税核查需要的有关账簿、单证等，不得拒绝、拖延、隐瞒。

海关查阅、复制被核查人的有关资料或者进入被核查人的生产经营场所、货物存放场所核查时，被核查人的有关负责人或者其指定的代表应当到场，并按照海关的要求清点账簿、打开货物存放场所、搬移货物或者开启货物包装。

被核查人委托其他机构、人员记账的，被委托人应当与被核查人共同配合海关查阅有关会计资料。

**第二十二条** 海关在核查过程中提取的有关资料、数据等，应当交由被核查人签字确认。

**第二十三条** 海关核查结束时，核查人员应当填制《海关保税核查工作记录》并签名。

实地核查的，《海关保税核查工作记录》还应当交由被核查人的有关负责人或者其指定的代表签字或者盖章；拒不签字或者盖章的，海关核查人员应当在《海关保税核查工作记录》上注明。

### 第三节 核查处理

**第二十四条** 核查结束后，海关应当对"海关保税核查工作记录"以及相关材料进行归档或者建立电子档案备查。

第二十五条  海关应当在保税核查结束后 15 个工作日内作出保税核查结论，并告知被核查人。

发现保税核查结论有错误的，海关应当予以纠正。

第二十六条  海关实施保税核查，发现被核查人存在不符合海关监管要求的，可以采取以下处理方式，并填制《保税核查处理通知书》书面告知被核查人：

（一）责令补办相关手续；

（二）责令限期改正；

（三）责令按照有关规定提供担保。

第二十七条  违反本办法，构成走私行为、违反海关监管规定行为或者其他违反《海关法》行为的，由海关依照《海关法》和《中华人民共和国海关行政处罚实施条例》的有关规定予以处理；构成犯罪的，依法追究刑事责任。

## 第四章  附  则

第二十八条  本办法下列用语的含义：

保税企业，是指经海关备案注册登记，按照保税政策，依法从事保税加工业务、保税物流业务或者经营海关特殊监管区域、保税监管场所的企业。

保税加工业务，是指经海关批准，对以来料加工、进料加工或者其他监管方式进出口的保税货物进行研发、加工、装配、制造以及相关配套服务的生产性经营行为。

保税物流业务，是指经海关批准，将未办理进口纳税手续或者已办结出口手续的货物在境内流转的服务性经营行为。

第二十九条  本办法所规定的文书由海关总署另行制定并且发布。

第三十条  本办法由海关总署负责解释。

第三十一条  本办法自 2008 年 6 月 1 日起施行。

# 关于海关特殊监管区域企业双重身份管理问题

（海关总署公告 2008 年第 17 号）

（2008 年 3 月 12 日由海关总署发布，2008 年 5 月 1 日起施行，法规类型为规范性文件）

2005 年 5 月 13 日，海关总署印发了 2005 年第 18 号公告（以下简称第 18 号公告），对报关单位的双重身份问题作了规定。考虑到海关特殊监管区域企业（以下称区内企业）的特殊性，为了进一步规范其管理，方便其经营，现就区内企业管理的有关事宜公告如下：

一、今后区内同一企业只拥有一个海关注册登记编码（十位数）。目前区内企业已经拥有"进出口货物收发货人"和"报关企业"两个编码的，只能从中选择一个作为自己唯一的编码，另一个由海关注销。

二、选择保留"报关企业"编码的，海关保留其"报关企业"登记证书，其可以在区内和区外继续开展代理报关业务，但不得开展自理报关业务；如需跨直属关区开展异地代理报关业务，应当办理跨关区报关注册登记许可手续。

三、选择保留"进出口收发货人"编码的，由海关重新核发新的十位数编码，其中第 1~6

位号码保持不变,第 7 位统一编号为英文大写字母"K",颁发新的"报关企业"登记证书,并按照"报关企业"实施分类管理。

对经海关审核完成上述变更后的区内企业,海关视为拥有代理报关和"自理"报关双重功能的报关单位,并按下列规定进行管理:在区内可以同时开展代理和"自理"报关业务;在区外可以开展代理报关业务,但不得开展"自理"报关业务。区外代理报关业务范围和方式同本公告第二条"报关企业"。

四、今后区内无论是首次注册登记的企业,还是已经海关注册登记的企业,申请注册或者变更成为具有代理报关和"自理"报关双重功能报关单位的,海关按照"报关企业"有关规定办理注册或变更登记手续。对此类具有双重功能的报关单位,海关按照本公告第三条规定核发海关编码和报关证书,并进行相应管理。申请变更注册的企业原海关编码和登记证书由海关注销。

五、本公告所称的海关特殊监管区域包括保税区、出口加工区、保税物流园区、保税港区、综合保税区、跨境工业区和国际边境经济合作中心配套区等。

本公告所称的区内企业,是指海关注册登记编码第 5 位为"4""5""6""7"的企业。

在保税物流中心(B 型)开展业务的物流企业,可以比照本公告规定执行。

六、第 18 号公告与本公告规定不一致的,以本公告规定为准。

七、本公告自 2008 年 5 月 1 日起开始施行。

特此公告。

# 关于公布海关特殊监管区域有关管理事宜

(海关总署公告 2010 年第 22 号)

(2010 年 3 月 30 日由海关总署发布,2010 年 3 月 30 日起施行,法规类型为规范性文件)

为配合海关总署 2010 年第 10 号公告(以下简称 10 号公告)的实施,现将海关特殊监管区域有关管理事宜公告如下:

一、对已经被整合到国务院新批准设立的综合保税区或保税港区内的出口加工区、保税物流园区、保税区或保税物流中心,且已按照综合保税区或保税港区模式验收运作的,区(中心)内企业(包括双重身份企业)应按照保税港区或综合保税区企业编码规则重新设置企业编码(即经营单位十位数编码中的第 5 位为"6"),企业的类别维持不变,《注册登记证书》作相应变更;对已整合纳入综合保税区或保税港区,但尚未按照综合保税区或保税港区验收运作的,区(中心)内企业经营单位十位数编码保持不变,待验收运作后再按照上述规定进行变更。

二、自 2010 年 4 月 1 日起,企业按照《海关特殊监管区域进出口货物报关单、进出境货物备案清单填制规范》(见附件)填制相应单证,《海关总署关于增列海关监管方式代码和明确出口加工区进出境货物备案清单填制要求的通知》(署通〔2000〕747 号)同时废止。

三、自 2010 年 7 月 1 日起,海关对进出综合保税区、保税港区的货物实行电子账册(电子账册第一位标记代码为"H",以下简称 H 账册;减免税货物对应电子账册第六位标记代码为"D",以下简称 HD 账册)管理。海关在 2010 年 6 月 30 日前完成建立电子账册和导入数据等前期工作。

四、对2010年6月30日前已按照综合保税区或保税港区模式运作的保税物流中心，海关自2011年1月1日起对其进出货物实行电子账册管理，海关在2010年12月31日前完成建立H账册、HD账册和数据导入等工作。对于2010年6月30日之后纳入综合保税区或保税港区的保税物流中心，海关在综合保税区或保税港区验收后6个月内实行H账册、HD账册管理，并完成建立H账册、HD账册和数据导入等工作。

五、目前，部分已验收运作的保税港区、综合保税区，其进出境货物沿用了保税区管理模式下的监管方式代码"1234""2025""2225"，为了保证平稳过渡，上述3个监管方式代码可以在保税港区、综合保税区继续并行使用至2010年6月30日，海关将在2010年7月15日前完成其报关单（备案清单）的结关手续。从2010年7月1日起保税港区、综合保税区企业不再使用保税区管理模式下的监管方式代码"1234""2025""2225"填报。

六、对于上述情况，在建立H账册和数据导入等工作中，监管方式代码"1234"项下进出区的货物比照监管方式代码"5034"项下进出区货物结转到H账册。在2010年7月1日前以监管方式代码"2025""2225"申报进区的减免税货物，海关仍按原模式监管，不纳入HD账册管理。

特此公告。

附件：海关特殊监管区域进出口货物报关单、进出境货物备案清单填制规范

## 附件

### 海关特殊监管区域进出口货物报关单、进出境货物备案清单填制规范

一、海关特殊监管区域（以下简称特殊区域）企业向海关申报货物进出境、进出区，以及在同一特殊区域内或者不同特殊区域之间流转货物的双方企业，应填制《中华人民共和国海关进（出）境货物备案清单》。特殊区域与境内（区外）之间进出的货物，区外企业应同时填制《中华人民共和国海关进（出）口货物报关单》，向特殊区域主管海关办理进出口报关手续。

货物在同一特殊区域企业之间、不同特殊区域企业之间或特殊区域与区外之间流转的，应先办理进口报关手续，后办理出口报关手续。

二、《中华人民共和国海关进（出）境货物备案清单》原则上按《中华人民共和国海关进出口货物报关单填制规范》的要求填制，对部分栏目说明如下：

（一）进口口岸/出口口岸

实际进出境货物，填报实际进（出）境的口岸海关名称及关区代码；

特殊区域与区外之间进出的货物，填报本特殊区域海关名称及关区代码；

在特殊区域内流转的货物，填报本特殊区域海关名称及关区代码；

不同特殊区域之间、特殊区域与保税监管场所之间相互流转的货物，填报对方特殊区域或保税监管场所海关名称及关区代码。

（二）备案号

进出特殊区域的保税货物，应填报标记代码为H的电子账册备案号；

进出特殊区域的企业自用设备、基建物资、自用合理数量的办公用品，应填报标记代码为H的电子账册（第六位为D）备案号。

（三）运输方式

实际进出境货物，应根据实际运输方式，按海关规定的《运输方式代码表》选择填报相

应的运输方式；

同一特殊区域或不同特殊区域之间、特殊区域与保税监管场所之间流转的货物，区内企业填报"其他运输"（代码9）；

特殊区域与境内（区外）（非特殊区域、保税监管场所）之间进出的货物，区内、区外企业应根据实际运输方式分别填报，"保税港区/综合保税区"（代码Y）、"出口加工区"（代码Z）。

（四）运输工具名称

同一特殊区域或不同特殊区域之间、特殊区域与保税监管场所之间流转的货物，在出口备案清单本栏目填报转入方关区代码（前两位）及进口报关单（备案清单）号，即转入XX（关区代码）XXXXXXXXX（报关单/备案清单号）。

（五）贸易方式（监管方式）

特殊区域企业根据实际情况，区内企业选择填报下列不同性质的海关监管方式：

1. 下列进出特殊区域的货物，填报"料件进出区"（代码5000）：

（1）区内物流、加工企业与境内（区外）之间进出的料件（不包括经过区内企业实质性加工的成品）；

（2）上述料件因故退运、退换的。

2. 区内企业从境外购进的用于研发的料件、成品，或者研发后将上述货物、物品退回境外，但不包括企业自用或其他用途的设备，填报"特殊区域研发货物"（代码5010）。

3. 区内加工企业在来料加工贸易业务项下的料件从境外进口及制成品申报出境的，填报"区内来料加工"（代码5014）；

4. 区内加工企业在进料加工贸易业务项下的料件从境外进口及制成品申报出境的，填报"区内进料加工"（代码5015）。

5. 下列进出特殊区域的货物，填报"区内物流货物"（代码5034），不得再使用"5033"填报：

（1）区内物流企业与境外进出的用于仓储、分拨、配送、转口的物流货物；

（2）区内加工企业将境内入区且未经加工的料件申报出境。

6. 下列进出特殊区域的成品，填报"成品进出区"（代码5100）：

（1）区内企业加工后的成品（包括研发成品和物流企业简单加工的成品）进入境内（区外）的；

（2）上述成品因故在境内（区外）退运、退换的。

7. 下列进出特殊区域的企业自用设备、物资，填报"设备进出区"（代码5300）：

（1）区内企业从境内（区外）购进的自用设备、物资，以及将上述设备、物资从特殊区域销往境内（区外）、结转到同一特殊区域或者另一特殊区域的企业，或在境内（区外）退运、退换；

（2）区内企业从境外进口的自用设备、物资，申报进入境内（区外）。

8. 区内企业从境外进口的用于区内业务所需的设备、基建物资，以及区内企业和行政管理机构自用合理数量的办公用品等，填报"境外设备进区"（代码5335）。

9. 区内企业将监管方式代码"5335"项下的货物退运境外，填报"区内设备退运"（代码5361）。

10. 区内企业经营来料加工业务，从境外进口的料件复出境的，填报"来料料件复出"（代码0265）。

11. 区内企业经营来料加工业务，进境的料件出境退换的，填报"来料料件退换"（代码0300）。

12. 区内企业经营来料加工业务，出境的成品返回区内退换的，填报"来料成品退换"（代码 4400）。

13. 区内企业经营进料加工业务，从境外进口的料件复出境的，填报"进料料件复出"（代码 0664）。

14. 区内企业经营进料加工业务，进境的料件出境退换的，填报"进料料件退换"（代码 0700）。

15. 区内企业经营进料加工业务，出境的成品返回区内退换的，填报"进料成品退换"（代码 4600）。

16. 特殊区域与境外之间进出的检测、维修货物，以及特殊区域与境内（区外）之间进出的检测、维修货物，区内企业填报"修理物品"（代码 1300）。

17. 区内企业将来料加工项下的边角料销往境内（区外）的，填报"来料边角料内销"（代码"0844"），将进料加工项下的边角料销往境内（区外）的，填报"进料边角料内销"（代码"0845"），不得再使用"5200"填报。

18. 区内企业将来料加工项下的边角料复出的，填报"来料边角料复出"（代码"0864"），将进料加工项下的边角料复出境的，填报"进料边角料复出"（代码"0865"）。

19. 区内企业产品、设备运往境内（区外）测试、检验或委托加工产品，以及复运回区内，填报"暂时进出货物"（代码"2600"）。

20. 区内企业产品运出境内（区外）展览及展览完毕运回区内，填报"展览品"（代码"2700"）。

21. 无原始报关单的后续补税，填报"后续补税"（代码"9700"）。

三、上述填制规范适用于保税港区、综合保税区、出口加工区、珠澳跨境工业区（珠海园区）、中哈霍尔果斯边境合作区（中方配套区），保税区、保税物流园仍按现行规定填报。

# 关于实施海关特殊监管区域账册"一次备案、多次使用"有关问题的公告

（海关总署公告 2016 年第 70 号）

（2016 年 11 月 29 日由海关总署发布，2016 年 11 月 29 日起施行，法规类型为规范性文件）

现将实施海关特殊监管区域账册"一次备案、多次使用"监管制度有关事项公告如下：

一、本公告所称的账册"一次备案、多次使用"制度，是指海关特殊监管区域内企业（以下简称区内企业），在海关特殊监管区域信息化辅助管理系统（以下简称辅助系统）的账册备案环节，向海关特殊监管区域主管海关一次性备案企业、进出货物信息等内容，经海关核准后，可以在海关特殊监管区域内各项海关业务中多次、重复使用的海关监管制度。

二、本公告适用于各种类型的海关特殊监管区域。

三、区内企业经账册备案后，开展"批次进出、集中申报""保税展示交易""保税维修""期货保税交割""融资租赁"等经海关核准的业务，无需向海关再次备案。

四、适用"一次备案、多次使用"制度的区内企业，应按照海关规定的认证方式与辅助系统联网，向海关报送能够满足海关监管要求的相关数据。

本公告自公布之日起施行。

特此公告。

## 关于海关特殊监管区域"仓储货物按状态分类监管"有关问题的公告

（海关总署公告 2016 年第 72 号）

(2016 年 11 月 29 日由海关总署发布，2016 年 11 月 29 日起施行，法规类型为规范性文件)

现将实施海关特殊监管区域"仓储货物按状态分类监管"制度有关事项公告如下：

一、本公告所称"仓储货物按状态分类监管"制度，是指允许非保税货物以非报关方式进入海关特殊监管区域，与保税货物集拼、分拨后，实际离境出口或出区返回境内的海关监管制度。

二、本公告适用于各种类型的海关特殊监管区域。

三、海关特殊监管区域内企业（以下简称区内企业）经营非保税仓储货物，需经管委会审核同意后报海关核准。

海关可依据相关规定对区内企业与保税货物有关的货物流、资金流和信息流等开展稽核查。海关可以对进出区非保税货物进行抽查。

四、适用"仓储货物按状态分类监管"制度的区内企业，应使用计算机仓储管理系统（WMS）；应按照海关规定的认证方式与海关特殊监管区域信息化辅助管理系统联网，向海关报送能够满足监管要求的相关数据。

本公告自公布之日起施行。

特此公告。

## 关于调整优惠贸易协定项下进出海关特殊监管区域（场所）货物申报要求的公告

（海关总署公告 2019 年第 178 号）

(2019 年 11 月 19 日由海关总署发布，2020 年 1 月 1 日起施行，法规类型为规范性文件)

为进一步优化营商环境，便利优惠贸易协定项下自海关特殊监管区域和保税监管场所（以下统称"区域（场所）"）内销货物享受优惠关税待遇，海关总署决定调整优惠贸易协定项下进出 区域（场所）货物申报要求。现将有关事项公告如下：

一、对于出区域（场所）内销时申请适用协定税率或者特惠税率的进口货物，除本公告第三条规定的情形外，在货物从境外入区域（场所）时，其收货人或者代理人（以下统称"进口人"）不再需要按照《中华人民共和国海关进出口货物报关单填制规范》中有关优惠贸易协定项下进口货物填制要求（以下简称"优惠贸易协定项下报关单填制要求"）填报进口报关单或者进境备案清单。

二、上述货物出区域（场所）内销时，进口人应按照优惠贸易协定项下报关单填制要求填报进口报关单，并可自行选择"通关无纸化"或"有纸报关"方式申报原产地单证。选择"通关无纸化"方式申报的，进口人应当按照海关总署公告2017年第67号附件规定办理；选择"有纸报关"方式申报的，进口人应按现行规定提交纸质原产地证据文件。

三、《中华人民共和国政府和新西兰政府自由贸易协定》和《中华人民共和国政府和澳大利亚政府自由贸易协定》项下实施特殊保障措施的农产品出区域（场所）内销申请适用协定税率的，进口人仍应当在有关货物从境外首次入区域（场所）时按照优惠贸易协定项下报关单填制要求填报进口报关单或者进境备案清单，并以"通关无纸化"方式申报原产地单证。

四、预录入客户端的"海关特殊监管区域原产地"功能模块自2019年12月31日18:00起停止使用。对于2019年12月31日18:00前通过该功能模块录入并已部分使用的原产地证据文件电子数据在原产地证据文件有效期内仍可以继续使用；尚未使用的，数据将被删除，进口人按照本公告第二条规定在内销时重新申报。

五、内销时货物实际报验状态与其从境外入区域（场所）时的状态相比，超出了相关优惠贸易协定所规定的微小加工或处理范围的，不得享受协定税率或者特惠税率。

本公告中原产地单证是指原产地证据文件、商业发票、运输单证和未再加工证明等单证。原产地证据文件是指相关优惠贸易协定原产地管理办法所规定的原产地证书和原产地声明。

本公告自2020年1月1日起实施。自本公告实施之日起，海关总署公告2013年第36号、2014年第96号和2016年第53号同时废止。

特此公告。

# 中华人民共和国海关对出口加工区监管的暂行办法

（海关总署令第81号）

（2000年5月24日由海关总署发布；2002年6月21日国务院批准第一次修订，根据2003年9月2日国务院令第389号《国务院关于修改〈中华人民共和国海关对出口加工区监管的暂行办法〉的决定》第二次修订，根据2011年1月8日国务院令第588号《国务院关于废止和修改部分行政法规的决定》第三次修订；现行版本自2011年1月8日起施行；法规类型为部门规章）

## 第一章 总 则

**第一条** 为加强与完善加工贸易管理，规范海关对出口加工区的监管，促进出口加工区的健康发展，鼓励扩大外贸出口，根据《中华人民共和国海关法》和国家有关法律、法规，制定本办法。

**第二条** 为防止重复建设，在中华人民共和国境内设立出口加工区（以下简称加工区），只能设在已经国务院批准的现有经济技术开发区内，并由省（自治区、直辖市）人民政府报国务院批准。

**第三条** 加工区是海关监管的特定区域。海关在加工区内设立机构，并依照本办法，对进、出加工区的货物及区内相关场所实行24小时监管。

**第四条** 加工区与中华人民共和国境内的其他地区（以下简称区外）之间，须设置符合海关监管要求的隔离设施及闭路电视监控系统。经海关总署对加工区的隔离设施验收合格后，方可开展加工区有关业务。

**第五条** 区内设置加工区管理委员会和出口加工企业、专为出口加工企业生产提供服务的仓储企业以及经海关核准专门从事加工区内货物进、出的运输企业。

除安全保卫人员和企业值班人员外，其他人员不得在加工区内居住。不得建立营业性的生活消费设施。

**第六条** 区内不得经营商业零售、一般贸易、转口贸易及其他与加工区无关的业务。

**第七条** 在加工区内设立的企业（以下简称区内企业），应向海关办理注册手续。

**第八条** 区内企业应当依据《中华人民共和国会计法》及国家有关法律、法规的规定，设置符合海关监管要求的账簿、报表。凭合法、有效凭证记账并进行核算，记录本企业有关进、出加工区货物和物品的库存、转让、转移、销售、加工、使用和损耗等情况。

**第九条** 加工区实行计算机联网管理和海关稽查制度。

区内企业应建立符合海关监管要求的电子计算机管理数据库，并与海关实行电子计算机联网，进行电子数据交换。

**第十条** 区内企业开展加工贸易业务不实行加工贸易银行保证金台账制度，海关不实行《加工贸易登记手册》管理。

**第十一条** 海关对进、出加工区的货物、物品、运输工具、人员及区内有关场所，有权依照《中华人民共和国海关法》的规定进行检查、查验。

**第十二条** 国家对区内加工产品不征收增值税。

**第十三条** 国家禁止进、出口的货物、物品，不得进、出加工区。

## 第二章 对加工区与境外之间进出货物的监管

**第十四条** 加工区与境外之间进、出的货物，由货主或其代理人根据加工区管理委员会的批件，填写进、出境货物备案清单，向主管海关备案。备案清单由海关总署统一制发。

**第十五条** 海关对加工区与境外之间进、出的货物，按照直通式或转关运输的办法进行监管。

**第十六条** 加工区与境外之间进、出的货物，除实行出口被动配额管理的外，不实行进出口配额、许可证件管理。

**第十七条** 从境外进入加工区的货物，其进口关税和进口环节税，除法律、法规另有规定外，按照下列规定办理：

（一）区内生产性的基础设施建设项目所需的机器、设备和建设生产厂房、仓储设施所需的基建物资，予以免税；

（二）区内企业生产所需的机器、设备、模具及其维修用零配件，予以免税；

（三）区内企业为加工出口产品所需的原材料、零部件、元器件、包装物料及消耗性材料，予以保税；

（四）区内企业和行政管理机构自用合理数量的办公用品，予以免税。

（五）区内企业和行政管理机构自用的交通运输工具、生活消费用品，按进口货物的有关规定办理报关手续，海关予以照章征税。

**第十八条** 除法律、法规另有规定外，区内企业加工的制成品及其在加工生产过程中产生的边角料、余料、残次品、废品等销往境外的，免征出口关税。

## 第三章 对加工区与区外之间进出货物的监管

**第十九条** 对加工区运往区外的货物，海关按照对进口货物的有关规定办理报关手续，并按照制成品征税。如属许可证件管理商品，还应向海关出具有效的进口许可证件。

**第二十条** 区内企业的加工产品和在加工生产过程中产生的边角料、残次品、废品等应复运出境。因特殊情况需要运往区外时，由企业申请，经主管海关核准后，按内销时的状态确定归类并征税。如属进口许可证件管理商品，免领进口许可证件。如属《限制进口类可用作原料的废物目录》所列商品，应按现行规定向环保部门申领进口许可证件。对无商业价值的边角料和废品，需运往区外销毁的，应凭加工区管理委员会和环保部门的批件，向主管海关办理出区手续，海关予以免进口许可证件、免税。

**第二十一条** 区内企业在确有需要时，可将有关模具、半成品等运往区外进行加工。经加工区主管海关关长批准，由接受委托的区外企业向加工区主管海关缴纳货物应征关税和进口环节增值税等值保证金或保函后办理出区手续。

委托区外企业加工的期限由加工区主管海关参照合同期限核定。货物加工完毕后应按期运回区内。区内企业凭出区时填写的委托区外加工申请书及有关单证，向加工区主管海关办理验放核销手续。加工区主管海关在办理验放核销手续后，应及时退还保证金或保函。

**第二十二条** 区内企业销往区外的机器、设备、模具等，按照国家现行进口政策及有关规定办理。

**第二十三条** 区内企业经主管海关批准，可在区外进行产品的测试、检验和展示活动。测试、检验和展示的产品，应比照海关对暂时进口货物的管理规定办理出区手续。

**第二十四条** 区内使用的机器、设备、模具和办公用品等，须运往区外进行维修、测试或检验时，区内企业或管理机构应填写《出口加工区货物运往区外维修查验联系单》，向主管海关提出申请，并经主管海关核准、登记、查验后，方可将机器、设备、模具和办公用品等运往区外维修、测试或检验。

区内企业将模具运往区外维修、测试或检验时，应留存模具所生产产品的样品，以备海关对运回区内的模具进行核查。

运往区外维修、测试或检验的机器、设备、模具和办公用品等，不得用于区外加工生产和使用。

**第二十五条** 运往区外维修、测试或检验的机器、设备、模具和办公用品等，应自运出之日起2个月内运回加工区。因特殊情况不能如期运回的，区内企业应于期限届满前7天内，向主管海关说明情况，并申请延期。申请延期以1次为限，延长期限不得超过1个月。

**第二十六条** 运往区外维修的机器、设备、模具和办公用品等，运回区内时，要以海关能辨认其为原物或同一规格的新零件、配件或附件为限，但更换新零件、配件或附件的，原零件、配件或附件应一并运回区内。

**第二十七条** 从区外进入加工区的货物视同出口，办理出口报关手续。其出口退税，除法律、法规另有规定外，按照以下规定办理：

（一）从区外进入加工区供区内企业使用的国产机器、设备、原材料、零部件、元器件、包装物料以及建造基础设施、加工企业和行政管理部门生产、办公用房所需合理数量的基建物资等，海关按照对出口货物的有关规定办理报关手续，并签发出口退税报关单。区外企业凭报关单出口退税联向税务部门申请办理出口退（免）税手续，具体退（免）税管理办法由国家税务总局另行下达。

（二）从区外进入加工区供区内企业和行政管理机构使用的生活消费用品、交通运输工具等，海关不予签发出口退税报关单。

（三）从区外进入加工区的进口机器、设备、原材料、零部件、元器件、包装物料、基建物资等，区外企业应当向海关提供上述货物或物品的清单，并办理出口报关手续，经海关查验后放行。上述货物或物品，已经缴纳的进口环节税，不予退还。

（四）因国内技术无法达到产品要求、须将国家禁止出口或统一经营商品运至加工区内进行某项工序加工的，应报经商务部批准，海关比照出料加工管理办法进行监管，其运入加工区的货物，不予签发出口退税报关单。

第二十八条　从区外进入加工区的货物、物品，应运入加工区内海关指定仓库或地点，区外企业填写出口报关单，并持境内购货发票、装箱单，向加工区的主管海关办理报关手续。

第二十九条　从区外进入加工区的货物，须经区内企业进行实质性加工后，方可运出境外。

## 第四章　对加工区内货物的监管

第三十条　区内企业进、出加工区的货物须向其主管海关如实申报，海关依据备案清单及有关单证，对区内企业进、出加工区的货物进行查验、放行和核销。

海关对进、出加工区货物的备案、报关、查验、放行、核销手续应在区内办理。

第三十一条　加工区内的货物可在区内企业之间转让、转移，双方当事人须事先将转让、转移货物的具体品名、数量、金额等有关事项向海关备案。

第三十二条　区内加工企业，不得将未经实质性加工的进口原材料、零部件销往区外。区内从事仓储服务的企业，不得将仓储的原材料、零部件提供给区外企业。

第三十三条　区内企业自开展出口加工业务或仓储业务之日起，每半年持本企业账册和有关单据，向其主管海关办理一次核销手续。

第三十四条　进入加工区的货物，在加工、储存期间，因不可抗力造成短少、损毁的，区内加工企业或仓储企业应自发现之日起10日内报告主管海关，并说明理由。经海关核实确认后，准其在账册内减除。

## 第五章　对加工区之间往来货物的监管

第三十五条　加工区之间货物的往来，应由收、发货物双方联名向转出区主管海关提出申请。经海关核准后，按照转关运输的有关规定办理。

第三十六条　货物转关至其他加工区时，转入区主管海关在核对封志完整及单货相符后，即予放行入厂或入库。

第三十七条　加工区之间往来的货物不能按照转关运输办理的，转入区主管海关应向收货企业收取货物等值的担保金。货物运抵转入区并经海关核对无误后，主管海关应在10个工作日内，将担保金退还企业。

## 第六章　对进、出加工区运输工具和个人携带物品的监管

第三十八条　运输工具和人员应经海关指定的专用通道进、出加工区。

第三十九条　从加工区运往境外的加工产品及由加工区运往区外的货物，经海关查验放行后，应交由经海关核准、并由设立于区内的专营运输企业承运。下列货物经主管海关查验后，可由企业指派专人携带或自行运输：

（一）价值1万美元及以下的小额物品；

（二）因品质不合格复运区外退换的物品；

（三）已办理进口纳税手续的物品；

（四）其他经海关核准的物品。

第四十条　进、出加工区货物的运输工具的负责人，应持企业法人营业执照和运输工具的名称、数量、牌照号码及驾驶员姓名等清单，向海关办理登记备案手续。

承运加工区货物进、出加工区或转关运输的所有运输企业的经营人，应遵守海关有关运输

工具及其所载货物的管理规定，并承担相关的法律责任。

**第四十一条** 未经海关批准，从加工区到区外的运输工具和人员不得运输、携带加工区内货物出区。

### 第七章 附 则

**第四十二条** 从境外运入加工区的货物和从加工区运出境外的货物列入进、出口统计。从区外运入加工区和从加工区运往区外的货物，实施单项统计。统计办法由海关总署另行制定。

**第四十三条** 违反本办法规定的，由海关依照《中华人民共和国海关法》及《中华人民共和国海关行政处罚实施条例》的有关规定进行处理。

**第四十四条** 本办法自2000年5月24日起施行。

## 出口加工区加工贸易管理暂行办法

（商务部令2005年第27号）

（2005年11月22日由商务部发布，2006年1月1日起施行，法规类型为部门规章）

### 第一章 总 则

**第一条** 为促进加工贸易健康发展，引导加工贸易升级，进一步规范出口加工区管理，根据《中华人民共和国对外贸易法》、《国务院关于修改〈中华人民共和国海关对出口加工区监管的暂行办法〉的决定》及其他法律、行政法规，制定本办法。

**第二条** 出口加工区是经国务院批准设立的，由海关实行封闭监管的特定区域。

**第三条** 出口加工区的加工贸易，是指出口加工区内企业从境外或从境内采购原材料、零部件、元器件、包装物料等，经加工、装配后将制成品复运出境的生产经营活动。

**第四条** 出口加工区内企业，是指符合我国产业发展要求，按国家有关法律、法规或规章规定，在出口加工区内依法成立，且具有独立法人资格的企业。其中，外商投资企业须按国家关于外商投资管理的法律法规办理有关手续。

### 第二章 出口加工区加工贸易业务管理

**第五条** 商务部是出口加工区加工贸易的政策业务主管部门。出口加工区管理委员会（以下简称管委会）负责出口加工区加工贸易业务管理工作，出口加工区所在省、自治区、直辖市、计划单列市、新疆生产建设兵团及哈尔滨、长春、沈阳、南京、广州、成都、西安、武汉市商务主管部门（以下简称省级商务主管部门）归口管理其加工贸易业务。

**第六条** 出口加工区要遵循国家有关产业政策导向，着力吸引技术水平高、增值含量大的加工贸易企业和带动配套能力强的大型下游企业入区。出口加工区内禁止开展高耗能、高污染等不符合国家产业政策发展要求的加工贸易业务。东部沿海地区的出口加工区要提高产业层次，不再新批低水平、低附加值的劳动密集型企业入区；中西部地区的出口加工区要结合本地区自身优势，有选择地发展当地特色出口加工业，并积极承接东部沿海地区梯度转移的产业。

**第七条** 出口加工区内企业开展加工贸易业务，须凭企业设立的有效批准文件，向管委会提交开展加工贸易业务的书面申请报告，对有特殊规定的项目，须提供有关部门出具的相关批准文件。申请报告要说明企业开展加工贸易业务的方式和内容，并附需要进口的加工生产用设备、料件或需要出口的制成品清单。

第八条　管委会收到企业申请后，要按照国家有关规定进行审核，对符合条件的加工贸易业务，在10个工作日内签发《出口加工区加工贸易业务批准证》和所附清单（格式附后），海关凭加盖管委会印章的《出口加工区加工贸易业务批准证》为企业进行注册备案。

第九条　在具备条件的地区，企业应通过"口岸电子执法系统"向管委会报送申请报告和所附清单，管委会通过"口岸电子执法系统"核准企业报送的申请和所附清单，海关凭管委会核准的电子文件进行注册备案。

第十条　出口加工区内企业在海关办理注册备案后，方可在管委会批准的范围内开展加工贸易业务。如需开展超出原批准范围的加工贸易业务，须按本办法第七条规定到管委会办理核准手续。

第十一条　管委会要在每年1月15日前将上一年度出口加工区审批情况汇总，并报省级商务主管部门，省级商务主管部门将相关材料报商务部。

## 第三章　出口加工区货物进出区管理

第十二条　出口加工区与境外之间进、出的货物，除国家另有规定外，不实行进出口配额、许可证件管理。

第十三条　国家禁止进、出口的商品，不得进、出出口加工区。出口加工区外禁止开展的加工贸易业务也不得在出口加工区内开展，法律、法规另有规定的除外。

第十四条　出口加工区内不得开展拆解、翻新业务。

第十五条　在出口加工区可以开展我国出口机电产品的售后维修业务。企业在出口加工区开展机电产品维修业务前，除须按本办法第七条规定到管委会办理核准手续外，还需向管委会提供维修产品属原产于中国，企业属生产该产品的生产厂商或由该生产厂商授权或委托开展维修业务的相关证明材料。

第十六条　出口加工区企业与区外境内企业之间的货物往来（包括出口加工区货物内销），按照进出口货物的有关规定办理，涉及进出口许可证件管理的，须向管理部门提供相关证件。区内企业在加工生产过程中产生的边角料、残次品和废品按有关规定处理。

## 第四章　出口加工区货物出区深加工结转管理

第十七条　本办法所指出口加工区货物出区深加工结转是指区内加工贸易企业（以下简称转出企业）将本企业生产的产品直接转入其他出口加工区等海关特殊监管区域内或区外加工贸易企业（以下简称转入企业）进一步加工后复出口的经营活动。

第十八条　未经实质性加工的保税料件，不得进行出口加工区货物出区深加工结转。

第十九条　转出企业在开展出口加工区货物出区深加工结转前，应事先将结转料件等情况报管委会，管委会审核后为企业出具《出口加工区深加工结转业务批准证》和所附清单（格式附后），海关凭加盖管委会印章的《出口加工区深加工结转业务批准证》为转出企业办理货物出区深加工结转备案手续。

第二十条　转入企业在其他出口加工区等海关特殊监管区域的，开展深加工结转转入业务之前，需按上款规定凭加盖所在区管委会印章的《出口加工区深加工结转业务批准证》在海关办理结转手续。

第二十一条　在海关特殊监管区域外的转入企业，应按照现行加工贸易审批管理规定，向商务主管部门提出申请，商务主管部门要审核转入企业的加工贸易企业生产能力证明，按保税进口料件方式为企业出具《加工贸易业务批准证》，海关凭商务主管部门出具的《加工贸易业务批准证》办理备案手续，结转产品如属加工贸易进口涉证商品，转入企业须向有关主管部门提供相关的进口许可证件。

第二十二条 转入区外的深加工结转产品应全部加工复出口，如确有特殊原因需内销的，按加工贸易内销管理有关规定办理。

附　则

第二十三条 本办法由商务部负责解释。
第二十四条 本办法自2006年1月1日起执行。原《对外贸易经济合作部关于印发〈出口加工区加工贸易管理暂行办法〉的通知》（〔2001〕外经贸管发第141号）自本办法执行之日起废止。

附件：1. 出口加工区加工贸易业务批准证（略）
　　　2. 出口加工区深加工结转业务批准证（略）

# 关于出口加工区边角料、废品、残次品出区处理问题的通知

（署加发〔2009〕172号）

（2009年4月21日由海关总署、环境保护部、商务部、国家质量监督检验检疫总局发布，2009年4月21日起施行，法规类型为规范性文件）

广东分署，各直属海关，各省（自治区、直辖市）环保局（厅），各省（自治区、直辖市）商务主管部门，各出入境检验检疫局：

为保持对外贸易稳定增长，根据有关国务院文件精神，完善出口加工区功能和政策，解决出口加工区边角料、废品、残次品出区处理存在的问题，根据前期试点工作情况，现就有关事项通知如下：

一、出口加工区内企业产生的边角料、废品、残次品等原则上应复运出境。
二、对于出口加工区产生的边角料、废品出区内销的具体操作比照《中华人民共和国海关关于加工贸易边角料、剩余料件、残次品、副产品和受灾保税货物的管理办法》（海关总署令第111号）对区外加工贸易边角料内销的相关规定办理，即海关按照区内企业向海关申请内销边角料、废品的报验状态归类后适用的税率和审定的价格计征税款；出入境检验检疫机构对上述内销的边角料、废品不实施检验检疫；属于环境保护部、商务部及其授权部门进口许可证管理范围的，免于提交许可证。区内企业填写《中华人民共和国进口货物报关单》，贸易方式栏填写"进料边角料内销"（代码0844），运输方式栏填写"9"（其他），其他栏目按有关规定填写。

三、上述边角料、废品如需出区以处置方式销毁的，或者属于禁止进口的固体废物需出区进行利用或者处置的，由产生单位向出口加工区管委会和所在地地（市）级环保部门提出申请，并提交如下申请材料：
（一）转移固体废物出区处置申请书；
（二）产生单位和处置单位的处置合同；
（三）处置单位的经年检合格的营业执照；

（四）拟转移的区内固体废物的产生过程及工艺、成分分析报告、物理化学性质登记表；

（五）进口单位处置废物方式的说明。包括废物处置设施的地点、类型、处理能力及处置过程中产生的废气废水的处理方法等的介绍资料；

（六）证明处置单位能对区内固体废物进行对环境无害化处置的材料；出区处置的废物是危险废物的，须提供处置单位所持的《危险废物经营许可证》复印件。

出口加工区管委会和所在地地（市）级环保部门受理后，作出准予或不准予出区处置的决定，批准文件有效期一年。出入境检验检疫机构凭出口加工区管委会和所在地地（市）级环保部门批准文件办理通关单，对固体废物不实施检验检疫，区内企业持该批准文件按规定向海关办理有关手续。

四、出区的边角料、废品等固体废物需跨省转移、贮存、处置的，或者是危险废物的，应按照《固体废物污染环境防治法》第二十三条、第五十九条的有关规定办理。

五、对无商业价值且不属于禁止进口的固体废物的边角料和废品，需运往区外以处置之外的其他方式销毁的，应凭出口加工区管委会的批件，向主管海关办理出区手续，海关予以免税，并免于验核进口许可证件。

六、对残次品出区处理应严格监管。出区内销的残次品按成品征收关税和进口环节税，属于进口许可证件管理的，企业还应向海关提交相应许可证件。对属于《出入境检验检疫机构实施检验检疫的进出境商品目录》内的出区内销残次品，须经出入境检验检疫机构按照国家技术规范的强制性要求检验合格后，方可内销。涉及人身财产安全、健康、环境保护项目不合格的，由出入境检验检疫机构责令当事人销毁；其他项目不合格的，可以在出入境检验检疫机构的监督下进行技术处理，经重新检验合格的，方可内销。

七、《海关总署　商务部　质检总局　环保总局关于开展出口加工区边角料、废品、残次品出区处理试点的通知》（署加函〔2007〕234号）自本通知印发之日起停止执行。

特此通知。

# 中华人民共和国海关对保税物流园区的管理办法

（海关总署令第134号）

（2005年11月28日由海关总署发布；根据2010年3月15日海关总署令第190号《海关总署关于修改〈中华人民共和国海关对保税物流园区的管理办法〉的决定》第一次修正，根据2017年12月20日海关总署令第235号《海关总署关于修改部分规章的决定》第二次修正，根据2018年5月29日海关总署令第240号《海关总署关于修改部分规章的决定》第三次修正，根据2018年11月23日海关总署令第243号《海关总署关于修改部分规章的决定》第四次修正；现行版本自2018年11月23日起施行；法规类型为部门规章）

## 第一章　总　则

**第一条**　为了规范海关对保税物流园区及其进出货物、保税物流园区企业及其经营行为的管理，根据《中华人民共和国海关法》和有关法律、行政法规的规定，制定本办法。

**第二条**　本办法所称的保税物流园区（以下简称园区）是指经国务院批准，在保税区规划面积或者毗邻保税区的特定港区内设立的、专门发展现代国际物流业的海关特殊监管区域。

**第三条** 海关在园区派驻机构，依照本办法对进出园区的货物、运输工具、个人携带物品及园区内相关场所实施监管。

**第四条** 园区与中华人民共和国境内的其他地区（以下简称区外）之间，应当设置符合海关监管要求的卡口、围网隔离设施、视频监控系统及其他海关监管所需的设施。

**第五条** 园区内设立仓库、堆场、查验场和必要的业务指挥调度操作场所，不得建立工业生产加工场所和商业性消费设施。

海关、园区行政管理机构及其经营主体、在园区内设立的企业（以下简称园区企业）等单位的办公场所应当设置在园区规划面积内、围网外的园区综合办公区内。除安全保卫人员和相关部门、企业值班人员外，其他人员不得在园区内居住。

**第六条** 经海关总署会同国务院有关部门对本办法第四条、第五条第一款规定的有关设施、场所验收合格后，园区可以开展有关业务。

**第七条** 园区可以开展下列业务：

（一）存储进出口货物及其他未办结海关手续货物；

（二）对所存货物开展流通性简单加工和增值服务；

（三）国际转口贸易；

（四）国际采购、分销和配送；

（五）国际中转；

（六）检测、维修；

（七）商品展示；

（八）经海关批准的其他国际物流业务。

**第八条** 园区内不得开展商业零售、加工制造、翻新、拆解及其他与园区无关的业务。

**第九条** 有下列情形的，园区企业应当在规定的时间内书面报告园区主管海关并办理相关手续：

（一）遭遇不可抗力等灾害；

（二）海关监管货物被行政执法部门或者司法机关采取查封、扣押等强制措施；

（三）海关监管货物被盗窃；

（四）法律、行政法规规定的其他情形。

上述情形的报告时间，第（一）项在发生之日起5个工作日内，第（二）至（四）项在发生之日起3个工作日内。

**第十条** 对园区与区外之间进出的海关监管货物，园区主管海关可以要求企业提供相应的担保。

**第十一条** 法律、行政法规禁止进出口的货物、物品不得进出园区。

## 第二章 海关对园区企业的管理

**第十二条** 园区企业应当具备下列条件：

（一）具有企业法人资格；

（二）在园区内拥有专门的营业场所。

**第十三条** 特殊情况下，经园区主管海关核准，区外法人企业可以依法在园区内设立分支机构。

**第十四条** 园区企业变更营业场所面积、地址、名称、组织机构、性质、法定代表人等注册登记内容的，应当在变更后5个工作日内向主管海关书面报告。

园区企业有前款以外的其他变更情形的，应当按照法律、行政法规的有关规定向园区主管海关报告并办理相关手续。

**第十五条** 海关对园区企业实行电子账册监管制度和计算机联网管理制度。

园区行政管理机构或者其经营主体应当在海关指导下通过"电子口岸"建立供海关、园区企业及其他相关部门进行电子数据交换和信息共享的计算机公共信息平台。

园区企业应当建立符合海关监管要求的计算机管理系统,提供供海关查阅数据的终端设备,按照海关规定的认证方式和数据标准与海关进行联网。

**第十六条** 园区企业应当依照《中华人民共和国会计法》及有关法律、行政法规的规定,规范财务管理,设置符合海关监管要求的账簿、报表,记录本企业的财务状况和有关进出园区货物、物品的库存、转让、转移、销售、简单加工、使用等情况,如实填写有关单证、账册,凭合法、有效的凭证记账和核算。

园区企业应当编制月度货物进、出、转、存情况表,并定期报送园区主管海关。

## 第三章 海关对进出园区货物的监管

### 第一节 对园区与境外之间进出货物的监管

**第十七条** 海关对园区与境外之间进、出的货物实行备案制管理,但园区自用的免税进口货物、国际中转货物或者法律、行政法规另有规定的货物除外。境外货物到港后,园区企业(或者其代理人)可以先凭舱单将货物直接运至园区,再凭进境货物备案清单向园区主管海关办理申报手续。

**第十八条** 园区与境外之间进出的货物,应当按照规定向海关办理相关手续。

**第十九条** 园区内开展整箱进出、二次拼箱等国际中转业务的,由开展此项业务的企业向海关发送电子舱单数据,园区企业向园区主管海关申请提箱、集运等,凭舱单等单证办理进出境申报手续。

**第二十条** 从园区运往境外的货物,除法律、行政法规另有规定外,免征出口关税。

**第二十一条** 下列货物、物品从境外进入园区,海关予以办理免税手续:

(一)园区的基础设施建设项目所需的设备、物资等;

(二)园区企业为开展业务所需的机器、装卸设备、仓储设施、管理设备及其维修用消耗品、零配件及工具;

(三)园区行政管理机构及其经营主体和园区企业自用合理数量的办公用品。

**第二十二条** 下列货物从境外进入园区,海关予以办理保税手续:

(一)园区企业为开展业务所需的货物及其包装物料;

(二)加工贸易进口货物;

(三)转口贸易货物;

(四)外商暂存货物;

(五)供应国际航行船舶和航空器的物料、维修用零配件;

(六)进口寄售货物;

(七)进境检测、维修货物及其零配件;

(八)供看样订货的展览品、样品;

(九)未办结海关手续的一般贸易货物;

(十)经海关批准的其他进境货物。

**第二十三条** 园区行政管理机构及其经营主体和园区企业从境外进口的自用交通运输工具、生活消费用品,按一般贸易进口货物的有关规定向海关办理申报手续。

**第二十四条** 园区与境外之间进出的货物,不实行进出口许可证件管理,但法律、行政法规、规章另有规定的除外。

## 第二节　对园区与区外之间进出货物的监管

**第二十五条**　园区与区外之间进出的货物,由园区企业或者区外收、发货人（或者其代理人）按照规定向海关办理相关手续。

**第二十六条**　园区货物运往区外视同进口,园区企业或者区外收货人（或者其代理人）按照规定向海关办理相关手续,海关按照货物出园区时的实际监管方式的有关规定办理。

**第二十七条**　园区企业跨关区配送货物或者异地企业跨关区到园区提取货物的,应当按照规定向海关办理相关手续。

**第二十八条**　除法律、行政法规、规章规定不得集中申报的货物外,园区企业少批量、多批次进、出货物的,经园区主管海关批准可以办理集中申报手续,并适用每次货物进出口时海关接受该货物申报之日实施的税率、汇率。集中申报的期限不得超过1个月,且不得跨年度办理。

**第二十九条**　区外货物运入园区视同出口,由园区企业或者区外发货人（或者其代理人）按照规定向海关办理相关手续。属于应当征收出口关税的商品,海关按照有关规定征收出口关税；属于许可证件管理的商品,应当取得有效的出口许可证件,海关对有关出口许可证件电子数据进行系统自动比对验核,但法律、行政法规、规章另有规定在出境申报环节验核出口许可证件的除外。

境内区外货物、设备以出口报关方式进入园区的,其出口退税按照国家有关规定办理。境内区外货物、设备属于原进口货物、设备的,原已缴纳的关税、进口环节海关代征税海关不予退还。

**第三十条**　从园区到区外的货物涉及免税的,海关按照进口免税货物的有关规定办理。

**第三十一条**　经园区主管海关批准,园区企业可以在园区综合办公区专用的展示场所举办商品展示活动。展示的货物应当在园区主管海关备案,并接受海关监管。

园区企业在区外其他地方举办商品展示活动的,应当比照海关对暂时进口货物的管理规定办理有关手续。

**第三十二条**　园区行政管理机构及其经营主体和园区企业使用的机器、设备和办公用品等,需要运往区外进行检测、维修的,应当向园区主管海关提出申请,经园区主管海关核准、登记后可以运往区外。

**第三十三条**　运往区外检测、维修的机器、设备和办公用品等不得留在区外使用,并自运出之日起60日内运回园区。因特殊情况不能如期运回的,园区行政管理机构及其经营主体和园区企业应当于期满前10日内,以书面形式向园区主管海关申请延期,延长期限不得超过30日。

**第三十四条**　检测、维修完毕运回园区的机器、设备等应当为原物。有更换新零配件或者附件的,原零配件或者附件应当一并运回园区。

对在区外更换的国产零配件或者附件,如需退税,由企业按照出口货物的有关规定办理手续。

**第三十五条**　区外原进口货物需要退运出境或者原出口货物需要复运进境的,不得经过园区进出境或者进入园区存储。

根据无代价抵偿货物规定进行更换的区外原进口货物,留在区外不退运出境的,也不得进入园区。

## 第三节　对园区内货物的监管

**第三十六条**　园区内货物可以自由流转。园区企业转让、转移货物时应当将货物的具体品名、数量、金额等有关事项向海关进行电子数据备案，并在转让、转移后向海关办理报核手续。

第三十七条 未经园区主管海关许可，园区企业不得将所存货物抵押、质押、留置、移作他用或者进行其他处置。

按照本办法第二十一条规定免税进入园区的货物、物品，适用本条前款的规定。

第三十八条 园区企业可以对所存货物开展流通性简单加工和增值服务，包括分级分类、分拆分拣、分装、计量、组合包装、打膜、加刷唛码、刷贴标志、改换包装、拼装等具有商业增值的辅助性作业。

第三十九条 申请在园区内开展维修业务的企业应当具有企业法人资格，并在园区主管海关登记备案。在园区内开展保税维修业务的企业，海关按照相关规定进行监管。

第四十条 园区企业自开展业务之日起，应当每年向园区主管海关办理报核手续。园区主管海关应当自受理报核申请之日起30日内予以核库。企业有关账册、原始数据应当自核库结束之日起至少保留3年。

第四十一条 进入园区的国内出口货物尚未办理退税手续的，因品质或者规格原因需要退还出口企业时，园区企业应当在货物申报进入园区之日起1年内提出申请，并提供出口企业所在地主管税务部门出具的未办理出口退税证明，经园区主管海关批准后，可以办理退运手续，且无需缴纳进口关税、进口环节增值税和消费税；海关已征收出口关税的，应当予以退还。货物以转关方式进入园区的，园区企业出具启运地海关退运联系单后，园区主管海关办理相关手续。

进境货物未经流通性简单加工，需原状退运出境的，园区企业可以向园区主管海关申请办理退运手续。

已办理出口退税的货物或者已经流通性简单加工的货物（包括进境货物）如需退运，按照进出口货物的有关规定办理海关手续。

第四十二条 除已经流通性简单加工的货物外，区外进入园区的货物，因质量、规格型号与合同不符等原因，需原状返还出口企业进行更换的，园区企业应当在货物申报进入园区之日起1年内向园区主管海关申请办理退换手续。海关按照《中华人民共和国海关进出口货物征税管理办法》的有关规定办理。

更换的货物进入园区时，可以免领出口许可证件，免征出口关税。

第四十三条 除法律、行政法规规定不得声明放弃的货物外，园区企业可以申请放弃货物。

放弃货物由园区主管海关依法提取变卖，变卖收入由海关按照有关规定处理。依法变卖后，企业凭放弃该批货物的申请和园区主管海关提取变卖该货物的有关单证办理核销手续；确因无使用价值无法变卖并经海关核准的，由企业自行处理，园区主管海关直接办理核销手续。放弃货物在海关提取变卖前所需的仓储等费用，由企业自行承担。

对按照规定应当销毁的放弃货物，由企业负责销毁，园区主管海关可以派员监督。园区主管海关凭有关主管部门的证明材料办理核销手续。

第四十四条 因不可抗力造成园区货物损坏、损毁、灭失的，园区企业应当及时书面报告园区主管海关，说明理由并提供保险、灾害鉴定部门的有关证明。经园区主管海关核实确认后，按照下列规定处理：

（一）货物灭失，或者虽未灭失但完全失去使用价值的，海关予以办理核销和免税手续；

（二）进境货物损坏、损毁，失去原使用价值但可以再利用的，园区企业可以向园区主管海关办理退运手续。如不退运出境并要求运往区外的，由园区企业提出申请，并经园区主管海关核准，根据受灾货物的使用价值进行估价、征税后运出园区外；

（三）区外进入园区的货物损坏、损毁，失去原使用价值但可以再利用，且需向出口企业进行退换的，可以退换为与损坏货物同一品名、规格、数量、价格的货物，并向园区主管海关办理退运手续。

需退运到区外的，如属于尚未办理出口退税手续的，可以向园区主管海关办理退运手续；如属已经办理出口退税手续的，按照本条第（二）项进境货物运往区外的有关规定办理。

第四十五条　因保管不善等非不可抗力因素造成货物损坏、损毁、灭失的，按下列规定办理：

（一）对于从境外进入园区的货物，园区企业应当按照一般贸易进口货物的规定，以货物进入园区时海关接受申报之日适用的税率、汇率，依法向海关缴纳损毁、灭失货物原价值的关税、进口环节增值税和消费税；

（二）对于从区外进入园区的货物，园区企业应当重新缴纳因出口而退还的国内环节有关税收，海关据此办理核销手续。

第四十六条　除国家另有规定外，园区货物不设存储期限。

### 第四节　对园区与其他海关特殊监管区域、保税监管场所之间往来货物的监管

第四十七条　海关对于园区与海关特殊监管区域或者保税监管场所之间往来的货物，继续实行保税监管。但货物从未实行国内货物入区（仓）环节出口退税制度的海关特殊监管区域或者保税监管场所转入园区的，按照货物实际离境的有关规定办理申报手续。

第四十八条　园区与其他海关特殊监管区域、保税监管场所之间的货物交易、流转，不征收进出口环节和国内流通环节的有关税收。

## 第四章　对进出园区运输工具和人员携带货物、物品的监管

第四十九条　运输工具和人员应当经海关指定的专用通道进出园区。

第五十条　对园区和其他口岸、海关特殊监管区域或者保税监管场所之间进出的货物，应当由经海关备案或者核准的运输工具承运。承运人应当遵守海关有关运输工具及其所载货物的管理规定。

第五十一条　园区与区外非海关特殊监管区域或者保税监管场所之间货物的往来，企业可以使用其他非海关监管车辆承运。承运车辆进出园区通道时应当经海关登记，海关可以对货物和承运车辆进行查验、检查。

第五十二条　下列货物进出园区时，按照海关规定办理相关手续并经园区主管海关查验后，可以由园区企业指派专人携带或者自行运输：

（一）价值1万美元及以下的小额货物；
（二）因品质不合格复运区外退换的货物；
（三）已办理进口纳税手续的货物；
（四）企业不要求出口退税的货物；
（五）其他经海关核准的货物。

## 第五章　附　则

第五十三条　除国际中转货物和其他另有规定的货物外，从境外运入园区的货物和从园区运往境外的货物列入海关进出口统计。从区外运入园区和从园区运往区外的货物，列入海关单项统计。

园区企业之间转让、转移的货物，以及园区与其他海关特殊监管区域或者保税监管场所之间往来的货物，不列入海关统计。

第五十四条 本办法下列用语的含义:

园区综合办公区,是指园区行政管理机构或者其经营主体在园区围网外投资建立,供海关、园区企业和其他有关机构使用的具有办公、商务、报关、商品展示等功能的场所。

拼箱,是指从境外启运的国际集装箱中转货物,在中转港存放期间由园区企业根据收发货人指令单独进行流通性简单加工和增值服务,或者与中转港所在国、地区的其他进口或者出口货物重新组合拼箱后,再次装船集中运往境外同一目的港的物流活动。

核库,是指经企业申请,由海关盘查企业实际库存,并对海关及企业电子账册进、出、转、存的数据进行比对确认的行为。

保税监管场所,是指经海关批准设立的保税物流中心(A、B型)、保税仓库、出口监管仓库及其他保税监管场所。

第五十五条 违反本办法规定,构成走私或者违反海关监管规定行为的,海关按照《中华人民共和国海关法》《中华人民共和国海关行政处罚实施条例》的有关规定进行处理;构成犯罪的,依法追究刑事责任。

第五十六条 本办法由海关总署负责解释。

第五十七条 本办法自2006年1月1日起施行。

# 关于公告保税物流园区统计办法

(海关总署公告2005年第71号)

(2005年12月31日由海关总署发布,2006年1月1日起施行,法规类型为规范性文件)

为适应海关对"保税物流园区"监管要求,全面掌握"保税物流中心园区"货物的流向、流量,根据《中华人民共和国海关对保税物流园区的管理办法》(海关总署第134号令),现就保税物流园区货物的统计办法公告如下:

一、增设"物流园区"代码。

增设海关经营单位代码第五位"7",表示"物流园区"。凡设在物流园区内、在海关注册登记并经营物流园区业务的企业,其经营单位的编码第五位必须为"7"。国务院已批准的保税物流园区(国办函〔2003〕81号、〔2004〕58号)统计代码见附件。

二、保税物流园区进出境货物。

(一)货物从境外运入保税物流园区或从保税物流园区运往境外时,海关作进、出口统计(海关统计制度规定不列入统计范围的除外)。保税物流园区进出境货物的监管方式及代码按照保税区进出境货物的监管方式填报。

(二)"物流园区进出境货物"统计的原始资料是《中华人民共和国海关保税区进境货物备案清单》或《中华人民共和国海关保税区出境货物备案清单》,运输方式、原产国、最终目的国、起运国、运抵国等按实际填报。

三、保税物流园区与境内之间进出的货物。

(一)增设运输方式"X",表示"从境内(指国境内特殊监管区域之外)运入园区或从保税物流园区运往境内的货物",简称"物流园区"。

(二)当保税物流园区与境内之间的货物进出时,由境内企业填制《中华人民共和国海关进口货物报关单》或《中华人民共和国海关出口货物报关单》,贸易方式根据海关实际监管方式填报；运输方式栏为"物流园区"，代码为"X"；起运国或运抵国为"中国"；原产国或最终目的国按照实际国别填报。海关作单项统计。

四、保税物流园区与其他保税物流园区、保税区、出口加工区、保税仓库、出口监管仓库及保税物流中心（A、B型）等海关特殊监管区域或监管场所之间往来的货物。

保税物流园区与其他保税物流园区、保税区、保税仓库、出口监管仓库及保税物流中心（A、B型）等海关特殊监管区域或监管场所之间往来的货物，货物出口（转出）企业和货物进口（转入）企业均应同时填制《中华人民共和国海关出口货物报关单》或《中华人民共和国海关进口货物报关单》，监管方式应填报为"保税间货物"（代码1200）；运输方式为"其他"（代码9）；起运国或运抵国为"中国"；原产国或最终目的国按照实际国别填报。海关不作统计。

对于保税物流园区与出口加工区之间往来货物的监管方式，保税物流园区企业应填报"保税间货物"（代码1200），出口加工区企业按照出口加工区进出区的有关规定填报。

五、本办法自2006年1月1日起执行。

特此公告。

附件：保税物流园区代码表

**附件**

### 保税物流园区代码表

| 保税物流园区 | 代码 |
|---|---|
| 天津保税物流园区 | 12077 |
| 大连保税物流园区 | 21027 |
| 上海外高桥保税物流园区 | 31227 |
| 张家港保税物流园区 | 32157 |
| 宁波保税物流园区 | 33027 |
| 厦门象屿保税物流园区 | 35027 |
| 青岛保税物流园区 | 37027 |
| 深圳盐田港保税物流园区 | 44037 |

# 中华人民共和国海关珠澳跨境工业区珠海园区管理办法

(海关总署令第160号)

(2007年3月8日由海关总署发布；根据2010年3月15日海关总署令第189号《海关总署关于修改〈中华人民共和国海关珠澳跨境工业区珠海园区管理办法〉的决定》第一次修正，根据2017年12月20日海关总署令第235号《海关总署关于修改部分规章的决定》第二次修正，根据2018年5月29日海关总署令第240号《海关总署关于修改部分规章的决定》第三次修正，根据2018年11月23日海关总署令第243号《海关总署关于修改部分规章的决定》第四次修正；现行版本自2018年11月23日起施行；法规类型为部门规章)

## 第一章 总 则

**第一条** 为了规范海关对珠澳跨境工业区珠海园区(以下简称珠海园区)的监管，根据《中华人民共和国海关法》(以下简称《海关法》)和其他有关法律、行政法规的规定，制定本办法。

**第二条** 珠海园区是经国务院批准设立的海关特殊监管区域。珠海园区实行保税区政策，与中华人民共和国关境内的其他地区(以下称区外)之间进出货物在税收方面实行出口加工区政策。

**第三条** 海关在珠海园区派驻机构，依照本办法对进出珠海园区的货物、物品、运输工具以及珠海园区内企业、场所实施监管。

**第四条** 珠海园区实行封闭式管理。珠海园区与区外以及澳门园区之间，应当设置符合海关监管要求的围网隔离设施、卡口、视频监控系统以及其他海关监管所需的设施。

珠海园区和澳门园区之间设立专用口岸通道，用于两个园区的货物、物品、运输工具以及人员进出。珠海园区和区外之间设立进出区卡口通道，用于珠海园区与区外之间的货物、物品、运输工具以及人员进出。

**第五条** 珠海园区内不得建立商业性生活消费设施。除安全保卫人员和企业值班人员外，其他人员不得在珠海园区居住。

**第六条** 珠海园区可以开展以下业务：

(一)加工制造；

(二)检测、维修、研发；

(三)储存进出口货物以及其他未办结海关手续货物；

(四)国际转口贸易；

(五)国际采购、分销和配送；

(六)国际中转；

(七)商品展示、展销；

(八)经海关批准的其他加工和物流业务。

**第七条** 珠海园区内企业(以下简称区内企业)应当具有法人资格。特殊情况下，经珠海园区主管海关核准，区外法人企业可以依法在园区内设立分支机构。

**第八条** 区内企业应当依据《中华人民共和国会计法》以及国家有关法律、行政法规的规定,设置符合海关监管要求的账簿、报表,记录本企业的财务状况和有关进出珠海园区货物、物品的库存、转让、转移、销售、加工、使用和损耗等情况,如实填写有关单证、账册、凭证法、有效凭证记账并且进行核算。

第九条 海关对区内企业实行电子账册监管制度和计算机联网管理制度,电子账册的备案、核销等作业按有关规定执行。

珠海园区行政管理机构或者其经营主体应当在海关指导下通过"电子口岸"平台建立供海关、区内企业以及其他相关部门进行电子数据交换和信息共享的计算机公共信息平台。

区内企业应当建立符合海关联网监管要求的计算机管理系统,按照海关规定的认证方式,提供符合海关查阅格式的电子数据并且与海关信息系统联网。

第十条 有下列情形之一的,区内企业应当在情况发生之日起5个工作日内书面报告海关,并且办理相关手续:
(一)遭遇不可抗力的;
(二)海关监管货物被盗窃的;
(三)区内企业分立、合并、破产的。

第十一条 法律、行政法规禁止进出口的货物、物品,不得进出珠海园区。

## 第二章 对珠海园区与境外之间进出货物的监管

第十二条 海关对珠海园区与境外之间进出的货物实行备案制管理,但法律、行政法规另有规定的货物除外。珠海园区与境外之间进出的货物,由货物的收发货人或者代理人填写进出境货物备案清单,向海关备案。

对于珠海园区与境外之间进出的货物,区内企业提出书面申请并且经海关批准的,可以办理集中申报手续,但法律、行政法规和规章另有规定的除外。

第十三条 珠海园区与境外之间进出的货物应当按照规定向海关办理相关手续。

第十四条 珠海园区与境外之间进出的货物,不实行进出口配额、许可证件管理,但法律、行政法规和规章另有规定的除外。

第十五条 从境外进入珠海园区的货物,除法律、行政法规另有规定外,按照以下规定征收进口关税和进口环节税:
(一)珠海园区生产性的基础设施建设项目所需的机器、设备和其他物资,予以免税;
(二)区内企业自用的生产、管理设备和自用合理数量的办公用品及其所需的维修零配件,建设生产厂房、仓储设施所需的物资、设备,予以免税;
(三)珠海园区行政管理机构自用合理数量的管理设备和办公用品及其所需的维修零配件,予以免税;
(四)区内企业为加工出口产品所需的原材料、零部件、元器件、包装物料,予以保税;
(五)转口货物、在珠海园区储存的货物和展览品、样品,予以保税;
(六)上述规定范围外的货物或者物品从境外进入珠海园区,应当依法纳税。

本条前款规定的从境外免税进入珠海园区的货物出区进入区外的,海关按照货物进口的有关规定办理手续;需要征税的,按照货物出区时的实际状态征税;属于配额、许可证件管理商品的,区内企业或者区外收货人还应当取得进口配额、许可证件。海关对有关进口许可证件电子数据进行系统自动比对验核。

从珠海园区运往境外的货物免征出口关税,但法律、行政法规另有规定的除外。

## 第三章 对珠海园区与区外之间进出货物的监管

第十六条 珠海园区内货物运往区外视同进口,海关按照货物进口的有关规定办理手续。

需要征税的，按照货物出区时的实际状态征税；属于配额、许可证件管理商品的，区内企业或者区外收货人还应当取得进口配额、许可证件。海关对有关进口许可证件电子数据进行系统自动比对验核。

以一般贸易方式经珠海园区进入区外，并且获得香港或者澳门签证机构签发的 CEPA 优惠原产地证书的货物，可以按照规定享受 CEPA 零关税优惠。

第十七条　区内企业在加工生产过程中产生的边角料、废品，以及加工生产、储存、运输等过程中产生的包装物料，区内企业提出书面申请并且经海关批准的，可以运往区外，海关按出区时的实际状态征税。属于进口配额、许可证件管理商品的，免领进口配额、许可证件；属于列入《禁止进口废物目录》的废物以及其他危险废物需出区进行处置的，有关企业凭珠海园区行政管理机构以及所在地的市级环保部门批件等材料，向海关办理出区手续。

区内企业在加工生产过程中产生的残次品内销出区的，海关按内销时的实际状态征税。属于进口配额、许可证件管理的，企业应当取得进口配额、许可证件。海关对有关进口许可证件电子数据进行系统自动比对验核。

第十八条　珠海园区内货物运往区外的，由区内企业、区外收货人或者其代理人向海关办理申报手续。

第十九条　区内企业跨区配送货物或者异地企业跨区到珠海园区提取货物的，可以在珠海园区主管海关办理申报手续，也可以按照规定在异地企业所在地海关办理申报手续。

第二十条　区内企业需要将模具、原材料、半成品等运往区外进行加工的，应当在开展外发加工前，凭承揽加工合同或者协议、区内企业签章确认的承揽企业生产能力状况等材料，向珠海园区主管海关办理外加工手续。

委托区外企业加工的期限不得超过合同或者协议有效期，加工完毕后的货物应当按期运回珠海园区。在区外开展外加工产生的边角料、废品、残次品、副产品不运回珠海园区的，海关应当按照实际状态征税。区内企业凭出区时委托区外加工申请书以及有关单证，向海关办理验放核销手续。

第二十一条　经珠海园区主管海关批准，区内企业可以在区外进行商品展示，也可以承接区外商品的展示，并且比照海关对暂时进出境货物的有关规定办理进出区手续。

第二十二条　在珠海园区内使用的机器、设备、模具和办公用品等海关监管货物，区内企业或者珠海园区行政管理机构向珠海园区主管海关提出书面申请，并且经珠海园区主管海关核准、登记后，可以运往区外进行检测、维修。区内企业将模具运往区外进行检测、维修的，应当留存模具所生产产品的样品或者图片资料。

运往区外进行检测、维修的机器、设备、模具和办公用品等，不得在区外用于加工生产和使用，并且应当自运出之日起 60 日内运回珠海园区。因特殊情况不能如期运回的，区内企业或者珠海园区行政管理机构应当在期限届满前 7 日内，以书面形式向海关申请延期，延长期限不得超过 30 日。

检测、维修完毕运回珠海园区的机器、设备、模具和办公用品等应当为原物。有更换新零件、配件或者附件的，原零件、配件或者附件应当一并运回区内。对在区外更换的国产零件、配件或者附件，需要退税的，由企业按照出口货物的有关规定办理手续。

第二十三条　货物从区外进入珠海园区视同出口，海关按照货物出口的有关规定办理手续。属于出口应税商品的，按照有关规定进行征税；属于配额、许可证件管理商品的，区内企业或者区外发货人还应当向海关出具出口配额、许可证件。

境内区外货物、设备以出口报关方式进入园区的，其出口退税按照国家有关规定办理。境内区外货物、设备属于原进口货物、设备的，原已缴纳的关税、进口环节海关代征税海关不予退还。

第二十四条　区内企业运往区外进行外发加工的货物，加工生产过程中使用国内料件并且属于出口应税商品的，加工产品运回区内时，所使用的国内料件应当按规定缴纳出口关税。

从区外运到区内供区内企业自用并且不再出区的物资，区内企业应当向海关提供有关物资清单，经海关批准放行。

第二十五条　对于珠海园区与区外之间进出的货物，企业提出书面申请并且经海关批准的，可以办理集中申报手续，并且适用每次货物进出时海关接受该货物申报之日实施的税率、汇率，但法律、行政法规和规章另有规定的除外。集中申报的期限不得超过30日，并且不得跨年度办理。

## 第四章　对珠海园区内货物的监管

第二十六条　珠海园区内货物可以在区内自由流转。区内企业之间转让、转移货物的，双方企业应当及时将转让、转移货物的品名、数量、金额等有关事项向海关备案。

第二十七条　区内企业可以将本企业加工生产的产品转入其他海关特殊监管区域以及区外加工贸易企业进一步加工后复出口，海关参照出口加工区货物出区深加工结转的有关规定实施监管。

第二十八条　区内企业自开展业务之日起，应当每年向珠海园区主管海关办理报核手续，珠海园区主管海关应当自受理报核申请之日起30日内予以核销。区内企业有关账册、原始单证应当自核销结束之日起至少保留3年。

第二十九条　因不可抗力造成珠海园区内货物损坏、灭失的，区内企业应当及时书面报告珠海园区主管海关，并且提供保险、灾害鉴定部门的有关证明。经珠海园区主管海关核实确认后，按照以下规定处理：

（一）货物灭失，或者虽未灭失但完全失去使用价值的，海关依法办理核销和免税手续；

（二）进境货物损坏，失去原使用价值但可以再利用的，区内企业可以向海关办理退运手续。要求运往区外的，由区内企业提出申请，并且经珠海园区主管海关核准后，按照出区时的实际状态办理海关手续；

（三）区外进入珠海园区的货物损坏，失去原使用价值但可以再利用，并且向区外出口企业进行退换的，可以退换为与损坏货物同一品名、规格、数量、价格的货物，并且向珠海园区主管海关办理退运手续。

需要退运到区外的货物，区内企业向珠海园区主管海关提出退运申请，提供注册地税务主管部门证明其货物未办理出口退税或者所退税款已退还税务主管部门的证明材料和出口单证，并且经珠海园区主管海关批准的，可以办理退运手续；属于已经办理出口退税手续并且所退税款未退还税务主管部门的，按照本条第一款第（二）项的有关规定办理。

第三十条　因保管不善等非不可抗力因素造成货物损坏、灭失的，按照以下规定办理：

（一）对于从境外进入珠海园区的货物，区内企业应当按照一般贸易进口货物的规定，以货物进入珠海园区时海关接受申报之日适用的税率、汇率，依法向海关缴纳损毁、灭失货物原价值的进口环节税；

（二）对于从区外进入珠海园区的货物，区内企业应当重新缴纳出口退还的国内环节有关税款，海关根据有关单证办理核销手续。

第三十一条　区内企业生产属于被动配额管理的出口产品，应当事先报经有关部门批准。

第三十二条　海关对于珠海园区与其他海关特殊监管区域或者海关保税监管场所之间流转的保税货物，实行继续保税监管。

货物从未实行国内货物入区（仓）环节出口退税制度的海关特殊监管区域或者海关保税监管场所转入珠海园区的，按照货物实际离境的有关规定办理申报手续。

## 第五章　对进出珠海园区运输工具和个人携带货物、物品的监管

**第三十三条**　运输工具和个人进出珠海园区的，应当经由海关指定的专用通道，并且接受海关监管和检查。

**第三十四条**　货运车辆、非货运车辆进出珠澳跨境工业区专用口岸通道的，应当经主管部门批准，并且按照《中华人民共和国海关关于来往香港、澳门公路货运企业及其车辆和驾驶员的管理办法》（以下简称《港澳车辆管理办法》）向珠海园区主管海关办理备案手续。

澳门车辆进出珠澳跨境工业区专用口岸通道的，申请人应当在报经主管部门批准后，凭主管部门批文、车主/企业、汽车、驾驶员等有关资料向珠海园区主管海关申请备案，并且提供海关认可的担保，海关签发《来往澳门汽车进出境签证本》。

**第三十五条**　港/澳籍货运车辆、非货运车辆以及澳门车辆从珠澳跨境工业区专用口岸通道进境后，应当在3个月内复出境；特殊情况下，经珠海园区主管海关同意，可以在车辆备案有效期内予以延期，延长期限不得超过3个月。

**第三十六条**　对于从珠澳跨境工业区专用口岸通道进境的货运车辆，海关按照港澳车辆管理办法及其有关规定进行监管。

对于从珠澳跨境工业区专用口岸通道进境的非货运车辆、澳门车辆，海关比照港澳车辆管理办法及其有关规定进行监管。

**第三十七条**　进境的港/澳籍货运车辆、非货运车辆可以从珠海园区进入珠海市区或者从珠海市区进入珠海园区。

从珠澳跨境工业区专用口岸通道进入珠海园区的澳门车辆，不得从珠海园区进入区外。

**第三十八条**　经珠澳跨境工业区专用口岸通道进出珠海园区、澳门园区人员携带的行李物品，应当以自用合理为限，海关按照进出境旅客行李物品监管的有关规定进行监管。

进出珠澳跨境工业区专用口岸通道车辆的备用物料和驾驶员携带的行李物品，应当以旅途需要为限，超出旅途需要的，海关不予放行。

**第三十九条**　珠海园区与区外之间进出的下列货物，经海关批准，可以由区内企业指派专人携带或者自行运输：

（一）价值1万美元以下的小额货物；

（二）因品质不合格复运区外退换的货物；

（三）已办理进口纳税手续的货物；

（四）企业不要求出口退税的货物；

（五）其他经海关批准的货物。

## 第六章　附　则

**第四十条**　除国际中转货物和其他另有规定的货物外，珠海园区与境外之间进出的货物，列入海关进出口统计。珠海园区与区外之间进出的货物，列入海关单项统计。

区内企业之间转让、转移的货物，以及珠海园区与其他海关特殊监管区域或者海关保税监管场所之间流转的货物，不列入海关统计。

**第四十一条**　本办法下列用语含义：

澳门园区，是指经国务院批准设立的珠澳跨境工业区的澳门园区。

货运车辆，是指依照港澳车辆管理办法规定在海关备案，从事来往粤澳公路货物运输的粤澳两地牌照车辆。

非货运车辆，是指经主管部门批准，并且按照规定在海关备案、来往粤澳的粤澳两地牌照商务车辆、私人小汽车。

澳门车辆，是指在珠海园区投资设厂的境外商户的澳门籍货运车辆和私人小汽车，以及澳门专业货运公司的货运车辆。

**第四十二条** 海关对珠海园区管理的其他事项，由拱北海关比照本办法以及国家有关规定予以处理。

**第四十三条** 违反本办法，构成走私行为、违反海关监管规定行为或者其他违反《海关法》行为的，由海关依照《海关法》和《中华人民共和国海关行政处罚实施条例》的有关规定予以处理；构成犯罪的，依法追究刑事责任。

**第四十四条** 本办法由海关总署负责解释。

**第四十五条** 本办法自2007年4月8日起施行。

# 中华人民共和国海关保税港区管理暂行办法

（海关总署令第164号）

（2007年9月3日由海关总署发布；根据2010年3月15日海关总署令第191号《海关总署关于修改〈中华人民共和国海关保税港区管理暂行办法〉的决定》第一次修正，根据2017年12月20日海关总署令第235号《海关总署关于修改部分规章的决定》第二次修正，根据2018年5月29日海关总署令第240号《海关总署关于修改部分规章的决定》第三次修正，根据2018年11月23日海关总署令第243号《海关总署关于修改部分规章的决定》第四次修正；现行版本自2018年11月23日起施行；法规类型为部门规章）

## 第一章 总 则

**第一条** 为了规范海关对保税港区的管理，根据《中华人民共和国海关法》（以下简称《海关法》）和有关法律、行政法规的规定，制定本办法。

**第二条** 本办法所称的保税港区是指经国务院批准，设立在国家对外开放的口岸港区和与之相连的特定区域内，具有口岸、物流、加工等功能的海关特殊监管区域。

**第三条** 海关依照本办法对进出保税港区的运输工具、货物、物品以及保税港区内企业、场所进行监管。

**第四条** 保税港区实行封闭式管理。保税港区与中华人民共和国关境内的其他地区（以下称区外）之间，应当设置符合海关监管要求的卡口、围网、视频监控系统以及海关监管所需的其他设施。

**第五条** 保税港区内不得居住人员。除保障保税港区内人员正常工作、生活需要的非营利性设施外，保税港区内不得建立商业性生活消费设施和开展商业零售业务。

海关及其他行政管理机构的办公场所应当设置在保税港区围网外。

**第六条** 保税港区管理机构应当建立信息共享的计算机公共信息平台，并通过"电子口岸"实现区内企业及相关单位与海关之间的电子数据交换。

**第七条** 保税港区的基础和监管设施、场所等应当符合《海关特殊监管区域基础和监管设施验收标准》。经海关总署会同国务院有关部门验收合格后，保税港区可以开展有关业务。

**第八条** 保税港区内可以开展下列业务：

（一）存储进出口货物和其他未办结海关手续的货物；

（二）国际转口贸易；

（三）国际采购、分销和配送；

（四）国际中转；

（五）检测和售后服务维修；

（六）商品展示；

（七）研发、加工、制造；

（八）港口作业；

（九）经海关批准的其他业务。

**第九条** 保税港区内企业（以下简称区内企业）应当具有法人资格。特殊情况下，经保税港区主管海关核准，区外法人企业可以依法在保税港区内设立分支机构。

**第十条** 海关对区内企业实行计算机联网管理制度和海关稽查制度。

区内企业应当应用符合海关监管要求的计算机管理系统，提供供海关查阅数据的终端设备和计算机应用的软件接口，按照海关规定的认证方式和数据标准与海关进行联网，并确保数据真实、准确、有效。

海关依法对区内企业开展海关稽查，监督区内企业规范管理和守法自律。

**第十一条** 区内企业应当依照《中华人民共和国会计法》及有关法律、行政法规的规定，规范财务管理，设置符合海关监管要求的账册和报表，记录本企业的财务状况和有关进出保税港区货物、物品的库存、转让、转移、销售、加工和使用等情况，如实填写有关单证、账册，凭合法、有效的凭证记账和核算。

**第十二条** 保税港区内港口企业、航运企业的经营和相关活动应当符合有关法律、行政法规和海关监管的规定。

**第十三条** 国家禁止进出口的货物、物品不得进出保税港区。

**第十四条** 区内企业的生产经营活动应当符合国家产业发展要求，不得开展高耗能、高污染和资源性产品以及列入《加工贸易禁止类商品目录》商品的加工贸易业务。

## 第二章 对保税港区与境外之间进出货物的监管

**第十五条** 保税港区与境外之间进出的货物应当按照规定向海关办理相关手续。

**第十六条** 海关对保税港区与境外之间进出的货物实行备案制管理，对从境外进入保税港区的货物予以保税，但本办法第十七条、第十八条和第三十八条规定的情形除外。

按照本条前款规定实行备案制管理的，货物的收发货人或者代理人应当如实填写进出境货物备案清单，向海关备案。

**第十七条** 除法律、行政法规另有规定外，下列货物从境外进入保税港区，海关免征进口关税和进口环节海关代征税：

（一）区内生产性的基础设施建设项目所需的机器、设备和建设生产厂房、仓储设施所需的基建物资；

（二）区内企业生产所需的机器、设备、模具及其维修用零配件；

（三）区内企业和行政管理机构自用合理数量的办公用品。

**第十八条** 从境外进入保税港区，供区内企业和行政管理机构自用的交通运输工具、生活消费用品，按进口货物的有关规定办理报关手续，海关按有关规定征收进口关税和进口环节海关代征税。

**第十九条** 从保税港区运往境外的货物免征出口关税，但法律、行政法规另有规定的除外。

**第二十条** 保税港区与境外之间进出的货物，不实行进出口配额、许可证件管理，但法律、行政法规和规章另有规定的除外。

对于同一配额、许可证件项下的货物，海关在进区环节已经验核配额、许可证件的，在出境环节不再验核配额、许可证件。

## 第三章　对保税港区与区外之间进出货物的监管

**第二十一条**　保税港区与区外之间进出的货物，区内企业或者区外收发货人按照规定向海关办理相关手续。需要征税的，除另有规定外，区内企业或者区外收发货人按照货物进出区时的实际状态缴纳税款；属于配额、许可证件管理商品的，区内企业或者区外收货人还应当取得配额、许可证件。海关对有关许可证件电子数据进行系统自动比对验核。对于同一配额、许可证件项下的货物，海关在进境环节已经验核配额、许可证件的，在出区环节不再验核配额、许可证件。

**第二十二条**　海关监管货物从保税港区与区外之间进出的，保税港区主管海关可以要求提供相应的担保。

**第二十三条**　区内企业在加工生产过程中产生的边角料、废品，以及加工生产、储存、运输等过程中产生的包装物料，区内企业提出书面申请并且经海关批准的，可以运往区外，海关按出区时的实际状态征税。属于进口配额、许可证件管理商品的，免领进口配额、许可证件；属于列入《禁止进口废物目录》的废物以及其他危险废物需出区进行处置的，有关企业凭保税港区行政管理机构以及所在地的市级环保部门批件等材料，向海关办理出区手续。

区内企业在加工生产过程中产生的残次品、副产品出区内销的，海关按内销时的实际状态征税。属于进口配额、许可证件管理的，企业应当取得进口配额、许可证件。海关对有关进口许可证件电子数据进行系统自动比对验核。

**第二十四条**　经保税港区运往区外的优惠贸易协定项下货物，符合海关总署相关原产地管理规定的，可以申请享受协定税率或者特惠税率。

**第二十五条**　经海关核准，区内企业可以办理集中申报手续。实行集中申报的区内企业应当对1个自然月内的申报清单数据进行归并，填制进出口货物报关单，在次月底前向海关办理集中申报手续。

集中申报适用报关单集中申报之日实施的税率、汇率，集中申报不得跨年度办理。

**第二十六条**　境内区外货物、设备以出口报关方式进入保税港区的，其出口退税按照国家有关规定办理；境内区外货物、设备属于原进口货物、设备的，原已缴纳的关税、进口环节海关代征税海关不予退还。

除另有规定外，海关对前款货物比照保税货物进行管理，对前款设备比照减免税设备进行管理。

**第二十七条**　经保税港区主管海关批准，区内企业可以在保税港区综合办公区专用的展示场所举办商品展示活动。展示的货物应当在海关备案，并接受海关监管。

区内企业在区外其他地方举办商品展示活动的，应当比照海关对暂时进境货物的管理规定办理有关手续。

**第二十八条**　保税港区内使用的机器、设备、模具和办公用品等海关监管货物，可以比照进境修理货物的有关规定，运往区外进行检测、维修。区内企业将模具运往区外进行检测、维修的，应当留存模具所生产产品的样品或者图片资料。

运往区外进行检测、维修的机器、设备、模具和办公用品等，不得在区外用于加工生产和使用，并且应当自运出之日起60日内运回保税港区。因特殊情况不能如期运回的，区内企业或者保税港区行政管理机构应当在期限届满前7日内，以书面形式向海关申请延期，延长期限不得超过30日。

检测、维修完毕运回保税港区的机器、设备、模具和办公用品等应当为原物。有更换新零件、配件或者附件的，原零件、配件或者附件应当一并运回保税港区。对在区外更换的国产零件、配件或者附件，需要退税的，由企业按照出口货物的有关规定办理手续。

**第二十九条** 区内企业需要将模具、原材料、半成品等运往区外进行加工的，应当在开展外发加工前，凭承揽加工合同或者协议、区内企业签章确认的承揽企业生产能力状况等材料，向保税港区主管海关办理外发加工手续。

委托区外企业加工的期限不得超过合同或者协议有效期，加工完毕后的货物应当按期运回保税港区。在区外开展外发加工产生的边角料、废品、残次品、副产品不运回保税港区的，海关应当按照实际状态征税。区内企业凭出区时委托区外加工申请书以及有关单证，向海关办理验放核销手续。

## 第四章 对保税港区内货物的监管

**第三十条** 保税港区内货物可以自由流转。区内企业转让、转移货物的，双方企业应当及时向海关报送转让、转移货物的品名、数量、金额等电子数据信息。

**第三十一条** 区内企业设立电子账册，电子账册的备案、核销等作业按有关规定执行，海关对保税港区内加工贸易货物不实行单耗标准管理。区内企业应当自开展业务之日起，定期向海关报送货物的进区、出区和储存情况。

**第三十二条** 申请在保税港区内开展维修业务的企业应当具有企业法人资格，并在保税港区主管海关登记备案。在保税港区内开展保税维修业务的企业，海关按照相关规定进行监管。

**第三十三条** 区内企业申请放弃的货物，经海关及有关主管部门核准后，由保税港区主管海关依法提取变卖，变卖收入由海关按照有关规定处理，但法律、行政法规和海关规章规定不得放弃的货物除外。

**第三十四条** 因不可抗力造成保税港区货物损毁、灭失的，区内企业应当及时书面报告保税港区主管海关，说明情况并提供灾害鉴定部门的有关证明。经保税港区主管海关核实确认后，按照下列规定处理：

（一）货物灭失，或者虽未灭失但完全失去使用价值的，海关予以办理核销和免税手续；

（二）进境货物损毁，失去部分使用价值的，区内企业可以向海关办理退运手续。如不退运出境并要求运往区外的，由区内企业提出申请，经保税港区主管海关核准，按照海关审定的价格进行征税；

（三）区外进入保税港区的货物损毁，失去部分使用价值，且需向出口企业进行退换的，可以退换为与损毁货物相同或者类似的货物，并向保税港区主管海关办理退运手续。

需退运到区外的，属于尚未办理出口退税手续的，可以向保税港区主管海关办理退运手续；属于已经办理出口退税手续的，按照本条第一款第（二）项进境货物运往区外的有关规定办理。

**第三十五条** 因保管不善等非不可抗力因素造成货物损毁、灭失的，区内企业应当及时书面报告保税港区主管海关，说明情况。经保税港区主管海关核实确认后，按照下列规定办理：

（一）从境外进入保税港区的货物，区内企业应当按照一般贸易进口货物的规定，按照海关审定的货物损毁或灭失前的完税价格，以货物损毁或灭失之日适用的税率、汇率缴纳关税、进口环节海关代征税；

（二）从区外进入保税港区的货物，区内企业应当重新缴纳因出口而退还的国内环节有关税收，海关据此办理核销手续，已缴纳出口关税的，不予以退还。

**第三十六条** 除国家另有规定外，保税港区货物不设存储期限。

**第三十七条** 海关对于保税港区与其他海关特殊监管区域或者保税监管场所之间往来的货

物，实行保税监管。但货物从未实行国内货物入区（仓）环节出口退税制度的海关特殊监管区域或者保税监管场所转入保税港区的，视同货物实际离境。

保税港区与其他海关特殊监管区域或者保税监管场所之间的流转货物，不征收进出口环节的有关税收。

## 第五章　对直接进出口货物以及进出保税港区运输工具和个人携带货物、物品的监管

**第三十八条**　通过保税港区直接进出口的货物，海关按照进出口的有关规定进行监管；出口货物的发货人或者其代理人可以在货物运抵保税港区前向海关申报。

**第三十九条**　运输工具和个人进出保税港区的，应当接受海关监管和检查。

**第四十条**　进出境运输工具服务人员及进出境旅客携带个人物品进出保税港区的，海关按照进出境旅客行李物品的有关规定进行监管。

**第四十一条**　保税港区与区外之间进出的下列货物，经海关批准，可以由区内企业指派专人携带或者自行运输：

（一）价值1万美元以下的小额货物；

（二）因品质不合格复运区外退换的货物；

（三）已办理进口纳税手续的货物；

（四）企业不要求出口退税的货物；

（五）其他经海关批准的货物。

## 第六章　附　则

**第四十二条**　从境外运入保税港区的货物和从保税港区运往境外的货物列入海关进出口统计，但法律、行政法规和海关规章另有规定的除外。从区外运入保税港区和从保税港区运往区外的货物，列入海关单项统计。

区内企业之间转让、转移的货物，以及保税港区与其他海关特殊监管区域或者保税监管场所之间往来的货物，不列入海关统计。

**第四十三条**　违反本办法，构成走私行为、违反海关监管规定行为或者其他违反海关法行为的，由海关依照海关法和《中华人民共和国海关行政处罚实施条例》的有关规定予以处理；构成犯罪的，依法追究刑事责任。

**第四十四条**　经国务院批准设立在内陆地区的具有保税港区功能的综合保税区，参照本办法进行管理。

**第四十五条**　本办法由海关总署负责解释。

**第四十六条**　本办法自2007年10月3日起施行。

# 关于实施综合保税区"四自一简"监管创新措施有关事项的公告

（海关总署公告2019年第26号）

（2019年1月29日由海关总署发布，2019年1月29日起施行，法规类型为规范性文件）

为贯彻落实《国务院关于促进综合保税区高水平开放高质量发展的若干意见》（国发〔2019〕3号）的要求，加快综合保税区（以下简称"综保区"）创新升级，提升贸易便利化

水平,优化营商环境,海关总署在综保区实施"四自一简"监管改革,现将有关事项公告如下:

一、在综保区内实施"四自一简"监管制度,综保区内企业(以下简称"企业")可自主备案、合理自定核销周期、自主核报、自主补缴税款,海关简化业务核准手续。

二、海关认定的企业信用状况为一般信用及以上的企业可适用"四自一简"模式。

三、企业设立电子账册时,可自主备案商品信息。除系统判别转由人工审核的,系统自动备案。

四、企业可根据实际经营情况,自主确定核销周期。核销周期原则上不超过一年,企业核销盘点前应当告知海关。

五、企业可自主核定保税货物耗用情况,并向海关如实申报,自主办理核销手续。企业对自主核报数据负责并承担相应法律责任。

六、企业可按照"自主申报、自行缴税(自报自缴)"方式对需要缴税的保税货物自主补缴税款。

七、简化业务核准手续,企业可一次性办理分送集报、设备检测、设备维修、模具外发等备案手续。需办理海关事务担保的业务,企业按照有关规定办理。

八、企业有下列情形之一的,海关可暂停其适用"四自一简"模式:

(一)不再符合本公告第二条所述业务开展条件的;

(二)涉嫌走私被立案调查、侦查的。

本公告自发布之日起施行。

特此公告。

## 关于简化综合保税区进出区管理的公告

(海关总署公告2019年第50号)

(2019年3月22日由海关总署发布,2019年3月22日起施行,法规类型为规范性文件)

为贯彻落实《国务院关于促进综合保税区高水平开放高质量发展的若干意见》(国发〔2019〕3号),简化综合保税区货物、物品进出区管理,推进贸易便利化,现将有关事项公告如下:

一、简化综合保税区进出区管理是指允许对境内入区的不涉出口关税、不涉贸易管制证件、不要求退税且不纳入海关统计的货物、物品,实施便捷进出区管理模式。

二、适用便捷进区管理模式的货物、物品具体范围如下:

(一)区内的基础设施、生产厂房、仓储设施建设过程中所需的机器、设备、基建物资;

(二)区内企业和行政管理机构自用的办公用品;

(三)区内企业所需的劳保用品;

(四)区内企业用于生产加工及设备维护的少量、急用物料;

(五)区内企业使用的包装物料;

(六)区内企业使用的样品;

(七)区内企业生产经营使用的仪器、工具、机器、设备;

(八)区内人员所需的生活消费品。

三、上述货物、物品可不采用报关单、备案清单方式办理进区手续;如需出区,实行与进区相同的便捷管理模式。区内企业做好便捷进出区的日常记录，相关情况可追溯。

四、区内企业有下列情形之一的，海关可暂停办理上述货物、物品简化进出区手续：

（一）超出第一、第二条规定范围，擅自通过便捷管理模式进出区的；

（二）未如实办理货物、物品便捷进出区的；

（三）涉嫌走私被立案调查、侦查的。

五、区内增值税一般纳税人资格试点业务、区内企业承接境内（区外）企业委托加工业务、仓储货物按状态分类监管等业务，按照有关规定执行。

本公告自发布之日起施行。

特此公告。

## 关于在综合保税区推广增值税一般纳税人资格试点的公告

（国家税务总局公告2019年第29号）

（2019年8月8日由国家税务总局、财政部、海关总署发布，2019年8月8日起施行，法规类型为规范性文件）

根据《国务院关于促进综合保税区高水平开放高质量发展的若干意见》（国发〔2019〕3号），国家税务总局、财政部、海关总署决定在综合保税区推广增值税一般纳税人资格试点，现就有关事项公告如下：

一、综合保税区增值税一般纳税人资格试点（以下简称"一般纳税人资格试点"）实行备案管理。符合下列条件的综合保税区，由所在地省级税务、财政部门和直属海关将一般纳税人资格试点实施方案（包括综合保税区名称、企业申请需求、政策实施准备条件等情况）向国家税务总局、财政部和海关总署备案后，可以开展一般纳税人资格试点：

（一）综合保税区内企业确有开展一般纳税人资格试点的需求；

（二）所在地市（地）级人民政府牵头建立了综合保税区行政管理机构、税务、海关等部门协同推进试点的工作机制；

（三）综合保税区主管税务机关和海关建立了一般纳税人资格试点工作相关的联合监管和信息共享机制；

（四）综合保税区主管税务机关具备在综合保税区开展工作的条件，明确专门机构或人员负责纳税服务、税收征管等相关工作。

二、综合保税区完成备案后，区内符合增值税一般纳税人登记管理有关规定的企业，可自愿向综合保税区所在地主管税务机关、海关申请成为试点企业，并按规定向主管税务机关办理增值税一般纳税人资格登记。

三、试点企业自增值税一般纳税人资格生效之日起，适用下列税收政策：

（一）试点企业进口自用设备（包括机器设备、基建物资和办公用品）时，暂免征收进口关税和进口环节增值税、消费税（以下简称进口税收）。

上述暂免进口税收按照该进口自用设备海关监管年限平均分摊到各个年度，每年年终对本年暂免的进口税收按照当年内外销比例进行划分，对外销比例部分执行试点企业所在海关特殊监管区域的税收政策，对内销比例部分比照执行海关特殊监管区域外（以下简称区外）税收政策补征税款。

（二）除进口自用设备外，购买的下列货物适用保税政策：

1. 从境外购买并进入试点区域的货物；

2. 从海关特殊监管区域（试点区域除外）或海关保税监管场所购买并进入试点区域的保税货物；

3. 从试点区域内非试点企业购买的保税货物；

4. 从试点区域内其他试点企业购买的未经加工的保税货物。

（三）销售的下列货物，向主管税务机关申报缴纳增值税、消费税：

1. 向境内区外销售的货物；

2. 向保税区、不具备退税功能的保税监管场所销售的货物（未经加工的保税货物除外）；

3. 向试点区域内其他试点企业销售的货物（未经加工的保税货物除外）。

试点企业销售上述货物中含有保税货物的，按照保税货物进入海关特殊监管区域时的状态向海关申报缴纳进口税收，并按照规定补缴缓税利息。

（四）向海关特殊监管区域或者海关保税监管场所销售的未经加工的保税货物，继续适用保税政策。

（五）销售的下列货物（未经加工的保税货物除外），适用出口退（免）税政策，主管税务机关凭海关提供的与之对应的出口货物报关单电子数据审核办理试点企业申报的出口退（免）税。

1. 离境出口的货物；

2. 向海关特殊监管区域（试点区域、保税区除外）或海关保税监管场所（不具备退税功能的保税监管场所除外）销售的货物；

3. 向试点区域内非试点企业销售的货物。

（六）未经加工的保税货物离境出口实行增值税、消费税免税政策。

（七）除财政部、海关总署、国家税务总局另有规定外，试点企业适用区外关税、增值税、消费税的法律、法规等现行规定。

四、区外销售给试点企业的加工贸易货物，继续按现行税收政策执行；销售给试点企业的其他货物（包括水、蒸汽、电力、燃气）不再适用出口退税政策，按照规定缴纳增值税、消费税。

五、税务、海关两部门要加强税收征管和货物监管的信息交换。对适用出口退税政策的货物，海关向税务部门传输出口报关单结关信息电子数据。

六、本公告自发布之日起施行。《国家税务总局　财政部　海关总署关于开展赋予海关特殊监管区域企业增值税一般纳税人资格试点的公告》（国家税务总局　财政部　海关总署公告2016年第65号）、《国家税务总局　财政部　海关总署关于扩大赋予海关特殊监管区域企业增值税一般纳税人资格试点的公告》（国家税务总局　财政部　海关总署公告2018年第5号）和《国家税务总局　财政部　海关总署关于进一步扩大赋予海关特殊监管区域企业增值税一般纳税人资格试点的公告》（国家税务总局　财政部　海关总署公告2019年第6号）同时废止。上述公告列名的昆山综合保税区等48个海关特殊监管区域按照本公告继续开展一般纳税人资格试点。

特此公告。

# 检验检疫

## 出口加工区检验检疫监督管理办法

(国检法〔2001〕63号)

*(2001年3月9日由国家出入境检验检疫局发布，2001年3月9日起施行，法规类型为部门规章)*

### 第一章 总 则

**第一条** 为促进出口加工区的健康发展，加强对出口加工区检验检疫监督管理，根据《中华人民共和国进出口商品检验法》、《中华人民共和国进出境动植物检疫法》、《中华人民共和国国境卫生检疫法》等有关法律法规，制定本办法。

**第二条** 经国务院批准设立的出口加工区（以下简称"加工区"）的检验检疫工作适用于本办法。

**第三条** 各地检验检疫机构依照本办法负责对本辖区内加工区进出应由检验检疫机构负责检验检疫的货物（以下简称"应检货物"）、运输工具、集装箱及加工区内有关场所实施检验检疫和监督管理。

**第四条** 加工区内的企业（以下简称"区内企业"）应向检验检疫机构办理备案登记手续，或按有关规定办理注册登记手续。

**第五条** 对应检货物，区内企业在办理进出加工区海关手续前，须向检验检疫机构申报或报检。海关凭出入境检验检疫机构出具的《入境货物通关单》或《出境货物通关单》验放。

**第六条** 各地检验检疫机构对进、出加工区的应检货物应在加工区内实施检验检疫。

**第七条** 加工区内与检验检疫有关的企业，有条件的，可实行电子报检。

**第八条** 本办法中所称："应检货物"指列入《出入境检验检疫机构实施检验检疫的进出境商品目录》（以下简称"《目录》"）的货物；以及虽未列入《目录》，但国家有关法律法规明确由出入境检验检疫机构负责检验检疫的货物。

"运输工具"指由陆路边境口岸进境，直接驶入加工区的各种车辆。"区外"指加工区以外的中华人民共和国境内其他地区。

### 第二章 加工区与境外之间进出货物、集装箱和运输工具的检验检疫

**第九条** 对从境外以直通式或转关运输方式进入加工区的货物、集装箱、运输工具按下列

规定办理：

（一）应检货物、集装箱以及运输工具，应当接受卫生检疫。对来自检疫传染病疫区的、被检疫传染病污染的以及可能传播检疫传染病或者发现与人类健康有关的啮齿动物和病媒昆虫的集装箱、货物、废旧物等物品以及运输工具应实施卫生处理。

（二）动植物及其产品和其他检疫物，装载动植物、动植物产品和其他检疫物的装载容器、集装箱、包装物、铺垫材料，以及来自动植物疫区的运输工具，应实施动植物检疫及检疫监督管理。

（三）区内企业为加工出口产品所需的应检货物免予实施品质检验。但以废物作为原料的，按有关规定实施环保项目检验。

（四）区内企业在加工区内自用的办公和生活消费用品，检验检疫机构免予实施品质检验。

（五）检验检疫机构在实施本条第（一）、（二）项的检验检疫监管和卫生除害处理时，必须简化手续，提高效率。

**第十条** 对加工区内的中外合资、合作企业及各种对外补偿贸易方式中，境外（包括港、澳、台地区）投资者以实物作价投资的或企业委托境外投资者用投资资金从境外购买的财产，应由检验检疫机构实施财产价值鉴定。

**第十一条** 需要办理进境检验检疫审批手续的按有关规定办理。

**第十二条** 对从加工区出境的属商品检验和食品卫生检验范围内的应检货物，有下列情况之一的，应实施品质检验或食品卫生检验：

1. 标明中国制造的；
2. 使用中国注册商标的；
3. 申领中国产地证的；
4. 需检验检疫机构出具品质证书的。

**第十三条** 对从加工区出境的，属卫生检疫和动植物检疫范围内的应检货物，按输入国家（或地区）要求和我国的有关规定实施检验检疫。

**第十四条** 对装运出境易腐烂变质的食品、冷冻品的集装箱应实施适载检验。

## 第三章 加工区与区外之间进出应检货物的检验检疫

**第十五条** 对区外运入加工区的任何货物，检验检疫机构不予检验检疫。

**第十六条** 加工区运往区外的应检货物，视同进口，按下列规定办理：

（一）属商品检验范围内的，须由检验检疫机构实施品质检验。

（二）属食品卫生检验范围内的，须由检验检疫机构实施食品卫生检验。

（三）属进口商品安全质量许可制度目录内的，需按照进口商品安全质量许可制度的规定办理。

（四）属动植物检疫范围内的，不再实施动植物检疫。

（五）属卫生检疫范围内的，不再实施卫生检疫。

（六）从加工区运往区外的废料和旧机电产品，检验检疫机构按有关规定实施环保项目检验。

## 第四章 对加工区和区内企业的检验检疫监督管理

**第十七条** 需要实施卫生注册登记和出口质量许可制度管理的企业，应按规定申请办理有关手续。从事食品、动植物产品的加工、存放场所应当符合食品卫生和动植物检疫的有关规定。

**第十八条** 检验检疫机构应建立对区内企业的监管档案,做好日常监督管理及抽查检验记录。

**第十九条** 检验检疫机构负责对加工区实施疫情监测。

## 第五章 附 则

**第二十条** 区内企业的加工产品,凡符合中华人民共和国出口货物原产地规则或普惠制给惠国原产地规则的,均可向检验检疫机构申请签发一般原产地证明书或普惠制原产地证明书。

**第二十一条** 出口加工区管理委员会应向驻区检验检疫机构提供永久性办公用房和必要的办公条件以及查验休息用房。

**第二十二条** 检验检疫机构与海关共用出口加工区内的验货场和验货平台,不再单设检检疫查验场地。

**第二十三条** 对违反本办法规定的行为,检验检疫机构依照有关法律予以处理。

**第二十四条** 本办法由国家出入境检验检疫局负责解释。

**第二十五条** 本办法自发布之日起施行。

# 保税区检验检疫监督管理办法

(国家质量监督检验检疫总局令第71号)

(2005年1月12日由国家质量监督检验检疫总局发布;根据2018年4月28日海关总署令第238号《海关总署关于修改部分规章的决定》第一次修正,根据2018年5月29日海关总署令第240号《海关总署关于修改部分规章的决定》第二次修正,根据2018年11月23日海关总署令第243号《海关总署关于修改部分规章的决定》第三次修正;现行版本自2018年11月23日起施行;法规类型为部门规章)

## 第一章 总 则

**第一条** 为加强和规范保税区检验检疫监督管理工作,促进国家经济贸易的快速健康发展,根据《中华人民共和国进出口商品检验法》及其实施条例、《中华人民共和国进出境动植物检疫法》及其实施条例、《中华人民共和国国境卫生检疫法》及其实施细则、《中华人民共和国食品安全法》及其他有关法律法规,制定本办法。

**第二条** 本办法适用于对进出保税区,法律法规规定应当实施检验检疫的货物及其包装物、铺垫材料、运输工具、集装箱(以下简称应检物)的检验检疫及监督管理工作。

**第三条** 海关总署统一管理全国保税区的检验检疫监督管理工作。主管海关对进出保税区的应检物实施检验检疫和监督管理。

**第四条** 进出保税区的应检物需要办理检验检疫审批手续的,应当按照检验检疫法律法规的规定办理审批手续。

**第五条** 应检物进出保税区时,收发货人(货主)或者其代理人应当按照有关规定向主管海关办理报检手续,主管海关按照国家有关法律、法规、规章以及相关的规定实施检验检疫。

**第六条** 海关按照简便、有效的原则对进出保税区的应检物实施检验检疫。

## 第二章 输入保税区应检物的检验检疫

**第七条** 从境外进入保税区的应检物,属于卫生检疫范围的,由海关实施卫生检疫;应当实施卫生处理的,在海关的监督下,依法进行卫生处理。

**第八条** 从境外进入保税区的应检物,属于动植物检疫范围的,由海关实施动植物检疫;应当实施动植物检疫除害处理的,在海关的监督下,依法进行除害处理。

**第九条** 海关对从境外进入保税区的可以用作原料的固体废物、旧机电产品、成套设备实施检验和监管,对在保税区内存放的货物不实施检验。

**第十条** 保税区内企业从境外进入保税区的仓储物流货物以及自用的办公用品、出口加工所需原材料、零部件免予实施强制性产品认证。

## 第三章 输出保税区应检物的检验检疫

**第十一条** 从保税区输往境外的应检物,海关依法实施检验检疫。

**第十二条** 从保税区输往非保税区的应检物,除法律法规另有规定的,不实施检疫。

**第十三条** 从保税区输往非保税区的应检物,属于实施食品卫生监督检验和商品检验范围的,海关实施检验。对于集中入境分批出区的货物,可以分批报检,分批检验;符合条件的,可以于入境时集中报检,集中检验,经检验合格的出区时分批核销。

**第十四条** 按照本办法第九条的规定在入境时已经实施检验的保税区内的货物,输往非保税区的,不实施检验。

从非保税区进入保税区的货物,又输往非保税区的,不实施检验。

**第十五条** 从保税区输往非保税区的应检物,列入强制性产品认证目录的,应当取得相应的认证证书,其产品上应当加贴强制性产品认证标志。海关对相应认证证书电子数据进行系统自动比对核验。

**第十六条** 从非保税区进入保税区后不经加工直接出境的,已取得产地海关签发的检验检疫合格证明的,保税区海关不再实施检验检疫。超过检验检疫有效期、变更输入国家或地区并又有不同检验检疫要求、改换包装或重新拼装、已撤销报检的,应当按规定重新报检。

**第十七条** 保税区内企业加工出境产品,符合有关规定的,可以向海关申请签发普惠制原产地证书或者一般原产地证书、区域性优惠原产地证书、专用原产地证书等。

## 第四章 经保税区转口的应检物的检验检疫

**第十八条** 经保税区转口的动植物、动植物产品和其他检疫物,入境报检时应当提供输出国家或者地区政府部门出具的官方检疫证书;转口动物的,还应当取得海关总署签发的《动物过境许可证》,并在入境报检时提供输入国家或者地区政府部门签发的允许进境的证明。

**第十九条** 经保税区转口的应检物,在保税区短暂仓储,原包装转口出境并且包装密封状况良好、无破损、撒漏的,入境时仅实施外包装检疫,必要时进行防疫消毒处理。

**第二十条** 经保税区转口的应检物,由于包装不良以及在保税区内经分级、挑选、刷贴标签、改换包装形式等简单加工的原因,转口出境的,海关实施卫生检疫、动植物检疫以及食品卫生检验。

**第二十一条** 转口应检物出境时,除法律法规另有规定和输入国家或者地区政府要求入境时出具我国海关签发的检疫证书或者检疫处理证书的以外,一般不再实施检疫和检疫处理。

## 第五章 监督管理

**第二十二条** 保税区内从事加工、储存出入境动植物产品的企业应当符合有关检验检疫规定。

**第二十三条** 保税区内从事加工、储存出境食品的企业应当办理出口食品生产企业卫生注册登记,输入国家或者地区另有要求的,还应当符合输入国家或者地区的要求;加工、存储入境食品的企业应当按照食品企业通用卫生规范要求接受海关的监督管理。

**第二十四条** 保税区内设立检验检疫查验场地以及检疫熏蒸、消毒处理场所应当符合检验检疫有关要求。

**第二十五条** 海关按照有关法律法规规定对保税区实施疫情监测,对进出保税区的动植物及其产品的生产、加工、存放和调离过程实施检验检疫监督。

**第二十六条** 保税区内企业之间销售、转移进出口应检物,免予实施检验检疫。

**第二十七条** 入境动植物及其产品已经办理检疫审批的,需要变更审批事项的,应当申请变更检疫审批手续。

## 第六章 附 则

**第二十八条** 保税仓库、保税物流园区等区域的检验检疫和监督管理参照本办法执行。

**第二十九条** 对违反本办法规定的行为,海关依照有关法律法规规定予以行政处罚。

**第三十条** 本办法由海关总署负责解释。

**第三十一条** 本办法自 2005 年 3 月 1 日起施行。原中华人民共和国动植物检疫局 1998 年 4 月 10 日发布的《保税区动植物检疫管理办法》同时废止。

# 特殊监管区域检验检疫工作流程规范

(国质检通〔2015〕116 号)

(2015 年 3 月 24 日由国家质量监督检验检疫总局发布,2015 年 3 月 24 日起施行,法规类型为规范性文件)

## 第一章 总 则

**第一条** 为规范全国特殊监管区域检验检疫工作,发挥特殊监管区域功能,适应改革发展要求,依据检验检疫法律、法规和规章规定,制定本规范。

**第二条** 本规范适用于保税区、保税港区、综合保税区、出口加工区、保税物流园区和跨境工业园区等特殊监管区域出入境和出入区货物及其包装物、铺垫材料、运输工具、集装箱等检验检疫监管工作。

## 第二章 境外入区

**第三条** 境外运往特殊监管区域(以下简称"境外入区")的货物及其包装物、铺垫材料、运输工具、集装箱等实施全申报管理。

**第四条** 法律法规规定应当实施检验检疫的货物及其包装物、铺垫材料、运输工具、集装箱等(以下简称应检物)由境外运往国境口岸特殊监管区域的,由国境口岸特殊监管区域检验检疫机构实施检验、卫生检疫和动植物检疫。

入境转关运往内地口岸特殊监管区域的应检物,除检疫高风险和危险货物及其包装、可用作原料的固体废物、散装商品外，由国境口岸检验检疫机构对集装箱箱表和运输工具实施卫生检疫和动植物检疫，并及时将检验检疫信息传输给内地口岸特殊监管区域检验检疫机构；内地口岸特殊监管区域检验检疫机构对集装箱内部、集装箱内货物、包装物和铺垫材料等实施检验、卫生检疫和动植物检疫。

**第五条** 境外入区生产加工的应检物的检验，按以下流程办理：

生产加工所需的原材料、零部件，免予实施强制性产品认证；食品、农产品生产加工所需的原料免于实施有机产品认证和验证；涉及能源效率标识验证要求的，免予入境验证；所需的原材料、零部件，免予检验；有注册要求的，应当来自获得注册的生产企业；但其中的危险货物及其包装、用于生产食品化妆品的原料、可作原料的固体废物和放射性货物、散装商品等法律法规规定必须实施检验的应检物，按规定实施必要的验证和安全、卫生、环保等项目检验监管，检验不合格的不得入区，按有关规定实施销毁、退运。

入区维修、再制造的货物，特殊监管区域检验检疫机构按规定实施必要的验证和安全、卫生、环保等项目检验监管，并按规定对维修过程、维修企业实施监管。

研发、检测用的入境材料、检测物品等，免予检验，免予实施强制性产品认证和有机产品认证及验证；涉及能源效率标识备案验证要求的，免予入境验证。特殊监管区域检验检疫机构对申报与使用的符合情况等实施必要的核查。

**第六条** 境外入区保税仓储后流转的应检物的检验，按以下流程办理：

由区内保税仓储企业运往区内生产企业的，按本规范第五条规定办理。

由区内保税仓储企业运往境内区外的，按一般进口程序实施检验监管。应当实施进口检验的货物，因保税租赁、保税展示等原因，需要反复在保税仓储企业和境内外企业之间进出的，根据货物情况，可以对保税租赁货物首次出区时实施一次检验，对保税展示货物首次出区时实施一次查验，货物再次进出特殊监管区域时，凭登记、核销记录和企业责任承诺放行。检验检疫机构对保税租赁货物、保税展示货物的维修、保养情况进行抽查。

由区内保税仓储企业向其他特殊监管区域流转的，不实施检验。

在区内直接销售的生活消费品，按一般进口程序实施检验监管。

经特殊监管区域转口的应检物按有关规定实施检验检疫监管。

**第七条** 境外入区的企业自用设备，属于法定检验范围的，实施检验；企业自用的办公用品免予实施强制性产品认证、免予检验；企业自用的生活消费品，按规定实施验证管理，免予检验。

## 第三章　境内入区

**第八条** 从中华人民共和国境内特殊监管区域以外的其他区域（不含港澳台地区）运往特殊监管区域（以下简称"境内入区"）的应检物，入区时免于检疫。

**第九条** 境内入区后再输往境内区外的应检物，能提供有效来源证明并核实货证相符的，不实施检验，在通关证明上注明"国内流转货物，免于检验检疫"。法律法规规定应当实施验证监管的，实施验证管理。不能提供有效来源证明的或查明货证不符的，按一般进口程序实施检验监管。

**第十条** 境内入区生产加工的应检物，不实施检验。

**第十一条** 境内入区保税仓储的应检物，按以下流程办理：

保税仓储后直接出境的，除危险货物及其包装外，根据产地检验检疫监管信息放行。按规定须重新报检或无产地检验检疫监管信息的，由特殊监管区域检验检疫机构受理报检，不符合出口产品规定要求的，不得出口

保税仓储后在区内生产加工的，不实施检验。

保税仓储后在区内其他保税仓储企业或其他特殊监管区域间流转的，不实施检验。

保税仓储后再运往境内区外的，按本规范第九条规定办理。

## 第四章 区内生产加工

**第十二条** 区内生产加工出境的应检物，依法实施检疫；

属于商品法定检验、食品检验范围的，有下列情况之一的，按一般出口程序管理，实施检验：

属于危险货物及其包装的；

标明中国制造的；

使用中国注册商标的；

申领中国产地证的；

需检验检疫机构出具检验证书的。

**第十三条** 区内生产加工出区进口的应检物，按一般进口程序管理，实施检验监管。法律法规规定应实施验证管理的，实施验证管理。

**第十四条** 区内生产加工后经区内物流仓储的应检物，按以下流程办理：

再出境的，按第十二条规定实施；

再出区进口的，按第十三条规定实施；

再运往区内企业的，不实施检验；

区间再流转的，不实施检验。

**第十五条** 区内的出口加工边角料、废品、残次品出区的，按规定实施检验监管。

## 第五章 集中报检

**第十六条** 集中报检是检验检疫机构对分批进出特殊监管区域应检物采取的申报模式，分为"分批送货、集中报检"和"集中报检、分批送货"。

"分批送货、集中报检"是对应检物由境内外分批运往区内集中报检，或由区内分批运往境内区外先集中报检再分批运出实施的申报模式。

"集中报检、分批送货"是对应检物由境外入区集中报检，分批输往境内区外实施的申报模式。

**第十七条** 实施"分批送货、集中报检"模式时，应按企业诚信准入登记、货物信息备案、发货批次管理、过程检验监管、集中报检签证流程操作。

**第十八条** 实施"集中报检、分批送货"模式时，应按企业诚信准入登记、预先申报、提前检验、分批送货核销放行、集中报检出证流程操作。

## 第六章 附 则

**第十九条** 本规范所称验证，指法律法规规定检验检疫机构应当在商品进境或进口环节核查其是否取得必须的证明文件的行政行为。

**第二十条** 其他检验检疫机构依法履行职责的监管场所的检验检疫工作流程参照本规范执行。

国务院批复的自由贸易园区的检验检疫工作流程参照本规范执行。

国家质检总局另有规定的，按相关规定执行。

**第二十一条** 特殊监管区域检验检疫基础和监管设施应符合国家有关要求和《特殊监管区域检验检疫基础和监管设施建设要求》（附件）等有关规定，并经国家质检总局验收。

**第二十二条** 本规范由国家质检总局负责解释。

第二十三条　本规范自发布之日起实施。

附件：特殊监管区域检验检疫基础和监管设施建设要求

附件

## 特殊监管区域检验检疫基础和监管设施建设要求

1. 总则

1.1　根据国家质检总局有关规定和《海关特殊监管区域基础和监管设施验收标准》制定本规定。

1.2　特殊监管区域检验检疫基础和监管设施（以下简称检验检疫设施）的规划、设计、建设、验收及管理等工作，按照本规定实施。

1.3　特殊监管区域应当建有适应"一线"、"二线"分线管理模式的检验检疫设施，包括检验检疫用房（含行政办公业务用房、专业技术用房及相关配套设施）、货物堆场检验检疫现场设施、检验检疫监管仓库、检疫处理场地和设施、信息化管理设施（含电子闸口、视频监控及相关信息化管理设施），以及其他监管配套设施。

1.4　检验检疫设施的规划、设计和建设，应当按照实用、安全、效能原则，严格执行有关标准。应当以特殊监管区域的功能、设计规模为基础，以预测的进出口业务量及相应核算的检验检疫人员数量为依据，与检验检疫工作需要、当地经济发展水平相协调。

检验检疫设施应与区内主体工程统一规划、统一设计、统一建设。

1.5　检验检疫机构工作人员数量应参照国家对外开放口岸检验检疫管理的相关规定进行核算，直属出入境检验检疫局（以下简称直属局）可根据辖区内检验检疫工作实际情况，酌情调整核算方法。

检验检疫机构工作人员数量核算不足15人的，以15人核算。

1.6　部分检验检疫设施应根据检验检疫监管工作需要，结合预测年进出口量，分别按照一类、二类、三类、四类标准建设。

年进出口量100亿美元以上的，应按照一类标准建设；年进出口量100亿美元以下、50亿美元以上的，应按照二类标准建设；年进出口量50亿美元以下、10亿美元以上的，应按照三类标准建设；年进出口量10亿美元以下的，应按照四类标准建设。

2. 检验检疫用房

2.1　行政办公业务用房和专业技术用房面积的核定以检验检疫机构工作人员人均所需用房面积为基础，结合检验检疫机构工作人员数量确定，并适度兼顾地方经济发展水平。

2.2　特殊监管区域主管部门应为驻区检验检疫机构提供永久性检验检疫行政办公业务用房，以满足检验检疫机构行使管理职能所需的办公、会议、接待、文印、受理报检、值班、计算机管理、资料存放、档案存放、物品存储等需求。

检验检疫行政办公业务用房区域应配备有专供企业办理货物进出区手续的办事大厅，其面积不计入行政办公用房总面积。一类、二类、三类、四类标准的办事大厅面积应分别不低于1000 $m^2$、600 $m^2$、400 $m^2$、200 $m^2$，并参照国家质检总局有关检验检疫窗口基础设施建设的规范设计、建设。

2.3　特殊监管区域主管部门应为驻区检验检疫机构提供永久性检验检疫专业技术用房，以满足检验检疫机构开展检验、检疫、测试、鉴定、医学留验、隔离、预防接种、检疫处理、有害生物和媒介生物监测、本底媒介存放、实验室检测、样品预处理、样品存放、截留物品存放、药品器械存储、卫生监督仪器设备和档案存放、应急设备存放、信息化工程、视频监控、应急指挥等业务需求。

2.4 根据检验检疫机构依法履行职责的需要,检验检疫用房应具备网络、通讯、取暖、降温、休息和卫生等条件,并依据本规定2.2、2.3的规定进行规划、设计和建设。

3. 货物堆场检验检疫现场设施

3.1 区内应规划、设计和建设独立的外贸货物专用堆场,堆场地面平整、硬化处理,防鼠、防蚊蝇措施到位,库房设计合理;外贸货物堆场须取得国境口岸储存场地卫生许可证。如需开展特殊检验检疫业务,如废物原料、危险货物及其包装、鲜活冷冻品(含食品、种苗花卉、水果)等,应分别设置专用堆场或仓库,相互隔离,并应满足国家质检总局关于开展特殊检验检疫业务的相关设施要求。

3.2 货物堆场应当设置货物检验检疫现场设施,包括货物检验检疫查验区、检验检疫现场业务用房及其相关配套设施。

根据检验检疫工作需要,特殊监管区域可配置相应的检验检疫现场设施。

3.3 货物检验检疫查验区面积应与特殊监管区域的进出口业务量相适应,场地面积不低于10000m$^2$;场地内划分设置符合要求、相对隔离的拆箱、分拣场地,场地面积应不低于1000m$^2$。

3.4 货物检验检疫查验区要求:

3.4.1 地面平整、坚固、硬化,有较完善的供排水设施,雨后无积水,无病媒生物孳生地,场地及周围环境应具备有效的防蚊设施与防鼠带;

3.4.2 设有污水处理及排放设施,设有垃圾存储与处理设施,上述设施应符合国家相关标准;

3.4.3 在监管区域入口总闸口处,应建有通道式核辐射监测设施;

3.4.4 需进行危险货物及其包装检验监管的,检验监管区域应符合危险货物及其包装储存安全的有关规定;

3.4.5 开展鲜活冷冻品(含食品)等检验检疫业务的,应设有冷冻(冷藏)集装箱的辅助制冷设施及防火、防汛、防盗设施;

3.4.6 开展需冷链运输的特殊物品检验检疫业务的,应设有干冰投放设施;

3.4.7 开展其他特定商品检验检疫业务的,应符合国家有关标准和国家质检总局有关要求。

3.5 货物检验检疫查验区配套设施包括:

3.5.1 检验检疫标志牌。位于货物检验检疫查验区入口处的显著位置;推荐规格为长150cm、宽50cm,左侧上下排列涂印"中国检验检疫"中英文字样,颜色为蓝底白字,中文字体为黑体,英文字体为Times New Roman,右侧涂印中国检验检疫徽标,可以采用电子式或灯箱式标志牌。

3.5.2 查验平台。位于货物检验检疫查验区,用于集装箱、货物的检验检疫查验操作;规格为宽大于5m、与集装箱拖车架等高(约150cm),一类、二类、三类、四类标准的长度应至少能够分别同时对20辆、15辆、10辆、5辆集装箱卡车实施查验,开展冷冻(冷藏)集装箱业务的,还应配置低温查验专用平台5个箱位以上。台体涂印"中国检验检疫"及中国检验检疫徽标。

3.5.3 监管仓库。位于货物检验检疫查验区,用于存放实施查封、扣押以及待进一步检验、检疫、鉴定的货物。开展冷冻(冷藏)业务的,还应配置监管冷库。监管仓(冷)库监管仓库容积适当,适合叉车等机械工具现场操作。根据实际内部设置隔离区域,用于存放不同监管要求的货物,并符合有关安全技术规范要求。监管仓库外墙涂印"检验检疫监管仓库"字样。

3.5.4 查验设备。货物检验检疫查验区内应配备能满足检验检疫查验工作用的开箱、掏箱和/或落地检验所必需的机械设备，如集装箱吊装设备、叉（铲）车、打包机、夹包机、装载机、掏箱工具和衡器设备等。

3.6 检验检疫现场业务用房要求：

检验检疫现场业务用房配备的数量、面积应满足检验检疫部门办公、值班、接待、视频监控、档案存储、更衣休息、采取样品、样品预处理、样品存贮、现场检测、检验及抽样工具存放、检疫处理药品存储、器材存储等需要；各用房应相对独立，区域界限明确，且应根据需要，配备和完善相应的通讯（视音频、数据）、网络、水、电（弱电）、污水处理、负压、视频监控、取暖、降温等配套设施。

4. 检疫处理场地和设施

4.1 区内应当设置封闭管理的货物检疫处理区和配套设施，以满足对货物、集装箱、包装铺垫材料等进行检疫处理的需要。

4.2 货物检疫处理区应位于办公区、周边生活区的下风方向，相隔距离不少于 50m，面积应不少于 1000m²。

4.3 货物检疫处理区要求：

4.3.1 地面平整、坚固、硬化，雨后无积水，无病媒生物孳生地，场地及周围环境应具备有效的防鼠设施与防鼠带。

4.3.2 设有符合国家相关标准的污水处理及排放设施、垃圾存储与处理设施；

4.3.3 应配置检疫处理所需的熏蒸、消毒、热处理及销毁（焚烧）处理等设施，并配备相关现场业务用房和设备，以保障检疫处理工作的实施。

4.4 货物检疫处理区配套设施包括：

4.4.1 检验检疫标志牌。位于检疫处理区入口处，标示检疫处理区域。推荐规格同本规定 3.5.1；

4.4.2 告示牌。位于检疫处理区周边，推荐规格为长 150cm、宽 50cm，涂印"检疫处理作业危险，请勿靠近"警示性标识，中英文字样；

4.4.3 隔离围网。位于检疫处理区四周，应符合统一建设要求；

4.4.4 检疫处理场。位于检疫处理区内，用于集装箱及内容货物的检疫处理，面积不少于 1000m²。

4.4.5 检疫处理平台。位于检疫处理区内，用于车载集装箱及内容货物的检疫处理业务操作，规格为宽大于 5m、与集装箱拖车架等高（约 150cm），长度应能够同时对 5 辆集装箱卡车实施检疫处理业务操作，台体涂印"中国检验检疫"及中国检验检疫徽标；

4.4.6 熏蒸处理库。位于检疫处理区内，用于散货、木质包装等熏蒸，应配置有熏蒸库房、施药室、控制室以及相关配套设施，要求密闭良好、容积适当，技术指标应符合国家质检总局对于出入境检验检疫熏蒸处理库的相关技术要求；

4.4.7 热处理库。位于检疫处理区内，主要用于散货、木质包装等热处理，要求容积适当，具备良好的密闭和隔热条件，技术指标应符合国家质检总局对于热处理库的相关技术要求；

4.4.8 药品器械库。位于检疫处理区内，主要用于存放检疫处理的药品、器械，库房容积应能满足业务量需要，安全防护设施良好，技术指标应符合国家质检总局的相关技术要求；

4.4.9 查验设备。应配备能满足检疫处理工作必需的机械设备，如集装箱吊装设备、叉（铲）车等；

4.4.10 其他设施。配有必要的消毒器具、存放待处理物品的防疫库、现场办公用房等。

4.4.11 检疫处理场地和设施另有规定的，从其规定。

5. 信息化管理设施

5.1 特殊监管区域应实施检验检疫电子闸口管理，特殊监管区域主管部门应建立公共信息平台，实现区内企业、相关单位与检验检疫机构间物流信息、监管信息等的共享和交换。

5.2 区内应安装具有存储功能（存储时长不少于3个月）的视频监控系统，并按照检验检疫机构要求的格式实现相关图像信号的实时传送，供检验检疫机构对货物检验检疫查验区、检验检疫监管仓库、检疫处理区、进出卡口通道等重点区域进行监控。

5.3 特殊监管区域主管部门应为检验检疫机构建设视频监控中心（室），并应配置LED屏，对检验检疫有特殊监管要求的进出闸口、接卸场所、储存场所、货物（集装箱）查验场、查验平台、监管仓库、地磅、检疫处理区、熏蒸库、空箱查验区、下脚料堆存场所、办公楼现场等实施实时监控。

5.4 特殊监管区域主管部门应为检验检疫机构建设面积不少于$30m^2$的专用机房，并按国家机房装修标准规范等相关要求进行装修，配置电气系统、火灾探测器、路由器、交换机、自启动机房专用空调、防火墙、服务器、不间断电源等，网络布线系统应按内外网分离布设两套线路。

6. 其他监管配套设施

6.1 特殊监管区域主管部门应为检验检疫机构提供办公家具、办公设备等相关办公设施，保障检验检疫机构办公所需水、电、暖供应及通信线路的畅通。

6.2 特殊监管区域主管部门应根据检验检疫工作需要，提供检验检疫驻区人员的休息用房，并配置必备的休息设施。

7. 检验检疫设施的规划和验收

7.1 特殊监管区域主管部门应当按照国家有关标准和国家质检总局的有关要求规划建设区内检验检疫设施，保证检验检疫工作正常、有效开展。

7.2 地方政府在建设方案中应当列明检验检疫设施规划的相关内容。直属局应当结合质量安全监管要求对建设方案提出意见。国家质检总局按照有关程序，结合国家宏观政策、地方发展规划和质量安全状况对建设方案提出意见或进行审核。

7.3 检验检疫设施由国家质检总局正式验收后投入使用。正式验收前，直属局应当对检验检疫设施进行预验收，并在预验收完成后10个工作日内将预验收情况报国家质检总局。

预验收存在问题的，应提出具体整改措施和整改时限；发现与检验检疫设施建设要求严重不符的，预验收不予通过。

7.4 检验检疫设施验收后，因业务发展导致已有设施不能满足监管需要，或国家质检总局对检验检疫设施要求发生变化，已有设施不符合规定或不能满足要求的，特殊监管区域主管部门应及时改进、完善相关检验检疫设施。直属局验收后将有关情况上报国家质检总局。

7.5 国家质检总局对于特殊监管区域检验检疫基础和监管设施有其他专业标准化规定的，特殊监管区域主管部门应按相关规定建设，并符合相应的要求。

## 关于境外进入综合保税区动植物产品检验项目
## 实行"先入区、后检测"有关事项的公告

（海关总署公告 2019 年第 36 号）

（2019 年 2 月 27 日由海关总署发布，2019 年 2 月 27 日起施行，法规类型为规范性文件）

为贯彻落实《国务院关于促进综合保税区高水平开放高质量发展的若干意见》（国发〔2019〕3 号），经风险分析，决定对境外进入综合保税区的动植物产品的检验项目实行"先入区、后检测"监管模式。现就有关事项公告如下：

一、动植物产品是指从境外进入综合保税区后再运往境内区外，及加工后再运往境内区外或出境，依据我国法律法规规定应当实施检验检疫的动植物产品（不包括食品）。

二、检验项目包括动植物产品涉及的农（兽）药残留、环境污染物、生物毒素、重金属等安全卫生项目。

三、"先入区、后检测"监管模式按以下规则执行：动植物产品在进境口岸完成动植物检疫程序后，对需要实施检验的项目，可先行进入综合保税区内的监管仓库，海关再进行有关检验项目的抽样检测和综合评定，并根据检测结果进行后续处置。

本公告自发布之日起实施。

特此公告。

# 税收政策

## 出口加工区税收管理暂行办法

(国税发〔2000〕155号)

(2000年10月26日由国家税务总局发布,根据2012年6月14日国家税务总局公告2012年第24号《国家税务总局关于发布〈出口货物劳务增值税和消费税管理办法〉的公告》修订,现行版本自2012年6月14日起施行,法规类型为规范性文件)

为加强与完善加工贸易管理,根据《国务院关于〈中华人民共和国海关对出口加工区监管的暂行办法〉的批复》(国函〔2000〕38号)的精神,经商海关总署同意,特制定本办法。

一、出口加工区是指经国务院批准、由海关监管的特殊封闭区域。

二、对出口加工区运往区外的货物,海关按照对进口货物的有关规定办理进口报关手续,并对报关的货物征收增值税、消费税;对出口加工区外企业(以下简称"区外企业",下同)运入出口加工区的货物视同出口,由海关办理出口报关手续;签发出口货物报关单(出口退税专用)。

本办法所述"区外企业"是指具有进出口经营权的企业,包括外贸(工贸)公司、外商投资企业和具有进出口经营权的内资生产企业。

三、对区外企业销售给区内企业并运入出口加工区供区内企业使用的实行退(免)税的货物,区外企业应按海关规定填制出口货物报关单,出口货物报关单"运输方式"栏应为"出口"(运输方式全称为"出口加工区")。

四、区内企业委托区外企业进行产品加工,一律不予退(免)税。

五、区内企业按现行有关法律法规、规章缴纳地方各税。

六、区内的内资企业按国家现行企业所得税法规、规章缴纳所得税,外商投资企业比照现行有关经济技术开发区的所得税政策规定执行。

七、已经批准并核定"四至范围"的出口加工区,其区内加工企业和行政管理部门从区外购进基建物资时,需向当地税务部门和海关申请。在审核额度内购进的基建物资,可在海关对出口加工区进行正式验收、监管后,凭出口货物报关单(出口退税专用)向当地税务部门申请办理退(免)税手续。

八、对违反本办法有关规定,采取弄虚作假等手段骗取退(免)税的,按《中华人民共和国税收征收管理法》等有关规定予以处罚。

九、本办法由国家税务总局负责解释。

## 关于国内采购材料进入出口加工区等 海关特殊监管区域适用退税政策的通知

(财税〔2008〕10号)

(2008年2月2日由财政部、海关总署、国家税务总局发布,2008年2月15日起施行,法规类型为规范性文件)

各省、自治区、直辖市、计划单列市财政厅(局)、国家税务局,海关广东分署,天津、上海特派办,各直属海关,新疆生产建设兵团财务局:

经国务院批准,对国内采购已经取消出口退税的材料进入出口加工区等海关特殊监管区域,适用下列退税政策:

一、对取消出口退税进区并用于建区和企业厂房的基建物资,入区时海关办理卡口登记手续,不退税。上述货物不得离境出口,如在区内未使用完毕,由海关监管退出区外。但自境外进入区内的基建物资如运往境内区外,应按海关对海关特殊监管区域管理的有关规定办理报关纳税手续。此项政策适用于所有海关特殊监管区域。

二、对区内生产企业在国内采购用于生产出口产品的并已经取消出口退税的成品革、钢材、铝材和有色金属材料(不含钢坯、钢锭、电解铝、电解铜等金属初级加工产品)等原材料,进区时按增值税法定征税率予以退税。具体商品清单见附件。

三、区内生产企业在国内采购上述第二条规定的原材料未经实质性加工,不得转售区内非生产企业(如仓储物流、贸易等企业)、直接出境和以保税方式出区。违反此规定,按骗税和偷逃税款的相关规定处理。上述享受退税的原材料未经实质性加工出区销往国内照章征收各项进口环节税。

实质性加工标准按《中华人民共和国进出口货物原产地条例》(国务院令第416号)实质性改变标准执行。

四、区内非生产企业(如保税物流、仓储、贸易等企业)在国内采购进区的上述第二条规定的原材料不享受该政策。

五、上述二、三、四项措施,仅适用于具有保税加工功能的出口加工区、保税港区、综合保税区、珠澳跨境工业区(珠海园区)和中哈霍尔果斯国际边境合作中心(中方配套区域)。具体监管办法,由海关总署会同税务总局等有关部门另行制定。

本通知于2008年2月15日起执行。

附件:海关特殊监管区内生产企业国内采购入区退税原材料清单(略)

## 关于国内采购材料进入海关特殊监管区域适用退税政策的通知

(财税〔2009〕107号)

(2009年9月3日由财政部、海关总署、国家税务总局发布,2009年9月3日起施行,法规类型为规范性文件)

各省、自治区、直辖市、计划单列市财政厅(局)、国家税务局,海关广东分署,天津、上海特派办,各直属海关,新疆生产建设兵团财务局:

最近,部分地区反映《财政部海关总署国家税务总局关于国内采购材料进入出口加工区等海关特殊监管区域适用退税政策的通知》(财税〔2008〕10号)"海关特殊监管区内生产企业国内采购入区退税原材料清单"中列名的产品出口退税率提高后以及海关商品编码变更后,适用退税率问题。经研究,现明确如下:

一、根据财税〔2008〕10号文件的规定,对区内生产企业在国内采购"海关特殊监管区内生产企业国内采购入区退税原材料清单"中列名的产品,进区按增值税法定征税率予以退税是指取消出口退税的产品。上述产品的出口退税率调整后,应执行调整后的出口退税率。

二、财税〔2008〕10号文件"海关特殊监管区内生产企业国内采购入区退税原材料清单"列名产品,如因海关商品编码发生变更,而产品特性描述按海关规定仍在列名产品范围的,按原规定的适用退税率执行。

特此通知。

## 关于部分进入海关特殊监管区域的产品不征收出口关税

(海关总署公告2008年第21号)

(2008年3月31日由海关总署发布,2008年3月31日起施行,法规类型为规范性文件)

经国务院批准,国务院关税税则委员会决定,自2008年2月15日起,对部分进入海关特殊监管区域的产品不征收出口关税。现就有关问题公告如下:

一、对境内外进入所有海关特殊监管区域用于建区和企业厂房基础建设的,属于取消出口退税或加征出口关税的基建物资(以下简称基建物资),入区时不予退税,海关办理登记手续,不征收出口关税。上述基建物资不得离境出口,如在区内未使用完毕的,由海关监管退出区外。

自境外进入区内的基建物资,如运往境内外的,应按海关对海关特殊监管区域管理的有关规定办理报关纳税手续。

二、对具有保税加工功能的出口加工区、保税港区、综合保税区、珠澳跨境工业区(珠海园区)和中哈霍尔果斯国际边境合作中心(中方配套区域)的区内生产企业在国内(境内区外,下同)采购用于生产出口产品的原材料(清单详见附件,以下简称上述原材料),进区时不征收出口关税。上述原材料未经实质性加工的,不得转让或销售给区内非生产企业(如保税物流、仓储、贸易等企业,下同)、直接出境或以保税方式出区;如出区销往境内区外的,一律照章征收进口关税和进口环节增值税。

以上所称"实质性加工"的标准,按照《中华人民共和国海关关于执行〈非优惠原产地规则中实质性改变标准〉的规定》(海关总署令第122号)执行。

区内非生产企业在境内区外采购进区的上述原材料,不适用上述税收政策。

三、区内生产企业在境内区外采购上述原材料,由区外企业持凭其与区内生产企业签订的原材料正式购销合同,向区内生产企业所在特殊监管区域海关申请办理出口报关手续,并在出口报关单备注栏内注明海关审批可不征收出口关税的证明文书编号,由区内生产企业负责办理进区备案手续。

四、自2008年2月15日至本公告发布之日前,符合本公告规定不征收出口关税的产品,其已征收的出口关税,按照本公告规定补办相关手续后准予退还。

特此公告。

附件:海关特殊监管区内生产企业国内采购入区不征出口关税原材料清单

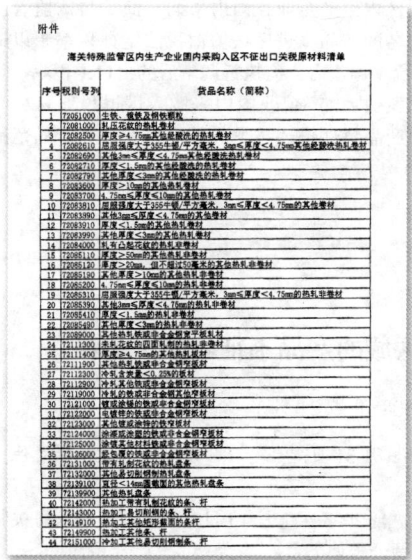
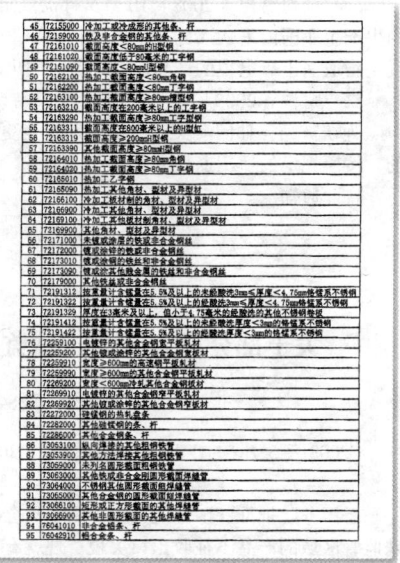

## 关于部分进入特殊监管区域的货物不征收出口关税和退税

(海关总署公告2008年第34号)

(2008年5月16日由海关总署发布,2008年2月15日起施行,法规类型为规范性文件)

根据《海关总署关于部分进入海关特殊监管区域的产品不征收出口关税的公告》(海关总署公告〔2008〕21号,以下简称《公告》)和《财政部 海关总署 国家税务总局关于国内采购材料进入出口加工区等海关特殊监管区域适用退税政策的通知》(财税〔2008〕10号,以下简称《通知》),自2008年2月15日起,对部分进入海关特殊监管区域的产品不征收出口关税和按增值税法定征税率予以退税,现就有关事项公告如下:

一、属于《公告》和《通知》规定进入海关特殊监管区域不征收出口关税或按增值税法定征税率退税的货物,区外企业在办理出口报关手续前,由区内企业按照《海关特殊监管区域不征收出口关税及审批表填制规范》(见附件1)填写《海关特殊监管区域不征收出口关税及退税货物审批表》(见附件2,以下简称《审批表》)报主管海关审批,主管海关审批同意,生成审批表编号并交区内企业,区内企业将《审批表》交区外企业,区外企业持《审批表》办理出口报关手续;主管海关审批不同意的,不生成审批表编号并交区内企业。

二、对于进入海关特殊监管区域不征收出口关税或按增值税法定征税率退税的货物,区外企业单独填报出口报关单。《审批表》和出口报关单一一对应。

三、区外企业办理上述货物出口报关手续时,在出口报关单备注栏目填写《审批表》编号,并向海关特殊监管区域主管海关递交审批后的《审批表》,主管海关审核无误后留存,并按规定不征收出口关税或出具出口退税报关单。

四、如海关对出口报关单审核后,需要对出口报关单中的出口口岸、发货单位、经营单位、商品编号、商品名称、规格型号、数量及单位、单价、总价、币制进行修改的,区内企业需根据修改后的内容重新填写《审批表》报主管海关审批。原《审批表》作废,由区外企业交原区内企业,再由原区内企业将其与重新填写的《审批表》一并交主管海关,海关不再退还。

特此公告。

附件:1. 海关特殊监管区域不征收出口关税及退税货物审批表填制规范 (略)
2. 海关特殊监管区域不征收出口关税及退税货物审批表 (略)

# 关于进入中哈霍尔果斯国际边境合作中心的货物适用增值税退（免）税政策的通知

(财税〔2015〕17号)

(2015年1月21日由财政部、国家税务总局发布，2015年1月21日起施行，法规类型为规范性文件)

各省、自治区、直辖市、计划单列市财政厅（局）、国家税务局，新疆生产建设兵团财务局：

为贯彻落实国务院有关精神，现就进入中哈霍尔果斯国际边境合作中心（以下简称中心）货物的增值税退（免）税政策问题通知如下：

一、在中心封关验收后，对由中方境内进入中心的基础设施（公共基础设施除外）建设物资和中心内设施自用设备，视同出口货物，实行增值税退（免）税政策。

二、企业申请增值税退（免）税时，需要提供货物进入中心的出口货物报关单（出口退税专用）。

三、申请增值税退（免）税的企业所在地国家税务局，应将申请退（免）税清单传递给新疆伊犁州经济开发区国家税务局；新疆伊犁州经济开发区国家税务局应按申请单所列内容就建设物资、自用设备等合理数量及真实性进行核实，并及时反馈审核结果。上述核实无误后再办理增值税退（免）税手续。

四、本通知从发布之日起执行。此前已发生的符合本通知规定的出口货物的增值税退（免）税，可按本通知的规定办理。

# 特殊业务

## 中华人民共和国海关出口加工区货物出区深加工结转管理办法

(海关总署令第 126 号)

(2005年3月21日由海关总署发布；根据2018年5月29日海关总署令第240号《海关总署关于修改部分规章的决定》第一次修正，根据2018年11月23日海关总署令第243号《海关总署关于修改部分规章的决定》第二次修正；现行版本自2018年11月23日起施行；法规类型为部门规章)

**第一条** 为进一步完善出口加工区管理，方便区内企业生产经营，鼓励扩大外贸出口，促进加工贸易转型升级，根据《中华人民共和国海关法》《中华人民共和国海关对出口加工区监管的暂行办法》及其他有关法律、行政法规，制定本办法。

**第二条** 出口加工区货物出区深加工结转是指区内加工企业（以下简称转出企业）按照《中华人民共和国海关对出口加工区监管的暂行办法》的有关规定办理报关手续，将本企业加工生产的产品直接或者通过保税仓储企业转入其他出口加工区、保税区等海关特殊监管区域内及区外加工贸易企业（以下简称转入企业）进一步加工后复出口的经营活动。

**第三条** 转出企业未经实质性加工的保税料件不得进行出区深加工结转。

**第四条** 出口加工区企业加工生产的产品转入其他出口加工区、保税区等海关特殊监管区域企业深加工的，不列入海关统计。

出口加工区企业加工生产的产品转至区外加工贸易企业深加工的，列入海关单项统计。

**第五条** 转入企业、转出企业有下列情形之一的，不得开展出口加工区货物出区深加工结转：

（一）不符合海关监管要求，被海关责令限期整改，在整改期内的；

（二）涉嫌走私已被海关立案调查、侦查，尚未结案的；

（三）有逾期未报核《加工贸易手册》的；

（四）专营维修、设计开发的；

（五）其他不符合深加工结转监管条件的。

**第六条** 出口加工区企业开展深加工结转时，转出企业向转出企业所在地的出口加工区海关办理海关备案手续后，方可开展货物的实际结转。

对转入其他出口加工区、保税区等海关特殊监管区域的，和转入出口加工区、保税区等海关特殊监管区域外加工贸易企业的，转入企业按照前款规定办理结转手续。

**第七条** 对结转至其他出口加工区、保税区等海关特殊监管区域外的加工贸易企业的货物,海关按照对加工贸易进口货物的有关规定办理手续,结转产品属于加工贸易项下进口许可证件管理商品的,企业应当取得相应的有效进口许可证件。海关对相应进口许可证件电子数据进行系统自动比对验核。

**第八条** 转出企业、转入企业可以采用"分批送货、集中报关"的方式办理结转手续。

对转入其他出口加工区、保税区等海关特殊监管区域的,转出企业、转入企业分别在主管海关办理结转手续;对转至其他出口加工区、保税区等海关特殊监管区域外加工贸易企业的,转出企业、转入企业在转出地主管海关办理结转手续。

**第九条** 出口加工区货物出区深加工结转除特殊情况外,对转入其他出口加工区、保税区等海关特殊监管区域的,比照转关运输等有关规定办理海关手续。

转出企业生产的产品结转至其他出口加工区或者保税区等特殊监管区域,不能比照转关运输监管方式办理结转手续的,在向转出地或者转入地主管海关提供相应的担保后,由企业自行运输。

**第十条** 出口加工区企业加工生产的产品转至其他出口加工区、保税区等海关特殊监管区域外加工贸易企业的,转出企业、转入企业向海关申报结转计划时应当提交《中华人民共和国海关出口加工区货物出区深加工结转申请表》(以下简称《申请表》),并按照要求如实填写《申请表》的各项内容。

一份《申请表》只能对应一个转出企业和一个转入企业,但可对应转入企业多份《加工贸易手册》。

**第十一条** 转入企业、转出企业应当按照以下规定办理结转计划备案手续:

(一)转入企业在《申请表》(一式四联)中填写本企业的转入计划,凭《申请表》向转入地海关备案;

(二)转入地海关备案后,留存《申请表》第一联,其余三联退转入企业交转出企业;

(三)转出企业自转入地海关备案之日起三十日内,持《申请表》其余三联,填写本企业的相关内容后,向转出地海关办理备案手续。转出企业向海关递交《申请表》的内容如果不符合海关规定的,海关应当当场或者在签收《申请表》后五日内一次告知转出企业需要补正的全部内容。不予受理的应当制发《海关行政许可申请不予受理决定书》,并告知申请人享有依法申请行政复议或者提起行政诉讼的权利。转出企业、转入企业应当重新填报和办理备案手续;

(四)转出地海关审核后,将《申请表》第二联留存,第三联、第四联交转出企业、转入企业凭以办理结转收发货登记及报关手续。

**第十二条** 转出企业、转入企业办理结转备案手续后,应当按照经双方海关核准后的《申请表》进行实际收发货。转出企业的每批次发货记录应当在《出口加工区货物实际结转情况登记表》(以下简称《登记表》)上进行如实登记。由海关在转出地卡口签注《登记表》后货物出区。

**第十三条** 转出企业、转入企业每批实际发货、收货后,转出企业、转入企业可以凭《申请表》和转出地卡口签注的《登记表》分批或者集中办理报关手续。转出、转入企业每批实际发货、收货后,应当在实际发货、收货之日起三十日内办结该批货物的报关手续。

一份结转进口报关单对应一份结转出口备案清单。转出、转入企业应当按照海关规定如实、准确地向海关申报结转货物的品名、商品编号、规格、数量、价格等项目。转出地海关、转入地海关应当对申报数据进行审核。

**第十四条** 区内转出的货物因质量不符等原因发生退运、退换的,转入企业为出口加工区、保税区等海关特殊监管区域外加工贸易企业的,由转出地主管海关按照退运、退换的有关规定办理相关手续，并将实际退运、退换情况在《登记表》中进行登记，注明"退运"或者"退换"字样；转入企业为其他出口加工区、保税区等海关特殊监管区域内企业的，转入企业、转出企业分别在其主管海关办理退运和退换手续。

区内转出的货物因质量不符等原因需要返回区内维修的，比照上述退换规定办理手续。

第十五条　转出企业对以深加工结转方式出区的货物一律开具出口发票。转入企业、转出企业应当以外币计价结算，海关按照有关规定签发报关单外汇核销证明联。

第十六条　出口加工区出区深加工结转货物应当全部加工复出口，对确有特殊原因需要内销或者转用于生产内销产品的，区外加工贸易企业应当按照国家相关规定办理手续。

第十七条　实行计算机联网管理的企业可以通过网络办理结转手续。

第十八条　转入企业、转出企业违反本办法的，海关按照《中华人民共和国海关法》及《中华人民共和国海关法行政处罚实施条例》的有关规定处理；构成犯罪的，依法追究刑事责任。

第十九条　本办法所规定的文书由海关总署另行制定并且发布。

第二十条　本办法由海关总署负责解释。

第二十一条　本办法自2005年5月1日起施行。

# 关于海关特殊监管区域间保税货物结转管理的公告

（海关总署公告2014年第83号）

（2014年11月19日由海关总署发布，2014年11月19日起施行，法规类型为规范性文件）

为落实《国务院关于促进海关特殊监管区域科学发展的指导意见》（国发〔2012〕58号），提高保税货物流转效率，根据《中华人民共和国海关法》和其他有关法律、行政法规，现将海关特殊监管区域间保税货物结转管理有关事宜公告如下：

一、海关特殊监管区域间保税货物流转，按照转关运输的有关规定办理，符合本公告要求的也可以按照下述区间结转方式办理。

二、本公告所称区间结转是指海关特殊监管区域内企业（以下简称转出企业）将保税货物转入其他海关特殊监管区域内企业（以下简称转入企业）的经营活动。

三、区间结转企业可以采用"分批送货、集中报关"的方式办理海关手续，收发货可采用企业自行运输或者比照转关运输的方式进行。

四、区间结转企业应当根据海关对区间结转业务信息化管理的有关规定与海关联网，建立企业保税货物电子底账，并在规定的时限内，通过信息化管理系统，向海关如实申报结转备案、收发货、报关等信息。

五、企业开展区间结转业务，应当按照以下流程向主管海关申报《海关特殊监管区域保税货物结转申报表》（以下简称《申报表》），办理区间结转备案手续：

（一）转入企业填报《申报表》转入信息向转入地主管海关申报。

（二）转入地主管海关确认后，转出企业填报《申报表》相应的转出信息向转出地主管海关申报，转出地主管海关进行确认。

（三）《申报表》从转出地主管海关确认之日起生效，企业可以按照经海关确认后的《申报表》进行实际收发货,办理报关手续。

六、《申报表》应符合以下要求:

(一) 一份《申报表》对应转出企业一本电子账册和转入企业一本电子账册。

(二)《申报表》中区间结转保税货物品名、商品编号和计量单位等信息应与企业对应电子账册一致。

(三) 区间结转双方对应商品申报计量单位和申报数量应当一致,申报计量单位不一致的法定数量应当一致。

(四) 区间结转双方的商品编号前8位应当一致。

(五)《申报表》有效期一般为半年,最长不超过1年,逾期不能发货。

(六)《申报表》由转入地主管海关进行登记编号,编号办法为:"S"(代表区间结转) + 转入关别4位+年份2位+顺序号5位。

(七)《申报表》备案后已备案商品不能变更。

七、企业有下列情形之一的,企业申报的《申报表》海关不予受理:

(一) 不符合海关监管要求,被海关责令限期整改,在整改期内的;

(二) 涉嫌走私、违规已被海关立案调查,尚未结案的(经海关同意,并已收取担保金的涉案企业除外);

(三) 未按规定要求报关或者收发货的;

(四) 企业电子账册被海关暂停进出口的;

(五) 其他不符合海关监管条件的。

备案后如发生上述情况,海关可对《申报表》进行暂停处理,在暂停期间企业不能进行收发货,但《申报表》项下已实际收发货的,允许办理报关手续。

八、企业办理区间结转备案手续后,应当按照《申报表》进行实际收发货。企业的每批次收发货,应向海关如实申报,海关予以登记:

(一) 转出企业按照《申报表》向转出地主管海关申报区间结转出区核放单,转出地主管海关卡口核放确认后,海关登记发货信息。

(二) 转入企业按照《申报表》向转入地主管海关申报对应的区间结转入区核放单,转入地主管海关卡口核放确认后,海关登记收货信息。

九、符合海关监管要求的,区间结转保税货物可由企业自行运输。

进出卡口的企业自行运输工具应经海关备案,并遵守海关对运输工具及其所载货物管理的规定。转出企业可以使用转入企业自行运输工具进行运输。

企业自行运输的线路、时间、在运输途中换装运输工具等事项,需提前向海关报备。

十、区间结转保税货物比照转关运输方式实际收发货的,应按转关运输有关规定使用海关监管车辆运输,施加海关封志。

十一、转出、转入企业每次实际发货、收货后,应当在每次实际发货、收货之日起30日内在各自主管海关按照先报进、后报出的顺序办结集中报关手续,转出与转入报关数据应对碰一致。集中报关手续不得跨年度办理。

转入企业应在结转进口报关之日起2个工作日内将报关情况通知转出企业。

十二、企业实际收发货后,应当按照以下规定办理结转报关手续:

(一) 企业按照《申报表》项下实际收货逐批或者多批次合并向主管海关办理报关手续。

(二) 企业填制备案清单时,应当按照海关规定如实、准确地向海关申报结转保税货物的品名、商品编号、规格、数量、价格等项目。

一份结转进区备案清单对应一份结转出区备案清单,进区、出区备案清单之间对应的申报序号、商品编号前8位、价格、数量（或折算后数量）应当一致。

出区备案清单中"关联报关单号"栏应填写所对应的进区备案清单号。

备案清单所填写的"关联备案"栏应相互对应，进区备案清单的"关联备案"栏应填写出区企业备案的账册号，出区备案清单的"关联备案"栏应填写进区企业备案的账册号。

随附单证代码填写"K"（深加工结转），进区、出区备案清单随附单证的单证编号栏内填写对应《申报表》编号。

运输方式应当填写"其他"（代码"9"）。

以来料加工贸易方式结转的，企业监管方式应当填写"来料深加工结转"（代码"0255"）；以进料加工贸易方式结转的，企业监管方式应当填写"进料深加工结转"（代码"0654"）。

启抵国（地区）应当填写"中国"（代码"142"）。

（三）企业逐批或者多批次合并向主管海关办理报关手续时，应根据结转双方实际收发货数量确定结转报关数量。实际收货数量与实际发货数量相同的，结转双方按相同数量报关；实际收货数量少于实际发货数量的，结转双方按实际收货数量进行报关，实际发货数量与报关数量差异部分由转出企业向转出地主管海关办理补税手续，如属许可证件管理商品，还应向海关出具有效的进口许可证件；实际收货数量大于实际发货数量的，结转双方按实际发货数量进行报关，实际收货数量与报关数量差异部分由转入企业向转入地海关申报入区备案清单，办理货物入区报关手续。

（四）企业发生申报不实等违规行为的结转货物，经海关按照相关规定作出处罚或者经海关办案部门同意并收取足额担保金后，可以办理报关手续。

（五）企业电子账册核销时，结转双方进出区备案清单应对碰一致，进出区备案清单不能一一对应的，海关不予接受报核；

十三、因质量不符等原因发生退运、退换的，转入企业、转出企业分别在其主管海关按退运、退换的有关规定办理相关手续。

十四、本公告所称保税货物是指经海关批准未办理纳税手续进境或者已办理出口手续未出境，在海关特殊监管区域内储存、加工、装配的货物。

特此公告。

# 关于原油和铁矿石期货保税交割业务增值税政策的通知

（财税〔2015〕35号）

（2015年4月8日由财政部、国家税务总局发布，2015年4月1日起施行，法规类型为规范性文件）

各省、自治区、直辖市、计划单列市财政厅（局）、国家税务局：

根据国务院批复精神，现将原油和铁矿石期货保税交割业务有关增值税政策通知如下：

一、上海国际能源交易中心股份有限公司的会员和客户通过上海国际能源交易中心股份有限公司交易的原油期货保税交割业务，大连商品交易所的会员和客户通过大连商品交易所交易的铁矿石期货保税交割业务，暂免征收增值税。

二、期货保税交割的销售方，在向主管税务机关申报纳税时，应出具当期期货保税交割的书面说明、上海国际能源交易中心股份有限公司或大连商品交易所的交割结算单、保税仓单等资料。

三、上述期货交易中实际交割的原油和铁矿石，如果发生进口或者出口的，统一按照现行货物进出口税收政策执行。非保税货物发生的期货实物交割仍按《国家税务总局关于下发〈货物期货征收增值税具体办法〉的通知》（国税发〔1994〕244号）的规定执行。

四、本通知自2015年4月1日起执行。

## 关于进口铁矿石期货保税交割检验工作的公告

（海关总署公告2019年第139号）

（2019年8月27日由海关总署发布，2019年8月27日起施行，法规类型为规范性文件）

为贯彻落实《国务院关于促进综合保税区高水平开放高质量发展的若干意见》（国发〔2019〕3号），支持进口保税交割铁矿石期货业务发展，明确海关检验要求，现就有关事项公告如下：

一、用于保税交割的期货铁矿石检验，实行"集中检验、分批放行"模式。

（一）"集中检验"是指海关对用于保税交割的期货铁矿石，从境外进入海关特殊监管区域或保税监管场所前，或者已进入海关特殊监管区域或保税监管场所的铁矿石转成期货前，按照法律法规、标准和国家技术规范的强制性要求规定实施检验。

（二）"分批放行"是指海关对申报进口的期货铁矿石，依据进出口商品检验鉴定机构的检验报告，按实际出区情况放行，办理海关通关手续。

二、对用于保税交割的期货铁矿石，企业应当凭《铁矿石期货入库申报通知单》（见附件1）向海关申报。对从境外进入海关特殊监管区域或保税监管场所的期货铁矿石，经检验后，如符合法律法规、标准和国家技术规范的强制性要求，则准予入境。

三、对申报进口的期货铁矿石，企业应当凭《期货铁矿石放行申请单》（见附件2）及进出口商品检验鉴定机构出具的检验报告，向海关申报和放行。进出口商品检验鉴定机构应当按照《进出口商品检验鉴定机构管理办法》等有关规定，独立、公正地开展期货铁矿石检验鉴定业务。

四、大连商品交易所应将开展铁矿石期货的可交割矿种、交割仓库向海关总署备案。

五、大连商品交易所应当与海关实现计算机联网，提供电子仓单系统中生成的《铁矿石期货入库申报通知单》《期货铁矿石放行申请单》等信息，确保数据真实、准确、有效。

本公告自发布之日起施行。

特此公告。

附件：1. 铁矿石期货入库申报通知单（略）
     2. 期货铁矿石放行申请单（略）

## 关于开展原油期货保税交割业务的公告

（海关总署公告2015年第40号）

（2015年8月20日由海关总署发布，2015年8月20日起施行，法规类型为规范性文件）

为配合我国原油期货上市工作，明确海关对原油期货保税交割业务的监管要求，现就有关事项公告如下：

一、原油期货保税交割业务应在符合条件的海关特殊监管区域或保税监管场所开展。上海国际能源交易中心应将开展原油期货保税交割业务的可交割油种和指定交割仓库向海关总署备案。

二、指定交割仓库应当建立符合海关监管要求的计算机管理系统，与海关进行联网，确保数据真实、准确、有效。

上海国际能源交易中心应当与指定交割仓库主管海关实现计算机联网，通过标准仓单管理系统实时提供保税交割结算单（见附件1、2）、保税标准仓单清单（见附件3）等电子信息。

三、指定交割仓库内不同交割油种的期货保税交割原油不得混放，同一个储罐可以存放不同货主同一交割油种的期货保税交割原油。

四、原油期货保税交割完成后，保税原油需要进出口的，指定交割仓库和保税标准仓单合法持有人（以下简称仓单持有人）应当持保税交割结算单和保税标准仓单清单等单据向主管海关办理报关手续。

五、海关按以下原则确定期货保税原油完税价格：

（一）采用保税标准仓单到期交割的，以上海国际能源交易中心原油期货保税交割结算价加上交割升贴水为基础确定完税价格。

（二）采用保税标准仓单期转现交割的，以期转现申请日前一交易日上海国际能源交易中心发布的原油期货最近月份合约的结算价加上交割升贴水为基础确定完税价格。

（三）采用非标准仓单期转现交割或采用保税标准仓单但未经期货保税交割而转让的，按现行保税货物内销有关规定确定完税价格。

（四）保税原油交割进口时发生的溢短，以保税原油出库完成日前一交易日上海国际能源交易中心发布的原油期货最近月份合约的结算价加上交割升贴水为基础确定完税价格。

六、原油期货保税标准仓单可以质押，质押应当提供税款担保并符合海关监管要求。

仓单持有人在向主管海关办理仓单质押备案手续时应提交以下单证：

（一）保税标准仓单质押业务备案表（见附件4）；

（二）企业设立证明文件及复印件；

（三）保证金或银行保函，担保金额不小于质押货物应缴税款，担保期限不少于质押期限；

（四）海关需要的其他单证。

七、仓单持有人提出解除质押的，应当向主管海关提供保税标准仓单质押业务解除备案表（见附件5）和解除质押协议复印件等单证办理质押解除手续。解除质押时，同一质押合同项下的仓单不得分批解除。

八、原油期货保税标准仓单可以转让。原油期货保税标准仓单可以作为期货交易保证金使用。

九、用于期货保税交割的国内原油存入指定出口监管仓库，海关按照有关规定向国家税务总局传输出口报关单结关信息电子数据。

十、指定交割仓库存储的期货保税交割原油不设存储期限。

十一、指定交割仓库应当如实申报实际损耗情况，海关对期货保税交割原油存储期间的自然损耗的认定试行不超过 0.12%/年（每年千分之一点二）的标准。

本公告自公布之日起施行。

附件：1. 保税交割结算单（报关专用-1）（略）
2. 保税交割结算单（报关专用-2）（略）
3. 保税标准仓单清单（略）
4. 保税标准仓单质押业务备案表（略）
5. 保税标准仓单质押业务解除备案表（略）

## 关于做好期货原油检验监管工作的公告

（国家质量监督检验检疫总局公告2018年第19号）

（2018年1月26日由国家质量监督检验检疫总局发布，2018年1月26日起施行，法规类型为规范性文件）

为配合我国原油期货上市工作，明确检验检疫部门对期货原油检验监管要求，现就有关事项公告如下：

一、期货原油的检验监管实行"集中检验、分批核销"的模式。

集中检验是指检验检疫机构对用于保税交割的期货原油，从境外（境内）进入特殊监管区域或保税监管场所（以下简称"保税区域"）前，按照法律法规、标准和国家技术规范的强制性要求规定实施检验。

分批核销是指检验检疫机构对原油期货可交割油种，按照实际出区情况，分批次核销并办理进出口检验检疫手续。

二、对从境外（境内）进入保税区域的期货原油，企业应当向检验检疫机构申报，并随附原油期货入库申报通知单（见附件1）。经检验后，如符合法律法规、标准和国家技术规范的强制性要求，则准予进入保税区域。

三、对申报进口的期货原油，企业应当持期货原油检验检疫申请单（见附件2）向检验检疫机构申报。同时，企业应当持期货原油核销申请单（见附件3）及数重量检验鉴定报告向检验检疫机构申请核销。

四、上海国际能源交易中心应将开展原油期货的可交割油种、交割仓库、第三方检验鉴定机构向质检总局备案。

期货原油检验的第三方检验鉴定机构应当按照《进出口商品检验鉴定机构管理办法》等有关规定，独立、公正地开展期货原油检验鉴定业务。

五、上海国际能源交易中心应当与检验检疫机构实现计算机联网，通过标准仓单管理系统提供原油期货入库申报通知单、期货原油检验检疫申请单、期货原油核销申请单等电子信息，确保数据真实、准确、有效。

附件：1. 原油期货入库申报通知单（略）
　　　2. 期货原油检验检疫申请单（略）
　　　3. 期货原油核销申请单（略）

## 关于明确保税油跨关区直供业务有关事项的公告

（海关总署公告2017年第47号）

（2017年10月9日由海关总署发布，2017年10月9日起施行，法规类型为规范性文件）

为进一步加强海关对保税油跨关区直供业务的实际监管，规范开展保税油跨关区直供业务的企业（以下简称供油企业）业务操作，现对有关事项公告如下：

一、供油企业应当按照《中华人民共和国海关进出境运输工具监管办法》（以下简称《监管办法》）的相关管理规定，向供油地海关申请办理进出境运输工具服务企业备案、变更及撤销手续。

二、供油企业应当具备商务部、财政部、交通运输部、海关总署四部委或其授权的主管部门批复的国际航行船舶保税油供应跨关区直供经营资质；配备信息化管理系统，并与供油地海关联网，确保海关可通过联网系统或进入供油企业自有信息化管理系统查询、统计保税油入库、存储、供应、承运船舶等情况；符合《监管办法》有关运输工具服务企业备案的条件。

三、供油企业申请办理承运船舶备案、变更及撤销手续时，应当向供油地海关提交《保税油跨关区供应承运船舶备案/变更/撤销表》（附件1）、《船舶所有权登记证书》复印件。涉及船舶租赁的，供油企业还需向供油地海关提交船舶租赁协议复印件等资料。

承运船舶有关情况发生变化的，供油企业应当及时办理变更、撤销申请。

四、承运船舶应当安装船舶实时定位设备等满足海关监管要求的设备，并与供油地海关联网。

五、供油企业在开展保税油跨关区直供业务前，应当向受油地海关提出业务申请，提交《保税油跨关区直供申请单》（附件2）；经海关审核同意后，将受油地海关制发关封提交供油地海关。

六、保税油出库前，供油企业应当按照相关规定向供油地海关办理保税油出库申请。

七、保税油供船前，供油企业应当向受油地海关办理保税油供船申请，提交供油地海关核批的保税油出库相关文件、《中华人民共和国海关运输工具起卸/添加物料申报单》（一式四份）等资料。

涉及一船多供业务的，供油企业应当按照受油船舶逐船进行申请。

八、供油结束后，供油企业应当向受油地海关办理保税油供船核销申请，提交国际航行船舶负责人签章确认的《中华人民共和国海关运输工具起卸/添加物料申报单》、供油双方签收的供油凭证等资料；经海关审核同意后，将受油地海关制发的关封提交供油地海关。

九、实际供油数量少于出库数量，或因特殊原因导致供油业务取消的，供油企业应当按照规定，向供油地海关申请办理保税油入库手续。

十、供油企业应当在单一航次供油结束之日起14日内，向供油地海关办理报关手续；在报关单放行后，向供油地海关申请办理相关后续手续。

十一、违反本公告有关规定，构成走私行为、违反海关监管规定行为或者其他违反海关法行为的，海关依照《海关法》和《中华人民共和国海关行政处罚实施条例》的有关规定予以处理；构成犯罪的，依法追究刑事责任。

十二、本公告下列用语的含义是：

保税油跨关区直供，是指供油企业将保税油跨关区直接供应国际航行船舶的业务；

承运船舶，是指从事国际航行船舶保税油跨关区供应的船舶；

供油地海关，是指保税油存储地隶属海关；

受油地海关，是指国际航行船舶接受保税油供应的所在地隶属海关；

一船多供，是指单艘承运船舶在一个作业航次内对同一关区内的多艘国际航行船舶供应保税油。

特此公告。

附件：1. 保税油跨关区供应承运船舶备案变更撤销表（略）
　　　2. 保税油跨关区直供申请单（略）

# 关于优化进境保税油检验监管工作的公告

（海关总署公告2019年第204号）

(2019年12月23日由海关总署发布，2019年12月31日起施行，法规类型为规范性文件)

为贯彻落实《国务院关于做好自由贸易试验区第五批改革试点经验复制推广工作的通知》（国函〔2019〕38号）要求，海关总署决定将中国（浙江）自由贸易试验区试点的"进境保税油检验监管制度"复制推广到全国，现将有关事项公告如下：

一、对于在海关特殊监管区域（以下简称特殊区域）内保税仓储用于复出口的保税油或用于国际航行船舶的直供油免于品质检验，实施账册管理；对于在特殊区域内保税仓储用于转进口的保税油依法实施品质检验。

二、对于在特殊区域内保税仓储用于转进口的保税油入区环节不实施检验，出区环节实施检验；为提高通关效率，海关可依企业申请进行预检验；对于批次多、间隔短、品质稳定的保税油，海关可降低检验频次。

三、进入特殊区域保税仓储的保税油，应在卸货口岸依法实施安全、卫生、环保项目检验。

四、对进境保税油高级认证企业适用"集中检验、分批放行"、实验室快速检验、优先办理通关放行手续等便利政策。

五、本公告所称的"保税油"，是指保税原油及其成品油（品目27.09及27.10项下的商品）。

公告自2019年12月31日起施行。

特此公告。

# 关于做好保税展示交易有关工作的通知

(署加发〔2015〕266号)

(2015年10月26日由海关总署发布,2015年10月26日起施行,法规类型为规范性文件)

广东分署,各直属海关:

为深入贯彻落实《国务院关于推广中国(上海)自由贸易试验区可复制改革试点经验的通知》(国发〔2014〕65号)要求,进一步做好中国(上海)自由贸易试验区制度创新的复制推广工作。现就保税展示交易海关监管制度创新有关问题通知如下:

保税展示交易是指经海关注册登记的海关特殊监管区域内企业(以下简称"展示经营企业"),将海关特殊监管区域内保税货物凭保后运至区域外进行展示和销售的经营活动。

开展保税展示交易的场所,为海关特殊监管区域规划面积以内、围网以外综合办公区专用的展示场所,或者海关特殊监管区域以外其他固定场所。海关特殊监管区域围网内不得开展保税货物的展示交易业务。

开展保税展示交易业务的场所,应具备固定的经营场地,符合海关监管要求。展示期间,展示经营企业需变更展示地点的,应当经主管海关同意。

保税展示交易业务原则上应在展示经营企业所在直属海关范围内开展。

保税展示交易涉及许可证件的,展示经营企业须在货物销售前向主管海关提供许可证件。

保税展示交易销售时,海关应按照《中华人民共和国海关审定内销保税货物完税价格办法》(署令第211号)有关规定审定完税价格。

对保税展示交易货物内销涉及分批适用协定税率或特惠税率的,按照海关总署公告2013年第36号的有关规定办理。

展示经营企业应对保税展示交易货物实施账册管理,详细记录保税展示交易货物在展示期间的进、出、存、销等情况。

未经海关批准,展示经营企业不得将保税展示交易货物用于展示、交易以外的其他用途。

保税展示交易货物在展示期间受损或灭失的,参照《中华人民共和国海关保税港区管理暂行办法》(署令第191号)的相关规定办理。

保税物流中心(B型)开展保税展示交易参照上述规定执行。保税物流中心(A型)、保税仓库、出口监管仓库等保税监管场所内不得开展保税货物的展示交易业务。

各海关要继续认真落实《海关总署关于复制推广上海自贸试验区海关监管创新制度有关工作的通知》(署加发〔2014〕172号)要求,坚持从实际出发,因地制宜地做好保税货物展示交易的复制推广工作,按照上述要求做好制定本关区业务操作规程和调整相应信息化系统的工作,遇有问题及时请示报告。

特此通知。

## 关于海关特殊监管区域内保税维修业务有关监管问题的公告

(海关总署公告2015年第59号)

(2015年12月11日由海关总署发布,2015年12月11日起施行,法规类型为规范性文件)

为规范海关特殊监管区域(以下简称"区域")内保税维修业务管理,现将有关事项公告如下:

一、本公告适用于保税区、出口加工区、保税物流园区、保税港区、综合保税区、珠澳跨境工业区珠海园区以及中哈霍尔果斯边境合作中心中方配套区等区域内开展以下保税维修业务:

(一)以保税方式将存在部件损坏、功能失效、质量缺陷等问题的货物(以下统称"待维修货物")从境外运入区域内进行检测、维修后复运出境。

(二)待维修货物从境内(区域外)运入区域内进行检测、维修后复运回境内(区域外)。

以运输工具申报进境维修的外籍船舶、航空器等的海关监管,不适用本公告。

二、区域内企业可开展以下保税维修业务:

(一)法律、法规和规章允许的;

(二)国务院批准和国家有关部门批准同意开展的;

(三)区域内企业内销产品包括区域内企业自产或本集团内其他境内企业生产的在境内(区域外)销售的产品的返区维修。

除国务院和国家有关部门特别准许外,不得开展国家禁止进出口货物的维修业务。

三、企业开展保税维修业务,应当开设H账册,建立待维修货物、已维修货物(包括经检测维修不能修复的货物)、维修用料件的电子底账。设立保税维修账册应当符合以下条件:

(一)建立符合海关监管要求的管理制度和计算机管理系统,能够实现对维修耗用等信息的全程跟踪。

(二)与海关之间实行计算机联网并能够按照海关监管要求进行数据交换。

(三)能够对待维修货物、已维修货物、维修用料件、维修过程中替换下的坏损零部件(以下简称"维修坏件")、维修用料件在维修过程中产生的边角料(以下简称"维修边角料")进行专门管理。

按照法律、法规和规章规定须由区域管理部门批准的,企业应当提供有关批准文件。

四、企业应当向海关如实申报保税维修货物的进、出、转、存和耗用情况,并向海关办理核销手续。

五、待维修货物从境外运入区域内进行检测、维修(包括经检测维修不能修复的)后应当复运出境。待维修货物从境外进入区域和已维修货物复运出境,区域内企业应当填报进(出)境货物备案清单,监管方式为"保税维修"(代码1371)。

六、待维修货物从境内(区域外)进入区域,区域外企业或区域内企业应当填报出口货物报关单,监管方式为"修理物品"(代码1300),同时区域内企业应当填报进境货物备案清单,监管方式为"保税维修"(代码1371)。

七、已维修货物复运回境内（区域外），区域外企业或区内企业应当填报进口货物报关单，监管方式为"修理物品"（代码1300），已维修货物和维修费用分列商品项填报。已维修货物商品项数量为实际出区域数量，征减免税方式为"全免"；维修费用商品项数量为0.1，征减免税方式为"照章征税"，商品编号栏目按已维修货物的编码填报；适用海关接受已维修货物申报复运回境内（区域外）之日的税率、汇率。

区域内企业应当填报出境货物备案清单，监管方式为"保税维修"（代码1371），商品名称按已维修货物的实际名称填报。

企业应当向海关提交维修合同（或含有保修条款的内销合同）、维修发票等单证。保税维修业务产生的维修费用完税价格以耗用的保税料件费和修理费为基础审查确定。对外发至区域外进行部分工序维修时发生的维修费用，如能单独列明的，可以从完税价格中予以扣除。

八、待维修货物从境内（区域外）进入区域和已维修货物复运回境内（区域外）需要进行集中申报的，企业应当参照《中华人民共和国海关保税港区管理暂行办法》（海关总署令第191号）有关规定办理手续。

九、维修用料件按照保税货物实施管理，企业应当按照《海关特殊监管区域进出口货物报关单、进出境货物备案清单填制规范》和《中华人民共和国海关进出口货物报关单填制规范》对维修用料件进出境、进出区域、结转等进行申报。

十、对从境外进入区域的待维修货物产生的维修坏件和维修边角料原则上应复运出境，监管方式为"进料边角料复出"（代码0865）或"来料边角料复出"（代码0864）。确实无法复运出境的，可参照《海关总署　环境保护部　商务部　质检总局关于出口加工区边角料、废品、残次品出区处理问题的通知》（署加发〔2009〕172号）办理运至境内（区域外）的相关手续。

对从境内（区域外）进入区域的待维修货物产生的维修坏件和维修边角料，可通过辅助管理系统登记后运至境内（区域外）。

维修坏件和维修边角料属于固体废物的，应当按照环境保护部、商务部、发展改革委、海关总署、质检总局联合制发的《固体废物进口管理办法》（环境保护部令第12号）有关规定办理。

十一、在进出境申报时，企业应当按进出境实际运输方式填报进（出）境货物备案清单的运输方式栏目。在自境内进出区申报时，企业应当按《海关特殊监管区域进出口货物报关单、进出境货物备案清单填制规范》的规定填报进出口货物报关单、进（出）境货物备案清单的运输方式栏目。

十二、维修业务开展过程中，由于部分工艺受限等原因，区域内企业需将维修货物外发至区域外进行部分工序维修时，可比照《中华人民共和国海关保税港区管理暂行办法》（海关总署令第191号）第28条规定办理有关手续，并遵守有关规定。

十三、保税维修业务账册核销周期不超过两年。

十四、有下列情形之一的，企业应当予以整改。整改期间，海关不受理新的保税维修业务：

（一）不符合本公告第二、三条所述业务开展条件的；

（二）涉嫌走私被海关立案调查的；

（三）一年内两次发生违规的；

（四）未能在规定期限内将已维修货物、待维修货物、维修坏件或维修边角料按规定处置的。

第四项所述"规定期限"由主管海关根据保税维修合同和实际情况予以确定。

企业完成整改，并将整改结果报主管海关认可后，企业方可开展新的保税维修业务。

本公告自公布之日起施行。

## 关于保税维修业务监管有关问题的公告

（海关总署公告2018年第203号）

（2018年12月14日由海关总署发布，2019年1月1日起施行，法规类型为规范性文件）

为规范海关对保税维修业务监管，现将有关事项公告如下：

一、本公告适用于海关对企业开展保税维修业务的监管，即企业以保税方式将存在部件损坏、功能失效、质量缺陷等问题的货物或运输工具（以下统称"待维修货物"）从境外运入境内进行检测、维修后复运出境。

二、企业可开展以下保税维修业务：

（一）法律、行政法规、国务院的规定和部门规章允许的；

（二）国务院和国家有关部门批准同意开展的。

除法律、行政法规、国务院的规定或者国务院有关部门依据法律、行政法规的授权作出的规定准许外，企业不得开展国家禁止进出口货物的保税维修业务，不得通过保税维修方式开展拆解、报废等业务。

三、企业开展保税维修业务应满足以下条件，并接受海关实地验核评估：

（一）海关认定的企业信用状况为一般信用及以上；

（二）企业应当具备开展该项业务所需的场所和设备，对已维修货物、待维修货物、无法维修货物、维修用料件、维修过程中替换下的旧件或坏件、维修过程中产生的边角料等进行专门管理；

（三）企业应当建立符合海关监管要求的管理制度和计算机管理系统，实现对维修耗用等信息的全程跟踪，并按照海关要求进行申报；

（四）符合海关监管所需的其他条件。

四、企业开展保税维修业务，应向海关提交以下材料：

（一）企业开展保税维修业务情况说明；

（二）企业对外签订的维修合同；

（三）品牌所有人或代理人对维修业务的授权文件。

属于国务院和国家有关部门个案批准同意开展的保税维修项目，还应提交相应的批准文件。

五、企业开展保税维修业务所需的维修用料件可以采用保税或者非保税方式进口。适用保税方式进口的，企业应实施以维修工单为基础的据实核销。

六、企业开展保税维修业务，应设立保税维修专用账（手）册，建立待维修货物、已维修货物、无法维修货物等信息的电子底账。企业采用保税方式进口维修用料件的，保税维修专用账（手）册还应包含维修用料件电子底账。

保税维修专用账（手）册备案商品不纳入加工贸易禁止类商品目录管理。

七、企业设立电子账（手）册时，按照以下规则填报：

表头"监管方式"填报"保税维修（1371）"，"保税方式"填报"保税维修（5）"，账册周转金额根据企业自身实际生产能力和合同情况自行确定填报。

备案成品填报"货物品名(已修复)"和"货物品名(无法修复)"。

备案料件填报"货物品名(待修复)"和"维修用保税料件",其中"维修用保税料件"按照货物品名据实填报。

八、保税维修账(手)册核销周期按海关监管要求和企业生产实际确定,原则上最长不得超过1年;开展飞机、船舶等大型装备制造业的保税维修企业,经主管海关确认,可参照合同实际有效期确定账(手)册核销周期。

九、企业办理保税维修货物进出口申报时,备案料件"货物品名(待修复)"、备案成品"货物品名(已修复)"和"货物品名(无法修复)"均按照"保税维修(1371)"监管方式申报;

采用保税方式进口的"维修用料件"按对应的"进料加工(0615)"或"来料加工(0214)"监管方式申报;需复运出境的按对应的"进料料件复出(0664)"或"来料料件复出(0265)"监管方式申报出口;需结转使用的,按对应的"进料余料结转(0657)"或"来料余料结转(0258)"监管方式申报;

维修替换下的旧件、坏件、维修产生的边角料按实际报验状态采用"进料边角料复出(0864)"或"来料边角料复出(0865)"申报,统一按对应备案料件的项号复运出境;无法对应备案料件项号或采用非保税方式进口"维修用料件"的,统一按对应备案待维修货物的项号填报复运出境。

十、企业开展保税维修业务的待维修货物、已维修货物、无法修复货物、维修过程中产生的边角料、替换下的旧件、坏件,原则上应全部复运出境。确实无法复运出境的,不得内销,企业应当按照《海关总署关于加工贸易货物销毁处置的相关问题的公告》(海关总署公告2014年第33号)相关规定进行处置。其中属于固体废物的,企业应当按照《固体废物进口管理办法》(环境保护部、商务部、发展改革委、海关总署、质检总局令第12号)和国家生态环境主管部门有关要求交由有资质的企业进行处置。

通过保税方式进口的维修用料件余料,企业可按照《中华人民共和国海关关于加工贸易边角料、剩余料件、残次品、副产品和受灾保税货物的管理办法》相关规定处置。

十一、企业开展保税维修业务,原则上每年至少盘点一次,并如实申报该核销期内维修替换下的旧件、坏件信息(包括品名、规格型号、数量等)。

以保税方式进口维修用料件的企业,还应如实申报维修中使用保税料件产生的边角料信息(包括品名、规则型号、数量等)。

十二、企业有下列情形之一的,应当及时向海关报告并整改。整改期间,海关不受理企业新设保税维修专用电子化账(手)册,原保税维修专用电子账册自本核销周期截止日起暂停执行。

(一)不再符合本公告第二、三条所述业务开展条件的;

(二)未能将保税维修有关货物、料件、维修替换下旧件、坏件、维修中产生的保税边角料等按规定进行处置的;

(三)在保税维修过程中违反国家固体废物管理规定的,擅自处理维修过程中所产生的固体废弃物的;

企业完成整改,并将整改结果报主管海关认可后,方可开展新的保税维修业务。

海关发现有前款所列情形之一的,可以要求企业整改。

十三、企业涉嫌走私被海关立案调查的,海关不受理企业新设保税维修专用电子化账(手)册。

十四、企业有下列情形之一的,终止开展保税维修业务:

(一)企业倒闭或破产,或被政府主管部门撤销经营资格的;

（二）海关认定的企业信用状况被降为失信企业的；
（三）保税维修货物在境内被转让或移作他用的；
（四）整改期满仍不能按照海关要求对保税维修货物进行管理的。

十五、本公告实施前已经试点开展的保税维修业务，可在电子化手册有效期内或电子账册核销周期内按原有规定继续开展业务，之后统一按照本公告有关要求进行办理。

十六、本公告中保税维修业务涉及商品安全的相关要求另行公告。

十七、海关特殊监管区域内企业开展保税维修业务，按照《海关总署关于海关特殊监管区域内保税维修业务有关监管问题的公告》（海关总署公告〔2015〕59号）办理。

十八、本公告自2019年1月1日起施行。

特此公告。

## 关于支持综合保税区内企业开展维修业务的公告

（商务部 生态环境部 海关总署公告2020年第16号）

（2020年5月13日由商务部、生态环境部、海关总署发布，2020年5月13日起施行，法规类型为规范性文件）

为支持综合保税区内企业开展高技术、高附加值、符合环保要求的维修业务，根据《国务院关于促进加工贸易创新发展的若干意见》（国发〔2016〕4号）和《国务院关于促进综合保税区高水平开放高质量发展的若干意见》（国发〔2019〕3号），现就有关事项公告如下：

一、综合保税区内企业（以下简称区内企业）可开展航空航天、船舶、轨道交通、工程机械、数控机床、通讯设备、精密电子等产品的维修业务（第一批维修产品目录见附件）。除法律、行政法规、国务院的规定或国务院有关部门依据法律、行政法规的授权作出的规定准许外，区内企业不得开展国家禁止进出口货物的维修业务。

二、区内企业可开展来自境外或境内海关特殊监管区域外（以下简称境内区外）的全球维修业务。维修后的货物，应根据其来源复运至境外或境内区外。区内企业不得通过维修方式开展拆解、报废等业务。

三、区内企业申请开展维修业务，由所在综合保税区管委会（或地方政府派驻行政管理机构）会同当地商务、海关等部门共同研究确定，并制订监管方案。相关方案和企业名单应报省级商务、直属海关等部门备案。

四、区内企业开展维修业务，应制定切实可行的维修操作规范、安全规程和污染防治方案。维修业务应符合相关行业管理规范和技术标准，依法履行质量保障、安全生产、达标排放、土壤和地下水污染防治等义务。

五、进境维修过程中产生或替换的边角料、旧件、坏件等，原则上应全部复运出境；确实无法复运出境的，一律不得内销，应当按照有关规定进行销毁处置。其中属于固体废物的，企业应当按照固体废物环境管理有关规定进行处置。对未能在监管方案中规定的期限内对维修过程中产生或替换的边角料、旧件、坏件等按照规定进行处置的，应终止开展保税维修业务。

六、区内企业应当按照国家有关规定，建立固体废物管理台账，依法依规申报所产生固体废物的种类、数量、流向、贮存、利用和处置等信息，并通过全国固体废物管理信息系统进行申报。

七、综合保税区管委会（或地方政府派驻行政管理机构）应切实履行主体责任，定期组织对区内企业维修业务开展情况进行评估，督促企业及时处置维修过程中产生或替换的边角料、旧件、坏件等，并按照规定对违规企业进行处理。各综合保税区维修业务开展情况每年由省级商务主管部门汇总上报商务部、生态环境部和海关总署。

八、本公告自发布之日起施行。本公告发布之前已开展的保税维修业务可按原产品维修范围继续开展。

附件：维修产品目录（第一批）

附件

## 维修产品目录（第一批）

| 序号 | 商品编码 | 商品名称 |
| --- | --- | --- |
| 1 | 8406 | 汽轮机 |
| 2 | 8411 | 涡轮喷气发动机，涡轮螺桨发动机及其他燃气轮机 |
| 3 | 8412 | 其他发动机及动力装置 |
| 4 | 8413 | 液体泵，不论是否装有计量装置；液体提升机 |
| 5 | 8414 | 空气泵或真空泵、空气及其他气体压塑机、风机、风扇；装有风扇得通风罩或循环罩，不论是否装有过滤器 |
| 6 | 8421 | 离心机，包括离心干燥机；液体或气体的过滤、净化机器及装置 |
| 7 | 8425 | 滑车及提升机，但倒卸式提升机除外；卷扬机及绞盘；千斤顶 |
| 8 | 8427 | 叉车；其他装有升降或搬运装置的工作车 |
| 9 | 8429 | 机动推土机、侧铲推土机、筑路机、平地机、铲运机、机械铲、挖掘机、机铲装载机、捣固机械及压路机 |
| 10 | 8430 | 泥土、矿物或矿石的运送、平整、铲运、挖掘、捣固、压实、开采或钻探机械；打桩机及拔桩机；扫雪机及吹雪机 |
| 11 | 8432 | 农业、园艺及林业用整地或耕作机械；草坪及运动场地滚压机 |
| 12 | 8443 | 用税目84.42的印刷用版（片）、滚筒及其他印刷部件进行印刷的机器；其他印刷（打印）机、复印机及传真机，不论是否组合式；上述机器的零件及附件 |
| 13 | 8455 | 金属轧机及其轧辊 |
| 14 | 8456 | 用激光、其他光、光子束、超声波、放电、电化学法、电子束、离子束或等离子弧处理各种材料的加工机床；水射流切割机 |
| 15 | 8457 | 加工金属的加工中心、单工位组合机床及多工位组合机床 |
| 16 | 8458 | 切削金属的机床（包括车削中心） |

1833

续表1

| 序号 | 商品编码 | 商品名称 |
|---|---|---|
| 17 | 8459 | 切削金属的钻床、镗床、铣床、攻丝机床（包括直线移动式动力头钻床），但税目84.58的车床（包括车削中心）除外 |
| 18 | 8460 | 用磨石、磨料或抛光材料对金属或金属陶瓷进行去毛刺、刃磨、磨削、珩磨、研磨、抛光或其他精加工的机床，但税目84.61的切齿机、齿轮磨床或齿轮精加工机床除外 |
| 19 | 8461 | 切削金属或金属陶瓷的刨床、牛头刨床、插床、拉床、切齿机、齿轮磨床或齿轮精加工机床、锯床、切断机及其他税号未列名的切削机床 |
| 20 | 8462 | 加工金属的锻造（包括模锻）或冲压机床；加工金属的弯曲、折叠、矫直、矫平、剪切、冲孔或开槽机床；其他加工金属或硬质合金的压力机 |
| 21 | 8463 | 金属或金属陶瓷的其他非切削加工机床 |
| 22 | 8465 | 木材、软木、骨、硬质橡胶、硬质塑料或类似硬质材料的加工机床（包括用打钉或打U形钉、胶粘或其他方法组合前述材料的机器） |
| 23 | 8467 | 手提式风动或液压工具及本身装有电动或非电动动力装置的手提式工具 |
| 24 | 8468 | 焊接机器及装置，不论是否兼有切割功能，但税目85.15的货物除外；气体加温表面回火机器及装置 |
| 25 | 8471 | 自动数据处理设备及部件；其他税号未列明的磁性或光学阅读机、将数据以代码形式转录到数据记录媒体的机器及处理这些数据的机器 |
| 26 | 8473 | 专用于或主要用于品目84.70至84.72所列机器的零件、附件（罩套、提箱及类似品除外） |
| 27 | 8486 | 专用于或主要用于制造半导体单晶柱或晶圆、半导体器件、集成电路或平板显示器的机器及装置；本章注释九（三）规定的机器及装置；零件及附件 |
| 28 | 8501 | 电动机及发电机（不包括发电机组） |
| 29 | 8517 | 电话机 |
| 30 | 8526 | 雷达设备、无线电导航设备及无线电遥控设备 |
| 31 | 8527 | 无线电广播接收设备，不论是否与声音的录制、重放装置或时钟组合在同一机壳内 |
| 32 | 8531 | 电气音响或视觉信号装置（例如，电铃、电笛、显示板、防盗或防火报警器），但税目85.12或85.30的货品除外 |
| 33 | 8534 | 印刷电路 |
| 34 | 8542 | 集成电路 |
| 35 | 8608 | 铁道及电车道轨道固定装置及附件；供铁道、电车道、道路、内河航道、停车场、港口或机场用的机械（包括电动机械）信号、安全或交通管理设备；上述货品的零件 |

续表2

| 序号 | 商品编码 | 商品名称 |
|---|---|---|
| 36 | 8801 | 气球及飞艇；滑翔机、悬挂滑翔机及其他无动力航空器 |
| 37 | 8802 | 其他航空器（例如，直升机、飞机）；航天器（包括卫星）及其运载工具、亚轨道运载工具 |
| 38 | 8804 | 降落伞（包括可操纵降落伞及滑翔伞）、旋翼降落伞及其零件、附件 |
| 39 | 8805 | 航空器的发射装置、甲板停机装置或类似装置和地面飞行训练器及其零件 |
| 40 | 8905 | 灯船、消防船、挖泥船、起重船及其他不以航行为主要功能的船舶；浮船坞；浮动或潜水式钻探或生产平台 |
| 41 | 9006 | 照相机（电影摄影机除外）；照相闪光灯装置及闪光灯泡，但税目85.39的放电灯泡除外： |
| 42 | 9008 | 影像投影仪，但电影用除外；照片（电影片除外）放大机及缩片机 |
| 43 | 9011 | 复式光学显微镜，包括用于显微照相、显微电影摄影及显微投影的 |
| 44 | 9013 | 其他品目未列名的液晶装置；激光器，但激光二极管除外；本章其他品目未列名的光学仪器及器具 |
| 45 | 9014 | 定向罗盘；其他导航仪器及装置 |
| 46 | 9015 | 大地测量（包括摄影测量）、水道测量、海洋、水文、气象或地球物理用仪器及装置，不包括罗盘；测距仪 |
| 47 | 9026 | 液体或气体的流量、液位、压力或其他变化量的测量或检验仪器及装置（例如，流量计、液位计、压力表、热量计），但不包括品目90.14、90.15、90.28或90.32的仪器及装置 |
| 48 | 9027 | 理化分析仪器及装置（例如，偏振仪、折光仪、分光仪、气体或烟雾分析仪）；测量或检验黏性、多孔性、膨胀性、表面张力及类似性能的仪器及装置；测量或检验热量、声量或光量的仪器及装置（包括曝光表）；检镜切片机 |
| 49 | 9028 | 生产或供应气体、液体及电力用的计量仪表，包括它们的校准仪表 |
| 50 | 9029 | 转数计、产量计数器、车费计、里程计、步数计及类似仪表；速度计及转速表，税目90.14及90.15的仪表除外；频闪观测仪 |
| 51 | 9030 | 示波器、频谱分析仪及其他用于电量测量或检测的仪器和装置 |
| 52 | 9031 | 本章其他税目未列名的测量货检验仪器、器具及机器；轮廓投影仪 |
| 53 | 9032 | 自动调节或控制仪器及装置 |
| 54 | 9104 | 仪表板钟及车辆、航空器、航天器或船舶用的类似钟 |
| 55 | 9401 | 坐具（包括能做床用的两用椅，但税目94.02的货品除外）及其零件 |

## 关于海关特殊监管区域内开展委内加工业务的公告

（海关总署公告 2016 年第 68 号）

（2016 年 11 月 25 日由海关总署发布，2016 年 11 月 25 日起施行，法规类型为规范性文件）

为规范海关特殊监管区域（以下简称"区域"）内委内加工业务管理，现将有关事项公告如下：

一、本公告所称委内加工，是指区域内企业接受境内（区域外）企业（以下简称"区域外企业"）委托，对区域外企业提供的入区货物进行加工，加工后的产品全部运往境内（区域外），收取加工费，并向海关缴纳税款的行为。委内加工货物是指委内加工用料件（包括来自境内区域外的非保税料件和区域内企业保税料件）、成品、残次品（包括废品）、副产品和边角料。

二、出口加工区、保税港区、综合保税区、珠澳跨境工业区珠海园区以及中哈霍尔果斯边境合作中心中方配套区等海关特殊监管区域内企业符合以下条件之一开展委内加工的，适用本公告：

（一）法律、法规和规章允许的；

（二）经国务院批准的；

（三）经国家有关部门批准的。

区域内保税检测、维修业务按照《海关总署关于海关特殊监管区域内保税维修业务有关监管问题的公告》（海关总署公告 2015 年第 59 号）的有关规定办理。

三、区域内企业开展委内加工业务，应设立委内加工专用电子账册（H 账册）。委内加工货物应当与其他保税货物分开管理，分别存放。

四、委内加工用料件原则上由区域外企业提供，若需使用区域内企业保税料件，区域内企业应当事先向海关报备。

五、委内加工用料件由境内（区域外）入区时，区域外企业应当填报出口货物报关单，监管方式为"出料加工"（代码 1427），同时区域内企业应当填报进境货物备案清单，监管方式为"料件进出区"（代码 5000）。

六、由境内（区域外）入区的委内加工用料件属于征收出口关税商品的，企业应当提供担保，具体手续按照《中华人民共和国海关事务担保条例》有关规定办理。

七、委内加工成品运回境内（区域外）时，区域外企业应当填报进口货物报关单，监管方式为"出料加工"（代码 1427），委内加工成品和加工增值费用分列商品项申报。委内加工成品商品项数量为实际出区数量，征减免税方式为"全免"；加工增值费用商品项数量为 0.1，征减免税方式为"照章征税"，商品名称与商品编号栏按委内加工成品的实际名称与编码填报。

同时区域内企业应当填报出境货物备案清单，监管方式为"成品进出区"（代码 5100），商品名称按委内加工成品的实际名称填报。

加工增值费用完税价格应当以区域内发生的加工费和保税料件费为基础确定。其中，保税料件费是指委内加工过程中所耗用全部保税料件的金额，包括成品、残次品（包括废品）、副产品、边角料等。

八、由境内（区域外）入区的委内加工剩余料件运回境内（区域外）时，区域外企业应当填报进口货物报关单，监管方式为"出料加工"（代码1427），同时区域内企业应当填报出境货物备案清单，监管方式为"料件进出区"（代码5000）。

九、对委内加工所需使用的区域内企业保税料件，区域内企业应当填报进境货物备案清单，监管方式为"料件进出区"（代码5000），并由主管海关核增账册；对委内加工已耗用的区域内企业保税料件，区域内企业应当填报出境货物备案清单，监管方式为"料件进出区"（代码5000），并由主管海关核减账册。

十、在自境内进出区申报时，企业应当按照《中华人民共和国海关进出口货物报关单填制规范》（海关总署2016年第20号公告）的规定填报进出口货物报关单、进（出）境货物备案清单的运输方式栏目。

十一、委内加工产生的边角料、残次品（包括废品）、副产品等应当运回境内（区域外）。保税料件产生的边角料、残次品（包括废品）、副产品属于固体废物的，应当按照《固体废物进口管理办法》（环境保护部、商务部、发展改革委、海关总署、质检总局令第12号）办理出区手续。

十二、区域内企业应当根据电子底账和申报数据定期向主管海关办理账册核销手续。

本公告自公布之日起施行。

特此公告。

# 关于支持综合保税区内企业承接境内（区外）企业委托加工业务的公告

（海关总署公告2019年第28号）

（2019年1月29日由海关总署发布，2019年1月29日起施行，法规类型为规范性文件）

为贯彻落实《国务院关于促进综合保税区高水平开放高质量发展的若干意见》（国发〔2019〕3号）的要求，加快综合保税区（以下简称"综保区"）创新升级，支持在综保区内的企业（以下简称"区内企业"）承接境内（区外）企业（以下简称"区外企业"）委托加工业务，统筹利用国际国内两个市场、两种资源，现将有关事项公告如下：

一、本公告所称"委托加工"，是指区内企业利用监管期限内的免税设备接受区外企业委托，对区外企业提供的入区货物进行加工，加工后的产品全部运往境内（区外），收取加工费，并向海关缴纳税款的行为。

委托加工货物包括委托加工的料件（包括来自境内区外的非保税料件和区内企业保税料件）、成品、残次品、废品、副产品和边角料。

二、除法律、行政法规、国务院的规定或国务院有关部门依据法律、行政法规授权作出的规定准许外，区内企业不得开展国家禁止进出口货物的委托加工业务。

三、区内企业开展委托加工业务，应当具备以下条件：

（一）海关认定的企业信用状况为一般信用及以上；

（二）具备开展该项业务所需的场所和设备，对委托加工货物与其他保税货物分开管理、分别存放。

四、区内企业开展委托加工业务，应当设立专用的委托加工电子账册。

五、委托加工用料件原则上由区外企业提供，对需使用区内企业保税料件的，区内企业应当事先如实向海关报备。

六、委托加工用非保税料件由境内（区外）入区时，区外企业申报监管方式为"出料加工"（代码1427），运输方式为"综合保税区"（代码Y）；区内企业申报监管方式为"料件进出区"（代码5000），运输方式为"其他"（代码9）。

七、境内（区外）入区的委托加工用料件属于征收出口关税商品的，区外企业应当按照海关规定办理税款担保事宜。

八、委托加工成品运往境内（区外）时，区外企业申报监管方式为"出料加工"（代码1427），运输方式为"综合保税区"（代码Y）。委托加工成品和加工增值费用分列商品项，并按照下要求填报：

（一）商品名称与商品编号栏目均按照委托加工成品的实际名称与编码填报；

（二）委托加工成品商品项数量为实际出区数量，征减免税方式为"全免"；

（三）加工增值费用商品项商品名称包含"加工增值费用"，法定数量为0.1，征减免税方式为"照章征税"。

区内企业申报监管方式为"成品进出区"（代码5100），运输方式为"其他"（代码9），商品名称按照委托加工成品的实际名称填报。

加工增值费用完税价格应当以区内发生的加工费和保税料件费为基础确定。其中，保税料件费是指委托加工过程中所耗用全部保税料件的金额，包括成品、残次品、废品、副产品、边角料等。

九、由境内（区外）入区的委托加工剩余料件运回境内（区外）时，区外企业申报监管方式为"出料加工"（代码1427），运输方式为"综合保税区"（代码Y），区内企业申报监管方式为"料件进出区"（代码5000），运输方式为"其他"（代码9）。

十、委托加工产生的边角料、残次品、废品、副产品等应当运回境内（区外）。保税料件产生的边角料、残次品、废品、副产品属于固体废物的，应当按照《固体废物进口管理办法》（环境保护部、商务部、发展改革委、海关总署、质检总局联合令第12号）办理出区手续。

十一、委托加工电子账册核销周期最长不超过一年，区内企业应当按照海关监管要求，如实申报企业库存、加工耗用等数据，并根据实际加工情况办理报核手续。

十二、区内企业有下列情形之一的，海关可暂停其委托加工业务：

（一）不再符合本公告第二条、第三条所述业务开展条件的；

（二）未能在规定期限内将委托加工产生的边角料、残次品、废品、副产品等按照有关规定处置的；

（三）涉嫌走私被立案调查、侦查的。

前款第（二）项所规定的"规定期限"由海关根据委托加工合同和实际情况予以确定。

十三、区内增值税一般纳税人资格企业，按照有关规定执行。

本公告自发布之日起施行。

特此公告。

## 关于海关特殊监管区域"大宗商品现货保税交易"有关监管问题的公告

(海关总署公告2016年第71号)

(2016年11月29日由海关总署发布,2016年11月29日起施行,法规类型为规范性文件)

为规范海关特殊监管区域"大宗商品现货保税交易"业务开展,现将有关事项公告如下:

一、本公告所称的"大宗商品现货保税交易"制度,是指海关对海关特殊监管区域内(以下简称区内)处于保税监管状态的大宗基本工业原料、农产品和能源产品(以下简称大宗商品)等,在经有关政府部门批准建立的大宗商品现货市场(以下简称现货市场)交易平台上交易的监管制度。

二、本公告适用于各种类型的海关特殊监管区域。

三、开展现货交易的货物种类应由现货市场经营人或由其委托的第三方仓单公示机构事先向海关备案。

四、从境外或者境内区外进入交收仓库的大宗商品应当按现有货物进出口规定办理海关手续;大宗商品应当堆放在交收仓库中的指定位置,并设置明显标志。

五、保税仓单持有人应当通过公示机构对所持有的仓单进行公示,并由公示机构将仓单等信息提供给海关;交易平台应向海关提供大宗商品交割结算价等相关信息。

六、适用"大宗商品现货保税交易"制度的区内企业,应按照海关规定的认证方式与海关特殊监管区域信息化辅助管理系统联网,向海关报送能够满足监管要求的相关数据。

本公告自公布之日起施行。

特此公告。

## 关于"保税混矿"有关事项的公告

(海关总署公告2018年第199号)

(2018年12月14日由海关总署发布,2018年12月14日起施行,法规类型为规范性文件)

为复制推广自由贸易试验区改革试点经验,支持海关特殊监管区域(以下简称"特殊区域")开展"保税混矿"业务,促进特殊区域发展,现将有关事项公告如下:

一、本公告所称"保税混矿",是指特殊区域内企业对以保税方式进境的铁矿砂进行简单物理加工混合后再复运出区或离境的业务。

二、本公告所称"简单物理加工",是指铁矿砂除平均粒度、成分含量等发生变化外,未发生实质性改变。实质性改变标准参照《非优惠原产地规则中实质性改变标准的规定》(海关总署令第122号公布，根据海关总署令第238号修改）执行。

三、铁矿砂入区前应接受海关检验和监测，符合国家强制性标准要求的方可入区，如不符合则应按海关要求做退运或检疫处理。

四、企业应建立符合海关监管要求的信息化管理系统，并设立电子账册，记录货物的进、出、转、存等情况。

五、企业应设置专用区域存放"保税混矿"铁矿砂，不得与其他货物混放。

六、铁矿砂从特殊区域进入境内（特殊区域外）应接受海关检验。

本公告自发布之日起施行。

特此公告。

## 关于支持综合保税区开展保税研发业务的公告

（海关总署公告2019年第27号）

（2019年1月29日由海关总署发布，2019年1月29日起施行，法规类型为规范性文件）

为贯彻落实《国务院关于促进综合保税区高水平开放高质量发展的若干意见》（国发〔2019〕3号）的要求，加快综合保税区（以下简称"综保区"）创新升级，促进综保区保税研发业态发展，现就综保区开展保税研发业务有关事项公告如下：

一、综保区内企业（以下简称"区内企业"）以有形料件、试剂、耗材及样品（以下统称"研发料件"）等开展研发业务，适用本公告。

二、区内企业具备以下条件的，可开展保税研发业务：

（一）经国家有关部门或综保区行政管理机构批准开展保税研发业务；

（二）海关认定的企业信用状况为一般信用及以上；

（三）具备开展保税研发业务所需的场所和设备，能够对研发料件和研发成品实行专门管理。

三、除法律、行政法规、国务院的规定或国务院有关部门依据法律、行政法规授权作出的规定准许外，不得开展国家禁止进出口货物的保税研发业务。

区内企业开展保税研发业务不按照加工贸易禁止类目录执行。

四、区内企业开展保税研发业务，应当设立专门的保税研发电子账册，建立包含研发料件和研发成品等信息的电子底账。

五、研发料件、研发成品及研发料件产生的边角料、坏件、废品等保税研发货物（以下简称"保税研发货物"），区内企业按照以下方式申报：

（一）研发料件从境外入区，按照监管方式"特殊区域研发货物"（代码5010）申报，运输方式按照实际进出境运输方式申报；研发料件从境内（区外）入区，按照监管方式"料件进出区"（代码5000）申报，运输方式按照"其他"（代码9）申报。

（二）研发成品出境，按照监管方式"特殊区域研发货物"（代码5010）申报，运输方式按照实际进出境运输方式申报；研发成品进入境内（区外），按照监管方式"成品进出区"（代码5100）申报，运输方式按照"其他"（代码9）申报。

（三）研发料件进入境内（区外），按照监管方式"料件进出区"（代码5000）申报，运输方式按照"其他"（代码9）申报。

（四）研发料件产生的边角料、坏件、废品等，退运出境按照监管方式"进料边角料复出"（代码0864）或"来料边角料复出"（代码0865）申报，运输方式按照实际进出境运输方式申报；内销按照监管方式"进料边角料内销"（代码0844）或"来料边角料内销"（代码0845）申报，运输方式按照"其他"（代码9）申报。

六、保税研发货物销往境内（区外）的，区外企业按照实际监管方式申报，运输方式按照"综合保税区"（代码Y）申报。企业应当按照实际报验状态申报纳税，完税价格按照《中华人民共和国海关审定内销保税货物完税价格办法》（海关总署令第211号）第九条、第十条的规定确定。

七、研发料件产生的边角料、坏件、废品运往境内（区外）的，区内企业按照综保区关于边角料、废品、残次品的有关规定办理出区手续。属于固体废物的，区内企业应当按照《固体废物进口管理办法》（环境保护部、商务部、发展改革委、海关总署、质检总局联合令第12号）有关规定办理出区手续。

八、区内企业可将研发成品运往境内（区外）进行检测。研发成品出区检测期间不得挪作他用，不得改变物理、化学形态，并应当自运出之日起60日内运回综保区。因特殊情况不能如期运回的，区内企业应当在期限届满前7日内向海关申请延期，延长期限不得超过30日。

九、保税研发电子账册核销周期最长不超过一年，区内企业应当如实申报库存、研发耗用等海关需要的监管数据，并根据实际研发情况办理报核手续。

十、区内企业有下列情形之一的，海关可暂停其保税研发业务：

（一）不再符合本公告第二条、第三条所述业务开展条件的；

（二）未能将出区检测的研发成品按期运回综保区的；

（三）未能在规定期限内将保税研发货物按照有关规定处置的；

（四）涉嫌走私被立案调查、侦查的。

前款第（三）项所规定的"规定期限"由海关根据研发合同和实际情况予以确定。

十一、区内增值税一般纳税人资格企业，按照有关规定执行。

本公告自发布之日起施行。

特此公告。

# 关于简化综合保税区艺术品审批及监管手续的公告

（海关总署　文化和旅游部公告2019年第67号）

（2019年4月29日由海关总署、文化和旅游部发布，2019年4月29日起施行，法规类型为规范性文件）

为落实国务院"放管服"改革精神，进一步促进综合保税区发展，根据《国务院关于促进综合保税区高水平开放高质量发展的若干意见》（国发〔2019〕3号）有关要求，海关总署、文化和旅游部决定简化综合保税区艺术品进出口审批及监管手续，现将有关事项公告如下：

一、本公告所称艺术品是指《艺术品经营管理办法》（文化部令第56号）所规定的艺术品。

二、本公告所称艺术品展览、展示，是指以艺术品销售、商业宣传为目的的各类展示活动。

三、本公告所称艺术品进出口经营活动，是指艺术品从境内区外进出综合保税区的实质性进出口行为。

四、开展艺术品保税存储的，在综合保税区与境外之间进出货物的申报环节，文化和旅游行政部门不再核发批准文件，海关不再验核相关批准文件。

五、在区内外开展艺术品展览、展示及艺术品进出口等经营活动的，凭文化和旅游行政部门核发的批准文件办理海关监管手续。对同一批艺术品，文化和旅游行政部门核发的批准文件可以多次使用。

本公告自发布之日起实施。

特此公告。

# 关于优化综合保税区文物进出境管理有关问题的通知

（署贸发〔2019〕92号）

（2019年4月29日由海关总署、国家文物局发布，2019年4月29日起施行，法规类型为规范性文件）

广东分署，各直属海关，各省、自治区、直辖市文物局（文化厅），各国家文物进出境审核管理处：

为落实《国务院关于促进综合保税区高水平开放高质量发展的若干意见》（国发〔2019〕3号），优化综合保税区文物监管模式，简化审批及监管手续，提升文物进出境管理水平，现将有关事项通知如下：

一、按照"一线申报、一线监管"的原则，简化审批及监管手续，优化文物出境审核和临时进境复出境登记查验管理，维护国家文物安全。

（一）文物出境。文物由综合保税区出境，应当报相关文物进出境审核机构审核。经审核允许出境的文物，由文物进出境审核机构标明文物出境标识，发放文物出境许可证。海关审核后凭文物出境许可证放行。

（二）文物临时进境复出境。文物由综合保税区临时进境，应当在进境时向海关申报，入区后凭相关报关单证报文物进出境审核机构在区内开展审核、登记。复出境时，应当向原审核、登记的文物进出境审核机构申报，文物进出境审核机构对照进境记录审核查验、确认无误后，标明文物出境标识，发放文物出境许可证。海关审核后凭文物出境许可证放行。

（三）文物进出综合保税区。文物从境内区外进入综合保税区，或者已办理临时进境审核登记手续的文物由综合保税区进入境内区外，除按要求办理海关手续外，无需向文物进出境审核机构申报。

二、按照"放管服"要求，创新综合保税区文物进出境服务，实施入区登记审核，缩短行政审批时限，便利文物进出境文化交流。

（一）支持符合条件的区内企业采取关税保证保险、企业增信担保、企业集团财务公司担保等多元化税收担保方式开展出区展示，缓解企业资金压力，便捷文物展览展示。

（二）实施入区登记审核。对于申请由综合保税区出境和临时进境复出境的文物，文物进出境审核机构可提供延伸服务，在综合保税区内开展登记查验和审核工作，便利企业在综合保税区内开展文物存储、展示等活动。

（三）缩短行政审批时限。文物进出境审核机构可在与申报人协商一致的基础上，在文物进出境申请正式受理后的5~10个工作日内完成登记、查验和审批工作。因申报人原因造成审核工作无法如期进行的，应当在3个工作日内将申请通过系统退回申报人并注明理由。

各直属海关、各省（自治区、直辖市）文物行政部门和各文物进出境审核机构应建立完善沟通渠道和长效工作机制，共同做好综合保税区文物进出境管理工作。

特此通知。

# 关于开展天然橡胶期货保税交割业务的公告

（海关总署公告2019年第121号）

(2019年7月22日由海关总署发布，2019年7月22日起施行，法规类型为规范性文件)

为贯彻落实《国务院关于促进综合保税区高水平开放高质量发展的若干意见》（国发〔2019〕3号），支持开展天然橡胶期货保税交割业务，明确海关监管要求，现就有关事项公告如下：

一、天然橡胶期货保税交割业务应在海关特殊监管区域或保税监管场所内开展。上海国际能源交易中心应将开展天然橡胶期货保税交割业务的可交割品种和指定交割仓库向海关总署备案。

二、上海国际能源交易中心应与指定交割仓库主管海关实现计算机联网，并实时向海关提供保税交割结算单（附件1）、保税标准仓单清单（附件2）等电子信息。

三、天然橡胶期货保税交割后，完税价格按照以下方式确定：

（一）采用保税标准仓单到期交割的，以上海国际能源交易中心的天然橡胶期货保税交割结算价加上交割升贴水为基础确定完税价格。

（二）采用保税标准仓单期转现交割的，以期转现申请日前一交易日上海国际能源交易中心发布的天然橡胶期货最近月份合约的结算价加上交割升贴水为基础确定完税价格。

（三）采用非标准仓单期转现交割，或采用保税标准仓单但未经期货保税交割而转让、注销的，按现行保税货物内销有关规定确定完税价格。

四、经海关许可，保税标准仓单可以质押。

本公告自公布之日起施行。

特此公告。

附件：1. 上海国际能源交易中心保税交割结算单（略）
　　　2. 上海国际能源交易中心保税标准仓单清单（略）

# 关于综合保税区内开展保税货物租赁和期货保税交割业务的公告

(海关总署公告2019年第158号)

(2019年10月12日由海关总署发布，2019年10月12日起施行，法规类型为规范性文件)

为贯彻落实《国务院关于促进综合保税区高水平开放高质量发展的若干意见》（国发〔2019〕3号）的要求，支持在综合保税区发展租赁和期货保税交割业务，现将有关事项公告如下：

**一、保税货物租赁**

（一）本公告适用于租赁企业和承租企业以综合保税区内保税货物为租赁标的物（以下简称"租赁货物"）开展的进出口租赁业务。

（二）本公告所称"租赁企业"是指在综合保税区内设立的开展租赁业务的企业或者其设立的项目子公司。

本公告所称"承租企业"是指与租赁企业签订租赁合同，并按照合同约定向租赁企业支付租金的境内区外企业。

（三）租赁企业应当设立电子账册，如实申报租赁货物进、出、转、存等情况。

（四）租赁货物进出综合保税区时，租赁企业和承租企业应当按照现行规定向海关申报。承租企业对租赁货物的进口、租金申报纳税、续租、留购、租赁合同变更等相关手续应当在同一海关办理。

（五）租赁货物自进入境内（区外）之日起至租赁结束办结海关手续之日止，应当接受海关监管。

（六）租赁进口货物需要退回租赁企业的，承租企业应当将租赁货物复运至综合保税区内，并按照下列要求申报：

1. 原申报监管方式为"租赁贸易"（代码"1523"）的租赁进口货物，期满复运至综合保税区时，监管方式申报为"退运货物"（代码"4561"）；

2. 原申报监管方式为"租赁不满一年"（代码"1500"）的租赁进口货物，期满复运至综合保税区时，监管方式申报为"租赁不满一年"（代码"1500"）；

3. 运输方式按照现行规定申报。

（七）租赁进口货物需要办理留购的，承租企业应当申报进口货物报关单。对同一企业提交的同一许可证件项下的租赁进口货物，企业可不再重新出具许可证件。

（八）租赁企业发生租赁资产交易且承租企业不发生变化的，承租企业应当凭租赁变更合同等相关资料向海关办理合同备案变更、担保变更等相关手续。

企业可以根据需要向综合保税区海关按照以下方式办理申报手续：

1. 综合保税区内租赁企业间发生资产交易的情况：承租企业及变更前的租赁企业向海关申报办理退运回区相关手续；租赁企业按照相关管理规定办理保税货物流转手续；承租企业及变更后的租赁企业向海关申报租赁进口货物出区手续。

2. 租赁企业与境外企业发生资产交易的情况：承租企业或租赁企业可以采取形式申报、租赁货物不实际进出境的通关方式办理进出境申报手续，运输方式填报"其他"（代码

"9")。

3. 对同一许可证件项下的租赁进口货物，企业可不再重新出具许可证件。

（九）保税货物由综合保税区租赁至境外时，租赁企业应当向海关申报出境备案清单，监管方式为"租赁贸易"（代码"1523"）或者"租赁不满一年"（监管方式代码"1500"），运输方式按实际运输方式填报。

租赁货物由境外退运至综合保税区时，租赁企业应当向海关申报进境备案清单，监管方式为"退运货物"（代码"4561"）或者"租赁不满一年"（代码"1500"），运输方式按实际运输方式填报。

（十）租赁企业开展进出口租赁业务时，租赁货物应当实际进出综合保税区。对注册在综合保税区内的租赁企业进出口飞机、船舶和海洋工程结构物等不具备实际入区条件的大型设备，可予以保税，由海关实施异地委托监管。

（十一）租赁货物进入境内（区外）时，海关认为必要的，承租企业应当提供税款担保。经海关核准，承租企业可以使用《海关租赁货物保证书》（详见附件1）办理租赁进口货物海关担保手续。

（十二）有关租赁进口货物其他规定，按照《中华人民共和国海关进出口货物征税管理办法》（海关总署令第124号，根据海关总署令第198号、218号、235号修改）执行。

## 二、期货保税交割

（一）期货保税交割，是指指定交割仓库内处于保税监管状态的货物作为交割标的物的一种销售方式。

（二）综合保税区内的期货保税交割业务应当在国务院或国务院期货相关管理机构批准设立的交易场所（以下简称"期交所"）开展。期交所开展期货保税交割业务应当与海关实现计算机联网，并实时向海关提供保税交割结算单、保税标准仓单、保税标准仓单质押等电子信息。

（三）开展期货保税交割业务的货物品种应当为经国务院期货相关管理机构批准开展期货保税交割业务的期交所上市品种。

（四）综合保税区内仓储企业开展期货保税交割业务，应当具备以下条件：

1. 具备期交所认可的交割仓库资质；

2. 海关认定的企业信用状况为一般信用及以上；

3. 建立符合海关监管要求的管理制度和计算机管理系统，能够对期货保税交割有关的采购、存储、使用、损耗和进出口等信息实现全程跟踪，并如实向海关联网报送物流、仓储、损耗及满足海关监管要求的其他数据；

4. 具备开展该项业务所需的场所和设备，能够对期货保税交割货物实施专门管理。

（五）期交所应当将开展期货保税交割业务的货物品种及指定交割仓库向海关总署备案。

（六）交割仓库应当通过设立电子账册开展期货保税交割业务。

（七）综合保税区内货物参与期货保税交割的，应当按照规定向海关申报，并在进出口货物报关单、进出境货物备案清单、保税核注清单的备注栏注明"期货保税交割货物"。

（八）期货保税交割完成后，应当按照以下要求进行申报：

1. 需提货出境的，交割仓库应当凭期交所出具或授权出具的保税交割结算单（参考模板详见附件2）和保税标准仓单清单（参考模板详见附件3）等交割单证（以下简称"交割单证"）作为随附单证向海关办理货物出境申报手续。

2. 需提货至境内（区外）的，进口货物的收货人或者其代理人应当凭期交所出具或授权出具的交割单证等作为随附单证向海关办理货物进口申报手续，并按照规定缴纳进口环节税款。

3. 需提货至其他海关特殊监管区域或保税监管场所的，按照保税间货物流转向海关办理申报手续。

申报时应当在进出口货物报关单、进出境货物备案清单、保税核注清单的备注栏注明"期货保税交割货物"及保税交割结算单号。

（九）保税标准仓单持有人（以下简称"仓单持有人"）需要开展保税标准仓单质押业务的，仓单持有人应当委托交割仓库向主管海关办理仓单质押备案手续，并提供《保税标准仓单质押业务备案表》（详见附件4）。

（十）交割仓库应当对货物做好质押标记。

（十一）仓单持有人需要解除质押的，应当委托交割仓库向主管海关申请办理仓单质押解除手续，并提交解除质押协议和《保税标准仓单质押业务解除备案表》（详见附件5）。解除质押时，同一质押合同项下的仓单不得分批解除。

（十二）海关总署对综合保税区内期货保税交割业务的特定事项另有规定的，适用其规定。

本公告自发布之日起施行。

特此公告。

附件：1. 海关租赁货物保证书（略）
      2. 保税交割结算单（参考模板）（略）
      3. 保税标准仓单清单（参考模板）（略）
      4. 保税标准仓单质押业务备案表（略）
      5. 保税标准仓单质押业务解除备案表（略）

# 保税监管场所

## 综合管理

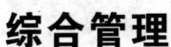

## 中华人民共和国海关对保税仓库及所存货物的管理规定

(海关总署令第 105 号)

(2003 年 12 月 5 日由海关总署发布；根据 2010 年 11 月 26 日海关总署令第 198 号《海关总署关于修改部分规章的决定》第一次修正，根据 2015 年 4 月 28 日海关总署令第 227 号《海关总署关于修改部分规章的决定》第二次修正，根据 2017 年 12 月 20 日海关总署令第 235 号《海关总署关于修改部分规章的决定》第三次修正，根据 2018 年 5 月 29 日海关总署令第 240 号《海关总署关于修改部分规章的决定》第四次修正；现行版本自 2018 年 7 月 1 日起施行；法规类型为部门规章)

### 第一章 总 则

**第一条** 为了加强海关对保税仓库及所存货物的监管，规范保税仓库的经营管理行为，促进对外贸易和经济发展，根据《中华人民共和国海关法》和国家有关法律、行政法规，制定本规定。

**第二条** 本规定所称保税仓库，是指经海关批准设立的专门存放保税货物及其他未办结海关手续货物的仓库。

**第三条** 保税仓库按照使用对象不同分为公用型保税仓库、自用型保税仓库。

公用型保税仓库由主营仓储业务的中国境内独立企业法人经营，专门向社会提供保税仓储服务。

自用型保税仓库由特定的中国境内独立企业法人经营，仅存储本企业自用的保税货物。

**第四条** 保税仓库中专门用来存储具有特定用途或特殊种类商品的称为专用型保税仓库。

专用型保税仓库包括液体保税仓库、备料保税仓库、寄售维修保税仓库和其他专用型保税仓库。

液体保税仓库，是指专门提供石油、成品油或者其他散装液体保税仓储服务的保税仓库。

备料保税仓库，是指加工贸易企业存储为加工复出口产品所进口的原材料、设备及其零部件的保税仓库，所存保税货物仅限于供应本企业。

寄售维修保税仓库,是指专门存储为维修外国产品所进口寄售零配件的保税仓库。

**第五条** 下列货物,经海关批准可以存入保税仓库:

(一)加工贸易进口货物;

(二)转口货物;

(三)供应国际航行船舶和航空器的油料、物料和维修用零部件;

(四)供维修外国产品所进口寄售的零配件;

(五)外商暂存货物;

(六)未办结海关手续的一般贸易货物;

(七)经海关批准的其他未办结海关手续的货物。

**第六条** 保税仓库不得存放国家禁止进境货物,不得存放未经批准的影响公共安全、公共卫生或健康、公共道德或秩序的国家限制进境货物以及其他不得存入保税仓库的货物。

## 第二章 保税仓库的设立

**第七条** 保税仓库应当设立在设有海关机构、便于海关监管的区域。

**第八条** 经营保税仓库的企业,应当具备下列条件:

(一)经工商行政管理部门注册登记,具有企业法人资格;

(二)具有专门存储保税货物的营业场所。

**第九条** 保税仓库应当具备下列条件:

(一)符合海关对保税仓库布局的要求;

(二)具备符合海关监管要求的隔离设施、监管设施和办理业务必需的其他设施;

(三)具备符合海关监管要求的保税仓库计算机管理系统并与海关联网;

(四)具备符合海关监管要求的保税仓库管理制度;

(五)公用保税仓库面积最低为2000平方米;

(六)液体保税仓库容积最低为5000立方米;

(七)寄售维修保税仓库面积最低为2000平方米。

**第十条** 企业申请设立保税仓库的,应当向仓库所在地主管海关提交以下书面材料:

(一)《保税仓库申请书》;

(二)申请设立的保税仓库位置图及平面图;

(三)对申请设立寄售维修型保税仓库的,还应当提交经营企业与外商的维修协议。

申请材料齐全有效的,主管海关予以受理。申请材料不齐全或者不符合法定形式的,主管海关应当在5个工作日内一次告知申请人需要补正的全部内容。主管海关应当自受理申请之日起20个工作日内提出初审意见并将有关材料报送直属海关审批。

直属海关应当自接到材料之日起20个工作日内审查完毕,对符合条件的,出具批准文件,批准文件的有效期为1年;对不符合条件的,应当书面告知申请人理由。

**第十一条** 申请设立保税仓库的企业应当自海关出具保税仓库批准文件1年内向海关申请保税仓库验收,由主管海关按照本规定第八条、第九条规定的条件进行审核验收。申请企业无正当理由逾期未申请验收或者保税仓库验收不合格的,该保税仓库的批准文件自动失效。

**第十二条** 保税仓库验收合格后,经海关注册登记并核发《保税仓库注册登记证书》,方可以开展有关业务。

《保税仓库注册登记证书》有效期为3年。

## 第三章 保税仓库的管理

**第十三条** 保税仓库不得转租、转借给他人经营,不得下设分库。

**第十四条** 海关对保税仓库实施计算机联网管理,并可以随时派员进入保税仓库检查货物的收、付、存情况及有关账册。海关认为必要时,可以会同保税仓库经营企业双方共同对保税仓库加锁或者直接派员驻库监管,保税仓库经营企业应当为海关提供办公场所和必要的办公条件。

**第十五条** 保税仓库经营企业负责人和保税仓库管理人员应当熟悉海关有关法律法规,遵守海关监管规定,接受海关培训。

**第十六条** 保税仓库经营企业应当如实填写有关单证、仓库账册,真实记录并全面反映其业务活动和财务状况,编制仓库月度收、付、存情况表,并定期报送主管海关。

**第十七条** 保税仓库经营企业需变更企业名称、组织形式、法定代表人等事项的,应当在变更前向直属海关提交书面报告,说明变更事项、事由和变更时间;变更后,海关按照本规定第八条的规定对其进行重新审核。

保税仓库需变更名称、地址、仓储面积(容积)等事项的,主管海关受理企业申请后,报直属海关审批。

**第十八条** 保税仓库终止保税仓储业务的,由保税仓库经营企业提出书面申请,经主管海关受理报直属海关审批后,交回《保税仓库注册登记证书》,并办理注销手续。

### 第四章 保税仓库所存货物的管理

**第十九条** 保税仓储货物入库时,收发货人或其代理人凭有关单证向海关办理货物报关入库手续,海关对报关入库货物的品种、数量、金额进行审核,并对入库货物进行核注登记。

**第二十条** 保税仓储货物可以进行包装、分级分类、加刷唛码、分拆、拼装等简单加工,不得进行实质性加工。

保税仓储货物,未经海关批准,不得擅自出售、转让、抵押、质押、留置、移作他用或者进行其他处置。

**第二十一条** 下列保税仓储货物出库时依法免征关税和进口环节代征税:

(一)用于在保修期限内免费维修有关外国产品并符合无代价抵偿货物有关规定的零部件;

(二)用于国际航行船舶和航空器的油料、物料;

(三)国家规定免税的其他货物。

**第二十二条** 保税仓储货物存储期限为1年。确有正当理由的,经海关同意可以延期;除特殊情况外,延期不得超过1年。

**第二十三条** 下列情形的保税仓储货物,经海关批准可以办理出库手续,海关按照相应的规定进行管理和验放:

(一)运往境外的;

(二)运往境内保税区、出口加工区或者调拨到其他保税仓库继续实施保税监管的;

(三)转为加工贸易进口的;

(四)转入国内市场销售的;

(五)海关规定的其他情形。

**第二十四条** 保税仓储货物出库运往境内其他地方的,收发货人或其代理人应当填写进口报关单,并随附出库单据等相关单证向海关申报,保税仓库向海关办理出库手续并凭海关签印放行的报关单发运货物。

出库保税仓储货物批量少、批次频繁的,经海关批准可以办理集中报关手续。

**第二十五条** 保税仓储货物出库复运往境外的,发货人或其代理人应当填写出口报关单,并随附出库单据等相关单证向海关申报,保税仓库向海关办理出库手续并凭海关签印放行的报关单发运货物。

## 第五章 法律责任

**第二十六条** 保税仓储货物在存储期间发生损毁或者灭失的,除不可抗力外,保税仓库应当依法向海关缴纳损毁、灭失货物的税款,并承担相应的法律责任。

**第二十七条** 保税仓储货物在保税仓库内存储期满,未及时向海关申请延期或者延长期限届满后既不复运出境也不转为进口的,海关应当按照《中华人民共和国海关关于超期未报关进口货物、误卸或者溢卸的进境货物和放弃进口货物的处理办法》第五条的规定处理。

**第二十八条** 海关在保税仓库设立、变更、注销后,发现原申请材料不完整或者不准确的,应当责令经营企业限期补正,发现企业有隐瞒真实情况、提供虚假资料等违法情形的,依法予以处罚。

**第二十九条** 保税仓库经营企业有下列行为之一的,海关责令其改正,可以给予警告,或者处1万元以下的罚款;有违法所得的,处违法所得3倍以下的罚款,但最高不得超过3万元:

(一)未经海关批准,在保税仓库擅自存放非保税货物的;
(二)私自设立保税仓库分库的;
(三)保税货物管理混乱,账目不清的;
(四)经营事项发生变更,未按第十七条规定办理海关手续的。

**第三十条** 违反本规定的其他违法行为,海关依照《中华人民共和国海关法》、《中华人民共和国海关行政处罚实施条例》予以处罚。构成犯罪的,依法追究刑事责任。

## 第六章 附 则

**第三十一条** 本规定所规定的文书由海关总署另行制定并且发布。
**第三十二条** 本规定由海关总署负责解释。
**第三十三条** 本规定自2004年2月1日起施行。1988年5月1日起实施的《中华人民共和国海关对保税仓库及所存货物的管理办法》同时废止。

# 中华人民共和国海关对保税物流中心(A型)的暂行管理办法

(海关总署令第129号)

(2005年6月23日由海关总署发布;根据2015年4月28日海关总署令第227号《海关总署关于修改部分规章的决定》第一次修正,根据2017年12月20日海关总署令第235号公布的《海关总署关于修改部分规章的决定》第二次修正,根据2018年5月29日海关总署令第240号《海关总署关于修改部分规章的决定》第三次修正,根据2018年11月23日海关总署令第243号《海关总署关于修改部分规章的决定》第四次修正;现行版本自2018年11月23日起施行;法规类型为部门规章)

## 第一章 总 则

**第一条** 为适应现代国际物流的发展,规范海关对保税物流中心(A型)及其进出货物的管理和保税仓储物流企业的经营行为,根据《中华人民共和国海关法》和国家有关法律、行政法规,制定本办法。

**第二条** 本办法所称的保税物流中心（A型）（以下简称物流中心）,是指经海关批准,由中国境内企业法人经营、专门从事保税仓储物流业务的保税监管场所。

**第三条** 物流中心按照服务范围分为公用型物流中心和自用型物流中心。

公用型物流中心是指由专门从事仓储物流业务的中国境内企业法人经营,向社会提供保税仓储物流综合服务的保税监管场所。

自用型物流中心是指中国境内企业法人经营,仅向本企业或者本企业集团内部成员提供保税仓储物流服务的保税监管场所。

**第四条** 下列货物,经海关批准可以存入物流中心:
（一）国内出口货物;
（二）转口货物和国际中转货物;
（三）外商暂存货物;
（四）加工贸易进出口货物;
（五）供应国际航行船舶和航空器的物料、维修用零部件;
（六）供维修外国产品所进口寄售的零配件;
（七）未办结海关手续的一般贸易进口货物;
（八）经海关批准的其他未办结海关手续的货物。

## 第二章 物流中心的设立

**第五条** 物流中心应当设在国际物流需求量较大,交通便利且便于海关监管的地方。

**第六条** 物流中心经营企业应当具备下列资格条件:
（一）经工商行政管理部门注册登记,具有独立的企业法人资格;
（二）具有专门存储货物的营业场所;
（三）具有符合海关监管要求的管理制度。

**第七条** 物流中心经营企业申请设立物流中心应当具备下列条件:
（一）符合海关对物流中心的监管规划建设要求;
（二）公用型物流中心的仓储面积（含堆场）,东部地区不低于4000平方米,中西部地区、东北地区不低于2000平方米;
（三）自用型物流中心的仓储面积（含堆场）,东部地区不低于2000平方米,中西部地区、东北地区不低于1000平方米;
（四）物流中心为储罐的,容积不低于5000立方米;
（五）建立符合海关监管要求的计算机管理系统,提供供海关查阅数据的终端设备,并按照海关规定的认证方式和数据标准与海关联网;
（六）设置符合海关监管要求的隔离设施、监管设施和办理业务必需的其他设施。

**第八条** 申请设立物流中心的企业应当向所在地主管海关提出书面申请,并递交以下加盖企业印章的材料:
（一）申请书;
（二）物流中心地理位置图、平面规划图。

**第九条** 企业申请设立物流中心,由主管海关受理,报直属海关审批。

**第十条** 企业自直属海关出具批准其筹建物流中心文件之日起1年内向海关申请验收,由主管海关按照本办法的规定进行审核验收。

物流中心验收合格后,由直属海关向企业核发《保税物流中心（A型）注册登记证书》。

物流中心在验收合格后方可以开展有关业务。

**第十一条** 获准设立物流中心的企业确有正当理由未按时申请验收的，经直属海关同意可以延期验收，除特殊情况外，延期不得超过6个月。

获准设立物流中心的企业无正当理由逾期未申请验收或者验收不合格的，视同其撤回设立物流中心的申请。

### 第三章 物流中心的经营管理

**第十二条** 物流中心不得转租、转借他人经营，不得下设分中心。

**第十三条** 物流中心经营企业可以开展以下业务：

（一）保税存储进出口货物及其他未办结海关手续货物；

（二）对所存货物开展流通性简单加工和增值服务；

（三）全球采购和国际分拨、配送；

（四）转口贸易和国际中转业务；

（五）经海关批准的其他国际物流业务。

**第十四条** 物流中心经营企业在物流中心内不得开展下列业务：

（一）商业零售；

（二）生产和加工制造；

（三）维修、翻新和拆解；

（四）存储国家禁止进出口货物，以及危害公共安全、公共卫生或者健康、公共道德或者秩序的国家限制进出口货物；

（五）法律、行政法规明确规定不能享受保税政策的货物；

（六）其他与物流中心无关的业务。

**第十五条** 物流中心负责人及其工作人员应当熟悉海关有关法律行政法规，遵守海关监管规定。

### 第四章 海关对物流中心的监管

**第十六条** 海关可以采取联网监管、视频监控、实地核查等方式对进出物流中心的货物、物品、运输工具等实施动态监管。

**第十七条** 海关对物流中心实施计算机联网监管。物流中心应当建立符合海关监管要求的计算机管理系统并与海关联网，形成完整真实的货物进、出、转、存电子数据，保证海关开展对有关业务数据的查询、统计、采集、交换和核查等监管工作。

**第十八条** 《保税物流中心（A型）注册登记证书》有效期为3年。

物流中心经营企业应当在《保税物流中心（A型）注册登记证书》每次有效期满30日前办理延期手续，由主管海关受理，报直属海关审批。

物流中心经营企业办理延期手续应当提交《保税物流中心（A型）注册登记证书》。

对审查合格的企业准予延期3年。

**第十九条** 物流中心需变更经营单位名称、地址、仓储面积（容积）等事项的，主管海关受理企业申请后，报直属海关审批。

**第二十条** 物流中心经营企业因故终止业务的，由物流中心提出书面申请，主管海关受理后报直属海关审批，办理注销手续并交回《保税物流中心（A型）注册登记证书》。

**第二十一条** 物流中心内货物保税存储期限为1年。确有正当理由的，经主管海关同意可以予以延期，除特殊情况外，延期不得超过1年。

## 第五章　海关对物流中心进出货物的监管

### 第一节　物流中心与境外间的进出货物

**第二十二条**　物流中心与境外间进出的货物，应当按照规定向海关办理相关手续。

**第二十三条**　物流中心与境外间进出的货物，除实行出口被动配额管理和中华人民共和国参加或者缔结的国际条约及国家另有明确规定的以外，不实行进出口配额、许可证件管理。

**第二十四条**　从境外进入物流中心内的货物，其关税和进口环节海关代征税，按照下列规定办理：

（一）本办法第四条中所列的货物予以保税；

（二）物流中心企业进口自用的办公用品、交通、运输工具、生活消费用品等，以及物流中心开展综合物流服务所需进口的机器、装卸设备、管理设备等，按照进口货物的有关规定和税收政策办理相关手续。

### 第二节　物流中心与境内间的进出货物

**第二十五条**　物流中心内货物跨关区提取，可以在物流中心主管海关办理手续，也可以按照海关其他规定办理相关手续。

**第二十六条**　企业根据需要经主管海关批准，可以分批进出货物，并按照海关规定办理月度集中报关，但集中报关不得跨年度办理。

**第二十七条**　物流中心货物进入境内视同进口，按照货物实际贸易方式和实际状态办理进口报关手续；货物属许可证件管理商品的，企业还应当取得有效的许可证件，海关对有关许可证件电子数据进行系统自动比对验核；实行集中申报的进出口货物，应当适用每次货物进出口时海关接受申报之日实施的税率、汇率。

**第二十八条**　货物从境内进入物流中心视同出口，办理出口报关手续。如需缴纳出口关税的，应当按照规定纳税；属许可证件管理商品的，还应当取得有效的出口许可证件。海关对有关出口许可证件电子数据进行系统自动比对验核。

从境内运入物流中心的原进口货物，境内发货人应当向海关办理出口报关手续，经主管海关验放；已经缴纳的关税和进口环节海关代征税，不予退还。

**第二十九条**　企业按照国家税务总局的有关税收管理办法办理出口退税手续。按照国家外汇管理局有关外汇管理办法办理收付汇手续。

**第三十条**　下列货物从物流中心进入境内时依法免征关税和进口环节海关代征税：

（一）用于在保修期限内免费维修有关外国产品并符合无代价抵偿货物有关规定的零部件；

（二）用于国际航行船舶和航空器的物料；

（三）国家规定免税的其他货物。

**第三十一条**　物流中心与海关特殊监管区域、其他保税监管场所之间可以进行货物流转并按照规定办理相关海关手续。

## 第六章　　法律责任

**第三十二条**　保税仓储货物在存储期间发生损毁或者灭失的，除不可抗力外，物流中心经营企业应当依法向海关缴纳损毁、灭失货物的税款，并承担相应的法律责任。

**第三十三条**　违反本办法规定的，海关依照《中华人民共和国海关法》、《中华人民共和国海关行政处罚实施条例》予以处理；构成犯罪的，依法追究刑事责任。

## 第七章 附 则

**第三十四条** 本办法下列用语的含义：

"流通性简单加工和增值服务"是指对货物进行分级分类、分拆分拣、分装、计量、组合包装、打膜、加刷唛码、刷贴标志、改换包装、拼装等辅助性简单作业的总称。

"国际中转货物"是指由境外启运，经中转港换装国际航线运输工具后，继续运往第三国或者地区指运口岸的货物。

**第三十五条** 本办法所规定的文书由海关总署另行制定并且发布。

**第三十六条** 本办法由海关总署负责解释。

**第三十七条** 本办法自 2005 年 7 月 1 日起施行。

# 中华人民共和国海关对保税物流中心（B型）的暂行管理办法

（海关总署令第 130 号）

（2005 年 6 月 23 日由海关总署发布；根据 2015 年 4 月 28 日海关总署令第 227 号公布的《海关总署关于修改部分规章的决定》第一次修正，根据 2017 年 12 月 20 日海关总署令第 235 号公布的《海关总署关于修改部分规章的决定》第二次修正，根据 2018 年 5 月 29 日海关总署令第 240 号《海关总署关于修改部分规章的决定》第三次修正，根据 2018 年 11 月 23 日海关总署令第 243 号《海关总署关于修改部分规章的决定》第四次修正；现行版本自 2018 年 11 月 23 日起施行；法规类型为部门规章）

## 第一章 总 则

**第一条** 为适应现代国际物流业的发展，规范海关对保税物流中心（B型）及其进出货物的管理和保税仓储物流企业的经营行为，根据《中华人民共和国海关法》和国家有关法律、行政法规，制定本办法。

**第二条** 本办法所称保税物流中心（B型）（以下简称物流中心）是指经海关批准，由中国境内一家企业法人经营，多家企业进入并从事保税仓储物流业务的保税监管场所。

**第三条** 下列货物，经海关批准可以存入物流中心：

（一）国内出口货物；

（二）转口货物和国际中转货物；

（三）外商暂存货物；

（四）加工贸易进出口货物；

（五）供应国际航行船舶和航空器的物料、维修用零部件；

（六）供维修外国产品所进口寄售的零配件；

（七）未办结海关手续的一般贸易进口货物；

（八）经海关批准的其他未办结海关手续的货物。

## 第二章  物流中心及中心内企业的设立

### 第一节  物流中心的设立

**第四条**  设立物流中心应当具备下列条件：

（一）物流中心仓储面积，东部地区不低于5万平方米，中西部地区、东北地区不低于2万平方米；

（二）符合海关对物流中心的监管规划建设要求；

（三）选址在靠近海港、空港、陆路交通枢纽及内陆国际物流需求量较大、交通便利，设有海关机构且便于海关集中监管的地方；

（四）经省级人民政府确认，符合地方经济发展总体布局，满足加工贸易发展对保税物流的需求；

（五）建立符合海关监管要求的计算机管理系统，提供供海关查阅数据的终端设备，并按照海关规定的认证方式和数据标准，通过"电子口岸"平台与海关联网，以便海关在统一平台上与国税、外汇管理等部门实现数据交换及信息共享；

（六）设置符合海关监管要求的隔离设施、监管设施和办理业务必需的其他设施。

**第五条**  物流中心经营企业应当具备下列资格条件：

（一）经工商行政管理部门注册登记，具有独立企业法人资格；

（二）具备对中心内企业进行日常管理的能力；

（三）具备协助海关对进出物流中心的货物和中心内企业的经营行为实施监管的能力。

**第六条**  物流中心经营企业具有以下责任和义务：

（一）设立管理机构负责物流中心的日常管理工作；

（二）遵守海关法及有关管理规定；

（三）制定完善的物流中心管理制度，协助海关实施对进出物流中心的货物及中心内企业经营行为的监管。

物流中心经营企业不得在本物流中心内直接从事保税仓储物流的经营活动。

**第七条**  申请设立物流中心的企业应当向直属海关提出书面申请，并递交以下加盖企业印章的材料：

（一）申请书；

（二）省级人民政府意见书；

（三）物流中心所用土地使用权的合法证明及地理位置图、平面规划图。

**第八条**  物流中心内只能设立仓库、堆场和海关监管工作区。不得建立商业性消费设施。

**第九条**  设立物流中心的申请由直属海关受理，报海关总署会同有关部门审批。

企业自海关总署等部门出具批准其筹建物流中心文件之日起1年内向海关总署申请验收，由海关总署会同有关部门或者委托被授权的机构按照本办法的规定进行审核验收。

物流中心验收合格后，由海关总署向物流中心经营企业核发《保税物流中心（B型）注册登记证书》。

物流中心在验收合格后方可以开展有关业务。

**第十条**  获准设立物流中心的企业确有正当理由未按时申请验收的，经海关总署同意可以延期验收。

获准设立物流中心的企业无正当理由逾期未申请验收或者验收不合格的，视同其撤回设立物流中心的申请。

## 第二节 中心内企业的设立

**第十一条** 中心内企业应当具备下列条件：
（一）具有独立的法人资格或者特殊情况下的中心外企业的分支机构；
（二）建立符合海关监管要求的计算机管理系统并与海关联网；
（三）在物流中心内有专门存储海关监管货物的场所。

**第十二条** 企业申请进入物流中心应当向所在地主管海关提出书面申请，并递交以下加盖企业印章的材料：
（一）申请书；
（二）物流中心内所承租仓库位置图、仓库布局图。

**第十三条** 主管海关受理后对符合条件的企业制发《保税物流中心（B型）企业注册登记证书》。

## 第三章 物流中心的经营管理

**第十四条** 物流中心不得转租、转借他人经营，不得下设分中心。

**第十五条** 中心内企业可以开展以下业务：
（一）保税存储进出口货物及其他未办结海关手续货物；
（二）对所存货物开展流通性简单加工和增值服务；
（三）全球采购和国际分拨、配送；
（四）转口贸易和国际中转；
（五）经海关批准的其他国际物流业务。

**第十六条** 中心内企业不得在物流中心内开展下列业务：
（一）商业零售；
（二）生产和加工制造；
（三）维修、翻新和拆解；
（四）存储国家禁止进出口货物，以及危害公共安全、公共卫生或者健康、公共道德或者秩序的国家限制进出口货物；
（五）法律、行政法规明确规定不能享受保税政策的货物；
（六）其他与物流中心无关的业务。

**第十七条** 物流中心经营企业及中心内企业负责人及其工作人员应当熟悉海关有关法律法规，遵守海关监管规定。

## 第四章 海关对物流中心及中心内企业的监管

**第十八条** 海关可以采取联网监管、视频监控、实地核查等方式对进出物流中心的货物、物品、运输工具等实施动态监管。

**第十九条** 海关对物流中心及中心内企业实施计算机联网监管。物流中心及中心内企业应当建立符合海关监管要求的计算机管理系统并与海关联网，形成完整真实的货物进、出、转、存电子数据，保证海关开展对有关业务数据的查询、统计、采集、交换和核查等监管工作。

**第二十条** 《保税物流中心（B型）注册登记证书》有效期为3年。
物流中心经营企业应当在《保税物流中心（B型）注册登记证书》每次有效期满30日前办理延期手续，由直属海关受理，报海关总署审批。
物流中心经营企业办理延期手续应当提交《保税物流中心（B型）注册登记证书》。
对审查合格的企业准予延期3年。

**第二十一条** 物流中心需变更名称、地址、面积及所有权等事项的,由直属海关受理报海关总署审批。其他变更事项报直属海关备案。

**第二十二条** 中心内企业需变更有关事项的,应当向主管海关备案。

**第二十三条** 物流中心经营企业因故终止业务的,物流中心经营企业向直属海关提出书面申请,经海关总署会同有关部门审批后,办理注销手续并交回《保税物流中心(B型)注册登记证书》。

**第二十四条** 物流中心内货物保税存储期限为2年。确有正当理由的,经主管海关同意可以予以延期,除特殊情况外,延期不得超过1年。

### 第五章 海关对物流中心进出货物的监管

#### 第一节 物流中心与境外间的进出货物

**第二十五条** 物流中心与境外间进出的货物,应当按照规定向海关办理相关手续。

**第二十六条** 物流中心与境外之间进出的货物,除实行出口被动配额管理和中华人民共和国参加或者缔结的国际条约及国家另有明确规定的以外,不实行进出口配额、许可证件管理。

**第二十七条** 从境外进入物流中心内的货物,其关税和进口环节海关代征税,按照下列规定办理:

(一)本办法第三条中所列的货物予以保税;

(二)中心内企业进口自用的办公用品、交通、运输工具、生活消费用品等,以及企业在物流中心内开展综合物流服务所需的进口机器、装卸设备、管理设备等,按照进口货物的有关规定和税收政策办理相关手续。

#### 第二节 物流中心与境内间的进出货物

**第二十八条** 物流中心货物跨关区提取,可以在物流中心主管海关办理手续,也可以按照海关其他规定办理相关手续。

**第二十九条** 中心内企业根据需要经主管海关批准,可以分批进出货物,并按照海关规定办理月度集中报关,但集中报关不得跨年度办理。

**第三十条** 物流中心货物进入境内视同进口,按照货物实际贸易方式和实际状态办理进口报关手续;货物属许可证件管理商品的,企业还应当取得有效的许可证件,海关对有关许可证件电子数据进行系统自动比对验核;实行集中申报的进出口货物,应当适用每次货物进出口时海关接受申报之日实施的税率、汇率。

**第三十一条** 除另有规定外,货物从境内进入物流中心视同出口,办理出口报关手续,享受出口退税。如需缴纳出口关税的,应当按照规定纳税;属许可证件管理商品,还应当取得有效的出口许可证件。海关对有关出口许可证件电子数据进行系统自动比对验核。

从境内运入物流中心的原进口货物,境内发货人应当向海关办理出口报关手续,经主管海关验放;已经缴纳的关税和进口环节海关代征税,不予退还。

**第三十二条** 企业按照国家税务总局的有关税收管理办法办理出口退税手续。按照国家外汇管理局有关外汇管理办法办理收付汇手续。

**第三十三条** 下列货物从物流中心进入境内时依法免征关税和进口环节海关代征税:

(一)用于在保修期限内免费维修有关外国产品并符合无代价抵偿货物有关规定的零部件;

(二)用于国际航行船舶和航空器的物料;

(三)国家规定免税的其他货物。

**第三十四条** 物流中心与海关特殊监管区域、其他保税监管场所之间可以进行货物流转并按照规定办理相关海关手续。

### 第三节 中心内企业间的货物流转

**第三十五条** 物流中心内货物可以在中心内企业之间进行转让、转移并办理相关海关手续。未经海关批准，中心内企业不得擅自将所存货物抵押、质押、留置、移作他用或者进行其他处置。

## 第六章 法律责任

**第三十六条** 保税仓储货物在存储期间发生损毁或者灭失的，除不可抗力外，中心内企业应当依法向海关缴纳损毁、灭失货物的税款，并承担相应的法律责任。

**第三十七条** 违反本办法规定的，海关依照《中华人民共和国海关法》、《中华人民共和国海关行政处罚实施条例》予以处理；构成犯罪的，依法追究刑事责任。

## 第七章 附则

**第三十八条** 本办法下列用语的含义：

"中心内企业"是指经海关批准进入物流中心开展保税仓储物流业务的企业。

"流通性简单加工和增值服务"是指对货物进行分级分类、分拆分拣、分装、计量、组合包装、打膜、加刷唛码、刷贴标志、改换包装、拼装等辅助性简单作业的总称。

"国际中转货物"是指由境外启运，经中转港换装国际航线运输工具后，继续运往第三国或地区指运口岸的货物。

**第三十九条** 本办法所规定的文书由海关总署另行制定并且发布。

**第四十条** 本办法由海关总署负责解释。

**第四十一条** 本办法自 2005 年 7 月 1 日起施行。

# 关于保税物流中心（B型）设立申请和审批有关事项的公告

（海关总署 财政部 国家税务总局 国家外汇局联合公告 2016 年第 18 号）

(2016 年 3 月 15 日由海关总署、财政部、国家税务总局、国家外汇局发布，2016 年 3 月 15 日起施行，法规类型为规范性文件)

为进一步规范保税物流中心（B型）的设立申请和审批工作，现将有关事项公告如下：

一、申请设立保税物流中心（B型）的企业应当符合《中华人民共和国海关对保税物流中心（B型）的暂行管理办法》（海关总署令第 130 号发布，海关总署令第 227 号修订，以下简称《管理办法》）规定的条件。

二、申请企业应按照《管理办法》的规定提交合法有效的申请材料，填写《保税物流中心（B型）设立申请书》（见附件）向海关总署提出申请，并将相关申请材料送达申请企业所在地直属海关受理。

三、直属海关负责对企业提交的申请材料进行初步审查，提出审查意见后报海关总署。

四、海关总署会同财政部、税务总局和国家外汇管理局根据《行政许可法》以及《管理办法》、《保税物流中心（B型）设立指导意见》、《2015—2017年保税物流中心（B型）设立规划》（署加发字〔2015〕51号）等有关规定进行审批，向申请企业联合制发准予设立或不予设立的通知，并由申请企业所在地直属海关负责送达。

特此公告。

附件：保税物流中心（B型）设立申请书（略）

## 关于海关特殊监管区域和保税物流中心（B型）保税货物流转管理的公告

（海关总署公告2018年第52号）

（2018年6月1日由海关总署发布，2018年7月1日起施行，法规类型为规范性文件）

为促进保税货物流转管理手续简化和效率提升，根据《中华人民共和国海关法》和有关法律、行政法规，优化管理和服务，进一步提升信息化管理水平，推广特殊监管区域管理系统、保税物流管理系统的应用，现将海关特殊监管区域和保税物流中心（B型）保税货物流转（设备结转）管理有关事宜公告如下：

一、企业在特殊监管区域管理系统、保税物流管理系统设立保税底账后，办理海关特殊监管区域间、海关特殊监管区域与保税物流中心（B型）间以及保税物流中心（B型）间的保税货物流转（设备结转）业务适用本公告。

二、转入、转出企业应对保税货物流转（设备结转）情况协商一致后，按照《海关总署公告2018年第23号》要求报送保税核注清单，其中下列栏目应符合本公告要求：

（一）清单类型填报普通清单；

（二）关联清单编号由转出企业填报对应转入企业的进口保税核注清单编号；

（三）关联备案编号填写对方手（账）册备案号；

（四）设备结转时，监管方式应填设备进出区（监管方式代码5300）。

三、转入、转出保税核注清单按10位商品编码进行汇总比对，商品编码比对一致且法定数量相同的，双方核注清单比对成功；系统比对不成功的，按双方核注清单商品编码前8位进行汇总比对，商品编码比对一致且法定数量相同的，转入工比对。商品编码比对不一致或法定数量不同的，对转出保税核注清单予以退单，由转入转出双方协商，并根据协商结果对保税核注清单进行相应修改或撤销。

流转双方对同一商品的商品编码协商不一致时应按转入地海关依据商品归类的有关规定认定的商品编码确定。

四、转入、转出保税核注清单均已审核通过的，企业进行实际收发货，并按相关要求办理卡口核放手续。

五、按照《海关总署公告2018年第23号》关于简化保税货物报关手续的规定，流转双方企业可不再办理报关申报手续。对报关申报有特殊要求的从其规定。

六、设备结转时，由转入企业向主管海关申请调整设备底帐监管年限截止日期。

七、海关特殊监管区域和保税监管场所与区外加工贸易企业、其他保税监管场所间的保税货物流转（设备结转）参照上述规定办理。

八、本公告自 2018 年 7 月 1 日起实施。7 月 1 日前已开展试点的海关可参照本公告执行。海关总署 2016 年第 86 号公告同时废止。

特此公告。

# 中华人民共和国海关对出口监管仓库及所存货物的管理办法

（海关总署令第 133 号）

（2005 年 11 月 28 日由海关总署发布；根据 2015 年 4 月 28 日海关总署令第 227 号《海关总署关于修改部分规章的决定》第一次修正，根据 2017 年 12 月 20 日海关总署令第 235 号《海关总署关于修改部分规章的决定》第二次修正，根据 2018 年 5 月 29 日海关总署令第 240 号《海关总署关于修改部分规章的决定》第三次修正，根据 2018 年 11 月 23 日海关总署令第 243 号《海关总署关于修改部分规章的决定》第四次修正；现行版本自 2018 年 11 月 23 日起施行；法规类型为部门规章）

## 第一章 总　则

**第一条**　为规范海关对出口监管仓库及所存货物的管理，根据《中华人民共和国海关法》和其他有关法律、行政法规，制定本办法。

**第二条**　本办法所称出口监管仓库，是指经海关批准设立，对已办结海关出口手续的货物进行存储、保税物流配送、提供流通性增值服务的仓库。

**第三条**　出口监管仓库的设立、经营管理以及对出口监管仓库所存货物的管理适用本办法。

**第四条**　出口监管仓库分为出口配送型仓库和国内结转型仓库。

出口配送型仓库是指存储以实际离境为目的的出口货物的仓库。

国内结转型仓库是指存储用于国内结转的出口货物的仓库。

**第五条**　出口监管仓库的设立应当符合海关对出口监管仓库布局的要求。

**第六条**　出口监管仓库的设立，由出口监管仓库所在地主管海关受理，报直属海关审批。

**第七条**　经海关批准，出口监管仓库可以存入下列货物：

（一）一般贸易出口货物；

（二）加工贸易出口货物；

（三）从其他海关特殊监管区域、场所转入的出口货物；

（四）出口配送型仓库可以存放为拼装出口货物而进口的货物，以及为改换出口监管仓库货物包装而进口的包装物料；

（五）其他已办结海关出口手续的货物。

**第八条**　出口监管仓库不得存放下列货物：

（一）国家禁止进出境货物；

（二）未经批准的国家限制进出境货物；

（三）海关规定不得存放的其他货物。

## 第二章 出口监管仓库的设立

**第九条**　申请设立出口监管仓库的经营企业，应当具备下列条件：

（一）已经在工商行政管理部门注册登记，具有企业法人资格；

（二）具有进出口经营权和仓储经营权；

（三）具有专门存储货物的场所，其中出口配送型仓库的面积不得低于 2000 平方米，国内结转型仓库的面积不得低于 1000 平方米。

**第十条** 企业申请设立出口监管仓库，应当向仓库所在地主管海关递交以下加盖企业印章的书面材料：

（一）《出口监管仓库申请书》；

（二）仓库地理位置示意图及平面图。

**第十一条** 海关依据《中华人民共和国行政许可法》和《中华人民共和国海关实施〈中华人民共和国行政许可法〉办法》的规定，受理、审查设立出口监管仓库的申请。对于符合条件的，作出准予设立出口监管仓库的行政许可决定，并出具批准文件；对于不符合条件的，作出不予设立出口监管仓库的行政许可决定，并应当书面告知申请企业。

**第十二条** 申请设立出口监管仓库的企业应当自海关出具批准文件之日起 1 年内向海关申请验收出口监管仓库。

申请验收应当符合以下条件：

（一）符合本办法第九条第三项规定的条件；

（二）具有符合海关监管要求的隔离设施、监管设施和办理业务必需的其他设施；

（三）具有符合海关监管要求的计算机管理系统，并与海关联网；

（四）建立了出口监管仓库的章程、机构设置、仓储设施及账册管理等仓库管理制度。

企业无正当理由逾期未申请验收或者验收不合格的，该出口监管仓库的批准文件自动失效。

**第十三条** 出口监管仓库验收合格后，经海关注册登记并核发《出口监管仓库注册登记证书》，方可以开展有关业务。《出口监管仓库注册登记证书》有效期为 3 年。

## 第三章 出口监管仓库的管理

**第十四条** 出口监管仓库必须专库专用，不得转租、转借给他人经营，不得下设分库。

**第十五条** 海关对出口监管仓库实施计算机联网管理。

**第十六条** 海关可以随时派员进入出口监管仓库检查货物的进、出、转、存情况及有关账册、记录。

海关可以会同出口监管仓库经营企业共同对出口监管仓库加锁或者直接派员驻库监管。

**第十七条** 出口监管仓库经营企业负责人和出口监管仓库管理人员应当熟悉和遵守海关有关规定，并接受海关培训。

**第十八条** 出口监管仓库经营企业应当如实填写有关单证、仓库账册、真实记录并全面反映其业务活动和财务状况，编制仓库月度进、出、转、存情况表，并定期报送主管海关。

**第十九条** 出口监管仓库经营企业需变更企业名称、组织形式、法定代表人等事项的，应当在变更前向直属海关提交书面报告，说明变更事项、事由和变更时间。变更后，海关按照本办法第九条的规定对其进行重新审核。出口监管仓库变更类型的，按照本办法第二章出口监管仓库的设立的有关规定办理。

出口监管仓库需变更名称、地址、仓储面积等事项的，主管海关受理企业申请后，报直属海关审批。

**第二十条** 出口监管仓库有下列情形之一的，海关注销其注册登记，并收回《出口监管仓库注册登记证书》：

（一）无正当理由逾期未申请延期审查或者延期审查不合格的；

（二）仓库经营企业书面申请变更出口监管仓库类型的；
（三）仓库经营企业书面申请终止出口监管仓库仓储业务的；
（四）仓库经营企业，丧失本办法第九条规定的条件的；
（五）法律、法规规定的应当注销行政许可的其他情形。

## 第四章 出口监管仓库货物的管理

**第二十一条** 出口监管仓库所存货物存储期限为6个月。经主管海关同意可以延期，但延期不得超过6个月。

货物存储期满前，仓库经营企业应当通知发货人或者其代理人办理货物的出境或者进口手续。

**第二十二条** 存入出口监管仓库的货物不得进行实质性加工。

经主管海关同意，可以在仓库内进行品质检验、分级分类、分拣分装、加刷唛码、刷贴标志、打膜、改换包装等流通性增值服务。

**第二十三条** 对经批准享受入仓即予退税政策的出口监管仓库，海关在货物入仓结关后予以办理出口货物退税证明手续。

对不享受入仓即予退税政策的出口监管仓库，海关在货物实际离境后办理出口货物退税证明手续。

**第二十四条** 出口监管仓库与海关特殊监管区域、其他保税监管场所之间的货物流转应当符合海关监管要求并按照规定办理相关手续。

货物流转涉及出口退税的，按照国家有关规定办理。

**第二十五条** 存入出口监管仓库的出口货物，按照国家规定应当提交许可证件或者缴纳出口关税的，发货人或者其代理人应当取得许可证件或者缴纳税款。海关对有关许可证件电子数据进行系统自动比对验核。

**第二十六条** 出口货物存入出口监管仓库时，发货人或者其代理人应当按照规定办理海关手续。发货人或者其代理人除按照海关规定提交有关单证外，还应当提交仓库经营企业填制的《出口监管仓库货物入仓清单》。

海关对报关入仓货物的品种、数量、金额等进行审核、核注和登记。

经主管海关批准，对批量少、批次频繁的入仓货物，可以办理集中报关手续。

**第二十七条** 出仓货物出口时，仓库经营企业或者其代理人应当按照规定办理海关手续。仓库经营企业或者其代理人除按照海关规定提交有关单证外，还应当提交仓库经营企业填制的《出口监管仓库货物出仓清单》。

**第二十八条** 出口监管仓库货物转进口的，应当经海关批准，按照进口货物有关规定办理相关手续。

**第二十九条** 对已存入出口监管仓库因质量等原因要求更换的货物，经仓库所在地主管海关批准，可以更换货物。被更换货物出仓前，更换货物应当先行入仓，并应当与原货物的商品编码、品名、规格型号、数量和价值相同。

**第三十条** 出口监管仓库货物，因特殊原因确需退运、退仓，应当经海关批准，并按照有关规定办理相关手续。

## 第五章 法律责任

**第三十一条** 出口监管仓库所存货物在存储期间发生损毁或者灭失的，除不可抗力外，仓库应当依法向海关缴纳损毁、灭失货物的税款，并承担相应的法律责任。

**第三十二条** 企业以隐瞒真实情况、提供虚假资料等不正当手段取得设立出口监管仓库行政许可的，由海关依法予以撤销。

**第三十三条** 出口监管仓库经营企业有下列行为之一的，海关责令其改正，可以给予警告，或者处1万元以下的罚款；有违法所得的，处违法所得3倍以下的罚款，但最高不得超过3万元：

（一）未经海关批准，在出口监管仓库擅自存放非出口监管仓库货物；

（二）出口监管仓库货物管理混乱，账目不清的；

（三）违反本办法第十四条规定的；

（四）经营事项发生变更，未按照本办法第十九条的规定办理海关手续的。

**第三十四条** 违反本办法的其他违法行为，由海关依照《中华人民共和国海关法》《中华人民共和国海关行政处罚实施条例》予以处理。构成犯罪的，依法追究刑事责任。

## 第六章 附 则

**第三十五条** 出口监管仓库经营企业应当为海关提供办公场所和必要的办公条件。

**第三十六条** 本办法所规定的文书由海关总署另行制定并且发布。

**第三十七条** 本办法由海关总署负责解释。

**第三十八条** 本办法目2006年1月1日起施行。1992年5月1日起实施的《中华人民共和国海关对出口监管仓库的暂行管理办法》同时废止。

# 海关总署关于"先出区、后报关"有关事项的公告

（海关总署公告2018年第198号）

（2018年12月14日由海关总署发布，2018年12月14日起施行，法规类型为规范性文件）

为复制推广自由贸易试验区改革试点经验，促进海关特殊监管区域（以下简称"特殊区域"）发展，提升贸易便利化水平，优化营商环境，海关总署在特殊区域及保税物流中心（B型）（以下简称"中心"）实施"先出区、后报关"监管改革，现将有关事项公告如下：

一、本公告所称"先出区、后报关"，是指特殊区域及中心内企业对出境货物，可通过信息化系统凭核放单先行办理出特殊区域及中心手续，再向海关报关的业务办理模式。

二、对适用"先出区、后报关"模式的货物，企业应采用全国通关一体化方式通关。

三、本公告所称"信息化系统"，是指金关二期特殊区域管理系统、保税物流管理系统。

本公告自发布之日起施行。

特此公告。

# 税收政策

## 关于在深圳、厦门关区符合条件的出口监管仓库进行入仓退税政策试点的通知

（署加发〔2005〕39号）

（2005年1月10日由海关总署发布，2004年12月1日起施行，法规类型为规范性文件）

深圳海关、厦门海关，各省、自治区、直辖市和计划单列市国家税务局：

今年年初，深圳市人民政府和厦门市人民政府分别来函，要求在本地区开展入仓退税工作试点。经研究，鉴于深圳、厦门地区出口监管仓库业务量大，入仓货物的实际出口离境率高，仓储企业经营较为规范，普遍实现了计算机管理，同意在深圳、厦门关区的符合条件的出口监管仓库进行入仓退税政策的试点，并将试点工作有关事项通知如下：

一、为规范出口监管仓库货物的入仓即予退税的管理工作，海关总署和国家税务总局联合制定了《出口监管仓库货物入仓即予退税暂行管理办法》（以下简称《办法》，见附件）对实行入仓退税政策的出口监管仓库和享受入仓退税政策的出口货物的管理做了明确的规定，请认真贯彻执行。

二、试点地区的有关海关和国税部门应严格按照《办法》规定的入仓退税条件进行审核，并定期复核，达不到条件的出口监管仓库不得实行入仓退税政策。

三、未实行入仓退税的出口监管仓库仍按现行有关规定办理出口退税手续。

四、试点地区的有关海关和国税部门在试点过程中要加强联系配合，认真做好此项政策的日常管理工作，总结经验，及时将有关情况和问题上报海关总署和国家税务总局。

附件：出口监管仓库货物入仓即予退税暂行管理办法

附件

### 出口监管仓库货物入仓即予退税暂行管理办法

**第一条** 为促进我国现代物流业的健康发展，规范出口监管仓库货物入仓即予退税的管理，根据《中华人民共和国海关法》、《中华人民共和国税收征管法》和国家有关法律、行政

法规,制定本办法。

**第二条** 经海关和国家税务部门同意实行"国内货物进入出口监管仓库,视同出口,享受出口退税政策"(以下简称入仓退税政策)的出口监管仓库及所存货物适用本办法。

**第三条** 享受入仓退税政策的出口监管仓库,除了具备一般出口监管仓库条件外,还需具备以下条件:

(一)经营出口监管仓库的企业经营情况正常,无走私或重大违规行为,具备向海关缴纳税款的能力;

(二)上一年度入仓货物实际出仓离境率不低于99%;

(三)对入仓货物实行全程计算机管理,具有符合海关监管要求的计算机管理系统;

(四)不得存放用于深加工结转的货物;

(五)具有符合海关监管要求的隔离设施、监管设施及其他必要的设施。

**第四条** 符合入仓退税条件的出口监管仓库由其所在地主管海关和主管税务机关审核无误后报直属海关和省国税局核准后,本年度即可开展入仓退税业务。年度终了后,上述仓库达不到本办法第三条规定条件的,下年度应取消其入仓退税政策。

**第五条** 国内货物存入实行入仓退税政策的出口监管仓库并办结出口报关手续后,由主管海关向出口企业签发"出口货物报关单(出口退税专用)"。

以转关运输方式存入出口监管仓库的出口货物,启运地海关应在收到出口监管仓库主管海关确认货物已实际入仓的转关核销电子回执后,向出口企业签发"出口货物报关单(出口退税专用)"。

上述出口货物报关单电子信息应纳入电子口岸执法管理系统,以便国税部门及时审核、审批出口退(免)税。

**第六条** 存入出口监管仓库的出口货物应当在海关规定的期限内离境出口。

**第七条** 已签发退税出口专用报关单的入仓货物,原则上不允许再转为境内销售,因特殊原因确需退运或转为境内销售的,按以下规定办理相关手续:

(一)对退运、退关货物,出口企业必须向注册地主管税务部门申请证明,证明其货物未办理出口退税,或所退税款已退还主管税务部门。企业凭有关证明材料和出口单证向主管海关申请办理相关手续,主管海关对企业提供的证明材料向主管税务部门核实无误后予以办理。

转关入仓货物申请退运的,出口企业应凭启运地海关和企业注册地主管税务部门有关证明材料和出口单证向主管海关办理相关手续。

(二)转入国内市场销售的货物,主管海关应按照国货复进口货物的有关规定进行管理和验放。

(三)年退税、退运货物不得超过离境货物的1%。

**第八条** 出口监管仓库企业通过隐瞒真实情况、提供虚假资料等不正当手段取得入仓退税政策的,依法予以处罚并取消其入仓退税政策。

**第九条** 出口企业和出口监管仓库企业的违法行为,依照《中华人民共和国海关法》、《中华人民共和国税收征管法》予以处罚。构成犯罪的,依法追究刑事责任。

**第十条** 本办法由海关总署和国家税务总局负责解释。

**第十一条** 本办法自2004年12月1日施行。

# 关于第二批出口监管仓库享受入仓退税政策扩大试点的通知

(署加发〔2008〕506号)

(2008年12月5日由海关总署、国家税务总局发布,2008年12月5日起施行,法规类型为规范性文件)

广东分署、各直属海关,各省、自治区、直辖市和计划单列市国家税务局:

为进一步适应和促进我国现代物流业和区域经济的发展,根据全国出口监管仓库入仓退税试点情况和取得的良好效益,经海关总署和国家税务总局研究,决定将试点的范围进一步扩大至全国其他符合条件的出口监管仓库。现将有关事项通知如下:

一、根据此前海关总署所做的调研,并经有关直属海关和当地主管国税部门复核,批准符合《出口监管仓库货物入仓即予退税暂行管理办法》(详见署加发〔2005〕39号附件,以下简称《管理办法》)规定的出口监管仓库(具体名单详见附件),从本文下发之日起享受入仓退税政策。入仓开展业务的企业可以按照《管理办法》办理入仓退税手续,由当地主管海关和国税部门依据《管理办法》实施管理。

二、本次未符合条件的出口监管仓库,入仓开展业务的企业暂时不实行入仓退税,仍按现行有关规定办理出口退税手续。

三、有关主管海关和国税部门对原已实行入仓退税政策和本次纳入扩大实行入仓退税政策试点的出口监管仓库,应严格按照《管理办法》规定的入仓退税条件,共同进行年度核查,达不到条件的出口监管仓库不得继续实行入仓退税政策。

四、有关海关和国税部门在扩大实行入仓退税政策试点的过程中要加强联系配合,认真做好执行此项政策的常态管理工作,并不断总结经验,完善管理。有关情况和问题、建议要及时上报海关总署和国家税务总局。

特此通知。

附件:已具备入仓退税条件的出口监管仓库名单

附件

## 已具备入仓退税条件的出口监管仓库名单

| 直属关区 | 仓库名称 | 审批时间 | 前离境率 | 其他条件 |
| --- | --- | --- | --- | --- |
| 太原海关 | 山西方略保税物流中心有限公司出口监管仓库 | 2007年5月 | 100.00% | 符合 |
| 大连海关 | 大连捷通物流有限公司出口监管合库 | 2006年12月 | 100.00% | 符合 |
| 大连海关 | 营口港保税货物储运公司出口监管仓库 | 2007年3月 | 100.00% | 符合 |
| 南京海关 | 无锡高新物流中心出口监管仓库 | 2007年10月 | 100.00% | 符合 |

续表

| 直属关区 | 仓库名称 | 审批时间 | 前离境率 | 其他条件 |
|---|---|---|---|---|
| 南京海关 | 南京出口加工区中外运物流有限公司出口监管仓库 | 2007年2月 | 100.00% | 符合 |
| 广州海关 | 广州南沙国际物流有限公司出口监管仓库 | 2007年2月 | 99.17% | 符合 |
| 广州海关 | 广东国通物流城有限公司配送型出口监管仓库 | 2005年11月 | 99.31% | 符合 |
| 广州海关 | 中南公共保税仓有限公司出口监管仓库 | 2004年5月 | 99.09% | 符合 |
| 广州海关 | 广州空港国际物流有限公司出口监管仓库 | 2007年12月 | 100% | 符合 |

## 关于出口监管仓库享受入仓退税政策扩大试点的通知

(署加发〔2010〕347号)

(2010年8月16日由海关总署、国家税务总局发布,2010年8月16日起施行,法规类型为规范性文件)

广东分署、各直属海关,各省、自治区、直辖市和计划单列市国家税务局:

为进一步适应和促进我国现代物流业和区域经济的发展,根据全国出口监管仓库入仓退税试点情况和取得的良好效益,经研究,海关总署和税务总局决定启动出口监管仓库"入仓退税"政策的审批工作。现将有关事项通知如下:

一、根据调研,并经有关直属海关和当地主管国税部门复核,批准符合《出口监管仓库货物入仓即予退税暂行管理办法》(详见署加发〔2005〕39号附件,以下简称《管理办法》)规定的出口监管仓库(具体名单详见附件),从本文印发之日起享受入仓退税政策。入仓开展业务的企业可以按照《管理办法》办理入仓退税手续,由当地主管海关和国税部门依据《管理办法》实施管理。

二、本次未符合条件的出口监管仓库,入仓开展业务的企业暂时不实行入仓退税,仍按现行有关规定办理出口退税手续。

三、有关主管海关和国税部门对原已实行入仓退税政策和本次纳入扩大实行入仓退税政策试点的出口监管仓库,应严格按照《管理办法》规定的入仓退税条件,共同进行年度核查,达不到条件的出口监管仓库不得继续实行入仓退税政策。

四、有关海关和国税部门在扩大实行入仓退税政策试点的过程中要加强联系配合,认真做好执行此项政策的常态管理工作,并不断总结经验,完善管理。有关情况和问题、建议要及时上报海关总署和国家税务总局。

特此通知。

附件:已具备入仓退税条件的出口监管仓库名单

附件

## 已具备入仓退税条件的出口监管仓库名单

| 直属海关 | 仓库名称 | 审批时间 | 离境率 | 其他条件 |
|---|---|---|---|---|
| 天津海关 | 天津泉兴国际物流有限公司出口监管仓库 | 2008年4月 | 100.00% | 符合 |
| 上海海关 | 上海五角世贸商城出口监管仓库 | 2008年3月 | 100.00% | 符合 |
| 上海海关 | 虹桥空港出口监管仓库 | 2008年4月 | 100.00% | 符合 |

# 加工贸易

## 综合管理

## 中华人民共和国海关加工贸易企业联网监管办法

(海关总署令第 150 号)

(2006 年 6 月 14 日由海关总署发布, 2006 年 8 月 1 日起施行, 法规类型为部门规章)

**第一条** 为了规范海关对加工贸易企业的管理, 根据《中华人民共和国海关法》及其他有关法律、行政法规的规定, 制定本办法。

**第二条** 海关对加工贸易企业实施联网监管, 是指加工贸易企业通过数据交换平台或者其他计算机网络方式向海关报送能满足海关监管要求的物流、生产经营等数据, 海关对数据进行核对、核算, 并结合实物进行核查的一种加工贸易海关监管方式。

**第三条** 实施联网监管的加工贸易企业(以下简称联网企业)应当具备以下条件:

(一) 具有加工贸易经营资格;

(二) 在海关注册;

(三) 属于生产型企业。

海关特殊监管区域、保税监管场所内的加工贸易企业不适用本办法。

**第四条** 加工贸易企业需要实施联网监管的, 可以向主管海关提出申请; 经审核符合本办法第三条规定条件的, 海关应当对其实施联网监管。

**第五条** 联网企业通过数据交换平台或者其他计算机网络方式向海关报送数据前, 应当进行加工贸易联网监管身份认证。

**第六条** 联网企业应当将开展加工贸易业务所需进口料件、出口成品清单及对应的商品编号报送主管海关, 必要时还应当按照海关要求提供确认商品编号所需的相关资料。

主管海关应当根据监管需要, 按照商品名称、商品编码和计量单位等条件, 将联网企业内部管理的料号级商品与电子底账备案的项号级商品进行归并或者拆分, 建立一对多或者多对一的对应关系。

**第七条** 联网企业应当在料件进口、成品出口前, 分别向主管海关办理进口料件、出口成品的备案、变更手续。

联网企业应当根据海关总署的有关规定向海关办理单耗备案、变更手续。

**第八条** 海关应当根据联网企业报送备案的资料建立电子底账,对联网企业实施电子底账管理。电子底账包括电子账册和电子手册。

电子账册是海关以企业为单元为联网企业建立的电子底账;实施电子账册管理的,联网企业只设立一个电子账册。海关应当根据联网企业的生产情况和海关的监管需要确定核销周期,按照核销周期对实行电子账册管理的联网企业进行核销管理。

电子手册是海关以加工贸易合同为单元为联网企业建立的电子底账;实施电子手册管理的,联网企业的每个加工贸易合同设立一个电子手册。海关应当根据加工贸易合同的有效期限确定核销日期,对实行电子手册管理的联网企业进行定期核销管理。

**第九条** 联网企业应当如实向海关报送加工贸易货物物流、库存、生产管理以及满足海关监管需要的其他动态数据。

**第十条** 联网企业的外发加工实行主管海关备案制。加工贸易企业开展外发加工前应当将外发加工承接企业、货物名称和周转数量向主管海关备案。

**第十一条** 海关可以采取数据核对和下厂核查等方式对联网企业进行核查。下厂核查包括专项核查和盘点核查。

**第十二条** 经主管海关批准,联网企业可以按照月度集中办理内销补税手续;联网企业内销加工贸易货物后,应当在当月集中办理内销补税手续。

**第十三条** 联网企业加工贸易货物内销后,应当按照规定向海关缴纳缓税利息。

缴纳缓税利息的起始日期按照以下办法确定:

(一)实行电子手册管理的,起始日期为内销料件或者制成品所对应的加工贸易合同项下首批料件进口之日;

(二)实行电子账册管理的,起始日期为内销料件或者制成品对应的电子账册最近一次核销之日。没有核销日期的,起始日期为内销料件或者制成品对应的电子账册首批料件进口之日。

缴纳缓税利息的终止日期为海关签发税款缴款书之日。

**第十四条** 联网企业应当在海关确定的核销期结束之日起30日内完成报核。确有正当理由不能按期报核的,经主管海关批准可以延期,但延长期限不得超过60日。

**第十五条** 联网企业实施盘点前,应当告知海关;海关可以结合企业盘点实施核查核销。

海关结合企业盘点实施核查核销时,应当将电子底账核算结果与联网企业实际库存量进行对比,并分别进行以下处理:

(一)实际库存量多于电子底账核算结果的,海关应当按照实际库存量调整电子底账的当期余额;

(二)实际库存量少于电子底账核算结果且联网企业可以提供正当理由的,对短缺的部分,海关应当责令联网企业申请内销处理;

(三)实际库存量少于电子底账核算结果且联网企业不能提供正当理由的,对短缺的部分,海关除责令联网企业申请内销处理外,还可以按照《中华人民共和国海关行政处罚实施条例》对联网企业予以处罚。

**第十六条** 联网企业有下列情形之一的,海关可以要求其提供保证金或者银行保函作为担保:

(一)企业管理类别下调的;

(二)未如实向海关报送数据的;

(三)海关核查、核销时拒不提供相关账册、单证、数据的;

(四)未按照规定时间向海关办理报核手续的;

(五)未按照海关要求设立账册、账册管理混乱或者账目不清的;

**第十七条** 违反本办法,构成走私或者违反海关监管规定行为的,由海关依照《中华人民共和国海关法》和《中华人民共和国海关行政处罚实施条例》的有关规定予以处理;构成犯罪的,依法追究刑事责任。

**第十八条** 本办法下列用语的含义:

"电子底账",是指海关根据联网企业申请,为其建立的用于记录加工贸易备案、进出口、核销等资料的电子数据库。

"专项核查",是指海关根据监管需要,对联网企业就某一项或者多项内容实施的核查行为。

"盘点核查",是指海关在联网企业盘点时,对一定期间的部分保税货物进行实物核对、数据核查的一种监管方式。

**第十九条** 本办法由海关总署负责解释。

**第二十条** 本办法自2006年8月1日起施行。2003年3月19日海关总署令第100号发布的《中华人民共和国海关对加工贸易企业实施计算机联网监管办法》同时废止。

# 中华人民共和国海关加工贸易货物监管办法

(海关总署令第219号)

(2014年3月12日由海关总署发布;根据2017年12月20日海关总署令第235号公布的《海关总署关于修改部分规章的决定》第一次修正,根据2018年5月29日海关总署令第240号《海关总署关于修改部分规章的决定》第二次修正,根据2018年11月23日海关总署令第243号《海关总署关于修改部分规章的决定》第三次修正;现行版本自2018年11月23日起施行,法规类型为部门规章)

## 第一章 总 则

**第一条** 为了促进加工贸易健康发展,规范海关对加工贸易货物管理,根据《中华人民共和国海关法》(以下简称《海关法》)以及其他有关法律、行政法规,制定本办法。

**第二条** 本办法适用于办理加工贸易货物手册设立、进出口报关、加工、监管、核销手续。

加工贸易经营企业、加工企业、承揽者应当按照本办法规定接受海关监管。

**第三条** 本办法所称"加工贸易"是指经营企业进口全部或者部分原辅材料、零部件、元器件、包装物料(以下统称料件),经过加工或者装配后,将制成品复出口的经营活动,包括来料加工和进料加工。

**第四条** 除国家另有规定外,加工贸易进口料件属于国家对进口有限制性规定的,经营企业免于向海关提交进口许可证件。

加工贸易出口制成品属于国家对出口有限制性规定的,经营企业应当取得出口许可证件。海关对有关出口许可证件电子数据进行系统自动比对验核。

**第五条** 加工贸易项下进口料件实行保税监管的,加工成品出口后,海关根据核定的实际加工复出口的数量予以核销。

加工贸易项下进口料件按照规定在进口时先行征收税款的,加工成品出口后,海关根据核定的实际加工复出口的数量退还已征收的税款。

加工贸易项下的出口产品属于应当征收出口关税的，海关按照有关规定征收出口关税。

**第六条** 海关按照国家规定对加工贸易货物实行担保制度。

未经海关批准，加工贸易货物不得抵押。

**第七条** 海关对加工贸易实行分类监管，具体管理办法由海关总署另行制定。

**第八条** 海关可以对加工贸易企业进行核查，企业应当予以配合。

海关核查不得影响企业的正常经营活动。

**第九条** 加工贸易企业应当根据《中华人民共和国会计法》以及海关有关规定，设置符合海关监管要求的账簿、报表以及其他有关单证，记录与本企业加工贸易货物有关的进口、存储、转让、转移、销售、加工、使用、损耗和出口等情况，凭合法、有效凭证记账并且进行核算。

加工贸易企业应当将加工贸易货物与非加工贸易货物分开管理。加工贸易货物应当存放在经海关备案的场所，实行专料专放。企业变更加工贸易货物存放场所的，应当事先通知海关，并办理备案变更手续。

## 第二章 加工贸易货物手册设立

**第十条** 经营企业应当向加工企业所在地主管海关办理加工贸易货物的手册设立手续。

**第十一条** 除另有规定外，经营企业办理加工贸易货物的手册设立，应当向海关如实申报贸易方式、单耗、进出口口岸，以及进口料件和出口成品的商品名称、商品编号、规格型号、价格和原产地等情况，并且提交经营企业对外签订的合同。经营企业委托加工的，还应当提交与加工企业签订的委托加工合同。

经营企业自身有加工能力的，应当取得主管部门签发的《加工贸易加工企业生产能力证明》；经营企业委托加工的，应当取得主管部门签发的加工企业《加工贸易加工企业生产能力证明》。

**第十二条** 经营企业按照本办法第十一条、第十二条规定，提交齐全、有效的单证材料，申报设立手册的，海关应当自接受企业手册设立申报之日起5个工作日内完成加工贸易手册设立手续。

需要办理担保手续的，经营企业按照规定提供担保后，海关办理手册设立手续。

**第十三条** 有下列情形之一的，海关应当在经营企业提供相当于应缴税款金额的保证金或者银行、非银行金融机构保函后办理手册设立手续：

（一）涉嫌走私，已经被海关立案侦查，案件尚未审结的；

（二）由于管理混乱被海关要求整改，在整改期内的。

**第十四条** 有下列情形之一的，海关可以要求经营企业在办理手册设立手续时提供相当于应缴税款金额的保证金或者银行、非银行金融机构保函：

（一）租赁厂房或者设备的；

（二）首次开展加工贸易业务的；

（三）加工贸易手册延期两次（含两次）以上的；

（四）办理异地加工贸易手续的；

（五）涉嫌违规，已经被海关立案调查，案件尚未审结的。

**第十五条** 加工贸易企业有下列情形之一的，不得办理手册设立手续：

（一）进口料件或者出口成品属于国家禁止进出口的；

（二）加工产品属于国家禁止在我国境内加工生产的；

（三）进口料件不宜实行保税监管的；

（四）经营企业或者加工企业属于国家规定不允许开展加工贸易的；

（五）经营企业未在规定期限内向海关报核已到期的加工贸易手册，又重新申报设立手册的。

**第十六条** 经营企业办理加工贸易货物的手册设立，申报内容、提交单证与事实不符的，海关应当按照下列规定处理：

（一）货物尚未进口的，海关注销其手册；

（二）货物已进口的，责令企业将货物退运出境。

本条第一款第（二）项规定情形下，经营企业可以向海关申请提供相当于应缴税款金额的保证金或者银行、非银行金融机构保函，并且继续履行合同。

**第十七条** 已经办理加工贸易货物的手册设立手续的经营企业可以向海关领取加工贸易手册分册、续册。

**第十八条** 加工贸易货物手册设立内容发生变更的，经营企业应当在加工贸易手册有效期内办理变更手续。

## 第三章 加工贸易货物进出口、加工

**第十九条** 经营企业进口加工贸易货物，可以从境外或者海关特殊监管区域、保税监管场所进口，也可以通过深加工结转方式转入。

经营企业出口加工贸易货物，可以向境外或者海关特殊监管区域、保税监管场所出口，也可以通过深加工结转方式转出。

**第二十条** 经营企业以加工贸易方式进出口的货物，列入海关统计。

**第二十一条** 加工贸易企业开展深加工结转的，转入企业、转出企业应当向各自的主管海关申报，办理实际收发货以及报关手续。具体管理规定由海关总署另行制定并公布。

有下列情形之一的，加工贸易企业不得办理深加工结转手续：

（一）不符合海关监管要求，被海关责令限期整改，在整改期内的；

（二）有逾期未报核手册的；

（三）由于涉嫌走私已经被海关立案调查，尚未结案的。

加工贸易企业未按照海关规定进行收发货的，不得再次办理深加工结转手续。

**第二十二条** 经营企业开展外发加工业务，应当按照外发加工的相关管理规定自外发之日起3个工作日内向海关办理备案手续。

经营企业开展外发加工业务，不得将加工贸易货物转卖给承揽者；承揽者不得将加工贸易货物再次外发。

经营企业将全部工序外发加工的，应当在办理备案手续的同时向海关提供相当于外发加工货物应缴税款金额的保证金或者银行、非银行金融机构保函。

**第二十三条** 外发加工的成品、剩余料件以及生产过程中产生的边角料、残次品、副产品等加工贸易货物，经营企业向所在地主管海关办理相关手续后，可以不运回本企业。

**第二十四条** 海关对加工贸易货物实施监管的，经营企业和承揽者应当予以配合。

**第二十五条** 加工贸易货物应当专料专用。

经海关核准，经营企业可以在保税件之间、保税件与非保税件之间进行串换，但是被串换的料件应当属于同一企业，并且应当遵循同品种、同规格、同数量、不牟利的原则。

来料加工保税进口料件不得串换。

**第二十六条** 由于加工工艺需要使用非保税料件的，经营企业应当事先向海关如实申报使用非保税料件的比例、品种、规格、型号、数量。

经营企业按照本条第一款规定向海关申报的，海关核销时应当在出口成品总耗用量中予以核扣。

**第二十七条** 经营企业进口料件由于质量存在瑕疵、规格型号与合同不符等原因，需要返还原供货商进行退换，以及由于加工贸易出口产品售后服务需要而出口未加工保税料件的，可以直接向口岸海关办理报关手续。

已经加工的保税进口料件不得进行退换。

## 第四章 加工贸易货物核销

**第二十八条** 经营企业应当在规定的期限内将进口料件加工复出口，并且自加工贸易手册项下最后一批成品出口或者加工贸易手册到期之日起30日内向海关报核。

经营企业对外签订的合同提前终止的，应当自合同终止之日起30日内向海关报核。

**第二十九条** 经营企业报核时应当向海关如实申报进口料件、出口成品、边角料、剩余料件、残次品、副产品以及单耗等情况，并且按照规定提交相关单证。

经营企业按照本条第一款规定向海关报核，单证齐全、有效的，海关应当受理报核。

**第三十条** 海关核销可以采取纸质单证核销、电子数据核销的方式，必要时可以下厂核查，企业应当予以配合。

海关应当自受理报核之日起30日内予以核销。特殊情况需要延长的，经直属海关关长或者其授权的隶属海关关长批准可以延长30日。

**第三十一条** 加工贸易保税进口料件或者成品内销的，海关对保税进口料件依法征收税款并且加征缓税利息，另有规定的除外。

进口料件属于国家对进口有限制性规定的，经营企业还应当向海关提交进口许可证件。

**第三十二条** 经营企业因故将加工贸易进口料件退运出境的，海关凭有关退运单证核销。

**第三十三条** 经营企业在生产过程中产生的边角料、剩余料件、残次品、副产品和受灾保税货物，按照海关对加工贸易边角料、剩余料件、残次品、副产品和受灾保税货物的管理规定办理，海关凭有关单证核销。

**第三十四条** 经营企业遗失加工贸易手册的，应当及时向海关报告。

海关按照有关规定处理后对遗失的加工贸易手册予以核销。

**第三十五条** 对经核销结案的加工贸易手册，海关向经营企业签发《核销结案通知书》。

**第三十六条** 经营企业已经办理担保的，海关在核销结案后按照规定解除担保。

**第三十七条** 加工贸易货物的手册设立和核销单证自加工贸易手册核销结案之日起留存3年。

**第三十八条** 加工贸易企业出现分立、合并、破产、解散或者其他停止正常生产经营活动情形的，应当及时向海关报告，并且办结海关手续。

加工贸易货物被人民法院或者有关行政执法部门封存的，加工贸易企业应当自加工贸易货物被封存之日起5个工作日内向海关报告。

## 第五章 附 则

**第三十九条** 违反本办法，构成走私行为、违反海关监管规定行为或者其他违反《海关法》行为的，由海关依照《海关法》和《中华人民共和国海关行政处罚实施条例》的有关规定予以处理；构成犯罪的，依法追究刑事责任。

**第四十条** 本办法中下列用语的含义：

来料加工，是指进口料件由境外企业提供，经营企业不需要付汇进口，按照境外企业的要求进行加工或者装配，只收取加工费，制成品由境外企业销售的经营活动。

进料加工，是指进口料件由经营企业付汇进口，制成品由经营企业外销出口的经营活动。

加工贸易货物,是指加工贸易项下的进口料件、加工成品以及加工过程中产生的边角料、残次品、副产品等。

加工贸易企业,包括经海关注册登记的经营企业和加工企业。

经营企业,是指负责对外签订加工贸易进出口合同的各类进出口企业和外商投资企业,以及经批准获得来料加工经营许可的对外加工装配服务公司。

加工企业,是指接受经营企业委托,负责对进口料件进行加工或者装配,并且具有法人资格的生产企业,以及由经营企业设立的虽不具有法人资格,但是实行相对独立核算并已经办理工商营业证(执照)的工厂。

单位耗料量,是指加工贸易企业在正常生产条件下加工生产单位出口成品所耗用的进口料件的数量,简称单耗。

深加工结转,是指加工贸易企业将保税进口料件加工的产品转至另一加工贸易企业进一步加工后复出口的经营活动。

承揽者,是指与经营企业签订加工合同,承接经营企业委托的外发加工业务的企业或者个人。

外发加工,是指经营企业委托承揽者对加工贸易货物进行加工,在规定期限内将加工后的产品最终复出口的行为。

核销,是指加工贸易经营企业加工复出口或者办理内销等海关手续后,凭规定单证向海关报核,海关按照规定进行核查以后办理解除监管手续的行为。

**第四十一条** 实施联网监管的加工贸易企业开展加工贸易业务,按照海关对加工贸易企业实施计算机联网监管的管理规定办理。

**第四十二条** 加工贸易企业在海关特殊监管区域内开展加工贸易业务,按照海关对海关特殊监管区域的相关管理规定办理。

**第四十三条** 单耗的申报与核定,按照海关对加工贸易单耗的管理规定办理。

**第四十四条** 海关对加工贸易货物进口时先征收税款出口后予以退税的管理规定另行制定。

**第四十五条** 本办法由海关总署负责解释。

**第四十六条** 本办法自公布之日起施行。2004年2月26日以海关总署令第113号发布,并经海关总署令第168号、195号修正的《中华人民共和国海关对加工贸易货物监管办法》同时废止。

# 关于试行加工贸易分册管理有关问题的通知

(署税〔1999〕816号)

(1999年12月9日由海关总署发布,1999年12月20日起施行,法规类型为规范性文件)

广东分署,各直属海关:

为解决加工贸易企业多口岸报关手册周转不便的问题,促进加工贸易的健康发展,总署决定对加工贸易合同试行分册管理。为此,总署组织工程组开发了加工贸易合同资料分册计算机传输系统,并在西安海关试行。根据试运行情况,决定在全国海关推广应用,现将《加工贸易分册管理业务规范(试行)》(以下简称《规范》,见附件一)、《加工贸易分册管理操作流程（试行）》（简称《流程》，见附件二）印发你们，并就有关问题通知如下：

一、各海关保税部门要对有关人员进行培训，并严格按《规范》和《流程》进行操作。

二、对分册项下进出口的保税货物，各海关通关部门在审核企业所在地主管海关核发的异地报关分册或深加工结转分册（统称分册）无误后予以验放。

三、如发现总册和分册的进出口经营单位不一致等特殊情况，经各关审核认为确需实行分册管理的，应报经总署关税司批准。

四、加工贸易合同资料分册计算机传输系统自1999年12月20日起在全国范围内推广运用，有关计算机程序已通过网络下发各关，请各关自行安装。

五、请各海关接本通知后即将所附公告稿对外公告。《规范》中的附表由各海关按总署规定的统一格式自行印制。

以上请遵照执行。执行中有何问题，请与总署关税司联系。

附件：1. 加工贸易分册管理业务规范（试行）
　　　2. 加工贸易分册管理操作流程（试行）
　　　3. 公告

附件1

## 加工贸易分册管理业务规范（试行）

**第一条** 为解决加工贸易合同异地传输中存在的相互覆盖，以及企业多口岸报关手册周转不便等问题，规范加工贸易分册管理，促进加工贸易的健康发展，根据《中华人民共和国海关法》及有关法律、法规制定本规范。

**第二条** 分册是指在海关核发的加工贸易《登记手册》（以下简称总册）基础上，因企业报关需要，由企业申请并经主管海关批准，将总册的部分内容重新登记备案，由海关核发该部分内容的加工贸易《登记手册》（以下简称分册）。分册含基本情况表、进口料件情况或出口成品情况（或两者兼有），分册备案进出口数量不要求"进出口平衡"。分册可分为异地报关分册（指备案地海关与口岸海关不使用同一台计算机主机）和深加工结转分册。异地报关分册用于异地报关进出口，深加工结转分册用于异地深加工结转出口和本地深加工结转进口。

**第三条** 符合下列条件的企业可向海关申请分册：

1. 已持有海关核发的总册的加工贸易企业，但不包括适用D类管理的企业；
2. 总册在有效期内且未执行完毕。

**第四条** 企业向海关申请分册时应提交下列单证：

1. 已填写并加盖企业印章的《加工贸易分册申请》（格式见附表一）；
2. 已预录入的《加工贸易分册呈报表》；
3. 海关核发的总册；
4. 申请深加工结转分册的应提供商务部门出具的深加工结转批件；
5. 海关需要的其他单证。

**第五条** 海关保税人员应认真审核企业所递交的单证，符合下列条件予以核发分册：

1. 《加工贸易分册呈报表》的手册编号应与总册的手册编号相同；
2. 分册的有效期在总册的有效期之内；
3. 分册只能有一个口岸，异地报关分册的口岸必须在总册审批口岸范围之内，深加工结转分册的口岸可超出总册审批口岸范围；

4. 分册的进出口商品项必须在总册审批的商品项范围内；

5. 分册经营单位、加工生产单位、商品序号、品名、规格型号、计量单位、单价、币制等必须与总册对应项一致；

6. 分册的进出口商品数量必须在总册备案的对应商品数量范围之内。分册申请商品进出口数量≤总册备案对应项数量－总册对应项已进或出口数量－已签发分册对应项累计备案数量；

7. 深加工结转分册可分为本地深加工结转进口分册与异地深化加工结转出口分册。异地深加工结转出口分册备案含出口成品部分，不包含进口料件部分，用于异地深加工结转出口；本地深加工结转进口分册的备案内容包含进口料件部分，不得包含出口成品部分，限用于在主管海关关区范围内的深加工结转进口。总册在本地口岸无法周转，由企业申请并经主管海关关长批准，可核发深加工结转进口分册；其他情况一律不核发深加工结转进口分册。

第六条  因特殊情况及需变更经营单位的，应报经总署关税司批准。

第七条  分册与总册均使用现行的《登记手册》。海关在分册审批栏内签字、加盖使用防伪印油的单证专用章，并加贴防伪标签，《加工贸易分册备案情况表》与分册间加盖骑缝章。

第八条  分册号是用来识别分册的唯一标识，由十二位代码组成：第一位为F或G（F表示异地报关分册，G表示深加工结转分册），第二至五位为关区代码，第六位为年份，第七至十二位为流水号。

第九条  总册发生变更，涉及下列情况的，分册内容应做相应变更：

1. 删除总册某一异地口岸，如果核发了该口岸的分册，应向该口岸进行异地报关备案资料传输，删除该分册（有效期改为传输当日的前一日），并通知企业不得再使用该分册，企业应妥善保管；

2. 删除总册进口或出口商品项，应先确认总册和所有分册对应商品项均未进出口，已进出口的，不能删除；未进出口的，涉及该商品项的所有分册应做相应删除处理；

3. 减少总册某一进口料件或出口成品数量，减少后的数量不得少于各分册该商品备案累计数量与总册已进出口数量之和，否则应先减少分册数量（参见第十一条第3点）后，再减少总册数量；

第十条  分册内容发生变更，企业应填写《分册变更申请表》（格式见附表二），并在办理分册变更预录入后，持申请表、预录入呈报表和分册向主管海关申请变更。分册的进口和出口商品的序号、品名、规格型号、计量单位等不得变更。

第十一条  分册变更应注意：

1. 分册可以延期，但不得超过总册的有效期限；

2. 分册的进口或出口商品项可以增减，但增加的商品项必须在总册的进口或出口商品项范围之内；

3. 分册的备案进口或出口商品数量可以增减，但增加后数量+已签发的分册对应项备案累计数量+总册对应项已进口或出口数量。

第十二条  分册的传输：分册核发或变更后，如该分册涉及异地口岸，合同主管海关保税部门应按照《加工贸易异地报关备案资料计算机传输管理操作规范》有关整份传输规定将分册内容传输到异地口岸。原则上总册口岸数超过两个（含两个）的，总册不予办理异地传输。适用A类或B类管理的企业，特殊情况经主管海关关（处）长批准，总册异地传输的口岸限制可适当放宽。深加工结转进口分册不予办理异地传输。

第十三条  分册只能由经营单位或其委托人（需有经营单位的委托书）持有，并用于办理保税货物的报关手续，不得移作他用。异地报关分册只能在经批准的异地口岸办理保税货物进出口报关手续；深加工结转分册只能在经批准的口岸办理保税货物深加工结转报关手续。

第十四条　企业使用分册在异地口岸报关的，报关单的"备案号"样应填报分册号。深加工结转进口分册限制在本地报关，报关单的"备案号"栏应填报总册号，其他内容（第十五条第3点规定的除外）应按照分册备案内容和《中华人民共和国海关关于进出口报关单填制规范》的有关规定如实填报。

第十五条　海关审单人员应按照《加工贸易进出口报关计算机管理操作规范》的有关规定认真审核企业递交的报关单、分册及其他有关单证，并核对分册的电脑底帐：

1. 分册申报不得超过分册有效期限；
2. 报关地海关口岸必须是分册指定的口岸；
3. 异地报关分册（即F分册）只能办理来料加工、进料加工（包括进料对口或进料非对口）、来料或进料料件退换、来料或进料料件复出、来料或进料成品退换进出口；异地深加工结转出口分册（即G分册）只能办理来料或进料深加工结转出口，深加工结转进口分册只能办理来料或进料深加工结转进口；
4. 报关单所申报货物的序号、品名、规格型号、计量单位必须与分册的序号、品名、规格型号、计量单位完全一致；
5. 报关单所申报货物的数量不得超过分册对应项备案数量与分册对应项已进口或出口数量之差。

第十六条　分册项下保税货物按规定办理进出口通关手续后，计算机自动根据分册号将报关单数据通过网络传输到合同主管地海关，对分册所对应的总册进行数据核注，建立底帐。

第十七条　分册执行完毕或分册有效期到期后，企业应妥善保管分册。企业应在规定的期限内向海关办理加工贸易合同核销手续，向海关报核时，企业应向海关提供总册和所有分册以及海关规定的其他单证资料。

第十八条　海关保税人员接受企业报核时，应先核对总册项下的分册份数，接受报核后应停止所有异地分册执行，并应将总册与所有分册一并核算，检查实际进出口平衡关系，严格按核销有关规定予以核销结案，若发现企业超总册备案数量进出口的，应立即查处。

第十九条　分册发生遗失，企业应及时书面向海关报告，并登报声明。因分册遗失所造成的一切后果均由企业负责。对报失的分册，主管海关应终止该分册执行（即将该分册的有效期改为当日的前一日后重新向异地口岸传输），经海关核实后，未进出口部分可另行申领新的分册，但原分册底帐应做相应的变更。

第二十条　企业利用分册进行走私违法活动的，海关将依照《海关法》等有关规定进行查处。

第二十一条　本规范由海关总署负责解释。

第二十二条　本规范自1999年12月20日起执行。

附件2

## 加工贸易分册管理操作流程（试行）

根据《加工贸易分册管理业务规范》制定本操作流程。

### 第一章　分册的核发

**第一条**　企业申领总册后方可向海关保税部门申请分册。

**第二条**　企业填写《加工贸易分册申请表》一式二份，一份交预录入公司录入并签章后交海关，另一份企业留存。

**第三条**　企业持下列资料向海关保税部门申请分册：

1. 经企业签章的《加工贸易分册申请表》；
2. 经预录入打印的《加工贸易分册预录入呈报表》；
3. 海关核发的总册；
4. 与总册相同类型的《登记手册》（未使用）；
5. 海关需要的其他单证。

**第四条** 海关备案人员应认真审核企业所递交的资料，经三级审批后，由初审、复审人员在计算机内通过初审、复审操作，产生分册，并打印《加工贸易手册备案分册表》，在分册的《加工贸易登记手册》海关审批栏内签字。

**第五条** 海关签章人员应在分册的《加工贸易登记手册》海关审批栏内加盖单证专用章（防伪印油），总册与分册加盖骑缝章，《加工贸易手册备案分册表》与分册加盖骑缝章，加贴防伪标签，核发手册，并将总册退还企业，按规定进行签收登记并将其他单证归入总册档案。

### 第二章 分册的变更

**第六条** 分册进口和出口商品的序号、品名、规格型号、计量单位不得变更。

**第七条** 分册发生变更，企业应填写《加工贸易分册变更申请表》一式二份，经企业签章后，一份交预录入部门录入并交海关保税部门凭以办理分册变更手续，另一份由企业留存。

**第八条** 办理分册变更手续时，企业应持以下单证向海关保税部门提出申请：
1. 经企业签章的《加工贸易分册变更申请表》；
2. 《加工贸易分册变更预录入呈报表》；
3. 海关核发的分册；
4. 海关需要的其他单证。

**第九条** 海关备案人员应认真审核企业所递交的单证资料，经三级审批后，由初审、复审人员在计算机内通过初审、复审操作，对分册进行变更，并打印《加工贸易手册备案分册变更表》。

**第十条** 海关签章人员应在《加工贸易手册备案分册变更表》与分册间加盖骑缝章。

**第十一条** 海关人员将变更后的分册退还企业，凭以办理保税货物报关手续，其他单证归入总册档案。

### 第三章 分册的传输

**第十二条** 拟发分册前或分册变更后，涉及异地口岸的，应由海关异地传输人员利用合同异地传输（整份传输）功能将分册传输到异地口岸。异地传输成功后方可将分册核发给企业凭以到异地口岸办理报关手续。

### 第四章 分册的使用

**第十三条** 企业使用分册办理报关手续时，应向报关地海关提供以下单证：
1. 主管海关核发的分册；
2. 已预录入的进口或出口货物报关单；
3. 海关需要的其他单证。

**第十四条** 海关审单人员应认真审核企业所递交的单证，并核对主管海关通过网络传输的分册备案资料，如果电脑内没有分册资料或分册内容与企业申报不符，不接受企业申报，予以退单。

**第十五条** 海关审单人员确认企业递交的单证齐全、数据相符后，按规定办理审单手续。

**第十六条** 口岸海关对符合规定要求的，按规定予以办理审单、查验、放行、结关手续，并按规定要求将报关单（主管海关联）做关封邮寄回主管海关；如果为本地企业报关，将报关单（主管海关联）移交后归入总册档案。

## 第五章　分册的核销

**第十七条**　总册最后一批产品出口完毕或合同有效期届满后一个月内，企业应持下列单证向海关保税部门申请核销：

1. 总册及所有分册；
2. 企业填写并签章的核销申请表；
3. 海关需要的其他单证。

**第十八条**　海关核销人员应认真审核企业递交的单证，通过报核操作。

**第十九条**　核销初审、复审人员应核对总册、分册、报关单与计算机内的报关单核注信息，计算机内无报关单核注信息的，应通过其他渠道确认报关单真实可靠后，利用报关单补核注功能将报关单补输入计算机内。

**第二十条**　计算机产生核销核算表，核销人员应严格按照核销的有关规定，经三级审批后，将总册与分册一并予以核销结案。

**第二十一条**　本操作流程由总署负责解释。


附件3

## 公　告

接海关总署通知，为加强海关对《加工贸易登记手册》（以下简称《总册》）的管理，适应加工贸易企业生产经营发展需要，现就加工贸易企业申领《加工贸易分册》（以下简称《分册》）问题公告如下：

一、加工贸易企业从多口岸进出口《总册》项下保税货物，或因深加工结转报关有困难时，可向海关申请办理《分册》。

二、申请《分册》企业应符合下列条件：
1. 已持有海关核发的《总册》的加工贸易企业，但不包括适用 D 类管理的企业；
2. 《总册》在有效期内且未执行完毕。

三、企业向海关申请《分册》时应提交以下单证：
1. 已填写并加盖企业印章的《加工贸易分册申请表》一式二份；
2. 已预录入的《加工贸易分册呈报表》；
3. 海关核发的《总册》；
4. 海关需要的其他单证。

（1）《加工贸易分册呈报表》的手册编号应与总册的手册编号相同；
（2）分册的有效期在总册的有效期之内；
（3）分册只能有一个口岸，异地报关分册的口岸必须在总册审批口岸范围之内，深加工结转分册的口岸可超出总册审批口岸范围；
（4）分册的进出口商品项必须在总册审批的商品项范围内；
（5）分册经营单位、加工生产单位、商品序号、品名、规格型号、计量单位、单价、币制等必须与总册对应项一致；
（6）分册的进出口商品数量必须在总册备案的对应商品数量范围之内。分册申请商品进出口数量≤总册备案对应项数量-总册对应项已进口或出口数量-已签发分册对应项累计备案数量。

深加工结转分册可分为本地深加工结转进口分册与异地深加工结转出口分册。异地深加工结转出口分册备案内容包含出口成品部分，不包含进口料件部分，用于异地深加工结转出口；本地深加工结转进口分册的备案内容包含进口料件部分，不得包含出口成品部分，限用于在主管海关关区范围内的深加工结转进口。总册在本地口岸无法周转，由企业申请并经主管海关关长批准，可核发深加工结转进口分册；其他情况一律不核发深加工结转进口分册。

四、《分册》内容发生变更，企业应填写《分册变更申请表》，并办理《分册》变更预录入后，持申请表、预录入呈报表和《分册》向主管海关申请变更。《分册》的进口和出口商品的序号、品名、规格型号、计量单位等不得变更。

五、《分册》只能由经营单位或其委托人（需有经营单位的委托书）持有，并用于办理保税货物的报关手续，不得移作他用。异地报关《分册》只能在经批准的异地口岸办理保税货物进出口报关手续。深加工结转《分册》只能在经批准的口岸办理保税货物深加工结转报关手续。

六、企业使用《分册》在异地口岸报关的，报关单的"备案号"栏应填报《分册》号。深加工结转进口《分册》仅限在本地报关，报关时报关单的"备案号"栏应填报《总册》号，其他内容应按照《分册》备案内容和《中华人民共和国海关关于进出口报关单填制规范》的有关规定如实填报。

七、《分册》执行完毕或《分册》有效期到期后，企业应妥善保管《分册》，并在规定的期限内向海关办理加工贸易合同核销手续。向海关报核时，企业应向海关提供《总册》和所有《分册》以及海关规定的其他单证资料。

八、《分册》遗失，企业应及时书面向海关报告，并登报声明。因《分册》遗失所造成的一切后果均由企业负责。对报失的《分册》，经主管海关核实后，未进出口部分可另行申领新的《分册》，但原《分册》底账应做相应的变更。

九、企业利用《分册》进行走私违法活动的，海关将依照《海关法》等有关规定进行查处。

十、本公告自1999年12月20日起实施。

# 关于简化境外加工贸易项目审批程序和下放权限有关问题的通知

（商合发〔2003〕126号）

（2003年6月26日由商务部、国家外汇管理局发布，2003年6月26日起施行，法规类型为规范性文件）

各省、自治区、直辖市及计划单列市外经贸委（厅、局），新疆建设兵团外经贸局，国家外汇管理局各省、自治区、直辖市分局、外汇管理部，深圳、大连、青岛、厦门、宁波市分局、各中央管理的企业：

为深入贯彻党的十六大和十六届二中全会精神，进一步落实国办发〔1999〕17号文件，鼓励和推进境外加工贸易发展，加快实施"走出去"战略，根据国务院有关部门机构与职能的调整和深化行政审批制度改革的要求，商务部和国家外汇管理局对境外加工贸易项目的审批程序和权限进行了调整。现将有关事项通知如下：

1881

一、中方投资额在300万美元以下（含300万美元）的境外加工贸易项目，由投资主体所在省、自治区、直辖市及计划单列市外经贸主管部门（含新疆建设兵团外经贸局，以下简称地方主管部门）核准。中方投资额在300万美元以上的境外加工贸易项目，由地方主管部门报商务部核准。

中央管理的企业及其所属企业在境外投资举办境外加工贸易项目，由中央企业总部径报商务部核准。

二、境外加工贸易项目申报程序

（一）由地方主管部门负责核准的境外加工贸易项目，地方主管部门收到境外加工贸易项目的申请后，应在征得我驻外使（领）馆经商参处（室）同意后核准。

（二）须商务部核准的境外加工贸易项目，由地方主管部门或中央企业总部征得我驻外使（领）馆经商参处（室）同意后，报商务部。

（三）地方主管部门核准或上报境外加工贸易项目，应会签地方经贸主管部门。地方经贸主管部门应于5个工作日内提出会签意见。

（四）需从境内购汇和汇出外汇的境外加工贸易项目，在报地方主管部门前，应由所在地外汇分局或外汇管理部按照《国家外汇管理局关于简化境外投资外汇资金来源审查有关问题的通知》（汇发〔2003〕43号）的有关规定进行境外投资外汇资金来源审查。中方投资额在300万美元（含300万美元）以下项目的境外投资外汇资金来源审查，由投资主体所在地外汇分局或外汇管理部办理。中方投资额在300万美元以上的项目，由投资主体所在地外汇分局或外汇管理部初审后上报国家外汇管理局审查。

三、境外加工贸易项目审核重点

各级主管部门在核准境外加工贸易项目时，审核的主要材料包括：境外加工贸易项目基本情况（特别是投资主体资质和带动产品出口的情况）、境外加工贸易企业合同、章程，投资主体营业执照（副本）、外汇局关于境外投资外汇资金来源审查的批复；不再审批境外加工贸易项目建议书和可行性研究报告。

四、境外带料加工装配企业批准证书

《境外带料加工装配企业批准证书》（以下简称批准证书）是商务部统一印制、证明境外加工贸易项目经国家对外投资主管部门最终核准的法律文件。地方主管部门在核准境外加工贸易项目后，须填写《境外加工贸易企业登记备案表》（格式附后）并加盖公章，连同核准文件、驻外使（领）馆经商参处（室）意见及外汇管理部门的外汇资金来源审查意见，报商务部登记备案并领取批准证书。待网上发证条件成熟后，批准证书由地方主管部门代发。

投资主体取得批准证书后，应按规定于60天内到所在地外汇分局或外汇管理部办理境外投资外汇登记。凭批准证书和外汇资金来源审查的批复办理购汇和汇出资金手续。

五、投资主体投资于境外加工贸易项目，应首先使用其自有外汇资金，自有外汇资金不足的，可以使用国内外汇贷款或通过购汇解决。

六、未经商务部许可，地方主管部门不得将境外加工贸易审批权限向下一级单位下放。

七、自《国务院办公厅转发外经贸部、国家经贸委、财政部关于鼓励企业开展境外带料加工装配业务意见的通知》（国办发〔1999〕17号）下发以来，境外加工贸易对于促进对外关系的发展、扩大出口、深化产业结构调整以及培育我国跨国公司等方面起到了重要作用。在今后相当长的一段时期内，这项业务仍是我国境外投资的一个重点鼓励方向。各单位要按照国办发〔1999〕17号的精神，继续做好这项业务的组织和推动工作，在工作中注意及时发现问题、总结经验；与我驻外使（领）馆经商参处（室）密切沟通，加强对境外加工贸易项目的组织、管理和协调，避免在境外盲目布点、重复建设、无序竞争。

本通知下发后，各单位在工作中有何问题、意见和建议，请及时向商务部（合作司）和国家外汇管理局（资本司）报告。

特此通知。

## 关于面向广大中小型企业推广 H2000 电子手册系统中的有关事项

（海关总署公告 2008 年第 40 号）

（2008 年 5 月 29 日由海关总署发布，2008 年 5 月 29 日起施行，法规类型为规范性文件）

促进加工贸易转型升级，进一步简化海关手续、提高办事效率，海关在推行了 H2000 电子手册系统的基础上，开发应用了 H2000 电子化手册系统（以下简称系统）。现决定在全国范围面向广大中小型企业推广应用该系统，并就推广应用中的有关事项公告如下：

一、原"电子手册"和"纸质手册电子化"统称为"电子化手册"。统一后的保税加工企业电子底账管理，包括电子账册、电子化手册（含分段式管理和以合同为单元常规管理）两种模式。原第二代标准版联网监管 H2000 电子手册的分段式手册模式仍然保留，形成分段式管理的电子化手册；原第二代标准版联网监管 H2000 电子手册的非分段式手册模式将不再使用，各海关对已核发的非分段式电子手册核销完毕后，切换到电子化手册模式进行管理。

二、在"电子化手册"模式下，企业向海关发送申请合同备案、变更等业务的电子数据并凭商务主管部门的批件到主管海关业务现场办理合同备案、变更等业务。海关根据商务主管部门的批件审核企业申报的合同备案、变更等资料，通过后即可生成电子化手册，不再签发纸质《登记手册》。在电子化手册备案、变更、通关、核查、核销环节，海关凭电子底账和其他有关单证办理有关手续，不再验凭纸质《登记手册》，也不再进行手册核注。

三、企业可采取自行预录入和代理预录入的方式申报电子数据。企业采取代理预录入方式申报的，由各企业使用当地电子口岸数据分中心核发的身份认证卡，通过电子口岸平台授权管理系统，自行对电子化手册备案、变更、通关、核销等数据的预录入和申报操作权限进行授权。在授权操作过程中如遇问题，可咨询当地电子口岸分中心或电子口岸数据中心服务热线。

四、因系统运行不畅而出现影响企业通关等重大故障时，由企业提出申请并经主管海关处级领导批准后，可启用纸质《登记手册》作应急使用，并与电子化手册一并报核、核销。

五、为保障企业办理其他相关业务需要，系统中仍保留备案底账的打印功能。主管海关可根据具体情况，为企业临时核发纸质《登记手册》；或由企业根据需要自行在预录入端打印电子化手册备案的纸质单证，到主管海关现场盖章后使用。

特此公告。

## 关于明确加工贸易政策调整相关事项

(海关总署公告 2008 年第 87 号)

(2008 年 12 月 1 日由海关总署发布，2008 年 12 月 1 日起施行，法规类型为规范性文件)

为落实国务院关于暂停轻纺行业限制类商品加工贸易台账保证金"实转"管理的决定，商务部与海关总署联合发布了 2008 年第 97 号公告（以下简称 97 号公告），明确加工贸易政策调整相关事项。现就海关执行中的有关问题公告如下：

一、关于暂停《商务部 海关总署 2007 年第 44 号公告》部分限制类目录商品的监管事宜

（一）对 97 号公告附件 2 列明的家具类商品的加工贸易业务，按照非限制类商品加工贸易业务实施监管。

（二）对 12 月 1 日前已备案的原限制类家具商品的加工贸易手册（包括电子化手册和纸质手册，以下简称手册）核销结案后，海关退还已征收的保证金及利息。

二、关于信息化系统调整前的业务办理事宜

海关正在对信息化系统进行调整，修改完善有关系统程序，以适应政策调整的要求。在海关相关信息化系统调整完成前，海关按照手工操作方式办理相关手续：

（一）对经海关评定为 A 类和 B 类的企业按照 97 号公告第一条规定开展暂停"实转"商品加工贸易业务的，在办理手册备案时，免征台账保证金；在办理手册变更时，不再征收台账保证金，已征收的台账保证金及利息核销结案后予以退还。

（二）对经海关评定为 A 类的企业按照 97 号公告第二条规定开展原限制类目录商品加工贸易的，在办理手册备案时，免征台账保证金；在办理手册变更时，不征收台账保证金，已征收的台账保证金及利息核销结案后予以退还。

三、关于业务变更的问题。

自 2008 年 12 月 1 日起，对企业办理备案或变更手续的加工贸易业务的，按照 97 号公告第一、二条规定执行。

四、关于电子帐册企业台账监管问题。

对 2008 年 12 月 1 日前已开设台账专用手册，且实施电子帐册监管的企业申请提前办理手册核销的，在海关为企业办理台账专用手册核销手续后，予以退还已征收的保证金及利息。原台账专用手册核销后，企业按照 97 号公告有关规定开设新的台账专用手册。

五、本公告自 2008 年 12 月 1 日起执行。

特此公告。

## 关于在全国范围内取消加工贸易业务审批的公告

(商务部　海关总署联合公告 2016 年第 45 号)

(2016 年 8 月 25 日由商务部、海关总署发布，2016 年 9 月 1 日起施行，法规类型为规范性文件)

根据《国务院关于促进加工贸易创新发展的若干意见》(国发〔2016〕4 号)、《国务院关于促进外贸回稳向好的若干意见》(国发〔2016〕27 号) 要求和国务院行政审批改革总体部署，在全国范围内取消加工贸易业务审批，建立健全事中事后监管机制。现就有关事项公告如下：

一、取消商务主管部门对加工贸易合同审批和加工贸易保税进口料件或制成品转内销审批。各级商务主管部门不再签发《加工贸易业务批准证》、《联网监管企业加工贸易业务批准证》和《加工贸易保税进口料件内销批准证》、《加工贸易不作价设备批准证》。海关特殊监管区域管委会不再签发《出口加工区加工贸易业务批准证》和《出口加工区深加工结转业务批准证》。

二、开展加工贸易业务的企业，凭商务主管部门或海关特殊监管区域管委会出具的有效期内的《加工贸易企业经营状况和生产能力证明》(打印表样式见附件) 到海关办理加工贸易手(账) 册设立 (变更) 手续，海关不再验核相关许可证件，并按《加工贸易企业经营状况和生产能力证明》中列名的税目范围 (即商品编码前 4 位) 进行手册设立 (变更)。涉及禁止或限制开展加工贸易商品的，企业应在取得商务部批准文件后到海关办理有关业务。

三、海关特殊监管区域外加工贸易保税进口料件或者制成品如需转内销的，海关依法征收税款和缓税利息。进口料件涉及许可证件管理的，企业还应当向海关提交相关许可证件。

加工贸易项下关税配额农产品办理内销手续时，海关验核贸易方式为"一般贸易"的关税配额证原件或关税配额外优惠关税税率配额证原件 (以下简称"一般贸易配额证")，按关税配额税率或关税配额外暂定优惠关税税率计征税款和缓税利息。无一般贸易配额证的，按关税配额外税率计征税款和缓税利息。

四、严格加工贸易企业经营状况和生产能力核查机制。各级商务主管部门、海关特殊监管区域管委会要严格执行加工贸易企业经营状况和生产能力核查制度，为企业出具《加工贸易企业经营状况和生产能力证明》。

五、各级商务主管部门和海关要加强衔接，密切配合，制订加工贸易管理操作流程或办事指引，规范服务，便利企业，为加工贸易发展营造良好环境。

六、本公告自 2016 年 9 月 1 日起实施。

附件：加工贸易企业经营状况和生产能力证明 (略)

# 关于明确取消商务主管部门加工贸易审批后手（账）册填制方式的公告

（海关总署公告2016年第46号）

(2016年8月26日由海关总署发布，2016年9月1日起施行，法规类型为规范性文件)

根据《商务部 海关总署公告〔2016〕45号》，自2016年9月1日起在全国范围内取消商务主管部门加工贸易业务审批。鉴于海关信息化系统调整需要一定时限，为确保取消审批后各项业务的顺利开展，现就过渡期内手（账）册填报方式公告如下：

在海关信息化系统调整完毕前的过渡期内，企业（含海关特殊监管区域内企业）在办理加工贸易手（账）册备案（变更）、内销、结转等手续时，需要在预录入端填报商务主管部门"批准证编号"的栏目，统一填报"1111"。

特此公告。

# 关于《商务部 海关总署2016年第45号公告》执行有关问题的公告

（海关总署公告2016年第56号）

(2016年9月18日由海关总署发布，2016年9月18日起施行，法规类型为规范性文件)

为落实《国务院关于促进加工贸易创新发展的若干意见》（国发〔2016〕4号）、《国务院关于促进外贸回稳向好的若干意见》（国发〔2016〕27号）要求，确保商务主管部门取消加工贸易业务审批后有关业务的顺利开展，根据《商务部 海关总署2016年45号公告》和相关法律法规规章，现就有关执行问题公告如下：

一、加工贸易手（账）册设立（变更）

（一）企业向主管海关办理手（账）册设立（变更）手续时，不再提交《加工贸易业务批准证》、《联网监管企业加工贸易业务批准证》，应当向主管海关提交以下材料：

1. 商务主管部门出具的加工企业《加工贸易企业经营状况和生产能力证明》（以下简称《生产能力证明》）；

2. 按照《中华人民共和国海关加工贸易货物监管办法》（海关总署令第219号）和《中华人民共和国海关加工贸易企业联网监管办法》（海关总署令第150号）有关规定应提交的其他材料。

（二）企业应当按照《生产能力证明》中列明的税目范围申报料件、成品等信息，主管海关办理加工贸易手（账）册设立（变更）时，比对前4位商品编码、料件及成品品名等信息。

（三）企业应当按照合同有效期申报手册有效期，但原则上不超过一年，经主管海关确认，可予以延期，最长不超过两年。

开展飞机、船舶等大型装备制造的加工贸易企业，经主管海关确认，可参照合同实际有效期确定手册有效期。

二、加工贸易内销管理

加工贸易保税进口料件、成品、边角料、剩余料件、残次品、副产品、受灾保税货物等转内销的，企业不再提交《加工贸易保税进口料件内销批准证》。

三、涉及商务部核准的商品范围

《商务部　海关总署2016年45号公告》第二条"禁止或限制开展加工贸易"的商品范围，是指铜精矿、生皮、卫星电视接收设施、成品油、易制毒化学品等根据有关规定设定了企业资质或数量等限制条件的商品，符合条件的企业凭商务部核准文件到海关办理有关业务。

四、海关特殊监管区域内加工贸易管理

海关特殊监管区域内企业凭海关特殊监管区域管委会出具的《生产能力证明》办理加工贸易账册设立（变更）手续。主管海关按照《生产能力证明》中列明的税目范围（即商品编码前4位），比对企业申报的料件、成品等信息。

五、过渡期内的海关监管问题

（一）关于已设立手册的变更。2016年9月1日前已设立的加工贸易手册，可在手册有效期内继续执行。在过渡期内，涉及新增商品项且商品编码前4位发生变化的，企业应向主管海关提交新版《生产能力证明》（即9月1日后商务主管部门出具的《生产能力证明》）或有效期内的旧版《生产能力证明》（即9月1日前商务主管部门出具的《生产能力证明》），旧版《生产能力证明》应随附商务主管部门出具的包含商品编码前4位的商品清单；涉及其他内容发生变更的，企业可凭有效的旧版《生产能力证明》向主管海关办理手册变更手续。

（二）关于新设立手册。2016年9月1日后新设立手册的，企业应当提交新版《生产能力证明》。无法提交新版《生产能力证明》的，企业可在过渡期内凭有效的旧版《生产能力证明》随附商务主管部门出具的包含商品编码前4位的商品清单办理手册设立手续。

电子账册过渡期内的设立（变更）手续参照上述要求办理。

过渡期从2016年9月1日至2017年8月31日。

特此公告。

# 关于推广加工贸易银行保证金台帐电子化联网管理工作有关问题

（海关总署公告2010年第5号）

(2010年1月20日由海关总署发布，2010年2月1日起施行，法规类型为规范性文件)

为进一步简化和完善现行加工贸易银行保证金台帐（以下简称台帐）管理，在不改变台帐管理流程基础上，实现台帐电子化联网管理，增加办理台帐手续银行，方便加工贸易企业办理台帐业务，提高台帐管理质量和效率。在前期成功试点的基础上，经研究决定在全国范围内对采用电子化手册管理的加工贸易企业（以下简称企业）开展台帐电子化联网管理。现就有关事项公告如下：

一、推广范围

（一）企业范围。

各海关可结合关区实际情况确定分步推广计划和各阶段的适用企业范围，并由各海关另行公告执行。

（二）银行范围。

推广银行为与各海关关区对应的中国银行、中国工商银行辖属分支机构。

二、台帐保证金专用帐户的设立

企业在首次办理台帐开设手续时，应向银行办理台帐保证金专用帐户的设立手续。企业在申请电子化手册备案时，应在海关手册录入环节选择拟开设台帐帐户的银行，并在录入端收到海关已开出《银行保证金台帐开设联系单》（以下简称《开设联系单》）的回执后，持《企业法人营业执照》、《海关注册登记证明》及其他相关材料至所选择的银行办理台帐帐户设立手续。

对此前已在中国银行网点设立过台帐保证金专用帐户的企业，推广期间亦应凭《海关注册登记证明》向中国银行进行一次性备案登记（在试点期间已经备案登记的除外）。

同一加工贸易合同项下，企业在录入时选择的台帐银行（中国银行或中国工商银行）以及实转台帐缴纳方式（保证金或税款保付保函）不得变更。

三、台帐开设、变更与正常核销

银行与海关间采用台帐电子化联网管理模式后，在有关业务流程不变的同时，企业无须再往返于海关与银行之间传递单证，有关单证的电子数据均实现网上传输。

企业在预录入端收到回执后，直接凭银行签发的电子《银行保证金台帐登记通知单》（以下简称《登记通知单》）、《银行保证金台帐变更通知单》（以下简称《变更通知单》）、《银行保证金台帐核销通知单》（以下简称《核销通知单》）向海关办理加工贸易备案、合同变更和核销手续。

四、实转台帐保证金的缴纳与补缴

实转台帐开设或变更需缴纳保证金的，企业应按照主管海关签发的《开设联系单》或《银行保证金台帐变更联系单》（以下简称《变更联系单》）向台帐开户银行办理保证金缴纳或补缴手续。

五、税款保付保函的开立、变更（包括展期）

选择以税款保付保函方式进行实转的，企业可在向银行申请开立或变更后，选择自行或由银行将税款保付保函正本或修改函正本送交主管海关留存。

对因特殊情况海关出具《税款保付保函展期通知单》的，企业须持通知单第三、四联、税款保付保函展期申请书及有关材料，向银行申请税款保付保函展期。

六、挂帐待销与停帐待销及关闭帐户处理

（一）挂帐待销与停帐待销处理。

挂帐、停帐的联系单和通知单全部采用电子方式进行传输。挂帐待销和停帐待销期间，银行不向企业退还该笔台帐业务项下的保证金。

（二）关闭帐户。

对海关向银行签发的《银行保证金台帐核销联系单》（以下简称《核销联系单》）中注有"停设台帐"的，银行在确认该笔台帐保证金帐户余额已经为零后，根据海关联系单办理关闭帐户手续，并出具《银行保证金台帐帐户关闭通知单》（以下简称《关闭通知单》）。

如该笔台帐项下保证金尚有余款，且企业无欠缴税款情况，主管海关与银行应按照共同商定的意见进行处理，再办理关闭帐户手续。

如该笔台帐保证金帐户采用的是税款保付保函方式，则税款保付保函在核销结案后自动失效。

七、异常情况和应急情况处理

（一）错误修改。

若因企业原因提出对海关发送的《变更联系单》做出修改时，企业凭银行出具的《企业未缴款证明》向海关申请更改并重新发送《变更联系单》。

（二）应急处理。

对于采用台帐电子化联网管理的加工贸易业务，如银行因技术原因未收到台帐联系单，海关可打印纸质台帐联系单并加盖海关台帐专用章交企业办理保证金台帐业务。

对于采用台帐电子化联网管理的加工贸易业务，如海关因技术原因未收到台帐通知单，银行可打印纸质台帐通知单并加盖银行台帐专用章交企业办理台帐登记手续。

八、单证的传送及时限要求

（一）《开设联系单》、《变更联系单》、《核销联系单》、《登记通知单》、《变更通知单》、《核销通知单》、《银行保证金台帐挂帐待销通知单》、《银行保证金台帐停帐待销通知单》、《关闭通知单》均以电子报文的形式由海关、银行通过电子口岸平台直接发送对方。企业应在电子报文发出后3日内（最后一日逢法定节假日顺延）办理有关台帐业务。

《开设联系单》的有效期为自出具之日起80天（含80天），超过80天自动失效。海关对失效的《开设联系单》及对应手册进行删除处理。

（二）税款保付保函及其修改函（企业选择由银行传送的）、索赔函，《税款保付保函遗失补办申请书》、《保证金台帐联网异常情况处理联系单》，以及"停帐待销"和"关闭台帐"情况下的《税款缴纳扣划通知书》、《海关XXX专用缴款书》等纸质单证由主管海关、银行直接送交对方。

（三）其他纸质单证由申请设立台帐的企业及时传送至主管海关和银行。

九、本公告自2010年2月1日起执行。海关总署2009年第43号公告同时废止。

特此公告。

# 关于取消加工贸易银行保证金台帐制度有关事宜的公告

（海关总署　商务部联合公告2017年第33号）

（2017年7月15日由海关总署、商务部发布，2017年8月1日起施行，法规类型为规范性文件）

为落实《国务院关于促进加工贸易创新发展的若干意见》（国发〔2016〕4号）要求，进一步简化手续，降低制度性交易成本，促进加工贸易创新发展，经国务院同意，在全国范围内取消加工贸易银行保证金台帐（以下简称"保证金台帐"）制度。现就相关事项公告如下：

一、对商务部、海关总署公告2015年第63号（以下简称63号公告）规定实施保证金台帐"空转"管理的情形，企业办理加工贸易手（账）册设立时无须开设保证金台帐，无须提供涉及限制类商品加工贸易的担保。此前已设立的保证金台帐"空转"加工贸易手册仍按照保证金台帐制度执行完毕。

二、对63号公告规定实施保证金台帐"实转"管理的情形，为保证政策平稳过渡，设置过渡期，过渡期从2017年8月1日起至2018年2月1日结束。过渡期内，企业继续按照海关总署公告2010年第5号和2014年第61号有关规定办理保证金台帐"实转"手续；过渡期结束后的业务办理程序，我署将另行公告。

三、本公告内容自2017年8月1日起执行。

## 关于全面取消加工贸易台帐保证金制度过渡期结束后有关业务办理事宜的公告

(海关总署公告2017年第62号)

(2017年12月14日由海关总署发布,2018年2月2日起施行,法规类型为规范性文件)

为落实国务院取消加工贸易银行保证金台帐制度(以下简称"保证金台帐")有关要求,现就海关总署、商务部公告2017年第33号设置的过渡期结束后,有关业务办理事宜公告如下:

一、保证金台帐"实转"管理事项转为海关事务担保事项。企业不再到银行开设保证金台帐,按海关事务担保事项办理有关手续。

二、对以保证金形式提供担保的,担保事项解除后,企业凭财务收据到主管海关办理保证金及利息退还手续。利息计算利率为中国人民银行公布的活期基准利率,计息起始日期为保证金交至海关指定账户之日,截止日期为海关保证金退还通知书开出之日。

本公告自2018年2月2日起执行。

特此公告。

## 关于保证金台帐"实转"管理事项转为海关事务担保事项有关手续的公告

(海关总署公告2018年第18号)

(2018年2月13日由海关总署发布,2018年2月13日起施行,法规类型为规范性文件)

为落实国务院取消加工贸易银行保证金台帐制度(以下简称"保证金台帐")有关要求,现就保证金台帐"实转"管理事项转为海关事务担保事项的有关办理要求公告如下:

一、保证金台帐"实转"管理事项转为海关事务担保事项后,企业缴纳保证金的情形、金额等仍按照商务部、海关总署2015年63号公告执行。

二、企业办理担保业务可采用保证金或保函等形式。对于同一笔业务应采用同一种形式提供担保。

三、以保函形式办理担保业务时,企业应向海关提交银行或者非银行金融机构的保函正本,海关向企业制发收据。保函担保期限应为手册有效期满后80天。

四、以保证金形式办理担保业务时,企业应按海关开具的《海关交(付)款通知书》,以人民币缴纳保证金,将应征保证金款项交至海关指定的代保管款账户。资金到账后海关向企业开具《海关保证金专用收据》。

五、因手册变更导致担保金额增加或担保期限延长的,由海关依法为企业办理担保内容变更手续。

六、手册核销结案后,企业可向海关办理担保退还手续。担保形式为保函的,企业应凭保函收据到海关办理保函退还手续。

担保形式为保证金的,企业应凭《海关交(付)款通知书》编号、《海关保证金专用收据》(退款联)以及加盖企业财务专用章的合法收据,到海关财务部门办理保证金退还手续。

本公告自发布之日起执行。

特此公告。

## 关于全面推广以企业为单元加工贸易监管改革的公告

(海关总署公告2018年第59号)

(2018年6月21日由海关总署发布,2018年6月21日起施行,法规类型为规范性文件)

为贯彻落实《国务院关于促进加工贸易创新发展的若干意见》(国发〔2016〕4号),全面深化海关加工贸易及保税监管改革,深入推进简政放权,引导企业自律管理,释放企业活力,提升企业内生动力,经过一年试点,有关企业积极配合,取得了初步成效。为此,海关总署决定全面推广实施"以企业为单元加工贸易监管模式"(以下简称新监管模式)改革。新监管模式改革是海关深化加工贸易监管改革的重要举措,是支持加工贸易企业发展、提升企业综合竞争力以及支持与加工贸易相关的生产性服务业发展的有力保障,是促进加工贸易创新发展的重要内容。现将有关事项公告如下:

一、改革实施范围

(一)实施新监管模式改革的企业,必须是以自己名义开展加工贸易业务的生产型企业,且符合以下条件之一:

1. 海关信用等级为一般认证及以上的;

2. 海关信用等级为一般信用企业,且企业内部加工贸易货物流和数据流透明清晰,逻辑链完整,耗料可追溯,满足海关监管要求的。

(二)新监管模式的业务范围包括:账册设立(变更)、进出口、外发加工、深加工结转、内销、剩余料件结转、核报和核销、本企业或本集团的售后维修等。

二、主要内容

(一)实施新监管模式的企业,按照以下方式开展相关业务:

1. 账册设立。企业可以根据行业特点、生产规模、管理水平等因素选择以料号或项号设立账册;账册的最大进口量为《加工贸易企业经营状况和生产能力证明》所载生产能力,即进口料件对应金额。

2. 核销周期。企业可以根据生产周期,自主选择合理核销周期,并按照现有规定确定单耗申报环节,自主选择单耗申报时间。

3. 外发加工。企业开展外发加工业务时,不再报送收发货清单,同时应保存相关资料、记录备查。

4. 集中内销。企业应于每月15日前对上月发生的内销保税货物,在依法提供税收担保的前提下,集中办理纳税手续,但不得跨年。

5. 深加工结转。企业在办理深加工结转手续时,应于每月月底前对上月深加工结转情况进行集中申报,不再报送收发货记录,同时应保存相关资料、记录备查。

6. 剩余料件结转。企业应在核报前,以剩余料件结转方式处置实际库存。

（二）在核销周期内，企业采用自主核报方式向海关办理核销手续，其中，对核销周期超过一年的，企业应进行年度申报。

1. 自主核报。指企业自主核定保税进口料件的耗用量并向海关如实申报的行为。企业可自主选择采用单耗、耗料清单和工单等保税进口料件耗用的核算方式，向海关申报当期核算结果，并办理核销手续。企业申报核算结果时，应报送本核销周期内的下列数据：

（1）申请核报加工贸易账册的相关材料；

（2）进、出、转、销和期末实际库存数据；

（3）边角料、残次品、副产品、受灾保税货物、销毁货物的相关情况；

（4）料件、成品退换情况；

（5）国内购买料件情况；

（6）消耗性物料情况；

（7）企业需要申报其他情况的补充说明。

2. 年度申报。对核销周期超过1年的企业，每年至少向海关申报1次保税料件耗用量等账册数据。年度申报数据的累加作为本核销周期保税料件耗用总量。

（三）在账册核销周期结束前，企业对本核销周期内因突发情况和内部自查自控中发现的问题，主动向海关补充申报，并提供及时控制或整改措施的，海关对企业的申报进行集中处置。

（四）企业应根据账册设立时的料号或项号，据实以来料加工或进料加工监管方式申报进出口。

（五）企业应按照规定提交、保留、存储相应电子数据和纸质单证。

（六）企业出现以下情形之一的，海关不再对其实施新监管模式：

1. 海关信用等级降为失信企业的；

2. 内部信息化系统不完备，加工贸易货物流和数据流逻辑链条不完整，耗料管理不能满足海关监管要求的；

3. 不能规范办理海关手续，不能按要求及时提交、保留、存储相关数据、单证和资料的；

4. 主动申请不实施新监管模式的；

5. 其他需要撤销新监管模式的。

海关不再对其实施新监管模式账册管理的，自确定之日起30日内，企业应向海关办理该账册核销手续。

三、其他事项

（一）海关总署将对年度申报等制度进行补充细化，同时，将研究出台海关保税维修业务监管的有关制度。在有关制度出台前，请有本企业、本集团保税维修需求的企业尽快与当地海关联系报送有关需求，海关总署将视情明确办法出台前的统一监管规则。

（二）本公告正式实施后，对尚未执行完毕的加工贸易手（账）册，企业可将尚未出口的加工贸易货物折料转入新开设的账册。

（三）本公告未明确事项，按照加工贸易监管的一般性规定实施管理。

公告内容自发布之日起施行，《中华人民共和国海关总署2018年第19号公告》同时废止。

特此公告。

## 关于加工贸易监管有关事宜的公告

（海关总署公告2018年第104号）

(2018年8月13日由海关总署发布，2018年8月13日起施行，法规类型为规范性文件)

2018年5月29日，海关总署公布了《海关总署关于修改部分规章的决定》（海关总署令第240号），对《中华人民共和国海关加工贸易货物监管办法》（以下简称《办法》）有关规定作出修改。现结合署令修订内容以及此前发布公告内容进行调整，并重新公告如下：

一、关于《办法》第二条

经营企业应当在手册有效期内办理保税料件或者成品内销、结转、退运等海关手续。

二、关于《办法》第六条

（一）有下列情形之一的，不予办理抵押手续：

1. 抵押影响加工贸易货物生产正常开展的；
2. 抵押加工贸易货物或者其使用的保税料件涉及进出口许可证件管理的；
3. 抵押加工贸易货物属来料加工货物的；
4. 以合同为单元管理的，抵押期限超过手册有效期限的；
5. 以企业为单元管理的，抵押期限超过一年的；
6. 经营企业或者加工企业涉嫌走私、违规，已被海关立案调查、侦查，案件未审结的；
7. 经营企业或者加工企业因为管理混乱被海关要求整改，在整改期内的；
8. 海关认为不予批准的其他情形。

（二）经营企业在申请办理加工贸易货物抵押手续时，应向主管海关提交以下材料：

1. 正式书面申请；
2. 银行抵押贷款书面意向材料。

（三）经审核符合条件的，经营企业在缴纳相应保证金或者银行、非银行金融机构保函（以下简称"保证金或者保函"）后，主管海关准予其向境内银行办理加工贸易货物抵押，并将抵押合同、贷款合同复印件留存主管海关备案。

保证金或者保函按抵押加工贸易保税货物对应成品所使用全部保税料件应缴税款金额收取。

三、关于《办法》第九条

（一）"分开管理"是指加工贸易货物应与非加工贸易货物分开存放，分别记帐。对确实无法实现货物分开存放的，须经主管海关在审核企业内部信息化管理系统、确认其能够通过联网监管系统实现加工贸易货物与非加工贸易货物数据信息流分开后，认定其符合"分开管理"的监管条件。企业应当确保保税货物流与数据信息流的一致性。

（二）"海关备案的场所"是指加工贸易企业在办理海关注册登记以及加工贸易业务时向海关备案的经营场所。

（三）加工贸易企业改变或者增加存放场所，应经主管海关批准。主管海关应要求加工贸易企业提交注明存放地址、期限等有关内容的书面申请和存放场所的所有权证明复印件，如属租赁场所还需提交租赁合同。

除外发加工等业务需要外，加工贸易货物不得跨直属海关辖区进行存放。

**四、关于《办法》第二十一条**

（一）企业在办理深加工结转业务时，有未按照有关规定进行收发货申报及报关情形的，在补办有关手续前，海关不再受理新的《深加工结转申报表》，并可根据实际情况暂停已办理《深加工结转申报表》的使用。

（二）企业应按照有关规定撤销或者修改深加工结转报关单；对已放行的深加工结转报关单，不能修改，只能撤销。

（三）转出、转入企业违反有关规定的，海关按照《中华人民共和国海关法》及《中华人民共和国海关行政处罚实施条例》的规定处理；构成犯罪的，依法追究其刑事责任。

**五、关于《办法》第二十二条**

（一）企业应当在货物首次外发之日起3个工作日内向海关备案外发加工基本情况；企业应当在货物外发之日起10日内向海关申报实际收发货情况，同一手（账）册、同一承揽者的收、发货情况可合并办理。

企业外发加工备案信息发生变化的，应当向海关变更有关信息。

（二）以合同为单元管理的，首次外发是指在本手册项下对同一承揽者第一次办理外发加工业务；以企业为单元管理的，首次外发是指本核销周期内对同一承揽者第一次办理外发加工业务。

（三）对全工序外发的，企业应当在外发加工备案时缴纳相当于外发加工货物应缴税款金额的保证金或者保函。企业变更外发加工信息时，涉及企业应缴纳外发加工保证金数量增加的，企业应补缴保证金或者保函。

（四）企业未按规定向海关办理外发加工手续，或者实际外发情况与申报情况不一致的，按照《中华人民共和国海关行政处罚实施条例》有关规定予以处罚。

**六、关于《办法》第二十五条**

企业申请内部料件串换的，应遵循以下原则：

（一）保税料件之间以及保税料件和进口非保税料件之间的串换，必须符合同品种、同规格、同数量的条件。

（二）保税料件和国产料件（不含深加工结转料件）之间的串换必须符合同品种、同规格、同数量、关税税率为零，且商品不涉及进出口许可证件管理的条件。

（三）经营企业因保税料件与非保税料件之间发生串换，串换下来同等数量的保税料件，经主管海关批准后，由企业自行处置。

**七、关于《办法》第二十七条**

经营企业因加工贸易出口产品售后服务需要而申请出口加工贸易手册项下进口的未加工保税料件的，可以按"进料料件复出"或者"来料料件复出"的贸易方式直接申报出口。

**八、关于《办法》第三十一条**

经营企业申请办理加工贸易货物内销手续，除特别规定外，应当向海关提交下列单证：

（一）经营企业申请内销加工贸易货物的材料；

（二）提交与归类和审价有关的材料。

经营企业申请办理加工贸易货物内销手续，应当如实申报《加工贸易货物内销征税联系单》，凭以办理通关手续。

**九、关于《办法》第三十一条**

加工贸易料件、成品无法复出口的，按照《中华人民共和国海关关于加工贸易边角料、剩余料件、残次品、副产品和受灾保税货物的管理办法》（海关总署令第111号公布，根据海关总署令第198号、第218号、第235号和第238号修改）中对剩余料件的有关规定办理。

十、经营企业申报剩余料件结转的，应当向海关提交下列单证
(一) 经营企业申报剩余料件结转的材料；
(二) 经营企业拟结转的剩余料件清单。
经营企业应当如实申报《加工贸易剩余料件结转联系单》，凭以办理通关手续。
十一、关于到期手册未报核的处理
经营企业应当在手册有效期限内进行报核，对经营企业到期手册未报核的，经海关审查，按照《中华人民共和国海关行政处罚实施条例》的有关规定进行处理。
十二、关于《办法》第四十条
经营企业应按照《中华人民共和国海关报关单位注册登记管理规定》(海关总署令第221号公布，根据海关总署令第235号和第240号修改) 办理海关注册登记手续。
十三、关于纸质单证使用问题
在启用计算机系统办理相关业务前，暂使用原纸质单证办理。
本公告内容自公布之日起执行。海关总署公告2005年第9号、2010年第93号、2014年第21号同时废止。
特此公告。

# 关于取消《加工贸易企业经营状况及生产能力证明》的公告

(商务部 海关总署公告2018年第109号)

(2018年12月29日由商务部、海关总署发布，2019年1月1日起施行，法规类型为规范性文件)

根据国务院"放管服"工作部署和《国务院关于促进加工贸易创新发展的若干意见》(国发〔2016〕4号) 精神，为深化加工贸易管理体制改革，进一步提高便利化水平，完善事中事后监管，在全国范围内取消《加工贸易企业经营状况及生产能力证明》(以下简称《生产能力证明》)，由加工贸易企业自主承诺具备相应生产经营能力。现就有关事项公告如下：

一、自2019年1月1日起，企业从事加工贸易业务不再申领《生产能力证明》，商务主管部门不再为加工贸易企业出具《生产能力证明》。

二、企业开展加工贸易业务，须具备相应生产经营能力。加工企业应具有与业务范围相适应的工厂、加工设备和工人，经营企业应具有进出口经营权。企业应自觉履行安全生产、节能低碳、环境保护等社会责任。

三、企业开展加工贸易业务，须登录"加工贸易企业经营状况及生产能力信息系统"(https：//ecomp.mofcom.gov.cn/)，自主填报《加工贸易企业经营状况及生产能力信息表》(以下简称《信息表》)，并对信息真实性作出承诺。《信息表》有效期为自填报(更新)之日起1年，到期后或相关信息发生变化，企业应及时更新《信息表》。

四、已网上填报《信息表》的企业到主管海关办理加工贸易手(账) 册设立(变更) 手续，无须提交纸质《信息表》。

五、企业在2019年1月1日前已取得《生产能力证明》，且信息无变化的，仍可凭有效期内的《生产能力证明》到主管海关办理加工贸易手续。

六、企业作出不实承诺的，将被记入企业诚信记录，并依法采取降低海关信用等级等措

施。

七、商务主管部门和海关要继续加强对加工贸易企业的服务和指导，做好政策宣传推介，确保加工贸易管理工作平稳运行。

附件：《加工贸易企业经营状况及生产能力信息表》打印表（略）

## 关于精简和规范作业手续　促进加工贸易便利化的公告

（海关总署公告2019年第218号）

(2019年12月26日由海关总署发布，2020年1月1日起施行，法规类型为规范性文件)

为全面落实党中央、国务院关于扩大高水平开放、深化"放管服"改革的决策部署，海关总署研究决定对部分加工贸易业务办理手续进行精简和规范，现将有关事项公告如下：

一、手册设立（变更）一次申报，取消备案资料库申报

企业通过金关二期加贸管理系统办理加工贸易手册设立（变更）时，不再向海关申报设立备案资料库，直接发送手册设立（变更）数据，海关按规定对企业申报的手册设立（变更）数据进行审核并反馈。

二、账册设立（变更）一次申报，取消商品归并关系申报

企业通过金关二期加贸管理系统办理加工贸易账册设立（变更）时，不再向海关申报归并关系，由企业根据自身管理实际，在满足海关规范申报和有关监管要求的前提下，自主向海关申报有关商品信息。企业内部管理商品与电子底账之间不是一一对应的，归并关系由企业自行留存备查。

三、外发加工一次申报，取消外发加工收发货记录

简化外发加工业务申报手续，企业通过金关二期加贸管理系统办理加工贸易外发加工业务时，应在规定的时间内向海关申报《外发加工申报表》，不再向海关申报外发加工收发货登记，实现企业外发加工一次申报、收发货记录自行留存备查。

企业应如实填写并向海关申报《外发加工申报表》，对全工序外发的，应在申报表中勾选"全工序外发"标志，并按规定提供担保后开展外发加工业务。

四、深加工结转一次申报，取消事前申请和收发货记录

简化深加工结转业务申报手续，海关对加工贸易深加工结转业务不再进行事前审核。企业通过金关二期加贸管理系统办理加工贸易深加工结转业务时，不再向海关申报《深加工结转申报表》和收发货记录，应在规定的时间内直接向海关申报保税核注清单及报关单办理结转手续，实现企业深加工结转一次申报、收发货记录自行留存备查。

企业应于每月15日前对上月深加工结转情况进行保税核注清单及报关单的集中申报，但集中申报不得超过手（账）册有效期或核销截止日期，且不得跨年申报。

五、余料结转一次申报，不再征收风险担保金

简化余料结转业务申报手续，海关对加工贸易余料结转业务不再进行事前审核。企业通过金关二期加贸管理系统办理加工贸易余料结转业务时，不再向海关申报《余料结转申报表》，企业应在规定的时间内向海关申报保税核注清单办理余料结转手续，实现企业余料结转一次申报。

取消企业办理余料结转手续需征收担保的相关规定，对同一经营企业申报将剩余料件结转到另一加工企业的、剩余料件转出金额达到该加工贸易合同项下实际进口料件总额 50% 及以上的、剩余料件所属加工贸易合同办理两次及两次以上延期手续的等情形，企业不再提供担保。

## 六、内销征税一次申报，统一内销征税申报时限

优化加工贸易货物内销征税手续，企业通过金关二期加贸管理系统办理加工贸易货物内销业务时，直接通过保税核注清单生成内销征税报关单，并办理内销征税手续，不再向海关申报《内销征税联系单》。

统一区外加工贸易企业集中办理内销征税手续申报时限，符合条件集中办理内销征税手续的加工贸易企业，应于每月 15 日前对上月内销情况进行保税核注清单及报关单的集中申报，但集中申报不得超过手（账）册有效期或核销截止日期，且不得跨年申报。

## 七、优化不作价设备监管，简化解除监管流程

企业通过金关二期加贸管理系统办理不作价设备手册设立等各项手续，根据规范申报要求上传随附单证进行在线申报。

简化不作价设备解除监管流程，对于监管期限已满的不作价设备，企业不再向海关提交书面申请等纸质单证，通过申报监管方式为"BBBB"的设备解除监管专用保税核注清单，向主管海关办理设备解除监管手续。保税核注清单审核通过后，企业如有需要，可自行打印解除监管证明。不作价设备监管期限未满，企业申请提前解除监管的，由企业根据现有规定办理复运出境或内销手续。

## 八、创新低值辅料监管，纳入保税料件统一管理

将低值辅料纳入加工贸易手（账）册统一管理。企业使用金关二期加贸管理系统，将低值辅料纳入进口保税料件申报和使用，适用加工贸易禁止类、限制类商品目录等相关管理政策，实现低值辅料无纸化、规范化管理。

海关停止签发低值辅料登记表，之前已经签发的低值辅料登记表，企业可正常执行完毕。

本公告自 2020 年 1 月 1 日起实施。

特此公告。

# 出境加工

## 关于出境加工货物监管有关问题的通知

(署加发〔2016〕225号)

(2016年11月25日由海关总署发布,2016年11月25日起施行,法规类型为规范性文件)

广东分署,各直属海关:

出境加工是世界贸易组织《贸易便利化协定》规定的重要内容,也是各国海关促进贸易便利化的重要措施。近年来,海关总署在原有出料加工业务的基础上,先后在部分直属海关组织开展出境加工业务试点,取得了一定成效。为贯彻落实《国务院关于做好自由贸易试验区新一批改革试点经验复制推广工作的通知》(国发〔2016〕63号)的要求,进一步规范海关对出境加工货物监管,根据《中华人民共和国进出口关税条例》(国务院令第392号)和《中华人民共和国进出口货物征税管理办法》(海关总署令第124号),现对出境加工货物监管有关事宜通知如下:

一、我国境内符合条件的企业将自有的原辅料、零部件、元器件或半成品等货物委托境外企业制造或加工后,在规定的期限内复运进境并支付加工费和境外料件费等相关费用的,可按照出境加工进行监管。

对保税货物复出口和运往境外检测、维修货物的监管仍按现行规定办理。

二、出境加工货物不受加工贸易禁止类、限制类商品目录限制,不执行加工贸易银行保证金台帐及单耗管理等加工贸易相关政策。

三、企业开展出境加工业务,应同时符合下列要求:

(一)企业信用等级为一般认证及以上企业;

(二)不涉及国家禁止、限制进出境货物;

(三)不涉及国家应征出口关税货物。

四、有下列情形之一的,不得开展出境加工业务:

(一)企业涉嫌走私、违规,已被海关立案调查、侦查,且案件尚未审结的;

(二)企业未在规定期限内向海关核报已到期出境加工账册的。

五、开展出境加工业务企业所在地海关为出境加工业务的主管海关,海关采用账册方式对出境加工货物实施监管。出境加工的货物出口和复进口应在同一口岸。

在信息化系统上线前,各关可暂用纸质账册进行管理,账册编码规则暂定为"出(1位)

+关区代码（4位）+年（4位）+顺序号（5位）"，共14位（账册格式见附件）。

六、办理出境加工账册设立（变更）手续时，海关应要求企业如实申报进出口口岸、商品名称、商品编号、数量、规格型号、价格和境外料件使用情况等，并收取下列单证：

（一）出境加工合同；

（二）生产工艺说明；

（三）相关货物的图片或样品等；

（四）海关需要收取的其他证件和材料。

企业提交单证齐全有效的，主管海关应自接受企业账册设立申请之日起5个工作日内完成出境加工账册设立（变更）手续。

账册核销期为1年。

七、出境加工货物按照下列方式进行申报：

（一）出境加工货物从国内出口，海关审核企业填报的出口货物报关单，监管方式为"出料加工"（监管代码1427），征减免税方式为"全免"，备注栏填写账册编码（待信息化系统完善后，在备案号一栏填写账册编码），其他项目据实填写。

（二）出境加工货物从国外加工完毕后复进口，海关审核企—3—业填报的进口货物报关单，监管方式为"出料加工"（监管代码1427），商品编号栏目按实际报验状态填报，每一项复进口货物分列两个商品项填报，其中一项申报所含原出口货物价值，商品数量填写复进口货物实际数量，征减免税方式为"全免"；另一项申报境外加工费、料件费、复运进境的运输及其相关费用和保险费等，商品数量为0.1，征减免税方式为"照章征税"。备注栏填写账册编码（待信息化系统完善后，在备案号一栏填写账册编码），其他项目据实填写。

八、出境加工货物在规定期限内复运进境的，海关根据《中华人民共和国进出口关税条例》（国务院令第392号）和《中华人民共和国海关审定进出口货物完税价格办法》（海关总署令第213号）有关规定，以境外加工费、料件费、复运进境的运输及其相关费用和保险费等为基础审查确定完税价格。

九、出境加工货物因品质或规格等原因需退运的，按退运货物（监管代码4561）有关规定，在账册核销周期内办理。

出境加工货物超过退运期限或账册核销周期再复运进境的，海关对进口货物按一般贸易管理规定办理进口手续。

十、出境加工账册按以下方式进行核销：

（一）出境加工账册采取企业自主核报、自动核销模式，企业应于出境加工账册核销期结束之日起30日内向主管海关核报出境加工账册。

（二）出境加工货物因故无法按期复运进境的，企业应及时向主管海关书面说明情况，海关据此核扣复运进境商品数量。

（三）对逾期不向海关核报的出境加工账册，海关可通过电子公告牌等方式联系企业进行催核。催核后仍不核报的，海关可直接对账册进行核销。

（四）对账册不平衡等异常情况，企业应作出说明并按具体情况办结相应海关手续后予以核销；需要删改报关单的，企业应按照《中华人民共和国海关进出口货物报关单修改和撤销管理办法》（海关总署令第220号）办理。

十一、各关关税、监通、加贸、稽查、风险、统计等部门在出境加工监管工作中应加强联系配合，强化风险监控和实际监管，严厉打击利用出境加工方式进行走私、偷逃税收及虚假贸易等行为。对发现的线索应及时向本关缉私部门或虚假贸易主管部门反馈，对存在走私违规等影响企业信用认定情形的，应及时反馈本关企管部门依法下调企业信用等级。

十二、海关可与境外加工企业所在地海关（或履行海关职责的政府机构）建立合作机制，也可通过第三方机构提供境外情况证明辅助海关监管。

十三、前期经总署批准在部分海关开展的出境加工试点业务，按本《通知》规定执行。试点企业不符合本《通知》第三条规定的，可在2018年12月1日前继续将原出境加工合同执行完毕，过渡期内不再设立新的出境加工账册。

特此通知。

附件：出境加工账册模板（略）

## 关于出境加工业务有关问题的公告

（海关总署公告2016年第69号）

（2016年11月28日由海关总署发布，2016年11月30日起施行，法规类型为规范性文件）

为规范海关对出境加工货物监管，现就有关事项公告如下：

一、本公告所称"出境加工"是指我国境内符合条件的企业将自有的原辅料、零部件、元器件或半成品等货物委托境外企业制造或加工后，在规定的期限内复运进境并支付加工费和境外件料费等相关费用的经营活动。

对保税货物复出口和运往境外检测、维修货物的监管仍按现行规定办理。

二、企业开展出境加工业务，应同时符合下列要求：

（一）信用等级为一般认证及以上企业；

（二）不涉及国家禁止、限制进出境货物；

（三）不涉及国家应征出口关税货物。

三、企业有下列情形之一的，不得开展出境加工业务：

（一）涉嫌走私、违规，已被海关立案调查、侦查，且案件尚未审结的；

（二）未在规定期限内向海关核报已到期出境加工账册的。

四、出境加工货物不受加工贸易禁止类、限制类商品目录限制，不实行加工贸易银行保证金台帐及单耗管理等加工贸易相关规定。

五、海关采用账册方式对出境加工货物实施监管。在信息化系统上线前，暂用纸质账册进行管理（见附件）。企业开展出境加工业务，应设置符合海关监管要求的账簿、报表以及其他有关单证，记录与本企业出境加工货物有关的情况，凭合法、有效凭证记账、核算并接受海关监管。

六、开展出境加工业务的企业，应向其所在地主管海关办理账册设立手续，并提交下列单证：

（一）出境加工合同；

（二）生产工艺说明；

（三）相关货物的图片或样品等；

（四）海关需要收取的其他证件和材料。

企业提交单证齐全有效的，主管海关应自接受企业账册设立申请之日起5个工作日内完成出境加工账册设立手续。账册核销期为1年。

七、办理出境加工账册设立手续时,企业应如实申报进出口口岸、商品名称、商品编号、数量、规格型号、价格和原产地等;使用境外料件的,还应如实申报使用境外料件的数量、金额。账册设立内容发生变更的,企业应在账册有效期内办理变更手续。

八、出境加工货物的出口和复进口应在同一口岸。企业应按下列方式进行申报:

(一)出境加工货物从国内出口,企业填报出口货物报关单,监管方式为"出料加工"(监管代码1427),征减免税方式为"全免",备注栏填写账册编码(待信息化系统完善后,在备案号一栏填写账册编码),其他项目据实填写。

(二)出境加工货物从国外加工完毕后复进口,企业填报进口货物报关单,监管方式为"出料加工"(监管代码1427),商品编号栏目按实际报验状态填报,每一项复进口货物分列两个商品项填报,其中一项申报所含原出口货物价值,商品数量填写复进口货物实际数量,征减免税方式为"全免";另一项申报境外加工费、料件费、复运进境的运输及其相关费用和保险费等,商品数量为0.1,征减免税方式为"照章征税"。备注栏填写账册编码(待信息化系统完善后,在备案号一栏填写账册编码),其他项目据实填写。

九、出境加工货物在规定期限内复运进境的,海关根据《中华人民共和国进出口关税条例》(国务院令第392号)和《中华人民共和国海关审定进出口货物完税价格办法》(海关总署令第213号)有关规定,以境外加工费、料件费、复运进境的运输及其相关费用和保险费等为基础审查确定完税价格。

十、出境加工货物因品质或规格等原因需退运的,企业应按退运货物(监管代码4561)有关规定,在账册核销周期内办理;出境加工货物超过退运期限或账册核销周期再复运进境的,企业应按一般贸易管理规定办理进口手续。

十一、出境加工账册按以下方式进行核销:

(一)出境加工账册采取企业自主核报、自动核销模式,企业应于出境加工账册核销期结束之日起30日内向主管海关核报出境加工账册。

(二)出境加工货物因故无法按期复运进境的,企业应及时向主管海关书面说明情况,海关据此核扣复运进境商品数量。

(三)对逾期不向海关核报的出境加工账册,海关可通过电子公告牌等方式联系企业进行催核。催核后仍不核报的,海关可直接对账册进行核销。

(四)对账册不平衡等异常情况,企业应作出说明并按具体情况办结相应海关手续后予以核销;需要删改报关单的,企业应按《中华人民共和国海关进出口货物报关单修改和撤销管理办法》(海关总署令第220号)办理。

十二、海关根据监管需要,可以对开展出境加工业务的企业开展稽核查,企业应给予配合。

十三、本公告自2016年11月30日起施行。此前已经开展的出境加工试点业务,按本《公告》规定执行。试点企业不符合本公告第二条要求的,可在2018年12月1日前继续将原出境加工合同执行完毕,过渡期内不再设立新的出境加工账册。

特此公告。

附件:出境加工账册模板(略)

## 关于启用出境加工电子账册的公告

(海关总署公告2019年第57号)

(2019年3月25日由海关总署发布,2019年4月1日起施行,法规类型为规范性文件)

为促进和规范出境加工业务发展,海关总署升级保税综合管理子系统,开发上线了出境加工电子账册(以下简称"出境加工账册"),现将有关事宜公告如下:

一、自2019年4月1日起,海关总署正式启用出境加工账册,企业可通过国际贸易"单一窗口"办理出境加工账册设立等各项手续。

二、启用出境加工账册的企业在办理账册项下货物进出口时,不再强制按照《海关总署关于出境加工业务有关问题的公告》(海关总署公告2016年第69号)第八条"出境加工货物的出口和复进口应在同一口岸"办理,企业可根据实际业务需要选择进出口口岸。

三、企业原已设立的出境加工纸质手册可在有效期内继续执行完毕。

特此公告。

# 异地/外发加工

## 海关总署关于废止《中华人民共和国海关关于异地加工贸易的管理办法》的决定

(海关总署令第 234 号)

(2017 年 12 月 8 日由海关总署发布,2017 年 12 月 8 日起施行,法规类型为部门规章)

为进一步深化海关简政放权放管结合优化服务改革,在保证海关有效监管、精准监管的同时,优化加工贸易业务管理模式,为企业减负增效,现决定废止 1999 年 9 月 22 日以海关总署令第 74 号公布并于 2010 年 11 月 26 日以海关总署令第 198 号、2014 年 3 月 13 日以海关总署令第 218 号修改的《中华人民共和国海关关于异地加工贸易的管理办法》。

本决定自公布之日起生效。

## 关于加工贸易保税货物外发加工业务有关事项

(海关总署公告 2009 年第 51 号)

(2009 年 8 月 10 日由海关总署发布,2009 年 8 月 10 日起施行,法规类型为规范性文件)

根据《海关总署关于修改〈中华人民共和国海关对加工贸易货物监管办法〉的决定》(海关总署令第 168 号)、《海关总署关于公布〈中华人民共和国海关加工贸易企业联网监管办法〉的令》(海关总署令第 150 号)等有关规定,现就加工贸易外发加工业务管理和 H2000 外发加工管理系统(以下简称外发系统)操作等有关问题公告如下:

一、具备加工生产能力,但受自身生产特点和工艺条件限制而不能完成全部工序和订单的加工贸易企业(以下简称企业),由企业提出申请,经海关核准,可开展外发加工业务。

企业申请外发加工业务的,由《加工贸易手册》(包括电子化手册、电子账册和纸制手册)备案地主管海关负责核准和办理外发加工业务手续,并对保税货物实施海关监管。

承揽外发加工企业不得将加工贸易货物再次外发至其他企业进行加工。

二、企业已使用外发系统对外发加工业务进行管理的,主管海关不再签发纸质《加工贸易货物外加工申请审批表》，并应按照《海关总署 H2000 外发加工管理系统推广暂行办法》（详见附件）有关规定，使用外发系统办理相关海关手续。

因系统故障和暂未安装系统等原因造成无法使用外发系统对外发加工业务进行管理的，可采用纸质单证作业方式进行处理。外发系统故障恢复正常运作后，企业应按照《海关总署 H2000 外发加工管理系统推广暂行办法》规定进行补录入。

三、企业申请开展外发加工业务的，应按照《海关总署关于修改〈中华人民共和国海关对加工贸易货物监管办法〉的决定》（海关总署令第 168 号）修正后的《中华人民共和国海关对加工贸易货物监管办法》第三条第十款"承揽企业须经海关注册登记"的规定，提交承揽企业营业执照复印件、企业签章确认的承揽企业生产能力状况等必要材料。

同一承揽企业的营业执照和生产能力状况资料等已在海关备案的，企业无须每次重复提供，并应将其与承揽企业签订的加工合同或协议留底备查。

四、经主管海关核准，对外发加工成品、剩余料件以及生产过程中产生的边角料、残次品、副产品等保税货物不运回的，企业应按照保税加工管理规定办理相关手续。

五、对外发加工的保税货物总量超出主管商务部门核定的企业年生产能力的 50% 以上或全部工序外发加工的，企业应使用外发系统办理海关相关手续。

六、本公告自发布之日起执行。现行规定与本公告内容不符的，以本公告内容为准。

特此公告。

附件：海关总署 H2000 外发加工管理系统推广暂行办法

**附件**

## 海关总署 H2000 外发加工管理系统推广暂行办法

第一条　为规范海关对外发加工的管理，根据现行海关有关法律、行政法规的规定，制定本办法。

第二条　本办法适用于开展外发加工业务的加工贸易企业（以下简称企业）。

第三条　外发加工业务的备案管理：

（一）企业应向主管海关提出外发加工备案申请，经主管海关核准备案后，方可办理外发加工手续，并填写《中华人民共和国海关加工贸易保税货物外发加工申请表》（以下简称《申请表》）。

（二）主管海关通过计算机系统对企业申报备案的《申请表》电子数据进行审核。《申请表》经主管海关审核通过后，企业即可办理外发加工收发货登记手续。

（三）《申请表》从主管海关审核通过之日起生效，有效期不能超过对应企业《加工贸易手册》（包括电子化手册、电子账册和纸质手册，以下简称《手册》）的有效期或核销截止日期，逾期不能收发货。

第四条　企业办理外发加工前，应以《申请表》向主管海关申请电子数据备案。

（一）一份《申请表》对应一个承揽企业，并对应企业一本《手册》。

（二）《申请表》内容包括企业名称及编码、承揽企业名称、外发加工合同号、地址（在备注栏填写）、关联手册（帐册）号，以及外发货物（半成品或原料）的品名、数量、计量单位、加工后产品的品名、数量、计量单位等。

（三）对企业申请全部工序外发加工的，企业应在《申请表》备注栏注明"全部工序外发加工"字样。

第五条　企业应分别在每批实际收发货后 72 小时内申报《保税货物外发加工收发货单》

(以下简称《收发货单》）电子数据。

（一）72小时内在同一《申请表》项下发生的多次收、发货可累加成一次录入申报。

（二）因企业端系统、海关端系统等原因，导致无法在规定时限内申报《收发货单》的，经主管海关批准，可适当延长申报时限，但最长不得超过7天。

**第六条** 企业应向海关如实申报《申请表》、《收发货单》。

**第七条** 企业办理外发加工备案手续后，应当按照经主管海关审核通过后的《申请表》进行实际收发货。每批次收发货，应按第五条规定时限如实申报《收发货单》电子数据。

**第八条** 《申请表》、《收发货单》海关不统一印制，企业如需使用可自行打印。

**第九条** 企业有下列情形之一，海关不予批准其开展外发加工业务：

（一）涉嫌走私、违规，已被海关立案调查、侦查，案件未审结的；

（二）生产经营管理不符合海关监管要求，被海关责令限期整改，在整改期内的；

（三）有逾期未报核《手册》的；

（四）申请外发加工的《手册》被海关暂停进出口的。

**第十条** 本办法由海关总署负责解释。

# 深加工结转

## 关于进一步加强加工贸易深加工结转
## 售付汇及核销管理有关问题的通知

(汇发〔2001〕64号)

(2001年3月27日由国家外汇管理局、海关总署发布,2001年3月27日起施行,法规类型为规范性文件)

国家外汇管理局各分局,北京、重庆外汇管理部;大连、青岛、宁波、厦门、深圳分局;海关广东分署、各直属海关:

近年来,国家出台了一系列规范加工贸易深加工结转(转厂)业务(以下简称"深加工结转")及其售付汇以及进出口核销管理的政策和法规,深加工结转业务和售付汇以及进出口核销逐步走向规范。但在实际工作中,由于深加工结转业务和外汇管理的特殊性和复杂性以及一些地方海关和外汇局对有关政策和法规理解存在偏差,给不法分子造成了可乘之机。为进一步加强对深加工结转业务和售付汇以及进出口核销管理,防止不法分子利用深加工结转渠道逃、套、骗汇,现就有关问题明确并通知如下:

一、深加工结转是海关对进料和来料货物监管的转移和延伸,视同进出口。转入视同进口,转出视同出口,各经办海关均应签发相应的报关单外汇证明联。同时,对一切形式的深加工结转,海关在办理转出手续时,必须验核国家外汇管理局及其分局(以下简称"外汇局")出具的出口收汇核销单,并根据国家外汇管理局、海关总署2001年1月22日发布的《国家外汇管理局、海关总署关于进行"口岸电子执法系统"出口收汇核销联网核查试点的通知》(汇发〔2000〕7号)中的出口收汇系统试点工作进度安排,进行出口收汇核销单的联网核查。

二、加工贸易经批准深加工结转办理形式报关手续时,各经办海关应按本通知要求,验凭正本出口收汇核销单办理海关手续,并签发进、出口货物报关单外汇证明联。办结手续后,进出口货物报关单电子数据按规定向总署传输。

三、对海关批准的进料转来料深加工结转业务,外汇局在办理进料加工企业(转出企业)的出口收汇核销手续时,应按照一般的进料加工业务,要求其全额收汇。

四、对于海关批准的进料转进料深加工结转业务,转出、转入企业之间如果以人民币结算,应当由转出企业持《国家外汇管理局关于印发〈深加工结转(转厂)售付汇及核销操作程序〉的通知》(汇发〔1999〕78号文)第二条规定的单证,其中,第二款规定的正本出口报关单的复印件改为正本出口报关单;第三款规定的出口收汇核销单的复印件改为正本出口收汇核销单、第五款进口付汇核销单改为复印件，到注册所在地外汇局办理出口收汇核销手续。外汇局在办理转出企业的出口收汇核销手续时，将转出企业的出口收汇核销单作不收汇核销处理，同时，还应按照国家外汇管理局和海关总署联合下发的《关于重新明确使用进出口报关单联网核查系统有关问题的通知》规定的有关做法，将转入企业的相应未付汇的进口货物报关单电子底帐注销结案。

本通知自文到之日起执行。

## 关于对深加工结转管理系统进行优化推广使用

（海关总署公告2013年第2号）

（2013年1月7日由海关总署发布，2013年1月7日起施行，法规类型为规范性文件）

为促进对外贸易稳定增长，提高通关效率，降低企业运营成本，规范加工贸易深加工结转管理，海关对深加工结转管理系统进行了全面优化。海关总署决定全面推广使用。现就有关事宜公告如下：

一、企业办理加工贸易深加工结转业务应通过深加工结转预录入系统或通过标准数据接口向海关申报结转数据。企业可向主管海关申请安装深加工结转预录入系统，录入或导入结转数据向海关申报。

二、2013年6月1日起，企业应使用深加工结转管理系统办理直属海关关区内深加工结转业务。

三、2013年10月1日起，企业应使用深加工结转管理系统办理跨关区深加工结转业务。

特此公告。

# 商品管理

## 关于加强冻鸡加工贸易审批管理有关问题的紧急通知

([2000] 外经贸管发第646号)

(2000年12月27日由对外贸易经济合作部发布,2001年1月1日起施行,法规类型为规范性文件)

各省、自治区、直辖市及计划单列市外经贸委(厅、局),深圳市经发局,配额许可证事务局:

为规范冻鸡加工贸易经营秩序,打击利用加工贸易名义进行的各种违法、违规行为,根据《关于进一步完善加工贸易银行保证金台帐制度的意见》(国办发〔1999〕35号)和《加工贸易审批管理暂行办法》(〔1999〕外经贸管发第314号,以下简称"审批管理办法")及《加工贸易保税进口料件内销审批管理暂行办法》(〔1999〕外经贸管发第315号)等有关管理规定,决定对冻鸡加工贸易采取加强管理、从严审批的措施,现将有关事项通知如下:

一、对加工贸易进口冻鸡实行银行保证金台帐"实转"管理,禁止开展冻鸡杂碎加工贸易业务

根据国家经贸委、外经贸部、海关总署《关于将冻鸡列入加工贸易进口限制类商品目录的通知》(国经贸外经〔2000〕1177号),自2001年1月1日起,将加工贸易进口冻鸡列为加工贸易限制类商品,实行银行保证金台帐"实转"管理。

根据国家经贸委、外经贸部、海关总署《关于将冻的鸡翼尖、鸡爪、鸡肝及其他鸡杂碎列入加工贸易禁止类商品目录的通知》(国经贸外经〔2000〕1178号),自2001年1月1日起,将冻的鸡翼尖、鸡爪、鸡肝及其他鸡杂碎列入加工贸易禁止类商品目录。对企业申请进口冻鸡杂碎的加工贸易业务,各审批机关一律不予批准。

二、严格审核企业冻鸡加工生产能力

各有关外经贸主管部门,对现已开展冻鸡加工贸易业务的企业,须按"审批管理办法"的有关规定,重新严格查验加工企业生产能力和经营状况,并须经当地出入境检验检疫部门确认后,颁发有关冻鸡的《加工贸易加工企业生产能力证明》。

三、从严审批冻鸡加工贸易业务

(一)不再批准新的企业开展冻鸡加工贸易业务。对在1999年12月1日—2000年12月31日期间已经审批机关批准并已在2000年1月1日—12月31日期间有冻鸡加工贸易进、出口实绩且无违规、违法行为的企业,经向外经贸部备案后,审批机关可受理其冻鸡加工贸易业务申请。

（二）严格审核企业有关申报文件。各审批机关须按"审批管理办法"的有关规定，严格审核企业的冻鸡加工贸易业务申请报告及进、出口合同、加工企业生产能力证明和"审批管理办法"第十条规定的其他有关文件，对不能出具有效的进、出口合同和加工企业生产能力证明和"审批管理办法"第十条规定的其他有关文件的业务申请一律不予批准。

（三）限定返销期。各审批机关对冻鸡加工贸易制成品返销期的核定不超过三个月。原则上不批准展期，如有特殊情况须报经省级外经贸主管部门审批，展期不超过一次，展期期限不超过三个月。

（四）不再批准新的进口口岸。各审批机关对企业在1999年12月1日—2000年12月31日期间已获得《加工贸易业务批准证》并已向海关备案的冻鸡加工贸易业务，不得批准变更进口口岸；对企业新申报的冻鸡加工贸易业务，须按企业在1999年12月1日—2000年12月31日期间已获得批准的进口口岸进行审批，不再批准新的进口口岸。

四、不得批准内销

加工贸易进口冻鸡产品须全部加工复出口，对企业的内销申请，各审批机关一律不予审批，如认为情况确实特殊，需补税内销的，可将有关材料转报外经贸部，由外经贸部商其他有关部门审定。

五、加强后续跟踪管理工作

各审批机关在签发有关进口冻鸡的《加工贸易业务批准证》后，需密切跟踪有关企业的生产、加工、出口及核销等情况，并会同其他有关管理部门，加大对冻鸡加工贸易业务中违法、违规行为的打击力度。对在冻鸡加工贸易业务中有违规行为的企业，一经查实，即取消其开展冻鸡加工贸易的经营资格。对利用加工贸易名义走私进口冻鸡的企业，一经查获，即取消其加工贸易业务经营权。

六、本通知自2001年1月1日起执行。此前已经外经贸部门批准并办理海关备案手册的冻鸡加工贸易业务合同，准许执行至合同完毕。

以上请遵照执行，有何问题请随时报外经贸部。

特此通知

# 关于变更黄金及其制品的加工贸易进出口监管条件

（中国人民银行　海关总署公告2003年第19号）

（2003年12月22日由中国人民银行、海关总署发布，2004年1月1日起施行，法规类型为规范性文件）

自2004年1月1日起，黄金及其制品的加工贸易进出口，中国人民银行不再审批，海关不再凭中国人民银行的批件验放。但其中不能复出口的黄金及其制品经批准内销的，按一般贸易进口管理，仍由中国人民银行审批，海关凭人民银行的批件并按内销有关规定办理核销手续。

## 关于农产品关税配额商品和天然橡胶加工贸易审批管理有关问题的通知

(内部明电 2003 年第 2947 号)

(2003 年 12 月 31 日由商务部、发改委、海关总署发布,2004 年 1 月 1 日起施行,法规类型为规范性文件)

各省、自治区、直辖市及计划单列市外经贸厅(委、局)、商务厅(委、局)、哈尔滨、长春、沈阳、南京、广州、成都、西安、武汉市外经贸局,深圳市经贸局;各省、自治区、直辖市及计划单列市计委(发展改革委);海关广东分署、天津、上海特派办,各直属海关:

根据商务部和国家发展改革委联合公布的《农产品进口关税配额管理暂行办法》(商务部、国家发展和改革委员会令 2003 年第 4 号,下简称《办法》)的有关规定,自 2004 年 1 月 1 日起,进口农产品关税配额商品将使用统一的《农产品进口关税配额证》,不再区分"A"、"B"证。为严格执行有关规定,现将农产品关税配额商品和天然橡胶的加工贸易审批管理有关问题通知如下:

一、企业进口《办法》中所列农产品关税配额商品开展加工贸易业务,仍由经营企业注册地省级外经贸加工贸易主管部门审批相关业务,并出具《加工贸易业务批准证》。

二、各省级外经贸加工贸易主管部门要严格按照《加工贸易审批管理暂行办法》((1999)外经贸管发 314 号)的规定,凭企业提交的并在"贸易方式"栏注明"加工贸易"的有效《农产品进口关税配额证》出具《加工贸易业务批准证》(羊毛、毛条除外)。对企业的审批总量累计不得超过该企业本年度配额持有总量。

三、羊毛和毛条加工贸易配额仍然实行凭《加工贸易业务批准证》和进口合同"先来先领"的分配方式(见商务部公告 2003 年第 52 号)。企业凭《加工贸易业务批准证》到商务部授权机构申领《农产品进口关税配额证》。

四、食糖加工贸易进口按《关于加强加工贸易食糖进口审批管理有关事项的通知》((2000)外经贸管发第 154 号)规定的程序办理。

五、农产品关税配额商品和天然橡胶的加工制成品返销期限仍为 6 个月。如由于特殊原因需延期的,原则上可办理延期一次,期限 6 个月。如在延长期内仍不能加工复出口需再次延期的,须报商务部批准。

六、按照现行加工贸易有关管理规定,进口农产品关税配额商品开展加工贸易业务,必须按规定返销出口。如因特殊原因确需内销,则严格按照《加工贸易保税进口料件内销审批管理暂行办法》((1999)外经贸管发第 315 号,下称"315 号"文)的有关规定执行,由各省级外经贸加工贸易主管部门报商务部审核批准;涉及粮食和棉花的,须与相关省级计委(发展改革委)联合上报商务部和国家发展改革委,由商务部和国家发展改革委同意后批准。各省级外经贸加工贸易主管部门凭商务部批复出具《加工贸易保税进口料件内销批准证》(下称《内销批准证》),并须在备注栏注明相应配额证件号码。

企业在规定时间内向海关申请办理内销和手册核销手续,海关凭商务部批复、相应的配额证件和《内销批准证》,对企业按关税配额税率计征税款和缓税利息后办理核销手续;如企业无法提供前述证件,海关对其按关税配额税率计征税款和缓税利息,并按《中华人民共和国行政处罚实施细则》有关规定处罚后办理核销手续。

七、自2004年1月1日起,对天然橡胶实行自动进口许可管理,加工贸易项下进口天然橡胶免领自动进口许可证件。如需转内销,按照"315号"文和《商务部关于加工贸易进口涉证商品内销有关问题的通知》(商机电加字〔2003〕65号)以及一般贸易相关管理规定执行,并报商务部批准。

八、本通知自2004年1月1日起执行。各单位在执行中有何问题和建议,请与上级主管部门联系。

特此通知。

# 关于加工贸易成品油形式出口复进口试点有关问题的公告

(海关总署公告2004年第22号)

(2004年6月18日由海关总署发布,2004年6月18日起施行,法规类型为规范性文件)

商务部、国家发展改革委、海关总署、国家外汇管理局《关于加工贸易成品油形式出口复进口试点有关问题的通知》(商机电函〔2004〕6号),决定对部分原油加工贸易经营企业炼制的成品油以形式出口,再形式进口方式开展试点工作,现将有关问题公告如下:

一、试点企业以加工贸易方式进口原油炼制的成品油原则上应加工复出口,如需转国内市场销售,由国内企业按照一般贸易的有关规定,凭自动进口许可证明以及《入境货物通关单》向原油加工贸易经营企业主管海关先办理形式进口报关和纳税手续,海关按一般贸易进口方式对成品油进行估价征税。原油加工贸易经营企业凭国内购油企业的进口报关单和进口合同等单证办理形式出口手续,形式出口报关单与形式进口报关单商品名称、商品编码和数量必须一致。办理形式进口和形式出口企业填制海关进出口报关单监管方式代码均为0642。海关凭有关出口报关单等单证按规定为企业办理加工贸易手册核销手续。

二、试点成品油产品范围包括柴油(商品编码27101921)、航空煤油(商品编码27101911)和石脑油(商品编码27101120)。

三、试点企业为中国石油化工集团公司所属镇海炼化公司、广州分公司、茂名分公司、高桥分公司和中国石油天然气集团公司所属大连西太平洋石油化工有限公司。

四、自本公告发布之日起,《关税征管司关于中国镇海炼油化工股份有限公司原油来料加工有关问题的批复函》(税管函〔2002〕161号)和《加贸司关于中国石化镇海炼油化工股份有限公司原油来料加工产品形式进出口有关问题的批复》(加贸函〔2003〕67号)停止执行,对此前已经商务部门审批、海关备案的加工贸易合同,仍可按原办法执行完毕。

# 加工贸易禁止类商品目录

(商务部 海关总署 国家环境保护总局公告2004年第55号)

(2004年10月13日由商务部、海关总署、国家环境保护总局发布,2004年11月1日起施行,法规类型为规范性文件)

根据《中华人民共和国对外贸易法》、《中华人民共和国海关法》、《中华人民共和国大气污染防治法》及国家有关产业政策要求,现调整并公布加工贸易禁止类商品目录(见附件1),之前已公布的有关加工贸易禁止类商品的部分文件(见附件2)终止执行。

本公告自2004年11月1日起施行。此前已经商务(外经贸)部门审批并已在海关备案的、涉及此次调整和更新目录商品的加工贸易业务,准予其在批准有效期内执行完毕,加工贸易手册到期后不予延期,产品不得内销。

今后将根据国民经济发展需要和产业政策要求,每年对加工贸易禁止类商品目录及税号进行调整和更新。各有关部门和单位在执行过程中有何问题和建议,请及时反馈。

特此公告

附件:1. 加工贸易禁止类商品目录
   2. 终止执行的有关加工贸易禁止类商品部分文件

**附件1**

## 加工贸易禁止类商品目录

一、国家禁止进、出口货物

1.《中华人民共和国商务部公告2001年第19号》(禁止进口货物目录第一批、禁止出口货物目录第一批);

2.《中华人民共和国商务部、海关总署、国家质量监督检验检疫总局公告2001年第37号》(禁止进口货物目录第二批);

3.《中华人民共和国商务部、海关总署、国家环保总局公告2001年第36号》(禁止进口货物目录第三批);

4.《中华人民共和国商务部、海关总署、国家环保总局公告2002年第25号》(禁止进口货物目录第四、五批,不包括第四批中已调整为限制进口的甘蔗糖蜜(17031000)和其他糖蜜(17039000));

5.《中华人民共和国商务部、海关总署、林业局公告2004年第40号》(禁止出口货物目录第二批);

6. 进口料件属于我国禁止进口商品(包括旧服装,含淫秽内容的废旧书刊,含有害、放射性物质的工业垃圾等)。

二、加工贸易禁止进、出口货物

1. 为种植、养殖等出口产品而进口的种子、种苗、种畜、化肥、饲料、添加剂、抗生素等。

2. 冻的鸡翼尖、鸡爪、鸡肝及其他鸡杂碎（进口商品编码：02071429）。
3. 下列废机电产品和废料（见下表）。

| 序号 | 进口商品编码 | 商品名称 | 备注 |
|---|---|---|---|
| 1 | 26190000 | 熔渣、浮渣、氧化皮及其他废料 | 冶炼钢铁所产生的（粒状熔渣除外） |
| 2 | 72044900.10 | 废汽车钢铁压件 | |
| | 72044900.20 | 以回收钢铁为主的废五金电器 | |
| 3 | 74012000 | 沉积铜（泥铜） | |
| 4 | 74040000.10 | 以回收铜为主的废电机等 | 包括废电机、电线、电缆、五金电器 |
| 5 | 76020000.10 | 以回收铝为主的废电线等 | 包括废电线、电缆、五金电器 |
| 6 | 89080000 | 供拆卸的般舶及其他浮动结构体 | |
| 7 | 26209990.10 | 含五氧化二钒大于10%的矿灰及残渣 | |

4. 旧机电产品（见下表）（在出口加工区和保税区内开展维修复出业务除外）。

| 序号 | 进口商品编码 | 商品名称 | 备注 |
|---|---|---|---|
| 1 | 84151010-84159090 | 空调 | |
| 2 | 84178020 | 放射性废物焚烧炉 | |
| 3 | 84181010-84189999 | 电气或非电气的冷藏箱、冷冻箱、其他制冷设备 | |
| 4 | 84711000-84715090 | 计算机类设备 | |
| 5 | 84716011<br>84716012<br>84716019 | 显示器 | |
| 6 | 84716031-84716039 | 打印机 | |
| 7 | 84716040-84719000 | 其他计算机输入输出部件及自动数据处理设备的其他部件 | |
| 8 | 85165000 | 微波炉 | |
| 9 | 85166030 | 电饭锅 | |
| 10 | 85171100-85171990 | 有线电话机 | |
| 11 | 85172100-85172200 | 传真机及电传打字机 | |
| 12 | 85211011-85219090 | 录像机、放像机及激光视盘机 | |
| 13 | 85252022-85252029 | 移动通讯设备 | |

续表

| 序号 | 进口商品编码 | 商品名称 | 备注 |
|---|---|---|---|
| 14 | 85253010-85254050 | 摄像机、摄录一体机及数字相机 | |
| 15 | 85281210-85283020 | 电视机 | |
| 16 | 85340010-85340090 | 印刷电路 | |
| 17 | 85401100-85409990 | 热电子管、冷阴极管或光阴极管 | |
| 18 | 85421000-85429000 | 集成电路及微电子组件 | |
| 19 | 90091110-90099990 | 复印机 | |
| 20 | 90181100-90189090 | 医疗器械 | |
| 21 | 90221200-90229090 | 射线应用设备 | |
| 22 | 95章 | 玩具、游戏品、运动用品及其零件、附件 | |

5. 其他。

煤炭（进口商品编码：27011100.10、27011100.90、27011210、27011290、27011900、27012000、27021000、27022000、27030000）

燕窝（进口商品编码：04100010）

冻鱼翅（进口商品编码：03037500）

干鱼翅（进口商品编码：03055920）

湿鱼翅（进口商品编码：03026500）

西洋参（进口商品编码：12112010）

鹿茸及其粉末（进口商品编码：05079020）

化肥（进口商品编码：第31章）

进口木材烧制木炭（出口商品编码：44020000）

6. 以加工贸易方式生产、出口仿真枪支（有关枪支的解释见《中华人民共和国枪支管理法》）。

附件2

## 终止执行的有关加工贸易禁止类商品部分文件

一、《关于将冻的鸡翼尖、鸡爪、鸡肝及其他鸡杂碎列入加工贸易禁止类商品目录的通知》（国经贸外经〔2000〕1178号）。

二、《国家经贸委、外经贸部、海关总署〈关于确定第一批加工贸易禁止类和进口限制类商品目录〉的通知》（国经贸贸易〔1999〕490号）第一条。

三、《关于明确加工贸易禁止类目录的复函》（外经贸贸字〔2002〕303号）。

## 商务部等发布对加工贸易禁止类目录进行调整公告

（商务部 海关总署联合公告2008年第121号）

(2008年12月31日由商务部、海关总署发布，2009年2月1日起施行，法规类型为规范性文件)

为落实国务院决定，保持外贸稳定增长，商务部和海关总署对加工贸易禁止类目录进行调整，现将有关事项公告如下：

一、将《商务部 海关总署2008年第22号公告》加工贸易禁止类商品目录中的符合国家产业政策，不属于高耗能、高污染的产品以及具有较高技术含量的产品剔除，共计剔除27个十位商品编码（见附件）。

二、调整后的加工贸易禁止类目录共计1789个十位商品编码，仍按《商务部 海关总署2008年第22号公告》有关规定执行。

三、列入加工贸易禁止类进口商品目录的，凡用于深加工结转转入，或从具有保税加工功能的海关特殊监管区域内企业经实质性加工后进入区外的商品，不按加工贸易禁止类进口商品管理。

列入加工贸易禁止类出口商品目录的，凡用于深加工结转转出，或进入具有保税加工功能的海关特殊监管区域内企业加工生产的商品，不按加工贸易禁止类出口商品管理。前述商品未经实质性加工不得直接出境。

以上所称"实质性加工"的标准，参照《中华人民共和国海关关于执行〈非优惠原产地规则中实质性改变标准〉的规定》（海关总署令第122号）执行。

四、本公告自2009年2月1日起执行。本公告附件所列商品，在实施过程中以2009年度海关商品编码为准。

附件：从加工贸易禁止类目录剔除的商品目录2009

附件

## 从加工贸易禁止类目录剔除的商品目录 2009

| 序号 | 商品编码 | 商品名称 | 原禁止方式 | 备注 |
|---|---|---|---|---|
| 1 | 2603000010 | 铜矿砂及其精矿 | 进口 | 仅允许符合条件的特定企业进口,其他仍按禁止类管理 |
| 2 | 2603000090 | 铜矿砂及其精矿 | 进口 | |
| 3 | 2604000001 | 镍矿砂及其精矿(黄金价值部分) | 进口 | |
| 4 | 2604000090 | 镍矿砂及其精矿(非黄金价值部分) | 进口 | |
| 5 | 2605000001 | 钴矿砂及其精矿(黄金价值部分) | 进口 | |
| 6 | 2605000090 | 钴矿砂及其精矿(非黄金价值部分) | 进口 | |
| 7 | 2830903000 | 硫化钴 | 出口 | |
| 8 | 2843900010 | 氯化钯 | 出口 | |
| 9 | 2843900090 | 其他贵金属化合物 | 出口 | |
| 10 | 2910300000 | 1-氯-2,2-环氧丙烷(表氯醇) | 出口 | 仅允许进口甘油出口环氧氯丙烷,其他仍按禁止类管理 |
| 11 | 3004905910 | 含濒危动植物成分的中式成药 | 出口 | |
| 12 | 3214100000 | 安装玻璃用油灰等;漆工用填料 | 出口 | 仅允许环氧树脂出口,其他仍按禁止类管理 |
| 13 | 7403111100 | 精炼铜的阴极 | 出口 | |
| 14 | 7403111900 | 其他精炼铜的阴极 | 出口 | |
| 15 | 7502100000 | 未锻轧的非合金镍 | 出口 | |
| 16 | 7502200000 | 未锻轧镍合金 | 出口 | |
| 17 | 7604101000 | 非合金制铝条、杆 | 出口 | |
| 18 | 7604109000 | 非合金制铝型材、异型材 | 出口 | |
| 19 | 7604210000 | 铝合金制空心异型材 | 出口 | |
| 20 | 7604291010 | 柱形实心体铝合金 | 出口 | |
| 21 | 7604291090 | 其他铝合金制条、杆、其他型材 | 出口 | |
| 22 | 7605110000 | 最大截面尺寸>7mm 的非合金铝丝 | 出口 | |
| 23 | 7605190000 | 最大截面尺寸≤7mm 的非合金铝丝 | 出口 | |
| 24 | 7605210000 | 最大截面尺寸>7mm 的铝合金丝 | 出口 | |
| 25 | 7605290000 | 最大截面尺寸≤7mm 的铝合金丝 | 出口 | |

续表

| 序号 | 商品编码 | 商品名称 | 原禁止方式 | 备注 |
|---|---|---|---|---|
| 26 | 8105209001 | 钴锍及其他冶炼钴时所得中间产品 | 出口 | |
| 27 | 8105209010 | 钴≥99.5%的超细钴粉 | 出口 | |

# 关于公布加工贸易禁止类目录的公告

（商务部　海关总署公告2014年第90号）

（2014年12月19日由商务部、海关总署发布，2015年1月1日起施行，法规类型为规范性文件）

为保持外贸稳定增长、优化进出口商品结构，现对加工贸易禁止类商品目录进行调整，并将有关事项公告如下：

一、根据2014年海关商品编码，调整后的加工贸易禁止类商品目录共计1871项商品编码。

二、以下情况，不在加工贸易禁止类商品目录中单列，但按照加工贸易禁止类进行管理：

（一）为种植、养殖等出口产品而进口种子、种苗、种畜、化肥、饲料、添加剂、抗生素等；

（二）生产出口的仿真枪支；

（三）属于国家已经发布的禁止进口货物目录和禁止出口货物目录的商品。

三、本公告适用于海关特殊监管区域，但在本公告发布之日前经工商行政管理部门注册登记、在海关特殊监管区域内设立从事相关商品加工贸易的企业除外。海关特殊监管区域内、外企业均不得将禁止类商品外发进行实质性加工。

四、以下情况，不按加工贸易禁止类管理：

（一）用于深加工结转转入，或从海关特殊监管区域内经实质性加工后出区的商品；

（二）用于深加工结转转出，或进入海关特殊监管区域内再进行实质性加工的商品。

五、新增列入加工贸易禁止类商品目录的商品，在2014年12月31日前已经商务主管部门批准的加工贸易业务（广东企业以实际加工贸易手册设立时间为准），应在合同有效期内执行完毕。以企业为管理单元的联网监管企业允许在2015年6月30日前执行完毕。上述业务到期仍未执行完毕的不予延期，按加工贸易内销、退运或其他规定办理。

六、本公告及所附目录中，所称"实质性加工"参照《关于非优惠原产地规则中实质性改变标准的规定》（海关总署令2004年第122号）执行。

七、本公告自2015年1月1日起实施，商务部、海关总署2009年第37号公告和2010年第63号公告所附目录停止执行。

附件：加工贸易禁止类商品目录

# 关于调整加工贸易禁止类商品目录的公告

(商务部 海关总署公告2015年第59号)

(2015年11月10日由商务部、海关总署发布,2015年11月10日起施行,法规类型为规范性文件)

为落实国务院决定,保持外贸稳定增长,商务部和海关总署对加工贸易禁止类商品目录进行调整,现将有关事项公告如下:

一、将《商务部 海关总署2014年第90号公告》加工贸易禁止类商品目录中符合国家产业政策,不属于高耗能、高污染的产品以及具有较高技术含量的产品剔除,共计剔除11个十位商品编码(见附件)。

二、调整后的加工贸易禁止类商品目录共计1862个十位商品编码,仍按《商务部 海关总署2014年第90号公告》有关规定执行。

三、请商务、海关等部门做好加工贸易企业经营状况和生产能力核查工作,严禁环保不达标的落后产能开展相关业务。

四、本公告自发布之日起执行。

附件:从加工贸易禁止类目录调整的商品目录

附件

## 从加工贸易禁止类目录调整的商品目录

| 序号 | 商品编码 | 商品名称 | 原禁止方式 | 备注 |
| --- | --- | --- | --- | --- |
| 1 | 2616100000 | 银矿砂及其精矿 | 进口 | 剔除 |
| 2 | 2617909000 | 其他矿砂及其精矿 | 进口 | 剔除 |
| 3 | 2910200000 | 甲基环氧乙烷(氧化丙烯) | 出口 | 仅允许直接氧化法(HPPO工艺)生产出口甲基环氧乙烷(氧化丙烯),其他仍按禁止类管理 |
| 4 | 2922509090 | 其他氨基醇酚、氨基酸酚 | 出口 | 剔除 |
| 5 | 3203001990 | 其他植物质着色料及制品 | 出口 | 剔除 |
| 6 | 3915200000 | 苯乙烯聚合物的废碎料及下脚料 | 进出口 | 仅允许进口,出口仍按禁止类管理 |
| 7 | 8106001011 | 高纯度未锻轧的铋 | 出口 | 剔除 |

续表

| 序号 | 商品编码 | 商品名称 | 原禁止方式 | 备注 |
|---|---|---|---|---|
| 8 | 8106001019 | 高纯度未锻轧的铋废料、粉末 | 出口 | 剔除 |
| 9 | 8106001091 | 其他未锻轧铋 | 出口 | 剔除 |
| 10 | 8106001092 | 其他未锻轧铋废碎料 | 出口 | 剔除 |
| 11 | 8106001099 | 其他未锻轧铋粉末 | 出口 | 剔除 |

## 调整加工贸易限制类政策

（商务部　海关总署公告2008年第97号）

（2008年11月21日由商务部、海关总署发布，2008年12月1日起施行，法规类型为规范性文件）

按照国务院部署，为保持外贸稳定增长，现调整加工贸易限制类政策，有关事项公告如下：

一、暂停《商务部　海关总署2007年第44号公告》（下称44号公告）限制出口类目录1853个海关编码商品，以及限制进口类目录轻纺类272个海关编码商品保证金台账"实转"政策。A类和B类企业暂停银行保证金台账"实转"，实行"空转"管理；C类企业仍实行100%"实转"管理。

二、对44号公告所列限制进口类目录中的122个海关编码商品（见附件1）开展加工贸易业务，A类企业暂停银行保证金台账"实转"，实行"空转"管理；B类企业实行50%"实转"；C类企业实行100%"实转"管理。

三、中西部地区A类和B类企业仍按44号公告规定实行"空转"管理。

四、将家具（见附件2）从加工贸易限制类目录中剔除。

五、对2008年12月1日之前已经商务主管部门批准并向海关申请备案的限制类商品加工贸易业务，仍按44号公告有关规定执行。企业在规定期限内加工成品出口并办理核销结案手续后，保证金及利息予以退还。

六、限制类商品管理措施不适用于出口加工区、保税区等海关特殊监管区域。

七、在相关信息化系统调整前，海关按照手工操作予以办理。

八、本公告自2008年12月1日起执行，44号公告关于新增企业及业务变更的有关规定暂停执行。本公告附件所列商品，在实施过程中以海关商品编码为准。

附件：1. 实行保证金台账"实转"的商品清单
　　　2. 家具类商品清单

附件1

## 实行保证金台账"实转"的商品清单

| 序号 | 海关商品编码 | 商品名称 | 限制方式 |
|---|---|---|---|
| 1 | 0207120000 | 冻的整只鸡 | 进口 |
| 2 | 0207141100 | 冻的带骨鸡块 | 进口 |
| 3 | 0207141900 | 冻的不带骨鸡块 | 进口 |
| 4 | 1507100000 | 初榨的豆油 | 进口 |
| 5 | 1507900000 | 精制的豆油及其分离品 | 进口 |
| 6 | 1508100000 | 初榨的花生油 | 进口 |
| 7 | 1508900000 | 精制的花生油及其分离品 | 进口 |
| 8 | 1512110000 | 初榨的葵花油和红花油 | 进口 |
| 9 | 1512210000 | 初榨的棉子油 | 进口 |
| 10 | 1512290000 | 精制的棉子油及其分离品 | 进口 |
| 11 | 1514110000 | 初榨的低芥子酸菜子油 | 进口 |
| 12 | 1514190000 | 其他低芥子酸菜子油 | 进口 |
| 13 | 1514911000 | 初榨的非低芥子酸菜子油 | 进口 |
| 14 | 1514919000 | 初榨的芥子油 | 进口 |
| 15 | 1514990000 | 精制非低芥子酸菜子油、芥子油 | 进口 |
| 16 | 1515210000 | 初榨的玉米油 | 进口 |
| 17 | 1515500000 | 芝麻油及其分离品 | 进口 |
| 18 | 3901100001 | 初级形状比重<0.94的聚乙烯 | 进口 |
| 19 | 3901100090 | 初级形状比重<0.94的聚乙烯 | 进口 |
| 20 | 3901200001 | 初级形状比重≥0.94的聚乙烯 | 进口 |
| 21 | 3901200090 | 初级形状比重≥0.94的聚乙烯 | 进口 |
| 22 | 3907601100 | 高黏度聚对苯二甲酸乙二酯切片 | 进口 |
| 23 | 3907601900 | 其他聚对苯二甲酸乙二酯切片 | 进口 |
| 24 | 4001100000 | 天然胶乳 | 进口 |
| 25 | 4001210000 | 天然橡胶烟胶片 | 进口 |
| 26 | 4001220000 | 技术分类天然橡胶（TSNR） | 进口 |
| 27 | 4001290000 | 其他初级形状的天然橡胶 | 进口 |
| 28 | 7208100000 | 轧有花纹的热轧卷材 | 进口 |

续表1

| 序号 | 海关商品编码 | 商品名称 | 限制方式 |
|---|---|---|---|
| 29 | 7208250000 | 厚≥4.75mm 其他经酸洗的热轧卷材 | 进口 |
| 30 | 7208261000 | 4.75mm>厚≥3mm 其他大强度热轧卷材 | 进口 |
| 31 | 7208269000 | 其他 4.75mm>厚≥3mm 热轧卷材 | 进口 |
| 32 | 7208271000 | 厚度<1.5mm 其他的热轧卷材 | 进口 |
| 33 | 7208279000 | 1.5mm≤厚<3mm 其他的热轧卷材 | 进口 |
| 34 | 7208360000 | 厚度>10mm 的其他热轧卷材 | 进口 |
| 35 | 7208370000 | 10mm≥厚≥4.75mm 的其他热轧卷材 | 进口 |
| 36 | 7208381000 | 4.75mm>厚度≥3mm 的大强度卷材 | 进口 |
| 37 | 7208389000 | 其他 4.75mm>厚度≥3mm 的卷材 | 进口 |
| 38 | 7208391000 | 厚度<1.5mm 的其他热轧卷材 | 进口 |
| 39 | 7208399000 | 1.5mm≤厚<3mm 的其他热轧卷材 | 进口 |
| 40 | 7208400000 | 轧有花纹的热轧非卷材 | 进口 |
| 41 | 7208511000 | 厚度>50mm 的其他热轧非卷材 | 进口 |
| 42 | 7208512000 | 20mm<厚≤50mm 的其他热轧非卷材 | 进口 |
| 43 | 7208519000 | 10mm<厚≤20mm 的其他热轧非卷材 | 进口 |
| 44 | 7208520000 | 10mm≥厚度≥4.75mm 的热轧非卷材 | 进口 |
| 45 | 7208531000 | 4.75mm>厚≥3mm 大强度热轧非卷材 | 进口 |
| 46 | 7208539000 | 其他 4.75mm>厚≥3mm 的热轧非卷材 | 进口 |
| 47 | 7208541000 | 厚<1.5mm 的热轧非卷材 | 进口 |
| 48 | 7208549000 | 1.5≤厚<3mm 的热轧非卷材 | 进口 |
| 49 | 7208900000 | 其他热轧铁或非合金钢宽平板轧材 | 进口 |
| 50 | 7209151000 | 厚度≥3mm 的大强度冷轧卷材 | 进口 |
| 51 | 7209159000 | 其他厚度≥3mm 的冷轧卷材 | 进口 |
| 52 | 7209161000 | 3mm>厚度>1mm 的大强度冷轧卷材 | 进口 |
| 53 | 7209169000 | 3mm>厚>1mm 小强度冷轧卷材 | 进口 |
| 54 | 7209171000 | 1mm≥厚度≥0.5mm 大强度冷轧卷材 | 进口 |
| 55 | 7209179000 | 1mm≥厚度≥0.5mm 小强度冷轧卷材 | 进口 |
| 56 | 7209181000 | 厚度<0.3mm 的非合金钢冷轧卷材 | 进口 |
| 57 | 7209189000 | 0.3mm≤厚<0.5mm 非合金钢冷轧卷材 | 进口 |
| 58 | 7209250000 | 厚度≥3mm 的冷轧非卷材 | 进口 |

续表2

| 序号 | 海关商品编码 | 商品名称 | 限制方式 |
| --- | --- | --- | --- |
| 59 | 7209260000 | 3mm>厚度>1mm 的冷轧非卷材 | 进口 |
| 60 | 7209270000 | 1mm≥厚度≥0.5mm 的冷轧非卷材 | 进口 |
| 61 | 7209280000 | 厚度小于 0.5mm 的冷轧非卷材 | 进口 |
| 62 | 7209900000 | 其他冷轧铁或非合金钢宽平轧材 | 进口 |
| 63 | 7210110000 | 镀（涂）锡的非合金钢厚宽平板轧材 | 进口 |
| 64 | 7210120000 | 镀（涂）锡的非合金钢薄宽平板轧材 | 进口 |
| 65 | 7210200000 | 镀或涂铅的铁或非合金钢平板轧材 | 进口 |
| 66 | 7210410000 | 镀锌的瓦楞形铁或非合金钢宽板材 | 进口 |
| 67 | 7210490000 | 镀锌的其他形铁或非合金钢宽板材 | 进口 |
| 68 | 7210500000 | 镀或涂氧化铬的铁或非合金钢宽板材 | 进口 |
| 69 | 7210610000 | 镀或涂铝锌合金的铁宽平板轧材 | 进口 |
| 70 | 7210690000 | 其他镀或涂铝的铁宽平板轧材 | 进口 |
| 71 | 7210700000 | 涂漆或涂塑的铁或非合金钢宽板材 | 进口 |
| 72 | 7210900000 | 涂镀其他材料铁或非合金钢宽板材 | 进口 |
| 73 | 7211130000 | 未轧花纹的四面轧制的热轧非卷材 | 进口 |
| 74 | 7211140000 | 厚度≥4.75mm 的其他热轧板材 | 进口 |
| 75 | 7211190000 | 其他热轧铁或非合金钢窄板材 | 进口 |
| 76 | 7211230000 | 含炭量低于 0.25%的冷轧板材 | 进口 |
| 77 | 7211290000 | 其他冷轧铁或非合金钢窄板材 | 进口 |
| 78 | 7211900000 | 冷轧的铁或非合金钢其他窄板材 | 进口 |
| 79 | 7212100000 | 镀（涂）锡的铁或非合金钢窄板材 | 进口 |
| 80 | 7212300000 | 其他镀或涂锌的铁窄板材 | 进口 |
| 81 | 7212400000 | 涂漆或涂塑的铁或非合金钢窄板材 | 进口 |
| 82 | 7212500000 | 涂镀其他材料铁或非合金钢窄板材 | 进口 |
| 83 | 7212600000 | 经包覆的铁或非合金钢窄板材 | 进口 |
| 84 | 7213100000 | 铁或非合金钢制热轧盘条 | 进口 |
| 85 | 7213200000 | 其他易切削钢制热轧盘条 | 进口 |
| 86 | 7213910000 | 直径<14mm 圆截面的其他热轧盘条 | 进口 |
| 87 | 7213990000 | 其他热轧盘条 | 进口 |
| 88 | 7214100000 | 铁或非合金钢的锻造条、杆 | 进口 |

续表3

| 序号 | 海关商品编码 | 商品名称 | 限制方式 |
|---|---|---|---|
| 89 | 7214200000 | 铁或非合金钢的热加工条、杆 | 进口 |
| 90 | 7214300000 | 易切削钢的热加工条、杆 | 进口 |
| 91 | 7214910000 | 其他矩形截面的条杆 | 进口 |
| 92 | 7214990000 | 其他热加工条、杆 | 进口 |
| 93 | 7219110000 | 厚度>10mm 热轧不锈钢卷板 | 进口 |
| 94 | 7219120000 | 4.75mm≤厚≤10mm 热轧不锈钢卷板 | 进口 |
| 95 | 7219131200 | 3mm≤厚<4.75mm 未经酸洗的热轧不锈钢卷板 | 进口 |
| 96 | 7219131900 | 3mm≤厚<4.75mm 未经酸洗的其他热轧不锈钢卷板 | 进口 |
| 97 | 7219132200 | 3mm≤厚<4.75mm 经酸洗的热轧不锈钢卷板 | 进口 |
| 98 | 7219132900 | 3mm≤厚<4.75mm 经酸洗的其他热轧不锈钢卷板 | 进口 |
| 99 | 7219141200 | 厚度<3mm 未经酸洗的热轧不锈钢卷板 | 进口 |
| 100 | 7219141900 | 厚度<3mm 未经酸洗的其他热轧不锈钢卷板 | 进口 |
| 101 | 7219142200 | 厚度<3mm 经酸洗的热轧不锈钢卷板 | 进口 |
| 102 | 7219142900 | 厚度<3mm 经酸洗的其他热轧不锈钢卷板 | 进口 |
| 103 | 7219210000 | 厚度>10mm 热轧不锈钢平板 | 进口 |
| 104 | 7219220000 | 4.75mm≤厚≤10mm 热轧不锈钢平板 | 进口 |
| 105 | 7219230000 | 3mm≤厚<4.75mm 热轧不锈钢平板 | 进口 |
| 106 | 7219241000 | 1mm<厚度<3mm 热轧不锈钢平板 | 进口 |
| 107 | 7219242000 | 0.5mm≤厚≤1mm 热轧不锈钢平板 | 进口 |
| 108 | 7219243000 | 厚度<0.5mm 热轧不锈钢平板 | 进口 |
| 109 | 7219310000 | 厚度≥4.75mm 冷轧不锈钢板 | 进口 |
| 110 | 7219320000 | 3mm≤厚<4.75mm 冷轧不锈钢板材 | 进口 |
| 111 | 7219330000 | 1mm<厚<3mm 冷轧不锈钢板材 | 进口 |
| 112 | 7219340000 | 0.5mm≤厚≤1mm 冷轧不锈钢板材 | 进口 |
| 113 | 7219350000 | 厚度<0.5mm 冷轧不锈钢板材 | 进口 |
| 114 | 7219900000 | 其他不锈钢冷轧板材 | 进口 |
| 115 | 7220110000 | 热轧不锈钢带材厚度≥4.75mm | 进口 |
| 116 | 7220120000 | 热轧不锈钢带材厚度<4.75mm | 进口 |
| 117 | 7220201000 | 宽度小于 300mm 冷轧不锈钢带材 | 进口 |
| 118 | 7220209000 | 300mm≤宽<600mm 冷轧不锈钢带材 | 进口 |

续表4

| 序号 | 海关商品编码 | 商品名称 | 限制方式 |
|---|---|---|---|
| 119 | 7220900000 | 其他不锈钢带材 | 进口 |
| 120 | 9504100000 | 电视电子游戏机（指与电视接收机配套使用的） | 进口 |
| 121 | 9504301000 | 用特定支付方式使其工作的电子游戏机（用硬币、钞票、银行卡、代币或其他支付方式使其工作的） | 进口 |
| 122 | 9504901000 | 其他电子游戏机 | 进口 |

附件2

## 家具类商品清单

| 海关商品编码 | 商品名称 |
|---|---|
| 9403100000 | 办公室用金属家具 |
| 9403200000 | 其他金属家具 |
| 9403300090 | 其他办公室用木家具 |
| 9403400090 | 其他厨房用木家具 |
| 9403501090 | 其他卧室用红木制家具 |
| 9403509100 | 卧室用漆木家具 |
| 9403509990 | 卧室用其他木家具 |
| 9403601090 | 其他红木制家具 |
| 9403609100 | 其他漆木家具 |
| 9403609990 | 其他木家具 |
| 9403700000 | 塑料家具 |
| 9403810000 | 竹制或藤制的家具 |
| 9403891000 | 柳条及类似材料制的家具 |
| 9403892000 | 石制的家具 |
| 9403899000 | 其他材料制的家具 |
| 9403900010 | 飞机内厨房家具零件 |
| 9403900090 | 其他编号9403所列物品的零件 |

# 商务部等发布对加工贸易限制类目录进行调整的公告

(海关总署 商务部公告2008年第120号)

(2008年12月31日由海关总署、商务部发布,2009年2月1日起施行,法规类型为规范性文件)

为落实国务院决定,保持外贸稳定增长,商务部和海关总署对加工贸易限制类目录进行调整,现将有关事项公告如下:

一、将《商务部 海关总署2007年第44号公告》(下称44号公告)限制出口类目录中的部分塑料原料、塑料制品、木制品、纺织品等共计1730个十位商品编码剔除。

二、调整后的加工贸易限制类目录共计500个商品编码(见附件),其中限制出口106个,限制进口394个。开展限制类商品加工贸易业务,仍按《商务部 海关总署2008年第97号公告》有关规定执行。

三、本公告自2009年2月1日起执行。本公告附件所列商品,在实施过程中以2009年度海关商品编码为准。

附件:加工贸易限制类目录

# 关于加工贸易限制类商品目录的公告

(商务部 海关总署联合公告2015年第63号)

(2015年11月25日由商务部、海关总署发布,2015年11月25日起施行,法规类型为规范性文件)

为保持外贸稳定增长、调整进出口商品结构,现对加工贸易限制类目录进行调整,并将有关事项公告如下:

一、根据2015年海关商品编码,调整后的限制类目录共计451项商品编码(见附件)。其中,限制出口95项商品编码,限制进口356项商品编码。

二、海关根据企业信用状况将企业认定为高级认证企业、一般认证企业、一般信用企业和失信企业。企业按照海关信用管理分类缴纳台账保证金,在规定期限内加工成品出口并办理核销结案手续后,保证金及利息予以退还。

(一)对管理方式为"实转"的81个商品编码,高级认证企业与一般认证企业实行"空转"管理(即无需缴纳台账保证金),东部地区一般信用企业缴纳按实转商品项下保税进口料件应缴进口关税和进口环节增值税之和50%的保证金;对其他370个商品编码,高级认证企业、一般认证企业与一般信用企业均实行"空转"管理。

（二）经营企业及其加工企业同时属于中西部地区的，开展限制类商品加工贸易业务，高级认证企业、一般认证企业和一般信用企业实行银行保证金台账"空转"管理。

（三）失信企业开展限制类商品加工贸易业务均须缴纳100%台账保证金。

三、本公告所指中西部地区是指除东部地区以外的其他地区。东部地区包括北京市、天津市、上海市、辽宁省、河北省、山东省、江苏省、浙江省、福建省、广东省。

四、本公告不适用于出口加工区、保税区等海关特殊监管区域，以及海关特殊监管区域外以深加工结转方式在国内转入限制进口类商品和转出限制出口类商品的加工贸易业务。

五、本公告自发布之日起执行，此前有关规定与本公告不一致的，以本公告为准。

附件：加工贸易限制类商品目录

# 对生皮加工贸易政策进行调整

（商务部　环境保护部　海关总署联合公告2009年第8号）

(2009年3月2日由商务部、环境保护部、海关总署发布，2009年3月2日起施行，法规类型为规范性文件)

根据国家经济发展需要，经国务院批准，现对生皮加工贸易政策进行调整，有关事项公告如下：

一、继续禁止进口生皮（商品编码：4101-4103，见附件1）直接出口半成品革和成品革的加工贸易，允许开展进口半成品革（商品编码：4104-4106，见附件1）出口成品革的加工贸易业务。

二、对以下情况，允许以加工贸易方式进口生皮开展相关业务：

（一）进口生皮直接加工制成皮革制品后复出口；

（二）进口生皮加工制成半成品革或成品革后，直接或经海关特殊监管区域转至下游皮革制品企业，并由其进一步加工制成皮革制品后复出口；

（三）进口生皮加工制成半成品革或成品革后，出口至保税区、出口加工区等海关特殊监管区域内，并由区内企业进一步加工制成皮革制品后复出口；

三、企业在向省级商务主管部门申请办理上述生皮进口加工贸易业务时，除按规定提交有关材料外，还须同时提供以下材料：

（一）制成品出口或深加工结转合同或协议（复印件）。

（二）企业所在地省级环保部门出具的《生皮加工贸易企业环境保护考核合格证明》（见附件2）。

对企业无法同时提供上述两项基础材料的，商务主管部门不予受理企业的加工贸易业务申请。

四、加工企业所在地省级环保部门要严格按照《生皮加工贸易企业环境保护考核细则（试行）》（见附件2）对生皮加工贸易企业进行考核，对符合条件的企业出具《生皮加工贸易企业环境保护考核合格证明》,并组织每三个月或不定期进行抽查,对不符合环保考核细则要求的,立即通知商务主管部门。商务主管部门不再批准其新的加工贸易合同,海关不予备案;对其正在执行的手册允许在有效期内执行完毕,到期后不予延期。

五、海关凭省级商务主管部门出具的《加工贸易业务批准证》、加工企业所在地商务主管部门出具的《加工生产能力证明》、加工企业所在地省级环保部门出具的《生皮加工贸易企业环境保护考核合格证明》以及制成品出口或深加工结转合同或协议(复印件),为企业办理生皮加工贸易备案手续,并进行监管。

六、对生皮加工贸易实行企业总量控制和进口总量控制。按照2005年进口实绩,每年允许开展生皮加工贸易的企业总数不超过229个,进口额度为66万吨。各地商务主管部门在本公历年度内批准符合条件的生皮加工贸易企业的进口总量不得超过该企业2005年实际进口量(见附件4)。为此,各地商务主管部门要严格审核企业生皮加工贸易申请进口量,并逐单累计。

对2005年之前未开展生皮进口加工贸易的新增企业,以及确有扩大生皮进口需求的企业,须向省级商务主管部门提出申请,并由其转报商务部。商务部将会同环境保护部、海关总署,根据年度进口额度的使用情况及企业新增和退出的总体情况,对其进口量予以核准。"

七、实行计算机联网监管的生皮加工贸易企业,须按照上述规定逐单向省级商务主管部门申请加工贸易业务。

八、出口加工区、保税区等海关特殊监管区域内不得开展任何形式的进口生皮加工贸易业务。

九、本公告自发布之日起执行,《商务部、海关总署、环保总局关于生皮加工贸易有关问题的通知》(商产发〔2005〕390号)、《商务部、海关总署、环保总局2006年第63号公告》、《商务部、海关总署关于生皮加工贸易进口企业和数量的通知》(商产函〔2006〕65号)同时废止。

附件: 1. 生皮及半成品革商品编码(略)
      2.《生皮加工贸易企业环境保护考核合格证明》(略)
      3.《生皮加工贸易企业环境保护考核细则(试行)》(略)
      4. 企业2005年实际进口量(略)

## 加工贸易联网监管进出口商品归并规则(试行)

(海关总署公告2010年第55号)

(2010年8月24日由海关总署发布,2010年9月1日起施行,法规类型为规范性文件)

为了规范海关对加工贸易企业的管理,在确保有效监管的前提下便利企业运作,海关总署研究制定了《加工贸易联网监管进出口商品归并规则(试行)》(以下简称《归并规则》,见附件),现就《归并规则》实施过程中有关问题公告如下:

一、《归并规则》适用于海关依据《中华人民共和国海关加工贸易企业联网监管办法》(海关总署令第150号)采用电子账册实施联网监管的加工贸易企业(以下简称"联网企业")。

二、联网企业应根据企业实际情况,顺序使用《归并规则》中的6项规则,主管海关在审核归并关系时予以核实。

三、自本公告实施之日起，新的联网企业应按《归并规则》备案、变更电子账册。

四、现有联网企业正在执行的电子账册如不符合《归并规则》，应在2011年12月31日前按《归并规则》向海关申请备案一本新的电子账册。新的电子账册备案后，原电子账册在余料结转到新的电子账册并通过核销后，予以注销。受加工贸易信息化管理辅助平台建设进度影响暂时无法适用第四条规则的联网企业，目前仍维持现行做法，执行《归并规则》时间由各直属海关根据平台建设进度另行公告。

五、主料是指构成加工成品的主要进口料件，非主料是指构成加工成品的其他进口料件。采用计算机系统按照进口料件重要程度实施分类管理的联网企业，可向主管海关申请区分主料和非主料实施监管。主管海关以进口料件的贸易管制条件、价值、单耗等因素，按监管需要认定主料和非主料。

六、加工贸易信息化管理辅助平台是指配合加工贸易联网监管电子账册系统建立的、能够辅助海关对多个加工贸易联网监管企业实施料号级商品核销核算的信息化管理平台。该信息化管理平台投入运行前，应通过海关总署组织的验收。

七、本公告内容自2010年9月1日起实施。

特此公告。

附件：加工贸易联网监管进出口商品归并规则（试行）

附件

## 加工贸易联网监管进出口商品归并规则（试行）

加工贸易联网监管企业（以下简称"联网企业"）电子账册备案、变更时，对进口料件和出口成品进行归并，应遵循以下规则：

**第一条** 电子账册备案、变更时，联网企业应以内部管理的料号级商品为基础，按照《中华人民共和国进出口税则》规定的目录条文和归类总规则、类注、章注、子目注释以及其他归类注释，进行商品归类，并归入相应的税则号列，经海关审核确定后，在企业内部管理的料号级商品与电子账册备案的项号级商品之间建立一一对应关系。

**第二条** 电子账册备案、变更时，受海关监管资源限制无法实现料号级商品与项号级商品一一对应、需要建立多对一归并关系的，进口料件根据实际情况分别按第三条、第四条、第五条处理；出口成品按第六条处理。

**第三条** 联网企业的计算机系统能够按照进口料件重要程度实施分类管理，并且经主管海关认定其进口料件可以区分主料与非主料实施监管的，主料建立一一对应关系，非主料可按第五条建立多对一归并关系。

**第四条** 海关运用加工贸易信息化管理辅助平台实现料号级核销核算的，可按第五条建立多对一归并关系。

**第五条** 料号级料件同时满足以下条件的，可予以归并：
1. 10位商品编码相同；
2. 申报计量单位相同；
3. 中文商品名称相同；
4. 符合规范申报的要求。

其中，根据相关规定可予保税的消耗性物料与其他保税料件不得归并；因管理需要，海关或企业认为需要单列的商品不得归并。

**第六条** 出口成品采用成品版本号进行备案和申报,如同时满足以下条件的可予以归并:
1. 10 位商品编码相同;
2. 申报计量单位相同;
3. 中文商品名称相同;
4. 符合规范申报的要求。

其中,涉及单耗标准与不涉及单耗标准的料号级成品不得归并;因管理需要,海关或企业认为需要单列的商品不得归并。

## 关于取消加工贸易项下进口钢材保税政策的通知

(财关税〔2014〕37号)

(2014年7月2日由财政部、海关总署、国家税务总局发布,2014年7月31日起施行,法规类型为规范性文件)

各省、自治区、直辖市、计划单列市财政厅(局)、国家税务局,新疆生产建设兵团财务局,海关总署广东分署、各直属海关:

为贯彻落实《国务院关于化解产能严重过剩矛盾的指导意见》(国发〔2013〕41号)中"落实公平税赋政策,取消加工贸易项下进口钢材保税政策"的精神,现就取消加工贸易项下进口钢材保税政策的有关问题通知如下:

一、首批对国内完全能够生产、质量能够满足下游加工企业需要的进口热扎板、冷扎板、窄带钢、棒线材、型材、钢铁丝、电工钢等78个税号的钢材产品(具体产品清单见附件),取消加工贸易项下进口钢材保税政策,自2014年7月31日起,征收关税和进口环节税。

对2014年7月31日前已签订的合同,且在2014年12月31日前实际进口的,允许在合同有效期内继续以保税的方式开展加工贸易。

二、上述政策措施适用于综合保税区等海关特殊监管区域,但2014年7月31日前区内已设立并从事附件所列产品加工贸易的企业暂予以除外。

特此通知。

附件:首批取消加工贸易项下进口钢材保税政策的产品清单

附件

### 首批取消加工贸易项下进口钢材保税政策的产品清单

| 序号 | 税则号列 | 货品名称 |
| --- | --- | --- |
| 1 | 72081000 | 轧压花纹的热轧卷材 |
| 2 | 72082500 | 厚度≥4.75mm 其他经酸洗的热轧卷材 |
| 3 | 72082610 | 屈服强度大于355牛顿/平方毫米,3mm≤厚度<4.75mm 其他经酸洗热轧卷材 |

续表1

| 序号 | 税则号列 | 货品名称 |
|---|---|---|
| 4 | 72082690 | 其他 3mm≤厚度<4.75mm 其他经酸洗热轧卷材 |
| 5 | 72082710 | 厚度<1.5mm 的其他经酸洗的热轧卷材 |
| 6 | 72082790 | 其他厚度<3mm 的其他经酸洗的热轧卷材 |
| 7 | 72083600 | 厚度>10mm 的其他热轧卷材 |
| 8 | 72083700 | 4.75mm≤厚度≤10mm 的其他热轧卷材 |
| 9 | 72083810 | 屈服强度大于 355 牛顿/平方毫米，3mm≤厚度<4.75mm 的其他卷材 |
| 10 | 72083890 | 其他 3mm≤厚度<4.75mm 的其他卷材 |
| 11 | 72083910 | 厚度<1.5mm 的其他热轧卷材 |
| 12 | 72083990 | 其他厚度<3mm 的其他热轧卷材 |
| 13 | 72084000 | 轧有凸起花纹的热轧非卷材 |
| 14 | 72085200 | 4.75mm≤厚度≤10mm 的热轧非卷材 |
| 15 | 72085310 | 屈服强度大于 355 牛顿/平方毫米，3mm≤厚度<4.75mm 的热轧非卷材 |
| 16 | 72085390 | 其他 3mm≤厚度<4.75mm 的热轧非卷材 |
| 17 | 72085410 | 厚度<1.5mm 的热轧非卷材 |
| 18 | 72085490 | 其他厚度<3mm 的热轧非卷材 |
| 19 | 72089000 | 其他热轧铁或非合金钢宽平板轧材 |
| 20 | 72091510 | 屈服强度大于 355 牛顿/平方毫米，厚度≥3mm 的冷轧卷材 |
| 21 | 72091590 | 其他厚度≥3mm 的冷轧卷材 |
| 22 | 72091610 | 屈服强度大于 275 牛顿/平方毫米，1mm<厚度<3mm 的冷轧卷材 |
| 23 | 72091690 | 其他 1mm<厚度<3mm 的冷轧卷材 |
| 24 | 72091710 | 屈服强度大于 275 牛顿/平方毫米，0.5mm≤厚度≤1mm 的冷轧卷材 |
| 25 | 72091790 | 其他 0.5mm≤厚度≤1mm 的冷轧卷材 |
| 26 | 72091810 | 厚度<0.3mm 的冷轧卷材 |
| 27 | 72091890 | 其他厚度<0.5mm 的冷轧卷材 |
| 28 | 72092500 | 厚度≥3mm 的冷轧非卷材 |
| 29 | 72092600 | 1mm<厚度<3mm 的冷轧非卷材 |
| 30 | 72092700 | 0.5mm≤厚度≤1mm 的冷轧非卷材 |
| 31 | 72092800 | 厚度<0.5mm 的冷轧非卷材 |
| 32 | 72099000 | 其他冷轧铁或非合金钢宽平板轧材 |
| 33 | 72111300 | 未轧花纹的四面轧制的热轧非卷材 |

续表2

| 序号 | 税则号列 | 货品名称 |
|---|---|---|
| 34 | 72111400 | 厚度≥4.75mm 的其他热轧板材 |
| 35 | 72111900 | 其他热轧铁或非合金钢窄板材 |
| 36 | 72112300 | 冷轧含炭量<0.25%的板材 |
| 37 | 72112900 | 冷轧其他铁或非合金钢窄板材 |
| 38 | 72119000 | 冷轧的铁或非合金钢其他窄板材 |
| 39 | 72131000 | 带有轧制花纹的热轧盘条 |
| 40 | 72132000 | 其他易切削钢制热轧盘条 |
| 41 | 72139100 | 直径<14mm 圆截面的其他热轧盘条 |
| 42 | 72139900 | 其他热轧盘条 |
| 43 | 72141000 | 锻造的铁或非合金钢条、杆 |
| 44 | 72142000 | 热加工带有轧制花纹的条、杆 |
| 45 | 72143000 | 热加工易切削钢的条、杆 |
| 46 | 72149100 | 热加工其他矩形截面的条杆 |
| 47 | 72149900 | 热加工其他条、杆 |
| 48 | 72151000 | 冷加工其他易切削钢制条、杆 |
| 49 | 72155000 | 冷加工或冷成形的其他条、杆 |
| 50 | 72159000 | 铁及非合金钢的其他条、杆 |
| 51 | 72161010 | 截面高度<80mm 的 H 型钢 |
| 52 | 72161020 | 截面高度低于 80 毫米的工字钢 |
| 53 | 72161090 | 截面高度<80mmU 型钢 |
| 54 | 72162100 | 热加工截面高度<80mm 角钢 |
| 55 | 72162200 | 热加工截面高度<80mm 丁字钢 |
| 56 | 72163100 | 热加工截面高度≥80mm 槽型钢 |
| 57 | 72163210 | 截面高度在 200 毫米以上的工字钢 |
| 58 | 72163290 | 热加工截面高度≥80mm 工字型钢 |
| 59 | 72163311 | 截面高度在 800 毫米以上的 H 型缸 |
| 60 | 72163319 | 截面高度≥200mmH 型钢 |
| 61 | 72163390 | 其他截面高度≥80mmH 型钢 |
| 62 | 72164010 | 热加工截面高度≥80mm 角钢 |
| 63 | 72164020 | 热加工截面高度≥80mm 丁字钢 |

续表3

| 序号 | 税则号列 | 货品名称 |
|---|---|---|
| 64 | 72165010 | 热加工乙字钢 |
| 65 | 72165020 | 热加工球扁钢 |
| 66 | 72165090 | 热加工其他角材、型材及异型材 |
| 67 | 72166100 | 冷加工板材制的角材、型材及异型材 |
| 68 | 72166900 | 冷加工其他角材、型材及异型材 |
| 69 | 72169100 | 冷加工其他板材制角材、型材及异型材 |
| 70 | 72169900 | 其他角材、型材及异型材 |
| 71 | 72171000 | 未镀或涂层的铁或非合金钢丝 |
| 72 | 72172000 | 镀或涂锌的铁或非合金钢丝 |
| 73 | 72173010 | 镀或涂铜的铁丝和非合金钢丝 |
| 74 | 72173090 | 镀或涂其他贱金属的铁丝和非合金钢丝 |
| 75 | 72179000 | 其他铁丝或非合金钢丝 |
| 76 | 72251100 | 取向性硅电钢宽板 |
| 77 | 72251900 | 其他硅电钢宽板 |
| 78 | 72261100 | 取向性硅电钢窄板 |

# 关于取消加工贸易项下进口钢材保税政策的补充通知

(财关税〔2014〕54号)

(2014年08月28日由财政部、海关总署、国家税务总局发布,2014年08月28日起施行,法规类型为规范性文件)

各省、自治区、直辖市、计划单列市财政厅(局)、国家税务局,新疆生产建设兵团财务局,海关总署广东分署、各直属海关:

经国务院批准,适当延长《财政部 海关总署 国家税务总局关于取消加工贸易项下进口钢材保税政策的通知》(财关税〔2014〕37号)中首批取消78个税号钢材产品加工贸易项下进口保税政策的过渡期。即:自2015年1月1日起,对加工贸易项下进口上述78个税号钢材产品征收关税和进口环节税;对2014年12月31日前签订的合同,且在2015年6月30日前实际进口的,允许在合同有效期内继续以保税的方式开展加工贸易。

特此通知。

## 关于暂停多晶硅加工贸易进口的公告

(商务部 海关总署联合公告 2014 年第 58 号)

(2014 年 8 月 14 日由商务部、海关总署发布,2014 年 9 月 1 日起施行,法规类型为规范性文件)

鉴于 2014 年 1 月 20 日对自美国和韩国进口太阳能级多晶硅和 2014 年 5 月 1 日对自欧盟进口太阳能级多晶硅采取贸易救济措施后,我国加工贸易项下多晶硅进口出现激增,商务部和海关总署决定自 2014 年 9 月 1 日起暂停太阳能级多晶硅(海关商品编号为 2804619012、2804619013、2804619092、2804619093)加工贸易进口业务申请的受理。

2014 年 9 月 1 日前已经商务主管部门批准的加工贸易业务(广东省企业以实际加工贸易手册设立时间为准),可在合同有效期内执行完毕。以企业为管理单元的联网监管企业可在 2014 年 12 月 31 日前执行完毕。上述业务到期仍未执行完毕的不予延期,按加工贸易内销、退运或其他规定办理。

## 关于调整光盘复制管理政策的公告

(国家新闻出版广电总局 商务部 海关总署联合公告 2016 年第 2 号)

(2016 年 5 月 17 日由国家新闻出版广电总局、商务部、海关总署发布,2016 年 5 月 17 日起施行,法规类型为规范性文件)

根据《国务院关于第六批取消和调整行政审批项目的决定》(国发〔2012〕52 号)、《国务院关于取消和下放一批行政审批项目等事项的决定》(国发〔2013〕19 号)和商务部、海关总署公告(2014 年第 47 号)有关规定,国家新闻出版广电总局、商务部、海关总署决定对光盘复制有关行政管理事项进行调整,现就有关问题公告如下:

一、关于加工贸易项下进出口光盘的办理

加工贸易项下进出口只读类光盘的,须向所在地省级新闻出版广电行政主管部门提出申请并提供样品备案。经批准后,省级新闻出版广电行政主管部门开具"加工贸易项下光盘进出口批准证"(格式见附件1)。申请单位凭该批准证到商务部门办理加工贸易审批业务;凭该批准证到进出口口岸海关办理光盘的进出口验放手续。所在地已进行相关行政审批制度改革的地区,可凭该批准证直接到海关办理有关手续。

加工贸易项下进出口的光盘(包括纯光盘产品和配套光盘产品)如无法出口,不得申请内销。由海关移交新闻出版广电行政主管部门,新闻出版广电行政主管部门予以监督销毁,并向海关出具相关证明,海关凭证明办理核销结案手续。

二、关于赴境外加工光盘类产品并返回境内的办理

境内出版单位出版的音像电子出版物赴境外加工光盘类产品(含黑胶唱片)并返回境内

的，须向所在地省级新闻出版广电行政主管部门提供拟入境产品的内容进行备案。备案后，省级新闻出版广电行政主管部门开具《赴境外加工光盘进口备案证明》（以下简称《进口备案证明》，格式见附件2）。出版单位向海关办理赴境外加工并返回国内光盘类产品（商品编码为85234990.00或85238011.00）进口报关纳税手续时，须交验《进口备案证明》，海关按现行规定办理验放手续。

《进口备案证明》所列申请单位应与进口货物报关单收发货人或消费使用单位一致；所进口光盘"商品名称"、"规格型号"等内容应与进口货物报关单相应内容一致；报关进口数量应当在申请进口数量范围之内。《进口备案证明》实行"一批一证"管理，每份进口货物报关单仅适用一份《进口备案证明》；《进口备案证明》仅限在有效期内一次使用。原监管证件代码"Z"中证件名称增加《进口备案证明》，申报单位按照现行申报规范填报。

委托境外加工的光盘入境后，须在15日内向公安部光盘生产源鉴定中心寄送样盘备案。

加工贸易项下光盘进出口批准证和《赴境外加工光盘入境备案证明》由各省级新闻出版广电行政主管部门根据附件格式进行印制。

其他有关光盘复制政策管理措施，继续按《复制管理办法》（原国家新闻出版总署令第42号）执行。

本公告自发布之日起施行。原国家新闻出版总署、商务部、海关总署公告（2004年第2号），原国家新闻出版总署、商务部、海关总署公告（2005年第1号）同时废止。

附件：1. 加工贸易项下光盘进出口批准证（格式）（略）
　　　2. 赴境外加工光盘进口备案证明（格式）（略）

# 关于规范加工贸易项下进口消耗性物料管理的公告

（海关总署公告2016年第67号）

（2016年11月24日由海关总署发布，2017年1月1日起施行，法规类型为规范性文件）

为规范、统一对加工贸易项下进口消耗性物料（以下简称"消耗性物料"）的管理，提高监管效能，现就有关事项公告如下：

一、本公告所称消耗性物料，是指加工贸易企业为加工出口成品而进口，且为加工出口成品所必需，直接用于生产过程，但又完全不物化于成品中的物料。物化是指料件通过物理或化学的方式存在于成品中并构成商品基本特性的转化过程。

二、海关对消耗性物料按照保税方式进行监管。加工贸易企业进口消耗性物料，不受企业性质、贸易方式（进料加工、来料加工）、是否单独申报进口的限制。

消耗性物料商品如因动态调整被增列入加工贸易禁止类商品目录的，按加工贸易禁止类商品进行管理，不实行保税监管。

消耗性物料或其制成品转为内销的，海关对消耗性物料依法征收税款并且加征缓税利息。消耗性物料属于进口许可证件管理的，企业在内销时应提交进口许可证件。

三、以下商品不按加工贸易消耗性物料以保税方式进行监管：加工贸易企业生产设备、工具的易损件，如钻头、钻嘴、砂轮、刀片、磨具等；易耗品，如机油、润滑油、印刷用的菲林、PS版等；检测物料，如检测纸、检测带、检测光盘、检测针等；劳保防护用品，如工作衣、帽、手套等；印制电路板用的干膜、生产高尔夫球头和飞机发动机叶片用模具所需进口的软金属、蜡、耐火材料等。

四、加工贸易项下进口料件同时符合以下条件的，不纳入消耗性物料管理，企业按照保税料件的相关规定办理有关手续：

（一）料件在加工过程中通过物理变化或化学反应存在或转化到成品中；

（二）料件存在或转化到成品中的量是保持成品性能不可缺少的组成成分，而非残留物。

五、企业申报保税进口的消耗性物料，应当在《加工贸易企业经营状况和生产能力证明》进口料件中予以列明。企业在办理手（账）册设立（变更）手续时，应当向主管海关提交《加工贸易项下进口消耗性物料申报表》（详见附件），申报内容应当完整。如海关需要，企业还应当提交以下补充材料：

（一）消耗性物料的属性和用途说明；

（二）消耗性物料在加工过程中的化学反应或物理变化原理、化学反应式、耗用量以及与成品的匹配关系等书面材料；

（三）海关认为需要提交的其他证明文件和材料。

六、消耗性物料应当与相应加工生产过程的进口料件、出口成品纳入同一手（账）册管理。企业应在手（账）册设立（变更）环节按要求向海关申报。企业在申报消耗性物料时应当进行标识，在"商品名称"栏首字节起注明"[消]"（注：中括号为半角字符）；在"单耗/净耗"栏目内如实申报耗用量。

消耗性物料应当与其他保税料件分项申报，不得归并。

七、消耗性物料的管理遵循如实申报、据实核销的原则。

企业应当结合生产实际核定耗用量并按加工贸易手（账）册有关规定要求的报核时间完成向海关报核。

海关认为有必要时可通过实地核查等方式对企业所申报数据进行核对、验证，企业应当积极配合并按海关要求提供相关证明材料。

企业对消耗性物料的后续处置参照《中华人民共和国海关关于加工贸易边角料、剩余料件、残次品、副产品和受灾保税货物的管理办法》（海关总署令第111号公布，海关总署令第218号修订）有关管理规定办理。

八、海关特殊监管区域内企业进口消耗性物料，实行保税监管。上述物料或其制成品销往境内区外，企业应当按规定缴纳税款并办理进口手续，涉及进口许可证件管理的应当提交有关证件。

九、本公告自2017年1月1日起施行。海关总署公告2011年第2号自本公告施行之日起停止执行。

特此公告。

附件：加工贸易项下进口消耗性物料申报表（略）

# 单耗管理

## 中华人民共和国海关加工贸易单耗管理办法

（海关总署令第155号）

（2007年1月4日由海关总署发布；根据2014年3月13日海关总署令第218号《海关总署关于修改部分规章的决定》第一次修正，根据2018年5月29日海关总署令第240号《海关总署关于修改部分规章的决定》第二次修正，根据2018年11月23日海关总署令第243号《海关总署关于修改部分规章的决定》第三次修正；现行版本自2018年11月23日起施行；法规类型为部门规章）

### 第一章 总 则

**第一条** 为了规范加工贸易单耗（以下简称单耗）管理，促进加工贸易的健康发展，根据《中华人民共和国海关法》以及其他有关法律、行政法规的规定，制定本办法。

**第二条** 海关对单耗的管理适用本办法。

**第三条** 单耗是指加工贸易企业在正常加工条件下加工单位成品所耗用的料件量，单耗包括净耗和工艺损耗。

**第四条** 加工贸易企业应当在加工贸易手册设立环节向海关进行单耗备案。

**第五条** 单耗管理应当遵循如实申报、据实核销的原则。

**第六条** 加工贸易企业向海关提供的资料涉及商业秘密，要求海关保密并向海关提出书面申请的，海关应当依法予以保密。加工贸易企业不得以保密为由，拒绝向海关提供有关资料。

### 第二章 单耗标准

**第七条** 单耗标准是指供通用或者重复使用的加工贸易单位成品耗料量的准则。单耗标准设定最高上限值，其中出口应税成品单耗标准增设最低下限值。

**第八条** 单耗标准由海关根据有关规定会同相关部门制定。

**第九条** 单耗标准应当以海关公告形式对外发布。

**第十条** 单耗标准适用于海关特殊监管区域、保税监管场所外的加工贸易企业，海关特殊监管区域、保税监管场所内的加工贸易企业不适用单耗标准。

**第十一条** 海关特殊监管区域、保税监管场所外的加工贸易企业应当在单耗标准内向海关进行单耗备案或者单耗申报。

海关特殊监管区域、保税监管场所外的加工贸易企业申报的单耗在单耗标准内的，海关按照申报的单耗对保税料件进行核销；申报的单耗超出单耗标准的，海关按照单耗标准的最高上限值或者最低下限值对保税料件进行核销。

**第十二条** 尚未公布单耗标准的，加工贸易企业应当如实向海关申报单耗，海关按照加工贸易企业的实际单耗对保税料件进行核销。

### 第三章 申报单耗

**第十三条** 申报单耗是指加工贸易企业向海关报告单耗的行为。

**第十四条** 加工贸易企业应当在成品出口、深加工结转或者内销前如实向海关申报单耗。

加工贸易企业确有正当理由无法按期申报单耗的，应当留存成品样品以及相关单证，并在成品出口、深加工结转或者内销前提出书面申请，经主管海关批准的，加工贸易企业可以在报核前申报单耗。

**第十五条** 加工贸易企业申报单耗应当包括以下内容：

（一）加工贸易项下料件和成品的商品名称、商品编号、计量单位、规格型号和品质；

（二）加工贸易项下成品的单耗；

（三）加工贸易同一料件有保税和非保税料件的，应当申报非保料件的比例、商品名称、计量单位、规格型号和品质。

**第十六条** 下列情况不列入工艺损耗范围：

（一）因突发停电、停水、停气或者其他人为原因造成保税料件、半成品、成品的损耗；

（二）因丢失、破损等原因造成的保税料件、半成品、成品的损耗；

（三）因不可抗力造成保税料件、半成品、成品灭失、损毁或者短少的损耗；

（四）因进口保税料件和出口成品的品质、规格不符合合同要求，造成用料量增加的损耗；

（五）因工艺性配料所用的非保税料件所产生的损耗；

（六）加工过程中消耗性材料的损耗。

**第十七条** 加工贸易企业可以向海关申请办理单耗变更或者撤销手续，但下列情形除外：

（一）保税成品已经申报出口的；

（二）保税成品已经办理深加工结转的；

（三）保税成品已经申请内销的；

（四）海关已经对单耗进行核定的；

（五）海关已经对加工贸易企业立案调查的。

### 第四章 单耗审核

**第十八条** 单耗审核是指海关依据本办法审查核实加工贸易企业申报的单耗是否符合有关规定、是否与加工实际相符的行为。

**第十九条** 海关为核查单耗的真实性和准确性，可以行使下列职权：

（一）查阅、复制加工贸易项下料件、成品的样品、影像、图片、图样、品质、成分、规格型号以及加工合同、订单、加工计划、加工报表、成本核算等账册和资料；

（二）查阅、复制工艺流程图、排料图、工料单、配料表、质量检测标准等能反映成品的技术要求、加工工艺过程以及相应耗料的有关资料；

（三）要求加工贸易企业提供核定单耗的计算方法、计算公式；

（四）对保税料件和成品进行查验或者提取货样进行检验或者化验；

（五）询问加工贸易企业的法定代表人、主要负责人和其他有关人员涉及单耗的有关情况和问题；

（六）进入加工贸易企业的货物存放场所、加工场所，检查与单耗有关的货物以及加工情况；

（七）对加工产品的单耗情况进行现场测定，必要时，可以留取样品。

第二十条 海关对加工贸易企业申报的单耗进行审核，符合规定的，接受加工贸易企业的申报。

第二十一条 海关对加工贸易企业申报单耗的真实性、准确性有疑问的，应当制发《中华人民共和国海关加工贸易单耗质疑通知书》（以下简称《单耗质疑通知书》，格式见附件），将质疑理由书面告知加工贸易企业的法定代表人或者其代理人。

第二十二条 加工贸易企业的法定代表人或者其代理人应当自收到《单耗质疑通知书》之日起10个工作日内，以书面形式向海关提供有关资料。

第二十三条 加工贸易企业未能在海关规定期限内提供有关资料、提供的资料不充分或者提供的资料无法确定单耗的，海关应当对单耗进行核定。

第二十四条 海关可以单独或者综合使用技术分析、实际测定、成本核算等方法对加工贸易企业申报的单耗进行核定。

第二十五条 单耗核定前，加工贸易企业缴纳保证金或者提供银行担保，并经海关同意的，可以先行办理加工贸易料件和成品的进出口、深加工结转或者内销等海关手续。

第二十六条 加工贸易企业对单耗核定结果有异议的，可以向作出单耗核定海关的上一级海关提出书面复核申请，上一级海关应当自收到复核申请后45日内作出复核决定。

## 第五章 附 则

第二十七条 本办法下列用语的含义：

净耗，是指在加工后，料件通过物理变化或者化学反应存在或者转化到单位成品中的量。

工艺损耗，是指因加工工艺原因，料件在正常加工过程中除净耗外所必需耗用、但不能存在或者转化到成品中的量，包括有形损耗和无形损耗。工艺损耗率，是指工艺损耗占所耗用料件的百分比。单耗＝净耗／（1-工艺损耗率）。

技术分析方法，是指海关通过对成品的结构、成分、配方、工艺要求等影响单耗的各种因素进行分析和计算，核定成品单耗的方法。

实际测定方法，是指海关运用称量和计算等方法，对加工过程中单耗进行测定，通过综合分析核定成品单耗的方法。

成本核算方法，是指海关根据会计账册、加工记录、仓库账册等原料消耗的统计资料，进行对比和分析，计算核定成品单耗的方法。

第二十八条 违反本办法，构成走私或者违反海关监管规定行为的，由海关依照《中华人民共和国海关法》和《中华人民共和国海关行政处罚实施条例》的有关规定予以处理；构成犯罪的，依法追究刑事责任。

第二十九条 本办法由海关总署负责解释。

第三十条 本办法自2007年3月1日起施行。2002年3月11日海关总署令第96号发布的《中华人民共和国海关加工贸易单耗管理办法》同时废止。

## 关于设立"加工贸易单耗标准审定委员会"的通知

(署办函〔2001〕309号)

(2001年11月1日由海关总署发布,2001年11月1日起施行,法规类型为规范性文件)

国防科工委国际合作司、交通部水运司、信息产业部经运司、农业部发展计划司、商务部外贸司、中国人民银行货币金银局、新闻出版总署印刷管理司、国家林业局发展计划与资金管理司、国家烟草专卖局运行司和国家经贸委所归口管理的石化、轻工、纺织、机械、钢铁、有色、建材工业协会,广东分署,各直属海关:

根据《加工贸易单耗标准制订规程》(署办发〔2001〕87号)的规定,海关总署关税征管司和国家经贸委对外经济协调司决定设立加工贸易单耗标准审定委员会,负责有关加工贸易单耗标准的审议、修改、复议工作,其人员组成及机构设置等详见《加工贸易单耗标准审定委员会的组成及办事规则》。

附件:加工贸易单耗标准审定委员会的组成及办事规则

**附件**

### 加工贸易单耗标准审定委员会的组成及办事规则

**第一条** 为规范全国加工贸易单耗标准制定工作,保证制定的单耗标准科学、准确和权威,根据《加工贸易单耗标准制订规程》,成立加工贸易单耗标准审定委员会(以下简称审定委员会)。

**第二条** 审定委员会工作职责

(一) 负责审定全国加工贸易单耗标准;

(二) 负责修改已颁布执行的全国加工贸易单耗标准;

(三) 负责复议有争议的全国加工贸易单耗标准。

**第三条** 审定委员会的机构设置

(一) 审定委员会为非常设机构;

(二) 审定委员会受国家经贸委外经司、海关总署关税司管理和指导;

(三) 审定委员会由主任、副主任、常务委员、委员和特邀代表及秘书处组成;

(四) 审定委员会采用聘任制,任期1年。

**第四条** 审定委员会的人员组成

(一) 主任

由国家经贸委外经司、海关总署关税司主要司领导担任;

(二) 副主任

由加工贸易单耗标准制定工作联络小组组长担任;

(三) 常务委员

由加工贸易单耗标准制定工作联络小组成员、联络小组办公室正、副主任和特邀委员担任;

（四）委员

由加工贸易单耗标准制定工作联络办公室成员、行业技术专家、加工贸易企业技术专家、海关单耗管理专业人员担任；

（五）特邀代表

由计算机、商品归类专家和商品检验等人员担任；

（六）秘书处

经审定委员会主任、副主任同意，由加工贸易单耗标准制定工作联络小组办公室聘任人员组成。

**第五条** 审定委员会委员的资格条件

由单耗标准制定工作联络小组成员单位推荐。

（一）了解加工贸易产业政策、税收政策和外贸政策；

（二）知晓加工贸易产品的工艺流程和工艺技术；

（三）熟悉海关加工贸易产品单耗核定、商品归类和计算机数据维护。

**第六条** 单耗标准的审定程序

（一）审定委员会应在收到《送审稿》后20个工作日内向承办单位或《送审稿》起草人提出具体意见；

（二）承办单位或《送审稿》起草人在收到审定委员会审定意见后20个工作日内完成《送审稿》的修定并第二次报审；

（三）审定委员会二审应在收到第二次《送审稿》后10个工作日内再次提出具体意见；

（四）第二次《送审稿》经审定通过，签属审定意见后既为《审定稿》，并按规定上报加工贸易单耗标准制定工作联络小组办公室；

（五）加工贸易单耗标准制定工作联络小组办公室依据《审定稿》行文并由国家经贸委和海关总署会同有关行业主管部门会签后颁布执行。

**第七条** 工作要求

各部门要各司其职，各负其责，力戒官僚和推诿作风，从实际出发，努力提高工作质量和办事效率，做好单耗标准的制订工作。

# 关于颁布加工贸易单耗复核程序

（海关总署公告2008年第32号）

（2008年5月12日由海关总署发布，2008年5月12日起施行，法规类型为规范性文件）

为规范加工贸易单耗复核程序，依法保障加工贸易企业的合法权益，根据《中华人民共和国海关加工贸易单耗管理办法》（海关总署令第155号）的有关规定，现就加工贸易单耗复核程序公告如下：

一、加工贸易企业对隶属海关作出的单耗核定结果有异议，可以在收到单耗核定结果之日起5个工作日内向直属海关提出书面复核申请；对直属海关作出的单耗核定结果有异议，可以在收到单耗核定结果之日起5个工作日内向海关总署提出书面复核申请。

加工贸易企业对海关作出的单耗核定结果有异议，也可以在收到单耗核定结果之日起60日内直接向作出单耗核定海关的上一级海关申请行政复议。

二、直属海关受理单耗复核的部门为保税监管职能管理部门；海关总署受理单耗复核的部门为海关总署加工贸易及保税监管司。

单耗复核的申请人是提出单耗复核申请的加工贸易经营企业；单耗复核的被申请人是作出单耗核定结论的海关。

三、申请人申请单耗复核，应填写《加工贸易单耗复核申请表》（附件1），并提供相关资料。

四、单耗复核决定作出前，申请人提出撤回单耗复核书面申请，经单耗复核部门审查同意后，制发《中华人民共和国海关加工贸易单耗复核撤销通知书》（附件2），告知申请人和被申请人。

五、单耗复核机关应在收到复核申请之日起45日内作出单耗复核决定，并制发《中华人民共和国海关加工贸易单耗复核决定书》（附件3），告知申请人和被申请人。

申请人对单耗核核结果不服，可以在收到复核决定书之日起60日内向海关总署申请行政复议。

本公告自发布之日起实施。

特此公告。

附件：1. 加工贸易单耗复核申请表（略）
　　　2. 中华人民共和国海关加工贸易单耗复核撤销通知书（略）
　　　3. 中华人民共和国海关加工贸易单耗复核决定书（略）

# 关于外商投资企业进口触媒剂、催化剂、磨料、燃料有关事宜

（海关总署公告2011年第2号）

（2011年1月12日由海关总署发布，2011年3月1日起施行，法规类型为规范性文件）

为规范对外商投资企业进口触媒剂、催化剂、磨料、燃料的监督管理，现就相关事宜公告如下：

自2011年3月1日起，对外商投资企业为履行产品出口合同进口直接用于加工出口产品而在生产过程中消耗掉的、数量合理的触媒剂、催化剂、磨料、燃料，海关按保税方式进行监管。

## 关于 H2000 系统 1.0.96 版更新后加工贸易单耗申报

（海关总署公告 2011 年第 77 号）

（2011 年 12 月 21 日由海关总署发布，2011 年 12 月 21 日起施行，法规类型为规范性文件）

海关加工贸易管理信息化系统中电子化手册（以下简称手册）的单耗管理模块已在 1.0.96 版中进行优化，为规范加工贸易企业（以下简称企业）单耗申报，现公告如下：

一、预录入端手册单耗表申报界面由"单耗、损耗率%"、"净耗、损耗率%"统一调整为"单耗/净耗、损耗率%"。企业在申报单耗时，若"单耗/净耗"栏申报内容为净耗，则须申报相应损耗率数据，损耗率栏不能为空；若"单耗/净耗"栏申报内容为单耗，则不得重复申报损耗率数据，损耗率栏应为空。

二、原手册表体料件表中"非保税料件比例%"字段调整到手册表体单耗表中。加工贸易成品耗用的同一料件既有保税也有非保税的，企业应在申报单耗的同时在手册表体单耗表中逐项申报"非保税料件比例%"。

三、对于本次系统优化前，已经申报"非保税料件比例%"的在执行手册，企业应在手册有效期内向海关重新申报"非保税料件比例%"，其中单耗申报环节为备案时和出口前的，企业可申请将单耗申报环节变更为报核前，再重新申报"非保税料件比例%"。

本公告自公布之日起执行。

# 后续管理

## 关于加工贸易边角料、剩余料件、残次品、副产品和受灾保税货物的管理办法

(海关总署令第 111 号)

(2004年5月25日由海关总署发布；根据2010年11月26日海关总署令第198号《海关总署关于修改部分规章的决定》第一次修正，根据2014年3月13日海关总署令第218号《海关总署关于修改部分规章的决定》第二次修正，根据2017年12月20日海关总署令第235号《海关总署关于修改部分规章的决定》第三次修正，根据2018年4月28日海关总署令第238号《海关总署关于修改部分规章的决定》第四次修正，根据2018年11月23日海关总署令第243号《海关总署关于修改部分规章的决定》第五次修正；现行版本自2018年11月23日起施行；法规类型为部门规章)

**第一条** 为了规范对加工贸易保税进口料件在加工过程中产生的边角料、剩余料件、残次品、副产品和受灾保税货物的海关监管，根据《中华人民共和国海关法》(以下简称《海关法》)以及有关法律、行政法规，制定本办法。

**第二条** 本办法下列用语的含义：

边角料，是指加工贸易企业从事加工复出口业务，在海关核定的单位耗料量内(以下简称单耗)、加工过程中产生的、无法再用于加工该合同项下出口制成品的数量合理的废、碎料及下脚料。

剩余料件，是指加工贸易企业在从事加工复出口业务过程中剩余的、可以继续用于加工制成品的加工贸易进口料件。

残次品，是指加工贸易企业从事加工复出口业务，在生产过程中产生的有严重缺陷或者达不到出口合同标准，无法复出口的制品(包括完成品和未完成品)。

副产品，是指加工贸易企业从事加工复出口业务，在加工生产出口合同规定的制成品(即主产品)过程中同时产生的、并且出口合同未规定应当复出口的一个或者一个以上的其他产品。

受灾保税货物，是指加工贸易企业从事加工出口业务中，由于不可抗力原因或者其他经海关审核认可的正当理由造成灭失、短少、损毁等导致无法复出口的保税进口料件和制品。

**第三条** 加工贸易保税进口料件加工后产生的边角料、剩余料件、残次品、副产品及受灾保税货物属海关监管货物，未经海关许可，任何企业、单位、个人不得擅自销售或者移作他

用。

**第四条** 加工贸易企业申请内销边角料的：

（一）海关按照加工贸易企业向海关申请内销边角料的报验状态归类后适用的税率和审定的边角料价格计征税款，免征缓税利息；

（二）海关按照加工贸易企业向海关申请内销边角料的报验状态归类后，属于发展改革委员会、商务部、生态环境部及其授权部门进口许可证件管理范围的，免于提交许可证件。

**第五条** 加工贸易企业申报将剩余料件结转到另一个加工贸易合同使用，限同一经营企业、同一加工企业、同样进口料件和同一加工贸易方式。凡具备条件的，海关按规定核定单耗后，企业可以办理该合同核销及其剩余料件结转手续。剩余料件转入合同已经商务主管部门审批的，由原审批部门按变更方式办理相关手续，如剩余料件的转入量不增加已批合同的进口总量，则免于办理变更手续；转入合同为新建合同的，由商务主管部门按现行加工贸易审批管理规定办理。

加工贸易企业申报剩余料件结转有下列情形之一的，企业缴纳不超过结转保税料件应缴纳税款金额的风险担保金后，海关予以办理：

（一）同一经营企业申报将剩余料件结转到另一加工企业的；

（二）剩余料件转出金额达到该加工贸易合同项下实际进口料件总额50%及以上的；

（三）剩余料件所属加工贸易合同办理两次及两次以上延期手续的；

剩余料件结转涉及不同主管海关的，在双方海关办理相关手续，并由转入地海关收取风险担保金。

前款所列须缴纳风险担保金的加工贸易企业有下列情形之一的，免于缴纳风险担保金：

（一）适用加工贸易A类管理的；

（二）已实行台账实转的合同，台账实转金额不低于结转保税料件应缴纳税款金额的；

（三）原企业发生搬迁、合并、分立、重组、改制、股权变更等法律规定的情形，且现企业继承原企业主要权利义务或者债权债务关系的，剩余料件结转不受同一经营企业、同一加工企业、同一贸易方式限制。

**第六条** 加工贸易企业申请内销剩余料件或者内销用剩余料件生产的制成品，按照下列情况办理：

（一）剩余料件金额占该加工贸易合同项下实际进口料件总额3%以内（含3%），并且总值在人民币1万元以下（含1万元）的，由主管海关对剩余料件按照规定计征税款和税款缓税利息后予以核销。剩余料件属于发展改革委、商务部、生态环境部及其授权部门进口许可证件管理范围的，免于提交许可证件。

（二）剩余料件金额占该加工贸易合同项下实际进口料件总额3%以上或者总值在人民币1万元以上的，海关对合同内销的全部剩余料件按照规定计征税款和缓税利息。剩余料件属于进口许可证件管理的，企业还应当按照规定取得有关进口许可证件。海关对有关进口许可证件电子数据进行系统自动比对验核。

（三）使用剩余料件生产的制成品需要内销的，海关根据其对应的进口料件价值，按照本条第（一）项或者第（二）项的规定办理。

**第七条** 加工贸易企业需要内销残次品的，根据其对应的进口料件价值，参照本办法第六条第（一）项或者第（二）项的规定办理。

**第八条** 加工贸易企业在加工生产过程中产生或者经回收能够提取的副产品，未复出口的，加工贸易企业在向海关办理手册设立或者核销手续时应当如实申报。

对于需要内销的副产品，海关按照加工贸易企业向海关申请内销副产品的报验状态归类后的适用税率和审定的价格，计征税款和缓税利息。

海关按照加工贸易企业向海关申请内销副产品的报验状态归类后，属于进口许可证件管理的，企业还应当按照规定取得有关进口许可证件。海关对有关进口许可证件电子数据进行系统自动比对验核。

**第九条** 加工贸易受灾保税货物（包括边角料、剩余料件、残次品、副产品）在运输、仓储、加工期间发生灭失、短少、损毁等情事的，加工贸易企业应当及时向主管海关报告，海关可以视情派员核查取证。

（一）因不可抗力因素造成的加工贸易受灾保税货物，经海关核实，对受灾保税货物灭失或者虽未灭失，但是完全失去使用价值且无法再利用的，海关予以免税核销；对受灾保税货物虽失去原使用价值，但是可以再利用的，海关按照审定的受灾保税货物价格、其对应进口料件适用的税率计征税款和税款缓税利息后核销。受灾保税货物对应的原进口料件，属于发展改革委、商务部、生态环境部及其授权部门进口许可证件管理范围的，免于提交许可证件。企业在规定的核销期内报核时，应当提供保险公司出具的保险赔款通知书和海关认可的其他有效证明文件。

（二）除不可抗力因素外，加工贸易企业因其他经海关审核认可的正当理由导致加工贸易保税货物在运输、仓储、加工期间发生灭失、短少、损毁等情事的，海关凭有关主管部门出具的证明文件和保险公司出具的保险赔款通知书，按照规定予以计征税款和缓税利息后办理核销手续。本款所规定的受灾保税货物对应的原进口料件，属于进口许可证件管理范围的，企业应当按照规定取得有关进口许可证件。海关对有关进口许可证件电子数据进行系统自动比对验核。本办法第四条、第六条、第七条规定免于提交进口许可证件的除外。

**第十条** 加工贸易企业因故申请将边角料、剩余料件、残次品、副产品或者受灾保税货物退运出境的，海关按照退运的有关规定办理，凭有关退运证明材料办理核销手续。

**第十一条** 加工贸易企业因故无法内销或者退运的边角料、剩余料件、残次品、副产品或者受灾保税货物，由加工贸易企业委托具有法定资质的单位进行销毁处置，海关凭相关单证、处置单位出具的接收单据和处置证明等资料办理核销手续。

海关可以派员监督处置，加工贸易企业及有关处置单位应当给予配合。加工贸易企业因处置获得的收入，应当向海关如实申报，海关比照边角料内销征税的管理规定办理征税手续。

**第十二条** 对实行进口关税配额管理的边角料、剩余料件、残次品、副产品和受灾保税货物，按照下列情况办理：

（一）边角料按照加工贸易企业向海关申请内销的报验状态归类属于实行关税配额管理商品的，海关按照关税配额税率计征税款；

（二）副产品按照加工贸易企业向海关申请内销的报验状态归类属于实行关税配额管理的，企业如果能够按照规定向海关提交有关进口配额许可证件，海关按照关税配额税率计征税款；企业如果未能按照规定向海关提交有关进口配额许可证件，海关按照有关规定办理；

（三）剩余料件、残次品对应进口料件属于实行关税配额管理的，企业如果能够按照规定向海关提交有关进口配额许可证件，海关按照关税配额税率计征税款；企业如果未能按照规定向海关提交有关进口配额许可证件，海关按照有关规定办理；

（四）因不可抗力因素造成的受灾保税货物，其对应进口料件属于实行关税配额管理商品的，海关按照关税配额税率计征税款；因其他经海关审核认可的正当理由造成的受灾保税货物，其对应进口料件属于实行关税配额管理的，企业如果能够按照规定向海关提交有关进口配额许可证件，海关按照关税配额税率计征税款；企业如果未能按照规定向海关提交有关进口配额许可证件，按照有关规定办理。

**第十三条** 属于加征反倾销税、反补贴税、保障措施关税或者报复性关税（以下统称特别关税）的，按照下列情况办理：

（一）边角料按照加工贸易企业向海关申请内销的报验状态归类属于加征特别关税的，海关免于征收需要加征的特别关税；

（二）副产品按照加工贸易企业向海关申请内销的报验状态归类属于加征特别关税的，海关按照规定征收需加征的特别关税；

（三）剩余料件、残次品对应进口料件属于加征特别关税的，海关按照规定征收需加征的特别关税。

（四）因不可抗力因素造成的受灾保税货物，如果失去原使用价值的，其对应进口料件属于加征特别关税的，海关免于征收需要加征的特别关税；因其他经海关审核认可的正当理由造成的受灾保税货物，其对应进口料件属于加征特别关税的，海关按照规定征收需加征的特别关税。

第十四条　加工贸易企业办理边角料、剩余料件、残次品、副产品和受灾保税货物内销的进出口通关手续时，应当按照下列情况办理：

（一）加工贸易剩余料件、残次品以及受灾保税货物内销，企业按照其加工贸易的原进口料件品名进行申报；

（二）加工贸易边角料以及副产品，企业按照向海关申请内销的报验状态申报。

第十五条　保税区、出口加工区内加工贸易企业的加工贸易保税进口料件加工后产生的边角料、剩余料件、残次品、副产品等的海关监管，按照保税区、出口加工区的规定办理。

第十六条　违反《海关法》及本办法规定，构成走私或者违反海关监管规定行为的，由海关依照《海关法》、《中华人民共和国海关行政处罚实施条例》等有关法律、行政法规的规定予以处理；构成犯罪的，依法追究刑事责任。

第十七条　本办法由海关总署负责解释。

第十八条　本办法自 2004 年 7 月 1 日起施行。2001 年 9 月 13 日发布的《关于加工贸易边角料、节余料件、残次品、副产品和受灾保税货物的管理办法》（海关总署令第 87 号）同时废止。

# 关于全面推广加工贸易边角废料内销网上公开拍卖共管机制的公告

（海关总署公告 2018 年第 218 号）

(2018 年 12 月 29 日由海关总署发布，2018 年 12 月 29 日起施行，法规类型为规范性文件)

为维护公平、公正、公开的加工贸易边角废料内销交易秩序，推进内销便利化，为企业减负增效，海关总署决定在前期试点的基础上全面推广加工贸易边角废料内销网上公开拍卖共管机制。根据《中华人民共和国海关法》及有关法律、行政法规的规定，现就相关事项公告如下：

一、加工贸易边角废料内销网上公开拍卖共管机制是指经海关允许，加工贸易企业通过与海关联网的拍卖平台，委托具有法定资质的拍卖机构依法公开拍卖加工贸易边角废料，海关和相关主管部门共同对该交易行为实施管理。

二、本公告所称边角废料，包括加工贸易边角料、副产品和按照规定需要以残留价值征税的受灾保税货物，以及海关特殊监管区域内企业保税加工过程中产生的边角料、废品、残次品和副产品等保税货物。

三、对以网上公开拍卖方式内销的边角废料,海关以拍卖价格为基础审查确定完税价格。

四、同一批边角废料流拍 3 次以上、每次拍卖公告期不少于 3 日,且其中 1 次为无保留价竞价的,加工贸易企业可凭不再销售的书面承诺及有关流拍材料等资料,按规定直接向海关申请办理核销手续。

五、上海、南京、郑州、黄埔、重庆关区企业,可继续按原试点模式开展相关工作。

本公告自发布之日起实施。

特此公告。

## 中华人民共和国海关审定内销保税货物完税价格办法

(海关总署令第 211 号)

(2013 年 12 月 25 日由海关总署发布,2014 年 2 月 1 日起施行,法规类型为部门规章)

第一条 为了正确审查确定内销保税货物的完税价格,根据《中华人民共和国海关法》、《中华人民共和国进出口关税条例》及其他有关法律、行政法规的规定,制定本办法。

第二条 海关审查确定内销保税货物完税价格,适用本办法。涉嫌走私的内销保税货物计税价格的核定,不适用本办法。

第三条 内销保税货物的完税价格,由海关以该货物的成交价格为基础审查确定。

第四条 进料加工进口料件或者其制成品(包括残次品)内销时,海关以料件原进口成交价格为基础审查确定完税价格。

属于料件分批进口,并且内销时不能确定料件原进口——对应批次的,海关可按照同项号、同品名和同税号的原则,以其合同有效期内或电子账册核销周期内已进口料件的成交价格计算所得的加权平均价为基础审查确定完税价格。

合同有效期内或电子账册核销周期内已进口料件的成交价格加权平均价难以计算或者难以确定的,海关以客观可量化的当期进口料件成交价格的加权平均价为基础审查确定完税价格。

第五条 来料加工进口料件或者其制成品(包括残次品)内销时,海关以接受内销申报的同时或者大约同时进口的与料件相同或者类似的保税货物的进口成交价格为基础审查确定完税价格。

第六条 加工企业内销的加工过程中产生的边角料或者副产品,以其内销价格为基础审查确定完税价格。

副产品并非全部使用保税料件生产所得的,海关以保税料件在投入成本核算中所占比重计算结果为基础审查确定完税价格。

按照规定需要以残留价值征税的受灾保税货物,海关以其内销价格为基础审查确定完税价格。按照规定应折价成料件征税的,海关以各项保税料件占构成制成品(包括残次品)全部料件的价值比重计算结果为基础审查确定完税价格。

边角料、副产品和按照规定需要以残留价值征税的受灾保税货物经海关允许采用拍卖方式内销时,海关以其拍卖价格为基础审查确定完税价格。

第七条 深加工结转货物内销时,海关以该结转货物的结转价格为基础审查确定完税价格。

第八条 保税区内企业内销的保税加工进口料件或者其制成品,海关以其内销价格为基础审查确定完税价格。

保税区内企业内销的保税加工制成品中,如果含有从境内采购的料件,海关以制成品所含从境外购入料件的原进口成交价格为基础审查确定完税价格。

保税区内企业内销的保税加工进口料件或者其制成品的完税价格依据本条前两款规定不能确定的,海关以接受内销申报的同时或者大约同时内销的相同或者类似的保税货物的内销价格为基础审查确定完税价格。

第九条 除保税区以外的海关特殊监管区域内企业内销的保税加工料件或者其制成品,以其内销价格为基础审查确定完税价格。

除保税区以外的海关特殊监管区域内企业内销的保税加工料件或者其制成品的内销价格不能确定的,海关以接受内销申报的同时或者大约同时内销的相同或者类似的保税货物的内销价格为基础审查确定完税价格。

除保税区以外的海关特殊监管区域内企业内销的保税加工制成品、相同或者类似的保税货物的内销价格不能确定的,海关以生产该货物的成本、利润和一般费用计算所得的价格为基础审查确定完税价格。

第十条 海关特殊监管区域内企业内销的保税加工过程中产生的边角料、废品、残次品和副产品,以其内销价格为基础审查确定完税价格。

海关特殊监管区域内企业经海关允许采用拍卖方式内销的边角料、废品、残次品和副产品,海关以其拍卖价格为基础审查确定完税价格。

第十一条 海关特殊监管区域、保税监管场所内企业内销的保税物流货物,海关以该货物运出海关特殊监管区域、保税监管场所时的内销价格为基础审查确定完税价格;该内销价格包含的能够单独列明的海关特殊监管区域、保税监管场所内发生的保险费、仓储费和运输及其相关费用,不计入完税价格。

第十二条 海关特殊监管区域内企业内销的研发货物,海关依据本办法第八条、第九条、第十条的规定审查确定完税价格。海关特殊监管区域内企业内销的检测、展示货物,海关依据本办法第十一条的规定审查确定完税价格。

第十三条 内销保税货物的完税价格不能依据本办法第四至十二条规定确定的,海关依次以下列价格估定该货物的完税价格:

(一)与该货物同时或者大约同时向中华人民共和国境内销售的相同货物的成交价格;

(二)与该货物同时或者大约同时向中华人民共和国境内销售的类似货物的成交价格;

(三)与该货物进口的同时或者大约同时,将该进口货物、相同或者类似进口货物在第一级销售环节销售给无特殊关系买方最大销售总量的单位价格,但应当扣除以下项目:

1. 同等级或者同种类货物在中华人民共和国境内第一级销售环节销售时通常的利润和一般费用以及通常支付的佣金;

2. 进口货物运抵境内输入地点起卸后的运输及其相关费用、保险费;

3. 进口关税及国内税收。

(四)按照下列各项总和计算的价格:生产该货物所使用的料件成本和加工费用,向中华人民共和国境内销售同等级或者同种类货物通常的利润和一般费用,该货物运抵境内输入地点起卸前的运输及其相关费用、保险费;

(五)以合理方法估定的价格。

纳税义务人向海关提供有关资料后,可以提出申请,颠倒前款第三项和第四项的适用次序。

第十四条 本办法中下列用语的含义:

内销保税货物,包括因故转为内销需要征税的加工贸易货物、海关特殊监管区域内货物、保税监管场所内货物和因其他原因需要按照内销征税办理的保税货物,但不包括以下项目:

（一）海关特殊监管区域、保税监管场所内生产性的基础设施建设项目所需的机器、设备和建设所需的基建物资；

（二）海关特殊监管区域、保税监管场所内企业开展生产或综合物流服务所需的机器、设备、模具及其维修用零配件；

（三）海关特殊监管区域、保税监管场所内企业和行政管理机构自用的办公用品、生活消费用品和交通运输工具。

内销价格，是指向国内企业销售保税货物时买卖双方订立的价格，是国内企业为购买保税货物而向卖方（保税企业）实际支付或者应当支付的全部价款，但不包括关税和进口环节海关代征税。

拍卖价格，是指国家注册的拍卖机构对海关核准参与交易的保税货物履行合法有效的拍卖程序，竞买人依拍卖规定获得拍卖标的物的价格。

结转价格，是指深加工结转企业间买卖加工贸易货物时双方订立的价格，是深加工结转转入企业为购买加工贸易货物而向深加工结转转出企业实际支付或者应当支付的全部价款。

**第十五条** 纳税义务人对海关确定完税价格有异议的，应当按照海关作出的相关行政决定缴纳税款，并可以依法向上一级海关申请复议。对复议决定不服的，可以依法向人民法院提起行政诉讼。

**第十六条** 违反本办法规定，构成走私或者违反海关监管规定行为的，由海关依照《中华人民共和国海关法》和《中华人民共和国海关行政处罚实施条例》的有关规定予以处理；构成犯罪的，依法追究刑事责任。

**第十七条** 本办法由海关总署负责解释。

**第十八条** 本办法自 2014 年 2 月 1 日起施行。

# 关于内销保税货物审价问题的公告

（海关总署公告 2014 年第 14 号）

（2014 年 2 月 7 日由海关总署发布，2014 年 2 月 7 日起施行，法规类型为规范性文件）

根据《中华人民共和国进出口关税条例》、《中华人民共和国海关审定内销保税货物完税价格办法》（海关总署令第 211 号发布）、《中华人民共和国海关审定进出口货物完税价格办法》（海关总署令第 213 号发布）的有关规定，现就海关在审查确定内销保税货物完税价格时的有关事宜公告如下：

一、海关在审查确定内销保税货物完税价格时，其质疑、磋商和告知的程序，参照《中华人民共和国海关审定进出口货物完税价格办法》的有关规定，具体的法律文书格式见本公告附件。

二、违反海关监管规定案件的内销保税货物的完税价格按照《中华人民共和国海关审定内销保税货物完税价格办法》的规定予以审定。

本公告内容自印发之日起施行，原海关总署公告 2005 第 33 号同时废止。

特此公告。

附件：1. 中华人民共和国海关内销保税货物价格质疑通知书（略）

2. 中华人民共和国海关内销保税货物价格磋商通知书（略）
3. 中华人民共和国海关内销保税货物价格磋商记录表（略）
4. 中华人民共和国海关内销保税货物估价告知书（略）

## 关于加工贸易企业国内提购柴油内销有关问题的复函

（国经贸厅外经函〔2001〕339号）

（2001年5月21日由国家经济贸易委员会办公厅发布，2001年5月21日起施行，法规类型为规范性文件）

海关总署办公厅：

你厅署办函〔2001〕59号文收悉。经研究，函复如下：

根据《关于暂停进口柴油、汽油后国内油品供应有关问题的通知》（国经贸贸易〔1998〕653号）的规定，外商投资企业、来料加工企业凭购油凭证和加工贸易手册到指定炼油企业所在地海关办理购油进口手续。同时还规定，加工贸易企业购进的免税柴油按现行加工贸易管理规定监管。加工产品未能出口，其使用的柴油应照章补税。文中对加工贸易产品转内销的用油，只规定其应照章补税，不须补领进口许可证。

## 海关总署关于加工贸易企业国内 提购柴油内销免验进口许可证的通知

（署法函〔2001〕193号）

（2001年6月8日由海关总署发布，2001年6月8日起施行，法规类型为规范性文件）

广东分署，各直属海关：

根据《关于暂停进口柴油、汽油的紧急通知》（国经贸贸易〔1998〕561号）和《关于暂停进口柴油、汽油后国内油品供应有关问题的通知》（国经贸贸易〔1998〕653号）规定，自1998年9月20日起，暂停一切贸易方式（包括一般贸易、加工贸易、边境小额贸易）及保税区、保税油库的柴油、汽油进口。柴油、汽油暂停进口后，经批准可享受免税进口柴油的外商投资企业、来料加工企业，凭"购油凭证"在国内指定的炼油企业购买柴油、汽油，其中，加工贸易企业购进的免税柴油按现行加工贸易管理规定监管。上述文件规定，由于加工产品未能出口，其使用的柴油应照章补税，但未对是否应补证做出规定。经与国家经贸委联系，现特就此问题明确如下：对加工贸易产品转内销的用油，不须补领进口许可证。请各海关在办理使用国内提购柴油的加工贸易产品转内销手续时，不必验核进口许可证，直接按规定办理照章补税手续。

以上请遵照执行。

附：国家经贸委《关于加工贸易企业国内提购柴油内销有关问题的复函》（国经贸厅外经函〔2001〕399号）（略）

# 关于《海关总署、外经贸部、质检总局关于进一步明确加工贸易项下外商提供的不作价进口设备解除海关监管有关问题的通知》有关问题

（海关总署公告2001年第16号）

（2001年12月7日由海关总署发布，2002年1月1日起施行，法规类型为规范性文件）

二〇〇一年十一月七日，中华人民共和国海关总署、中华人民共和国对外贸易经济合作部、中华人民共和国国家质量监督检验检疫总局联合发布了《海关总署、外经贸部、质检总局关于进一步明确加工贸易项下外商提供的不作价进口设备解除海关监管有关问题的通知》①（署法发〔2001〕420号，以下简称《通知》），进一步明确了外商提供的不作价进口设备的管理规定，现就《通知》中有关管理问题公告如下：

一、外商提供的免税不作价进口设备（以下简称"不作价设备"）属海关监管货物，监管期限为5年。

二、监管期限未满、申请提前解除监管并留在境内的"不作价设备"，企业须补缴关税、进口环节增值税，海关凭相关进口许可证件及其他单证办理解除监管手续。

三、监管期限已满的"不作价设备"应退运出境，因特殊情况不退运出境的，按以下规定办理解除监管手续：

（一）企业不退运出境并向海关申请放弃的"不作价设备"，海关可直接为企业办理解除监管手续，并按有关规定对放弃的"不作价设备"作出处理；

（二）不退运出境并留在境内继续使用的"不作价设备"，企业需提出申请，由机电产品进口管理机构办理进口审批手续，海关凭批件为其办理解除监管手续，并免缴进口关税、进口环节增值税。

对不按上述规定将监管期限已满的"不作价设备"退运出境或留在境内不及时办理解除监管手续的企业，由海关调查部门按违规行为处理，结案前海关不予办理新的加工贸易备案手续。

四、提前解除监管和监管年限已满留在境内继续使用的"不作价设备"，需经检验检疫机构对其安全、环保、卫生等项目进行检验检疫，检验检疫合格并签发"检验检疫证书"后，方能办理解除监管手续，继续使用。

五、提前解除监管和监管年限已满留在境内继续使用的"不作价设备"，视同旧机电产品进口，按《关于加强旧机电产品进口管理的通知》（国经贸机〔1997〕877号）、《关于加强旧机电产品进口管理的补充通知》（〔1998〕外经贸机电发555号）和《关于重申进口旧机电产品有关管理规定的通知》（国质检联〔2001〕42号）的规定实施管理，但进口时已办理过旧

---

① 已废止。

机电产品进口手续的旧"不作价设备",可不再履行旧机电产品进口审批手续。

本公告上述规定自 2002 年 1 月 1 日起执行。

## 关于加工贸易进口涉证商品转内销有关问题的通知

(商机电函〔2004〕14 号)

(2004 年 7 月 5 日由商务部、国家发展和改革委员会、海关总署发布,2004 年 7 月 5 日起施行,法规类型为规范性文件)

各省、自治区、直辖市、计划单列市及新疆生产建设兵团商务厅(局)、外经贸委(厅、局),深圳市经贸局,哈尔滨、长春、沈阳、南京、广州、成都、西安、武汉市外经贸局,各省、自治区、直辖市及计划单列市发展改革委,海关总署,天津、上海特派办,各直属海关:

为方便企业开展加工贸易业务,加强和规范各有关部门对加工贸易的管理,更好地适应新时期加工贸易快速发展的需要,根据《国务院办公厅转发国家经贸委等部门〈关于进一步完善加工贸易银行保证金台帐制度的意见〉的通知》(国办发〔1999〕35 号,以下简称"35 号文")关于加工贸易内销问题的有关规定,现就加工贸易进口涉证商品转内销有关问题通知如下:

一、加工贸易企业进口涉证商品因故不能复出口需转内销的,由省级商务(外经贸)加工贸易主管部门(下称省级加工贸易主管部门)凭企业提交的内销申请和相关进口管理机构签发的进口许可证件核发《加工贸易保税进口料件内销批准证》(下称《内销批准证》),并须在《内销批准证》备注栏注明相应进口许可证件名称及其号码。主管海关凭省级加工贸易主管部门出具的《内销批准证》及其备注栏中注明号码的有效进口许可证件等办理加工贸易内销补税和核销手续。

如期也无法提交相关进口管理机构签发的进口许可证件,省级加工贸易主管部门可向企业出具《内销批准证》,主管海关按照"35 号文"的规定补征税款及税款利息,并处进口料件案值等值以下、30%以上的罚款后,按规定为企业办理加工贸易手册核销手续。

未经批准,擅自内销加工贸易保税料件或成品的,按照《中华人民共和国海关法》、《中华人民共和国海关法行政处罚实施细则》的有关规定处理。

部分重点敏感商品加工贸易内销按照第二条执行。

二、部分重点敏感商品加工贸易内销规定

(一)汽车、摩托车整车及构成整车特征的主要部件加工贸易内销规定,将根据国家汽车产业发展政策,另行发文通知。

(二)卫星电视广播地面接收设备

对卫星电视广播地面接收设备加工贸易内销,省级加工贸易主管部门须按照《国家广电总局 公安部 信息产业部 外经贸部 海关总署 国家工商总局关于印发〈关于进一步加强卫星电视广播地面接收设施管理的意见〉的通知》(广发外字〔2002〕254 号)等有关规定上报商务部,商务部相关管理部门同意后批准。省级加工贸易主管部门凭商务部批复和相应进口许可证件,按照本通知第一条第一款规定执行。海关凭《内销批准证》和相应进口许可证件,按加工贸易内销规定补征税款后,为企业办理手册核销手续。如企业无法提交相应进口许可证件,省级加工贸易主管部门和海关不得批准内销。

（三）只读光盘和光盘生产设备

对只读光盘和光盘生产设备加工贸易内销，企业须按申请内销时产品的实际状态先取得新闻出版主管部门同意进口的批件，省级加工贸易主管部门按照本通知第一条第一款规定执行。海关凭《内销批准证》和相应进口批件，按加工贸易内销规定补征税款后，为企业办理手册核销手续。如企业无法提交相应进口许可证件，省级加工贸易主管部门和海关不得批准内销。

（四）游戏设备及其零、附件

企业开展电子游戏设备及其零、附件加工贸易业务，须按照《海关总署、对外贸易经济合作部转发〈国务院办公厅转发文化部等部门关于开展电子游戏经营场所专项治理意见的通知〉的紧急通知》（署法〔2000〕346号）的规定，全部加工复出口；逾期不能出口的，由海关依法予以收缴，或监督有关企业予以销毁，并按规定办理核销手续。

（五）农产品关税配额商品

农产品关税配额商品加工贸易内销，由省级加工贸易主管部门按照《加工贸易保税进口料件内销审批管理暂行办法》（〔1999〕外经贸管发第315号，下称"315号文"）的有关规定，报商务部审核批准；对于粮食、棉花内销的，由省级加工贸易主管部门会同省级发展改革部门联合上报商务部和国家发展改革委，由商务部商国家发展改革委同意后批准。省级加工贸易主管部门凭商务部批复出具《内销批准证》，并须在备注栏注明相应配额证件号码。

加工贸易企业应在规定时间内向海关申请办理内销手续，海关凭商务部批复、相应的配额证件和《内销批准证》，对企业按关税配额税率计征税款和缓税利息后，并按规定办理加工贸易手册核销手续，如企业无法提交相应的配额证件，省级加工贸易主管部门可凭商务部批复向企业出具《内销批准证》，主管海关凭商务部批复和《内销批准证》，按照关税配额税率和"35号文"的规定补征税款和税款利息外，并处进口料件案值等值以下、30%以上的罚款后，为企业办理加工贸易手册核销手续。

（六）天然橡胶

天然橡胶加工贸易内销，由省级加工贸易主管部门按照"315号文"和《天然橡胶自动进口许可操作规程（暂行）》（商务部公告2004年第6号）的有关规定，报商务部审批，天然橡胶授权发证机构凭商务部批复出具《自动进口许可证》，省级加工贸易主管部门凭商务部批复和相应进口许可证件，按照本通知第一条第一款规定执行。主管海关凭《内销批准证》和相应进口许可证件办理内销补税和核销手续。如企业无法提供《自动进口许可证》，则按照本通知第一条第二款规定执行。

（七）易制毒化学品、军民通用化学品等

开展进口料件或出口制成品属于：可作为化学武器的化学品、化学武器关键前体、化学武器原料、易制毒化学品、消耗臭氧层物质等商品的加工贸易业务转内销，企业须按照规定提供有关部门出具的相应进口许可证件，由省级加工贸易主管部门和主管海关按照本通知第一条第一款规定执行。主管海关凭《内销批准证》和相应进口许可证件办理内销补税和核销手续。如企业无法提交相应进口许可证件，不得内销。

（八）氧化铝（非铝行业除外）、冻鸡

按照原外经贸部《关于加强氧化铝加工贸易审批管理有关问题的紧急通知》（外经贸贸发〔2001〕567号）和《关于加强冻鸡加工贸易审批管理有关问题的紧急通知》（〔2000〕外经贸管发第646号）的规定，由省级加工贸易主管部门报商务部核准后办理。主管海关凭《内销批准证》和相应进口许可证件办理内销补税和核销手续。如企业无法提交相应进口许可证件，不得内销。

三、钢铁保障措施产品

按照《商务部办公厅海关总署办公厅关于钢铁最终保障措施终止后加工贸易进口相关钢

铁产品有关事项的通知》（商机电字〔2004〕4号）的规定执行。

四、关于加工贸易边角料、剩余料件、残次品、副产品和受灾保税货物内销，按照《中华人民共和国海关总署令第111号》的规定执行。

五、以加工贸易方式进口的原料药、药材及其制成品，按照《国家食品药品监督管理局、海关总署令第4号》的规定，禁止内销。

六、本通知自发文之日起执行，此前所发《商务部办公厅关于加工贸易进口涉证商品转内销有关问题的补充通知》（商机电加字〔2003〕65号）同时废止。各单位在执行过程中有何问题或建议请及时反映。

特此通知。

## 关于加工贸易保税货物内销征收缓税利息适用利息率调整

（海关总署公告2009年第13号）

(2009年3月6日由海关总署发布，2009年3月6日起施行，法规类型为规范性文件)

为稳步推进加工贸易转型升级，改善加工贸易发展环境，积极支持扩大内需，经国务院批准，现就加工贸易保税货物内销征收缓税利息适用利息率调整的有关问题公告如下：

一、缓税利息的利息率

加工贸易保税货物内销征收缓税利息适用的利息率暂由参照一年期贷款基准利率调整为参照中国人民银行公布的活期存款利率（以下简称"活期存款利率"）执行。

二、缓税利息的征收及计算公式

加工贸易缓税利息应根据填发海关税款缴款书时海关总署公布的最新缓税利息率按日征收。缓税利息计算公式如下：

应征缓税利息＝应征税额×计息期限×缓税利息率/360

本公告自发布之日起执行。《海关总署、财政部、商务部、人民银行、税务总局关于调整加工贸易商品内销征收缓税利息率有关问题的公告》（海关总署、财政部、商务部、人民银行、税务总局2006年第52号公告）同时废止。

特此公告。

## 关于加工贸易保税货物内销缓税利息的征收及退还

（海关总署公告2009年第14号）

(2009年3月16日由海关总署发布，2009年3月16日起施行，法规类型为规范性文件)

根据《中华人民共和国进出口关税条例》（国务院令第392号，以下简称《关税条例》）、《国务院办公厅转发国家经贸委等部门〈关于进一步完善加工贸易银行保证金台账制度的意见〉的通知》(国办发〔1999〕35号)和海关总署2009年第13号公告等规定,现就加工贸易保税货物内销缓税利息的征收和退还涉及的有关问题公告如下:

一、加工贸易保税货物在规定的有效期限内(包括经批准延长的期限)全部出口的,由海关通知中国银行将保证金及其活期存款利息全部退还。

二、加工贸易保税料件或制成品内销的,海关除依法征收税款外,还应加征缓税利息。缓税利息具体征收办法如下:

(一)缓税利息的利率参照中国人民银行公布的活期存款利率执行,现为0.36%。
海关将根据中国人民银行公布的活期存款利率即时调整并执行。

(二)利率的适用:
海关根据填发税款缴款书时的利率计征缓税利息。

(三)缓税利息的征收及计算公式:
加工贸易缓税利息应根据填发海关税款缴款书时海关总署调整的最新缓税利息率按日征收。缓税利息计算公式如下:

应征缓税利息=应征税额×计息期限×缓税利息率/360

(四)计息期限的确定:

1. 加工贸易保税料件或制成品经批准内销的,缓税利息计息期限的起始日期为内销料件或制成品所对应的加工贸易合同项下首批料件进口之日;加工贸易E类电子帐册项下的料件或制成品内销时,起始日期为内销料件或制成品所对应电子帐册的最近一次核销之日(若没有核销日期的,则为电子帐册的首批料件进口之日)。

对上述货物征收缓税利息的终止日期为海关填发税款缴款书之日。

2. 加工贸易保税料件或制成品未经批准擅自内销,违反海关监管规定的,缓税利息计息期限的起始日期为内销料件或制成品所对应的加工贸易合同项下首批料件进口之日;若内销涉及多本合同,且内销料件或制成品与合同无法一一对应的,则计息的起始日期为最近一本合同项下首批料件进口之日;若加工贸易E类电子帐册项下的料件或制成品擅自内销的,则计息的起始日期为内销料件或制成品所对应电子帐册的最近一次核销之日(若没有核销日期的,则为电子帐册的首批料件进口之日);按照前述方法仍无法确定计息的起始日期的,则不再征收缓税利息。

违规内销计息的终止日期为保税料件或制成品内销之日。内销之日无法确定的,终止日期为海关发现之日。

加工贸易保税料件或制成品等违规内销的,还应根据《关税条例》的有关规定按海关总署2004年第39号公告第二条的规定征收滞纳金。

加工贸易保税货物需要后续补税,但海关未按违规处理的,缓税利息计息的起止日期比照上述规定办理。

3. 加工贸易边角料、剩余料件、残次品、副产品和受灾保税货物等内销需征收缓税利息的,亦应比照上述规定办理。

(五)对于实行保证金台账实转(包括税款保付保函)管理的加工贸易手册项下的保税货物,在办理内销征税手续时,如果海关征收的缓税利息大于对应台账保证金的利息,应由中国银行在海关税款缴款书上签注后退ncbi,由海关重新开具两份缴款书,一份将台账保证金利息全额转为缓税利息,另一份将台账保证金利息不足部分单开海关税款缴款书,企业另行缴纳。

三、经审核准予内销的,海关应当做出准予内销的决定,签发《加工贸易货物内销征税联系单》并批注相关意见,同时,选择征收缓税利息的适用利率种类为"活期存款",交经营企业办理通关手续。

经营企业凭《加工贸易货物内销征税联系单》纸质或电子数据办理通关手续。在填制内销报关单时，企业需在备注栏注明"活期"字样。

海关核对《加工贸易货物内销征税联系单》纸质或电子数据内容和内销报关单数据内容并确认无误后，按现行有关规定办理内销货物审单、征税、放行等海关手续。

四、本公告自发布之日起施行，海关总署2006年第53号公告同时废止。

特此公告。

## 关于加工贸易集中办理内销征税手续的公告

（海关总署公告2013年第70号）

（2013年12月16日由海关总署发布，2014年1月1日起施行，法规类型为规范性文件）

为支持加工贸易转型升级，引导企业更好地面向国际国内两个市场，延长加工贸易国内产业链，海关在前期试点的基础上，决定对全国B类及以上加工贸易企业全面推广实施内销集中办理纳税手续措施。根据《中华人民共和国海关对加工贸易货物监管办法》（海关总署令第113号，经海关总署令第168、195号修订）及其他有关规定，现就有关事项公告如下：

一、加工贸易内销集中征税是指符合条件的加工贸易企业先行内销加工贸易保税货物，再集中向主管海关办理内销纳税手续。

海关特殊监管区域内企业（H账册企业）、区外联网监管企业（E账册企业）按各自原有规定办理内销集中纳税手续，区外非联网监管的B类及以上企业按本公告办理内销中纳税手续。

二、企业采用集中纳税模式办理内销手续，需事先向海关提交《集中办理内销纳税手续情况表》（见附件1）备案，并按规定提供相应担保。

三、企业有下列情形之一的，海关不予办理：

（一）涉嫌走私、违规已被海关立案调查、侦查，案件未审结的；

（二）有逾期未报核加工贸易手册的；

（三）因为管理混乱被海关要求整改，在整改期内的。

四、企业办理内销集中纳税，应按以下要求向海关提供担保：

AA、A类企业无需提供担保，B类企业需提供有效担保，可采用海关保证金或有效期内银行保函两种形式；

B类企业保证金（保函）金额=企业计划月内销纳税金额×50%

其中，企业计划月内销纳税金额=企业计划月内销货物金额×企业申请时汇率×综合税率（22%）

B类企业有下列情形之一的，或主管海关有理由认为企业存在较高风险，海关可视风险程度要求企业缴纳相当于企业月计划内销纳税金额的全额保证金（保函）：

（一）租赁厂房或者设备的；

（二）加工贸易手册两次或者两次以上延期的。

五、企业在备案环节已缴纳保证金，且已缴纳保证金金额超过上述第四条计算的保证金应缴金额的，无需重复缴纳；但若在企业内销集中征税期间，在备案环节缴纳保证金额的手册已核销结案、备案环节征收的保证金已退还导致保证金金额不足时，应补缴相应保证金或变更保函金额；

企业月度内销纳税金额超出申请的月计划内销纳税金额时，应在额度超出前到主管海关补缴相应保证金或变更保函金额。

六、企业内销加工贸易货物后，须在当月月底前向主管海关集中办理《加工贸易内销征税联系单》，且不得超过手册有效期。

七、已适用内销集中纳税的加工贸易企业，有下列情形之一的，终止适用内销集中纳税：

（一）企业涉嫌走私、违规，被海关立案调查、侦查，案件未审结的；

（二）企业一年内月实际内销征税金额超过月计划纳税金额两次及以上，未及时到海关办理相应手续的；

（三）企业内销加工贸易货物后，未经海关批准不在规定时间内向主管海关办理集中申报手续的；

（四）企业先行内销加工贸易货物后无法按规定提交商务主管部门《加工贸易保税进口料件内销批准证》及其他许可证件的；

（五）企业手册到期未及时办理报核手续的；

（六）因管理混乱被海关要求整改的；

（七）企业被降为C、D类的；

（八）企业自主申请终止资格的。

企业终止内销集中征税，海关应在企业履行完纳税手续后为其办理保证金退还手续。

八、采用内销集中纳税的企业应及时填写《集中办理内销纳税手续发货记录单》（详见附件2），并在上述第六条规定的时间内，按规定凭商务主管部门《加工贸易保税进口料件内销批准证》办理内销申报手续。

九、加工贸易企业内销商品中如涉及许可证件管理的商品，应当取得相应许可证件后，向海关办理内销集中申报手续。

十、已取消商务主管部门《加工贸易保税进口料件内销征税批准证》审批省份的企业，办理内销集中申报手续时，不再收取《加工贸易保税进口料件内销征税批准证》。

十一、本办法自2014年1月1日起实施。

特此公告。

附件：1. 集中办理内销纳税手续情况表（略）
　　　2. 集中办理内销纳税手续发货记录单（略）

# 关于加工贸易货物销毁处置有关问题的公告

（海关总署公告2014年第33号）

（2014年4月26日由海关总署发布，2014年5月1日起施行，法规类型为规范性文件）

根据《中华人民共和国海关对加工贸易货物监管办法》（海关总署令第219号）、《中华人民共和国海关关于加工贸易边角料、剩余料件、残次品、副产品和受灾保税货物的管理办法》（海关总署令第111号公布，海关总署令第218号修订），现就加工贸易货物销毁处置的有关问题公告如下：

一、加工贸易货物销毁处置，是指加工贸易企业对因故无法内销或者退运的边角料、剩余料件、残次品、副产品或者受灾保税货物，向海关申报，委托具有法定资质的单位，采取焚烧、填埋和用其他无害化方式，改变货物物理、化学和生物等特性的处置活动。

二、加工贸易企业应委托工商营业执照的经营范围中列明废物处理的单位进行销毁处置；法律、行政法规对废物处置资质有特殊规定的，从其规定。

三、加工贸易企业向海关申报办理加工贸易货物销毁处置，应提交以下单证资料：

（一）《海关加工贸易货物销毁处置申报表（销毁处置后有收入）》（见附件1）、《海关加工贸易货物销毁处置申报表（销毁处置后无收入）》（见附件2）及销毁处置方案；

（二）申报销毁处置的加工贸易货物无法内销或退运的说明；

（三）销毁处置单位的资质证明，及企业与该单位签订的委托合同；

（四）海关认为需要提供的其他资料。

申报销毁处置来料加工货物的，应同时提交货物所有人的销毁声明；申报销毁处置残次品的，应同时提交残次品单耗资料以及根据单耗折算的残次品所耗用的原进口料件清单。

四、企业应明确销毁处置时限，及时完成货物销毁处置，并在手册有效期或电子账册核销周期内办理报关手续。

（一）企业销毁处置加工贸易货物未获得收入，销毁处置货物为料件、残次品的，报关适用监管方式为"料件销毁（代码0200）"（残次品按照单耗关系折成料件，以料件进行申报）；销毁处置货物为边角料、副产品的，报关适用监管方式为"边角料销毁（代码0400）"。

（二）企业销毁处置加工贸易货物获得收入的，按销毁处置后的货物报验状态向海关申报，报关适用的监管方式为"进料边角料内销（代码0844）"或"来料边角料内销（代码0845）"。海关比照边角料内销征税的管理规定办理征税手续。

报关单备注栏内应注明"海关加工贸易货物销毁处置申报表编号"。

五、海关可以派员监督销毁处置加工贸易货物，企业及销毁处置单位应当给予配合。

六、加工贸易企业报核时应当向海关提交《海关加工贸易货物销毁处置申报表》、处置单位出具的接收单据、《加工贸易货物销毁处置证明》（见附件3）及报关单等单证，海关按照规定办理核销手续。

（一）企业未获得销毁处置收入的，海关凭销毁处置报关单证进行核算核销。

（二）企业获得销毁处置收入，且销毁处置货物为边角料、副产品的，凭《海关加工贸易货物销毁处置申报表》所列明的货物清单及报关单证进行核销。

（三）企业获得销毁处置收入，且销毁处置货物为料件、残次品需按料件核扣手（账）册的，按照《海关加工贸易货物销毁处置申报表》所列明的货物清单及报关单证以料件或折料进行核算核销。

七、企业未如实申报加工贸易货物销毁处置的，海关按照《中华人民共和国海关法》和《中华人民共和国海关行政处罚实施条例》的有关规定进行处理。

本公告内容自2014年5月1日起施行，海关总署公告2009年第56号同时废止。

特此公告。

附件：1. 海关加工贸易货物销毁处置申报表（销毁处置后有收入）（略）
      2. 海关加工贸易货物销毁处置申报表（销毁处置后无收入）（略）
      3. 加工贸易货物销毁处置证明（略）

## 关于推广加工贸易料件内销征税"自报自缴"的公告

(海关总署公告2018年第196号)

(2018年12月13日由海关总署发布,2019年1月1日起施行,法规类型为规范性文件)

为推进税收征管改革,提升通关便利化水平,海关总署决定推广加工贸易料件内销征税自主申报、自行缴税。现将有关事项公告如下:

进出口企业、单位在办理加工贸易料件内销征税预录入时,选择"自报自缴"后,无需再录入"料件首次进口日期",利用预录入系统的海关计税(费)服务工具计算应缴纳的相关税费,并对系统显示的税费计算结果进行确认,连同报关单预录入内容一并提交海关。

本公告自2019年1月1日起施行。

特此公告。

## 关于暂免征收加工贸易货物内销缓税利息的公告

(海关总署公告2020年第55号)

(2020年4月14日由海关总署发布,2020年4月15日起施行,有效期自2020年4月15日至2020年12月31日,法规类型为规范性文件)

为支持加工贸易发展,纾解企业困难,促进稳就业、稳外贸、稳外资,经国务院同意,自2020年4月15日至2020年12月31日(以企业内销申报时间为准),对企业内销加工贸易货物的,暂免征收内销缓税利息。

特此公告。

## 关于调整部分监管方式代码名称及适用范围的公告

(海关总署公告2014年第31号)

(2014年4月25日由海关总署发布,2014年5月1日起施行,法规类型为规范性文件)

根据《中华人民共和国海关关于加工贸易边角料、剩余料件、残次品、副产品和受灾保税货物的管理办法》(以海关总署令第111号发布,并经海关总署令第218号修订),现对监管方式代码为"0200"(料件放弃)和"0400"(成品放弃)的名称和适用范围作如下调整:

一、监管方式代码"0200",简称"料件销毁",全称"加工贸易料件、残次品(折料)销毁",适用于加工贸易企业因故无法内销或者退运而作销毁处置且未因处置获得收入的料件、残次品,其中残次品应按单耗折成料件。

二、监管方式代码"0400",简称"边角料销毁",全称"加工贸易边角料、副产品(按状态)销毁",适用于加工贸易企业因故无法内销或者退运而作销毁处置且未因处置获得收入的边角料、副产品。

本公告内容自2014年5月1日起施行。

特此公告。

# 关于选择性征收关税有关问题的通知

(署加发〔2014〕130号)

(2014年6月14日由海关总署发布,2014年6月14日起施行,法规类型为规范性文件)

上海、福州、拱北海关:

总署已开发完成选择性征收关税系统,并随H2010通关管理系统V2.7.0版上线运行。为保证相关海关对选择性征收关税系统的有效使用,现就有关问题通知如下:

一、选择性征收关税的定义、适用范围与税款征收原则

(一)定义。

依据《国务院关于横琴开发有关政策的批复》(国函〔2011〕85号)、《国务院关于平潭综合实验区总体发展规划的批复》(国函〔2011〕142号)、《财政部海关总署国家税务总局关于中国(上海)自由贸易试验区有关进口税收政策的通知》(财关税〔2013〕75号)的规定,选择性征收关税是指对设在横琴新区、平潭综合实验区、中国(上海)自由贸易试验区内的企业生产、加工并经"二线"销往内地的货物(以下简称货物)照章征收进口环节增值税、消费税;根据企业申请,试行对该内销货物按其对应进口料件或按实际报验状态征收关税。

(二)适用范围。

选择性征收关税的适用范围为横琴新区、平潭综合实验区、中国(上海)自由贸易试验区。

(三)税款征收原则。

货物内销时,如企业选择按实际报验状态征收关税(以下简称按成品征收关税)的,按现行规定办理内销征税手续;对成品涉及反倾销、反补贴或贸易保障措施(以下简称"两反一保")的,应征收贸易救济税或保证金,并征收相应的增值税、消费税或保证金。

货物内销时,如企业选择按对应进口料件征收关税(以下简称按料件征收关税)的,按本通知有关规定办理内销征税手续;关税按对应进口料件征收,增值税、消费税及废弃基金按成品征收;对料件涉及"两反一保"的,应按料件征收贸易救济税或保证金,并征收相应的增值税、消费税或保证金。

二、按料件征收关税作业流程

(一)账册管理。

对横琴新区、平潭综合实验区、上海外高桥保税区内的生产企业申请选择性征收关税的,海关使用E账册进行管理;对中国(上海)自由贸易试验区其他海关特殊监管区域内的生产企业申请选择性征收关税的,海关使用H账册进行管理。

（二）报关模式。

使用 E 账册的企业货物内销时，由区内企业申报进口报关单内销征税（以下简称"单报关"模式）；使用 H 账册的企业货物内销时，先由区外企业申报进口报关单内销征税，再由区内企业申报出境备案清单（以下简称"双报关"模式）。

（三）报关流程。

1."单报关"流程：

区内企业根据 E 账册内容录入选择性征收关税联系单（以下简称联系单）向海关申报，海关审定联系单中内销成品及对应进口料件数量、料件归类及价格后，区内企业根据联系单生成进口报关单向海关申报，海关审核、征税、放行。

2."双报关"流程：

区内企业根据 H 账册内容录入联系单并向海关申报，海关审定联系单中内销成品及对应进口料件数量、料件归类及价格后，区外企业根据联系单生成进口报关单向海关申报，海关审核、征税、放行后，区内企业根据报关单录入出境备案清单向海关申报，海关审核通过。

三、联系单申报及审核

（一）联系单的申报。

1. 区内企业申报生成联系单（c 证，系统显示名称为《内销征税联系单》，以字母"X"开头的18位编号的《选择性征收关税联系单》）。编号规则为 X+4 位关区代码+2 位年份+11 位流水号。

2."单报关"模式下，联系单的收货单位栏为空；"双报关"模式下，联系单的收货单位栏填报对应区外企业申报报关单的经营单位。

3. 联系单表头，享受优惠协定税率填写"Y"，联系单料件填写享受协定优惠税率对应的"原产国"和"监管证件"、"协定编号"、"原产地证书编号"、"对应原产地证书项号"。

4. 对于料件涉及"两反一保"及协定税率的，按照现行原产地相关规定进行申报并提供材料。

（二）联系单的审核。

1. 海关审核联系单时，现场关员只能对料件价格进行修改，其余情况按退单处理。

2. 联系单有效期限默认为半年，海关可根据实际情况自行调整。

3. 联系单料件申报币制非美元的，系统暂不提供与账册当期企业进口均价的自动比对功能。现场关员应加强对此类料件的价格审核。

四、报关单申报及审核

（一）报关单的申报。

1. 报关单预录入界面"随附证"栏内填写选择性征收关税联系单标志"c"及 X 开头的18位编号。"单报关"模式下，区内企业申报监管方式"0444"或者"0445"，征免性质为899，横琴新区、平潭综合实验区内企业运输方式为"T"，中国（上海）自由贸易试验区内企业申报运输方式为"9"；"双报关"模式下，区外企业通过"随附单证"栏内录入联系单编号（区内企业生成的联系单收货人为区外企业）调取联系单成品表体商品信息完成报关单申报，区外企业申报监管方式为 0110，征免性质为 899、运输方式为 Y，由区内企业申报监管方式"5100"，运输方式为"9"。

2."双报关"模式下，联系单收货人和预录入报关单经营单位均为相同的区外企业。

3. 报关单申报日期不晚于联系单有效期，报关单表体的征免方式为"照章"。

（二）报关单的审核。

1. 除对报关单成品进行估价外，现场关员对报关单栏目有异议的，一般不予修改（包括征免性质），应当直接作退单处理。目前，系统暂不支持将征免税方式修改为"保证金"或

"保函"。

2. 目前选择性征收关税报关单仅支持柜台支付方式,暂不支持电子支付方式。

**五、税费计征方式**

按料件征收关税时,按以下计算公式计征关税和进口环节海关代征税:

1. 关税计征:

从价计征关税的计算公式:应纳税额=料件完税价格×料件关税税率。

从量计征关税的计算公式:应纳税额=料件数量×单位关税税额。

2. 消费税计征:

从价计征进口环节消费税的计算公式:应纳税额=[品完税价格+实征料件关税税额]/(1-消费税税率)]×消费税税率。

从量计征进口环节消费税的计算公式:应纳税额=成品数量×单位消费税税额。

3. 增值税计征:

计征进口环节增值税的计算公式:应纳税额=(成品完税价格+实征料件关税税额+实征消费税税额)×增值税税率。

**六、"两反一保"税费计征方式**

(一)按料件征收关税。

1. 料件涉及"两反一保":

企业选择按料件征收关税,若料件涉及"两反一保"的,应按照报关单接受申报日期计征相关贸易救济税或保证金,计算公式为:

料件反倾销税额=料件1完税价格×料件1反倾销税率(根据反倾销税率参数表)+料件2完税价格×料件2反倾销税率+……+料件N完税价格×料件N反倾销税率

料件反补贴税额=料件1完税价格×料件1反补贴税率(读取反补贴税率参数表)+料件2完税价格×料件2反补贴税率+……+料件N完税价格×料件N反补贴税率

目前,系统暂未计算相关贸易救济税或保证金,仅在"人工审单-专业审单-审单结果-状态信息"中提示相关商品为反倾销、反补贴商品。因此,需人工计算料件的相关贸易救济税或保证金,以及相应的消费税和增值税。

2. 成品涉及"两反一保":

企业选择按料件征收关税,若成品涉及"两反一保"的,无需征收相关贸易救济税或保证金。在审单征税复核时需选择默认选项"免征反倾销税(反补贴税)"。

(二)按成品征收关税。

企业选择按成品征收关税,成品涉及"两反一保"的,目前系统未计算也未提示,若海关确认成品应征收相关贸易救济税或保证金的,需人工计算相应税款或保证金,并出具手工税单。

上海、福州、拱北海关要定期向总署报送选择性征收关税有关情况,在执行中如遇到问题,请及时反馈总署。

特此通知。

## 关于开展加工贸易工单式核销有关事项的公告

(海关总署公告2015年第53号)

(2015年11月5日由海关总署发布，2015年11月5日起施行，法规类型为规范性文件)

为规范加工贸易工单式核销管理，现将有关事项公告如下：

一、工单式核销是指加工贸易企业向海关报送报关单、报关清单数据，以及企业ERP系统（企业资源计划系统）中工单数据，海关以报关单对应的报关清单料号级数据和企业生产工单作为料件耗用依据生成电子底账，并根据料号级料件、半成品以及成品的进、出、耗、转、存的情况，对加工贸易料件、半成品以及成品进行核算核销的海关管理制度。

二、实施工单式核销的加工贸易企业应具备以下条件：

（一）信用状况为一般信用及以上企业；

（二）使用ERP等系统对企业采购、生产、库存和销售等过程实行全程信息化管理，通过工单可实现生产加工成品对耗用进口保税料件的追溯管理，并以电子工单方式记录生产加工、检测维修成品的实际使用料件情况；

（三）建立符合海关监管要求的计算机管理系统，能够通过数据交换平台或者其他计算机网络，按照海关规定的认证方式与海关辅助系统（平台）联网，向海关报送能够满足海关监管要求的相关数据；

（四）保税物料与非保税物料分开管理；

（五）工单内容应包含企业生产的日期、产品、用料、数量及状态等信息。

三、实施工单式核销的加工贸易企业应根据海关监管要求定期报送ERP系统中的工单数据。

四、实施工单式核销的加工贸易企业应在海关确定的核销周期结束之日起30日内完成报核。确有正当理由不能按期报核的，经主管海关批可以延期，但延长期限不得超过60日。核销周期由主管海关按实际监管需要确定，最长不得超过1年。

五、海关将加工贸易企业核销期截止日的料号级实际库存数与辅助系统中的料号级法定计算库存数进行比对后，视情分别进行以下处理：

（一）实际库存数多于法定计算库存数，且企业可以提供正当理由的，海关按照实际库存数确认当期结余；

（二）实际库存数少于法定计算库存数，且企业可以提供正当理由的，海关按照实际库存数确认当期结余；对于短缺部分，海关应当责令企业办理后续补税手续，边角料按照实际报验状态确定归类并征税。

六、加工贸易企业内部管理混乱或存在违法情事的，海关可停止其实施工单式核销。

本公告自公布之日起施行。

## 关于扩大内销选择性征收关税政策试点的通知

(财关税〔2016〕40号)

(2016年8月1日由财政部、海关总署、国家税务总局发布,2016年9月1日起施行,法规类型为规范性文件)

天津市、上海市、福建省、河南省、湖北省、广东省、重庆市、四川省、陕西省财政厅(局)、国家税务局,海关总署广东分署、天津海关、上海海关、福州海关、厦门海关、郑州海关、武汉海关、广州海关、深圳海关、拱北海关、汕头海关、黄埔海关、湛江海关、江门海关、重庆海关、成都海关、西安海关:

为贯彻落实《国务院关于促进外贸回稳向好的若干意见》(国发〔2016〕27号)中"在自贸试验区的海关特殊监管区域积极推进选择性征收关税政策先行先试,及时总结评估,在公平税负原则下适时研究扩大试点"的要求,现就扩大内销选择性征收关税政策试点有关问题通知如下:

一、将内销选择性征收关税政策试点扩大到天津、上海、福建、广东四个自贸试验区所在省(市)的其他海关特殊监管区域(保税区、保税物流园区除外),以及河南新郑综合保税区、湖北武汉出口加工区、重庆西永综合保税区、四川成都高新综合保税区和陕西西安出口加工区5个海关特殊监管区域。

二、内销选择性征收关税政策是指对海关特殊监管区域内企业生产、加工并经"二线"内销的货物,根据企业申请,按其对应进口料件或按实际报验状态征收关税,进口环节增值税、消费税照章征收。企业选择按进口料件征收关税时,应一并补征关税税款缓税利息。

三、本通知自2016年9月1日起执行。

特此通知。

## 关于扩大内销选择性 征收关税政策试点的公告

(财政部 海关总署 税务总局公告2020年第20号)

(2020年4月14日由财政部、海关总署、税务总局发布,2020年4月15日起施行,法规类型为规范性文件)

为统筹内外贸发展,积极应对新冠肺炎疫情影响,现将有关事项公告如下:

自2020年4月15日起,将《财政部 海关总署 国家税务总局关于扩大内销选择性征收关税政策试点的通知》(财关税〔2016〕40号)规定的内销选择性征收关税政策试点,扩大到所有综合保税区。

特此公告。

# 关于启用保税核注清单的公告

(海关总署公告2018年第23号)

(2018年3月26日由海关总署发布,2018年7月1日起施行,法规类型为规范性文件)

为推进实施以保税核注清单核注账册的管理改革,实现与加工贸易及保税监管企业料号级数据管理有机衔接,海关总署决定全面启用保税核注清单,现就相关事项公告如下:

一、保税核注清单是金关二期保税底账核注的专用单证,属于办理加工贸易及保税监管业务的相关单证。

二、加工贸易及保税监管企业已设立金关二期保税底账的,在办理货物进出境、进出海关特殊监管区域、保税监管场所,以及开展海关特殊监管区域、保税监管场所、加工贸易企业间保税货物流(结)转业务的,相关企业应按照金关二期保税核注清单系统设定的格式和填制要求向海关报送保税核注清单数据信息,再根据实际业务需要办理报关手续(保税核注清单填制规范详见附件)。

三、为简化保税货物报关手续,在金关二期保税核注清单系统启用后,企业办理加工贸易货物余料结转、加工贸易货物销毁(处置后未获得收入)、加工贸易不作价设备结转手续的,可不再办理报关单申报手续;海关特殊监管区域、保税监管场所间或与区(场所)外企业间进出货物的,区(场所)内企业可不再办理备案清单申报手续。

四、企业报送保税核注清单后需要办理报关单(备案清单)申报手续的,报关单(备案清单)申报数据由保税核注清单数据归并生成。

五、海关特殊监管区域、保税监管场所、加工贸易企业间加工贸易及保税货物流转,应先由转入企业报送进口保税核注清单,再由转出企业报送出口保税核注清单。

六、海关接受企业报送保税核注清单后,保税核注清单需要修改或者撤销的,按以下方式处理:

(一)货物进出口报关单(备案清单)需撤销的,其对应的保税核注清单应一并撤销。

(二)保税核注清单无需办理报关单(备案清单)申报或对应报关单(备案清单)尚未申报的,只能申请撤销。

(三)货物进出口报关单(备案清单)修改项目涉及保税核注清单修改的,应先修改清单,确保清单与报关单(备案清单)的一致性。

(四)报关单、保税核注清单修改项目涉及保税底账已备案数据的,应先变更保税底账数据。

(五)保税底账已核销的,保税核注清单不得修改、撤销。

七、海关对保税核注清单数据有布控复核要求的,在办结相关手续前不得修改或者撤销保税核注清单。

八、符合下列条件的保税核注清单商品项可归并为报关单(备案清单)同一商品项:

(一)料号级料件同时满足:10位商品编码相同;申报计量单位相同;中文商品名称相同;币制相同;原产国相同的可予以归并。其中,根据相关规定可予保税的消耗性物料与其他保税料件不得归并;因管理需要,海关或企业认为需要单列的商品不得归并。

(二)出口成品同时满足:10位商品编码相同;申报计量单位相同;中文商品名称相同;

币制相同；最终目的国相同的可予以归并。其中，出口应税商品不得归并；涉及单耗标准与不涉及单耗标准的料号级成品不得归并；因管理需要，海关或企业认为需要单列的商品不得归并。

本公告自 2018 年 7 月 1 日起实施。7 月 1 日之前，已开展试点的海关可参照本公告执行。特此公告。

附件：保税核注清单填制规范

附件

## 保税核注清单填制规范

为规范和统一保税核注清单管理，便利加工贸易及保税监管企业按照规定格式填制和向海关报送保税核注清单数据，特制定本填制规范。

一、预录入编号

本栏目填报核注清单预录入编号，预录入编号由系统根据接受申报的海关确定的规则自动生成。

二、清单编号

本栏目填报海关接受保税核注清单报送时给予保税核注清单的编号，一份保税核注清单对应一个清单编号。

保税核注清单海关编号为 18 位，其中第 1~2 位为 QD，表示核注清单，第 3~6 位为接受申报海关的编号（海关规定的《关区代码表》中相应海关代码），第 7~8 位为海关接受申报的公历年份，第 9 位为进出口标志（"I"为进口，"E"为出口），后 9 位为顺序编号。

三、清单类型

本栏目按照相关保税监管业务类型填报，包括普通清单、分送集报清单、先入区后报关清单、简单加工清单、保税展示交易清单、区内流转清单、异常补录清单等。

四、手（账）册编号

本栏目填报经海关核发的金关工程二期加工贸易及保税监管各类手（账）册的编号。

五、经营企业

本栏目填报手（账）册中经营企业海关编码、经营企业的社会信用代码、经营企业名称。

六、加工企业

本栏目填报手（账）册中加工企业海关编码、加工企业的社会信用代码、加工企业名称、保税监管场所名称（保税物流中心（B 型）填报中心内企业名称）。

七、申报单位编码

本栏目填报保税核注清单申报单位海关编码、申报单位社会信用代码、申报单位名称。

八、企业内部编号

本栏目填写保税核注清单的企业内部编号或由系统生成流水号。

九、录入日期

本栏目填写保税核注清单的录入日期，由系统自动生成。

十、清单申报日期

申报日期指海关接受保税核注清单申报数据的日期。

十一、料件、成品标志

本栏目根据保税核注清单中的进出口商品为手（账）册中的料件或成品填写。料件、边角料、物流商品、设备商品填写"I"，成品填写"E"。

## 十二、监管方式

本栏目按照报关单填制规范要求填写。

特殊情形下填制要求如下：

调整库存核注清单，填写 AAAA；设备解除监管核注清单，填写 BBBB。

## 十三、运输方式

本栏目按照报关单填制规范要求填写。

## 十四、进（出）口口岸

本栏目按照报关单填制规范要求填写。

## 十五、主管海关

主管海关指手（账）册主管海关。

## 十六、起运运抵国别

本栏目按照报关单填制规范要求填写。

## 十七、核扣标志

本栏目填写清单核扣状态。海关接受清单报送后，由系统填写。

## 十八、清单进出卡口状态

清单进出卡口状态是指特殊监管区域、保税物流中心等货物，进出卡口的状态。海关接受清单报送后，根据关联的核放单过卡情况由系统填写。

## 十九、申报表编号

本栏目填写经海关备案的深加工结转、不作价设备结转、余料结转、区间流转、分送集报、保税展示交易、简单加工申报表编号。

## 二十、流转类型

本栏目填写保税货物流（结）转的实际类型。包括：加工贸易深加工结转、加工贸易余料结转、不作价设备结转、区间深加工结转、区间料件结转。

## 二十一、录入单位

本栏目填写保税核注清单录入单位海关编码、录入单位社会信用代码、录入单位名称。

## 二十二、报关标志

本栏目由企业根据加工贸易及保税货物是否需要办理报关单（进出境备案清单）申报手续填写。需要报关的填写"报关"，不需要报关的填写"非报关"。

（一）以下货物可填写"非报关"或"报关"。

1. 金关二期手（账）册间余料结转、加工贸易不作价设备结转。
2. 加工贸易销毁货物（销毁后无收入）。
3. 特殊监管区域、保税监管场所间或与区（场所）外企业间流（结）转货物（减免税设备结转除外）。

（二）设备解除监管、库存调整类核注清单必须填写"非报关"。

（三）其余货物必须填写"报关"。

## 二十三、报关类型

加工贸易及保税货物需要办理报关单（备案清单）申报手续时填写，包括关联报关、对应报关。

（一）"关联报关"适用于特殊监管区域、保税监管场所申报与区（场所）外进出货物，区（场所）外企业使用 H2010 手（账）册或无手（账）册。

（二）特殊区域内企业申报的进出区货物需要由本企业办理报关手续的，填写"对应报关"。

（三）"报关标志"栏可填写"非报关"的货物，如填写"报关"时，本栏目必须填写

"对应报关"。

（四）其余货物填写"对应报关"。

**二十四、报关单类型**

本栏目按照报关单的实际类型填写。

**二十五、对应报关单（备案清单）编号**

本栏目填写保税核注清单（报关类型为对应报关）对应报关单（备案清单）的海关编号。海关接受报关单申报后，由系统填写。

**二十六、对应报关单（备案清单）申报单位**

本栏目填写保税核注清单对应的报关单（备案清单）申报单位海关编码、单位名称、社会信用代码。

**二十七、关联报关单编号**

本栏目填写保税核注清单（报关类型为关联报关）关联报关单的海关编号。海关接受报关单申报后，由系统填写。

**二十八、关联清单编号**

本栏目填写要求如下：

（一）加工贸易及保税货物流（结）转、不作价设备结转进口保税核注清单编号。

（二）设备解除监管时填写原进口保税核注清单编号。

（三）进口保税核注清单无需填写。

**二十九、关联备案编号**

本栏目填写要求如下：

加工贸易及保税货物流（结）转保税核注清单本栏目填写对方手（账）册备案号。

**三十、关联报关单收发货人**

本栏目填写关联报关单收发货人名称、海关编码、社会信用代码。按报关单填制规范要求填写。

**三十一、关联报关单消费使用单位/生产销售单位**

本栏目填写关联报关单消费使用单位/生产销售单位名称、海关编码、社会信用代码。按报关单填制规范要求填写。

**三十二、关联报关单申报单位**

本栏目填写关联报关单申报单位名称、海关编码、社会信用代码。

**三十三、报关单申报日期**

本栏目填写与保税核注清单一一对应的报关单的申报日期。海关接受报关单申报后由系统填写。

**三十四、备注（非必填项）**

本栏目填报要求如下：

（一）涉及加工贸易货物销毁处置的，填写海关加工贸易货物销毁处置申报表编号。

（二）加工贸易副产品内销，在本栏内填报"加工贸易副产品内销"。

（三）申报时其他必须说明的事项填报在本栏目。

**三十五、序号**

本栏目填写保税核注清单中商品顺序编号。系统自动生成。

**三十六、备案序号**

本栏目填写进出口商品在保税底账中的顺序编号。

**三十七、商品料号**

本栏目填写进出口商品在保税底账中的商品料号级编号。由系统根据保税底账自动填写。

**三十八、报关单商品序号**

本栏目填写保税核注清单商品项在报关单中的商品顺序编号。

**三十九、申报表序号**

本栏目填写进出口商品在保税业务申报表商品中的顺序编号。

设备解除监管核注清单,填写原进口核注清单对应的商品序号。

**四十、商品编码**

本栏目填报的商品编号由10位数字组成。前8位为《中华人民共和国进出口税则》确定的进出口货物的税则号列,同时也是《中华人民共和国海关统计商品目录》确定的商品编码,后2位为符合海关监管要求的附加编号。

加工贸易等已备案的货物,填报的内容必须与备案登记中同项号下货物的商品编码一致,由系统根据备案序号自动填写。

**四十一、商品名称、规格型号**

按企业管理实际如实填写。

**四十二、币制**

按报关单填制规范要求填写。

**四十三、数量及单位**

按照报关单填制规范要求填写。其中第一比例因子、第二比例因子、重量比例因子分别填写申报单位与法定计量单位、第二法定计量单位、重量(千克)的换算关系。非必填项。

**四十四、单价、总价**

按照报关单填制规范要求填写。

**四十五、产销国(地区)**

按照报关单填制规范中有关原产国(地区)、最终目的国(地区)要求填写。

**四十六、毛重(千克)**

本栏目填报进出口货物及其包装材料的重量之和,计量单位为千克,不足一千克的填报为"1"。非必填项。

**四十七、净重(千克)**

本栏目填报进出口货物的毛重减去外包装材料后的重量,即货物本身的实际重量,计量单位为千克,不足一千克的填报为"1"。非必填项。

**四十八、征免规定**

本栏目应按照手(账)册中备案的征免规定填报;手(账)册中的征免规定为"保金"或"保函"的,应填报"全免"。

**四十九、单耗版本号**

本栏目适用加工贸易货物出口保税核注清单。本栏目应与手(账)册中备案的成品单耗版本一致。非必填项。

**五十、简单加工保税核注清单成品**

该项由简单加工申报表调取,具体字段含义与填制要求与上述字段一致。

## 关于临时延长加工贸易手(账)册核销期限和有关注册登记备案事宜的公告

(海关总署公告 2020 年第 21 号)

(2020 年 2 月 6 日由海关总署发布,2020 年 2 月 6 日起施行,法规类型为规范性文件)

根据新型冠状病毒感染的肺炎疫情口岸防控工作需要,为进一步做好海关保税监管和企业注册登记备案服务,现将有关事项公告如下:

一、加工贸易企业(含海关特殊监管区域内企业)按照各级政府要求,延迟复工造成加工贸易手(账)册超过有效期(核销周期)的,主管海关可办理手(账)册延期手续,企业事后补充提交有关材料。加工贸易手(账)册项下深加工结转、内销征税等各类申报业务超过规定时限的,主管海关可延期办理相关手续。

二、因疫情防控工作需要,企业捐赠或被征用的保税货物,主管海关凭企业申请,在登记货物品名、数量、捐赠(征用)单位等基本信息后加快放行。

三、对因进口疫情防控物资需要办理企业注册登记或者备案的,海关予以优先办理。

特此公告。

# 行邮物品篇

# 行李物品

## 中华人民共和国海关对旅客携运和个人邮寄文物出口的管理规定

(署行字第 93 号)

(1985 年 2 月 15 日由海关总署发布,1985 年 2 月 15 日起施行,法规类型为部门规章)

  **第一条** 根据《中华人民共和国文物保护法》第二条、第二十七条和第二十八条的规定,制订本规定。

  **第二条** 旅客携带、托运和个人邮寄文物(含已故现代著名书画家的作品)出口,必须向海关申报,海关凭文化行政管理部门钤盖的鉴定标志及文物外销发货票,或文化部指定的文化行政管理部门开具的许可出口证明查验放行。

  **第三条** 携运,邮寄文物出口,不向海关申报的,不论是否藏匿,均属走私行为。海关根据有关法规处理。

  **第四条** 已向海关申报,但不能交验文化行政管理部门开具的文物许可出口证明和钤盖的鉴定标志或文物外销发货票的,不准出口,应予退运。限 3 个月内(来往港澳地区的旅客限 1 个月内)由当事人或其代理人领回;过期不领,海关按有关规定处理。

  **第五条** 本规定自一九八五年二月十五日起实行。

## 中华人民共和国海关对进出境旅客行李物品监管办法

(海关总署令第 9 号)

  (1989 年 11 月 1 日由海关总署发布;根据 2010 年 11 月 26 日海关总署令第 198 号《海关总署关于修改部分规章的决定》第一次修正,根据 2017 年 12 月 20 日海关总署令第 235 号《关于公布〈海关总署关于修改部分规章的决定〉的令》第二次修正,根据署监〔1996〕652 号《海关总署关于调整旅客进出境行李物品分类表的通知》修改附件;现行版本自 2018 年 2 月 1 日起施行;法规类型为部门规章)

### 第一章 总 则

  **第一条** 依照《中华人民共和国海关法》,制定本办法。

**第二条** 进出境旅客行李物品，必须通过设立海关的地点进境或者出境。

**第三条** 进出境旅客必须将所带的全部行李物品交海关查验。在交验前，应填写"旅客行李申报单"或海关规定的其他申报单证向海关申报；或按海关规定的申报方式如实向海关申报。

旅客经由实施"红绿通道"验放制度的海关进出境，应按照海关公布的选择"红绿通道"的规定，选择通道，办理行李物品进境或出境手续。

**第四条** 查验进出境旅客行李物品的时间和场所，由海关指定。海关查验行李物品时，物品所有人应当到场并负责搬移物品，开拆和重封物品的包装。海关认为必要时，可以单独进行查验。海关对进出境行李物品加施的封志，任何人不得擅自开启或者损毁。

**第五条** 进出境旅客可以自行办理报关纳税手续，也可以委托他人办理报关纳税手续；接受委托办理报关纳税手续的代理人应当按照本办法对其委托人的各项规定办理海关手续，承担各项义务和责任。

**第六条** 旅客行李物品，应以自用合理数量为限，超出自用合理数量范围的，不准进境或出境。旅客行李物品，经海关审核，按本办法附件《旅客进出境行李物品分类表》（以下简称《分类表》）规定的范围验放。进出境物品的合理数量和准许各类旅客进出境物品的具体限值、限量及征免税规定，另行制定。

**第七条** 旅客携运《中华人民共和国禁止进出境物品表》所列的物品进出境，在海关检查以前主动报明的，分别予以没收或者责令退回，并可酌情处以罚款。藏匿不报的，按照《中华人民共和国海关法》第八十二条的规定处罚。

旅客携运《中华人民共和国限制进出境物品表》所列物品和中华人民共和国政府特别管制的物品进出境，海关按国家有关法规办理。

**第八条** 旅客以分离运输方式运行李物品，应当在进境时向海关申报。经海关核准后，自旅客进境之日起六个月内（含六个月，下同）运进。海关办理验放手续时，连同已经放行的行李物品合并计算。以分离运输方式运出的行李物品，应由物品所有人凭有效的出境证件在出境前办妥海关手续。

**第九条** 经海关核准暂时进出境的旅行自用物品，在旅客行李物品监管时限内，由旅客复带出境或进境。海关依照规定凭担保准予暂时免税放行的其他物品，应由旅客在规定期限内，办结进出境手续或将原物复带出境或进境。

**第十条** 进出境物品所有人声明放弃的物品和自运输工具申报进境之日起逾期三个月（易腐及易失效的物品可提前处理，下同）未办理海关手续的物品，以及在海关监管区内逾期三个月无人认领的物品，均由海关按照《中华人民共和国海关法》第五十一条的规定处理。

**第十一条** 旅客携运属下列情形的物品，海关不予放行，予以退运或旅客存入海关指定的仓库。物品所有人应当在三个月内办理退运、结案手续。逾期不办的，由海关依照本办法第十条的规定处理：

（一）不属自用的；
（二）超出合理数量范围的；
（三）超出海关规定的物品品种、规格、限量、限值的；
（四）未办理海关手续的；
（五）未按章缴税的；
（六）根据规定不能放行的其他物品。

**第十二条** 旅客应在旅客行李物品监管时限内，依照本办法和根据本办法制定的其他管理规定，办结物品进出境的海关手续。

**第十三条** 海关依照本办法和根据本办法制定的其他管理规定免税放行的物品，自物品进境之日起两年内，出售、转让、出租或移作他用的，应向海关申请批准并按规定补税。

按规定免税或征税进境的汽车，不得出售、转让、出租或移作他用。在汽车运进使用两年后，因特殊原因需要转让的，必须报经海关批准；其中免税运进的，应按规定补税。

**第十四条** 进境旅客携带"境外售券、境内提货"单据进境，应向海关申报，海关办理物品验放手续时，连同其随身携带的实物合并计入有关征免税限量。

**第十五条** 涉及特定地区、特定旅客和特定物品进出境的管理规定，由中华人民共和国海关总署授权有关海关依照本办法的原则制定，经海关总署批准后，予以公告实施。

**第十六条** 进出境旅客未按本办法或根据本办法制定的其他管理规定办理进出境物品的报关、纳税以及其他有关手续的，有关物品不准进境或出境。对违反本办法并构成走私或违反海关监管规定行为的，海关依照《中华人民共和国海关法》和《中华人民共和国海关行政处罚实施条例》给予处罚。

## 第二章　短期旅客

**第十七条** 短期旅客携带进出境的行李物品应以旅行需用物品为限。

短期旅客中的居民和非居民中的中国籍人携带进境属于《分类表》第三类物品，海关按照规定的限值、限量予以征税或免税放行。短期旅客中的其他非居民携带进境属于《分类表》第三类物品，海关按本办法第九条规定办理。

经常进出境的边境居民，边境邮政、运输机构工作人员和边境运输工具服务人员，以及其他经常进出境的人员，携带进出境的物品，除另有规定者外，应以旅途必须应用的物品为限。未经海关批准，不准带进属于《分类表》第三类物品。

凭特殊通行证件来往香港、澳门地区的短期旅客进出境行李物品的管理规定，海关依据本办法另行制定的规定办理。

## 第三章　长期旅客

**第十八条** 长期旅客中的非居民进境后，在规定期限内报运进境其居留期间自用物品或安家物品，海关凭中华人民共和国政府主管部门签发的长期居留证件（或常驻户口登记证件）、其他批准文件和身份证件，办理通关手续。

上述人员在办妥上述手续前进出境或在境内居留期间临时出、进境携带的物品，海关依照本办法第十七条规定办理。

**第十九条** 长期旅客中的居民进出境行李物品的管理规定，根据本办法另行制定。

## 第四章　定居旅客

**第二十条** 获准进境定居的旅客在规定期限内报运进境安家物品，应当依照有关规定向主管海关或者口岸海关提交中华人民共和国政府主管部门签发的定居证明或者批准文件。其在境外拥有并使用过的数量合理的自用物品，准予免税进境；自用小汽车准予每户征税进境一辆。

进境定居旅客自进境之日起，居留时间不满二年，再次出境定居的，其免税携运进境的安家物品应复运出境，或向海关补税。

**第二十一条** 获准出境定居的旅客携运出境的安家物品，除国家禁止或限制出境的物品需按有关规定办理外，均可予以放行。

## 第五章　过境旅客

**第二十二条** 过境旅客未经海关批准，不得将物品留在境内。

**第二十三条** 进境后不离开海关监管下的交通工具或海关监管区直接出境的旅客，海关一般不对其行李物品进行查验,但必要时,海关可以查验。

第二十四条 过境旅客获准离开海关监管区,转换交通工具出境的,海关依照本办法第十七条规定办理。

## 第六章 附 则

第二十五条 享有外交特权和豁免的人员携运进出境的行李物品,另按中华人民共和国海关总署制定的有关规定办理。

第二十六条 本办法的附件,由中华人民共和国海关总署根据具体情况修订发布实行。

第二十七条 本办法下列用语含义:

"非居民"指进境居留后仍回到境外其通常定居地者。

"居民"指出境居留后仍回到境内其通常定居地者。

"旅客"指进出境的居民或非居民。

"短期旅客"指获准进境或出境暂时居留不超过一年的旅客。

"长期旅客"指获准进境或出境连续居留时间在一年以上(含一年)的旅客。

"定居旅客"指取得中华人民共和国主管部门签发的进境或出境定居证明或批准文件,移居境内或境外的旅客。

"过境旅客"指凭有效过境签证,从境外某地,通过境内,前往境外另一地的旅客。

"行李物品"指旅客为其进出境旅行或者居留的需要而携运进出境的物品。

"自用"指旅客本人自用、馈赠亲友而非为出售或出租。

"合理数量"指海关根据旅客旅行目的和居留时间所规定的正常数量。

"旅客行李物品监管时限"指非居民本次进境之日始至最近一次出境之日止,或居民本次出境之日始至最近一次进境之日止的时间。

"分离运输行李"指旅客在其进境后或出境前的规定期限内以托运方式运进或运出的本人行李物品。

"征免税"指征收或减免进出口关税(即进口旅客行李物品和个人邮递物品税)。

"担保"指以向海关缴纳保证金或提交保证函的方式,保证在规定期限内履行其承诺的义务的法律行为。

第二十八条 本办法由中华人民共和国海关总署解释。

第二十九条 本办法自一九八九年十二月一日起实施。原对外贸易部1958年9月29日(58)关行林字第985号命令发布的《海关对进出境旅客行李物品监管办法》同时废止。

附件:旅客进出境行李物品分类表

## 旅客进出境行李物品分类表

(中华人民共和国海关海关总署1996年8月15日修订)

**第一类物品**
衣料、衣着、鞋、帽、工艺美术品和价值人民币1000元以下(含1000元)的其他生活用品

**第二类物品**
烟草制品,酒精饮料

**第三类物品**
价值人民币1000元以上,5000元以下(含5000元)的生活用品

注:

1. 本表所称进境物品价值以海关审定的完税价格为准,出境物品价值以国内法定商业发

票所列价格为准。

2. 准许各类旅客携运本表所列物品进出境的具体征、免税限量由中华人民共和国海关总署另行规定。

3. 本表第一、二类列名物品不再按值归类、除另有规定者外，超出本表所列最高限值的物品不视为旅客行李物品。

## 中华人民共和国海关对旅客携带和个人邮寄中药材、中成药出境的管理规定

(海关总署令第12号)

(1990年6月26日由海关总署发布，1996年7月1日起施行，法规类型为部门规章)

第一条 为了加强对中药材、中成药出境的管理，根据《中华人民共和国海关法》特制定本规定。

第二条 旅客携带中药材、中成药出境，前往港澳地区的，总值限人民币一百五十元，前往国外的，限人民币三百元。

第三条 个人邮寄中药材、中成药出境，寄往港澳地区的，总值限人民币一百元，寄往国外的，限人民币二百元。

第四条 进境旅客出境时携带用外汇购买的、数量合理的自用中药材、中成药，海关验凭盖有国家外汇管理局统一制发的"外汇购买专用章"的发货票放行。超出自用合理数量范围的，不准带出。

第五条 麝香不准携带或邮寄出境。

第六条 本规定自一九九〇年七月一日起执行。

## 中华人民共和国海关关于过境旅客行李物品管理规定

(海关总署令第25号)

(1991年9月10日由海关总署发布；自1991年9月10日起实施，根据2010年11月26日海关总署令第198号《海关总署关于修改部分规章的决定》修正；现行版本自2010年11月26起施行；法规类型为部门规章)

第一条 根据《中华人民共和国海关法》和《中华人民共和国海关对进出境旅客行李物品监管办法》制定本规定。

第二条 本规定所称过境旅客系指持有效过境签证（与我互免签证国家的旅客，凭其有效护照）从境外某地，通过境内，前往境外另一地的旅客；包括进境后不离开海关监管区或海关监管下的交通工具，直接出境的旅客。

第三条 在进境口岸不离开海关监管区或海关监管下的交通工具的过境旅客，可以免填

"旅客行李申报单"，海关对其行李物品均准许过境，一般不予查验，但是海关认为必要时除外。

第四条 在过境期限内离开海关监管区的过境旅客，携带的行李物品应以旅行需用为限，海关依照对进出境非居民短期旅客行李物品的规定办理，其中属于《旅客行李物品分类表》第三类物品在规定范围内的，经海关核准可予登记暂时免税放行，过境旅客出境时必须将原物复带出境。超出规定范围的，除按本规定第五条办理外，均不准进境。

第五条 过境旅客携运物品超出本规定第四条所述准予放行范围的，由旅客自行委托经海关批准或指定的报关运输公司代理承运，比照海关监管货物，按有关规定办理手续，将监管过境物品运交有关海关监管出境；否则，海关不准进境。

第六条 对于不准进境的物品，除经海关总署特准征税或者担保放行的以外，应当自物品申报进境之日起三个月内由物品所有人或其代理人办理退运、结案手续。逾期不办的，由海关按照《中华人民共和国海关法》第五十一条的规定办理。

第七条 海关准予过境的物品及经海关登记暂时免税放行的旅行需用物品未经海关批准，均不得擅自留在境内。因丢失、被盗或其他不可抗力的原因而无法复带出境的，应提供公安部门的证明文件，向海关办理结案手续。不能提供证明文件的，过境旅客应照章补税。

第八条 过境旅客不论其是否离开海关监管区，均不得携带《中华人民共和国禁止进出境的物品表》所列物品。

第九条 对过境旅客违反本规定有关条款的行为，海关将依照《中华人民共和国海关法》和《中华人民共和国海关行政处罚实施条例》的有关规定予以处罚。

第十条 本规定自一九九一年九月十日起实施。

# 中华人民共和国海关对进出境旅客旅行自用物品的管理规定

（海关总署令第 35 号）

（1992 年 9 月 10 日由海关总署发布，根据 2010 年 11 月 26 日海关总署令第 198 号《海关总署关于修改部分规章的决定》修正，现行版本自 2010 年 11 月 26 起施行，法规类型为部门规章）

第一条 为了照顾旅客在旅途中的实际需要，为其进出境提供必要的便利，根据《中华人民共和国海关法》和《中华人民共和国海关对进出境旅客行李物品监管办法》，制订本规定。

第二条 本规定所称"进出境旅客旅行自用物品"系指本次旅行途中海关准予旅客随身携带的暂时免税进境或者复带进境的在境内、外使用的自用物品。

第三条 进出境旅客旅行自用物品的范围：
（一）照像机、便携式收录音机、小型摄影机、手提式摄录机、手提式文字处理机；
（二）经海关审核批准的其他物品。

第四条 进境旅客（包括持有前往国家或地区签发的再入境签证的中国籍居民旅客）携带本规定第三条之物品，每种限一件。旅客应主动向海关申报，海关方可准予暂时免税放行。

第五条 海关准予暂时免税的本次进境物品，须由旅客在回程时复带出境。由于特殊原因不能在本次回程时复带出境的，应事先报请出境地海关办结有关手续。

第六条　中国籍居民、中国籍或外国籍非居民长期旅客携带本规定第三条之物品出境，如需复带进境，应在本次出境时，主动报请海关验核。复带进境时，海关验凭本次出境的有关单、证放行。

第七条　进出境旅客旅行自用物品的具体申报手续、适用单证及本规定未尽事项，按其他有关规定办理。

第八条　本规定不适用于当天或短期内多次往返的进出境旅客旅行自用物品。

第九条　进出境旅客违反本规定或者未将海关暂准免税放行物品复带出境的，海关依照《中华人民共和国海关行政处罚实施条例》第十九条的规定处理。

第十条　本规定自一九九二年十月十五日起实施。

# 中华人民共和国海关关于进出境旅客通关的规定

（海关总署令第 55 号）

（1995 年 12 月 25 日由海关总署发布，根据 2010 年 11 月 26 日海关总署令第 198 号《海关总署关于修改部分规章的决定》修正，现行版本自 2010 年 11 月 26 日起施行，法规类型为部门规章）

第一条　根据《中华人民共和国海关法》和其他有关法规、规定，制定本规定。

第二条　本规定所称"通关"系指进出境旅客向海关申报，海关依法查验行李物品并办理进出境物品征税或免税验放手续，或其他有关监管手续之总称。

本规定所称"申报"，系指进出境旅客为履行中华人民共和国海关法规规定的义务，对其携运进出境的行李物品实际情况依法向海关所作的书面申明。

第三条　按规定向海关办理申报手续的进出境旅客通关时，应首先在申报台前向海关递交《中华人民共和国海关进出境旅客行李物品申报单》或海关规定的其他申报单证，如实申报其所携运进出境的行李物品。

进出境旅客对其携运的行李物品以上述以外的其他任何方式或在其他任何时间、地点所做出的申明，海关均不视为申报。

第四条　申报手续应由旅客本人填写申报单证向海关办理，如委托他人办理，应由本人在申报单证上签字。接受委托办理申报手续的代理人应当遵守本规定对其委托人的各项规定，并承担相应的法律责任。

第五条　旅客向海关申报时，应主动出示本人的有效进出境旅行证件和身份证件，并交验中华人民共和国有关主管部门签发的准许有关物品进出境的证明、商业单证及其他必备文件。

第六条　经海关办理手续并签章交由旅客收执的申报单副本或专用申报单证，在有效期内或在海关监管时限内，旅客应妥善保存，并在申请提取分离运输行李物品或购买征、免税外汇商品或办理其他有关手续时，主动向海关出示。

第七条　在海关监管场所，海关在通道内设置专用申报台供旅客办理有关进出境物品的申报手续。

经中华人民共和国海关总署批准实施双通道制的海关监管场所，海关设置"申报"通道（又称"红色通道"）和"无申报"通道（又称"绿色通道"）供进出境旅客依本规定选择。

第八条　下列进境旅客应向海关申报，并将申报单证交由海关办理物品进境手续；

携带需经海关征税或限量免税的《旅客进出境行李物品分类表》第二、三、四类物品（不含免税限量内的烟酒）者；

非居民旅客及持有前往国家（地区）再入境签证的居民旅客携带途中必需的旅行自用物品超出照相机、便携式收录音机、小型摄影机、手提式摄录机、手提式文字处理机每种一件范围者；

携带人民币现钞 6000 元以上，或金银及其制品 50 克以上者；

非居民旅客携带外币现钞折合 5000 美元以上者；

居民旅客携带外币现钞折合 1000 美元以上者；

携带货物、货样以及携带物品超出旅客个人自用行李物品范围者；

携带中国检疫法规规定管制的动、植物及其产品以及其他须办理验放手续的物品者。

**第九条** 下列出境旅客应向海关申报，并将申报单证交由海关办理物品出境手续：

携带需复带进境的照相机、便携式收录音机、小型摄影机、手提式摄录机、手提式文字处理机等旅行自用物品者；

未将应复带出境物品原物带出或携带进境的暂时免税物品未办结海关手续者；

携带外币、金银及其制品未取得有关出境许可证是或超出本次进境申报数额者；

携带人民币现钞 6000 元以上者；

携带文物者；

携带货物、货样者；

携带出境物品超出海关规定的限值、限量或其他限制规定范围的；

携带中国检疫法规规定管制的动、植物及其产品以及其他须办理验放手续的物品者。

**第十条** 在实施双通道制的海关监管场所，本规定第八条、第九条所列旅客应当选择"申报"通道通关。

**第十一条** 不明海关规定或不知如何选择通道的旅客，应选择"申报"通道，向海关办理申报手续。

**第十二条** 本规定第八条、第九条、第十一条所列旅客以外的其他旅客可不向海关办理申报手续。在海关实施双通道制的监管场所，可选择"无申报"通道进境或出境。

**第十三条** 持有中华人民共和国政府主管部门给予外交、礼遇签证的进出境非居民旅客和海关给予免验礼遇的其他旅客，通关时应主动向海关出示本人护照（或其他有效进出境证件）和身份证件。

**第十四条** 旅客进出境时，应遵守本规定和中华人民共和国海关总署授权有关海关为实施本规定所制定并公布的其他补充规定。

**第十五条** 旅客携带物品、货物进出境未按规定向海关申报的，以及本规定第八条、第九条、第十一条所列旅客未按规定选择通道通关的，海关依据《中华人民共和国海关法》及《中华人民共和国行政处罚实施细则》的有关规定处理。

**第十六条** 本规定自一九九六年一月一日起实施。

# 中华人民共和国海关对中国籍旅客进出境行李物品的管理规定

(海关总署令第58号)

(1996年8月10日由海关总署发布;根据2010年11月26日海关总署令第198号《海关总署关于修改部分规章的决定》第一次修正,根据2017年12月20日海关总署令第235号《关于公布〈海关总署关于修改部分规章的决定〉的令》第二次修正;现行版本自2018年2月1日起施行;法规类型为部门规章)

**第一条** 根据《中华人民共和国海关法》及其他有关法规,制定本规定。

**第二条** 本规定适用于凭中华人民共和国护照等有效旅行证件出入境的旅客,包括公派出境工作、考察、访问、学习和因私出境探亲、访友、旅游、经商、学习等中国籍居民旅客和华侨、台湾同胞、港澳同胞等中国籍非居民旅客。

**第三条** 中国籍旅客携运进境的行李物品,在本规定所附《中国籍旅客带进物品限量表》(简称《限量表》,见附件1)规定的征税或免税物品品种、限量范围内的,海关准予放行,并分别验凭旅客有效出入境旅行证件及其他有关证明文件办理物品验放手续。

对不满16周岁者,海关只放行其旅途需用的《限量表》第一类物品。

**第四条** 中国籍旅客携运进境物品,超出规定免税限量仍属自用的,经海关核准可征税放行。

**第五条** 中国籍旅客携带旅行自用物品进出境,按照《中华人民共和国海关对进出境旅客旅行自用物品的管理规定》办理验放手续。

**第六条** 获准进境定居的中国籍非居民旅客携运进境其在境外拥有并使用过的自用物品及车辆,应当在获准定居后六个月内凭中华人民共和国有关主管部门签发的定居证明,向海关办理通关手续。上述自用物品可以向定居地主管海关或者口岸海关申报,除《定居旅客应税自用及安家物品清单》(见附件2)所列物品需征税外,经海关审核在合理数量范围内的准予免税进境。其中完税价格在人民币1000元以上,5000元以下(含5000元)的物品每种限1件。自用小汽车和摩托车向定居地主管海关申报,每户准予征税进境各1辆。

**第七条** 定居旅客自进境之日起,居留时间不满二年,再次出境定居的,其免税携运进境的自用物品应复运出境,或依照相关规定向海关补缴进口税。

再次出境定居的旅客,在外居留不满二年,重新进境定居者,海关对其携运进境的自用物品均按本规定第三条办理。

**第八条** 进境长期工作、学习的中国籍非居民旅客,在取得长期居留证件之前,海关按照本规定验放其携运进出境的行李物品;在取得长期居留证件之后,另按海关对非居民长期旅客和常驻机构进出境公、私用物品的规定办理。

**第九条** 对短期内多次来往香港、澳门地区的旅客和经常出入境人员以及边境地区居民,海关只放行其旅途必需物品。具体管理规定授权有关海关制定并报中华人民共和国海关总署批准后公布实施。

前款所述"短期内多次来往"和"经常出入境"指半个月(15日)内进境超过1次。

**第十条** 除国家禁止和限制出境的物品另按有关规定办理外,中国籍旅客携运出境的行李物品,经海关审核在自用合理数量范围内的,准予出境。

以分离运输方式运出的行李物品,应由本人凭有效的出境证件,在本人出境前向所在地海关办理海关手续。

**第十一条** 中国籍旅客进出境行李物品,超出自用合理数量及规定的限量、限值或品种范围的,除另有规定者外,海关不予放行。除本人声明放弃外,应在三个月内由本人或其代理人向海关办理退运手续;逾期不办的,由海关按《中华人民共和国海关法》第五十一条规定处理。

**第十二条** 旅客进出境时应遵守本规定和中华人民共和国海关总署授权有关海关为实施本规定所公告的其他补充规定。违者,海关将依照《中华人民共和国海关法》和《中华人民共和国海关行政处罚实施条例》的有关规定处理。

**第十三条** 本规定由中华人民共和国海关总署负责解释。

**第十四条** 本规定自1996年8月15日起实施。

附件:1. 中国籍旅客带进物品限量表
　　　2. 定居旅客应税自用物品及安家物品清单

附件1

## 中国籍旅客带进物品限量表

(中华人民共和国海关总署1996年8月15日修订)

| 类别 | 品种 | 限量 |
| --- | --- | --- |
| 第一类物品 | 衣料、衣着、鞋、帽、工艺美术品和价值人民币1,000元以下(含1,000元)的其他生活用品 | 自用合理数量范围内免税,其中价值人民币800元以上、1,000元以下的物品每种限一件 |
| 第二类物品 | 烟草制品 酒精饮料 | (1)香港、澳门地区居民及因私往来香港、澳门地区的内地居民,免税香烟200支,或雪茄50支,或烟丝250克;免税12度以上酒精饮料限1瓶(0.75升以下)<br>(2)其他旅客,免税香烟400支,或雪茄100支,或烟丝500克;免税12度以上酒精饮料限2瓶(1.5升以下) |
| 第三类物品 | 价值人民币1,000元以上、5,000元以下(含5,000元)的生活用品 | (1)驻境外的外交机构人员、我出国留学人员和访问学者、赴外劳务人员和援外人员,连续在外每满180天(其中留学人员和访问学者物品验放时间从注册入学之日起算至毕业结业之日止),远洋船员在外每满120天任选其中1件免税<br>(2)其他旅客每公历年度内进境可任选其中1件征税 |

注:
1. 本表所称进境物品价值以海关审定的完税价格为准;
2. 超出本表所列最高限值的物品,另按有关规定办理;

3. 根据规定可免税带进的第三类物品，同一品种物品公历年度内不得重复；
4. 对不满16周岁者，海关只放行其旅途需用的第一类物品；
5. 本表不适用于短期内多次来往香港、澳门地区旅客和经常进出境人员以及边境地区居民。

附件2

### 定居旅客应税自用及安家物品清单

电视机、摄像机、录像机、放像机、音响设备、空调器、电冰箱电冰柜、洗衣机、照相机、传真机、打印机及文字处理机、微型计算机及外设、电话机、家具、灯具、餐料（含饮料、酒）、小汽车、摩托车。

# 中华人民共和国海关对非居民长期旅客进出境自用物品监管办法

（海关总署令第116号）

（2004年6月16日由海关总署发布；根据2010年11月1日海关总署令第194号《海关总署关于修改〈中华人民共和国海关对非居民长期旅客进出境自用物品监管办法〉的决定》第一次修正，根据2010年11月26日海关总署令第198号《海关总署关于修改部分规章的决定》第二次修正，根据2017年12月20日海关总署令第235号《关于公布〈海关总署关于修改部分规章的决定〉的令》第三次修正；现行版本自2018年2月1日起施行，法规类型为部门规章）

## 第一章 总 则

**第一条** 为规范海关对非居民长期旅客进出境自用物品的管理，根据《中华人民共和国海关法》和其他有关法律、行政法规，制定本办法。

**第二条** 非居民长期旅客进出境自用物品应当符合《非居民长期旅客自用物品目录》（以下简称《物品目录》），以个人自用、合理数量为限。《物品目录》由海关总署另行制定并且发布。其中，常驻人员可以进境机动车辆，每人限1辆，其他非居民长期旅客不得进境机动车辆。

非居民长期旅客进出境自用物品，可以由本人或者其委托的报关企业向主管海关或者口岸海关办理通关手续。常驻人员进境机动车辆，向主管海关办理通关手续。

自用物品通关时，海关可以对相关物品进行查验，防止违禁物品进出境。

自用物品放行后，海关可以通过实地核查等方式对使用情况进行抽查。

**第三条** 非居民长期旅客取得境内长期居留证件后方可申报进境自用物品，首次申报进境的自用物品海关予以免税，但按照本规定准予进境的机动车辆和国家规定应当征税的20种商品除外。再次申报进境的自用物品，一律予以征税。

对于应当征税的非居民长期旅客进境自用物品，海关按照《中华人民共和国进出口关税条例》的有关规定征收税款。

根据政府间协定免税进境的非居民长期旅客自用物品，海关依法免征税款。

## 第二章 进境自用物品监管

**第四条** 非居民长期旅客申报进境自用物品时，应当填写《中华人民共和国海关进出境自用物品申报单》（以下简称《申报单》，并提交身份证件、长期居留证件、提（运）单和装箱单等相关单证。港澳台人员还需提供其居住地公安机关出具的居住证明。

常驻人员申报进境机动车辆时，应当填写《进口货物报关单》，并提交前款规定的单证。

第五条　进境机动车辆因事故、不可抗力等原因遭受严重损毁或因损耗、超过使用年限等原因丧失使用价值，经报废处理后，常驻人员凭公安交通管理部门出具的机动车辆注销证明，经主管海关同意办理机动车辆结案手续后，可重新申报进境机动车辆1辆。

进境机动车辆有丢失、被盗、转让或出售给他人、超出监管期限等情形的，常驻人员不得重新申报进境机动车辆。

第六条　常驻人员进境机动车辆，应当自海关放行之日起10个工作日内，向主管海关申领《中华人民共和国海关监管车辆进/出境领/销牌照通知书》（以下简称《领/销牌照通知书》），办理机动车辆牌照申领手续。其中，免税进境的机动车辆，常驻人员还应当自取得《领/销牌照通知书》之日起10个工作日内，凭公安交通管理部门颁发的《机动车辆行驶证》向主管海关申领《中华人民共和国海关监管车辆登记证》（以下简称《监管车辆登记证》）。

## 第三章　出境自用物品监管

第七条　非居民长期旅客申报出境原进境自用物品时，应当填写《申报单》，并提交身份证件、长期居留证件、提（运）单和装箱单等相关单证。

常驻人员申报出境原进境机动车辆的，海关开具《领/销牌照通知书》，常驻人员凭此向公安交通管理部门办理注销牌照手续。

## 第四章　进境免税机动车辆后续监管

第八条　常驻人员依据本办法第三条第三款规定免税进境的机动车辆属于海关监管机动车辆，主管海关对其实施后续监管，监管期限为自海关放行之日起6年。

未经海关批准，进境机动车辆在海关监管期限内不得擅自转让、出售、出租、抵押、质押或者进行其他处置。

第九条　海关对常驻人员进境监管机动车辆实行年审制度。常驻人员应当根据主管海关的公告，在规定时间内，将进境监管机动车辆驶至指定地点，凭本人身份证件、长期居留证件、《监管车辆登记证》《机动车辆行驶证》向主管海关办理机动车辆海关年审手续。年审合格后，主管海关在《监管车辆登记证》上加盖年审印章。

第十条　常驻人员任期届满后，经主管海关批准，可以按规定将监管机动车辆转让给其他常驻人员或者常驻机构，或者出售给特许经营单位。受让方的机动车辆进境指标相应扣减。

机动车辆受让方同样享有免税进境机动车辆权利的，受让机动车辆予以免税，受让方主管海关在该机动车辆的剩余监管年限内实施后续监管。

第十一条　常驻人员转让进境监管机动车辆时，应当由受让方向主管海关提交经出、受让双方签章确认的《中华人民共和国海关公/自用车辆转让申请表》（以下简称《转让申请表》）及其他相关单证。受让方主管海关审核批注后，将《转让申请表》转至出让方主管海关。出让方凭其主管海关开具的《领/销牌照通知书》向公安交通管理部门办理机动车辆牌照注销手续；出让方主管海关办理机动车辆结案手续后，将机动车辆进境原始档案及《转让申请表》回执联转至受让方主管海关。受让方凭其主管海关出具的《领/销牌照通知书》向公安交通管理部门办理机动车辆牌照申领手续。应当补税的机动车辆由受让方向其主管海关依法补缴税款。

常驻人员进境监管机动车辆出售时，应当由特许经营单位向常驻人员的主管海关提交经常驻人员签字确认的《转让申请表》，主管海关审核无误后，由特许经营单位参照前款规定办理机动车辆注销牌照等结案手续,并依法向主管海关补缴税款。

第十二条 机动车辆海关监管期限届满的,常驻人员应当凭《中华人民共和国海关公/自用车辆解除监管申请表》《机动车辆行驶证》向主管海关申请解除监管。主管海关核准后,开具《中华人民共和国海关监管车辆解除监管证明书》,常驻人员凭此向公安交通管理部门办理有关手续。

第十三条 海关监管期限内的机动车辆因法院判决抵偿他人债务或者丢失、被盗的,机动车辆原所有人应当凭有关证明向海关申请办理机动车辆解除监管手续,并依法补缴税款。

第十四条 任期届满的常驻人员,应当在离境前向主管海关办理海关监管机动车辆的结案手续。

## 第五章 法律责任

第十五条 违反本办法,构成走私行为、违反海关监管规定行为或者其他违反海关法行为的,海关依照《中华人民共和国海关法》、《中华人民共和国海关行政处罚实施条例》予以处罚;构成犯罪的,依法追究刑事责任。

## 第六章 附　则

第十六条 本办法下列用语的含义:

"非居民长期旅客"是指经公安部门批准进境并在境内连续居留一年以上(含一年),期满后仍回到境外定居地的外国公民、港澳台地区人员、华侨。

"常驻人员"是指非居民长期旅客中的下列人员:

(一)境外企业、新闻机构、经贸机构、文化团体及其他境外法人经中华人民共和国政府主管部门批准,在境内设立的并在海关备案的常设机构内的工作人员;

(二)在海关注册登记的外商投资企业内的人员;

(三)入境长期工作的专家。

"身份证件"是指中华人民共和国主管部门颁发的《外国(地区)企业常驻代表机构工作证》、《中华人民共和国外国人工作许可证》等证件,以及进出境使用的护照、《港澳居民来往内地通行证》、《台湾居民往来大陆通行证》等。

"长期居留证件"是指有效期一年及以上的《中华人民共和国外国人居留许可》、《港澳居民来往内地通行证》、《台湾居民来往大陆通行证》等准予在境内长期居留的证件。

"主管海关"是指非居民长期旅客境内居留所在地的直属海关或者经直属海关授权的隶属海关。

"自用物品"是指非居民长期旅客在境内居留期间日常生活所需的《物品目录》范围内物品及机动车辆。

"机动车辆"是指摩托车、小轿车、越野车、9座及以下的小客车。

"20种商品"是指电视机、摄像机、录像机、放像机、音响设备、空调器、电冰箱(柜)、洗衣机、照相机、复印机、程控电话交换机、微型计算机、电话机、无线寻呼系统、传真机、电子计算器、打印机及文字处理机、家具、灯具和餐料。

第十七条 外国驻中国使馆、领馆人员,联合国及其专门机构以及其他与中国政府签有协议的国际组织驻中国代表机构人员进出境物品,不适用本办法,另按有关法律、行政法规办理。

第十八条 本办法所规定的文书由海关总署另行制定并且发布。

第十九条 本办法由海关总署负责解释。

第二十条 本办法自 2004 年 8 月 1 日起施行。本办法附件所列规范性文件同时废止。

附件：1.《中华人民共和国海关进出境自用物品申请单》（略）
   2.《中华人民共和国海关监管车辆进/出境领/销牌照通知书》（略）
   3.《中华人民共和国海关监管车辆登记证》（略）
   4.《中华人民共和国海关公/自用车辆转让申请表》（略）
   5.《中华人民共和国海关公/自用车辆解除监管申请表》（略）
   6.《中华人民共和国海关监管车辆解除监管证明书》（略）
   7. 废止文件清单（略）

## 中华人民共和国海关对高层次留学人才回国和海外科技专家来华工作进出境物品管理办法

（海关总署令第 154 号）

（2006 年 12 月 26 日由海关总署发布，根据 2010 年 11 月 26 日海关总署令第 198 号《海关总署关于修改部分规章的决定》修正，现行版本自 2010 年 11 月 26 日起施行，法规类型为部门规章）

**第一条** 为了鼓励高层次留学人才回国和海外科技专家来华工作，推动国家科学、技术进步，根据《中华人民共和国海关法》和国家有关法律、行政法规及其他有关规定，制定本办法。

**第二条** 由人事部、教育部或者其授权部门认定的高层次留学人才和海外科技专家（以下统称高层次人才），以随身携带、分离运输、邮递、快递等方式进出境科研、教学和自用物品，适用本办法。

**第三条** 回国定居或者来华工作连续 1 年以上（含 1 年，下同）的高层次人才进境本办法所附清单（见附件 1）范围内合理数量的科研、教学物品，海关依据有关规定予以免税验放。

**第四条** 回国定居或者来华工作连续 1 年以上的高层次人才进境本办法所附清单（见附件 2）范围内合理数量的自用物品，海关依据有关规定予以免税验放。

上述人员可以依据有关规定申请从境外运进自用机动车辆 1 辆（限小轿车、越野车、9 座及以下的小客车），海关依据有关规定予以征税验放。

**第五条** 高层次人才进境本办法第三条、第四条所列物品，除应当向海关提交人事部、教育部或者其授权部门出具的高层次人才身份证明外，还应当按照下列规定办理海关手续：

（一）以随身携带、分离运输方式进境科研、教学物品的，应当如实向海关书面申报，并提交本人有效入出境身份证件；

（二）以邮递、快递方式进境科研、教学用品的，应当如实向海关申报，并提交本人有效入出境身份证件；

（三）回国定居或者来华工作连续 1 年以上的高层次人才进境自用物品的，应当填写《中华人民共和国海关进出境自用物品申请表》，并提交本人有效入出境身份证件、境内长期居留证件或者《回国（来华）定居专家证》，由本人或者委托他人向主管海关提出书面申请。

经主管海关审核批准后，进境地海关凭主管海关的审批单证和其他相关单证对上述物品予以验放。

**第六条** 高层次人才回国、来华后，因工作需要从境外运进少量消耗性的试剂、原料、配件等，应当由其所在单位按照《科学研究和教学用品免征进口税收暂行规定》办理有关手续。

上述人员因工作需要从境外临时运进少量非消耗性科研、教学物品的，可以由其所在单位向海关出具保函，海关按照暂时进境物品办理有关手续，并监管其按期复运出境。

**第七条** 已获人事部、教育部或者其授权部门批准回国定居或者来华工作连续1年以上，但尚未取得境内长期居留证件或者《回国（来华）定居专家证》的高层次人才，对其已经运抵口岸的自用物品，海关可以凭人事部、教育部或者其授权部门出具的书面说明文件先予放行。

上述高层次人才应当在物品进境之日起6个月内补办有关海关手续。

**第八条** 高层次人才依据有关规定从境外运进的自用机动车辆，属于海关监管车辆，依法接受海关监管。

自海关放行之日起1年后，高层次人才可以向主管海关申请解除监管。

对高层次人才进境自用机动车辆的其他监管事项，按照《中华人民共和国海关对非居民长期旅客进出境自用物品监管办法》有关规定办理。

**第九条** 高层次人才在华工作完毕返回境外时，以随身携带、分离运输、邮递、快递等方式出境原进境物品的，应当按照规定办理相关海关手续。

**第十条** 高层次人才因出境参加各种学术交流等活动需要，以随身携带、分离运输、邮递、快递等方式出境合理数量的科研、教学物品，除国家禁止出境的物品外，海关按照暂时出境物品办理有关手续。

**第十一条** 高层次人才进出境时，海关给予通关便利。对其随身携带的进出境物品，除特殊情况外，海关可以不予开箱查验。

海关在办理高层次人才进出境物品审批、验放等手续时，应当由指定的专门机构和专人及时办理。对在节假日或者非正常工作时间内以分离运输、邮递或者快递方式进出境的物品，有特殊情况需及时验放的，海关可以预约加班，在约定的时间内为其办理物品通关手续。

**第十二条** 违反本办法，构成走私或者违反海关监管规定行为的，由海关依照《中华人民共和国海关法》和《中华人民共和国海关行政处罚实施条例》的有关规定予以处理；构成犯罪的，依法追究刑事责任。

**第十三条** 本办法由海关总署负责解释。

**第十四条** 本办法自2007年1月1日起施行。

附件：1. 免税科研、教学物品清单
　　　2. 免税自用物品清单

## 附件1

### 免税科研、教学物品清单

一、科学研究、科学试验和教学用的少量的小型检测、分析、测量、检查、计量、观测、发生信号的仪器、仪表及其附件；

二、为科学研究和教学提供必要条件的少量的小型实验设备；

三、各种载体形式的图书、报刊、讲稿、计算机软件；

四、标本、模型；

五、教学用幻灯片；

六、实验用材料。

附件 2

## 免税自用物品清单

一、首次进境的个人生活、工作自用的家用摄像机、照相机、便携式收录机、便携式激光唱机、便携式计算机每种 1 件；

二、日常生活用品（衣物、床上用品、厨房用品等）；

三、其他自用物品（国家规定应当征税的 20 种商品除外）。


## 关于实施《中华人民共和国海关对高层次留学人才回国和海外科技专家来华工作进出境物品管理办法》有关问题的通知

（署监发〔2006〕622 号）

（2006 年 12 月 31 日由海关总署发布，2007 年 1 月 1 日起施行，法规类型为规范性文件）

广东分署，天津、上海特派办，各直属海关、院校：

为促进国家经济、科学、技术的发展，今年，国务院制订了《国家中长期科学和技术发展规划纲要（2006—2020 年）》（以下简称《规划纲要》），并下发了实施《规划纲要》若干配套政策的通知。为了贯彻和实施《规划纲要》，鼓励高层次留学人才和海外科技专家（以下简称高层次人才）回国（来华）工作，方便高层次人才携运教学、科研物品以及生活自用物品进出境，简化通关手续，经报国务院办公厅同意，总署制订并发布了《中华人民共和国海关对高层次留学人才回国和海外科技专家来华工作进出境物品管理办法》（海关总署令第 154 号，以下简称《管理办法》），自 2007 年 1 月 1 日起施行。现就执行中的有关问题明确如下：

一、关于《管理办法》适用范围问题

考虑到高层次人才的实际需要，《管理办法》除适用高层次人才以随身携带、分离运输行李、邮递、快递等非贸易渠道方式进出境工作用科研、教学物品外，也适用于其进出境生活自用物品。

二、关于对高层次人才身份确认和主管部门问题

《管理办法》第二条明确，高层次人才的身份一律由人事部、教育部或其授权部门认定，具体是指人事部专业技术人员管理司、教育部国际交流合作司以及各省、自治区和直辖市人民政府人事、教育主管部门。

三、关于高层次人才进出境教学、科研用品征免税问题

《管理办法》第三、四条分别明确，高层次人才进境工作和生活需要合理数量的科研、教学物品和个人生活用品，除机动车辆和国家规定应当征税的品种外，海关均予以免税验放。

为便于各关操作和对外执行，《管理办法》对高层次人才免税科研、教学用品和自用物品的范围作出了明确界定和细化，并采取具体列名方式，作为《管理办法》的附件予以下发。

四、关于高层次人才简化通关手续问题

为充分体现国家对高层次人才回国（来华）工作的鼓励，《管理办法》对高层次人才进境物品的通关手续进行了简化，主要包括以下几个方面：

（一）进境工作所需科研、教学物品方面。对高层次人才进境科研、教学物品，《管理办

法》简化了相关手续，对其携运的上述物品，海关一律验凭人事部、教育部或者其授权部门出具的身份证明和高层次人才填写的《旅客申报单》当场放行。

（二）进境个人自用物品方面。对来华长期工作的高层次人才运进个人生活用物品，海关不限制次数，每次进境按照规定办理征、免税审批、验放手续。

（三）查验方面。为方便高层次人才进出境，简化手续，《管理办法》明确对其进出境一律给予通关便利，对其所携物品，情况正常的，海关均不予以开箱查验。

**五、关于加强对管理相对人的宣传问题**

各关要充分认识到我国引进高层次人才战略的重要意义，认真做好有关宣传和解释工作，特别是对科研机构的宣传工作，要积极做好对管理相对人有关询问的解释工作，以便管理相对人能够了解海关规定。

以上请遵照执行，执行中如有问题请及时报告总署。

# 关于暂不予放行旅客行李物品暂存有关事项的公告

（海关总署公告2016年第14号）

（2016年3月14日由海关总署发布，2016年6月1日起施行，法规类型为规范性文件）

根据《中华人民共和国海关法》、《中华人民共和国海关对进出境旅客行李物品监管办法》（海关总署令第9号）等规定，现就海关暂不予放行旅客行李物品暂存有关事项公告如下：

一、旅客携运进出境的行李物品有下列情形之一的，海关暂不予放行：

（一）旅客不能当场缴纳进境物品税款的；

（二）进出境的物品属于许可证件管理的范围，但旅客不能当场提交的；

（三）进出境的物品超出自用合理数量，按规定应当办理货物报关手续或其他海关手续，其尚未办理的；

（四）对进出境物品的属性、内容存疑，需要由有关主管部门进行认定、鉴定、验核的；

（五）按规定暂不予以放行的其他行李物品。

海关暂不予以放行的行李物品，可以暂存。

上述暂不予放行物品不包括依法应当由海关实施扣留的物品。

二、暂不予放行的行李物品有下列情形之一的，海关可以要求旅客当场办理退运手续，或者移交相关专业机构处理，因此产生的费用由旅客承担。

（一）易燃易爆的；

（二）有毒的；

（三）鲜活、易腐、易失效等不宜长期存放的；

（四）其他无法存放或不宜存放的情形。

三、对暂不予放行的行李物品办理暂存的，海关应当向旅客出具《中华人民共和国海关暂不予放行旅客行李物品暂存凭单》（以下简称《凭单》，样式详见附件），旅客核实无误后签字确认。

四、交由海关暂存的物品有瑕疵、损毁等情况的，海关现场关员应当在《凭单》上予以注明，并应当由旅客签字确认。对于贵重物品或疑似文物等物品，海关可以采用拍照、施封等办法进行确认。

五、旅客办理物品的提取手续时，应当向海关提交《凭单》原件并出示旅客本人有效的进出境证件。旅客委托他人代为办理物品提取手续的，接受委托的代理人应当向海关提交《凭单》原件、旅客本人出具的书面委托书、旅客有效的进出境证件复印件，并出示代理人本人有效的身份证件。

六、海关暂不予放行的物品自暂存之日起三个月内，旅客应当办结海关手续。逾期不办的，由海关依法对物品进行处理。需要有关主管部门进行认定、鉴定、验核的时间不计入暂存时间。

七、本公告自 2016 年 6 月 1 日起施行。

特此公告。

附件：海关暂不予放行旅客行李物品暂存凭单

附件

# 中华人民共和国海关关于境外登山团体和个人进出境物品管理规定

（海关总署令第 30 号）

（1992 年 3 月 10 日由海关总署发布；根据 2010 年 11 月 26 日海关总署令第 198 号《海关总署关于修改部分规章的决定》修正；现行版本自 2010 年 11 月 26 日起施行；法规类型为部门规章）

**第一条** 为促进我国登山事业的发展，加强对境外登山团体和个人进出境物品管理，根据《中华人民共和国海关法》、《外国人来华登山管理办法》以及国家有关法规，特制订本规定。

第二条　境外登山团体和个人进境从事《外国人来华登山管理办法》所列的登山活动，经有关主管部门审核批准后，其进出境登山用物品，统一由中国登山协会（以下简称"中国登协"）归口管理，负责持有关主管部门的批件向海关办理物品报关、担保、核销、结案等手续。

第三条　境外登山团体和个人运进、运出登山用物品，由登山活动所在地或临近地海关（即主管海关）负责审批验放管理。

第四条　境外登山团体和个人运进、运出登山用食品、急救药品、防寒衣物、高山专用技术设备、燃料、氧气设备、易损的汽车零配件等消耗性物品，属于"特准进口物品"范围，经主管海关审核在自用合理数量范围内的，予以特准免税放行。其中各种食品每人每天共计限十公斤，防寒衣物及被褥每人每种限十套。

超出上述自用合理数量范围的物品，以及自用的烟酒，经海关核准后，予以征税放行。

第五条　境外登山团体和个人运进、运出登山用的通讯、摄影、摄像、录像、测绘器材和机动交通工具等非消耗性物品，属于"暂时进口物品"范围，由中国登协按规定向主管海关缴纳保证金后，暂准免税进境。其中运进无线电通讯设备和器材，需交验国家无线电管理委员会的批件；随同登山团体和个人进境的境外记者运进的摄影、摄像器材，需交验外交部新闻司或全国记协的批件。

第六条　境外登山团体和个人以及随行的境外记者随身携带进境的上述"暂时进口物品"（机动交通工具除外），由进境地海关凭有关主管部门的批件和中国登协缴纳的保证金暂予免税放行；或者验凭主管海关出具的联系单，作为转关运输货物，由中国登协负责转运至主管海关办理。

对上述人员携带进境的其他物品，进境地海关按照《中华人民共和国海关对进出境旅客行李物品监管办法》有关规定验放。

第七条　境外团体和个人登山时采集的标本、样品、化石和在境内拍摄的音像资料以及测绘成果，由中国登协负责报国家有关主管部门审查。出境时，海关凭中国登协出具的有关主管部门的审批件查核放行。

第八条　境外登山团体和个人一律不准运进运出中华人民共和国禁止进出境物品。

第九条　经海关核准暂时免税进境的登山物品，不得移作它用，并应在规定的期限内复运出境。如因特殊原因不能复运出境的，应由中国登协在规定暂准进境期限内，办妥正式进口手续，向海关结案。

第十条　登山活动结束后，境外登山团体和个人留赠给中方的登山用物品，由中国登协该本规定第九条办理有关手续。

第十一条　中外联合登山团体进出境登山用物品，海关根据有关主管部门提供的中外登山人员总数合并审批有关登山物品数量。具体手续参照本规定有关条款办理。

第十二条　对违反本规定的，海关将依照《中华人民共和国海关法》和《中华人民共和国海关行政处罚实施条例》规定予以处罚。

第十三条　本规定自一九九二年五月一日起施行。

# 物品征税

## 中华人民共和国海关关于入境旅客行李物品和个人邮递物品征收进口税办法（1994）

（海关总署令第 47 号）

（1994 年 7 月 1 日由海关总署发布，1994 年 7 月 1 日起施行，法规类型为部门规章）

**第一条** 为了照顾个人进口自用物品的合理需要，简化计税手续，根据《海关法》和《进出口关税条例》的有关规定，特制定本办法。

**第二条** 准许应税进口的旅客行李物品、个人邮递物品以及其他个人自用物品（以下简称应税个人自用物品），除另有规定的以外，均由海关按照《入境旅客行李物品和个人邮递物品进口税税率表》征收进口税。

本办法所称的进口税，包括关税和增值税、消费税。

本办法所称的应税个人自用物品，不包括汽车、摩托车及其配件、附件。对进口应税个人自用汽车、摩托车及其配件、附件，应按《中华人民共和国海关进出口税则》和其他有关税法、规定征收进口税。

《入境旅客行李物品和个人邮递物品进口税税率表》）以下简称《税率表》）是本办法的组成部分。《税率表》中税率的调整，由国务院关税税则委员会审定后，海关总署对外公布实施。

**第三条** 进口税的纳税义务人是：携有应税个人自用物品的入境旅客及运输工具服务人员，进口邮递物品的收件人，以及以其他方式进口应税个人自用物品的收件人。

纳税义务人可以自行办理纳税手续，也可以委托他人办理纳税手续。接受委托办理纳税手续的代理人，应当遵守本办法对其委托人的各项规定。

**第四条** 海关总署依据《税率表》制定《入境旅客行李物品和个人邮递物品税则归类表》（以下简称《税则归类表》）。

海关对应税个人自用物品按《税则归类表》进行归类，确定适用的税率。进口物品如《税则归类表》中没有具体列名，可由海关按照《税率表》规定的范围归入最适合的税号归类征税。

**第五条** 进口税从价计征。

**第六条** 应税个人自用物品由海关按照填发税款缴纳证当日有效的税率和完税价格计征进口税。

进口税税额为完税价格乘以进口税税率。

纳税义务人应当在海关放行应税个人自用物品之前缴纳税款。

**第七条** 应税个人自用物品放行后，海关发现少征税款，应当自开出税款缴纳证之日起一年内，向纳税义务人补征；海关发现漏征税款，应当自物品放行之日起一年内向纳税义务人补征。因纳税义务人违反规定而造成的少征或者漏征，海关可自违反规定行为发生之日起三年之内向纳税义务人追征。

海关发现或确认多征的税款，海关应当立即退还，纳税义务人也可自缴纳税款之日起一年内，要求海关退还。

**第八条** 纳税义务人同海关发生纳税争议时，应当先按海关核定的税额缴纳税款，然后自海关填发税款缴纳证之日起三十日内向海关书面申请复议。逾期申请的，海关不予受理。

海关应当自收到复议申请之日起十五日内作出复议决定，并通知纳税义务人。纳税义务人对复议决定不服，可以自接到海关通知之日起十五日内向海关总署申请复议。海关总署在接到复议申请后，应当在三十日内作出复议决定，并通知纳税义务人。

纳税义务人对海关总署的复议决定仍然不服的，可以自收到复议决定书之日起十五日内，向人民法院起诉。

**第九条** 本办法由国务院关税税则委员会负责解释。

**第十条** 本办法自1994年7月1日起实施。

# 边民互市贸易管理办法

（海关总署令第56号）

（1996年3月29日由海关总署、对外贸易经济合作部发布；根据2010年11月26日海关总署令第198号《海关总署关于修改部分规章的决定》修正；现行版本自2010年11月26日起施行；法规类型为部门规章）

**第一条** 为了促进边境地区居民互市贸易的健康发展，繁荣边境经济，加强海关监督管理，根据《中华人民共和国海关法》和其他有关法律、法规制定本办法。

**第二条** 边民互市贸易是指边境地区边民在我国陆路边境20公里以内，经政府批准的开放点或指定的集市上、在不超过规定的金额或数量范围内进行的商品交换活动。

开展边民互市贸易应符合以下条件：

（一）互市地点应设在陆路、界河边境线附近；

（二）互市地点应由边境省、自治区人民政府批准；

（三）边民互市贸易区（点）应有明确的界线；

（四）边民互市贸易区（点）的海关监管设施符合海关要求。

**第三条** 我国边境地区的居民和对方国家边民可进入边民互市贸易区（点）从事互市贸易。

我国边境地区的商店、供销社等企业，如在边民互市贸易区（点）设立摊位，从事商品交换活动的，按照边境贸易进行管理。

**第四条** 边境地区居民携带物品进出边民互市贸易区（点）或从边境口岸进出境时，应向海关如实申报物品的品种、数量和金额，并接受海关监管和检查。

**第五条** 边民通过互市贸易进口的生活用品（列入边民互市进口商品不予免税清单的除外），每人每日价值在人民币8000元以下的，免征进口关税和进口环节税。超过人民币8000

元的，对超出部分按照规定征收进口关税和进口环节税。

第六条　边境双方居民和从事商品交换活动的企业均不得携带或运输国家禁止进出境物品出入边民互市贸易区（点）。

国家限制进出口和实行许可证管理的商品，按国家有关规定办理。

第七条　对具备封闭条件并与对方国家连接的边民互市场所，对方居民携带物品进境时，应向驻区监管的海关申报并接受海关监管。

第八条　对当地未设海关机构的，省、自治区政府可商直属海关委托地方有关部门代管，地方政府应加强管理，并制定实施细则商海关同意后实施，海关应给予指导并会同当地政府不定期检查管理情况。

第九条　各级海关要加强对边民互市贸易的管理，严厉打击利用边民互市贸易进行走私违法的活动。对违反《海关法》和本办法规定的，海关按照《海关法》和《中华人民共和国海关行政处罚实施条例》进行处理。

第十条　本办法由海关总署负责解释。

第十一条　本办法自一九九六年四月一日起施行。

# 关于调整进出境个人邮递物品管理措施有关事宜

（海关总署公告2010年第43号）

(2010年7月2日由海关总署发布，2010年9月1日起施行，法规类型为规范性文件)

为进一步规范对进出境个人邮递物品的监管，照顾收件人、寄件人合理需要，现就有关事项公告如下：

一、个人邮寄进境物品，海关依法征收进口税，但应征进口税税额在人民币50元（含50元）以下的，海关予以免征。

二、个人寄自或寄往港、澳、台地区的物品，每次限值为800元人民币；寄自或寄往其他国家和地区的物品，每次限值为1000元人民币。

三、个人邮寄进出境物品超出规定限值的，应办理退运手续或者按照货物规定办理通关手续。但邮包内仅有一件物品且不可分割的，虽超出规定限值，经海关审核确属个人自用的，可以按照个人物品规定办理通关手续。

四、邮运进出口的商业性邮件，应按照货物规定办理通关手续。

五、本公告内容自2010年9月1日起实行。原《海关总署关于调整进出境邮件中个人物品的限值和免税额的通知》（署监〔1994〕774号）同时废止。

特此公告。

## 关于修订《中华人民共和国进境物品归类表》和《中华人民共和国进境物品完税价格表》的公告

(海关总署公告 2012 年第 15 号)

(2012 年 3 月 26 日由海关总署发布；根据海关总署公告 2016 年第 25 号，对 2012 年第 15 号公告公布的《中华人民共和国进境物品归类表》及《中华人民共和国进境物品完税价格表》的归类和税率进行相应调整，根据海关总署公告 2019 年第 63 号《关于调整〈中华人民共和国进境物品归类表〉和〈中华人民共和国进境物品完税价格表〉的公告》修订；现行版本自 2019 年 4 月 9 日起施行；法规类型为规范性文件)

为适应市场发展需要，根据《中华人民共和国进出口关税条例》和国务院 2011 年 1 月批准调整的《中华人民共和国进境物品进口税率表》(海关总署公告 2011 年第 6 号公布)，海关总署重新修订了《中华人民共和国进境物品归类表》(以下简称《归类表》，详见附件 1)及《中华人民共和国进境物品完税价格表》(以下简称《完税价格表》，详见附件 2)，现予以公布，自 2012 年 4 月 15 日起执行。海关总署 2007 年 6 月修订的《入境旅客行李物品和个人邮递物品进口税税则归类表》及《入境旅客行李物品和个人邮递物品完税价格表》(海关总署公告 2007 年第 25 号公布)同时废止。现就有关事宜公告如下：

一、进境物品依次遵循以下原则归类：

(一)《归类表》已列名的物品，归入其列名类别；

(二)《归类表》未列名的物品，按其主要功能（或用途）归入相应类别；

(三) 不能按照上述原则归入相应类别的物品，归入"其他物品"类别。

二、进境物品完税价格遵循以下原则确定：

(一) 进境物品的完税价格由海关依法遵循以下原则确定：

1.《完税价格表》已列明完税价格的物品，按照《完税价格表》确定；

2.《完税价格表》未列明完税价格的物品，按照相同物品相同来源地最近时间的主要市场零售价格确定其完税价格；

3. 实际购买价格是《完税价格表》列明完税价格的 2 倍及以上，或是《完税价格表》列明完税价格的 1/2 及以下的物品，进境物品所有人应向海关提供销售方依法开具的真实交易的购物发票或收据，并承担相关责任。海关可以根据物品所有人提供的上述相关凭证，依法确定应税物品完税价格。

（二）边疆地区民族特需商品的完税价格按照海关总署另行审定的完税价格表执行。

三、纳税义务人对进境物品的归类、完税价格的确定持有异议的，可以依法提请行政复议。

特此公告。

附件：1. 中华人民共和国进境物品归类表
　　　　（据海关总署公告 2019 年第 63 号更新）

　　　2. 中华人民共和国进境物品完税价格表
　　　　（据海关总署公告 2019 年第 63 号更新）

# 关于调整进境物品进口税有关问题的通知

（税委会〔2019〕17 号）

（2019 年 4 月 8 日由国务院关税税则委员会发布，2019 年 4 月 9 日起施行，法规类型为规范性文件）

海关总署：

经国务院批准，国务院关税税则委员会决定对进境物品进口税进行调整。现将有关事项通知如下：

一、将进境物品进口税税目 1、2 的税率分别调降为 13%、20%。

二、将税目 1 "药品" 注释修改为 "对国家规定减按 3% 征收进口环节增值税的进口药品，按照货物税率征税"。

三、上述调整自 2019 年 4 月 9 日起实施。

调整后的《中华人民共和国进境物品进口税税率表》见附件。

附件：中华人民共和国进境物品进口税税率表

附件

## 中华人民共和国进境物品进口税税率表

| 税目序号 | 物品名称 | 税率（%） |
|---|---|---|
| 1 | 书报、刊物、教育用影视资料；计算机、视频摄录一体机、数字照相机等信息技术产品；食品、饮料；金银；家具；玩具，游戏品、节日或其他娱乐用品；药品注1 | 13 |
| 2 | 运动用品（不含高尔夫球及球具）、钓鱼用品；纺织品及其制成品；电视摄像机及其他电器用具；自行车；税目1、3中未包含的其他商品 | 20 |
| 3 注2 | 烟、酒；贵重首饰及珠宝玉石；高尔夫球及球具；高档手表；高档化妆品 | 50 |

注 1. 对国家规定减按 3%征收进口环节增值税的进口药品，按照货物税率征税。

2. 税目3所列商品的具体范围与消费税征收范围一致。

# 购物退税

## 关于实施境外旅客购物离境退税政策的公告

（财政部公告2015年第3号）

（2015年1月6日由财政部发布，2015年1月6日起施行，法规类型为规范性文件）

为落实《国务院关于促进旅游业改革发展的若干意见》（国发〔2014〕31号）中"研究完善境外旅客购物离境退税政策，将实施范围扩大至全国符合条件的地区"的要求，完善增值税制度，促进旅游业发展，决定在全国符合条件的地区实施境外旅客购物离境退税政策（以下称离境退税政策）。经商海关总署和国家税务总局，现将有关事项公告如下：

一、离境退税政策，是指境外旅客在离境口岸离境时，对其在退税商店购买的退税物品退还增值税的政策。

境外旅客，是指在我国境内连续居住不超过183天的外国人和港澳台同胞。

离境口岸，是指实施离境退税政策的地区正式对外开放并设有退税代理机构的口岸，包括航空口岸、水运口岸和陆地口岸。

退税物品，是指由境外旅客本人在退税商店购买且符合退税条件的个人物品，但不包括下列物品：

（一）《中华人民共和国禁止、限制进出境物品表》所列的禁止、限制出境物品；

（二）退税商店销售的适用增值税免税政策的物品；

（三）财政部、海关总署、国家税务总局规定的其他物品。

二、境外旅客申请退税，应当同时符合以下条件：

（一）同一境外旅客同一日在同一退税商店购买的退税物品金额达到500元人民币；

（二）退税物品尚未启用或消费；

（三）离境日距退税物品购买日不超过90天；

（四）所购退税物品由境外旅客本人随身携带或随行托运出境。

三、退税物品的退税率为11%。应退增值税额的计算公式：

应退增值税额＝退税物品销售发票金额（含增值税）×退税率

四、离境退税的具体流程。

（一）退税物品购买。境外旅客在退税商店购买退税物品后，需要申请退税的，应当向退税商店索取境外旅客购物离境退税申请单和销售发票。

（二）海关验核确认。境外旅客在离境口岸离境时，应当主动持退税物品、境外旅客购物离境退税申请单、退税物品销售发票向海关申报并接受海关监管。海关验核无误后，在境外旅客购物离境退税申请单上签章。

（三）代理机构退税。无论是本地购物本地离境还是本地购物异地离境，离境退税均由设在办理境外旅客离境手续的离境口岸隔离区内的退税代理机构统一办理。境外旅客凭护照等本人有效身份证件、海关验核签章的境外旅客购物离境退税申请单、退税物品销售发票向退税代理机构申请办理增值税退税。

退税代理机构对相关信息审核无误后，为境外旅客办理增值税退税，并先行垫付退税资金。退税代理机构可在增值税退税款中扣减必要的退税手续费。

（四）税务部门结算。退税代理机构应定期向省级（即省、自治区、直辖市、计划单列市，下同）税务部门申请办理增值税退税结算。省级税务部门对退税代理机构提交的材料审核无误后，按规定向退税代理机构退付其垫付的增值税退税款，并将退付情况通报省级财政部门。

五、退税币种为人民币。退税方式包括现金退税和银行转账退税两种方式。

退税额未超过10000元的，可自行选择退税方式。退税额超过10000元的，以银行转账方式退税。

六、省级税务部门会同财政、海关等相关部门按照公平、公开、公正的原则选择退税代理机构，充分发挥市场作用，引入竞争机制，提高退税代理机构提供服务的水平。退税代理机构的具体条件，由国家税务总局商财政部和海关总署制定。未选择退税代理机构的，由税务部门直接办理增值税退税。

七、符合条件的商店报经省级税务部门备案即可成为退税商店。退税商店的具体条件由国家税务总局商财政部制定。

八、离境退税政策退税管理办法由国家税务总局会同财政部和海关总署制定，并由国家税务总局公布实施。离境退税业务海关监管办法由海关总署会同财政部和国家税务总局制定，并由海关总署公布实施。

九、同时符合以下条件的地区，省级人民政府将离境退税政策实施方案（包括拟实施日期、离境口岸、退税代理机构、办理退税场所、退税手续费负担机制、退税商店选择情况和离境退税信息管理系统试运行情况等）报财政部、海关总署和国家税务总局备案：

（一）省级人民政府同意实施离境退税政策，提交实施方案，自行负担必要的费用支出，并为海关、税务监管提供相关条件；

（二）建立有效的部门联合工作机制，在省级人民政府统一领导下，由财政部门会同海关、税务等有关部门共同协调推进，确保本地区工作平稳有序开展；

（三）使用国家税务总局商海关总署确定的跨部门、跨地区的互联互通的离境退税信息管理系统；

（四）财政部、海关总署和国家税务总局要求的其他条件。

十、离境旅客购物所退增值税款，由中央与实际办理退税地按现行出口退税负担机制共同负担。

十一、本公告公布之日起，财政部、海关总署和国家税务总局开始受理符合条件的地区的备案，并及时发布纳入离境退税政策范围的地区名单和实施日期。纳入离境退税政策范围的地区应按照本公告的规定组织落实，并可结合本地区实际情况对相关内容予以进一步明确。

## 关于境外旅客购物离境退税业务海关监管规定的公告

(海关总署公告 2015 年第 25 号)

(2015 年 5 月 8 日由海关总署发布，2015 年 6 月 5 日起施行，法规类型为规范性文件)

根据《财政部关于实施境外旅客购物离境退税政策的公告》(财政部公告 2015 年第 3 号)有关规定，为规范海关对境外旅客购物离境退税业务的监管工作，现就有关事项公告如下：

一、境外旅客在出境时需要对所购物品退税的，应当主动向海关申报，并提交退税物品、境外旅客购物离境退税申请单(以下简称申请单)、退税物品销售发票和本人有效身份证件。

二、经海关验核，对旅客交验的退税物品与申请单所列相符的，海关在申请单上确认签章，并交由旅客凭以办理退税手续；对旅客交验物品的数量与申请单所列数量不符的，海关以交验物品的数量进行确认签章，并交由旅客凭以办理退税手续。

三、有下列情形之一的，海关不予办理境外旅客购物离境退税签章手续：

(一)出境旅客交验物品的名称与申请单所列物品不符的；

(二)申请单所列购物人员信息与出境旅客信息不符的；

(三)其他不符合离境退税规定的。

四、办理离境退税业务的专门场所属于海关监管场所，有关场所设置标准应当符合海关监管要求。

五、退税物品经海关验核后至实际离境前，应当接受海关监管。

六、实施离境退税业务的口岸名单和实施日期，以财政部、海关总署和国家税务总局发布为准。

七、本公告中下列用语的含义：

境外旅客是指在我国境内连续居住不超过 183 天的外国人和港澳台同胞。

退税物品是指由境外旅客本人在退税商店购买且符合退税条件的个人物品，但不包括下列物品：《中华人民共和国禁止、限制进出境物品表》所列的禁止、限制出境物品；退税商店销售的适用增值税免税政策的物品；财政部、海关总署、国家税务总局规定的其他物品。

八、本公告自 2015 年 6 月 5 日起执行。海关总署公告 2010 年 82 号同期予以废止。

特此公告。

# 关于发布《境外旅客购物离境退税管理办法（试行）》的公告

（国家税务总局公告 2015 年第 41 号）

（2015 年 6 月 2 日由国家税务总局发布，根据 2018 年 6 月 15 日国家税务总局公告 2018 年第 31 号《税务总局关于修改部分税收规范性文件的公告》修改，现行版本自 2018 年 6 月 15 日起施行，法规类型为规范性文件）

为落实国务院关于实施境外旅客购物离境退税政策的决定，经商财政部、海关总署同意，国家税务总局制定了《境外旅客购物离境退税管理办法（试行）》，现予发布。请各省级人民政府依财政部、海关总署、国家税务总局有关规定，开展相关准备工作，制定实施方案，报财政部、海关总署和国家税务总局备案。国家税务总局商海关总署确定的跨部门、跨地区的互连互通的离境退税信息管理系统发布之前，各省级人民政府如果自行组织力量开发软件或利用其他省开发的软件，能满足离境退税管理需要的，可先行试点使用，待离境退税信息管理系统发布后，再进行切换。海南省实施本办法之日起，《国家税务总局关于发布〈境外旅客购物离境退税海南试点管理办法〉的公告》（国家税务总局公告 2010 年第 28 号）废止。

特此公告。

附件：1. 境外旅客购物离境退税商店备案表（略）
2. 退税商店标识规范
3. 境外旅客购物离境退税申请单（略）
4. 离境退税机构标识规范
5. 境外旅客购物离境退税收款回执单（略）
6. 境外旅客购物离境退税结算申报表（略）

## 境外旅客购物离境退税管理办法

### 第一章　总　则

**第一条**　为贯彻落实国务院关于实施境外旅客购物离境退税政策的决定，根据《财政部关于实施境外旅客购物离境退税政策的公告》（财政部公告 2015 年第 3 号），制定本办法。

**第二条**　本办法所称：

境外旅客，是指在我国境内连续居住不超过 183 天的外国人和港澳台同胞。

有效身份证件，是指标注或能够采集境外旅客最后入境日期的护照、港澳居民来往内地通行证、台湾居民来往大陆通行证等。

退税物品，是指由境外旅客本人在退税商店购买且符合退税条件的个人物品，但不包括下列物品：

（一）《中华人民共和国禁止、限制进出境物品表》所列的禁止、限制出境物品；

（二）退税商店销售的适用增值税免税政策的物品；

（三）财政部、海关总署、国家税务总局规定的其他物品。

退税商店，是指报省、自治区、直辖市和计划单列市税务局（以下简称省国税局）备案、境外旅客从其购买退税物品离境可申请退税的企业。

离境退税管理系统，是指符合《财政部关于实施境外旅客离境退税政策的公告》（财政部公告2015年第3号）有关条件的用于离境退税管理的计算机管理系统。

退税代理机构，是指省税务局会同财政、海关等相关部门按照公平、公开、公正的原则选择的离境退税代理机构。

## 第二章 退税商店的备案、变更与终止

**第三条** 符合以下条件的企业，经省税务局备案后即可成为退税商店。
（一）具有增值税一般纳税人资格；
（二）纳税信用等级在B级以上；
（三）同意安装、使用离境退税管理系统，并保证系统应当具备的运行条件，能够及时、准确地向主管税务机关报送相关信息；
（四）已经安装并使用增值税发票系统升级版；
（五）同意单独设置退税物品销售明细账，并准确核算。

**第四条** 符合条件且有意向备案的企业，填写《境外旅客购物离境退税商店备案表》（附件1）并附以下资料直接或委托退税代理机构向主管税务机关报送：
（一）主管税务机关出具的符合第三条第（一）、（二）和（四）款的书面证明；
（二）同意做到第三条第（三）、（五）款的书面同意书。

主管税务机关受理后应当在5个工作日内逐级报送至省税务局备案。省税务局应在收到备案资料15个工作日内审核备案条件，并对不符合备案条件的企业通知主管税务机关告知申请备案的企业。

**第五条** 省税务局向退税商店颁发统一的退税商店标识（退税商店标识规范见附件2）。退税商店应当在其经营场所显著位置悬挂退税商店标识，便于境外旅客识别。

**第六条** 退税商店备案资料所载内容发生变化的，应自有关变更之日起10日内，持相关证件及资料向主管税务机关办理变更手续。主管税务机关办理变更手续后，应在5个工作日内将变更情况逐级报省税务局。

退税商店发生解散、破产、撤销以及其他情形，应持相关证件及资料向主管税务机关申请办理税务登记注销手续，由省税务局终止其退税商店备案，并收回退税商店标识，注销其境外旅客购物离境退税管理系统用户。

**第七条** 退税商店存在以下情形之一的，由主管税务机关提出意见逐级报省税务局终止其退税商店备案，并收回退税商店标识，注销其境外旅客购物离境退税管理系统用户。
（一）不符合本办法第三条规定条件的情形；
（二）未按规定开具《境外旅客购物离境退税申请单》（附件3，以下简称《离境退税申请单》）；
（三）开具《离境退税申请单》后，未按规定将对应发票抄报税；
（四）备案后发生因偷税、骗取出口退税等税收违法行为受到行政、刑事处理的。

## 第三章 离境退税申请单管理

**第八条** 境外旅客在退税商店购买退税物品，需要离境退税的，应当在离境前凭本人的有效身份证件及购买退税物品的增值税普通发票（由增值税发票系统升级版开具），向退税商店索取《离境退税申请单》。

**第九条** 《离境退税申请单》由退税商店通过离境退税管理系统开具，加盖发票专用章，交境外旅客。

退税商店开具《离境退税申请单》时，要核对境外旅客有效身份证件，同时将以下信息采集到离境退税管理系统：

（一）境外旅客有效身份证件信息以及其上标注或能够采集的最后入境日期；

（二）境外旅客购买的退税物品信息以及对应的增值税普通发票号码。

**第十条** 具有以下情形之一的，退税商店不得开具《离境退税申请单》：

（一）境外旅客不能出示本人有效身份证件；

（二）凭有效身份证件不能确定境外旅客最后入境日期的；

（三）购买日距境外旅客最后入境日超过183天；

（四）退税物品销售发票开具日期早于境外旅客最后入境日；

（五）销售给境外旅客的货物不属于退税物品范围；

（六）境外旅客不能出示购买退税物品的增值税普通发票（由增值税发票系统升级版开具）；

（七）同一境外旅客同一日在同一退税商店内购买退税物品的金额未达到500元人民币。

**第十一条** 退税商店在向境外旅客开具《离境退税申请单》后，如发生境外旅客退货等需作废销售发票或红字冲销等情形的，在作废销售发票的同时，需将作废或冲销发票对应的《离境退税申请单》同时作废。

**第十二条** 已办理离境退税的销售发票，退税商店不得作废或对该发票开具红字发票冲销。

### 第四章 退税代理机构的选择、变更与终止

**第十三条** 具备以下条件的银行，可以申请成为退税代理机构：

（一）能够在离境口岸隔离区内具备办理退税业务的场所和相关设施；

（二）具备离境退税管理系统运行的条件，能够及时、准确地向主管税务机关报送相关信息；

（三）遵守税收法律法规规定，三年内未因发生税收违法行为受到行政、刑事处理的；

（四）愿意先行垫付退税资金。

**第十四条** 退税代理机构由省税务局会同财政、海关等部门，按照公平、公开、公正的原则选择，并由省税务局公告。

**第十五条** 完成选定手续后，省税务局应与选定的退税代理机构签订服务协议，服务期限为两年。

**第十六条** 主管税务机关应加强对退税代理机构的管理，发现退税代理机构存在以下情形之一的，应逐级上报省税务局，省税务局会商同级财政、海关等部门后终止其退税代理服务，注销其离境退税管理系统用户：

（一）不符合本办法第十三条规定条件的情形；

（二）未按规定申报境外旅客离境退税结算；

（三）境外旅客离境退税结算申报资料未按规定留存备查；

（四）将境外旅客不符合规定的离境退税申请办理了退税，并申报境外旅客离境退税结算；

（五）在服务期间发生税收违法行为受到行政、刑事处理的；

（六）未履行与省税务局签订的服务协议。

**第十七条** 退税代理机构应当在离境口岸隔离区内设置专用场所，并在显著位置用中英文做出明显标识（退税代理机构标识规范见附件4）。退税代理机构设置标识应符合海关监管要求。

## 第五章 离境退税的办理流程

**第十八条** 境外旅客离境时,应向海关办理退税物品验核确认手续。

**第十九条** 境外旅客向退税代理机构申请办理离境退税时,须提交以下资料:

(一)本人有效身份证件;

(二)经海关验核签章的《离境退税申请单》。

**第二十条** 退税代理机构接到境外旅客离境退税申请的,应首先采集申请离境退税的境外旅客本人有效身份证件信息,并在核对以下内容无误后,按海关确认意见办理退税:

(一)提供的离境退税资料齐全;

(二)《离境退税申请单》上所载境外旅客信息与采集申请离境退税的境外旅客本人有效身份证件信息一致;

(三)《离境退税申请单》经海关验核签章;

(四)境外旅客离境日距最后入境日未超过183天;

(五)退税物品购买日距离境日未超过90天;

(六)《离境退税申请单》与离境退税管理系统比对一致。

**第二十一条** 退税款的计算。以离境的退税物品的增值税普通发票金额(含增值税)为依据,退税率为11%,计算应退增值税额。计算公式为:

应退增值税额=离境的退税物品销售发票金额(含增值税)×退税率

实退增值税额=应退增值税额-退税代理机构办理退税手续费

**第二十二条** 退税币种为人民币。退税金额超过10000元人民币的,退税代理机构应以银行转账方式退税。退税金额未超过10000元人民币的,根据境外旅客选择,退税代理机构采用现金退税或银行转账方式退税。

境外旅客领取或者办理领取退税款时,应当签字确认《境外旅客购物离境退税收款回执单》(附件5)。

**第二十三条** 若离境退税管理系统因故不能及时提供相关信息比对时,退税代理机构可先按照本办法第二十一条规定计算应退增值税额,在系统可提供相关信息并比对无误后在系统中确认,并采取银行转账方式办理退税。

**第二十四条** 退税代理机构办理退税应于每月15日前,通过离境退税管理系统将上月为境外旅客办理离境退税金额生成《境外旅客购物离境退税结算申报表》(附件6),报送主管国税机关,作为申报境外旅客离境退税结算的依据。同时将以下资料装订成册,留存备查:

(一)《境外旅客购物离境退税结算申报表》;

(二)经海关验核签章的《离境退税申请单》;

(三)经境外旅客签字确认的《境外旅客购物离境退税收款回执单》。

**第二十五条** 退税代理机构首次向主管税务机关申报境外旅客离境退税结算时,应首先提交与省税务局签订的服务协议、《出口退(免)税备案表》进行备案。

**第二十六条** 主管税务机关对退税代理机构提交的境外旅客购物离境退税结算申报数据审核、比对无误后,按照规定开具《税收收入退还书》,向退税代理机构办理退付。省税务局应按月将离境退税情况通报同级财政机关。

## 第六章 信息传递与交换

**第二十七条** 主管税务机关、海关、退税代理机构和退税商店应传递与交换相关信息。

**第二十八条** 退税商店通过离境退税管理系统开具境外旅客购物离境退税申请单,并实时向主管税务机关传送相关信息。

**第二十九条** 退税代理机构通过离境退税管理系统为境外旅客办理离境退税,并实时向主管税务机关传送相关信息。

## 第七章 附 则

**第三十条** 本办法自发布之日起执行。

附件2

### 退税商店标识规范

退税商店标识由名称、颜色、规格等元素组成。

一、名称

退税商店标识中英文两种文字组成。文字标准如下:

(一)中文。标准字为"退税商店",字体为方正大黑简体。

(二)英文。标准字为"TAX FREE",字体为 TIMES NEW ROMAN.

二、颜色

(一)底色。标识底色为古蓝色:pantone 2945 c.

(二)文字色。标识名称文字色为 pantone 白色。

三、规格

标识规格标准为宽 20cm,长 30cm。

附件4

### 离境退税机构标识规范

离境退税机构标识由名称、颜色、图案、规格等元素组成。

一、名称

离境退税机构标识中英文两种文字组成。文字标准如下:

(一)中文。退税代理机构标准字为"离境退税代理",字体为方正大黑简体。

(二)英文。标准字为"TAX FREE",字体为 TIMES NEW ROMAN.

二、颜色

(一)底色。标识底色为古蓝色:pantone 2945 c.

(二)文字色。标识名称文字色为 pantone 白色。

三、图案

退税代理机构图案为退税代理机构企业标识。

四、规格

标识规格标准为宽 20cm,长 40cm。

# 免税购物

## 关于在海南开展境外旅客购物离境退税政策试点的公告

(财政部公告2010年第88号)

(2010年11月21日由财政部发布，2011年1月1日起施行，法规类型为规范性文件)

为推进海南国际旅游岛建设，国务院决定在海南省开展境外旅客购物离境退税政策（以下简称离境退税政策）试点。离境退税政策是指对境外旅客在退税定点商店购买的随身携运出境的退税物品，按规定退税的政策。财政部经商商务部、海关总署和国家税务总局，现就试点工作的有关事项公告如下：

一、离境退税政策的基本流程和适用条件

（一）离境退税政策的基本流程。离境退税政策的基本流程包括购物申请退税、海关验核确认、代理机构退税和集中退税结算四个环节。

（二）离境退税政策的适用条件。境外旅客要取得退税，应当同时符合以下条件：

1. 在退税定点商店购买退税物品，购物金额达到起退点，并且按规定取得境外旅客购物离境退税申请单等退税凭证；
2. 在离境口岸办理离境手续，离境前退税物品尚未启用或消费；
3. 离境日距退税物品购买日不超过90天；
4. 所购退税物品由境外旅客本人随身携运出境；
5. 所购退税物品经海关验核并在境外旅客购物离境退税申请单上签章；
6. 在指定的退税代理机构办理退税。

二、境外旅客、离境口岸、退税定点商店和退税物品

（一）境外旅客。境外旅客是指在我国境内连续居住不超过183天的外国人和港澳台同胞。

（二）离境口岸。离境口岸暂为试点地区正式对外开放的空港口岸。

（三）退税定点商店。退税定点商店是指经相关部门认定的，按规定向境外旅客销售退税物品的商店。

（四）退税物品。退税物品是指国家允许携带出境并享受退税政策的个人生活物品，但食品、饮料、水果、烟、酒、汽车、摩托车等不包括在内。退税物品目录详见附件。

三、退税税种、退税率、应退税额计算和起退点

（一）退税税种、退税率和应退税额计算。离境退税税种为增值税，退税率统一为11%。应退税额计算公式：

应退税额＝普通销售发票金额（含增值税）×退税率

（二）起退点。起退点是指同一境外旅客同一日在同一退税定点商店购买退税物品可以享受退税的最低购物金额。起退点暂定为800元人民币。

四、退税代理机构、退税方式和币种选择

（一）退税代理机构。退税代理机构是指经相关部门认定的，按规定为境外旅客办理退税的机构。

（二）退税方式和币种选择。境外旅客在办理退税时可按本公告规定自行选择退税方式和币种。退税方式包括现金退税和银行转账退税两种方式。退税币种包括人民币或自由流通的主要外币。

离境退税政策试点管理办法由国家税务总局会同财政部、商务部、海关总署商海南省人民政府另行公布。

本公告自2011年1月1日起执行。

特此公告。

附件：退税物品目录

附件

## 退税物品目录

| 序号 | 物品类别 | 范围 |
| --- | --- | --- |
| 1 | 纺织原材料及其制成品 | 纺织原材料：包括棉、麻、毛、真丝、人造丝及其他材料制线、丝、纱、绳，棉、麻、毛、真丝、人造纤维、合成纤维纺织品和针织品等；|
| | | 布：包括棉、麻、毛、真丝、人造丝及其他材料制的布； |
| | | 衣着：包括外衣裤、内衣裤、衬衫、T恤衫等； |
| | | 床上用品：包括毛毯、被子、床罩等； |
| | | 其他：包括棉、麻、毛、真丝制品，头巾、围巾、领带、帽子、手套、袜子、手帕、毛巾、浴巾、桌布、窗帘布等。 |
| 2 | 皮革、皮毛及其制成品 | 皮革：包括皮革、皮毛； |
| | | 衣着：包括皮革、皮毛制成的衣着； |
| | | 其他：包括皮革、皮毛制成的围巾、帽子、手套、皮带、皮钱包、皮手袋、皮箱等。 |
| 3 | 鞋靴 | 皮鞋：包括各种皮革、皮毛制成的鞋； |
| | | 皮靴：包括各种皮革、皮毛制成的靴； |
| | | 运动鞋：包括日常生活中所穿着的各种材料制的具有运动休闲功能的鞋、靴； |
| | | 其他：包括鞋面、底、跟、鞋带、鞋油、鞋粉、橡胶及塑胶屐皮等。 |

续表1

| 序号 | 物品类别 | 范围 |
|---|---|---|
| 4 | 表、钟及其配件、附件 | 各种手表，金表除外。 |
| | | 钟：包括闹钟、座钟、挂钟、台钟、落地钟等； |
| | | 配件附件：包括各种表、钟的配件、附件，金制表壳、表带除外。 |
| 5 | 首饰 | 金、铂金类免税饰品以外的其他珍珠、水晶、贝类等饰品。 |
| 6 | 化妆品 | 香水：包括男士香水、古龙水、女士香水、中性香水、情侣香水、运动香水、简装香水、Q版香水、香水套装等； |
| | | 清洁类：包括洗面奶、卸妆水（乳）、清洁霜（蜜）、面膜、面膜粉、面膜膏、花露水、痱子粉、爽身粉、剃须膏、洗甲液、唇部卸妆液等； |
| | | 护理类：包括护肤膏（霜、乳液）、化妆水、发乳、发油、发蜡、焗油膏、护甲水（霜）、指甲硬化剂、润唇膏等； |
| | | 美容/修饰类：包括粉饼、胭脂、眼影、眼线笔（液）、眉笔、定型摩丝、发胶、染发剂、烫发剂、睫毛液（膏）、生发剂、脱毛剂、指甲油、唇膏、唇彩、唇线笔等。 |
| 7 | 医疗、保健及美容器材 | 医疗器材：包括呼吸器具、矫形器具、夹板及其他骨折用具，血糖计、血糖试纸、电动洗眼机、红外线耳探热针、空气制氧机、治疗用雾化机、电动血压计、病人用拐杖、病人用轮椅等及上述物品的配件、附件； |
| | | 保健器材：包括按摩床、按摩椅等及上述物品的配件、附件； |
| | | 美容器材：包括蒸汽仪、喷雾器、化妆/美容专用工具等及上述物品的配件、附件。 |
| 8 | 厨卫用具 | 厨房用具：包括各种材料制的餐具、刀具、炊具、灶具，锅、壶、盘、碗、筷子、勺、铲、餐刀、餐叉、切菜刀、案板、削皮刀、手动绞肉机、食品研磨机、搅拌器、煤气灶、煤气点火器等； |
| | | 卫生用具、洁具：包括水龙头、淋浴用具等。 |
| | | 厨房用具：包括微波炉、电磁炉、抽油烟机、家用洗碗机、电烤箱、电炉灶等电器类用具； |
| | | 卫生用具、洁具：包括电热水器等电器类用具。 |
| 9 | 家具 | 包括各种材料制的沙发、组合式家具，柜、橱、台、桌、椅、书架、床、床垫、坐垫等。 |
| 10 | 空调及其配件、附件 | 包括空气调节器及其配件、附件等。 |

续表2

| 序号 | 物品类别 | 范围 |
| --- | --- | --- |
| 11 | 电冰箱及其配件、附件 | 压缩式：包括单门式、双门式、三门式、多门式、双门对开式电冰箱等；<br>其他：包括其他制冷方式如半导体制冷式电冰箱，各种冰柜等；<br>配件附件：上述物品的配件、附件。 |
| 12 | 洗衣设备及其配件、附件 | 包括波轮式洗衣机、滚筒式洗衣机、干衣机/烘干机、洗衣干衣一体机等及上述物品的配件、附件。 |
| 13 | 电视机及其配件、附件 | 包括液晶电视机、等离子电视机、显像管（CRT）电视机、电视收音联合机、电视收音录音联合机、电视录像联合机等及上述物品的配件、附件。 |
| 14 | 摄影（像）设备及其配件、附件 | 包括照相机、数码照相机、摄像机、数码摄像机、照相制版机、照相机镜头、放大机、存储卡、胶卷、胶片、感光纸、镜箱、闪光灯、滤色镜、测光表、曝光表、遮光罩、水下摄影罩、半身镜、接镜环、取景器、自拍器、洗像盒、显影罐等。 |
| 15 | 影音家电及其配件、附件 | 包括录音笔、录音机、收音机、MP3播放机、MP4播放机、收录音机、数码录放音器、电唱机、激光电唱机、放像机、激光视盘机、（单）功能座、音箱、自动伴唱机、卡拉OK混音器等及上述物品的配件、附件。 |
| 16 | 计算机及其外围设备 | 包括个人计算机及其存储、输入、输出设备和附件、零部件。 |
| 17 | 文具用品 | 包括各种书写用具及材料、照像簿、集邮簿、印刷日历、月历、放大镜、绘图用具、绘图用颜料、装订用具、手摇、电动削铅笔器、算盘、誊写钢板等。 |
| 18 | 乐器 | 包括各类键盘弦乐器、风琴、手风琴、管乐器、打击乐器、节拍器、音叉和各种定音器等及上述乐器的配件、附件。 |
| 19 | 体育用品 | 高尔夫球及其球具：包括高尔夫球杆、高尔夫球、高尔夫球包、高尔夫球手套、高尔夫球鞋。<br>包括高尔夫球外各种球类、各种棋类、健身器具、一般体育活动、体操、竞技、游泳、滑冰、滑雪及其他户内外活动用具、鞋及其配件、附件，如航空、航海模型等。 |
| 20 | 自行车、三轮车及其配件、附件 | 包括不带发动机、电动机的自行车、三轮车、童车，及上述物品的配件、附件。 |

续表3

| 序号 | 物品类别 | 范围 |
|---|---|---|
| 21 | 其他物品 | 包括电话机、传真机、游戏机、缝纫机、编织机、剪草机、润滑油、油漆、室内装修用品、酒精、非皮质手提包、箱、香皂、牙膏、牙粉、牙线、漱口水、洗/护发液、浴液、洗手液、各类玩具、钓鱼用具、手动工具、便携式小型望远镜、眼镜、毛衣编织机、上述物品的配件、附件、工艺品等。 |
|  |  | 包括便携式复印机、灯具、咖啡机、电动榨汁机、电风扇、电烫斗、电吹风机、电动剃须刀、电动毛发推剪器、地板打蜡机、增湿机、除湿机、增除湿一体机、电暖器、空气清新机、家用吸尘器、电压整流器、电插头、开关、电动工具、家用地毯洗涤机等居家室内常用电器用具、上述物品的配件、附件。 |

## 关于发布《境外旅客购物离境退税海南试点管理办法》的公告

（国家税务总局公告2010年第28号）

（2010年12月24日由国家税务总局发布，2011年1月1日起施行，法规类型为规范性文件）

为推进海南国际旅游岛建设和发展，确保在海南省顺利试行境外旅客购物离境退税政策，国家税务总局经商财政部、商务部、海关总署，制定了《境外旅客购物离境退税海南试点管理办法》，现予以公布，自2011年1月1日开始施行。

特此公告。

附件：1. 境外旅客购物离境退税申请单（略）
      2. 境外旅客购物离境退税定点商店认定申请表（略）
      3. 境外旅客购物离境退税代理机构认定申请表（略）
      4. 境外旅客购物离境退税结算申报表（略）
      5. 境外旅客购物离境退税收款回执单（略）

### 境外旅客购物离境退税海南试点管理办法

#### 第一章 总 则

**第一条** 为推进海南国际旅游岛建设，确保在海南省顺利试行境外旅客购物离境退税政策，根据《财政部关于在海南开展境外旅客购物离境退税政策试点的公告》（财政部公告2010年第88号）等相关规定，制定本办法。

**第二条** 境外旅客在退税定点商店购物后，按规定应取得的退税凭证包括境外旅客购物离境退税申请单（见附件1）和销售发票。

**第三条** 境外旅客在办理退税时，可选择的退税币种包括人民币、美元、欧元和日元。

## 第二章 退税定点商店的认定、变更与终止

第四条 退税定点商店应当同时符合以下条件：
（一）中国境内注册的，具有独立法人资格的增值税一般纳税人；
（二）具备境外旅客购物离境退税管理信息系统运行的条件，能够及时、准确地报送相关信息；
（三）安装并使用增值税专用发票防伪税控机或者使用普通发票"网上开票系统"；
（四）营业面积超过 2000 平方米；
（五）遵守税收法律法规规定，申请资格认定前两年内未发生偷税、逃避追缴欠税、骗取出口退税、抗税等涉税违法行为以及欠税行为；
（六）商店经营管理服务规范，符合《百货店等级划分及评定》（国家标准）中达标百货店的要求；
（七）具备涉外服务接待能力，能用外语提供服务，商品标签及公共设施同时标注中英文；
（八）经营商品品种丰富，基本包含财政部公告 2010 年第 88 号附件《退税物品目录》中所列商品。

第五条 符合本办法第四条规定条件的企业，可以向海南省国家税务局提出退税定点商店认定申请，并提交以下资料：
（一）境外旅客购物离境退税定点商店认定申请表（详见附件 2）；
（二）营业面积证明材料。

第六条 海南省国家税务局对企业提出的退税定点商店认定申请，会同海南省商务厅按照本办法规定的条件进行认定。

第七条 退税定点商店认定资料所载内容发生变化的，应自有关管理机关批准变更之日起 30 日内，持相关证件及资料向海南省国家税务局申请办理变更手续。海南省国家税务局为其办理变更手续后，将有关情况通报海南省商务厅。

第八条 退税定点商店发生解散、破产、撤销以及其他情形，应在向工商行政管理机关或者其他机关办理注销登记前，持相关证件及资料向主管税务机关申请办理税务登记注销手续，由海南省国家税务局取消其退税定点商店资格，并将有关情况通报海南省商务厅。

第九条 退税定点商店应当在其经营场所显著位置用中英文同时做出标识，便于境外旅客识别。退税定点商店中英文标识由海南省国家税务局会同海南省商务厅制定。

## 第三章 退税代理机构的认定、变更与终止

第十条 退税代理机构应当同时符合以下条件：
（一）具备独立法人资格，财务制度健全；
（二）已在国税部门办理税务登记；
（三）具备个人本外币兑换特许业务经营资格；
（四）具备办理退税业务的场所和相关设施；
（五）具备境外旅客购物离境退税管理信息系统运行的条件，能够及时、准确地报送相关信息；
（六）遵守税收法律法规规定，申请资格认定前两年内未发生偷税、逃避追缴欠税、骗取出口退税、抗税等涉税违法行为以及欠税行为。

第十一条 符合本办法第十条规定条件的企业，可以向海南省国家税务局提出退税代理机构资格认定申请，并提交以下资料：

（一）境外旅客购物离境退税代理机构认定申请表（详见附件3）；
（二）出口退（免）税认定表；
（三）本外币特许经营证书原件、复印件。

**第十二条** 海南省国家税务局对企业提出的退税代理机构认定申请，会同海南省财政厅按照本办法规定的条件进行认定。

**第十三条** 退税代理机构认定后，其认定资料所载内容发生变化的，应自有关管理机关批准变更之日起30日内，持相关证件及资料向海南省国家税务局申请办理变更手续。海南省国家税务局为其办理变更手续后，将有关情况通报海南省财政厅。

**第十四条** 退税代理机构认定后，发生解散、破产、撤销以及其他情形，应在向工商行政管理机关或者其他机关办理注销登记前，持有关证件及资料向主管税务机关申请办理税务登记注销手续，由海南省国家税务局取消其退税代理机构资格，并将有关情况通报海南省财政厅。

**第十五条** 退税代理机构在离境机场隔离区内设置专用场所，应当征求海关意见，在显著位置用中英文做出标识。

## 第四章 退税物品的销售管理

**第十六条** 境外旅客在退税定点商店购买退税物品，需要索取境外旅客购物离境退税申请单的，应当出示护照等有效身份证件。退税定点商店将境外旅客出示的护照等有效身份证件与境外旅客本人核对后，将境外旅客身份信息录入境外旅客购物离境退税管理信息系统进行校验。通过后按规定开具境外旅客购物离境退税申请单，加盖印章，交给境外旅客。

**第十七条** 具有以下情形之一的，退税定点商店不得开具境外旅客购物离境退税申请单：
（一）境外旅客不能出示本人护照等有效身份证件；
（二）销售给境外旅客的商品不属于退税物品范围；
（三）同一境外旅客同一日在同一退税定点商店内购买退税物品的金额未达到起退点。

**第十八条** 境外旅客购物离境退税申请单由海南省国家税务局统一印制。

**第十九条** 退税定点商店应当建立境外旅客购物离境退税申请单使用登记制度，设置境外旅客购物离境退税申请单登记簿，并定期向海南省国家税务局报告境外旅客购物离境退税申请单使用情况。

**第二十条** 退税定点商店应当单独设置退税物品销售明细账，并准确核算。

## 第五章 退税业务的办理

**第二十一条** 境外旅客离境时，应当主动向海关申报，并办理有关手续。

**第二十二条** 境外旅客凭以下资料向设在离境机场隔离区内的退税代理机构申请办理退税：
（一）护照等本人有效身份证件；
（二）经海关验核签章的境外旅客购物离境退税申请单；
（三）退税物品销售发票；
（四）离境航班登机牌。

**第二十三条** 退税代理机构为境外旅客办理购物离境退税时，应当核对以下内容：
（一）申请购物离境退税的境外旅客与境外旅客购物离境退税管理信息系统中记录的境外旅客身份信息是否相符；
（二）境外旅客购物离境退税申请单是否经海关验核签章；
（三）退税物品购买日距离境日是否超过90天；
（四）境外旅客在我国境内连续居住是否超过183天。

第二十四条 退税代理机构对上述信息核对无误后,根据境外旅客自行选择的退税方式和币种,按照规定为境外旅客办理退税。

第二十五条 境外旅客购物离境退税资金由退税代理机构先行向境外旅客垫付。

第二十六条 退税代理机构应当于每月15日前向海南省国家税务局申请办理退税结算,并附送以下资料:

(一)境外旅客购物离境退税结算申报表(见附件4);

(二)经海关验核签章的境外旅客购物离境退税申请单;

(三)退税物品销售发票;

(四)经境外旅客签字确认的境外旅客购物离境退税收款回执单(见附件5)。

第二十七条 海南省国家税务局对退税代理机构申报的经海关验核签章的境外旅客购物离境退税申请单等有关资料审核无误后,按照规定向退税代理机构办理退付,并将退付情况通报海南省财政厅。

## 第六章 信息传递与交换

第二十八条 海南省国家税务局对境外旅客购物离境退税业务实行计算机化管理,使用境外旅客购物离境退税管理信息系统审核、审批离境退税相关事宜,并加强与退税定点商店、机场和退税代理机构的信息传递与交换。

第二十九条 退税定点商店通过境外旅客购物离境退税管理信息系统开具境外旅客购物离境退税申请单,并实时向海南省国家税务局报送相关信息。

第三十条 机场根据境外旅客购物离境退税管理的需要,实时验证由海南省国家税务局提请验证的境外旅客的离境航班信息。

第三十一条 退税代理机构通过境外旅客购物离境退税管理信息系统为境外旅客办理离境退税,并实时向海南省国家税务局报送相关信息。

## 第七章 附 则

第三十二条 退税定点商店或退税代理机构违反本办法规定发生税收违法行为的,按照《中华人民共和国税收征收管理法》及其实施细则的有关规定予以处理。

第三十三条 本办法中"有效身份证件"是指外籍旅客护照、港澳居民来往内地通行证、台湾居民来往大陆通行证等。

第三十四条 本办法自2011年1月1日起实施。

# 关于在海南开展境外旅客购物离境退税政策试点有关问题的通知

(财税〔2011〕10号)

(2011年2月17日由财政部发布,2011年1月1日起施行,法规类型为规范性文件)

海南省财政厅:

为推进海南国际旅游岛建设,经国务院批准,决定在海南省开展境外旅客购物离境退税政策(以下简称离境退税政策)试点。现就试点工作的有关事项通知如下:

一、境外旅客购物离境所退税款按照现行增值税出口退税超基数部分负担机制,由中央财政和海南财政共同负担。

二、退税代理机构的手续费由海南财政负担。

三、海南省财政厅要牵头协调相关部门，按照职责分工，根据《财政部关于在海南开展境外旅客购物离境退税政策试点的公告》（中华人民共和国财政部公告2010年第88号）和《国家税务总局关于发布〈境外旅客购物离境退税海南试点管理办法〉的公告》（国家税务总局公告2010年第28号）实施离境退税政策，跟踪了解政策执行情况，加强对政策实施效果的分析，并及时将政策实施情况、效果以及存在的问题以书面形式上报财政部和国家税务总局。

四、本通知自2011年1月1日起执行。

## 关于发布海南离岛旅客免税购物监管办法的公告

（海关总署公告2020年第79号）

（2020年7月6日由海关总署发布，2020年7月10日起施行，法规类型为规范性文件）

为规范对海南离岛旅客免税购物的监管，促进海南自由贸易港建设，根据国务院调整海南离岛旅客免税购物政策的决定，现发布重新修订的《中华人民共和国海关对海南离岛旅客免税购物监管办法》，自2020年7月10日起施行。海关总署公告2015年第7号、2016年第7号、2017年第6号、2018年第221号同时废止。

特此公告。

附件：中华人民共和国海关对海南离岛旅客免税购物监管办法

附件

### 中华人民共和国海关对海南离岛旅客免税购物监管办法

#### 第一章 总 则

**第一条** 为规范海关对海南离岛旅客免税购物业务的监管，促进海南国际旅游消费中心建设，根据《中华人民共和国海关法》和相关法律法规，制定本办法。

**第二条** 海关对离岛旅客在海南省离岛免税商店（含经批准的网上销售窗口，以下简称"离岛免税商店"）选购免税品，在机场、火车站、港口码头指定区域提货，并一次性随身携带离岛的监管，适用本办法。

**第三条** 离岛免税商店应当在海南省机场、火车站和港口码头前往内地的隔离区（以下简称"隔离区"）设立提货点，并报经海关批准。

隔离区属于海关监管区，有关设置标准应当符合海关监管要求。

**第四条** 离岛免税商店应当在免税品入库前，按照海关要求登记免税品电子数据信息。旅客购买免税品、提货时，离岛免税商店应当完整、准确、实时向海关传输符合海关规定格式的旅客购物、提货信息等电子数据。

#### 第二章 免税品销售监管

**第五条** 离岛旅客购买免税品时，应当主动提供本人有效身份证件或旅行证件，以及海关规定的所搭乘离岛运输工具等相关信息。

**第六条** 离岛旅客可在任意离岛免税商店购买免税品，采用线上方式购买的，购物人、支付人应当为同一人。

旅客购买免税品后，搭乘运输工具携运免税品离岛记为1次免税购物。

**第七条** 离岛旅客每人每年免税购物额度、免税商品种类及每次购买数量限制等，按照财政部、海关总署、税务总局公告相关规定执行。离岛免税商店应当严格按照离岛免税政策规定的销售对象、品种、数量和金额等销售免税品。超出年度免税购物额度、限量的部分，照章征收进境物品进口税。

**第八条** 离岛旅客年度免税购物额度中如有剩余（或者未使用），在缴税购买超出免税限额的商品时，海关以"离岛免税商店商品零售价格减去剩余的免税限额"作为完税价格计征税款。

旅客购物时不使用年度免税购物额度或者超出限量购买的，海关以离岛免税商店商品零售价格作为完税价格计征税款。

**第九条** 海关计征税款时，对旅客超出年度免税购物额度或者超出限量购买的商品，适用离岛免税商店商品零售价格所对应的税率。

**第十条** 离岛旅客可以通过离岛免税商店向海关办理税款缴纳手续。离岛免税商店应当每10天向海关集中办理一次税款缴纳手续，并于海关填发税款缴纳凭证之日起5个工作日内向指定银行（国库）缴纳税款。逾期缴纳税款的，海关自缴款期限届满之日起至缴清税款之日止，按日加收滞纳税款万分之五的滞纳金，最高不得超出税款数额。

滞纳金的起征点为人民币50元。

### 第三章 免税品提离监管

**第十一条** 离岛免税商店应当按照海关监管要求将离岛旅客需提取的免税品施加封志，并提前运送至提货点。

在离岛旅客提取前，离岛免税商店应当确保已售免税品外部封志完好。

**第十二条** 在市内离岛免税商店或在离岛免税网上窗口购买了免税品的旅客进入隔离区后，应当在提货点办理所购免税品的提取手续。离岛免税商店应当验凭离岛旅客有效身份证件、搭乘运输工具的凭证等无误后交付免税品。

离岛旅客在隔离区离岛免税商店购买后即可提取所购免税品。

**第十三条** 离岛旅客在隔离区提货后，因航班（车次、航次）延误、取消等原因需要离开隔离区的，应当将免税品交由离岛免税商店（包括提货点）代为保管，待实际离岛再次进入隔离区后提取。

离岛旅客购买免税品后变更航班（车次、航次），变更后的航班（车次、航次）时间为原离岛日期之后30天内的，免税商店可为其办理相应的延期提货手续。超过规定时限的，免税商店应当为其办理退货手续。

离岛旅客购买免税品后退票的，离岛免税商店应当为其办理退货手续。

**第十四条** 离岛旅客提货后退货的，离岛免税商店应当重新办理退货免税品的入库手续。因退货原因需要退税的，自缴纳税款之日起1年内，由离岛旅客或者离岛免税商店向海关提出申请，海关核准后填发税款退还凭证，交原纳税人凭以向指定银行（国库）办理退税手续。

离岛旅客提货后需要换货的，离岛免税商店应当确保退回免税品与更换免税品的品名、货号、规格型号等完全一致，经海关核准后交付离岛旅客。

**第十五条** 离岛免税商店应当将退换货等免税品异常处理情况及时报告海关。

## 第四章 法律责任

**第十六条** 离岛免税商店有下列情形之一的,海关责令其改正,可给予警告;对于在一个公历年度内被海关警告超过3次的,海关可暂停其从事离岛免税经营业务,暂停时间最长不超过6个月;情节严重的,海关可以撤销离岛免税商店注册登记。同时,离岛免税商店还应当按照进口货物补缴相应税款:

(一)将免税品销售给规定范围以外对象的;

(二)超出规定的品种或者规定的限量、限额销售免税品的;

(三)未在海关核准的区域销售免税品的;

(四)未按照海关监管规定办理免税品进口报关、入库、出库、销售、提货、核销等相关手续的;

(五)出租、出让、转让免税商店经营权的。

**第十七条** 离岛旅客有下列情形之一的,由海关按照相关法律法规处理,且自海关作出处理决定之日起,3年内不得享受离岛免税购物政策,并可依照有关规定纳入相关信用记录:

(一)以牟利为目的为他人购买免税品或将所购免税品在国内市场再次销售的;

(二)购买或者提取免税品时,提供虚假身份证件或旅行证件、使用不符合规定身份证件或旅行证件,或者提供虚假离岛信息的;

(三)其他违反海关规定的。

**第十八条** 违反本办法规定,组织、利用他人购买离岛免税品的资格和额度购买免税品谋取非法利益构成违反海关监管规定或者走私行为的;离岛免税商店有违反海关监管规定行为或者走私行为的,由海关依照《中华人民共和国海关法》和《中华人民共和国海关行政处罚实施条例》的有关规定予以处理;构成犯罪的,依法追究刑事责任。

## 第五章 附 则

**第十九条** 本办法中下列用语的含义:

离岛旅客,是指年满16周岁、搭乘运输工具离开海南本岛但不离境的国内外旅客。

身份证件或旅行证件,是指境内旅客居民身份证、港澳居民来往内地通行证、台湾居民来往大陆通行证和外国旅客护照。

运输工具,是指经海南设立离岛免税海关监管机构的机场、火车站、港口码头,离开海南本岛但不离境的飞机、火车、轮船等公共交通运输工具。

**第二十条** 对离岛免税商店及免税品的其他监管事项按照《中华人民共和国海关对免税商店及免税品监管办法》等有关规定执行。

**第二十一条** 本办法由海关总署负责解释。

**第二十二条** 本办法自2020年7月10日起施行。

# 其他相关

## 海关对进口遗物的管理规定

(海关总署〔84〕署行字第285号)

(1984年5月8日由海关总署发布,1984年6月1日起施行,法规类型为部门规章)

一、从国外或香港、澳门地区进口的遗物,应由物主在国内的继承人向海关申请并交验物主的死亡证明书原件和国内公证机关出具的继承权公证书,经海关核准后,方可一次进口。这项申请,以物主死亡后一年为期,逾期不予受理。

二、遗物系指物主生前使用过的物品。日常生活用品在合理数量范围内,准予免税进口;耐用消费品(不包括汽车、录像机),由国外进口的,准予免税放行四件;由香港澳门地区进口的,准予免税放行两件。

三、不属于物主生前使用过的物品以及超出上述范围的遗物,予以退运。

四、本规定自一九八四年六月一日起实施。

## 中华人民共和国海关总署关于外国驻中国使馆和使馆人员进出境物品的规定

(1986年10月31日由国务院批准,1986年12月1日由海关总署发布;根据2011年1月8日中华人民共和国国务院令第588号《国务院关于废止和修改部分行政法规的决定》修订,现行版本自2011年1月8日起施行,法规类型为行政法规)

**第一条** 根据《中华人民共和国外交特权与豁免条例》,制定本规定。

**第二条** 外国驻中国使馆(以下简称使馆)运进运出公务用品,使馆人员运进运出自用物品,除有双边协议按协议执行外,应当按照本规定办理。

前款中,"公务用品"系指使馆执行职务直接需用的物品,包括家具、陈设品、办公用品、招待用品和机动车辆等;"自用物品"系指使馆人员和与其共同生活的配偶及未成年子女在中国居留期间直接需用的生活用品,包括家具、家用电器和机动车辆等。

**第三条** 使馆运进运出公务用品,外交代表以托运或者邮寄方式运进运出自用物品,应当书面向海关申报。

外交代表进出境时有随身携带的或者附载于同一运输工具上的私人行李物品,应当口头向海关申报，海关予以免验放行。但具有重大理由推定其中装有非公务用品、非自用物品，或者装有中国法律和规章禁止进出口的物品时，海关有权查验。查验时，必须有外交代表或者其授权人员在场。

**第四条** 使馆申报运进的公务用品和外交代表申报运进的自用物品，经海关审核在直接需用数量范围内的，予以免税。

申报运出公务用品和自用物品，由海关审核后予以放行。

**第五条** 使馆和使馆人员不得携运中华人民共和国法律和规章禁止进出口的物品进出境。因特殊情况需要运进运出上述物品，必须事先得到中国政府有关部门的批准，并按中国政府有关规定办理。

运进无线电收发信机及其器材，必须事先以书面申请报经中国外交部批准。使馆和使馆人员应当向海关申报并提供有关批准文件，海关予以审核放行。

携运文物出境，必须事先向海关申报，经国家文化行政管理部门指定的省、自治区、直辖市文化行政管理部门鉴定，并发给许可出境凭证。使馆和使馆人员应当向海关提供有关凭证，海关予以审核放行。

携运枪支、子弹进出境，按照《中华人民共和国枪支管理法》的规定办理。

携运属于中国检疫法规规定管制的物品进出境，海关按有关法规办理。

**第六条** 使馆和使馆人员申报属于中国法律和规章禁止进出口的物品，除经中国政府有关部门批准的以外，海关予以扣留，有关使馆或者使馆人员应当在90天内退运。逾期未退运的，由海关变价上缴国库。

**第七条** 使馆和使馆人员免税运进的物品，不得转让。确有特殊原因需要转让的，必须报经海关批准。

经批准转让的物品，应当由受让人或者出让人按规定向海关办理纳税或者免税手续。

**第八条** 使馆发送或者收受的外交邮袋，海关予以免验放行。外交邮袋应予加封，附有可资识别的外部标记，并以装载外交文件或者公务用品为限。

外交邮袋由外交信使转递时，必须持有派遣国主管机关出具的信使证明书。商业飞机机长可以受委托为使馆转递外交邮袋，但机长必须持有委托国的官方证明文件（注明邮袋件数）。由商业飞机机长转递或者托运的外交邮袋，应当由使馆派使馆人员办理接交、提取或者发运手续。

**第九条** 使馆的行政技术人员和服务人员，如非中国公民或者在中国的永久居留者，携运进境自用物品，包括到任后半年内运进安家物品，应当书面向海关申报。上述物品经海关审核在直接需用数量范围内（其中汽车每户限1辆）的，海关予以查验免税放行。申报携运出境的自用物品，海关予以审核查验放行。

前款所述人员寄进或者寄出的个人自用物品，海关按照个人邮递物品的有关规定办理。

本条第一款所述人员任职期间托运进境的自用物品，海关比照本条第二款办理。

**第十条** 联合国及其专门机构和其他国际组织驻中国代表机构运进运出公务用品和邮袋，代表机构的代表、行政技术人员、服务人员和与其共同生活的配偶及未成年子女运进运出自用物品，海关根据中国已加入的有关国际公约和中国与有关国际组织签订的协议办理；遇有公约和协议未涉及的情况，参照本规定有关条款办理。

**第十一条** 外国驻中国领事馆运进运出公务用品和领事邮袋，领事官员、领馆工作人员和与其共同生活的配偶及未成年子女运进运出自用物品，海关根据中国已加入的有关国际公约和中国与有关国家签订的协议办理；遇有公约和协议未涉及的情况，根据互惠的原则，参照本规定有关条款办理。

**第十二条** 本规定自发布之日起施行。

# 中华人民共和国禁止、限制进出境物品表

(海关总署令第 43 号)

(1993 年 3 月 1 日由海关总署发布,1993 年 3 月 1 日起施行,法规类型为部门规章)

## 中华人民共和国禁止进出境物品表

一、禁止进境物品

1. 各种武器、仿真武器、弹药及爆炸物品;
2. 伪造的货币及伪造的有价证券;
3. 对中国政治、经济、文化、道德有害的印刷品、胶卷、照片、唱片、影片、录音带、录像带、激光视盘、计算机存储介质及其他物品;
4. 各种烈性毒药;
5. 鸦片、吗啡、海洛英、大麻以及其他能使人成瘾的麻醉品、精神药物;
6. 带有危险性病菌、害虫及其他有害生物的动物、植物及其产品;
7. 有碍人畜健康的、来自疫区的以及其他能传播疾病的食品、药品或其他物品。

二、禁止出境物品

1. 列入禁止进境范围的所有物品;
2. 内容涉及国家秘密的手稿、印刷品、胶卷、照片、唱片、影片、录音带、录像带、激光视盘、计算机存储介质及其他物品;
3. 珍贵文物及其他禁止出境的文体;
4. 濒危的和珍贵的动物、植物(均含标本)及其种子和繁殖材料。

## 中华人民共和国限制进出境物品表

一、限制进境物品

1. 无线电收发信机、通信保密机;
2. 烟、酒;
3. 濒危的和珍贵的动物、植物(均含标本)及其种子和繁殖材料;
4. 国家货币;
5. 海关限制进境的其他物品。

二、限制出境物品

1. 金银等贵重金属及其制品;
2. 国家货币;
3. 外币及其有价证券;
4. 无线电收发信机、通信保密机;
5. 贵重中药材;
6. 一般文物;
7. 海关限制出境的其他物品。

## 关于《中华人民共和国禁止进出境物品表》和《中华人民共和国限制进出境物品表》有关问题解释

(海关总署公告 2013 年第 46 号)

(2013 年 8 月 16 日由海关总署发布,2013 年 8 月 16 日起施行,法规类型为规范性文件)

为有效实施《中华人民共和国禁止进出境物品表》和《中华人民共和国限制进出境物品表》,现就有关问题解释如下:

一、赌博用筹码属于《中华人民共和国禁止进出境物品表》所列"对中国政治、经济、文化、道德有害的印刷品、胶卷、照片、唱片、影片、录音带、录像带、激光视盘、计算机存储介质及其他物品"中的"其他物品"。

二、微生物、生物制品、血液及其制品、人类遗传资源、管制刀具、卫星电视接收设备属于《中华人民共和国限制进出境物品表》所列"海关限制进境的其他物品"。

三、微生物、生物制品、血液及其制品、人类遗传资源、管制刀具属于《中华人民共和国限制进出境物品表》所列"海关限制出境的其他物品"。

本公告自发布之日起施行。

## 外国在华常驻人员携带进境物品进口税收暂行规定

(1999 年 3 月 10 日经国务院批准,由海关总署发布,1999 年 4 月 1 日起施行,法规类型为行政法规)

**第一条** 为了贯彻对外开放政策、加强对外交流、促进对外经济贸易的发展,特制定本规定。

**第二条** 经中华人民共和国主管部门批准的境外企业、新闻、经贸机构、文化团体及境外法人在我国境内设立的常驻机构(以下简称"常驻机构"),其获准进境并在我国境内居留一年以上的外国公民、华侨和港、澳、台居民(包括与其共同生活的配偶及未成年子女)等常驻人员(以下简称"常驻人员"),进口的自用物品,适用于本规定。这些人员具体是指:

(一)外国企业和其他经济贸易及文化等组织在华常驻机构的常驻人员;
(二)外国民间经济贸易和文化团体在华常驻机构的常驻人员;
(三)外国在华常驻新闻机构的常驻记者;
(四)在华的中外合资、合作企业及外方独资企业的外方常驻人员;
(五)长期来华工作的外籍专家(含港、澳、台地区专家)和华侨专家;
(六)长期来华学习的外国留学生和华侨留学生。

**第三条** 上述 6 类常驻人员在华居住一年以上者(即:工作或留学签证有效期超过一年的),在签证有效期内初次来华携带进境的个人自用的家用摄像机、照相机、便携式收录机、便携式激光唱机、便携式计算机,报经所在地主管海关审核,在每个品种一台的数量限制内,予以免征进口税，超出部分照章征税。

**第四条** 对符合第二条规定的外籍专家（含港、澳、台地区专家）或华侨专家携运进境的图书资料、科研仪器、工具、样品、试剂等教学、科研物品，在自用合理数量范围内，免征进口税。

**第五条** 以上外国人员在华生活、学习、工作期间携带进境的第三条、第四条规定以外的行李物品，按《中华人民共和国海关对进出境旅客行李物品监管办法》执行。

**第六条** 以上规定进口的免税物品，按海关对免税进口物品的有关规定接受海关监管。

**第七条** 外国（包括地区）驻华使（领）馆、联合国专门机构及国际组织常驻（代表）机构的常驻人员（包括与其同行来华居住的配偶及未成年子女）携带进境的物品，仍按现行有关规定执行。

**第八条** 此前的有关政策、规定，凡与本规定不符的，按本规定执行。

**第九条** 中华人民共和国海关总署依据本规定，制定实施细则。

**第十条** 本规定自1999年4月1日起执行。

# 中华人民共和国海关对外国驻中国使馆和使馆人员进出境物品监管办法

（海关总署令第174号）

（2008年6月5日由海关总署发布，根据2018年5月29日海关总署令第240号《海关总署关于修改部分规章的决定》修正，2018年7月1日起施行，法规类型为部门规章）

## 第一章 总 则

**第一条** 为了规范海关对外国驻中国使馆（以下简称使馆）和使馆人员进出境公务用品和自用物品（以下简称公用、自用物品）的监管，根据《中华人民共和国海关法》（以下简称《海关法》）、《中华人民共和国外交特权与豁免条例》和《中华人民共和国海关总署关于外国驻中国使馆和使馆人员进出境物品的规定》制定本办法。

**第二条** 使馆和使馆人员进出境公用、自用物品适用本办法。

**第三条** 使馆和使馆人员进出境公用、自用物品应当以海关核准的直接需用数量为限。

**第四条** 使馆和使馆人员因特殊需要携运中国政府禁止或者限制进出境物品进出境的，应当事先得到中国政府有关主管部门的批准，并按照有关规定办理。

**第五条** 使馆和使馆人员首次进出境公用、自用物品前，应当凭下列资料向主管海关办理备案手续：

（一）中国政府主管部门出具的证明使馆设立的文件复印件；

（二）用于报关文件的使馆馆印模、馆长或者馆长授权的外交代表的签字样式；

（三）外交邮袋的加封封志实物和外交信使证明书样式。

使馆如从主管海关关区以外发送或者接收外交邮袋，还应当向主管海关提出申请，并提供外交邮袋的加封封志实物和外交信使证明书样式，由主管海关制作关封，交由使馆人员向进出境地海关备案。

（四）使馆人员和与其共同生活的配偶及未成年子女的进出境有效证件、中国政府主管部门核发的身份证件复印件,以及使馆出具的证明上述人员职衔、到任时间、住址等情况的文件复印件。

以上备案内容如有变更,使馆或者使馆人员应当自变更之日起10个工作日内向海关办理备案变更手续。

**第六条** 使馆和使馆人员进出境公用、自用物品,应当按照海关规定以书面或者口头方式申报。其中以书面方式申报的,还应当向海关报送电子数据。

**第七条** 外交代表携运进出境自用物品,海关予以验放。海关有重大理由推定其中装有本办法规定免税范围以外的物品、中国政府禁止进出境或者检疫法规定管制的物品的,有权查验。海关查验时,外交代表或者其授权人员应当在场。

**第八条** 有下列情形之一的,使馆和使馆人员的有关物品不准进出境:

(一)携运进境的物品超出海关核准的直接需用数量范围的;

(二)未依照本办法第五条、第六条的规定向海关办理有关备案、申报手续的;

(三)未经海关批准,擅自将已免税进境的物品进行转让、出售等处置后,再次申请进境同类物品的;

(四)携运中国政府禁止或者限制进出境物品进出境,应当提交有关许可证件而不能提供的;

(五)违反海关关于使馆和使馆人员进出境物品管理规定的其他情形。

使馆和使馆人员应当在海关禁止进出境之日起3个月内向海关办理相关物品的退运手续。逾期未退运的,由海关依照《海关法》第三十条规定处理。

**第九条** 使馆和使馆人员免税运进的公用、自用物品,未经主管海关批准,不得进行转让、出售等处置。经批准进行转让、出售等处置的物品,应当按照规定向海关办理纳税或者免税手续。

使馆和使馆人员转让、出售按照本办法第十条、第十一条规定免税进境的机动车辆以及接受转让的机动车辆的,按照本办法第五章有关规定办理。

## 第二章 进境物品监管

**第十条** 使馆运进(含在境内外交人员免税店购买以及依法接受转让)烟草制品、酒精饮料和机动车辆等公用物品,海关在规定数量范围内予以免税。

**第十一条** 外交代表运进(含在境内外交人员免税店购买以及依法接受转让)烟草制品、酒精饮料和机动车辆等自用物品,海关在规定数量范围内予以免税。

**第十二条** 使馆行政技术人员和服务人员,如果不是中国公民并且不在中国永久居留的,其到任后6个月内运进的安家物品,经主管海关审核在直接需用数量范围内的(其中自用小汽车每户限1辆),海关予以免税验放。超出规定时限运进的物品,经海关核准仍属自用的,按照《中华人民共和国海关对非居民长期旅客进出境自用物品监管办法》的规定办理。

**第十三条** 使馆和使馆人员运进公用、自用物品,应当填写《中华人民共和国海关外交公/自用物品进出境申报单》(以下简称《申报单》),向主管海关提出申请,并附提(运)单、发票、装箱单等有关单证材料。其中,运进机动车辆的,还应当递交使馆照会。

使馆运进由使馆主办或者参与的非商业性活动所需物品,应当递交使馆照会,并就物品的所有权、活动地点、日期、活动范围、活动的组织者和参加人、物品的最后处理向海关作出书面说明。活动在使馆以外场所举办的,还应当提供与主办地签订的合同。

海关应当自接受申报之日起10个工作日内作出是否准予进境的决定。

**第十四条** 经海关批准进境的物品,使馆和使馆人员可以委托报关企业到主管海关办理海关手续。

进境地不在主管海关关区的,使馆和使馆人员应当委托报关企业办理海关手续。受委托的报关企业应当按照海关对转关运输货物的规定,将有关物品转至主管海关办理海关手续。

第十五条 外交代表随身携带(含附载于同一运输工具上的)自用物品进境时,应当向海关口头申报,但外交代表每次随身携带进境的香烟超过400支、雪茄超过100支、烟丝超过500克、酒精含量12度及以上的酒精饮料超过2瓶(每瓶限750毫升)的,应当按照本办法第十三条的规定向海关提出书面申请,有关物品数量计入本办法第十一条规定的限额内。

第十六条 使馆和使馆人员进境机动车辆,应当自海关放行之日起10个工作日内,向海关申领《中华人民共和国海关监管车辆进/出境领/销牌照通知书》(以下简称《领/销牌照通知书》,见附件4),办理机动车辆牌照申领手续。

## 第三章 出境物品监管

第十七条 使馆和使馆人员运出公用、自用物品,应当填写《申报单》,并附提(运)单、发票、装箱单、身份证件复印件等有关单证材料,向主管海关提出申请。其中,运出机动车辆的,还应当递交使馆照会。

主管海关应当自接受申请之日起10个工作日内作出是否准予出境的决定。

第十八条 经海关批准出境的物品,使馆和使馆人员应当委托报关企业在出境地海关办理海关手续,如出境地不在主管海关关区,受委托企业应当按照海关对转关运输货物的规定,将有关物品转至出境地海关办理海关手续。

第十九条 外交代表随身携带(含附载于同一运输工具的)自用物品出境时,应当向海关口头申报。

第二十条 使馆和使馆人员申请将原进境机动车辆复运出境的,应当经主管海关审核批准。使馆和使馆人员凭海关开具的《领/销牌照通知书》向公安交通管理部门办理注销牌照手续。主管海关凭使馆和使馆人员交来的《领/销牌照通知书》回执联,办理结案手续。

拥有免税进境机动车辆的使馆人员因离任回国办理自用物品出境手续的,应当首先向主管海关办结自用车辆结案手续。

## 第四章 外交邮袋监管

第二十一条 使馆发送或者接收的外交邮袋,应当以装载外交文件或者公务用品为限,并符合中国政府关于外交邮袋重量、体积等的相关规定,同时施加使馆已在海关备案的封志。

第二十二条 外交信使携带(含附载于同一运输工具的)外交邮袋进出境时,必须凭派遣国主管机关出具的载明其身份和所携外交邮袋件数的信使证明书向海关办理有关手续。海关验核信使证明书无误后予以验放行。

第二十三条 外交邮袋由商业飞机机长转递时,机长必须持有委托国的官方证明文件,注明所携带的外交邮袋的件数。使馆应当派使馆人员向机长交接外交邮袋。海关验核外交邮袋和使馆人员身份证件无误后予以免验放行。

第二十四条 使馆以本办法第二十二条、第二十三条规定以外的其他方式进出境外交邮袋的,应当将外交邮袋存入海关监管仓库,并由使馆人员提取或者发运。海关验核使馆人员身份证件无误后予以免验放行。

## 第五章 机动车辆后续监管管理

第二十五条 使馆和使馆人员按照本办法第十条、第十一条规定免税进境的机动车辆以及接受转让的机动车辆属于海关监管车辆,主管海关对其实施后续监管。公用机动车辆的监管年限为自海关放行之日起6年,自用进境机动车辆的监管年限为自海关放行之日起3年。

未经海关批准，上述机动车辆在海关监管年限内不得进行转让、出售。

**第二十六条** 除使馆人员提前离任外，使馆和使馆人员免税进境的机动车辆，自海关放行之日起2年内不准转让或者出售。

根据前款规定可以转让或者出售的免税进境机动车辆，在转让或者出售时，应当向主管海关提出申请，经批准后方可以按规定转让给其他国家驻中国使馆和使馆人员、常驻机构和常驻人员或者海关批准的特许经营单位。其中需要征税的，应当由受让方向海关办理补税手续。受让方为其他国家驻中国使馆和使馆人员的，其机动车辆进境指标相应扣减。

机动车辆受让方同样享有免税运进机动车辆权利的，受让机动车辆予以免税。受让方主管海关在该机动车辆的剩余监管年限内实施后续监管。

**第二十七条** 使馆和使馆人员免税进境的机动车辆海关监管期限届满后，可以向海关申请解除监管。

申请解除监管时，应当出具照会，并凭《中华人民共和国海关公/自用车辆解除监管申请表》《机动车辆行驶证》向主管海关申请办理解除监管手续。

主管海关核准后，使馆和使馆人员凭海关开具的《中华人民共和国海关监管车辆解除监管证明书》（以下简称《解除监管证明书》）向公安交通管理部门办理有关手续。

**第二十八条** 免税进境的机动车辆在监管期限内因事故、不可抗力遭受严重损毁；或者因损耗、超过使用年限等原因丧失使用价值的，使馆和使馆人员可以向主管海关申请报废车辆。海关审核同意后，开具《领/销牌照通知书》和《解除监管证明书》，使馆和使馆人员凭此向公安交通管理部门办理机动车辆注销手续，并持《领/销牌照通知书》回执到主管海关办理机动车辆结案手续。

**第二十九条** 免税进境的机动车辆有下列情形的，使馆和使馆人员可以按照相同数量重新申请进境机动车辆：

（一）按照本办法第二十六条规定被依法转让、出售，并且已办理相关手续的；

（二）因事故、不可抗力原因遭受严重损毁；或者因损耗、超过使用年限等原因丧失使用价值，已办理结案手续的。

## 第六章 附　则

**第三十条** 本办法下列用语的含义：

公务用品，是指使馆执行职务直接需用的进出境物品，包括：

（一）使馆使用的办公用品、办公设备、车辆；

（二）使馆主办或者参与的非商业性活动所需物品；

（三）使馆使用的维修工具、设备；

（四）使馆的固定资产，包括建筑装修材料、家具、家用电器、装饰品等；

（五）使馆用于免费散发的印刷品（广告宣传品除外）；

（六）使馆使用的招待用品、礼品等。

自用物品，是指使馆人员和与其共同生活的配偶及未成年子女在中国居留期间生活必需用品，包括自用机动车辆（限摩托车、小轿车、越野车、9座以下的小客车）。

直接需用数量，是指经海关审核，使馆为执行职务需要使用的数量，以及使馆人员和与其共同生活的配偶及未成年子女在中国居留期间仅供使馆人员和与其共同生活的配偶及未成年子女自身使用的数量。

主管海关，是指使馆所在地的直属海关。

**第三十一条** 外国驻中国领事馆、联合国及其专门机构和其他国际组织驻中国代表机构及其人员进出境公用、自用物品，由海关按照《中华人民共和国领事特权与豁免条例》、中国已加入的国际公约以及中国与有关国家或者国际组织签订的协议办理。有关法规、公约、协议不明确的，海关参照本办法有关条款办理。

第三十二条 外国政府给予中国驻该国的使馆和使馆人员进出境物品的优惠和便利，低于中国政府给予该国驻中国的使馆和使馆人员进出境物品的优惠和便利的，中国海关可以根据对等原则，给予该国驻中国使馆和使馆人员进出境物品相应的待遇。

第三十三条 本办法所规定的文书由海关总署另行制定并且发布。

第三十四条 本办法由海关总署负责解释。

第三十五条 本办法自2008年10月1日起施行。1986年12月1日海关总署发布的《外国驻中国使馆和使馆人员进出境物品报关办法》同时废止。

# 关于外国驻中国使馆和使馆人员转让免税进境机动车辆海关手续

（海关总署公告2008年第66号）

（2008年9月3日由海关总署发布，2008年10月1日起施行，法规类型为规范性文件）

根据《中华人民共和国海关对外国驻中国使馆和使馆人员进出境物品监管办法》（海关总署令第174号发布）有关规定，现将外国驻中国使馆和使馆人员（以下简称使馆和使馆人员）转让免税进境机动车辆有关手续公告如下：

一、使馆和使馆人员申请将免税进境的机动车辆转让给其他国家驻中国使馆和使馆人员时，应当由双方分别向其主管海关递交照会、《中华人民共和国海关外交公/自用物品转让申请表》（式样见附件）。

二、经主管海关审核批准后，出让方凭其主管海关开具的《中华人民共和国海关监管车辆进/出境领/销牌照通知书》（以下简称《领/销牌照通知书》）向公安交通管理部门办理机动车辆牌照注销手续，并凭《领/销牌照通知书》回执向其主管海关办理机动车辆结案手续。受让方凭其主管海关出具的《领/销牌照通知书》向公安交通管理部门办理机动车辆牌照申领手续。

三、使馆和使馆人员申请将免税进境的机动车辆转让给常驻机构和常驻人员时，比照本公告第一、二条规定办理有关手续。

四、应当补税的机动车辆，由受让方向其主管海关依法补缴税款。

五、使馆和使馆人员将免税进境的机动车辆出售给海关批准的特许经营单位时，应当由使馆和使馆人员向其主管海关递交照会及经使馆和特许经营单位盖章确认的《中华人民共和国海关外交公/自用物品转让申请表》，由使馆和使馆人员参照本公告第二条规定办理机动车辆注销牌照等结案手续。特许经营单位向其主管海关补缴税款后，海关开具《中华人民共和国海关监管车辆解除监管证明书》。

六、外国驻中国领事馆、联合国及其专门机构和其他国际组织驻中国代表机构及其人员转让免税进境机动车辆有关手续，参照上述规定办理。

本公告自2008年10月1日起实施。

特此公告。

附件：中华人民共和国海关外交公自用物品转让申请表（略）

# 关于驻外使领馆工作人员离任回国进境自用车辆缴纳车辆购置税有关问题的通知

(国税发〔2005〕180号)

(2005年11月9日由国家税务总局、外交部发布,根据2018年6月15日国家税务总局公告2018年第31号《国家税务总局关于修改部分税收规范性文件的公告》部分修订,现行版本自2018年6月15起施行,法规类型为规范性文件)

各省、自治区、直辖市和计划单列市国家税务局,扬州税务进修学院,各驻外使领馆、团、处:

经国务院批准,自2005年2月1日起,我驻外使领馆工作人员离任回国入境携带的进口自用车辆(以下简称馆员进口自用车辆),免征关税。现对馆员进口自用车辆申报缴纳车辆购置税计税依据如何确定问题通知如下:

一、馆员进口自用车辆在申报缴纳车辆购置税时,主管税务机关应按照海关《专用缴款书》核定的车辆完税价格,确定车辆购置税计税依据。

二、馆员是指我驻外使领馆享受常驻人员待遇的工作人员,不包括驻港澳地区内派机构的工作人员和其他我驻境外机构的工作人员。

三、馆员在办理车辆购置税纳税申报时,除按照法律、法规、规章及规范性文件规定提供相关资料外,还应提供以下资料:

(一)我驻外使领馆出具的《驻外使领馆人员身份证明》第三联(见附件)原件;

(二)本人有效护照的原件和复印件。

四、主管税务机关对纳税申报资料审核无误后,将《驻外使领馆人员身份证明》第三联原件、护照复印件以及文件规定的其他资料一并留存,并为纳税人办理纳税申报事宜。

五、馆员进口自用车辆如发生过户或转籍行为,主管税务机关不再就关税差价补征车辆购置税。

六、国家税务总局每年初定期将上年度馆员名单在总局服务器FTP://CENTRE/流转税司/消费税处/车购税/驻外使领馆回国人员名单上公布,请各省、区、市税务局及时将本地区人员名单下载,作为事后检查的核对资料。

七、本通知自2005年2月1日起执行。

## 关于常驻机构和常驻人员进境机动车辆有关事宜

(海关总署公告2010年第32号)

(2010年5月25日由海关总署发布,2010年5月25日起施行,法规类型为规范性文件)

根据国家《汽车产业发展政策》的有关管理原则,为维护国内汽车市场正常秩序,照顾常驻机构和常驻人员合理需用,现就常驻机构和常驻人员进境机动车辆有关事宜公告如下:

一、自2010年7月1日起,除按照有关政府间协定可以免税进境机动车辆的常驻机构和常驻人员、国家专门引进的高层次人才和专家以外,其他常驻机构和常驻人员不得进境旧机动车辆,对其旧机动车辆进境申请,海关不予受理。

2010年7月1日以前已按照有关规定向海关申请进境机动车辆的,可不受上款规定限制。

二、对常驻机构和常驻人员申请进境的新机动车辆,海关按照现行有关规定办理审批、征税、验放等手续。

三、本公告中所述"常驻机构"和"常驻人员"分别指海关总署令第115号和116号中的"常驻机构"和"常驻人员"。其中,"常驻机构"是指境外企业、新闻机构、经贸机构、文化团体及其他境外法人经中华人民共和国政府主管部门批准,在境内设立的常设机构;"常驻人员"是指经公安部门批准进境并在境内连续居留一年以上(含一年),期满后仍回到境外定居地的外国公民、港澳台地区人员、华侨,并且其属于上述常驻机构内的工作人员,或在海关注册登记的外商投资企业内的人员,或入境长期工作的专家。

四、本公告中所述"旧机动车辆"是指已使用过的机动车辆,"新机动车辆"是指没有使用过的机动车辆。

特此公告。

## 出入境人员携带物检疫管理办法

(国家质量监督检验检疫总局令第146号)

(2012年8月2日由国家质量监督检验检疫总局发布;根据2018年4月28日海关总署令第238号《海关总署关于修改部分规章的决定》第一次修正,根据2018年5月29日海关总署令第240号《海关总署关于修改部分规章的决定》第二次修正,根据2018年11月23日海关总署令第243号《海关总署关于修改部分规章的决定》第三次修正;现行版本自2018年11月23日起施行;法规类型为部门规章)

### 第一章 总 则

**第一条** 为了防止人类传染病及其医学媒介生物、动物传染病、寄生虫病和植物危险性病、虫、杂草以及其他有害生物经国境传入、传出,保护人体健康和农、林、牧、渔业以及环境安全，依据《中华人民共和国进出境动植物检疫法》及其实施条例、《中华人民共和国国境卫生检疫法》及其实施细则、《农业转基因生物安全管理条例》《中华人民共和国濒危野生动植物进出口管理条例》等法律法规的规定，制定本办法。

**第二条** 本办法所称出入境人员，是指出入境的旅客（包括享有外交、领事特权与豁免权的外交代表）和交通工具的员工以及其他人员。

本办法所称携带物，是指出入境人员随身携带以及随所搭乘的车、船、飞机等交通工具托运的物品和分离运输的物品。

**第三条** 海关总署主管全国出入境人员携带物检疫和监督管理工作。

主管海关负责所辖地区出入境人员携带物检疫和监督管理工作。

**第四条** 出入境人员携带下列物品的，应当向海关申报并接受检疫：

（一）入境动植物、动植物产品和其他检疫物；

（二）出入境生物物种资源、濒危野生动植物及其产品；

（三）出境的国家重点保护的野生动植物及其产品；

（四）出入境的微生物、人体组织、生物制品、血液及血液制品等特殊物品（以下简称"特殊物品"）；

（五）出入境的尸体、骸骨等；

（六）来自疫区、被传染病污染或者可能传播传染病的出入境的行李和物品；

（七）其他应当向海关申报并接受检疫的携带物。

**第五条** 出入境人员禁止携带下列物品进境：

（一）动植物病原体（包括菌种、毒种等）、害虫及其他有害生物；

（二）动植物疫情流行的国家或者地区的有关动植物、动植物产品和其他检疫物；

（三）动物尸体；

（四）土壤；

（五）《中华人民共和国禁止携带、邮寄进境的动植物及其产品名录》所列各物；

（六）国家规定禁止进境的废旧物品、放射性物质以及其他禁止进境物。

**第六条** 经海关检疫，发现携带物存在重大检疫风险的，海关应当启动风险预警及快速反应机制。

## 第二章 检疫审批

**第七条** 携带动植物、动植物产品入境需要办理检疫审批手续的，应当事先向海关总署申请办理动植物检疫审批手续。

**第八条** 携带植物种子、种苗及其他繁殖材料入境，因特殊情况无法事先办理检疫审批的，应当按照有关规定申请补办。

**第九条** 因科学研究等特殊需要，携带本办法第五条第一项至第四项规定的物品入境的，应当事先向海关总署申请办理动植物检疫特许审批手续。

**第十条** 《中华人民共和国禁止携带、邮寄进境的动植物及其产品名录》所列各物，经国家有关行政主管部门审批许可，并具有输出国家或者地区官方机构出具的检疫证书的，可以携带入境。

**第十一条** 携带特殊物品出入境，应当事先向直属海关办理卫生检疫审批手续。

## 第三章 申报与现场检疫

**第十二条** 携带本办法第四条所列各物入境的，入境人员应当按照有关规定申报，接受海关检疫。

**第十三条** 海关可以在交通工具、人员出入境通道、行李提取或者托运处等现场,对出入境人员携带物进行现场检查,现场检查可以使用 X 光机、检疫犬以及其他方式进行。

对出入境人员可能携带本办法规定应当申报的携带物而未申报的,海关可以进行查询并抽检其物品,必要时可以开箱(包)检查。

**第十四条** 出入境人员应当接受检查,并配合检验检疫人员工作。

享有外交、领事特权与豁免权的外国机构和人员公用或者自用的动植物、动植物产品和其他检疫物入境,应当接受海关检疫;海关查验,须有外交代表或者其授权人员在场。

**第十五条** 对申报以及现场检查发现的本办法第四条所列各物,海关应当进行现场检疫。

**第十六条** 携带植物种子、种苗及其他繁殖材料进境的,携带人应当取得《引进种子、苗木检疫审批单》或者《引进林木种子、苗木和其他繁殖材料检疫审批单》。海关对上述检疫审批单电子数据进行系统自动比对验核。

携带除本条第一款之外的其他应当办理检疫审批的动植物、动植物产品和其他检疫物以及应当办理动植物检疫特许审批的禁止进境物入境的,携带人应当取得海关总署签发的《中华人民共和国进境动植物检疫许可证》(以下简称"检疫许可证")和其他相关单证。

主管海关按照检疫审批要求以及有关规定对本条第一、二款规定的动植物和动植物产品及其他检疫物实施现场检疫。

**第十七条** 携带入境的活动物仅限犬或者猫(以下称"宠物"),并且每人每次限带 1 只。

携带宠物入境的,携带人应当向海关提供输出国家或者地区官方动物检疫机构出具的有效检疫证书和疫苗接种证书。宠物应当具有芯片或者其他有效身份证明。

**第十八条** 携带农业转基因生物入境的,携带人应当取得《农业转基因生物安全证书》,凭输出国家或者地区官方机构出具的检疫证书办理相关手续。海关对《农业转基因生物安全证书》电子数据进行系统自动比对验核。列入农业转基因生物标识目录的进境转基因生物,应当按照规定进行标识。

**第十九条** 携带特殊物品出入境的,携带人应当接受卫生检疫。

携带自用且仅限于预防或者治疗疾病用的血液制品或者生物制品出入境的,不需办理卫生检疫审批手续,但需出示医院的有关证明;允许携带量以处方或者说明书确定的一个疗程为限。

**第二十条** 携带尸体、骸骨等出入境的,携带人应当按照有关规定向海关提供死者的死亡证明以及其他相关单证。

海关依法对出入境尸体、骸骨等实施卫生检疫。

**第二十一条** 携带濒危野生动植物及其产品进出境或者携带国家重点保护的野生动植物及其产品出境的,应当在《中华人民共和国濒危野生动植物进出口管理条例》规定的指定口岸进出境,携带人应当取得进出口证明书。海关对进出口证明书电子数据进行系统自动比对验核。

**第二十二条** 海关对携带人的检疫许可证以及其他相关单证进行核查,核查合格的,应当在现场实施检疫。现场检疫合格且无需作进一步实验室检疫、隔离检疫或者其他检疫处理的,可以当场放行。

携带物与检疫许可证或者其他相关单证不符的,作限期退回或者销毁处理。

**第二十三条** 携带物有下列情形之一的,海关依法予以截留:

(一)需要做实验室检疫、隔离检疫的;

(二)需要作检疫处理的;

(三)需要作限期退回或者销毁处理的;

(四)应当取得检疫许可证以及其他相关单证,未取得的;

（五）需要移交其他相关部门的。

海关应当对依法截留的携带物出具截留凭证，截留期限不超过 7 天。

**第二十四条** 携带动植物、动植物产品和其他检疫物出境，依法需要申报的，携带人应当按照规定申报并提供有关证明。

输入国家或者地区、携带人对出境动植物、动植物产品和其他检疫物有检疫要求的，由携带人提出申请，海关依法实施检疫并出具有关单证。

**第二十五条** 海关对入境中转人员携带物实行检疫监督管理。

航空公司对运载的入境中转人员携带物应当单独打起或者分舱运载，并在入境中转人员携带物外包装上加施明显标志。海关必要时可以在国内段实施随航监督。

## 第四章 检疫处理

**第二十六条** 截留的携带物应当在海关指定的场所封存或者隔离。

**第二十七条** 携带物需要做实验室检疫、隔离检疫的，经海关截留检疫合格的，携带人应当持截留凭证在规定期限内领取，逾期不领取的，作自动放弃处理；截留检疫不合格又无有效处理方法的，作限期退回或者销毁处理。

逾期不领取或者出入境人员书面声明自动放弃的携带物，由海关按照有关规定处理。

**第二十八条** 入境宠物应当隔离检疫 30 天（截留期限计入在内）。

来自狂犬病发生国家或者地区的宠物，应当在海关指定的隔离场隔离检疫 30 天。

来自非狂犬病发生国家或者地区的宠物，应当在海关指定隔离场隔离 7 天，其余 23 天在海关指定的其他场所隔离。

携带宠物属于工作犬，如导盲犬、搜救犬等，携带人提供相应专业训练证明的，可以免予隔离检疫。

海关对隔离检疫的宠物实行监督检查。

**第二十九条** 携带宠物入境，携带人不能向海关提供输出国家或者地区官方动物检疫机构出具的检疫证书和疫苗接种证书或者超过限额的，由海关作限期退回或者销毁处理。

对仅不能提供疫苗接种证书的工作犬，经携带人申请，海关可以对工作犬接种狂犬病疫苗。

作限期退回处理的，携带人应当在规定的期限内持海关签发的截留凭证，领取并携带宠物出境；逾期不领取的，作自动放弃处理。

**第三十条** 因应当取得而未取得检疫许可证以及其他相关单证被截留的携带物，携带人应当在截留期限内取得单证，海关对单证核查合格，无需作进一步实验室检疫、隔离检疫或者其他检疫处理的，予以放行；未能取得有效单证的，作限期退回或者销毁处理。

携带农业转基因生物入境，不能提供农业转基因生物安全证书和相关批准文件的，或者携带物与证书、批准文件不符的，作限期退回或者销毁处理。进口农业转基因生物未按照规定标识的，重新标识后方可入境。

**第三十一条** 携带物有下列情况之一的，按照有关规定实施除害处理或者卫生处理：

（一）入境动植物、动植物产品和其他检疫物发现有规定病虫害的；

（二）出入境的尸体、骸骨不符合卫生要求的；

（三）出入境的行李和物品来自传染病疫区、被传染病污染或者可能传播传染病的；

（四）其他应当实施除害处理或者卫生处理的。

**第三十二条** 携带物有下列情况之一的，海关按照有关规定予以限期退回或者销毁处理，法律法规另有规定的除外：

（一）有本办法第二十二条、第二十七条、第二十九条和第三十条所列情形的；

（二）法律法规及国家其他规定禁止入境的；
（三）其他应当予以限期退回或者作销毁处理的。

## 第五章 法律责任

第三十三条 携带动植物、动植物产品和其他检疫物入境有下列行为之一的，由海关处以5000元以下罚款：
（一）应当向海关申报而未申报的；
（二）申报的动植物、动植物产品和其他检疫物与实际不符的；
（三）未依法办理检疫审批手续的；
（四）未按照检疫审批的规定执行的。
有前款第二项所列行为，已取得检疫单证的，予以吊销。

第三十四条 有下列违法行为之一的，由海关处以警告或者100元以上5000元以下罚款：
（一）拒绝接受检疫，拒不接受卫生处理的；
（二）伪造、变造卫生检疫单证的；
（三）瞒报携带禁止进口的微生物、人体组织、生物制品、血液及其制品或者其他可能引起传染病传播的动物和物品的；
（四）未经海关许可，擅自装卸行李的；
（五）承运人对运载的入境中转人员携带物未单独打板或者分舱运载的。

第三十五条 未经海关实施卫生处理，擅自移运尸体、骸骨的，由海关处以1000元以上1万元以下罚款。

第三十六条 有下列行为之一的，由海关处以3000元以上3万元以下罚款：
（一）未经海关许可擅自将进境、过境动植物、动植物产品和其他检疫物卸离运输工具或者运递的；
（二）未经海关许可，擅自调离或者处理在海关指定的隔离场所中截留隔离的携带物的；
（三）擅自开拆、损毁动植物检疫封识或者标志的。

第三十七条 伪造、变造动植物检疫单证、印章、标志、封识的，应当依法移送公安机关；尚不构成犯罪或者犯罪情节显著轻微依法不需要判处刑罚的，由海关处以2万元以上5万元以下罚款。

第三十八条 携带废旧物品，未向海关申报，未经海关实施卫生处理并签发有关单证而擅自入境、出境的，由海关处以5000元以上3万元以下罚款。

第三十九条 买卖动植物检疫单证、印章、标志、封识或者买卖伪造、变造的动植物检疫单证、印章、标志、封识的，有违法所得的，由海关处以违法所得3倍以下罚款，最高不超过3万元；无违法所得的，由海关处以1万元以下罚款。

买卖卫生检疫单证或者买卖伪造、变造的卫生检疫单证的，有违法所得的，由海关处以违法所得3倍以下罚款，最高不超过5000元；无违法所得的，由海关处以100元以上5000元以下罚款。

第四十条 有下列行为之一的，由海关处以1000元以下罚款：
（一）盗窃动植物检疫单证、印章、标志、封识或者使用伪造、变造的动植物检疫单证、印章、标志、封识的；
（二）盗窃卫生检疫单证或者使用伪造、变造的卫生检疫单证的；
（三）使用伪造、变造的国外官方机构出具的检疫证书的。

第四十一条 出入境人员拒绝、阻碍海关及其工作人员依法执行职务的，依法移送有关部门处理。

**第四十二条** 海关工作人员应当秉公执法、忠于职守,不得滥用职权、玩忽职守、徇私舞弊;违法失职的,依法追究责任。

## 第六章 附 则

**第四十三条** 本法所称分离运输的物品是指出入境人员在其入境后或者出境前6个月内(含6个月),以托运方式运进或者运出的本人行李物品。

**第四十四条** 需要收取费用的,海关按照有关规定执行。

**第四十五条** 违反本办法规定,构成犯罪的,依法追究刑事责任。

**第四十六条** 本办法由海关总署负责解释。

**第四十七条** 本办法自2012年11月1日起施行。国家质检总局2003年11月6日发布的《出入境人员携带物检疫管理办法》(国家质检总局令第56号)同时废止。


# 关于加强对出入境旅客携带、邮寄及快递进出境应检物品检验检疫管理工作的通知

(署监发〔2001〕212号)

(2001年4月20日由海关总署、国家质量监督检验检疫总局发布,2001年4月20日起施行,法规类型为规范性文件)

广东分署、各直属海关、各直属检验检疫局:

目前我国进出境口岸检验检疫形势严峻。来自疫区的动植物及其产品、废旧衣物、血液、生物制品和人体组织等应检物品通过旅客携带、邮寄、快递等方式入境,给我国造成严重的疫情隐患。对此,国务院领导同志非常重视,明确提出要依法加强出入境检验检疫工作,完善和提高检验检疫手段,堵塞检验检疫漏洞。

为贯彻国务院领导同志的批示精神,依法加强对出入境旅客携带、邮寄和快递进出境应检物品的检验检疫工作,现将有关要求通知如下:

一、从维护国家政治稳定和经济安全的高度,充分认识出入境旅客行李物品、邮寄物品及快递进出境物品存在疫情隐患问题的严重性。积极利用各种途径提高进出境旅客对应检物品的依法报检意识,把依法行政和公民的积极配合有机地结合起来,逐步形成一个防止传染病、动植物危险性有害生物传出传入的社会氛围。

二、进一步加强检验检疫和监管把关的执法力度。各地海关和出入境检验检疫机构要依照国家有关的法律法规,在坚持"内紧外松"原则的前提下,加大对出入境旅客携带、邮寄和快递进出境应检物品的查验和检疫力度。各地海关与检验检疫机构要密切配合,及时沟通。各地检验检疫机构应有计划地与海关监管人员进行有关检验检疫法规和知识的交流和学习,进一步提高海关监管和检验检疫人员的业务素质和执法水平。各口岸监管现场要注意加强分工与协作,发现问题及时沟通,真正做到各司其职,共同把关。

三、建立行之有效的协调和联系配合制度。有关海关和出入境检验检疫机构要成立有主管领导参加的协调领导小组,建立定期的协调会议制度,及时沟通,及时处理旅客携带、邮寄及快递进出境应检物品的查验及检验检疫工作中出现的问题,督促检查有关工作的落实情况。

四、各地海关和检验检疫机构应严格按照国家有关规定和要求,文明执法,热情服务,认

真履行职责。既要明确分工，又要密切协作，共同做好进出境携带、邮寄及快递物品的检验检疫和查验工作。

检验检疫机构和海关对出入境应检物品实施检验检疫的联系配合办法及海关发现应检物品移交工作的操作规程将另文下发。

## 关于调整国家货币出入境限额的公告

(中国人民银行公告〔2004〕第 18 号)

(2004 年 11 月 29 日由中国人民银行发布，2005 年 1 月 1 日起施行，法规类型为规范性文件)

按照《中华人民共和国人民币管理条例》和《中华人民共和国国家货币出入境管理办法》的有关规定，根据我国经济发展和对外往来实际需要，中国人民银行决定调整国家货币出入境限额。中国公民出入境、外国人入出境每人每次携带的人民币限额由原来的 6000 元调整为 20000 元。

本规定自 2005 年 1 月 1 日施行。1993 年 2 月 5 日发布的《中国人民银行关于国家货币出入境限额的公告》同时废止。

# 跨境电商篇

# 基本政策

## 中华人民共和国电子商务法

(主席令第 7 号)

(2018 年 8 月 31 日第十三届全国人民代表大会常务委员会第五次会议通过，2019 年 1 月 1 日起施行，法规类型为法律)

### 第一章 总 则

**第一条** 为了保障电子商务各方主体的合法权益，规范电子商务行为，维护市场秩序，促进电子商务持续健康发展，制定本法。

**第二条** 中华人民共和国境内的电子商务活动，适用本法。

本法所称电子商务，是指通过互联网等信息网络销售商品或者提供服务的经营活动。

法律、行政法规对销售商品或者提供服务有规定的，适用其规定。金融类产品和服务，利用信息网络提供新闻信息、音视频节目、出版以及文化产品等内容方面的服务，不适用本法。

**第三条** 国家鼓励发展电子商务新业态，创新商业模式，促进电子商务技术研发和推广应用，推进电子商务诚信体系建设，营造有利于电子商务创新发展的市场环境，充分发挥电子商务在推动高质量发展、满足人民日益增长的美好生活需要、构建开放型经济方面的重要作用。

**第四条** 国家平等对待线上线下商务活动，促进线上线下融合发展，各级人民政府和有关部门不得采取歧视性的政策措施，不得滥用行政权力排除、限制市场竞争。

**第五条** 电子商务经营者从事经营活动，应当遵循自愿、平等、公平、诚信的原则，遵守法律和商业道德，公平参与市场竞争，履行消费者权益保护、环境保护、知识产权保护、网络安全与个人信息保护等方面的义务，承担产品和服务质量责任，接受政府和社会的监督。

**第六条** 国务院有关部门按照职责分工负责电子商务发展促进、监督管理等工作。县级以上地方各级人民政府可以根据本行政区域的实际情况，确定本行政区域内电子商务的部门职责划分。

**第七条** 国家建立符合电子商务特点的协同管理体系，推动形成有关部门、电子商务行业组织、电子商务经营者、消费者等共同参与的电子商务市场治理体系。

**第八条** 电子商务行业组织按照本组织章程开展行业自律，建立健全行业规范，推动行业诚信建设，监督、引导本行业经营者公平参与市场竞争。

### 第二章 电子商务经营者

#### 第一节 一般规定

**第九条** 本法所称电子商务经营者，是指通过互联网等信息网络从事销售商品或者提供服务的经营活动的自然人、法人和非法人组织，包括电子商务平台经营者、平台内经营者以及通过自建网站、其他网络服务销售商品或者提供服务的电子商务经营者。

本法所称电子商务平台经营者，是指在电子商务中为交易双方或者多方提供网络经营场所、交易撮合、信息发布等服务，供交易双方或者多方独立开展交易活动的法人或者非法人组织。

本法所称平台内经营者，是指通过电子商务平台销售商品或者提供服务的电子商务经营者。

第十条　电子商务经营者应当依法办理市场主体登记。但是，个人销售自产农副产品、家庭手工业产品，个人利用自己的技能从事依法无须取得许可的便民劳务活动和零星小额交易活动，以及依照法律、行政法规不需要进行登记的除外。

第十一条　电子商务经营者应当依法履行纳税义务，并依法享受税收优惠。

依照前条规定不需要办理市场主体登记的电子商务经营者在首次纳税义务发生后，应当依照税收征收管理法律、行政法规的规定申请办理税务登记，并如实申报纳税。

第十二条　电子商务经营者从事经营活动，依法需要取得相关行政许可的，应当依法取得行政许可。

第十三条　电子商务经营者销售的商品或者提供的服务应当符合保障人身、财产安全的要求和环境保护要求，不得销售或者提供法律、行政法规禁止交易的商品或者服务。

第十四条　电子商务经营者销售商品或者提供服务应当依法出具纸质发票或者电子发票等购货凭证或者服务单据。电子发票与纸质发票具有同等法律效力。

第十五条　电子商务经营者应当在其首页显著位置，持续公示营业执照信息、与其经营业务有关的行政许可信息、属于依照本法第十条规定的不需要办理市场主体登记情形等信息，或者上述信息的链接标识。

前款规定的信息发生变更的，电子商务经营者应当及时更新公示信息。

第十六条　电子商务经营者自行终止从事电子商务的，应当提前三十日在首页显著位置持续公示有关信息。

第十七条　电子商务经营者应当全面、真实、准确、及时地披露商品或者服务信息，保障消费者的知情权和选择权。电子商务经营者不得以虚构交易、编造用户评价等方式进行虚假或者引人误解的商业宣传，欺骗、误导消费者。

第十八条　电子商务经营者根据消费者的兴趣爱好、消费习惯等特征向其提供商品或者服务的搜索结果的，应当同时向该消费者提供不针对其个人特征的选项，尊重和平等保护消费者合法权益。

电子商务经营者向消费者发送广告的，应当遵守《中华人民共和国广告法》的有关规定。

第十九条　电子商务经营者搭售商品或者服务，应当以显著方式提请消费者注意，不得将搭售商品或者服务作为默认同意的选项。

第二十条　电子商务经营者应当按照承诺或者与消费者约定的方式、时限向消费者交付商品或者服务，并承担商品运输中的风险和责任。但是，消费者另行选择快递物流服务提供者的除外。

第二十一条　电子商务经营者按照约定向消费者收取押金的，应当明示押金退还的方式、程序，不得对押金退还设置不合理条件。消费者申请退还押金，符合押金退还条件的，电子商务经营者应当及时退还。

第二十二条　电子商务经营者因其技术优势、用户数量、对相关行业的控制能力以及其他经营者对该电子商务经营者在交易上的依赖程度等因素而具有市场支配地位的，不得滥用市场支配地位，排除、限制竞争。

**第二十三条** 电子商务经营者收集、使用其用户的个人信息，应当遵守法律、行政法规有关个人信息保护的规定。

**第二十四条** 电子商务经营者应当明示用户信息查询、更正、删除以及用户注销的方式、程序，不得对用户信息查询、更正、删除以及用户注销设置不合理条件。

电子商务经营者收到用户信息查询或者更正、删除的申请的，应当在核实身份后及时提供查询或者更正、删除用户信息。用户注销的，电子商务经营者应当立即删除该用户的信息；依照法律、行政法规的规定或者双方约定保存的，依照其规定。

**第二十五条** 有关主管部门依照法律、行政法规的规定要求电子商务经营者提供有关电子商务数据信息的，电子商务经营者应当提供。有关主管部门应当采取必要措施保护电子商务经营者提供的数据信息的安全，并对其中的个人信息、隐私和商业秘密严格保密，不得泄露、出售或者非法向他人提供。

**第二十六条** 电子商务经营者从事跨境电子商务，应当遵守进出口监督管理的法律、行政法规和国家有关规定。

### 第二节 电子商务平台经营者

**第二十七条** 电子商务平台经营者应当要求申请进入平台销售商品或者提供服务的经营者提交其身份、地址、联系方式、行政许可等真实信息，进行核验、登记，建立登记档案，并定期核验更新。

电子商务平台经营者为进入平台销售商品或者提供服务的非经营用户提供服务，应当遵守本节有关规定。

**第二十八条** 电子商务平台经营者应当按照规定向市场监督管理部门报送平台内经营者的身份信息，提示未办理市场主体登记的经营者依法办理登记，并配合市场监督管理部门，针对电子商务的特点，为应当办理市场主体登记的经营者办理登记提供便利。

电子商务平台经营者应当依照税收征收管理法律、行政法规的规定，向税务部门报送平台内经营者的身份信息和与纳税有关的信息，并应当提示依照本法第十条规定不需要办理市场主体登记的电子商务经营者依照本法第十一条第二款的规定办理税务登记。

**第二十九条** 电子商务平台经营者发现平台内的商品或者服务信息存在违反本法第十二条、第十三条规定情形的，应当依法采取必要的处置措施，并向有关主管部门报告。

**第三十条** 电子商务平台经营者应当采取技术措施和其他必要措施保证其网络安全、稳定运行，防范网络违法犯罪活动，有效应对网络安全事件，保障电子商务交易安全。

电子商务平台经营者应当制定网络安全事件应急预案，发生网络安全事件时，应当立即启动应急预案，采取相应的补救措施，并向有关主管部门报告。

**第三十一条** 电子商务平台经营者应当记录、保存平台上发布的商品和服务信息、交易信息，并确保信息的完整性、保密性、可用性。商品和服务信息、交易信息保存时间自交易完成之日起不少于三年；法律、行政法规另有规定的，依照其规定。

**第三十二条** 电子商务平台经营者应当遵循公开、公平、公正的原则，制定平台服务协议和交易规则，明确进入和退出平台、商品和服务质量保障、消费者权益保护、个人信息保护等方面的权利和义务。

**第三十三条** 电子商务平台经营者应当在其首页显著位置持续公示平台服务协议和交易规则信息或者上述信息的链接标识，并保证经营者和消费者能够便利、完整地阅览和下载。

**第三十四条** 电子商务平台经营者修改平台服务协议和交易规则，应当在其首页显著位置公开征求意见，采取合理措施确保有关各方能够及时充分表达意见。修改内容应当至少在实施前七日予以公示。

平台内经营者不接受修改内容，要求退出平台的，电子商务平台经营者不得阻止，并按照修改前的服务协议和交易规则承担相关责任。

第三十五条　电子商务平台经营者不得利用服务协议、交易规则以及技术等手段，对平台内经营者在平台内的交易、交易价格以及与其他经营者的交易等进行不合理限制或者附加不合理条件，或者向平台内经营者收取不合理费用。

第三十六条　电子商务平台经营者依据平台服务协议和交易规则对平台内经营者违反法律、法规的行为实施警示、暂停或者终止服务等措施的，应当及时公示。

第三十七条　电子商务平台经营者在其平台上开展自营业务的，应当以显著方式区分标记自营业务和平台内经营者开展的业务，不得误导消费者。

电子商务平台经营者对其标记为自营的业务依法承担商品销售者或者服务提供者的民事责任。

第三十八条　电子商务平台经营者知道或者应当知道平台内经营者销售的商品或者提供的服务不符合保障人身、财产安全的要求，或者有其他侵害消费者合法权益行为，未采取必要措施的，依法与该平台内经营者承担连带责任。

对关系消费者生命健康的商品或者服务，电子商务平台经营者对平台内经营者的资质资格未尽到审核义务，或者对消费者未尽到安全保障义务，造成消费者损害的，依法承担相应的责任。

第三十九条　电子商务平台经营者应当建立健全信用评价制度，公示信用评价规则，为消费者提供对平台内销售的商品或者提供的服务进行评价的途径。

电子商务平台经营者不得删除消费者对其平台内销售的商品或者提供的服务的评价。

第四十条　电子商务平台经营者应当根据商品或者服务的价格、销量、信用等以多种方式向消费者显示商品或者服务的搜索结果；对于竞价排名的商品或者服务，应当显著标明"广告"。

第四十一条　电子商务平台经营者应当建立知识产权保护规则，与知识产权权利人加强合作，依法保护知识产权。

第四十二条　知识产权权利人认为其知识产权受到侵害的，有权通知电子商务平台经营者采取删除、屏蔽、断开链接、终止交易和服务等必要措施。通知应当包括构成侵权的初步证据。

电子商务平台经营者接到通知后，应当及时采取必要措施，并将该通知转送平台内经营者；未及时采取必要措施的，对损害的扩大部分与平台内经营者承担连带责任。

因通知错误造成平台内经营者损害的，依法承担民事责任。恶意发出错误通知，造成平台内经营者损失的，加倍承担赔偿责任。

第四十三条　平台内经营者接到转送的通知后，可以向电子商务平台经营者提交不存在侵权行为的声明。声明应当包括不存在侵权行为的初步证据。

电子商务平台经营者接到声明后，应当将该声明转送发出通知的知识产权权利人，并告知其可以向有关主管部门投诉或者向人民法院起诉。电子商务平台经营者在转送声明到达知识产权权利人后十五日内，未收到权利人已经投诉或者起诉通知的，应当及时终止所采取的措施。

第四十四条　电子商务平台经营者应当及时公示收到的本法第四十二条、第四十三条规定的通知、声明及处理结果。

第四十五条　电子商务平台经营者知道或者应当知道平台内经营者侵犯知识产权的，应当采取删除、屏蔽、断开链接、终止交易和服务等必要措施；未采取必要措施的，与侵权人承担连带责任。

第四十六条　除本法第九条第二款规定的服务外，电子商务平台经营者可以按照平台服务协议和交易规则,为经营者之间的电子商务提供仓储、物流、支付结算、交收等服务。电子商务平台经营者为经营者之间的电子商务提供服务,应当遵守法律、行政法规和国家有关规定,不得采取集中竞价、做市商等集中交易方式进行交易,不得进行标准化合约交易。

## 第三章 电子商务合同的订立与履行

**第四十七条** 电子商务当事人订立和履行合同,适用本章和《中华人民共和国民法总则》《中华人民共和国合同法》《中华人民共和国电子签名法》等法律的规定。

**第四十八条** 电子商务当事人使用自动信息系统订立或者履行合同的行为对使用该系统的当事人具有法律效力。

在电子商务中推定当事人具有相应的民事行为能力。但是,有相反证据足以推翻的除外。

**第四十九条** 电子商务经营者发布的商品或者服务信息符合要约条件的,用户选择该商品或者服务并提交订单成功,合同成立。当事人另有约定的,从其约定。

电子商务经营者不得以格式条款等方式约定消费者支付价款后合同不成立;格式条款等含有该内容的,其内容无效。

**第五十条** 电子商务经营者应当清晰、全面、明确地告知用户订立合同的步骤、注意事项、下载方法等事项,并保证用户能够便利、完整地阅览和下载。

电子商务经营者应当保证用户在提交订单前可以更正输入错误。

**第五十一条** 合同标的为交付商品并采用快递物流方式交付的,收货人签收时间为交付时间。合同标的为提供服务的,生成的电子凭证或者实物凭证中载明的时间为交付时间;前述凭证没有载明时间或者载明时间与实际提供服务时间不一致的,实际提供服务的时间为交付时间。

合同标的为采用在线传输方式交付的,合同标的进入对方当事人指定的特定系统并且能够检索识别的时间为交付时间。

合同当事人对交付方式、交付时间另有约定的,从其约定。

**第五十二条** 电子商务当事人可以约定采用快递物流方式交付商品。

快递物流服务提供者为电子商务提供快递物流服务,应当遵守法律、行政法规,并应当符合承诺的服务规范和时限。快递物流服务提供者在交付商品时,应当提示收货人当面查验;交由他人代收的,应当经收货人同意。

快递物流服务提供者应当按照规定使用环保包装材料,实现包装材料的减量化和再利用。

快递物流服务提供者在提供快递物流服务的同时,可以接受电子商务经营者的委托提供代收货款服务。

**第五十三条** 电子商务当事人可以约定采用电子支付方式支付价款。

电子支付服务提供者为电子商务提供电子支付服务,应当遵守国家规定,告知用户电子支付服务的功能、使用方法、注意事项、相关风险和收费标准等事项,不得附加不合理交易条件。电子支付服务提供者应当确保电子支付指令的完整性、一致性、可跟踪稽核和不可篡改。

电子支付服务提供者应当向用户免费提供对账服务以及最近三年的交易记录。

**第五十四条** 电子支付服务提供者提供电子支付服务不符合国家有关支付安全管理要求,造成用户损失的,应当承担赔偿责任。

**第五十五条** 用户在发出支付指令前,应当核对支付指令所包含的金额、收款人等完整信息。

支付指令发生错误的,电子支付服务提供者应当及时查找原因,并采取相关措施予以纠正。造成用户损失的,电子支付服务提供者应当承担赔偿责任,但能够证明支付错误非自身原因造成的除外。

**第五十六条** 电子支付服务提供者完成电子支付后，应当及时准确地向用户提供符合约定方式的确认支付的信息。

**第五十七条** 用户应当妥善保管交易密码、电子签名数据等安全工具。用户发现安全工具遗失、被盗用或者未经授权的支付的，应当及时通知电子支付服务提供者。

未经授权的支付造成的损失，由电子支付服务提供者承担；电子支付服务提供者能够证明未经授权的支付是因用户的过错造成的，不承担责任。

电子支付服务提供者发现支付指令未经授权，或者收到用户支付指令未经授权的通知时，应当立即采取措施防止损失扩大。电子支付服务提供者未及时采取措施导致损失扩大的，对损失扩大部分承担责任。

## 第四章　电子商务争议解决

**第五十八条** 国家鼓励电子商务平台经营者建立有利于电子商务发展和消费者权益保护的商品、服务质量担保机制。

电子商务平台经营者与平台内经营者协议设立消费者权益保证金的，双方应当就消费者权益保证金的提取数额、管理、使用和退还办法等作出明确约定。

消费者要求电子商务平台经营者承担先行赔偿责任以及电子商务平台经营者赔偿后向平台内经营者的追偿，适用《中华人民共和国消费者权益保护法》的有关规定。

**第五十九条** 电子商务经营者应当建立便捷、有效的投诉、举报机制，公开投诉、举报方式等信息，及时受理并处理投诉、举报。

**第六十条** 电子商务争议可以通过协商和解，请求消费者组织、行业协会或者其他依法成立的调解组织调解，向有关部门投诉，提请仲裁，或者提起诉讼等方式解决。

**第六十一条** 消费者在电子商务平台购买商品或者接受服务，与平台内经营者发生争议时，电子商务平台经营者应当积极协助消费者维护合法权益。

**第六十二条** 在电子商务争议处理中，电子商务经营者应当提供原始合同和交易记录。因电子商务经营者丢失、伪造、篡改、销毁、隐匿或者拒绝提供前述资料，致使人民法院、仲裁机构或者有关机关无法查明事实的，电子商务经营者应当承担相应的法律责任。

**第六十三条** 电子商务平台经营者可以建立争议在线解决机制，制定并公示争议解决规则，根据自愿原则，公平、公正地解决当事人的争议。

## 第五章　电子商务促进

**第六十四条** 国务院和省、自治区、直辖市人民政府应当将电子商务发展纳入国民经济和社会发展规划，制定科学合理的产业政策，促进电子商务创新发展。

**第六十五条** 国务院和县级以上地方人民政府及其有关部门应当采取措施，支持、推动绿色包装、仓储、运输，促进电子商务绿色发展。

**第六十六条** 国家推动电子商务基础设施和物流网络建设，完善电子商务统计制度，加强电子商务标准体系建设。

**第六十七条** 国家推动电子商务在国民经济各个领域的应用，支持电子商务与各产业融合发展。

**第六十八条** 国家促进农业生产、加工、流通等环节的互联网技术应用，鼓励各类社会资源加强合作，促进农村电子商务发展，发挥电子商务在精准扶贫中的作用。

**第六十九条** 国家维护电子商务交易安全，保护电子商务用户信息，鼓励电子商务数据开发应用，保障电子商务数据依法有序自由流动。

国家采取措施推动建立公共数据共享机制，促进电子商务经营者依法利用公共数据。

第七十条　国家支持依法设立的信用评价机构开展电子商务信用评价，向社会提供电子商务信用评价服务。

第七十一条　国家促进跨境电子商务发展，建立健全适应跨境电子商务特点的海关、税收、进出境检验检疫、支付结算等管理制度，提高跨境电子商务各环节便利化水平，支持跨境电子商务平台经营者等为跨境电子商务提供仓储物流、报关、报检等服务。

国家支持小型微型企业从事跨境电子商务。

第七十二条　国家进出口管理部门应当推进跨境电子商务海关申报、纳税、检验检疫等环节的综合服务和监管体系建设，优化监管流程，推动实现信息共享、监管互认、执法互助，提高跨境电子商务服务和监管效率。跨境电子商务经营者可以凭电子单证向国家进出口管理部门办理有关手续。

第七十三条　国家推动建立与不同国家、地区之间跨境电子商务的交流合作，参与电子商务国际规则的制定，促进电子签名、电子身份等国际互认。

国家推动建立与不同国家、地区之间的跨境电子商务争议解决机制。

## 第六章　法律责任

第七十四条　电子商务经营者销售商品或者提供服务，不履行合同义务或者履行合同义务不符合约定，或者造成他人损害的，依法承担民事责任。

第七十五条　电子商务经营者违反本法第十二条、第十三条规定，未取得相关行政许可从事经营活动，或者销售、提供法律、行政法规禁止交易的商品、服务，或者不履行本法第二十五条规定的信息提供义务，电子商务平台经营者违反本法第四十六条规定，采取集中交易方式进行交易，或者进行标准化合约交易的，依照有关法律、行政法规的规定处罚。

第七十六条　电子商务经营者违反本法规定，有下列行为之一的，由市场监督管理部门责令限期改正，可以处一万元以下的罚款，对其中的电子商务平台经营者，依照本法第八十一条第一款的规定处罚：

（一）未在首页显著位置公示营业执照信息、行政许可信息、属于不需要办理市场主体登记情形等信息，或者上述信息的链接标识的；

（二）未在首页显著位置持续公示终止电子商务的有关信息的；

（三）未明示用户信息查询、更正、删除以及用户注销的方式、程序，或者对用户信息查询、更正、删除以及用户注销设置不合理条件的。

电子商务平台经营者对违反前款规定的平台内经营者未采取必要措施的，由市场监督管理部门责令限期改正，可以处二万元以上十万元以下的罚款。

第七十七条　电子商务经营者违反本法第十八条第一款规定提供搜索结果，或者违反本法第十九条规定搭售商品、服务的，由市场监督管理部门责令限期改正，没收违法所得，可以并处五万元以上二十万元以下的罚款；情节严重的，并处二十万元以上五十万元以下的罚款。

第七十八条　电子商务经营者违反本法第二十一条规定，未向消费者明示押金退还的方式、程序，对押金退还设置不合理条件，或者不及时退还押金的，由有关主管部门责令限期改正，可以处五万元以上二十万元以下的罚款；情节严重的，处二十万元以上五十万元以下的罚款。

第七十九条　电子商务经营者违反法律、行政法规有关个人信息保护的规定，或者不履行本法第三十条和有关法律、行政法规规定的网络安全保障义务的，依照《中华人民共和国网络安全法》等法律、行政法规的规定处罚。

第八十条　电子商务平台经营者有下列行为之一的，由有关主管部门责令限期改正；逾期不改正的，处二万元以上十万元以下的罚款；情节严重的，责令停业整顿，并处十万元以上五

十万元以下的罚款:
（一）不履行本法第二十七条规定的核验、登记义务的；
（二）不按照本法第二十八条规定向市场监督管理部门、税务部门报送有关信息的；
（三）不按照本法第二十九条规定对违法情形采取必要的处置措施，或者未向有关主管部门报告的；
（四）不履行本法第三十一条规定的商品和服务信息、交易信息保存义务的。

法律、行政法规对前款规定的违法行为的处罚另有规定的，依照其规定。

**第八十一条** 电子商务平台经营者违反本法规定，有下列行为之一的，由市场监督管理部门责令限期改正，可以处二万元以上十万元以下的罚款；情节严重的，处十万元以上五十万元以下的罚款：
（一）未在首页显著位置持续公示平台服务协议、交易规则信息或者上述信息的链接标识的；
（二）修改交易规则未在首页显著位置公开征求意见，未按照规定的时间提前公示修改内容，或者阻止平台内经营者退出的；
（三）未以显著方式区分标记自营业务和平台内经营者开展的业务的；
（四）未为消费者提供对平台内销售的商品或者提供的服务进行评价的途径，或者擅自删除消费者的评价的。

电子商务平台经营者违反本法第四十条规定，对竞价排名的商品或者服务未显著标明"广告"的，依照《中华人民共和国广告法》的规定处罚。

**第八十二条** 电子商务平台经营者违反本法第三十五条规定，对平台内经营者在平台内的交易、交易价格或者与其他经营者的交易等进行不合理限制或者附加不合理条件，或者向平台内经营者收取不合理费用的，由市场监督管理部门责令限期改正，可以处五万元以上五十万元以下的罚款；情节严重的，处五十万元以上二百万元以下的罚款。

**第八十三条** 电子商务平台经营者违反本法第三十八条规定，对平台内经营者侵害消费者合法权益行为未采取必要措施，或者对平台内经营者未尽到资质资格审核义务，或者对消费者未尽到安全保障义务的，由市场监督管理部门责令限期改正，可以处五万元以上五十万元以下的罚款；情节严重的，责令停业整顿，并处五十万元以上二百万元以下的罚款。

**第八十四条** 电子商务平台经营者违反本法第四十二条、第四十五条规定，对平台内经营者实施侵犯知识产权行为未依法采取必要措施的，由有关知识产权行政部门责令限期改正；逾期不改正的，处五万元以上五十万元以下的罚款；情节严重的，处五十万元以上二百万元以下的罚款。

**第八十五条** 电子商务经营者违反本法规定，销售的商品或者提供的服务不符合保障人身、财产安全的要求，实施虚假或者引人误解的商业宣传等不正当竞争行为，滥用市场支配地位，或者实施侵犯知识产权、侵害消费者权益等行为的，依照有关法律的规定处罚。

**第八十六条** 电子商务经营者有本法规定的违法行为的，依照有关法律、行政法规的规定记入信用档案，并予以公示。

**第八十七条** 依法负有电子商务监督管理职责的部门的工作人员，玩忽职守、滥用职权、徇私舞弊，或者泄露、出售或者非法向他人提供在履行职责中所知悉的个人信息、隐私和商业秘密的，依法追究法律责任。

**第八十八条** 违反本法规定，构成违反治安管理行为的，依法给予治安管理处罚；构成犯罪的，依法追究刑事责任。

## 第七章 附 则

**第八十九条** 本法自 2019 年 1 月 1 日起施行。

# 国务院关于大力发展电子商务加快培育经济新动力的意见

（国发〔2015〕24号）

（2015年5月4日由国务院发布，2015年5月4日起施行，法规类型为规范性文件）

各省、自治区、直辖市人民政府，国务院各部委、各直属机构：

近年来我国电子商务发展迅猛，不仅创造了新的消费需求，引发了新的投资热潮，开辟了就业增收新渠道，为大众创业、万众创新提供了新空间，而且电子商务正加速与制造业融合，推动服务业转型升级，催生新兴业态，成为提供公共产品、公共服务的新力量，成为经济发展新的原动力。与此同时，电子商务发展面临管理方式不适应、诚信体系不健全、市场秩序不规范等问题，亟需采取措施予以解决。当前，我国已进入全面建成小康社会的决定性阶段，为减少束缚电子商务发展的机制体制障碍，进一步发挥电子商务在培育经济新动力，打造"双引擎"、实现"双目标"等方面的重要作用，现提出以下意见：

一、指导思想、基本原则和主要目标

（一）指导思想。全面贯彻党的十八大和十八届二中、三中、四中全会精神，按照党中央、国务院决策部署，坚持依靠改革推动科学发展，主动适应和引领经济发展新常态，着力解决电子商务发展中的深层次矛盾和重大问题，大力推进政策创新、管理创新和服务创新，加快建立开放、规范、诚信、安全的电子商务发展环境，进一步激发电子商务创新动力、创造潜力、创业活力，加速推动经济结构战略性调整，实现经济提质增效升级。

（二）基本原则。一是积极推动。主动作为、支持发展。积极协调解决电子商务发展中的各种矛盾与问题。在政府资源开放、网络安全保障、投融资支持、基础设施和诚信体系建设等方面加大服务力度。推进电子商务企业税费合理化，减轻企业负担。进一步释放电子商务发展潜力，提升电子商务创新发展水平。二是逐步规范。简政放权、放管结合。法无禁止的市场主体即可为，法未授权的政府部门不能为，最大限度减少对电子商务市场的行政干预。在放宽市场准入的同时，要在发展中逐步规范市场秩序，营造公平竞争的创业发展环境，进一步激发社会创业活力，拓宽电子商务创新发展领域。三是加强引导。把握趋势、因势利导。加强对电子商务发展中前瞻性、苗头性、倾向性问题的研究，及时在商业模式创新、关键技术研发、国际市场开拓等方面加大对企业的支持引导力度，引领电子商务向打造"双引擎"、实现"双目标"发展，进一步增强企业的创新动力，加速电子商务创新发展步伐。

（三）主要目标。到2020年，统一开放、竞争有序、诚信守法、安全可靠的电子商务大市场基本建成。电子商务与其他产业深度融合，成为促进创业、稳定就业、改善民生服务的重要平台，对工业化、信息化、城镇化、农业现代化同步发展起到关键性作用。

二、营造宽松发展环境

（四）降低准入门槛。全面清理电子商务领域现有前置审批事项，无法律法规依据的一律取消，严禁违法设定行政许可、增加行政许可条件和程序。（国务院审改办，有关部门按职责分工分别负责）进一步简化注册资本登记，深入推进电子商务领域由"先证后照"改为"先照后证"改革。（工商总局、中央编办）落实《注册资本登记制度改革方案》，放宽电子商务市场主体住所（经营场所）登记条件，完善相关管理措施。（省级人民政府）推进对快递企业设立非法人快递末端网点实施备案制管理。（邮政局）简化境内电子商务企业海外上市审批流程,鼓励电子商务领域的跨境人民币直接投资。(发展改革委、商务部、外汇局、证监会、人民银行)放开外商投资电子商务业务的外方持股比例限制。(工业和信息化部、发展改革委、商务部)探索建立能源、铁路、公共事业等行业电子商务服务的市场化机制。(有关部门按职责分工分别负责)

(五)合理降税减负。从事电子商务活动的企业,经认定为高新技术企业的,依法享受高新技术企业相关优惠政策,小微企业依法享受税收优惠政策。(科技部、财政部、税务总局)加快推进"营改增",逐步将旅游电子商务、生活服务类电子商务等相关行业纳入"营改增"范围。(财政部、税务总局)

(六)加大金融服务支持。建立健全适应电子商务发展的多元化、多渠道投融资机制。(有关部门按职责分工分别负责)研究鼓励符合条件的互联网企业在境内上市等相关政策。(证监会)支持商业银行、担保存货管理机构及电子商务企业开展无形资产、动产质押等多种形式的融资服务。鼓励商业银行、商业保理机构、电子商务企业开展供应链金融、商业保理服务,进一步拓展电子商务企业融资渠道。(人民银行、商务部)引导和推动创业投资基金,加大对电子商务初创企业的支持。(发展改革委)

(七)维护公平竞争。规范电子商务市场竞争行为,促进建立开放、公平、健康的电子商务市场竞争秩序。研究制定电子商务产品质量监督管理办法,探索建立风险监测、网上抽查、源头追溯、属地查处的电子商务产品质量监管机制,完善部门间、区域间监管信息共享和职能衔接机制。依法打击网络虚假宣传、生产销售假冒伪劣产品、违反国家出口管制法规政策跨境销售两用品和技术、不正当竞争等违法行为,组织开展电子商务产品质量提升行动,促进合法、诚信经营。(工商总局、质检总局、公安部、商务部按职责分工分别负责)重点查处达成垄断协议和滥用市场支配地位的问题,通过经营者集中反垄断审查,防止排除、限制市场竞争的行为。(发展改革委、工商总局、商务部)加强电子商务领域知识产权保护,研究进一步加大网络商业方法领域发明专利保护力度。(工业和信息化部、商务部、海关总署、工商总局、新闻出版广电总局、知识产权局等部门按职责分工分别负责)进一步加大政府利用电子商务平台进行采购的力度。(财政部)各级政府部门不得通过行政命令指定为电子商务提供公共服务的供应商,不得滥用行政权力排除、限制电子商务的竞争。(有关部门按职责分工分别负责)

**三、促进就业创业**

(八)鼓励电子商务领域就业创业。把发展电子商务促进就业纳入各地就业发展规划和电子商务发展整体规划。建立电子商务就业和社会保障指标统计制度。经工商登记注册的网络商户从业人员,同等享受各项就业创业扶持政策。未进行工商登记注册的网络商户从业人员,可认定为灵活就业人员,享受灵活就业人员扶持政策,其中在网络平台实名注册、稳定经营且信誉良好的网络商户创业者,可按规定享受小额担保贷款及贴息政策。支持中小微企业应用电子商务、拓展业务领域,鼓励有条件的地区建设电子商务创业园区,指导各类创业孵化基地为电子商务创业人员提供场地支持和创业孵化服务。加强电子商务企业用工服务,完善电子商务人才供求信息对接机制。(人力资源社会保障部、工业和信息化部、商务部、统计局,地方各级人民政府)

(九)加强人才培养培训。支持学校、企业及社会组织合作办学,探索实训式电子商务人才培养与培训机制。推进国家电子商务专业技术人才知识更新工程,指导各类培训机构增加电子商务技能培训项目,支持电子商务企业开展岗前培训、技能提升培训和高技能人才培训,加快培养电子商务领域的高素质专门人才和技术技能人才。参加职业培训和职业技能鉴定的人员,以及组织职工培训的电子商务企业,可按规定享受职业培训补贴和职业技能鉴定补贴政策。鼓励有条件的职业院校、社会培训机构和电子商务企业开展网络创业培训。(人力资源社

会保障部、商务部、教育部、财政部）

（十）保障从业人员劳动权益。规范电子商务企业特别是网络商户劳动用工，经工商登记注册取得营业执照的，应与招用的劳动者依法签订劳动合同；未进行工商登记注册的，也可参照劳动合同法相关规定与劳动者签订民事协议，明确双方的权利、责任和义务。按规定将网络从业人员纳入各项社会保险，对未进行工商登记注册的网络商户，其从业人员可按灵活就业人员参保缴费办法参加社会保险。符合条件的就业困难人员和高校毕业生，可享受灵活就业人员社会保险补贴政策。长期雇用5人及以上的网络商户，可在工商注册地进行社会保险登记，参加企业职工的各项社会保险。满足统筹地区社会保险优惠政策条件的网络商户，可享受社会保险优惠政策。（人力资源社会保障部）

**四、推动转型升级**

（十一）创新服务民生方式。积极拓展信息消费新渠道，创新移动电子商务应用，支持面向城乡居民社区提供日常消费、家政服务、远程缴费、健康医疗等商业和综合服务的电子商务平台发展。加快推动传统媒体与新兴媒体深度融合，提升文化企业网络服务能力，支持文化产品电子商务平台发展，规范网络文化市场。支持教育、会展、咨询、广告、餐饮、娱乐等服务企业深化电子商务应用。（有关部门按职责分工分别负责）鼓励支持旅游景点、酒店等开展线上营销，规范发展在线旅游预订市场，推动旅游在线服务模式创新。（旅游局、工商总局）加快建立全国12315互联网平台，完善网上交易在线投诉及售后维权机制，研究制定7天无理由退货实施细则，促进网络购物消费健康快速发展。（工商总局）

（十二）推动传统商贸流通企业发展电子商务。鼓励有条件的大型零售企业开办网上商城，积极利用移动互联网、地理位置服务、大数据等信息技术提升流通效率和服务质量。支持中小零售企业与电子商务平台优势互补，加强服务资源整合，促进线上交易与线下交易融合互动。（商务部）推动各类专业市场建设网上市场，通过线上线下融合，加速向网络化市场转型，研究完善能源、化工、钢铁、林业等行业电子商务平台规范发展的相关措施。（有关部门按职责分工分别负责）制定完善互联网食品药品经营监督管理办法，规范食品、保健食品、药品、化妆品、医疗器械网络经营行为，加强互联网食品药品市场监测监管体系建设，推动医药电子商务发展。（食品药品监管总局、卫生计生委、商务部）

（十三）积极发展农村电子商务。加强互联网与农业农村融合发展，引入产业链、价值链、供应链等现代管理理念和方式，研究制定促进农村电子商务发展的意见，出台支持政策措施。（商务部、农业部）加强鲜活农产品标准体系、动植物检疫体系、安全追溯体系、质量保障与安全监管体系建设，大力发展农产品冷链基础设施。（质检总局、发展改革委、商务部、农业部、食品药品监管总局）开展电子商务进农村综合示范，推动信息进村入户，利用"万村千乡"市场网络改善农村地区电子商务服务环境。（商务部、农业部）建设地理标志产品技术标准体系和产品质量保证体系，支持利用电子商务平台宣传和销售地理标志产品，鼓励电子商务平台服务"一村一品"，促进品牌农产品走出去。鼓励农业生产资料企业发展电子商务。（农业部、质检总局、工商总局）支持林业电子商务发展，逐步建立林产品交易诚信体系、林产品和林权交易服务体系。（林业局）

（十四）创新工业生产组织方式。支持生产制造企业深化物联网、云计算、大数据、三维（3D）设计及打印等信息技术在生产制造各环节的应用，建立与客户电子商务系统对接的网络制造管理系统，提高加工订单的响应速度及柔性制造能力；面向网络消费者个性化需求，建立网络化经营管理模式，发展"以销定产"及"个性化定制"生产方式。（工业和信息化部、科技部、商务部）鼓励电子商务企业大力开展品牌经营，优化配置研发、设计、生产、物流等优势资源，满足网络消费者需求。（商务部、工商总局、质检总局）鼓励创意服务，探索建立生产性创新服务平台，面向初创企业及创意群体提供设计、测试、生产、融资、运营等创新创

业服务。(工业和信息化部、科技部)

(十五)推广金融服务新工具。建设完善移动金融安全可信公共服务平台,制定相关应用服务的政策措施,推动金融机构、电信运营商、银行卡清算机构、支付机构、电子商务企业等加强合作,实现移动金融在电子商务领域的规模化应用;推广应用具有硬件数字证书、采用国家密码行政主管部门规定算法的移动智能终端,保障移动电子商务交易的安全性和真实性;制定在线支付标准规范和制度,提升电子商务在线支付的安全性,满足电子商务交易及公共服务领域金融服务需求;鼓励商业银行与电子商务企业开展多元化金融服务合作,提升电子商务服务质量和效率。(人民银行、密码局、国家标准委)

(十六)规范网络化金融服务新产品。鼓励证券、保险、公募基金等企业和机构依法进行网络化创新,完善互联网保险产品审核和信息披露制度,探索建立适应互联网证券、保险、公募基金产品销售等互联网金融活动的新型监管方式。(人民银行、证监会、保监会)规范保险业电子商务平台建设,研究制定电子商务涉及的信用保证保险的相关扶持政策,鼓励发展小微企业信贷信用保险、个人消费履约保证保险等新业务,扩大信用保险保单融资范围。完善在线旅游服务企业投保办法。(保监会、银监会、旅游局按职责分工分别负责)

**五、完善物流基础设施**

(十七)支持物流配送终端及智慧物流平台建设。推动跨地区跨行业的智慧物流信息平台建设,鼓励在法律规定范围内发展共同配送等物流配送组织新模式。(交通运输部、商务部、邮政局、发展改革委)支持物流(快递)配送站、智能快件箱等物流设施建设,鼓励社区物业、村级信息服务站(点)、便利店等提供快件派送服务。支持快递服务网络向农村地区延伸。(地方各级人民政府,商务部、邮政局、农业部按职责分工分别负责)推进电子商务与物流快递协同发展。(财政部、商务部、邮政局)鼓励学校、快递企业、第三方主体因地制宜加强合作,通过设置智能快件箱或快件收发室、委托校园邮政局所代为投递、建立共同配送站点等方式,促进快递进校园。(地方各级人民政府,邮政局、商务部、教育部)根据执法需求,研究推动被监管人员生活物资电子商务和智能配送。(司法部)有条件的城市应将配套建设物流(快递)配送站、智能终端设施纳入城市社区发展规划,鼓励电子商务企业和物流(快递)企业对网络购物商品包装物进行回收和循环利用。(有关部门按职责分工分别负责)

(十八)规范物流配送车辆管理。各地区要按照有关规定,推动城市配送车辆的标准化、专业化发展;制定并实施城市配送用汽车、电动三轮车等车辆管理办法,强化城市配送运力需求管理,保障配送车辆的便利通行;鼓励采用清洁能源车辆开展物流(快递)配送业务,支持充电、加气等设施建设;合理规划物流(快递)配送车辆通行路线和货物装卸搬运地点。对物流(快递)配送车辆采取通行证管理的城市,应明确管理部门、公开准入条件、引入社会监督。(地方各级人民政府)

(十九)合理布局物流仓储设施。完善仓储建设标准体系,鼓励现代化仓储设施建设,加强偏远地区仓储设施建设。(住房城乡建设部、公安部、发展改革委、商务部、林业局)各地区要在城乡规划中合理规划布局物流仓储用地,在土地利用总体规划和年度供地计划中合理安排仓储建设用地,引导社会资本进行仓储设施投资建设或再利用,严禁擅自改变物流仓储用地性质。(地方各级人民政府)鼓励物流(快递)企业发展"仓配一体化"服务。(商务部、邮政局)

**六、提升对外开放水平**

(二十)加强电子商务国际合作。积极发起或参与多双边或区域关于电子商务规则的谈判和交流合作,研究建立我国与国际认可组织的互认机制,依托我国认证认可制度和体系,完善电子商务企业和商品的合格评定机制,提升国际组织和机构对我国电子商务企业和商品认证结果的认可程度,力争国际电子商务规制制定的主动权和跨境电子商务发展的话语权。(商

部、质检总局）

（二十一）提升跨境电子商务通关效率。积极推进跨境电子商务通关、检验检疫、结汇、缴进口税等关键环节"单一窗口"综合服务体系建设，简化与完善跨境电子商务货物返修与退运通关流程，提高通关效率。（海关总署、财政部、税务总局、质检总局、外汇局）探索建立跨境电子商务货物负面清单、风险监测制度，完善跨境电子商务货物通关与检验检疫监管模式，建立跨境电子商务及相关物流企业诚信分类管理制度，防止疫病疫情传入、外来有害生物入侵和物种资源流失。（海关总署、质检总局按职责分工分别负责）大力支持中国（杭州）跨境电子商务综合试验区先行先试，尽快形成可复制、可推广的经验，加快在全国范围推广。（商务部、发展改革委）

（二十二）推动电子商务走出去。抓紧研究制定促进跨境电子商务发展的指导意见。（商务部、发展改革委、海关总署、工业和信息化部、财政部、人民银行、税务总局、工商总局、质检总局、外汇局）鼓励国家政策性银行在业务范围内加大对电子商务企业境外投资并购的贷款支持，研究制定针对电子商务企业境外上市的规范管理政策。（人民银行、证监会、商务部、发展改革委、工业和信息化部）简化电子商务企业境外直接投资外汇登记手续，拓宽其境外直接投资外汇登记及变更登记业务办理渠道。（外汇局）支持电子商务企业建立海外营销渠道，创立自有品牌。各驻外机构应加大对电子商务企业走出去的服务力度。进一步开放面向港澳台地区的电子商务市场，推动设立海峡两岸电子商务经济合作实验区。鼓励发展面向"一带一路"沿线国家的电子商务合作，扩大跨境电子商务综合试点，建立政府、企业、专家等各个层面的对话机制，发起和主导电子商务多边合作。（有关部门按职责分工分别负责）

## 七、构筑安全保障防线

（二十三）保障电子商务网络安全。电子商务企业要按照国家信息安全等级保护管理规范和技术标准相关要求，采用安全可控的信息设备和网络安全产品，建设完善网络安全防护体系、数据资源安全管理体系和网络安全应急处置体系，鼓励电子商务企业获得信息安全管理体系认证，提高自身信息安全管理水平。鼓励电子商务企业加强与网络安全专业服务机构、相关管理部门的合作，共享网络安全威胁预警信息，消除网络安全隐患，共同防范网络攻击破坏、窃取公民个人信息等违法犯罪活动。（公安部、国家认监委、工业和信息化部、密码局）

（二十四）确保电子商务交易安全。研究制定电子商务交易安全管理制度，明确电子商务交易各方的安全责任和义务。（工商总局、工业和信息化部、公安部）建立电子认证信任体系，促进电子认证机构数字证书交叉互认和数字证书应用的互联互通，推广数字证书在电子商务交易领域的应用。建立电子合同等电子交易凭证的规范管理机制，确保网络交易各方的合法权益。加强电子商务交易各方信息保护，保障电子商务消费者个人信息安全。（工业和信息化部、工商总局、密码局等有关部门按职责分工分别负责）

（二十五）预防和打击电子商务领域违法犯罪。电子商务企业要切实履行违禁品信息巡查清理、交易记录及日志留存、违法犯罪线索报告等责任和义务，加强对销售管制商品网络商户的资格审查和对异常交易、非法交易的监控，防范电子商务在线支付给违法犯罪活动提供洗钱等便利，并为打击网络违法犯罪提供技术支持。加强电子商务企业与相关管理部门的协作配合，建立跨机构合作机制，加大对制售假冒伪劣商品、网络盗窃、网络诈骗、网上非法交易等违法犯罪活动的打击力度。（公安部、工商总局、人民银行、银监会、工业和信息化部、商务部等有关部门按职责分工分别负责）

## 八、健全支撑体系

（二十六）健全法规标准体系。加快推进电子商务法立法进程，研究制定或适时修订相关法规，明确电子票据、电子合同、电子检验检疫报告和证书、各类电子交易凭证等的法律效力，作为处理相关业务的合法凭证。（有关部门按职责分工分别负责）制定适合电子商务特点的投诉管理制度，制定基于统一产品编码的电子商务交易产品质量信息发布规范，建立电子商务纠纷解决和产品质量担保责任机制。（工商总局、质检总局等部门按职责分工分别负责）逐步推行电子发票和电子会计档案，完善相关技术标准和规章制度。（税务总局、财政部、档案局、国家标准委）建立完善电子商务统计制度，扩大电子商务统计的覆盖面，增强统计的及时性、真实性。（统计局、商务部）统一线上线下的商品编码标识，完善电子商务标准规范体系，研究电子商务基础性关键标准，积极主导和参与制定电子商务国际标准。（国家标准委、商务部）

（二十七）加强信用体系建设。建立健全电子商务信用信息管理制度，推动电子商务企业信用信息公开。推进人口、法人、商标和产品质量等信息资源向电子商务企业和信用服务机构开放，逐步降低查询及利用成本。（工商总局、商务部、公安部、质检总局等部门按职责分工分别负责）促进电子商务信用信息与社会其他领域相关信息的交换共享，推动电子商务信用评价，建立健全电子商务领域失信行为联合惩戒机制。（发展改革委、人民银行、工商总局、质检总局、商务部）推动电子商务领域应用网络身份证，完善网店实名制，鼓励发展社会化的电子商务网站可信认证服务。（公安部、工商总局、质检总局）发展电子商务可信交易保障公共服务，完善电子商务信用服务保障制度，推动信用调查、信用评估、信用担保等第三方信用服务和产品在电子商务中的推广应用。（工商总局、质检总局）

（二十八）强化科技与教育支撑。开展电子商务基础理论、发展规律研究。加强电子商务领域云计算、大数据、物联网、智能交易等核心关键技术研究开发。实施网络定制服务、网络平台服务、网络交易服务、网络贸易服务、网络交易保障服务技术研发与应用示范工程。强化产学研结合的企业技术中心、工程技术中心、重点实验室建设。鼓励企业组建产学研协同创新联盟。探索建立电子商务学科体系，引导高等院校加强电子商务学科建设和人才培养，为电子商务发展提供更多的高层次复合型专门人才。（科技部、教育部、发展改革委、商务部）建立预防网络诈骗、保障交易安全、保护个人信息等相关知识的宣传与服务机制。（公安部、工商总局、质检总局）

（二十九）协调推动区域电子商务发展。各地区要把电子商务列入经济与社会发展规划，按照国家有关区域发展规划和对外经贸合作战略，立足城市产业发展特点和优势，引导各类电子商务业态和功能聚集，推动电子商务产业统筹协调、错位发展。推动国家电子商务示范城市、示范基地建设。（有关地方人民政府）依托国家电子商务示范城市，加快开展电子商务法规政策创新和试点示范工作，为国家制定电子商务相关法规和政策提供实践依据。加强对中西部和东北地区电子商务示范城市的支持与指导。（发展改革委、财政部、商务部、人民银行、海关总署、税务总局、工商总局、质检总局等部门按照职责分工分别负责）

各地区、各部门要认真落实本意见提出的各项任务，于2015年底前研究出台具体政策。发展改革委、中央网信办、商务部、工业和信息化部、财政部、人力资源社会保障部、人民银行、海关总署、税务总局、工商总局、质检总局等部门要完善电子商务跨部门协调工作机制，研究重大问题，加强指导和服务。有关社会机构要充分发挥自身监督作用，推动行业自律和服务创新。相关部门、社团组织及企业要解放思想，转变观念，密切协作，开拓创新，共同推动建立规范有序、社会共治、辐射全球的电子商务大市场，促进经济平稳健康发展。

## 优化口岸营商环境促进跨境贸易便利化工作方案

(国发〔2018〕37号)

(2018年10月13日由国务院发布,2018年10月13日起施行,法规类型为规范性文件)

为贯彻落实党中央、国务院决策部署,深化"放管服"改革,进一步优化口岸营商环境,实施更高水平跨境贸易便利化措施,促进外贸稳定健康发展,制定本工作方案。

一、总体要求

(一)指导思想

全面贯彻党的十九大和十九届二中、三中全会精神,以习近平新时代中国特色社会主义思想为指导,统筹推进"五位一体"总体布局和协调推进"四个全面"战略布局,按照党中央、国务院决策部署,坚持稳中求进工作总基调,坚持新发展理念,深入推进"放管服"改革,对标国际先进水平,创新监管方式,优化通关流程,提高通关效率,降低通关成本,营造稳定、公平、透明、可预期的口岸营商环境。

(二)基本原则

简政放权,改革创新。进一步削减进出口环节审批事项,规范审批行为,优化简化通关流程,取消不必要的监管要求,清理不合理收费,加快完善与我国经济社会发展要求相适应的跨境贸易管理体系。

对标国际,高效便利。充分利用信息化、智能化手段,提高口岸监管执法和物流作业效率。借鉴国际经验,建立符合我国口岸管理实际、与国际通行做法对接并可比的口岸营商环境评价机制。

目标导向,协同治理。充分发挥国务院口岸工作部际联席会议制度作用,加强各有关部门、各地方协作配合,找准制约口岸营商环境持续优化的短板,从企业和社会实际需要出发,着力压缩整体通关时间,降低进出口环节合规成本。

(三)工作目标

到2018年底,需在进出口环节验核的监管证件数量比2017年减少三分之一以上,除安全保密需要等特殊情况外,全部实现联网核查,整体通关时间压缩三分之一。到2020年底,相比2017年集装箱进出口环节合规成本降低一半。到2021年底,整体通关时间比2017年压缩一半,世界银行跨境贸易便利化指标排名提升30位,初步实现口岸治理体系和治理能力现代化,形成更有活力、更富效率、更加开放、更具便利的口岸营商环境。

二、工作任务

(一)简政放权,减少进出口环节审批监管事项

1. 精简进出口环节监管证件。取消一批进出口环节监管证件,能退出口岸验核的全部退出。2018年11月1日前需在进出口环节验核的监管证件减至48种;除安全保密需要等特殊情况外,通过多种方式全部实现联网、在通关环节比对核查。(相关部门按职责分工负责)

2. 优化监管证件办理程序。除安全保密需要等特殊情况外,2020年底前,监管证件全部实现网上申报、网上办理。(相关部门按职责分工负责)

(二)加大改革力度,优化口岸通关流程和作业方式

3. 深化全国通关一体化改革。推进海关、边检、海事一次性联合检查。海关直接使用市

场监管、商务等部门数据办理进出口货物收发货人注册登记。加强关铁信息共享，推进铁路运输货物无纸化通关。2018年底前，海关与检验检疫业务全面融合，实现"五统一"：统一申报单证、统一作业系统、统一风险研判、统一指令下达、统一现场执法。（海关总署牵头，商务部、市场监管总局、移民局、交通运输部、民航局、中国铁路总公司按职责分工负责）

4. 全面推广"双随机、一公开"监管。从进出口货物一般监管拓展到常规稽查、保税核查和保税货物监管等全部执法领域。推进全链条监管"选、查、处"分离，提升"双随机"监管效能。（海关总署牵头，相关部门按职责分工负责）

5. 推广应用"提前申报"模式。提高进口货物"提前申报"比例，鼓励企业采用"提前申报"，提前办理单证审核和货物运输作业，非布控查验货物抵达口岸后即可放行提离。（海关总署牵头，民航局、中国铁路总公司按职责分工负责）

6. 创新海关税收征管模式。全面创新多元化税收担保方式，推进关税保证保险改革，探索实施企业集团财务公司、融资担保公司担保改革试点。全面推广财关库银横向联网，加快推进税单无纸化改革。（海关总署、银保监会、财政部、人民银行、税务总局按职责分工负责）

7. 优化检验检疫作业。减少双边协议出口商品装运前的检验数量。推行进口矿产品等大宗资源性商品"先验放后检测"检验监管方式。创新检验检疫方法，应用现场快速检测技术，进一步缩短检验检疫周期。（海关总署负责）

8. 推广第三方采信制度。引入市场竞争机制，发挥社会检验检测机构作用，在进出口环节推广第三方检验检测结果采信制度。（海关总署牵头，相关部门按职责分工负责）

（三）提升通关效率，提高口岸物流服务效能

9. 提高查验准备工作效率。通过"单一窗口"、港口电子数据交换（EDI）中心等信息平台向进出口企业、口岸作业场站推送查验通知，增强通关时效的可预期性。进境运输工具到港前，口岸查验单位对申报的电子数据实施在线审核并及时向车站、码头及船舶代理反馈。（交通运输部、海关总署、移民局、中国铁路总公司按职责分工负责）

10. 加快发展多式联运。研究制定多式联运服务规则。加快建设多式联运公共信息平台，加强交通运输、海关、市场监管等部门间信息开放共享，为企业提供资质资格、认证认可、检验检疫、通关查验、信用评价等一站式综合信息服务。推动外贸集装箱货物在途、舱单、运单、装卸等铁水联运物流信息交换共享，提供全程追踪、实时查询等服务。2019年底前，沿海及长江干线主要港口实现铁水联运信息交换和共享。2020年底前，基本建成多式联运公共信息平台。（交通运输部、发展改革委、商务部、中国铁路总公司牵头，海关总署、市场监管总局、民航局等相关部门按职责分工负责）

11. 创新边境口岸通关管理模式。推进与相邻国家和地区共同监管设施的建设和共用，推动工作制度和通关模式的协调，支持陆路边境口岸创新通关管理模式。在毗邻港澳口岸实施更便利的通关措施，在有条件的口岸推广粤港澳"客、货车一站式通关"模式。（相关省、自治区人民政府牵头，交通运输部、海关总署、移民局按职责分工负责）

12. 加快鲜活商品通关速度。在风险可控的前提下优化鲜活产品检验检疫流程，加快通关放行。总结推广合作经验，与毗邻国家确定鲜活农副产品目录清单，加快开通农副产品快速通关"绿色通道"。（海关总署、交通运输部、移民局及各省、自治区、直辖市人民政府按职责分工负责）

（四）加强科技应用，提升口岸管理信息化智能化水平

13. 加强国际贸易"单一窗口"建设。将"单一窗口"功能覆盖至海关特殊监管区域和跨境电子商务综合试验区等相关区域，对接全国版跨境电商线上综合服务平台。加强"单一窗口"与银行、保险、民航、铁路、港口等相关行业机构合作对接，共同建设跨境贸易大数据平台。推广国际航行船舶"一单多报"，实现进出境通关全流程无纸化。2018年底前，主要

业务（货物、舱单、运输工具申报）应用率达到80%；2020年底前，达到100%；2021年底前，除安全保密需要等特殊情况外，"单一窗口"功能覆盖国际贸易管理全链条，打造"一站式"贸易服务平台。（海关总署牵头，相关部门按职责分工负责，各省、自治区、直辖市人民政府配合）

14. 推进口岸物流信息电子化。制定完善不同运输方式集装箱、整车货物运输电子数据交换报文标准，推动在口岸查验单位与运输企业中应用。实现口岸作业场站货物装卸、仓储理货、报关、物流运输、费用结算等环节无纸化和电子化。推动海运提单换提货单电子化，企业在报关环节不再提交纸质提单或提货单。2019年6月底前，实现内外贸集装箱堆场的电子化海关监管。2019年底前，在主要远洋航线实现海关与企业间的海运提单、提货单、装箱单等信息电子化流转。（海关总署、交通运输部、民航局、中国铁路总公司按职责分工负责，各省、自治区、直辖市人民政府配合）

15. 提升口岸查验智能化水平。加大集装箱空箱检测仪、高清车底探测系统、安全智能锁等设备的应用力度，提高单兵作业设备配备率。扩大海关"先期机检"、"智能识别"作业试点，提高机检后直接放行比例。2021年底前，全部实现大型集装箱检查设备联网集中审像。（海关总署、移民局按职责分工负责）

（五）完善管理制度，促进口岸营商环境更加公开透明

16. 加强口岸通关和运输国际合作。加快制修订国际运输双边、多边协定，推动与相关国家在技术标准、单证规则、数据交换等方面开展合作。扩大海关"经认证的经营者"（AEO）国际互认范围，支持指导企业取得认证，2020年底前，与所有已建立AEO制度且有意愿的"一带一路"国家海关实现AEO互认。加快实施检验检疫证书国际联网核查，重点推进与欧盟签署电子证书合作协议，2021年底前，与所有已签署电子证书合作协议且建有信息系统的国家实现联网核查。（交通运输部、海关总署、市场监管总局按职责分工负责）

17. 降低进出口环节合规成本。严格执行行政事业性收费清单管理制度，未经国务院批准，一律不得新设涉及进出口环节的收费项目。清理规范口岸经营服务性收费，对实行政府定价的，严格执行规定标准；对实行市场调节价的，督促收费企业执行有关规定，不得违规加收其他费用。鼓励竞争，破除垄断，推动降低报关、货代、船代、物流、仓储、港口服务等环节经营服务性收费。加强检查，依法查处各类违法违规收费行为。2018年底前，单个集装箱进出口环节合规成本比2017年减少100美元以上。（财政部牵头，交通运输部、发展改革委、海关总署、市场监管总局、商务部、工业和信息化部等相关部门按职责分工负责，各省、自治区、直辖市人民政府配合）

18. 实行口岸收费目录清单制度。建立价格、市场监管、商务、交通、口岸管理、查验等单位共同参加的口岸收费监督管理协作机制。2018年10月底前，对外公示口岸收费目录清单，清单之外不得收费。加强行业管理和行业自律，引导口岸经营服务企业诚信经营、合理定价。（各省、自治区、直辖市人民政府负责）

19. 公开通关流程及物流作业时限。制定并公开通关流程及口岸经营服务企业场内转运、吊箱移位、掏箱和货方提箱等作业时限标准，便利企业合理安排生产、制定运输计划。公布口岸查验单位通关服务热线，畅通意见投诉反馈渠道。（各省、自治区、直辖市人民政府牵头，交通运输部、海关总署、移民局配合）

20. 建立口岸通关时效评估机制。加强对整体通关时间的统计分析，每月通报各省（自治区、直辖市）整体通关时间。开展口岸整体通关时效第三方评估，适时向社会公布评估结果。将各省（自治区、直辖市）整体通关时间和成本纳入全国营商环境评价体系，科学设定评价指标和方法，初步建立常态化评价机制。（海关总署、发展改革委、发展研究中心按职责分工负责）

### 三、组织实施

**（一）加强组织领导**

充分发挥国务院口岸工作部际联席会议制度作用，明确各项任务的实施步骤和完成时限，统筹推进落实，协调解决推进过程中的重大问题。联席会议办公室要加强政策研究和协调，重大情况及时向国务院报告。优化口岸营商环境工作情况纳入国务院督查范围，督查考核结果向社会公布，对推进不力的地区和部门进行问责。

**（二）强化责任落实**

各有关部门要认真落实任务牵头和配合责任，加强协作配合，合理安排进度，确保各项任务有措施、能落实、可量化，并加快改革措施所涉法律法规的修改修订工作。各省（自治区、直辖市）人民政府要强化对本地区优化口岸营商环境工作的领导和统筹协调，研究制定配套措施，加大政策宣传力度，建立健全督导考核机制，确保各项任务落实到位。

# 关于实施支持跨境电子商务零售出口有关政策的意见

（国办发〔2013〕89号）

（2013年8月21日由国务院办公厅发布，2013年8月21日起施行，法规类型为规范性文件）

发展跨境电子商务对于扩大国际市场份额、拓展外贸营销网络、转变外贸发展方式具有重要而深远的意义。为加快我国跨境电子商务发展，支持跨境电子商务零售出口（以下简称电子商务出口），现提出如下意见：

**一、支持政策**

（一）确定电子商务出口经营主体（以下简称经营主体）。经营主体分为三类：一是自建跨境电子商务销售平台的电子商务出口企业，二是利用第三方跨境电子商务平台开展电子商务出口的企业，三是为电子商务出口企业提供交易服务的跨境电子商务第三方平台。经营主体要按照现行规定办理注册、备案登记手续。在政策未实施地区注册的电子商务企业可在政策实施地区被确认为经营主体。

（二）建立电子商务出口新型海关监管模式并进行专项统计。海关对经营主体的出口商品进行集中监管，并采取清单核放、汇总申报的方式办理通关手续，降低报关费用。经营主体可在网上提交相关电子文件，并在货物实际出境后，按照外汇和税务部门要求，向海关申请签发报关单证明联。将电子商务出口纳入海关统计。

（三）建立电子商务出口检验监管模式。对电子商务出口企业及其产品进行检验检疫备案或准入管理，利用第三方检验鉴定机构进行产品质量安全的合格评定。实行全申报制度，以检疫监管为主，一般工业制成品不再实行法检。实施集中申报、集中办理相关检验检疫手续的便利措施。

（四）支持电子商务出口企业正常收结汇。允许经营主体申请设立外汇账户，凭海关报关信息办理货物出口收结汇业务。加强对银行和经营主体通过跨境电子商务收结汇的监管。

（五）鼓励银行机构和支付机构为跨境电子商务提供支付服务。支付机构办理电子商务外汇资金或人民币资金跨境支付业务，应分别向国家外汇管理局和中国人民银行申请并按照支付机构有关管理政策执行。完善跨境电子支付、清算、结算服务体系，切实加强对银行机构和支付机构跨境支付业务的监管力度。

（六）实施适应电子商务出口的税收政策。对符合条件的电子商务出口货物实行增值税和消费税免税或退税政策，具体办法由财政部和税务总局商有关部门另行制订。

（七）建立电子商务出口信用体系。严肃查处商业欺诈，打击侵犯知识产权和销售假冒伪劣产品等行为，不断完善电子商务出口信用体系建设。

二、实施要求

（一）自本意见发布之日起，在已开展跨境贸易电子商务通关服务试点的上海、重庆、杭州、宁波、郑州等5个城市试行上述政策。自2013年10月1日起，上述政策在全国有条件的地区实施。

（二）有关地方人民政府应制订发展跨境电子商务扩大出口的实施方案，并切实履行指导、督查和监管责任，对实施过程中出现的问题做到早发现、早处理、早上报。要积极引导经营主体坚持以质取胜，注重培育品牌；依托电子口岸平台，建立涵盖经营主体和电子商务出口全流程的综合管理系统，实现商务、海关、国税、工商、检验检疫、外汇等部门信息共享；加强信用评价体系、商品质量监管体系、国际贸易风险预警防控体系和知识产权保护工作体系建设，确保电子商务出口健康可持续发展。

（三）商务部、发展改革委、海关总署会同相关部门对政策实施进行指导，定期开展实施效果评估等工作，确保政策平稳实施并不断完善。海关总署会同商务部、税务总局、质检总局、外汇局、发展改革委等部门加快跨境电子商务通关试点建设，加快电子口岸结汇、退税系统与大型电子商务平台的系统对接。

三、其他事项

（一）本意见所指跨境电子商务零售出口是指我国出口企业通过互联网向境外零售商品，主要以邮寄、快递等形式送达的经营行为，即跨境电子商务的企业对消费者出口。

（二）我国出口企业与外国批发商和零售商通过互联网线上进行产品展示和交易，线下按一般贸易等方式完成的货物出口，即跨境电子商务的企业对企业出口，本质上仍属传统贸易，仍按照现行有关贸易政策执行。跨境电子商务进口有关政策另行研究。

# 关于促进跨境电子商务健康快速发展的指导意见

（国办发〔2015〕46号）

(2015年6月16日由国务院办公厅发布，2015年6月16日起施行，法规类型为规范性文件)

各省、自治区、直辖市人民政府，国务院各部委、各直属机构：

近年来，我国跨境电子商务快速发展，已经形成了一定的产业集群和交易规模。支持跨境电子商务发展，有利于用"互联网+外贸"实现优进优出，发挥我国制造业大国优势，扩大海外营销渠道，合理增加进口，扩大国内消费，促进企业和外贸转型升级；有利于增加就业，推进大众创业、万众创新，打造新的经济增长点；有利于加快实施共建"一带一路"等国家战略，推动开放型经济发展升级。为促进我国跨境电子商务健康快速发展，经国务院批准，现提出以下意见：

一、支持国内企业更好地利用电子商务开展对外贸易。加快建立适应跨境电子商务特点的政策体系和监管体系,提高贸易各环节便利化水平。鼓励企业间贸易尽快实现全程在线交易,不断扩大可交易商品范围。支持跨境电子商务零售出口企业加强与境外企业合作,通过规范的"海外仓"、体验店和配送网店等模式,融入境外零售体系,逐步实现经营规范化、管理专业化、物流生产集约化和监管科学化。通过跨境电子商务,合理增加消费品进口。

二、鼓励有实力的企业做大做强。培育一批影响力较大的公共平台,为更多国内外企业沟通、洽谈提供优质服务;培育一批竞争力较强的外贸综合服务企业,为跨境电子商务企业提供全面配套支持;培育一批知名度较高的自建平台,鼓励企业利用自建平台加快品牌培育,拓展营销渠道。鼓励国内企业与境外电子商务企业强强联合。

三、优化配套的海关监管措施。在总结前期试点工作基础上,进一步完善跨境电子商务进出境货物、物品管理模式,优化跨境电子商务海关进出口通关作业流程。研究跨境电子商务出口商品简化归类的可行性,完善跨境电子商务统计制度。

四、完善检验检疫监管政策措施。对跨境电子商务进出口商品实施集中申报、集中查验、集中放行等便利措施。加强跨境电子商务质量安全监管,对跨境电子商务经营主体及商品实施备案管理制度,突出经营企业质量安全主体责任,开展商品质量安全风险监管。进境商品应当符合我国法律法规和标准要求,对违反生物安全和其他相关规定的行为要依法查处。

五、明确规范进出口税收政策。继续落实现行跨境电子商务零售出口货物增值税、消费税退税或免税政策。关于跨境电子商务零售进口税收政策,由财政部按照有利于拉动国内消费、公平竞争、促进发展和加强进口税收管理的原则,会同海关总署、税务总局另行制订。

六、完善电子商务支付结算管理。稳妥推进支付机构跨境外汇支付业务试点。鼓励境内银行、支付机构依法合规开展跨境电子支付业务,满足境内外企业及个人跨境电子支付需要。推动跨境电子商务活动中使用人民币计价结算。支持境内银行卡清算机构拓展境外业务。加强对电子商务大额在线交易的监测,防范金融风险。加强跨境支付国内与国际监管合作,推动建立合作监管机制和信息共享机制。

七、提供积极财政金融支持。鼓励传统制造和商贸流通企业利用跨境电子商务平台开拓国际市场。利用现有财政政策,对符合条件的跨境电子商务企业走出去重点项目给予必要的资金支持。为跨境电子商务提供适合的信用保险服务。向跨境电子商务外贸综合服务企业提供有效的融资、保险支持。

八、建设综合服务体系。支持各地创新发展跨境电子商务,引导本地跨境电子商务产业向规模化、标准化、集群化、规范化方向发展。鼓励外贸综合服务企业为跨境电子商务企业提供通关、物流、仓储、融资等全方位服务。支持企业建立全球物流供应链和境外物流服务体系。充分发挥各驻外经商机构作用,为企业开展跨境电子商务提供信息服务和必要的协助。

九、规范跨境电子商务经营行为。加强诚信体系建设,完善信用评估机制,实现各监管部门信息互换、监管互认、执法互助,构建跨境电子商务交易保障体系。推动建立针对跨境电子商务交易的风险防范和预警机制,健全消费者权益保护和售后服务制度。引导跨境电子商务主体规范经营行为,承担质量安全主体责任,营造公平竞争的市场环境。加强执法监管,加大知识产权保护力度,坚决打击跨境电子商务中出现的各种违法侵权行为。通过有效措施,努力实现跨境电子商务在发展中逐步规范、在规范中健康发展。

十、充分发挥行业组织作用。推动建立全国性跨境电子商务行业组织,指导各地行业组织有效开展相关工作。发挥行业组织在政府与企业间的桥梁作用,引导企业公平竞争、守法经营。加强与国内外相关行业组织交流合作,支持跨境电子商务企业与相关产业集群、专业商会在境外举办实体展会,建立营销网络。联合高校和职业教育机构开展跨境电子商务人才培养培训。

十一、加强多双边国际合作。加强与"一带一路"沿线国家和地区的电子商务合作,提升合作水平,共同打造若干畅通安全高效的电子商务大通道。通过多双边对话,与各经济体建立互利共赢的合作机制,及时化解跨境电子商务进出口引发的贸易摩擦和纠纷。

十二、加强组织实施。国务院有关部门要制订和完善配套措施,做好跨境电子商务的中长期总体发展规划,定期开展总结评估,支持和推动各地监管部门出台相关措施。同时,对有条件、有发展意愿的地区,就本意见的组织实施做好协调和服务等相关工作。依托现有工作机制,加强部门间沟通协作和相关政策衔接,全力推动中国(杭州)跨境电子商务综合试验区和海峡两岸电子商务经济合作实验区建设,及时总结经验,适时扩大试点。在此基础上,逐步建立适应跨境电子商务发展特点的政策体系和监管体系。

地方各级人民政府要按照本意见要求,结合实际情况,制订完善发展跨境电子商务的工作方案,切实履行指导、督查和监管责任。组建高效、便利、统一的公共服务平台,构建可追溯、可比对的数据链条,既符合监管要求,又简化企业申报办理流程。加大对重点企业的支持力度,主动与相关部门沟通,及时协调解决组织实施工作中遇到的困难和问题。

# 关于推动实体零售创新转型的意见

(国办发〔2016〕78号)

(2016年11月2日由国务院办公厅发布,2016年11月2日起施行,法规类型为规范性文件)

各省、自治区、直辖市人民政府,国务院各部委、各直属机构:

实体零售是商品流通的重要基础,是引导生产、扩大消费的重要载体,是繁荣市场、保障就业的重要渠道。近年来,我国实体零售规模持续扩大,业态不断创新,对国民经济的贡献不断增强,但也暴露出发展方式粗放、有效供给不足、运行效率不高等突出问题。当前,受经营成本不断上涨、消费需求结构调整、网络零售快速发展等诸多因素影响,实体零售发展面临前所未有的挑战。为适应经济发展新常态,推动实体零售创新转型,释放发展活力,增强发展动力,经国务院同意,现提出以下意见:

一、总体要求

(一)指导思想。全面贯彻党的十八大和十八届三中、四中、五中、六中全会精神和国务院决策部署,牢固树立创新、协调、绿色、开放、共享的发展理念,着力加强供给侧结构性改革,以体制机制改革构筑发展新环境,以信息技术应用激发转型新动能,推动实体零售由销售商品向引导生产和创新生活方式转变,由粗放式发展向注重质量效益转变,由分散独立的竞争主体向融合协同新生态转变,进一步降低流通成本、提高流通效率,更好适应经济社会发展的新要求。

(二)基本原则。

坚持市场主导。市场是实体零售转型的决定因素,要破除体制机制束缚,营造公平竞争环境,激发市场主体活力,推动实体零售企业自主选择转型路径,实现战略变革、模式再造和服务提升。

坚持需求引领。需求是实体零售转型的根本出发点,要适应消费需求新变化,引导实体零售企业补齐短板,增强优势,扩大有效供给,减少无效供给,增强商品、服务、业态等供给结构对需求变化的适应性和灵活性。

坚持创新驱动。创新是实体零售转型的直接动力,要抢抓大众创业、万众创新战略机遇,加强互联网、大数据等新一代信息技术应用,大力发展新业态、新模式,进一步提高流通效率和服务水平。

## 二、调整商业结构

(三)调整区域结构。支持商业设施富余地区的企业利用资本、品牌和技术优势,由东部地区向中西部地区转移,由一二线城市向三四线城市延伸和下沉,形成区域竞争优势,培育新的增长点。支持商务、供销、邮政、新闻出版等领域龙头企业向农村延伸服务网络,鼓励发展一批集商品销售、物流配送、生活服务于一体的乡镇商贸中心,统筹城乡商业基础设施建设,实现以城带乡、城乡协同发展。

(四)调整业态结构。坚持盘活存量与优化增量、淘汰落后与培育新动能并举,引导业态雷同、功能重叠、市场饱和度较高的购物中心、百货店、家居市场等业态有序退出城市核心商圈,支持具备条件的及时调整经营结构,丰富体验业态,由传统销售场所向社交体验、家庭消费、时尚消费、文化消费中心等转变。推动连锁化、品牌化企业进入社区设立便利店和社区超市,加强与电商、物流、金融、电信、市政等对接,发挥终端网点优势,拓展便民增值服务,打造一刻钟便民生活服务圈。

(五)调整商品结构。引导企业改变千店一面、千店同品现象,不断调整和优化商品品类,在兼顾低收入消费群体的同时,适应中高端消费群体需求,着力增加智能、时尚、健康、绿色商品品种。积极培育世界级消费城市和国际化商圈,不断深化品牌消费集聚区建设,进一步推进工贸结合、农贸结合,积极开展地方特色产品、老字号产品"全国行"、"网上行"和"进名店"等供需对接活动,完善品牌消费环境,加快培育商品品牌和区域品牌。合理确定经营者、生产者责任义务,建立健全重要商品追溯体系,引导企业树立质量为先、信誉至上的经营理念,加强商品质量查验把关,用高标准引导生产环节品质提升,着力提升商品品质。

## 三、创新发展方式

(六)创新经营机制。鼓励企业加快商业模式创新,强化市场需求研究,改变引厂进店、出租柜台等传统经营模式,加强商品设计创意和开发,建立高素质的买手队伍,发展自有品牌、实行深度联营和买断经营,强化企业核心竞争力。推动企业管理体制变革,实现组织结构扁平化、运营管理数据化、激励机制市场化,提高经营效率和管理水平。强化供应链管理,支持实体零售企业构建与供应商信息共享、利益均摊、风险共担的新型零供关系,提高供应链管控能力和资源整合、运营协同能力。

(七)创新组织形式。鼓励连锁经营创新发展,改变以门店数量扩张为主的粗放发展方式,逐步利用大数据等技术科学选址、智能选品、精准营销、协同管理,提高发展质量。鼓励特许经营向多行业、多业态拓展,着力提高特许企业经营管理水平。引导发展自愿连锁,支持龙头企业建立集中采购分销平台,整合采购、配送和服务资源,带动中小企业降本增效。推进商贸物流标准化、信息化,培育多层次物流信息服务平台,整合社会物流资源,支持连锁企业自有物流设施、零售网点向社会开放成为配送节点,提高物流效率,降低物流成本。

(八)创新服务体验。引导企业顺应个性化、多样化、品质化消费趋势,弘扬诚信服务,推广精细服务,提高服务技能,延伸服务链条,规范服务流程。支持企业运用大数据技术分析顾客消费行为,开展精准服务和定制服务,灵活运用网络平台、移动终端、社交媒体与顾客互动,建立及时、高效的消费需求反馈机制,做精做深体验消费。支持企业开展服务设施人性化、智能化改造,鼓励社会资本参与无线网络、移动支付、自助服务、停车场等配套设施建设。

## 四、促进跨界融合

(九)促进线上线下融合。建立适应融合发展的标准规范、竞争规则,引导实体零售企业逐步提高信息化水平，将线下物流、服务、体验等优势与线上商流、资金流、信息流融合，拓展智能化、网络化的全渠道布局。鼓励线上线下优势企业通过战略合作、交叉持股、并购重组等多种形式整合市场资源，培育线上线下融合发展的新型市场主体。建立社会化、市场化的数据应用机制，鼓励电子商务平台向实体零售企业有条件地开放数据资源，提高资源配置效率和经营决策水平。

（十）促进多领域协同。鼓励发展设施高效智能、功能便利完备、信息互联互通的智慧商圈，促进业态功能互补、客户资源共享、大中小企业协同发展。大力发展平台经济，以流通创新基地为基础，培育一批为中小企业和创业者提供专业化服务的平台载体，提高协同创新能力。深化国有商贸企业改革，鼓励各类投资者参与国有商贸企业改制重组，积极发展混合所有制。鼓励零售企业与创意产业、文化艺术产业、会展业、旅游业融合发展，实现跨行业联动。

（十一）促进内外贸一体化。进一步提高零售领域利用外资的质量和水平，通过引入资本、技术、管理推动实体零售企业创新转型。优化食品、化妆品等商品进口卫生安全等审批程序，简化进口食品检验检疫审批手续，支持引进国外知名品牌。完善信息、交易、支付、物流等服务支撑，优化过境通关、外汇结算等关键环节，提升跨境贸易规模。鼓励内贸市场培育外贸功能，鼓励具有技术、品牌、质量、服务优势的外向型企业建立国内营销渠道。推动有条件的企业"走出去"构建海外营销和物流服务网络，提升国际化经营能力。

**五、优化发展环境**

（十二）加强网点规划。统筹考虑城乡人口规模和生产生活需求，科学确定商业网点发展建设要求，并纳入城乡规划和土地利用总体规划，推动商业与人口、交通、市政、生态环境协调发展。加强对城市大型商业网点建设的听证论证，鼓励其有序发展。支持各地结合实际，明确新建社区的商业设施配套要求，利用公有闲置物业或以回购廉租方式保障老旧社区基本商业业态用房需求。发挥行业协会、中介机构作用，支持建设公开、透明的商铺租赁信息服务平台，引导供需双方直接对接，鼓励以市场化方式盘活现有商业设施资源，减少公有产权商铺转租行为，有效降低商铺租金。

（十三）推进简政放权。推动住所登记改革，为连锁企业提供便利的登记注册服务，地方政府不得以任何形式对连锁企业设立非企业法人门店和配送中心设置障碍。进一步落实和完善食品经营相关管理规定。连锁企业从事出版物等零售业务，其非企业法人直营门店可直接凭企业总部获取的许可文件复印件到门店所在地主管部门备案。放宽对临街店铺装潢装修限制，取消不必要的店内装修改造审批程序。在保障公共安全的情况下，放宽对户外营销活动的限制。完善城市配送车辆通行制度，为企业发展夜间配送、共同配送创造条件。

（十四）促进公平竞争。健全部门联动和跨区域协同机制，完善市场监管手段，加快构建生产与流通领域协同、线上与线下一体的监管体系。严厉打击制售假冒伪劣商品、侵犯知识产权、不正当竞争、商业欺诈等违法行为。指导和督促电子商务平台企业加强对网络经营者的资格审查。强化连锁经营企业总部管理责任，重点检查企业总部和配送中心，减少对销售普通商品零售门店的重复检查。依法禁止以排挤竞争对手为目的的低于成本价销售行为，依法打击垄断协议、滥用市场支配地位等排除、限制竞争行为。充分利用全国信用信息共享平台，建立覆盖线上线下的企业及相关主体信用信息采集、共享与使用机制，并通过国家企业信用信息公示系统对外公示，健全守信联合激励和失信联合惩戒机制。

（十五）完善公共服务。加快建立健全连锁经营、电子商务、商贸物流、供应链服务等领域标准体系，从标准贯彻实施入手，开展实体零售提质增效专项行动，进一步提高竞争能力和服务水平。加强零售业统计监测和运行分析工作，整合各类信息资源，构建反映零售业发展环境的评价指标体系，引导各类市场主体合理把握开发节奏、科学配置商业资源。加快建设商务公共服务云平台，对接政府部门服务资源，发挥行业协会、专业服务机构作用，为企业创新转型提供技术、管理、咨询、信息等一体化支撑服务。鼓励开展多种形式的培训和业务交流，加大专业性技术人才培养力度，推动复合型高端人才合理流动，完善多层次零售业人才队伍，提高从业人员综合创新能力。

**六、强化政策支持**

（十六）减轻企业税费负担。落实好总分支机构汇总缴纳企业所得税、增值税相关规定。营造线上线下企业公平竞争的税收环境。零售企业设立的科技型子公司从事互联网等信息技术研发，符合条件的可按规定申请高新技术企业认定，符合条件的研发费用可按规定加计扣除。降低部分消费品进口关税。落实取消税务发票工本费政策，不得以任何理由强制零售企业使用冠名发票、卷式发票，大力推广电子发票。全面落实工商用电同价政策，在实行峰谷电价的地区，有条件的地方可以开展商业用户选择执行行业平均电价或峰谷分时电价试点。落实银行卡刷卡手续费定价机制改革方案，持续优化银行卡受理环境。

（十七）加强财政金融支持。有条件的地方可结合实际情况，发挥财政资金引导带动作用，对实体零售创新转型予以支持。用好国家新兴产业创业投资引导基金、中小企业发展基金，鼓励有条件的地方按市场化原则设立投资基金，引导社会资本加大对新技术、新业态、新模式的投入。积极稳妥扩大消费信贷，将消费金融公司试点推广至全国。采取多种方式支持零售企业线上线下融合发展的支付业务处理。创新发展供应链融资等融资方式，拓宽企业融资渠道。支持商业银行在风险可控、商业可持续的前提下发放中长期贷款，促进企业固定资产投资和兼并重组。积极研究通过应收账款、存货、仓单等动产质押融资模式改进和完善小微企业金融服务，通过创业担保贷款积极扶持符合条件的小微企业。

（十八）开展试点示范带动。支持有条件的地区完善政府引导推动、企业自主转型的工作机制，在财政、金融、人才、技术、标准化及服务体系建设等方面进行探索，推动实体零售创新转型。内贸流通体制改革发展综合试点城市要发挥先行先试优势，突破制约实体零售创新转型的体制机制障碍，探索形成可复制推广的经验。开展智慧商店、智慧商圈示范创建工作，及时总结推广成功经验，示范引领创新转型。

各地区、各部门要加强组织领导和统筹协调，加快研究制订具体实施方案和配套措施，明确责任主体、时间表和路线图，形成合力。商务部要会同有关部门加强业务指导和督促检查，综合运用第三方评估、社会监督评价等多种方式科学评估实施效果，推动各项任务措施落到实处。

# 关于完善跨境电子商务零售进口监管有关工作的通知

（商财发〔2018〕486号）

（2018年11月28日由商务部、发展改革委、财政部、海关总署、税务总局、市场监管总局发布，2018年11月28日起施行，法规类型为规范性文件）

为做好跨境电子商务零售进口（以下简称跨境电商零售进口）监管过渡期后政策衔接，促进跨境电商零售进口健康发展，经国务院同意，现将过渡期后有关监管安排通知如下：

一、本通知所称跨境电商零售进口，是指中国境内消费者通过跨境电商第三方平台经营者自境外购买商品，并通过"网购保税进口"（海关监管方式代码1210）或"直购进口"（海关监管方式代码9610）运递进境的消费行为。上述商品应符合以下条件：

（一）属于《跨境电子商务零售进口商品清单》内、限于个人自用并满足跨境电商零售进口税收政策规定的条件。

（二）通过与海关联网的电子商务交易平台交易，能够实现交易、支付、物流电子信息"三单"比对。

（三）未通过与海关联网的电子商务交易平台交易，但进出境快件运营人、邮政企业能够接受相关电商企业、支付企业的委托，承诺承担相应法律责任，向海关传输交易、支付等电子信息。

二、跨境电商零售进口主要包括以下参与主体：

（一）跨境电商零售进口经营者（以下简称跨境电商企业）：自境外向境内消费者销售跨境电商零售进口商品的境外注册企业，为商品的货权所有人。

（二）跨境电商第三方平台经营者（以下简称跨境电商平台）：在境内办理工商登记，为交易双方（消费者和跨境电商企业）提供网页空间、虚拟经营场所、交易规则、交易撮合、信息发布等服务，设立供交易双方独立开展交易活动的信息网络系统的经营者。

（三）境内服务商：在境内办理工商登记，接受跨境电商企业委托为其提供申报、支付、物流、仓储等服务，具有相应运营资质，直接向海关提供有关支付、物流和仓储信息，接受海关、市场监管等部门后续监管，承担相应责任的主体。

（四）消费者：跨境电商零售进口商品的境内购买人。

三、对跨境电商零售进口商品按个人自用进境物品监管，不执行有关商品首次进口许可批件、注册或备案要求。但对相关部门明令暂停进口的疫区商品，和对出现重大质量安全风险的商品启动风险应急处置时除外。

四、按照"政府部门、跨境电商企业、跨境电商平台、境内服务商、消费者各负其责"的原则，明确各方责任，实施有效监管。

（一）跨境电商企业

1. 承担商品质量安全的主体责任，并按规定履行相关义务。应委托一家在境内办理工商登记的企业，由其在海关办理注册登记，承担如实申报责任，依法接受相关部门监管，并承担民事连带责任。

2. 承担消费者权益保障责任，包括但不限于商品信息披露、提供商品退换货服务、建立不合格或缺陷商品召回制度、对商品质量侵害消费者权益的赔付责任等。当发现相关商品存在质量安全风险或发生质量安全问题时，应立即停止销售，召回已销售商品并妥善处理，防止其再次流入市场，并及时将召回和处理情况向海关等监管部门报告。

3. 履行对消费者的提醒告知义务，会同跨境电商平台在商品订购网页或其他醒目位置向消费者提供风险告知书，消费者确认同意后方可下单购买。告知书应至少包含以下内容：

（1）相关商品符合原产地有关质量、安全、卫生、环保、标识等标准或技术规范要求，但可能与我国标准存在差异。消费者自行承担相关风险。

（2）相关商品直接购自境外，可能无中文标签，消费者可通过网站查看商品中文电子标签。

（3）消费者购买的商品仅限个人自用，不得再次销售。

4. 建立商品质量安全风险防控机制，包括收发货质量管理、库内质量管控、供应商管理等。

5. 建立健全网购保税进口商品质量追溯体系，追溯信息应至少涵盖国外启运地至国内消费者的完整物流轨迹，鼓励向海外发货人、商品生产商等上游溯源。

6. 向海关实时传输施加电子签名的跨境电商零售进口交易电子数据，可自行或委托代理人向海关申报清单，并承担相应责任。

（二）跨境电商平台

1. 平台运营主体应在境内办理工商登记，并按相关规定在海关办理注册登记，接受相关部门监管，配合开展后续管理和执法工作。

2. 向海关实时传输施加电子签名的跨境电商零售进口交易电子数据，并对交易真实性、消费者身份真实性进行审核，承担相应责任。

3. 建立平台内交易规则、交易安全保障、消费者权益保护、不良信息处理等管理制度。对申请入驻平台的跨境电商企业进行主体身份真实性审核，在网站公示主体身份信息和消费者评价、投诉信息，并向监管部门提供平台入驻商家等信息。与申请入驻平台的跨境电商企业签署协议，就商品质量安全主体责任、消费者权益保障以及本通知其他相关要求等方面明确双方责任、权利和义务。

4. 对平台入驻企业既有跨境电商企业，也有国内电商企业的，应建立相互独立的区块或频道为跨境电商企业和国内电商企业提供平台服务，或以明显标识对跨境电商零售进口商品和非跨境商品予以区分，避免误导消费者。

5. 建立消费纠纷处理和消费维权自律制度，消费者在平台内购买商品，其合法权益受到损害时，平台须积极协助消费者维护自身合法权益，并履行先行赔付责任。

6. 建立商品质量安全风险防控机制，在网站醒目位置及时发布商品风险监测信息、监管部门发布的预警信息等。督促跨境电商企业加强质量安全风险防控，当商品发生质量安全问题时，敦促跨境电商企业做好商品召回、处理，并做好报告工作。对不采取主动召回处理措施的跨境电商企业，可采取暂停其跨境电商业务的处罚措施。

7. 建立防止跨境电商零售进口商品虚假交易及二次销售的风险控制体系，加强对短时间内同一购买人、同一支付账户、同一收货地址、同一收件电话反复大量订购，以及盗用他人身份进行订购等非正常交易行为的监控，采取相应措施予以控制。

8. 根据监管部门要求，对平台内在售商品进行有效管理，及时关闭平台内禁止以跨境电商零售进口形式入境商品的展示及交易页面，并将有关情况报送相关部门。

（三）境内服务商

1. 在境内办理工商登记，向海关提交相关资质证书并办理注册登记。其中：提供支付服务的银行机构应具备银保监会或原银监会颁发的《金融许可证》，非银行支付机构应具备人民银行颁发的《支付业务许可证》，支付业务范围应包括"互联网支付"；物流企业应取得国家邮政局颁发的《快递业务经营许可证》。

2. 支付、物流企业应如实向监管部门实时传输施加电子签名的跨境电商零售进口支付、物流电子信息，并对数据真实性承担相应责任。

3. 报关企业接受跨境电商企业委托向海关申报清单，承担如实申报责任。

4. 物流企业应向海关开放物流实时跟踪信息共享接口，严格按照交易环节所制发的物流信息开展跨境电商零售进口商品的国内派送业务。对于发现国内实际派送与通关环节所申报物流信息（包括收件人和地址）不一致的，应终止相关派送业务，并及时向海关报告。

（四）消费者

1. 为跨境电商零售进口商品税款的纳税义务人。跨境电商平台、物流企业或报关企业为税款代扣代缴义务人，向海关提供税款担保，并承担相应的补税义务及相关法律责任。

2. 购买前应当认真、详细阅读电商网站上的风险告知书内容，结合自身风险承担能力做出判断，同意告知书内容后方可下单购买。

3. 对于已购买的跨境电商零售进口商品，不得再次销售。

（五）政府部门

1. 海关对跨境电商零售进口商品实施质量安全风险监测，在商品销售前按照法律法规实施必要的检疫,并视情发布风险警示。建立跨境电商零售进口商品重大质量安全风险应急处理机制,市场监管部门加大跨境电商零售进口商品召回监管力度,督促跨境电商企业和跨境电商平台消除已销售商品安全隐患,依法实施召回,海关责令相关企业对不合格或存在质量安全问题的商品采取风险消减措施,对尚未销售的按货物实施监管,并依法追究相关经营主体责任。对食品类跨境电商零售进口商品优化完善监管措施,做好质量安全风险防控。

2. 原则上不允许网购保税进口商品在海关特殊监管区域外开展"网购保税+线下自提"模式。

3. 将跨境电商零售进口相关企业纳入海关信用管理,根据信用等级不同,实施差异化的通关管理措施。对认定为诚信企业的,依法实施通关便利;对认定为失信企业的,依法实施严格监管措施。将高级认证企业信息和失信企业信息共享至全国信用信息共享平台,通过"信用中国"网站和国家企业信用信息公示系统向社会公示,并依照有关规定实施联合激励与联合惩戒。

4. 涉嫌走私或违反海关监管规定的跨境电商企业、平台、境内服务商,应配合海关调查,开放交易生产数据(ERP 数据)或原始记录数据。

5. 海关对违反本通知规定参与制造或传输虚假"三单"信息、为二次销售提供便利、未尽责审核订购人身份信息真实性等,导致出现个人身份信息或年度购买额度被盗用、进行二次销售及其他违反海关监管规定情况的企业依法进行处罚。对涉嫌走私或违规的,由海关依法处理;构成犯罪的,依法追究刑事责任。对利用其他公民身份信息非法从事跨境电商零售进口业务的,海关按走私违规处理,并按违法利用公民信息的有关法律规定移交相关部门处理。对不涉嫌走私违规、首次发现的,进行约谈或暂停业务责令整改;再次发现的,一定时期内不允许其从事跨境电商零售进口业务,并交由其他行业主管部门按规定实施查处。

6. 对企业和个体工商户在国内市场销售的《跨境电子商务零售进口商品清单》范围内的、无合法进口证明或相关证明显示采购自跨境电商零售进口渠道的商品,市场监管部门依职责实施查处。

五、各试点城市人民政府(平潭综合实验区管委会)作为本地区跨境电商零售进口监管政策试点工作的责任主体,负责本地区试点工作的组织领导、实施推动、综合协调、监督管理及措施保障,确保本地区试点工作顺利推进。试点过程中的重大问题及情况请及时报商务部等有关部门。

六、本通知适用于北京、天津、上海、唐山、呼和浩特、沈阳、大连、长春、哈尔滨、南京、苏州、无锡、杭州、宁波、义乌、合肥、福州、厦门、南昌、青岛、威海、郑州、武汉、长沙、广州、深圳、珠海、东莞、南宁、海口、重庆、成都、贵阳、昆明、西安、兰州、平潭等 37 个城市(地区)的跨境电商零售进口业务,自 2019 年 1 月 1 日起执行。非试点城市的直购进口业务,参照本通知相关规定执行。

为帮助企业平稳过渡,对尚不满足通知监管要求的企业,允许其在 2019 年 3 月 31 日前继续按过渡期内监管安排执行。本通知适用范围以外且按规定享受跨境电商零售进口税收政策的,继续按《跨境电子商务零售进口商品清单(2018 版)》尾注中的监管要求执行。

# 关于促进跨境电子商务寄递服务高质量发展的若干意见（暂行）

（国邮发〔2019〕17号）

（2019年2月23日由国家邮政局、商务部、海关总署发布，2019年2月23日起施行，法规类型为规范性文件）

各省、自治区、直辖市邮政管理局、商务主管部门，各计划单列市及新疆生产建设兵团商务主管部门，各直属海关：

邮政业是推动流通方式转型、促进消费升级的现代化先导性产业，在国民经济中发挥着重要的基础性作用。近年来，随着互联网普及应用和邮政业高速发展，跨境寄递服务在促进中小企业产品出口、为人民群众提供商品进口等方面发挥了巨大作用，已经成为助推对外贸易增长和产业转型升级的新动力。但在快速发展中，用户体验、权益保护、安全监管、国际规则等方面也存在明显短板。为打造更多跨境寄递服务通道平台，促进跨境寄递服务高质量发展，保障寄递安全，改进用户体验，降低物流成本，维护公平竞争，形成线上线下协同发展新格局，现提出以下意见：

一、深化放管服改革，激发市场活力

（一）支持寄递服务企业主体多元化。支持邮政企业、进出境快件经营人等各类跨境寄递服务企业利用互联网平台，发挥信息系统优势，依法提供跨境包裹、商业快件等寄递服务，依法纳入行业监督管理和服务统计。

（二）支持外资企业依法进入市场。支持外商在境内依法申请设立快递企业，提供跨境包裹、商业快件等寄递服务。全面落实准入前国民待遇加负面清单管理制度，以开放促改革、促发展、促创新。

（三）支持建立跨境寄递服务企业信用体系。推进邮政、商务、海关等政府部门之间信用信息共享和联合奖惩机制建设，加强跨境寄递服务企业信用管理。邮政、商务、海关等政府部门按照有关规定对各部门共享的高资信企业落实便利措施，对失信企业实施严密监管措施。

二、坚持创新驱动发展，构建保障机制

（四）加快创新跨境寄递服务模式。鼓励跨境寄递服务企业发挥优势拓展渠道，加强重点区域的国际多边和双边合作，创新丰富寄递产品，优化流程缩短时限，增强核心竞争力。鼓励跨境寄递服务企业通过投资并购、战略联盟、业务合作等方式整合境内外收寄、投递、国际运输、通关、境外预检视、境外预分拣、海外仓等资源，提供面向全球的一体化、综合性跨境包裹、商业快件等寄递服务。支持跨境寄递服务企业在重要节点区域设置海外仓，发展境外寄递服务网络，符合条件的，可以按规定程序申报外经贸发展专项资金支持。

（五）加快完善跨境寄递服务体系。鼓励跨境寄递服务企业创建品牌，提供跨境包裹、商业快件等寄递服务。支持跨境寄递服务企业与跨境电商共商共建团体标准，提高服务可靠性，提供全程跟踪查询、退换货、丢损赔偿、拓展营销、融资、仓储等增值服务。鼓励数据共享应用，赋能上下游中小微企业，实现行业间、企业间开放合作、互利共赢，以跨境寄递服务新形态支撑贸易新业态。

（六）加快建立数据交换机制。依托国际贸易"单一窗口"平台，逐步实现跨境寄递服务企业向邮政、商务、海关等政府部门报送数据和相关信息交换。各政府部门要尽快完善自身业务管理系统,明确跨境寄递服务企业传输跨境包裹、商业快件等面单电子数据的内件品名、数量、价格(含币种)、收寄件人名称、进出口国别(地区)等内容,为企业提供网上"一站式"服务,实时掌握跨境寄递服务各环节数据信息。跨境寄递服务企业要完善自身业务操作系统,尽快实现与政府部门的系统对接。跨境寄递服务企业、跨境电子商务企业、支付企业要与消费者建立信息验证机制,确保物流、交易和支付等信息真实、准确。

三、优化行业发展环境,促进协同共进

(七)提升跨境寄递服务网络能力。邮政部门要研究制定跨境寄递国际运输网络布局规划,鼓励跨境寄递服务企业开辟国际货运航线,加快完善跨境寄递国际航空运输网络。推动中欧班列运输跨境邮件快件常态化,支持边贸寄递发展。支持跨境电子商务综合试验区所在地城市建设国际邮件互换局和快件监管中心,鼓励自由贸易试验区、跨境电商综合试验区和重点口岸大胆探索物流、仓储、通关新模式,提升跨境寄递的通关、换装、多式联运能力。

(八)提升跨境寄递服务全程通关便利。海关、邮政等政府部门应当建立协作机制,完善跨境寄递信息通报等配套管理政策。推动实现与跨境寄递目的地国(起运地国),特别是"一带一路"沿线国家和地区,以及北美、欧洲等跨境电商重点出口国海关的对接,推进跨境寄递服务企业实现境外信息化通关。支持跨境寄递服务企业依法在跨境电商重点国家申请相关资质,提升跨境寄递全程综合通关服务能力。

(九)提升参与国际治理能力建设。邮政部门要深度参与万国邮联规则制定,稳妥推进万国邮联在服务产品、终端费等关键领域的改革,维护多边机制稳定发展;推动与亚太、欧洲等重点地区建立跨境电商及邮政业的次区域合作模式,有效应对跨境寄递领域的国际摩擦,维护我国正当利益和跨境寄递企业合法权益。商务部门要在世贸组织、自贸协定等多双边谈判中,探索制定跨境电商领域的国际规则。海关要加大与世界海关组织以及重点国家相关部门交流合作力度,推动世界海关组织跨境电商标准完善与实施,建立跨境电商寄递物品安全与便利化机制。

四、加强全过程监管,坚持依法行政

(十)规范跨境寄递服务企业经营行为。按照国务院"双随机一公开"有关要求,对跨境寄递服务企业依法监管。外商和境外邮政运营商不得在中华人民共和国境内提供邮政服务,任何单位和个人不得以违反上述规定的运营商提供生产经营场所、运输、保管和仓储等条件。境内企业提供商业快件(包裹)等跨境寄递服务的,应当依法取得快递业务经营许可,依法向海关办理注册登记或信息登记,并提交身份、地址、联系方式、行政许可等真实信息。境内企业不得以境外邮政运营商名义开展邮政服务活动。境内企业与境外邮政运营商合作推出的跨境包裹和商业快件服务产品,在出境前不得贴用境外邮政单式。

(十一)规范跨境电商相关企业经营行为。跨境电商经营者不得与未取得相关行政许可或提供的寄递服务违反法律法规规定的物流企业合作。跨境寄递服务企业申请在电子商务平台上提供跨境包裹、商业快件等寄递服务的,应当向电子商务平台经营者提交身份、地址、联系方式、行政许可等真实信息,电子商务平台经营者应当进行核验,并定期更新。

(十二)落实寄递渠道安全管理规定。经营跨境邮件快件寄递服务的企业应当建立健全并有效实施安全管理制度,认真落实实名收寄、收寄验视、过机安检"三项制度",严格遵守禁止寄递或者限制寄递物品的有关规定。

各级邮政、商务、海关等部门要充分认识促进跨境寄递服务发展的重要性和紧迫性,按照职能分工落实管理与服务责任,不断强化部门间协调配合,开展联合调研和检查工作,确保支持措施和便利政策落实到位,督促跨境寄递服务企业切实落实本意见内容和要求,完善自身条件,提升服务品质,共同推进我国跨境寄递服务可持续、健康、高质量发展。

# 综合试验区

## 关于扩大跨境电商零售进口试点的通知

（商财发〔2020〕15号）

（2020年1月17日由商务部、发展改革委、财政部、海关总署、税务总局、市场监管总局发布，2020年1月17日起施行，法规类型为规范性文件）

河北省、山西省、内蒙古自治区、辽宁省、吉林省、黑龙江省、江苏省、浙江省、安徽省、福建省、江西省、山东省、河南省、湖北省、湖南省、广东省、广西壮族自治区、海南省、四川省、贵州省、云南省、西藏自治区、青海省、宁夏回族自治区、新疆维吾尔自治区人民政府：

经国务院同意，现就扩大跨境电商零售进口试点范围有关事项通知如下：

一、将石家庄、秦皇岛、廊坊、太原、赤峰、抚顺、营口、珲春、牡丹江、黑河、徐州、南通、连云港、温州、绍兴、舟山、芜湖、安庆、泉州、九江、吉安、赣州、济南、烟台、潍坊、日照、临沂、洛阳、商丘、南阳、宜昌、襄阳、黄石、衡阳、岳阳、汕头、佛山、北海、钦州、崇左、泸州、遵义、安顺、德宏、红河、拉萨、西宁、海东、银川、乌鲁木齐等50个城市（地区）和海南全岛纳入跨境电商零售进口试点范围。

二、上述城市和地区可按照《商务部　发展改革委　财政部　海关总署　税务总局　市场监管总局关于完善跨境电子商务零售进口监管有关工作的通知》（商财发〔2018〕486号）要求，开展网购保税进口（海关监管方式代码1210）业务。

三、本通知自印发之日起实施。

相关城市和地区应切实承担本地区跨境电商零售进口政策试点工作的主体责任，确保试点工作顺利推进，共同促进行业持续健康发展。试点过程中的重大问题及情况请及时报商务部等有关部门。

## 关于同意设立中国（杭州）跨境电子商务综合试验区的批复

（国函〔2015〕44号）

（2015年3月7日由国务院发布，2015年3月7日起施行，法规类型为规范性文件）

浙江省人民政府、商务部：

你们关于设立中国（杭州）跨境电子商务综合试验区的请示收悉。现批复如下：

一、同意设立中国（杭州）跨境电子商务综合试验区（以下简称综合试验区），具体实施方案由浙江省人民政府负责印发。

二、综合试验区建设要以邓小平理论、"三个代表"重要思想、科学发展观为指导，贯彻落实党中央、国务院的决策部署，以深化改革、扩大开放为动力，着力在跨境电子商务交易、支付、物流、通关、退税、结汇等环节的技术标准、业务流程、监管模式和信息化建设等方面先行先试，通过制度创新、管理创新、服务创新和协同发展，破解跨境电子商务发展中的深层次矛盾和体制性难题，打造跨境电子商务完整的产业链和生态链，逐步形成一套适应和引领全球跨境电子商务发展的管理制度和规则，为推动全国跨境电子商务健康发展提供可复制、可推广的经验。

三、有关部门和浙江省人民政府要努力适应新型商业模式发展的要求，转变观念和工作方式，积极做好服务，大力支持综合试验区大胆探索、创新发展，同时控制好试点试验的风险。要在保障国家安全、网络安全、交易安全、进出口商品质量安全和有效防范交易风险的基础上，坚持在发展中规范、在规范中发展，为综合试验区各类市场主体公平参与市场竞争创造良好的营商环境。试点工作要循序渐进，适时调整，逐步推广。

四、浙江省人民政府要切实加强对综合试验区建设的组织领导，健全机制、明确分工、落实责任，有力有序有效推进综合试验区建设发展。要在商务部等部门的指导下，尽快修改完善具体实施方案并抓好组织实施。要进一步细化先行先试任务，突出重点，创新驱动，充分发挥市场配置资源的决定性作用，有效引导社会资源，合理配置公共资源，扎实推进综合试验区建设。要建立健全跨境电子商务信息化管理机制，根据有关部门的管理需要，及时提供相关电子信息。综合试验区建设涉及的重要政策和重大建设项目要按规定程序报批。

五、国务院有关部门要按照职能分工，加强指导和服务。要加强部门之间的沟通协作和相关政策衔接，深入调查研究，及时总结经验，指导和帮助地方政府切实解决综合试验区建设发展中遇到的困难和问题，进一步为综合试验区发展营造良好的环境。商务部要加强综合协调、跟踪分析和督促检查，适时对综合试验区试点成果进行评估，重大问题和情况及时报告国务院。

# 关于同意在天津等12个城市设立跨境电子商务综合试验区的批复

(国函〔2016〕17号)

(2016年1月12日由国务院发布,2016年1月12日起施行,法规类型为规范性文件)

天津市、辽宁省、上海市、江苏省、浙江省、安徽省、山东省、河南省、广东省、重庆市、四川省人民政府,商务部:

你们关于设立跨境电子商务综合试验区的请示收悉。现批复如下:

一、同意在天津市、上海市、重庆市、合肥市、郑州市、广州市、成都市、大连市、宁波市、青岛市、深圳市、苏州市等12个城市设立跨境电子商务综合试验区,名称分别为中国(城市名)跨境电子商务综合试验区,具体实施方案由城市所在地省级人民政府分别负责印发。

二、跨境电子商务综合试验区(以下简称综合试验区)建设要全面贯彻党的十八大和十八届二中、三中、四中、五中全会精神,认真落实党中央、国务院决策部署,按照"四个全面"战略布局要求,牢固树立并贯彻落实创新、协调、绿色、开放、共享的发展理念,以深化改革、扩大开放为动力,借鉴中国(杭州)跨境电子商务综合试验区建设"六大体系"、"两个平台"的经验和做法,因地制宜,突出本地特色和优势,着力在跨境电子商务企业对企业(B2B)方式相关环节的技术标准、业务流程、监管模式和信息化建设等方面先行先试,为推动全国跨境电子商务健康发展创造更多可复制推广的经验,以更加便捷高效的新模式释放市场活力,吸引大中小企业集聚,促进新业态成长,推动大众创业万众创新,增加就业,支撑外贸优进优出、升级发展。

三、有关部门和省、直辖市人民政府要努力适应新型商业模式发展的要求,坚持深化简政放权、放管结合、优化服务等改革,大力支持综合试验区大胆探索、创新发展,同时控制好试点试验的风险。要在保障国家安全、网络安全、交易安全、国门生物安全、进出口商品质量安全和有效防范交易风险的基础上,坚持在发展中规范、在规范中发展,为综合试验区各类市场主体公平参与市场竞争创造良好的营商环境。试点工作要循序渐进,适时调整。

四、有关省、直辖市人民政府要切实加强对综合试验区建设的组织领导,健全机制、明确分工、落实责任,有力有序有效推进综合试验区建设发展。要在商务部等部门的指导下,尽快修改完善具体实施方案并抓好组织实施。要进一步细化先行先试任务,突出重点,创新驱动,充分发挥市场配置资源的决定性作用,有效引导社会资源,合理配置公共资源,扎实推进综合试验区建设。要建立健全跨境电子商务信息化管理机制,根据有关部门的管理需要,及时提供相关电子信息。各综合试验区建设涉及的重要政策和重大建设项目要按规定程序报批。

五、国务院有关部门要按照职能分工,加强指导和服务。要加强部门之间的沟通协作和相关政策衔接,深入调查研究,及时总结经验,指导和帮助地方政府切实解决综合试验区建设发展中遇到的困难和问题,进一步为综合试验区发展营造良好的环境。商务部要加强综合协调、跟踪分析和督促检查,适时对各综合试验区试点成果进行评估,重大问题和情况及时报告国务院。

# 国务院关于同意在北京等22个城市设立跨境电子商务综合试验区的批复

（国函〔2018〕93号）

（2018年7月24日由国务院发布，2018年7月24日起施行，法规类型为规范性文件）

北京市、河北省、内蒙古自治区、辽宁省、吉林省、黑龙江省、江苏省、浙江省、福建省、江西省、山东省、湖北省、湖南省、广东省、广西壮族自治区、海南省、贵州省、云南省、陕西省、甘肃省人民政府，商务部：

你们关于设立跨境电子商务综合试验区的请示收悉。现批复如下：

一、同意在北京市、呼和浩特市、沈阳市、长春市、哈尔滨市、南京市、南昌市、武汉市、长沙市、南宁市、海口市、贵阳市、昆明市、西安市、兰州市、厦门市、唐山市、无锡市、威海市、珠海市、东莞市、义乌市等22个城市设立跨境电子商务综合试验区，名称分别为中国（城市名）跨境电子商务综合试验区，具体实施方案由城市所在地省级人民政府分别负责印发。

二、跨境电子商务综合试验区（以下简称综合试验区）建设要全面贯彻党的十九大精神，以习近平新时代中国特色社会主义思想为指导，按照党中央、国务院决策部署，统筹推进"五位一体"总体布局和协调推进"四个全面"战略布局，坚持新发展理念，全面实施创新驱动发展战略，以供给侧结构性改革为主线，以推动形成全面开放新格局为目标，复制推广前两批综合试验区成熟经验做法，因地制宜，突出本地特色和优势，着力在跨境电子商务企业对企业（B2B）方式相关环节的技术标准、业务流程、监管模式和信息化建设等方面先行先试，为推动全国跨境电子商务健康发展探索新经验、新做法。

三、有关部门和省（自治区、直辖市）人民政府要积极深化外贸领域"放管服"改革，以跨境电子商务为突破口，大力支持综合试验区大胆探索、创新发展，在物流、仓储、通关等方面进一步简化流程、精简审批，完善通关一体化、信息共享等配套政策，推进包容审慎有效的监管创新，推动国际贸易自由化、便利化和业态创新。同时，要控制好试点试验的风险。要在保障国家安全、网络安全、交易安全、国门生物安全、进出口商品质量安全和有效防范交易风险的基础上，坚持在发展中规范、在规范中发展，为综合试验区各类市场主体公平参与市场竞争创造良好的营商环境。

四、有关省（自治区、直辖市）人民政府要切实加强对综合试验区建设的组织领导，健全机制、明确分工、落实责任，有力有序有效推进综合试验区建设发展。要在商务部等部门的指导下，尽快完善具体实施方案并抓好组织实施。要进一步细化先行先试任务，突出重点，创新驱动，充分发挥市场在资源配置中的决定性作用，有效引导社会资源，合理配置公共资源，扎实推进综合试验区建设。要建立健全跨境电子商务信息化管理机制，根据有关部门的管理需要，及时提供相关电子信息。要定期向商务部等部门报送工作计划、试点经验和成效，努力在健全促进跨境电子商务发展的体制机制、推动配套支撑体系建设等方面取得新进展、新突破。各综合试验区建设涉及的重要政策和重大建设项目要按规定程序报批。

五、国务院有关部门要按照职能分工，加强指导和服务。按照鼓励创新、包容审慎的原则，坚持问题导向，深入调查研究，创新政策措施，加强沟通协作，进一步为综合试验区发展营造良好的环境。商务部要牵头做好统筹协调、跟踪分析和督促检查,适时对各综合试验区试点成果进行评估,会同有关部门及时总结推广试点经验,重大问题和情况及时报告国务院。

## 国务院关于同意在石家庄等 24 个城市设立跨境电子商务综合试验区的批复

(国函〔2019〕137 号)

(2019 年 12 月 15 日由国务院发布,2019 年 12 月 15 日起施行,法规类型为规范性文件)

河北省、山西省、内蒙古自治区、辽宁省、吉林省、黑龙江省、江苏省、浙江省、安徽省、福建省、江西省、山东省、河南省、湖北省、湖南省、广东省、四川省、青海省、宁夏回族自治区人民政府,商务部:

你们关于设立跨境电子商务综合试验区的请示收悉。现批复如下:

一、同意在石家庄市、太原市、赤峰市、抚顺市、珲春市、绥芬河市、徐州市、南通市、温州市、绍兴市、芜湖市、福州市、泉州市、赣州市、济南市、烟台市、洛阳市、黄石市、岳阳市、汕头市、佛山市、泸州市、海东市、银川市等 24 个城市设立跨境电子商务综合试验区,名称分别为中国(城市名)跨境电子商务综合试验区,具体实施方案由城市所在地省级人民政府分别负责印发。

二、跨境电子商务综合试验区(以下简称综合试验区)建设要以习近平新时代中国特色社会主义思想为指导,全面贯彻党的十九大和十九届二中、三中、四中全会精神,统筹推进"五位一体"总体布局,协调推进"四个全面"战略布局,坚持新发展理念,按照党中央、国务院决策部署,持续深化"放管服"改革,积极适应产业革命新趋势,复制推广前三批综合试验区成熟经验做法,对跨境电子商务零售出口试行增值税、消费税免税等相关政策,积极开展探索创新,推动产业转型升级,开展品牌建设,推动国际贸易自由化、便利化和业态创新,为推动全国跨境电子商务健康发展探索新经验、新做法,推进贸易高质量发展。同时,要保障国家安全、网络安全、交易安全、国门生物安全、进出口商品质量安全和有效防范交易风险,坚持在发展中规范、在规范中发展,为各类市场主体公平参与市场竞争创造良好的营商环境。

三、有关省(自治区)人民政府要切实加强对综合试验区建设的组织领导,健全机制、明确分工、落实责任,有力有序有效推进综合试验区建设发展。要按照试点要求,因地制宜,突出本地特色和优势,尽快完善具体实施方案并抓好组织实施。要进一步细化先行先试任务,突出重点,创新驱动,充分发挥市场配置资源的决定性作用,有效引导社会资源,合理配置公共资源,扎实推进综合试验区建设。要建立健全跨境电子商务信息化管理机制,根据有关部门的管理需要,及时提供相关电子信息。要定期向商务部等部门报送工作计划、试点经验和成效,努力在健全促进跨境电子商务发展的体制机制、推动配套支撑体系建设等方面取得新进展、新突破。各综合试验区建设涉及的重要政策和重大建设项目要按规定程序报批。

四、国务院有关部门要按照职能分工,加强对综合试验区的协调指导和政策支持。按照鼓励创新、包容审慎的原则,坚持问题导向,深入调查研究,创新政策措施,加强沟通协作,进一步为综合试验区发展营造良好的环境。对具备监管条件的综合试验区,研究纳入跨境电子商务零售进口试点范围。商务部要牵头做好统筹协调、跟踪分析和督促检查,适时对各综合试验区试点成果进行评估,会同有关部门及时总结推广试点经验,重大问题和情况及时报告国务院。

## 关于同意在雄安新区等46个城市和地区设立跨境电子商务综合试验区的批复

（国函〔2020〕47号）

（2020年4月27日由国务院发布，2020年4月27日起施行，法规类型为规范性文件）

河北省、山西省、内蒙古自治区、辽宁省、吉林省、黑龙江省、江苏省、浙江省、安徽省、福建省、江西省、山东省、河南省、湖北省、湖南省、广东省、广西壮族自治区、海南省、四川省、贵州省、云南省、陕西省、甘肃省、青海省、新疆维吾尔自治区人民政府，商务部：

你们关于设立跨境电子商务综合试验区的请示收悉。现批复如下：

一、同意在雄安新区、大同市、满洲里市、营口市、盘锦市、吉林市、黑河市、常州市、连云港市、淮安市、盐城市、宿迁市、湖州市、嘉兴市、衢州市、台州市、丽水市、安庆市、漳州市、莆田市、龙岩市、九江市、东营市、潍坊市、临沂市、南阳市、宜昌市、湘潭市、郴州市、梅州市、惠州市、中山市、江门市、湛江市、茂名市、肇庆市、崇左市、三亚市、德阳市、绵阳市、遵义市、德宏傣族景颇族自治州、延安市、天水市、西宁市、乌鲁木齐市等46个城市和地区设立跨境电子商务综合试验区，名称分别为中国（城市或地区名）跨境电子商务综合试验区，具体实施方案由所在地省级人民政府分别负责印发。

二、跨境电子商务综合试验区（以下简称综合试验区）建设要以习近平新时代中国特色社会主义思想为指导，全面贯彻党的十九大和十九届二中、三中、四中全会精神，统筹推进"五位一体"总体布局，协调推进"四个全面"战略布局，坚持新发展理念，按照党中央、国务院决策部署，复制推广前四批综合试验区成熟经验做法，推动产业转型升级，开展品牌建设，引导跨境电子商务全面发展，全力以赴稳住外贸外资基本盘，推进贸易高质量发展。同时，要保障国家安全、网络安全、交易安全、国门生物安全、进出口商品质量安全和有效防范交易风险，坚持在发展中规范、在规范中发展，为各类市场主体公平参与市场竞争创造良好的营商环境。

三、有关省（自治区）人民政府要切实加强对综合试验区建设的组织领导，健全机制、明确分工、落实责任，有力有序有效推进综合试验区建设发展。要按照试点要求，尽快完善具体实施方案并抓好组织实施。要进一步细化先行先试任务，突出重点，创新驱动，充分发挥市场配置资源的决定性作用，有效引导社会资源，合理配置公共资源，扎实推进综合试验区建设。要建立健全跨境电子商务信息化管理机制，根据有关部门的管理需要，及时提供相关电子信息。要定期向商务部等部门报送工作计划、试点经验和成效，努力在健全促进跨境电子商务发展的体制机制、推动配套支撑体系建设等方面取得新进展、新突破。各综合试验区建设涉及的重要政策和重大建设项目要按规定程序报批。

四、国务院有关部门要按照职能分工，加强对综合试验区的协调指导和政策支持，切实发挥综合试验区示范引领作用。按照鼓励创新、包容审慎的原则，坚持问题导向，加强协调配合，着力在跨境电子商务企业对企业（B2B）方式相关环节的技术标准、业务流程、监管模式和信息化建设等方面探索创新，研究出台更多支持举措，为综合试验区发展营造良好的环境，更好地促进和规范跨境电子商务产业发展壮大。要进一步完善跨境电子商务统计体系，实行对综合试验区内跨境电子商务零售出口货物按规定免征增值税和消费税、企业所得税核定征收等支持政策,研究将具备条件的综合试验区所在城市纳入跨境电子商务零售进口试点范围,支持企业共建共享海外仓。商务部要牵头做好统筹协调、跟踪分析和督促检查,设定合理指标体系,建立评估和考核机制,研究建立综合试验区退出机制,会同有关部门及时总结推广试点经验和促进跨境电子商务发展的有效做法,重大问题和情况及时报告国务院。

# 综合管理

## 跨境电子商务经营主体和商品备案管理工作规范

(国家质量监督检验检疫总局公告2015年第137号)

(2015年11月24日由国家质量监督检验检疫总局发布,2016年1月1日起施行,法规类型为规范性文件)

第一条 为支持跨境电子商务发展,规范跨境电子商务经营主体和商品信息备案管理,制定本规范。

第二条 本规范所称跨境电子商务经营主体,是指从事跨境电子商务业务的企业,包括跨境电子商务商品的经营企业、物流仓储企业、跨境电子商务交易平台运营企业和与跨境电子商务相关的企业。

本规范所称跨境电子商务商品,是指通过跨境电子商务交易平台销售的进出口商品。

第三条 跨境电子商务经营主体开展跨境电子商务业务的,应当向检验检疫机构提供经营主体备案信息。

跨境电子商务商品经营企业在商品首次上架销售前,应当向检验检疫机构提供商品备案信息。

第四条 跨境电子商务经营主体应通过信息平台向检验检疫机构备案信息。质检总局建设统一的跨境电子商务检验检疫监管系统管理备案信息。

地方政府建有跨境电子商务公共信息平台的,跨境电子商务经营主体应通过公共信息平台向检验检疫机构备案信息。

地方政府未建有跨境电子商务公共信息平台的,跨境电子商务经营主体应通过检验检疫机构认可的信息平台备案信息。

第五条 跨境电子商务经营主体和商品备案信息实施一地备案、全国共享管理。同一经营主体在备案地以外检验检疫机构辖区从事跨境电子商务业务的,无需再次备案。同一经营主体在备案地以外检验检疫机构辖区销售同一种跨境电子商务商品的,无需再次备案。

备案信息发生变化的,跨境电子商务经营主体应及时向检验检疫机构更新备案信息。

第六条 跨境电子商务经营主体应通过信息平台提供"跨境电子商务经营主体备案信息"(附件1)。

第七条 跨境电子商务商品经营企业应通过信息平台提供"跨境电子商务商品备案信息"(附件2)。

第八条 发现以下情形的,备案信息无效:

(一)提供虚假信息的;

（二）备案信息与跨境电子商务交易平台展示信息明显不符或存在严重缺陷的；
（三）提供禁止以跨境电子商务形式进境商品信息的。

**第九条** 以下商品禁止以跨境电子商务形式进境：
（一）《中华人民共和国进出境动植物检疫法》规定的禁止进境物；
（二）未获得检验检疫准入的动植物产品及动植物源性食品；
（三）列入《危险化学品目录》、《危险货物品名表》、《<联合国关于危险货物运输建议书规章范本>附录三<危险货物一览表>》、《易制毒化学品的分类和品种名录》和《中国严格限制进出口的有毒化学品目录》的物品；
（四）特殊物品（取得进口药品注册证书的生物制品除外）；
（五）含可能危及公共安全的核生化有害因子的产品；
（六）废旧物品；
（七）法律法规禁止进境的其他产品和国家质检总局公告禁止进境的产品。

以国际快递或邮寄方式进境的，还应符合《中华人民共和国禁止携带、邮寄进境的动植物及其产品名录》的要求。

**第十条** 本规范由国家质检总局负责解释。

**第十一条** 本规范自2016年1月1日起施行。

附件：1. 跨境电子商务经营主体备案信息（略）
　　　2. 跨境电子商务商品备案信息（略）

# 关于进一步发挥检验检疫职能作用促进跨境电子商务发展的意见

（国质检通〔2015〕202号）

（2015年5月13日由国家质量监督检验检疫总局发布，2015年5月13日起施行，法规类型为规范性文件）

各直属检验检疫局：

为贯彻落实国务院《关于大力发展电子商务加快培育经济新动力的意见》（国发〔2015〕24号）精神，进一步发挥检验检疫职能作用，促进跨境电子商务健康快速发展，现提出如下意见：

**一、构建符合跨境电子商务发展的检验检疫工作体制机制**

电子商务是国民经济和社会信息化的重要组成部分。加快电子商务发展，特别是跨境电子商务发展，对于促进外贸转型升级、提高国际竞争力、催生新兴产业、激发经济发展活力，推动大众创业、万众创新，均具有重要意义。要顺应跨境电子商务健康快速发展的新态势新要求，按照加快发展与完善管理相结合、有效监管与便利进出相结合的原则，改革创新，主动作为，着力解决现行检验检疫监管制度与跨境电子商务发展不适应、不协调问题，加快建立符合跨境电子商务发展要求的检验检疫工作体制机制。要大力支持中国（杭州）跨境电子商务综合实验区发展，对试验区所在地的检验检疫机构进一步下放审批事权和评审权限，鼓励先行先试，加大制度创新、管理创新和服务创新力度，尽快创造可复制可推广经验。

## 二、建立跨境电子商务清单管理制度

除以下禁止以跨境电子商务形式入境外,全面支持跨境电子商务发展:

(一)《中华人民共和国进出境动植物检疫法》规定的禁止进境物;

(二)未获得检验检疫准入的动植物源性食品;

(三)列入《危险化学品名录》、《剧毒化学品目录》、《易制毒化学品的分类和品种名录》和《中国严格限制进出口的有毒化学品目录》的;

(四)除生物制品以外的微生物、人体组织、生物制品、血液及其制品等特殊物品;

(五)可能危及公共安全的核生化等涉恐及放射性等产品;

(六)废旧物品;

(七)以国际快递或邮寄方式进境的电商商品,还应符合《中华人民共和国禁止携带、邮寄进境的动植物及其产品名录》的要求。

(八)法律法规禁止进境的其他产品和国家质检总局公告禁止进境的产品。

## 三、构建跨境电子商务风险监控和质量追溯体系

(一)构建跨境电子商务风险监控体系。加强对跨境电子商务商品的风险评估,制定重点商品和重点项目监管清单,不断建立完善质量风险信息采集机制、风险评估分析机制和风险预警处置机制。特别是涉及人身安全、健康和环保项目,通过现场查验、抽样检测和监督抽查等,加强风险监控和预警。对达不到质量安全要求的,采取风险通报、停止销售、强制召回、退运销毁等措施,保障质量安全。

(二)构建跨境电子商务质量追溯体系。充分运用信息化手段,建立以组织机构代码和商品条码为基础的电子商务产品质量追溯制度,通过加贴防伪溯源标识、二维码、条形码等手段,实现跨境电子商务商品"源头可溯、去向可查"。加强与质监部门的合作,探索建立"风险监测、网上抽查、源头追溯、属地查处"的质量监测机制,对发生的质量安全事故或投诉,及时组织开展调查,实现质量安全可追溯、责任可追究。

## 四、创新跨境电子商务检验检疫监管模式

(一)对跨境电子商务商品实行全申报管理。收发货人或其代理人通过地方政府建立的跨境电商公共信息平台向检验检疫机构申报商品信息、订单信息、支付信息、物流信息、收发货人信息等,对低风险商品审核放行,高风险商品可逐步采信第三方检测结果合格放行。

(二)对出境跨境电子商品实行集中申报、集中办理放行手续。不断完善以检疫监管为主,基于风险分析的质量安全监督抽查机制。加大第三方检验鉴定结果采信力度,监督具有资质的第三方检测机构实施检验检测,进行产品质量安全的合格评定。对一般工业制成品,以问题为导向,加强事后监管。

(三)对入境跨境电子商务商品实行集中申报、核查放行。对通过国际快递或邮寄方式进境、收货人为个人、以自用为目的的,按照快件和邮寄物相关检验检疫监管办法管理。对整批入境、集中存放、电商经营企业按订单向国内个人消费者销售的,实施以风险分析为基础的质量安全监管,依据相应产品国家标准的安全卫生项目进行监测。

## 五、实施跨境电子商务备案管理

检验检疫机构对跨境电子商务经营主体及跨境电子商务商品实施备案管理,落实跨境电子商务经营主体商品质量安全责任,推动规范跨境电子商务经营秩序,实现质量安全责任可追溯。跨境电子商务经营主体包括:跨境电子商务经营企业(电商经营企业)、跨境电子商务平台企业(电商平台企业)和跨境电子商务商品物流仓储企业。备案内容包括:企业基本制度和经营商品名称、品牌、HS编码、规格型号、原产国别、供应商名称等。跨境电子商务经营企业应仔细核对商品信息,确保信息准确、真实。

### 六、加强跨境电子商务信息化建设

（一）推进跨境电子商务申报"单一窗口"综合服务体系建设。参与地方政府牵头的跨境电子商务平台建设，实现关检"一次申报、一次查验、一次放行"。加强与商务、海关、工商、港务、民航、税务、外汇管理、邮政等部门的协作，实现与跨境电子商务平台、物流企业和相关部门的数据对接和信息共享。

（二）推进跨境电子商务信用体系建设。加强企业信用管理，利用好总局电子商务产品质量信息公共服务平台，发挥好全国电子商务产品质量信息共享联盟作用，建立跨境电子商务企业信用数据库，推进诚信分类管理，促进信用等级互认。将企业信用等级与分类监管相结合，给予诚信企业更多便利措施，提升跨境电子商务商品的通关便利化水平。

各检验检疫机构要主动在地方政府的统一领导下，加强与相关部门的沟通与合作，及时通报检验检疫部门促进跨境电子商务发展的政策措施。要加大宣传力度，引导相关企业规范开展跨境电子商务进出口业务，促进跨境电子商务健康快速发展。

# 关于加强跨境电子商务进出口消费品检验监管工作的指导意见

（国质检检〔2015〕250号）

（2015年6月10日由国家质量监督检验检疫总局发布，2015年6月10日起施行，法规类型为规范性文件）

各直属检验检疫局：

根据跨境电子商务新业态特点，为进一步提升我国跨境电子商务进出口消费品（本意见中提及的消费品为轻工、纺织及电子电器类产品）质量安全水平，保障消费者健康与安全，促进跨境电子商务健康发展，现提出以下意见：

一、总体目标

明确跨境电商企业的质量安全主体责任，构建以风险管理为核心，以事前备案、事中监测、事后追溯为主线的跨境电商进出口消费品质量安全监管模式，逐步建立跨境电商消费品质量安全风险监测机制和质量安全追溯机制，加强跨境电商进出口消费品领域的打击假冒伪劣工作。

二、落实措施

（一）建立跨境电商进出口消费品监管新模式。

1. 出口方面。

以跨境电商企业备案信息和全申报信息为基础，以问题为导向，加强事后监管。日常工作中实施基于风险分析的质量安全监督抽查，加大对第三方检验鉴定结果的采信力度。

2. 进口方面。

对整批入境、集中存放、电商经营企业按订单向国内个人消费者销售的消费品，按产品特性实施分类管理。

第一类：禁止入境类。列入《危险化学品目录》《剧毒化学品目录》《易制毒化学品的分类和品种名录》《中国严格限制进出口的有毒化学品目录》和《危险货物品名表》的物品；可能危及公共安全的核生化等涉恐及放射性等产品；废旧物品；法律法规禁止进境的其他产品和国家质检总局公告禁止进境的产品。

禁止上述产品以跨境电子商务形式入境。

第二类：重点监管类。国家实施质量安全许可管理或列入法检目录的产品。

此类产品需进行现场核查，实施以风险分析为基础的质量安全监管，依据相关规定实施质量安全监测，可采信第三方检验结果，必要时可对第三方检验结果实施验证。

第三类：一般监管类。除第一、二类以外的其他产品。

对此类产品采取基于风险分析的质量安全监督抽查机制，实施事后监管。

对以直邮模式入境的进口消费品，按照快件和邮寄物相关检验检疫监管办法管理。

（二）建立跨境电商消费品质量安全风险监测机制。

以进出口商品质量安全（杭州跨境电商）国家风险监测中心为龙头，建立各直属检验检疫机构之间的信息交换机制，构建全国范围内的风险监测网络。以监督抽查、消费者投诉、跨境电商企业报告、境外通报等多种途径和形式，获取质量安全风险信息。逐步完善跨境电商消费品线上线下监督抽查工作机制（线上即通过电商平台以消费者身份购买商品的方式抽样，线下即从各地"跨境电商监管仓库"等备货区域抽样），推进监督抽查工作常态化。

（三）建立跨境电商消费品质量安全追溯机制。

对跨境电商平台企业实施属地管理，努力构建跨境电商追溯调查工作体系，切实将工作重心转向质量安全追溯调查和责任追究。

检验检疫机构之间要多加强质量安全信息互联互通，对于发现的跨境电商消费品质量安全风险，可及时通报跨境电商平台企业所在地直属检验检疫机构。跨境电商平台所在地检验检疫机构负责对相关质量安全信息开展追溯调查。

对于发现的一般质量安全问题，可采取包括责任约谈、责令企业整改等措施；对于多次出现安全质量问题、造成严重不良影响的跨境电商企业，应实施严格的检验监管措施；对发现的违法违规行为追究相关责任。根据风险监测和调查结果，检验检疫机构对于问题产品可采取产品风险预警、下架、退运、销毁以及强制召回等措施。

（四）明确跨境电商企业的质量安全主体责任。

对跨境电商经营主体（包括商品经营企业、电商平台企业和电商物流仓储企业）及跨境电商进出口消费品实施备案管理，明确企业的质量安全主体责任，推动其建立完整的质量安全追溯链条。

引导跨境电商经营主体建立完善的质量安全管理制度、产品风险主动报告和召回制度。推动电商平台企业加强对电商经营企业的监督管理和责任追溯。大力推进电商平台企业和电商经营企业建立有关进口消费品质量安全的消费风险提示。

（五）建立跨境电商领域打击假冒伪劣工作机制。

加大对跨境电商领域假冒伪劣消费品的打击力度，多渠道获取线索，做好证据材料收集，规范执法过程，确保执法结果的客观性。对查实的假冒伪劣商品行为，按照相关规定依法查处，以保障我国跨境电商进出口消费品质量安全，维护正常贸易秩序和消费者权益。

三、工作要求

（一）高度重视。跨境电商发展迅速，各局应高度重视，加强组织领导，在"放、管、治"的基本理念下，监管工作要努力做到程序规范，措施得当，提高工作透明度与公信力。

（二）开拓创新。各局应深入研究跨境电商新业态，结合辖区工作特点，创新监管模式，制订具体的监管措施；联合相关监管部门、行业协会、跨境电商平台企业，强化资源共享，提升联合执法效能，推进质量共治。

（三）服务发展。各局应通过多种形式为企业提供服务，向企业、行业及时通报国内外最新法律法规要求，为企业提供技术咨询、认证、检测等服务，帮助企业提高风险意识和应对能力。

（四）强化基础。各局要大力推进跨境电商监管信息化建设，加强对一线检验监管人员的专业技术能力培训，做好跨境电商质量安全监测和监督抽查的经费保障。

（五）信息报送。各局要认真做好跨境电商进出口消费品监管工作的统计分析，自2015年下半年起，每半年向总局报送业务统计数据和工作情况。工作中发现的重大案例要及时报送质检总局和地方政府。

各局要准确把握经济新常态下检验监管工作的发展趋势，大胆创新，主动作为，促进跨境电商健康有序发展，服务贸易便利化，维护消费者合法权益，不断提升跨境电商进出口消费品检验监管工作的科学性和有效性。

# 关于加强跨境电子商务网购保税进口监管工作的通知

（署加发〔2016〕246号）

（2016年12月16日由海关总署发布，2016年12月16日起施行，法规类型为规范性文件）

广东分署，天津、上海特派办，各直属海关：

为规范海关对跨境电子商务网购保税模式下零售进口（以下简称"网购保税进口"）商品的监管，提高执法统一性，促进跨境电子商务业务的健康发展，根据《财政部 海关总署 国家税务总局关于跨境电子商务零售进口税收政策的通知》（财关税〔2016〕18号）、海关总署2016年第26号公告及《海关总署办公厅关于执行跨境电子商务零售进口新的监管要求有关事宜的通知》（署办发〔2016〕29号）等有关规定，海关总署在总结前期各试点城市海关经验做法的基础上，对网购保税进口业务海关监管中的有关事宜通知如下：

一、本通知所述的"网购保税进口业务"，是指在海关特殊监管区域或保税物流中心（B型）〔以下简称区域（中心）〕内以保税模式开展的跨境电子商务零售进口业务。

二、主管海关应使用信息化系统对网购保税进口商品进出区域（中心）的风险布控、卡口核放等进行管理；主管海关对网购保税进口商品的查验、放行均应当在区域（中心）内的专用查验场地实施，并使用X光机查验分拣线、视频监控等设施加强监管。

三、主管海关应对网购保税进口商品实施专用电子账册管理，记录商品的进、出、转、存等情况。

四、网购保税进口商品一线进境〔一线入区域（中心）〕申报环节，申报进入天津、上海、杭州、宁波、福州、平潭、郑州、广州、深圳、重庆等10个城市区域（中心）的，监管方式应填报"保税电商"（监管代码1210），暂不验核通关单，暂不执行《跨境电子商务零售进口商品清单》（以下简称《正面清单》）备注中关于化妆品、婴幼儿配方奶粉、医疗器械、特殊食品（包括保健食品、特殊医学用途配方食品等）的首次进口许可证、注册或备案要求；申报进入其他城市区域（中心）的，监管方式应填报"保税电商A"（监管代码1239）。

对满足海关监管要求的企业，可以采取"先进区、后报关"的方式办理网购保税进口商品一线进境通关手续，入区域（中心）的网购保税进口商品须在14天内办理报关手续。

五、关于网购保税进口商品的流转：

（一）网购保税进口商品可以在区域（中心）间流转，流转商品应符合《正面清单》的要求。转入地与转出地主管海关分别审核企业的申报单证，其中，海关监管方式应填报"保税间货物"（监管代码1200），备注应填报"网购保税进口商品"。电子账册底账数据进行相应核增核减。

同一区域（中心）内的企业转让、转移网购保税进口商品的，主管海关应审核企业报送的电子信息，并对电子账册底账数据进行相应核增核减。

（二）执行跨境电子商务过渡期政策期间，以"保税电商"（监管代码1210）海关监管方式进境的商品不得由天津、上海、杭州、宁波、福州、平潭、郑州、广州、深圳、重庆等10个城市的区域（中心）转入其他城市的区域（中心）继续开展跨境电子商务零售进口业务。

六、网购保税进口商品零售出区域（中心）申报时，主管海关审核电子商务企业或其代理人申报的《中华人民共和国海关跨境电子商务零售进口商品申报清单》，海关监管方式应与一线入区域（中心）时申报的监管方式一致（用于区分网购保税模式和"9610"一般模式），运输方式应为二线出区域（中心）对应的运输方式。电子账册底账数据进行相应核减。

七、电商企业或其代理人申请退货的，退回的网购保税进口商品应当在海关放行之日起30日内原状返回原区域（中心）内，相应税款不予征收，个人年度交易累计金额和电子账册底账数据进行相应调整。

八、区域（中心）内相关企业声明放弃网购保税进口商品的，由主管海关依法提取变卖处理。法律、行政法规和海关规章规定不得放弃的，按照海关总署规定办理。电子账册底账数据进行相应核减。

九、主管海关根据监管需要，结合风险程度，对参与网购保税进口业务的仓储企业采取全盘、抽盘等方式进行盘库，并将电子底账核算结果与实际库存量进行对比，分别进行以下处理：

（一）实际库存量多于电子底账核算结果的，按照实际库存量调整电子底账的当期余额；

（二）实际库存量少于电子底账核算结果且企业可以提供正当理由的，对短缺的部分，责令企业参照货物办理后续补税手续。

十、各海关应加强对网购保税进口业务的风险监控和实货监管，针对企业、商品、支付、物流、仓储、消费者等信息开展数据分析，发现风险及时移交。

十一、各海关可在本通知基础上制定符合本关区实际的操作规程，对涉及相对人权利义务的内容可根据总署提供的对外公告事项指引（详见附件）以适当形式对外公告。在执行本通知过程中遇有问题，请及时报告总署。

本通知中涉及跨境电子商务过渡期政策的有关监管要求，在过渡期结束后，将根据国家政策调整另行通知。

自本通知下发之日起，《加贸司关于加强跨境电子商务网购保税进口监管工作的函》（加贸函〔2015〕58号）同时废止。

特此通知。

# 跨境电子商务零售进出口商品监管

（海关总署公告2018年第194号）

(2018年12月10日由海关总署发布，2019年1月1日起施行，法规类型为规范性文件)

为做好跨境电子商务零售进出口商品监管工作，促进跨境电子商务健康有序发展，根据

《中华人民共和国海关法》、《中华人民共和国进出境动植物检疫法》、《中华人民共和国进出口商品检验法》、《中华人民共和国电子商务法》等法律法规和《商务部　发展改革委　财政部　海关总署　税务总局　市场监管总局关于完善跨境电子商务零售进口监管有关工作的通知》（商财发〔2018〕486号）等国家有关跨境电子商务零售进出口相关政策规定，现就海关监管事宜公告如下：

一、适用范围

（一）跨境电子商务企业、消费者（订购人）通过跨境电子商务交易平台实现零售进出口商品交易，并根据海关要求传输相关交易电子数据的，按照本公告接受海关监管。

二、企业管理

（二）跨境电子商务平台企业、物流企业、支付企业等参与跨境电子商务零售进口业务的企业，应当依据海关报关单位注册登记管理相关规定，向所在地海关办理注册登记；境外跨境电子商务企业应委托境内代理人（以下称跨境电子商务企业境内代理人）向该代理人所在地海关办理注册登记。

跨境电子商务企业、物流企业等参与跨境电子商务零售出口业务的企业，应当向所在地海关办理信息登记；如需办理报关业务，向所在地海关办理注册登记。

物流企业应获得国家邮政管理部门颁发的《快递业务经营许可证》。直购进口模式下，物流企业应为邮政企业或者已向海关办理代理报关登记手续的进出境快件运营人。

支付企业为银行机构的，应具备银保监会或者原银监会颁发的《金融许可证》；支付企业为非银行支付机构的，应具备中国人民银行颁发的《支付业务许可证》，支付业务范围应当包括"互联网支付"。

（三）参与跨境电子商务零售进出口业务并在海关注册登记的企业，纳入海关信用管理，海关根据信用等级实施差异化的通关管理措施。

三、通关管理

（四）对跨境电子商务直购进口商品及适用"网购保税进口"（监管方式代码1210）进口政策的商品，按照个人自用进境物品监管，不执行有关商品首次进口许可批件、注册或备案要求。但对相关部门明令暂停进口的疫区商品和对出现重大质量安全风险的商品启动风险应急处置时除外。

适用"网购保税进口A"（监管方式代码1239）进口政策的商品，按《跨境电子商务零售进口商品清单（2018版）》尾注中的监管要求执行。

（五）海关对跨境电子商务零售进出口商品及其装载容器、包装物按照相关法律法规实施检疫，并根据相关规定实施必要的监管措施。

（六）跨境电子商务零售进口商品申报前，跨境电子商务平台企业或跨境电子商务企业境内代理人、支付企业、物流企业应当分别通过国际贸易"单一窗口"或跨境电子商务通关服务平台向海关传输交易、支付、物流等电子信息，并对数据真实性承担相应责任。

直购进口模式下，邮政企业、进出境快件运营人可以接受跨境电子商务平台企业或跨境电子商务企业境内代理人、支付企业的委托，在承诺承担相应法律责任的前提下，向海关传输交易、支付等电子信息。

（七）跨境电子商务零售出口商品申报前，跨境电子商务企业或其代理人、物流企业应当分别通过国际贸易"单一窗口"或跨境电子商务通关服务平台向海关传输交易、收款、物流等电子信息，并对数据真实性承担相应法律责任。

（八）跨境电子商务零售商品进口时，跨境电子商务企业境内代理人或其委托的报关企业应提交《中华人民共和国海关跨境电子商务零售进出口商品申报清单》（以下简称《申报清单》），采取"清单核放"方式办理报关手续。

跨境电子商务零售商品出口时，跨境电子商务企业或其代理人应提交《申报清单》，采取"清单核放、汇总申报"方式办理报关手续；跨境电子商务综合试验区内符合条件的跨境电子商务零售商品出口，可采取"清单核放、汇总统计"方式办理报关手续。

《申报清单》与《中华人民共和国海关进（出）口货物报关单》具有同等法律效力。

按照上述第（六）至（八）条要求传输、提交的电子信息应施加电子签名。

（九）开展跨境电子商务零售进口业务的跨境电子商务平台企业、跨境电子商务企业境内代理人应对交易真实性和消费者（订购人）身份信息真实性进行审核，并承担相应责任；身份信息未经国家主管部门或其授权的机构认证的，订购人与支付人应当为同一人。

（十）跨境电子商务零售商品出口后，跨境电子商务企业或其代理人应当于每月15日前（当月15日是法定节假日或者法定休息日的，顺延至其后的第一个工作日），将上月结关的《申报清单》依据清单表头同一收发货人、同一运输方式、同一生产销售单位、同一运抵国、同一出境关别，以及清单表体同一最终目的国、同一10位海关商品编码、同一币制的规则进行归并，汇总形成《中华人民共和国海关出口货物报关单》向海关申报。

允许以"清单核放、汇总统计"方式办理报关手续的，不再汇总形成《中华人民共和国海关出口货物报关单》。

（十一）《申报清单》的修改或者撤销，参照海关《中华人民共和国海关进（出）口货物报关单》第一次修正或者撤销有关规定办理。

除特殊情况外，《申报清单》、《中华人民共和国海关进（出）口货物报关单》应当采取通关无纸化作业方式进行申报。

四、税收征管

（十二）对跨境电子商务零售进口商品，海关按照国家关于跨境电子商务零售进口税收政策征收关税和进口环节增值税、消费税，完税价格为实际交易价格，包括商品零售价格、运费和保险费。

（十三）跨境电子商务零售进口商品消费者（订购人）为纳税义务人。在海关注册登记的跨境电子商务平台企业、物流企业或申报企业作为税款的代收代缴义务人，代为履行纳税义务，并承担相应的补税义务及相关法律责任。

（十四）代收代缴义务人应当如实、准确向海关申报跨境电子商务零售进口商品的商品名称、规格型号、税则号列、实际交易价格及相关费用等税收征管要素。

跨境电子商务零售进口商品的申报币制为人民币。

（十五）为审核确定跨境电子商务零售进口商品的归类、完税价格等，海关可以要求代收代缴义务人按照有关规定进行补充申报。

（十六）海关对符合监管规定的跨境电子商务零售进口商品按时段汇总计征税款，代收代缴义务人应当依法向海关提交足额有效的税款担保。

海关放行后30日内未发生退货或修撤单的，代收代缴义务人在放行后第31日至第45日内向海关办理纳税手续。

五、场所管理

（十七）跨境电子商务零售进出口商品监管作业场所必须符合海关相关规定。跨境电子商务监管作业场所经营人、仓储企业应当建立符合海关监管要求的计算机管理系统，并按照海关要求交换电子数据。其中开展跨境电子商务直购进口或一般出口业务的监管作业场所应按照快递类或者邮递类海关监管作业场所规范设置。

（十八）跨境电子商务网购保税进口业务应当在海关特殊监管区域或保税物流中心（B型）内开展。除另有规定外，参照本公告规定监管。

### 六、检疫、查验和物流管理

（十九）对需在进境口岸实施的检疫及检疫处理工作，应在完成后方可运至跨境电子商务监管作业场所。

（二十）网购保税进口业务：一线入区时以报关单方式进行申报，海关可以采取视频监控、联网核查、实地巡查、库存核对等方式加强对网购保税进口商品的实货监管。

（二十一）海关实施查验时，跨境电子商务企业或其代理人、跨境电子商务监管作业场所经营人、仓储企业应当按照有关规定提供便利，配合海关查验。

（二十二）跨境电子商务零售进出口商品可采用"跨境电商"模式进行转关。其中，跨境电子商务综合试验区所在地海关可将转关商品品名以总运单形式录入"跨境电子商务商品一批"，并需随附转关商品详细电子清单。

（二十三）网购保税进口商品可在海关特殊监管区域或保税物流中心（B型）间流转，按有关规定办理流转手续。以"网购保税进口"（监管方式代码1210）海关监管方式进境的商品，不得转入适用"网购保税进口A"（监管方式代码1239）的城市继续开展跨境电子商务零售进口业务。网购保税进口商品可在同一区域（中心）内的企业间进行流转。

### 七、退货管理

（二十四）在跨境电子商务零售进口模式下，允许跨境电子商务企业境内代理人或其委托的报关企业申请退货，退回的商品应当符合二次销售要求并在海关放行之日起30日内以原状运抵原监管作业场所，相应税款不予征收，并调整个人年度交易累计金额。

在跨境电子商务零售出口模式下，退回的商品按照有关规定办理有关手续。

（二十五）对超过保质期或有效期、商品或包装损毁、不符合我国有关监管政策等不适合境内销售的跨境电子商务零售进口商品，以及海关责令退运的跨境电子商务零售进口商品，按照有关规定退运出境或销毁。

### 八、其他事项

（二十六）从事跨境电子商务零售进出口业务的企业应向海关实时传输真实的业务相关电子数据和电子信息，并开放物流实时跟踪等信息共享接口，加强对海关风险防控方面的信息和数据支持，配合海关进行有效管理。

跨境电子商务企业及其代理人、跨境电子商务平台企业应建立商品质量安全等风险防控机制，加强对商品质量安全以及虚假交易、二次销售等非正常交易行为的监控，并采取相应处置措施。

跨境电子商务企业不得进出口涉及危害口岸公共卫生安全、生物安全、进出口食品和商品安全、侵犯知识产权的商品以及其他禁限商品，同时应当建立健全商品溯源机制并承担质量安全主体责任。鼓励跨境电子商务平台企业建立并完善进出口商品安全自律监管体系。

消费者（订购人）对于已购买的跨境电子商务零售进口商品不得再次销售。

（二十七）海关对跨境电子商务零售进口商品实施质量安全风险监测，责令相关企业对不合格或存在质量安全问题的商品采取风险消减措施，对尚未销售的按货物实施监管，并依法追究相关经营主体责任；对监测发现的质量安全高风险商品发布风险警示并采取相应管控措施。海关对跨境电子商务零售进口商品在商品销售前按照法律法规实施必要的检疫，并视情发布风险警示。

（二十八）跨境电子商务平台企业、跨境电子商务企业或其代理人、物流企业、跨境电子商务监管作业场所经营人、仓储企业发现涉嫌违规或走私行为的，应当及时主动告知海关。

（二十九）涉嫌走私或违反海关监管规定的参与跨境电子商务业务的企业，应配合海关调查，开放交易生产数据或原始记录数据。

海关对违反本公告，参与制造或传输虚假交易、支付、物流"三单"信息、为二次销售提供便利、未尽责审核消费者（订购人）身份信息真实性等，导致出现个人身份信息或年度购买额度被盗用、进行二次销售及其他违反海关监管规定情况的企业依法进行处罚。对涉嫌走私或违规的，由海关依法处理；构成犯罪的，依法追究刑事责任。对利用其他公民身份信息非法从事跨境电子商务零售进口业务的，海关按走私违规处理，并按违法利用公民信息的有关法律规定移交相关部门处理。对不涉嫌走私违规、首次发现的，进行约谈或暂停业务责令整改；再次发现的，一定时期内不允许其从事跨境电子商务零售进口业务，并交由其他行业主管部门按规定实施查处。

（三十）在海关注册登记的跨境电子商务企业及其境内代理人、跨境电子商务平台企业、支付企业、物流企业等应当接受海关稽核查。

（三十一）本公告有关用语的含义：

"跨境电子商务企业"是指自境外向境内消费者销售跨境电子商务零售进口商品的境外注册企业（不包括在海关特殊监管区域或保税物流中心内注册的企业），或者境内向境外消费者销售跨境电子商务零售出口商品的企业，为商品的货权所有人。

"跨境电子商务企业境内代理人"是指开展跨境电子商务零售进口业务的境外注册企业所委托的境内代理企业，由其在海关办理注册登记，承担如实申报责任，依法接受相关部门监管，并承担民事责任。

"跨境电子商务平台企业"是指在境内办理工商登记，为交易双方（消费者和跨境电子商务企业）提供网页空间、虚拟经营场所、交易规则、信息发布等服务，设立供交易双方独立开展交易活动的信息网络系统的经营者。

"支付企业"是指在境内办理工商登记，接受跨境电子商务平台企业或跨境电子商务企业境内代理人委托为其提供跨境电子商务零售进口支付服务的银行、非银行支付机构以及银联等。

"物流企业"是指在境内办理工商登记，接受跨境电子商务平台企业、跨境电子商务企业或其代理人委托为其提供跨境电子商务零售进出口物流服务的企业。

"消费者（订购人）"是指跨境电子商务零售进口商品的境内购买人。

"国际贸易'单一窗口'"是指由国务院口岸工作部际联席会议统筹推进，依托电子口岸公共平台建设的一站式贸易服务平台。申报人（包括参与跨境电子商务的企业）通过"单一窗口"向海关等口岸管理相关部门一次性申报，口岸管理相关部门通过电子口岸平台共享信息数据、实施职能管理，将执法结果通过"单一窗口"反馈申报人。

"跨境电子商务通关服务平台"是指由电子口岸搭建，实现企业、海关以及相关管理部门之间数据交换与信息共享的平台。

适用"网购保税进口"（监管方式代码1210）进口政策的城市：天津、上海、重庆、大连、杭州、宁波、青岛、广州、深圳、成都、苏州、合肥、福州、郑州、平潭、北京、呼和浩特、沈阳、长春、哈尔滨、南京、南昌、武汉、长沙、南宁、海口、贵阳、昆明、西安、兰州、厦门、唐山、无锡、威海、珠海、东莞、义乌等37个城市（地区）。

（三十二）本公告自2019年1月1日起施行，施行时间以海关接受《申报清单》申报时间为准，未尽事宜按海关有关规定办理。海关总署公告2016年第26号同时废止。

境内跨境电子商务企业已签订销售合同的，其跨境电子商务零售进口业务的开展可延长至2019年3月31日。

特此公告。

## 关于跨境电子商务企业海关注册登记管理有关事宜的公告

（海关总署公告 2018 年第 219 号）

（2018 年 12 月 29 日由海关总署发布，2019 年 1 月 1 日起施行，法规类型为规范性文件）

为进一步规范海关跨境电子商务监管工作，根据《中华人民共和国海关报关单位注册登记管理规定》、《商务部 发展改革委 财政部 海关总署 税务总局 市场监管总局关于完善跨境电子商务零售进口监管有关工作的通知》（商财发〔2018〕486 号）等相关规定，现将参与跨境电子商务的企业海关注册登记管理有关事项公告如下：

一、跨境电子商务支付企业、物流企业应当按照海关总署 2018 年第 194 号公告的规定取得相关资质证书，并按照主管部门相关规定，在办理海关注册登记手续时提交相关资质证书。

二、在本公告实施之日前，已办理海关注册登记或信息登记的跨境电子商务物流企业、或仅办理海关信息登记的参与跨境电子商务进口业务的平台企业、支付企业，应当于 2019 年 3 月 31 日前按照规定办理海关注册登记或补充提交资质证书等手续。逾期未按规定办理的，其海关跨境电子商务企业信息不再有效。

本公告自 2019 年 1 月 1 日起施行，海关总署公告 2018 年第 27 号同时废止。

特此公告。

## 关于调整扩大跨境电子商务零售进口商品清单的公告

（财政部 发展改革委 工业和信息化部 生态环境部 农业农村部 商务部
人民银行 海关总署 税务总局 市场监管总局 药监局 密码局
瀛管办联合公告 2019 年第 96 号）

（2019 年 12 月 24 日由财政部、发展改革委等发布，2020 年 1 月 1 日起施行，法规类型为规范性文件）

为落实国务院关于调整扩大跨境电子商务零售进口商品清单的要求，促进跨境电子商务零售进口的健康发展，现将《跨境电子商务零售进口商品清单（2019 年版）》予以公布，自 2020 年 1 月 1 日起实施。

本清单实施后，《财政部等 13 个部门关于调整跨境电子商务零售进口商品清单的公告（2018 年第 157 号）》所附的清单同时废止。

附件：跨境电子商务零售进口商品清单（2019 年版）

## 关于全面推广跨境电子商务出口商品退货监管措施有关事宜的公告

(海关总署公告2020年第44号)

(2020年3月27日由海关总署发布,2020年3月27日起施行,法规类型为规范性文件)

为进一步优化营商环境、促进贸易便利化,帮助企业积极应对新冠肺炎疫情影响,使跨境电子商务商品出得去、退得回,推动跨境电子商务出口业务健康快速发展,海关总署决定全面推广跨境电子商务出口商品退货监管措施。现将有关事宜公告如下:

一、跨境电子商务出口企业、特殊区域[包括海关特殊监管区域和保税物流中心(B型)]内跨境电子商务相关企业或其委托的报关企业(以下简称"退货企业")可向海关申请开展跨境电子商务零售出口、跨境电子商务特殊区域出口、跨境电子商务出口海外仓商品的退货业务。

二、申请开展退货业务的跨境电子商务出口企业、特殊区域内跨境电子商务相关企业应当建立退货商品流程监控体系,应保证退货商品为原出口商品,并承担相关法律责任。

三、退货企业可以对原《中华人民共和国海关出口货物报关单》、《中华人民共和国海关跨境电子商务零售出口申报清单》或《中华人民共和国海关出境货物备案清单》所列全部或部分商品申请退货。

四、跨境电子商务出口退货商品可单独运回也可批量运回,退货商品应在出口放行之日起1年内退运进境。

五、退货企业应当向海关如实申报,接受海关监管,并承担相应的法律责任。

本公告自发布之日起实施。

## 关于跨境电子商务零售进口商品退货有关监管事宜的公告

(海关总署公告2020年第45号)

(2020年3月28日由海关总署发布,2020年3月28日起施行,法规类型为规范性文件)

为进一步优化营商环境、促进贸易便利化,帮助企业积极应对新冠肺炎疫情影响,优化跨境电子商务零售进口商品退货监管,推动跨境电子商务健康快速发展,根据国家有关跨境电子商务零售进口相关政策规定,现将跨境电子商务零售进口商品退货海关监管事宜公告如下:

一、在跨境电子商务零售进口模式下,跨境电子商务企业境内代理人或其委托的报关企业(以下简称"退货企业")可向海关申请开展退货业务。跨境电子商务企业及其境内代理人应保证退货商品为原跨境电商零售进口商品,并承担相关法律责任。

二、退货企业可以对原《中华人民共和国海关跨境电子商务零售进口申报清单》(以下简称《申报清单》)内全部或部分商品申请退货。

三、退货企业在《申报清单》放行之日起30日内申请退货,并且在《申报清单》放行之日起 45 日内将退货商品运抵原海关监管作业场所、原海关特殊监管区域或保税物流中心（B型）的，相应税款不予征收，并调整消费者个人年度交易累计金额。

四、退货企业应当向海关如实申报，接受海关监管，并承担相应的法律责任。

五、海关总署 2018 年 194 号公告有关内容与本公告不一致的以本公告为准。

本公告自发布之日起实施。

## 关于开展跨境电子商务企业对企业出口监管试点

（海关总署公告 2020 年第 75 号）

（2020 年 6 月 12 日由海关总署发布，2020 年 7 月 1 日起施行，法规类型为规范性文件）

为贯彻落实党中央国务院关于加快跨境电子商务（以下简称"跨境电商"）新业态发展的部署要求，充分发挥跨境电商稳外贸促就业等积极作用，进一步促进跨境电商健康快速发展，现就跨境电商企业对企业出口（以下简称"跨境电商 B2B 出口"）试点有关监管事宜公告如下：

一、适用范围

（一）境内企业通过跨境电商平台与境外企业达成交易后，通过跨境物流将货物直接出口送达境外企业（以下简称"跨境电商 B2B 直接出口"）；或境内企业将出口货物通过跨境物流送达海外仓，通过跨境电商平台实现交易后从海外仓送达购买者（以下简称"跨境电商出口海外仓"）；并根据海关要求传输相关电子数据的，按照本公告接受海关监管。

二、增列海关监管方式代码

（二）增列海关监管方式代码"9710"，全称"跨境电子商务企业对企业直接出口"，简称"跨境电商 B2B 直接出口"，适用于跨境电商 B2B 直接出口的货物。

（三）增列海关监管方式代码"9810"，全称"跨境电子商务出口海外仓"，简称"跨境电商出口海外仓"，适用于跨境电商出口海外仓的货物。

三、企业管理

（四）跨境电商企业、跨境电商平台企业、物流企业等参与跨境电商 B2B 出口业务的境内企业，应当依据海关报关单位注册登记管理有关规定，向所在地海关办理注册登记。

开展出口海外仓业务的跨境电商企业，还应当在海关开展出口海外仓业务模式备案。

四、通关管理

（五）跨境电商企业或其委托的代理报关企业、境内跨境电商平台企业、物流企业应当通过国际贸易"单一窗口"或"互联网+海关"向海关提交申报数据、传输电子信息，并对数据真实性承担相应法律责任。

（六）跨境电商 B2B 出口货物应当符合检验检疫相关规定。

（七）海关实施查验时，跨境电商企业或其代理人、监管作业场所经营人应当按照有关规定配合海关查验。海关按规定实施查验，对跨境电商 B2B 出口货物可优先安排查验。

（八）跨境电商 B2B 出口货物适用全国通关一体化，也可采用"跨境电商"模式进行转关。

五、其他事项

（九）本公告有关用语的含义：

"跨境电商 B2B 出口"是指境内企业通过跨境物流将货物运送至境外企业或海外仓，并通过跨境电商平台完成交易的贸易形式。

"跨境电商平台"是指为交易双方提供网页空间、虚拟经营场所、交易规则、信息发布等服务，设立供交易双方独立开展交易活动的信息网络系统。包括自营平台和第三方平台，境内平台和境外平台。

（十）在北京海关、天津海关、南京海关、杭州海关、宁波海关、厦门海关、郑州海关、广州海关、深圳海关、黄埔海关开展跨境电商 B2B 出口监管试点。根据试点情况及时在全国海关复制推广。

（十一）本公告自 2020 年 7 月 1 日起施行，未尽事宜按海关有关规定办理。

特此公告。

# 关于扩大跨境电子商务企业对企业出口监管试点范围的公告

（海关总署公告 2020 年第 92 号）

（2020 年 8 月 13 日由海关总署发布，2020 年 9 月 1 日起施行，法规类型为规范性文件）

为进一步贯彻落实党中央国务院关于做好"六稳"工作、落实"六保"任务的部署要求，加快跨境电子商务新业态发展，海关总署决定进一步扩大跨境电子商务企业对企业出口（以下简称"跨境电商 B2B 出口"）监管试点范围。现将有关事项公告如下：

在现有试点海关基础上，增加上海、福州、青岛、济南、武汉、长沙、拱北、湛江、南宁、重庆、成都、西安等 12 个直属海关开展跨境电商 B2B 出口监管试点，试点工作有关事项按照海关总署公告 2020 年第 75 号执行。

本公告自 2020 年 9 月 1 日起施行。

特此公告。

# 税务政策

## 关于跨境电子商务零售出口税收政策的通知

(财税〔2013〕96号)

(2013年12月30日由财政部、国家税务总局发布,2014年1月1日起施行,法规类型为规范性文件)

各省、自治区、直辖市、计划单列市财政厅(局)、国家税务局,新疆生产建设兵团财务局:

为落实《国务院办公厅转发商务部等部门关于实施支持跨境电子商务零售出口有关政策意见的通知》(国办发〔2013〕89号)的要求,经研究,现将跨境电子商务零售出口(以下称电子商务出口)税收政策通知如下:

一、电子商务出口企业出口货物(财政部、国家税务总局明确不予出口退(免)税或免税的货物除外,下同),同时符合下列条件的,适用增值税、消费税退(免)税政策:

1. 电子商务出口企业属于增值税一般纳税人并已向主管税务机关办理出口退(免)税资格认定;

2. 出口货物取得海关出口货物报关单(出口退税专用),且与海关出口货物报关单电子信息一致;

3. 出口货物在退(免)税申报期截止之日内收汇;

4. 电子商务出口企业属于外贸企业的,购进出口货物取得相应的增值税专用发票、消费税专用缴款书(分割单)或海关进口增值税、消费税专用缴款书,且上述凭证有关内容与出口货物报关单(出口退税专用)有关内容相匹配。

二、电子商务出口企业出口货物,不符合本通知第一条规定条件,但同时符合下列条件的,适用增值税、消费税免税政策:

1. 电子商务出口企业已办理税务登记;

2. 出口货物取得海关签发的出口货物报关单;

3. 购进出口货物取得合法有效的进货凭证。

三、电子商务出口货物适用退(免)税、免税政策的,由电子商务出口企业按现行规定办理退(免)税、免税申报。

四、适用本通知退(免)税、免税政策的电子商务出口企业,是指自建跨境电子商务销售平台的电子商务出口企业和利用第三方跨境电子商务平台开展电子商务出口的企业。

五、为电子商务出口企业提供交易服务的跨境电子商务第三方平台,不适用本通知规定的退(免)税、免税政策,可按现行有关规定执行。

六、本通知自 2014 年 1 月 1 日起执行。

## 关于跨境电子商务综合试验区零售出口货物税收政策的通知

(财税〔2018〕103 号)

(2018 年 9 月 28 日由财政部、税务总局、商务部、海关总署发布，2018 年 10 月 1 日起施行，法规类型为规范性文件)

各省、自治区、直辖市、计划单列市财政厅（局）、商务主管部门，国家税务总局各省、自治区、直辖市、计划单列市税务局，国家税务总局驻各地特派员办事处，海关总署广东分署、各直属海关：

为进一步促进跨境电子商务健康快速发展，培育贸易新业态新模式，现将跨境电子商务综合试验区（以下简称综试区）内的跨境电子商务零售出口（以下简称电子商务出口）货物有关税收政策通知如下：

一、对综试区电子商务出口企业出口未取得有效进货凭证的货物，同时符合下列条件的，试行增值税、消费税免税政策：

（一）电子商务出口企业在综试区注册，并在注册地跨境电子商务线上综合服务平台登记出口日期、货物名称、计量单位、数量、单价、金额。

（二）出口货物通过综试区所在地海关办理电子商务出口申报手续。

（三）出口货物不属于财政部和税务总局根据国务院决定明确取消出口退（免）税的货物。

二、各综试区建设领导小组办公室和商务主管部门应统筹推进部门之间的沟通协作和相关政策落实，加快建立电子商务出口统计监测体系，促进跨境电子商务健康快速发展。

三、海关总署定期将电子商务出口商品申报清单电子信息传输给税务总局。各综试区税务机关根据税务总局清分的出口商品申报清单电子信息加强出口货物免税管理。具体免税管理办法由省级税务部门商财政、商务部门制定。

四、本通知所称综试区，是指经国务院批准的跨境电子商务综合试验区；本通知所称电子商务出口企业，是指自建跨境电子商务销售平台或利用第三方跨境电子商务平台开展电子商务出口的单位和个体工商户。

五、本通知自 2018 年 10 月 1 日起执行，具体日期以出口商品申报清单注明的出口日期为准。

## 关于跨境电子商务综合试验区零售出口
## 企业所得税核定征收有关问题的公告

(国家税务总局公告 2019 年第 36 号)

(2019 年 10 月 26 日由国家税务总局发布,2020 年 1 月 1 日起施行,法规类型为规范性文件)

为支持跨境电子商务健康发展,推动外贸模式创新,有效配合《财政部 税务总局 商务部 海关总署关于跨境电子商务综合试验区零售出口货物税收政策的通知》(财税〔2018〕103 号)落实工作,现就跨境电子商务综合试验区(以下简称"综试区")内的跨境电子商务零售出口企业(以下简称"跨境电商企业")核定征收企业所得税有关问题公告如下:

一、综试区内的跨境电商企业,同时符合下列条件的,试行核定征收企业所得税办法:

(一)在综试区注册,并在注册地跨境电子商务线上综合服务平台登记出口货物日期、名称、计量单位、数量、单价、金额的;

(二)出口货物通过综试区所在地海关办理电子商务出口申报手续的;

(三)出口货物未取得有效进货凭证,其增值税、消费税享受免税政策的。

二、综试区内核定征收的跨境电商企业应准确核算收入总额,并采用应税所得率方式核定征收企业所得税。应税所得率统一按照 4% 确定。

三、税务机关应按照有关规定,及时完成综试区跨境电商企业核定征收企业所得税的鉴定工作。

四、综试区内实行核定征收的跨境电商企业符合小型微利企业优惠政策条件的,可享受小型微利企业所得税优惠政策;其取得的收入属于《中华人民共和国企业所得税法》第二十六条规定的免税收入的,可享受免税收入优惠政策。

五、本公告所称综试区,是指经国务院批准的跨境电子商务综合试验区;本公告所称跨境电商企业,是指自建跨境电子商务销售平台或利用第三方跨境电子商务平台开展电子商务出口的企业。

六、本公告自 2020 年 1 月 1 日起施行。

特此公告。

## 关于跨境电子商务零售进口税收政策的通知

(财关税〔2016〕18号)

(2016年3月24日由财政部、海关总署、国家税务总局发布,2016年4月8日起施行,法规类型为规范性文件)

各省、自治区、直辖市、计划单列市财政厅(局)、国家税务局,新疆生产建设兵团财务局,海关总署广东分署、各直属海关:

为营造公平竞争的市场环境,促进跨境电子商务零售进口健康发展,经国务院批准,现将跨境电子商务零售(企业对消费者,即B2C)进口税收政策有关事项通知如下:

一、跨境电子商务零售进口商品按照货物征收关税和进口环节增值税、消费税,购买跨境电子商务零售进口商品的个人作为纳税义务人,实际交易价格(包括货物零售价格、运费和保险费)作为完税价格,电子商务企业、电子商务交易平台企业或物流企业可作为代收代缴义务人。

二、跨境电子商务零售进口税收政策适用于从其他国家或地区进口的、《跨境电子商务零售进口商品清单》范围内的以下商品:

(一)所有通过与海关联网的电子商务交易平台交易,能够实现交易、支付、物流电子信息"三单"比对的跨境电子商务零售进口商品;

(二)未通过与海关联网的电子商务交易平台交易,但快递、邮政企业能够统一提供交易、支付、物流等电子信息,并承诺承担相应法律责任进境的跨境电子商务零售进口商品。

不属于跨境电子商务零售进口的个人物品以及无法提供交易、支付、物流等电子信息的跨境电子商务零售进口商品,按现行规定执行。

三、跨境电子商务零售进口商品的单次交易限值为人民币2000元,个人年度交易限值为人民币20000元。在限值以内进口的跨境电子商务零售进口商品,关税税率暂设为0%;进口环节增值税、消费税取消免征税额,暂按法定应纳税额的70%征收。超过单次限值、累加后超过个人年度限值的单次交易,以及完税价格超过2000元限值的单个不可分割商品,均按照一般贸易方式全额征税。

四、跨境电子商务零售进口商品自海关放行之日起30日内退货,可申请退税,并相应调整个人年度交易总额。

五、跨境电子商务零售进口商品购买人(订购人)的身份信息应进行认证;未进行认证的,购买人(订购人)身份信息应与付款人一致。

六、《跨境电子商务零售进口商品清单》将由财政部商有关部门另行公布。

七、本通知自2016年4月8日起执行。

特此通知。

## 关于明确跨境电商进口商品完税价格有关问题的通知

(税管函〔2016〕73号)

(2016年7月6日由海关总署关税征管司、加贸司发布，2016年7月6日起施行，法规类型为规范性文件)

广东分署，各直属海关：

为落实跨境电子商务零售进口税收政策，总署关税司、加贸司结合前期调研情况，并就执行中遇到的价格问题进行研究，经商科技司，现将有关完税价格认定事宜明确如下：

一、完税价格认定原则

按照《财政部 海关总署 国家税务总局关于跨境电子商务零售进口税收政策的通知》（财关税〔2016〕18号）以及海关总署2016年第26号公告有关规定，跨境电子商务零售进口商品按照货物征收关税和进口环节增值税、消费税，实际交易价格（包括商品零售价格、运费和保险费）作为完税价格。购买跨境电子商务零售进口商品的订购人作为纳税义务人。

二、对优惠促销价格的认定原则

优惠促销行为是电商常见的营销方式，常见的促销形式就有几十种甚至过百种。促销后部分商品的零售交易价格可能明显低于成本甚至接近零元，完税价格的认定难度较大。对此，各关应遵通以下原则对优惠促销价格进行认定：

第一，按照实际交易价格原则，以订单价格为基础确定完税价格，订单价格原则上不能为零。

第二，对直接打折、满减等优惠促销价格的认定应遵守公平、公开原则，即优惠促销应是适用于所有消费者，而非仅针对特定对象或特定人群的，海关以订单价格为基础确定完税价格。

第三，在订单支付中使用电商代金券、优惠券、积分等虚拟货币形式支付的"优惠减免金额"，不应在完税价格中扣除，应以订单价格为基础确定完税价格。

三、运费、保险费的认定原则

考虑到跨境电子商务零售进口商品的运费问题较为复杂，在直邮模式（跨境贸易电子商务，监管代码9610）中，电商企业或快递企业向纳税义务人收取的运费通常是"门到门"费用，既包括"空港到空港"航空运费，还包括境外境内陆路运输费用，甚至一些其他费用，但电商企业或快递企业通常无法提供详细数据，准确拆分各段费用分别占"门到门"费用的比例。

在网购保税模式（保税跨境贸易电子商务，监管代码1210）中，电商企业向物流企业支付的物流费用也同样存在全程运费的情况，既包括货物从境外到特殊监管区域及保税物流中心（B型）的运输费用，还包括从特殊监管区域及保税物流中心（B型）送交到消费者期间的运输费用，电商企业或物流企业同样难以提供详细数据。

此外，快递行业存在一些通行惯例。一是对不同客户实行不同的收费标准，即在统一收费标准基础上，按照客户使用快递服务的基数给予折扣，基数越大，折扣越低。二是快递行业与客户的费用结算通常是月结，并且是后置的，即费用结算晚于运输行为发生。这也意味着电商企业在向消费者收取运费时，尚不能准确确定实际运费金额（电商企业向快递企业支付的运费标准是基于其使用的快递服务基数）。因此，电商企业向纳税义务人收取的运费（名义运费）与相关商品实际发生的运费难以一一对应。

基于上述情况，在确定跨境电子商务零售进口商品的完税价格时将运费〔网购保税模式指从特殊监管区域及保税物流中心（B型）送交到消费者期间的运输费用〕都计入。保险费也按照同样标准执行。

执行中如遇到问题，请及时向总署关税司（直邮模式，即跨境贸易电子商务监管方式，代码9610）和加贸司（网购保税模式，即保税跨境贸易电子商务监管方式，代码1210）反映，以确保跨境电子商务零售进口税收政策的正确执行。

特此通知。

## 关于完善跨境电子商务零售进口税收政策的通知

（财关税〔2018〕49号）

（2018年11月29日由财政部、海关总署、税务总局发布，2019年1月1日起施行，法规类型为规范性文件）

各省、自治区、直辖市、计划单列市财政厅（局），新疆生产建设兵团财政局，海关总署广东分署、各直属海关，国家税务总局各省、自治区、直辖市、计划单列市税务局，国家税务总局驻各地特派员办事处：

为促进跨境电子商务零售进口行业的健康发展，营造公平竞争的市场环境，现将完善跨境电子商无务零售进口税收政策有关事项通知如下：

一、将跨境电子商务零售进口商品的单次交易限值由人民币2000元提高至5000元，年度交易限值由人民币20000元提高至26000元。

二、完税价格超过5000元单次交易限值但低于26000元年度交易限值，且订单下仅一件商品时，可以自跨境电商零售渠道进口，按照货物税率全额征收关税和进口环节增值税、消费税，交易额计入年度交易总额，但年度交易总额超过年度交易限值的，应按一般贸易管理。

三、已经购买的电商进口商品属于消费者个人使用的最终商品，不得进入国内市场再次销售；原则上不允许网购保税进口商品在海关特殊监管区域外开展"网购保税+线下自提"模式。

四、其他事项请继续按照《财政部　海关总署　税务总局关于跨境电子商务零售进口税收政策的通知》（财关税〔2016〕18号）有关规定执行。

五、为适应跨境电商发展，财政部会同有关部门对《跨境电子商务零售进口商品清单》进行了调整，将另行公布。

本通知自2019年1月1日起执行。

特此通知。

# 税务相关篇

# 综合管理

## 出口货物劳务增值税和消费税管理办法

(国家税务总局公告 2012 年第 24 号)

(2012 年 06 月 14 日由国家税务总局发布；根据 2013 年 3 月 20 日国家税务总局公告 2013 年第 12 号《关于〈《出口货物劳务增值税和消费税管理办法》有关问题的公告〉的解读》第一次修改，根据 2013 年 10 月 29 日国家税务总局公告 2013 年第 61 号《国家税务总局关于调整出口退(免)税申报办法的公告》第二次修改，依据 2015 年 4 月 30 日国家税务总局公告 2015 年第 29 号《关于出口退(免)税有关问题的公告》第三次修改，根据 2017 年 12 月 29 日国家税务总局令第 42 号《国家税务总局关于公布失效废止的税务部门规章和税收规范性文件目录的决定》第四次修改，根据 2016 年 1 月 7 日国家税务总局公告 2016 年第 1 号《国家税务总局关于进一步加强出口退(免)税事中事后管理有关问题的公告》第五次修改，根据 2018 年 4 月 29 日国家税务总局公告 2018 年第 16 号《关于出口退(免)税申报有关问题的公告》第六次修改；现行版本自 2018 年 5 月 1 日起施行，法规类型为规范性文件)

一、根据《中华人民共和国税收征收管理法》、《中华人民共和国增值税暂行条例》、《中华人民共和国消费税暂行条例》及其实施细则，以及财政部、国家税务总局关于出口货物劳务增值税和消费税政策的规定，制定本办法。

二、出口企业和其他单位办理出口货物、视同出口货物、对外提供加工修理修配劳务(以下统称出口货物劳务)增值税、消费税的退(免)税、免税，适用本办法。

出口企业和出口货物劳务的范围，退(免)税和免税的适用范围和计算办法，按《财政部 国家税务总局关于出口货物增值税和消费税政策的通知》(财税〔2012〕39 号)执行。

三、出口退(免)税资格的认定

出口企业和其他单位在出口退(免)税资格认定之前发生的出口货物劳务，在办理出口退(免)税资格认定后，可以在规定的退(免)税申报期内按规定申报增值税退(免)税或免税，以及消费税退(免)税或免税。

出口企业和其他单位在申请注销认定前，应先结清出口退(免)税款。注销认定后，出口企业和其他单位不得再申报办理出口退(免)税。

四、生产企业出口货物免抵退税的申报

(一)申报程序和期限

企业当月出口的货物须在次月的增值税纳税申报期内，向主管税务机关办理增值税纳税申报、免抵退税相关申报及消费税免税申报。

企业应在货物报关出口之日(以出口货物报关单〈出口退税专用〉上的出口日期为准，

下同）次月起至次年 4 月 30 日前的各增值税纳税申报期内收齐有关凭证，向主管税务机关申报办理出口货物增值税免抵退税及消费税退税。逾期的，企业不得申报免抵退税。

（二）申报资料

1. 企业向主管税务机关办理增值税纳税申报时，除按纳税申报的规定提供有关资料外，还应提供下列资料：

（1）主管税务机关确认的上期《免抵退税申报汇总表》（见附件 1）；

（2）主管税务机关要求提供的其他资料。

2. 企业向主管税务机关办理增值税免抵退税申报，应提供下列凭证资料：

（1）《免抵退税申报汇总表》及其附表（见附件 2）；

（2）《免抵退税申报资料情况表》（见附件 3）；

（3）《生产企业出口货物免抵退税申报明细表》（见附件 4）；

（4）出口货物退（免）税正式申报电子数据；

（5）下列原始凭证：

①出口货物报关单（出口退税专用，以下未作特别说明的均为此联）（保税区内的出口企业可提供中华人民共和国海关保税区出境货物备案清单，简称出境货物备案清单，下同）；

②出口发票；

③委托出口的货物，还应提供受托方主管税务机关签发的代理出口货物证明，以及代理出口协议复印件；

④主管税务机关要求提供的其他资料。

3. 生产企业出口的视同自产货物以及列名生产企业出口的非自产货物，属于消费税应税消费品（以下简称应税消费品）的，还应提供下列资料：

（1）《生产企业出口非自产货物消费税退税申报表》（附件 5）；

（2）消费税专用缴款书或分割单、海关进口消费税专用缴款书、委托加工收回应税消费品的代扣代收税款凭证原件或复印件。

（三）购进不计提进项税额的国内免税原材料用于加工出口货物的，企业应单独核算用于加工出口货物的免税原材料，并在免税原材料购进之日起至次月的增值税纳税申报期内，填报《生产企业出口货物扣除国内免税原材料申请表》（见附件 6），提供正式申报电子数据，向主管税务机关办理申报手续。

（四）免抵退税申报数据的调整

对前期申报错误的，在当期进行调整。在当期用负数将前期错误申报数据全额冲减，再重新全额申报。

发生本年度退运的，在当期用负数冲减原免抵退税申报数据；发生跨年度退运的，应全额补缴原免抵退税款，并按现行会计制度的有关规定进行相应调整。

本年度已申报免抵退税的，如须实行免税办法或征税办法，在当期用负数冲减原免抵退税申报数据；跨年度已申报免抵退税的，如须实行免税或征税办法，不用负数冲减，应全额补缴原免抵退税款，并按现行会计制度的有关规定进行相应调整。

五、外贸企业出口货物免退税的申报

（一）申报程序和期限

企业当月出口的货物须在次月的增值税纳税申报期内，向主管税务机关办理增值税纳税申报，将适用退（免）税政策的出口货物销售额填报在增值税纳税申报表的"免税货物销售额"栏。

企业应在货物报关出口之日次月起至次年 4 月 30 日前的各增值税纳税申报期内，收齐有关凭证，向主管税务机关办理出口货物增值税、消费税免退税申报。经主管税务机关批准的，企业在增值税纳税申报期以外的其他时间也可办理免退税申报。逾期的，企业不得申报免退税。

（二）申报资料

1. 《外贸企业出口退税汇总申报表》（见附件 7）；
2. 《外贸企业出口退税进货明细申报表》（见附件 8）；
3. 《外贸企业出口退税出口明细申报表》（见附件 9）；
4. 出口货物退（免）税正式申报电子数据；
5. 下列原始凭证

（1）出口货物报关单；

（2）增值税专用发票（抵扣联）、海关进口增值税专用缴款书（提供海关进口增值税专用缴款书的，下同）；

（3）委托出口的货物，还应提供受托方主管税务机关签发的代理出口货物证明，以及代理出口协议副本；

（4）属应税消费品的，还应提供消费税专用缴款书或分割单、海关进口消费税专用缴款书（提供海关进口消费税专用缴款书的，下同）；

（5）主管税务机关要求提供的其他资料。

六、出口企业和其他单位出口的视同出口货物及对外提供加工修理修配劳务的退（免）税申报

报关进入特殊区域并销售给特殊区域内单位或境外单位、个人的货物，特殊区域外的生产企业或外贸企业的退（免）税申报分别按本办法第四、五条的规定办理。

其他视同出口货物和对外提供加工修理修配劳务，属于报关出口的，为报关出口之日起，属于非报关出口销售的，为出口发票或普通发票开具之日起，出口企业或其他单位应在次月至次年 4 月 30 日前的各增值税纳税申报期内申报退（免）税。逾期的，出口企业或其他单位不得申报退（免）税。申报退（免）税时，生产企业除按本办法第四条，外贸企业和没有生产能力的其他单位除按本办法第五条的规定申报〔不提供出口收汇核销单；非报关出口销售的不提供出口货物报关单和出口发票，属于生产企业销售的提供普通发票〕外，下列货物劳务，出口企业和其他单位还须提供下列对应的补充资料：

（一）对外援助的出口货物，应提供商务部批准使用援外优惠贷款的批文（"援外任务书"）复印件或商务部批准使用援外合资合作项目基金的批文（"援外任务书"）复印件。

（二）用于对外承包工程项目的出口货物，应提供对外承包工程合同；属于分包的，由承接分包的出口企业或其他单位申请退（免）税，申请退（免）税时除提供对外承包合同外，还须提供分包合同（协议）。

（三）用于境外投资的出口货物，应提供商务部及其授权单位批准其在境外投资的文件副本。

（四）向海关报关运入海关监管仓库供海关隔离区内免税店销售的货物，提供的出口货物报关单应加盖有免税品经营企业报关专用章；上海虹桥、浦东机场海关国际隔离区内的免税店销售的货物，提供的出口货物报关单应加盖免税店报关专用章，并提供海关对免税店销售货物的核销证明。

（五）销售的中标机电产品，应提供下列资料：

1. 招标单位所在地主管税务机关签发的《中标证明通知书》；
2. 由中国招标公司或其他国内招标组织签发的中标证明（正本）；
3. 中标人与中国招标公司或其他招标组织签订的供货合同（协议）；
4. 中标人按照标书规定及供货合同向用户发货的发货单；

5. 中标机电产品用户收货清单；

6. 外国企业中标再分包给国内企业供应的机电产品，还应提供与中标企业签署的分包合同（协议）。

（六）销售给海上石油天然气开采企业的自产的海洋工程结构物，应提供销售合同。

（七）销售给外轮、远洋国轮的货物，应提供列明销售货物名称、数量、销售金额并经外轮、远洋国轮船长签名的出口发票。

（八）生产并销售给国内和国外航空公司国际航班的航空食品，应提供下列资料：

1. 与航空公司签订的配餐合同；

2. 航空公司提供的配餐计划表（须注明航班号、起降城市等内容）；

3. 国际航班乘务长签字的送货清单（须注明航空公司名称、航班号等内容）。

（九）对外提供加工修理修配劳务，应提供下列资料：

1. 修理修配船舶以外其他物品的提供贸易方式为"修理物品"的出口货物报关单；

2. 与境外单位、个人签署的修理修配合同；

3. 维修工作单（对外修理修配飞机业务提供）。

七、出口货物劳务退（免）税其他申报要求

（一）输入特殊区域的水电气，由购买水电气的特殊区域内的生产企业申报退税。企业应在购进货物增值税专用发票的开具之日次月起至次年4月30日前的各增值税纳税申报期内向主管税务机关申报退税。逾期的，企业不得申报退税。申报退税时，应填报《购进自用货物退税申报表》（见附件10），提供正式电子申报数据及下列资料：

1. 增值税专用发票（抵扣联）；

2. 支付水、电、气费用的银行结算凭证（加盖银行印章的复印件）。

（二）运入保税区的货物，如果属于出口企业销售给境外单位、个人，境外单位、个人将其存放在保税区内的仓储企业，离境时由仓储企业办理报关手续，海关在其全部离境后，签发进入保税区的出口货物报关单的，保税区外的生产企业和外贸企业申报退（免）税时，除分别提供本办法第四、五条规定的资料外，还须提供仓储企业的出境货物备案清单。确定申报退（免）税期限的出口日期以最后一批出境货物备案清单上的出口日期为准。

（三）出口企业和其他单位出口的在2008年12月31日以前购进的设备、2009年1月1日以后购进但按照有关规定不得抵扣进项税额的设备、非增值税纳税人购进的设备，以及营业税改征增值税试点地区的出口企业和其他单位出口在本企业试点以前购进的设备，如果属于未计算抵扣进项税额的已使用过的设备，均实行增值税免退税办法。

出口企业和其他单位应在货物报关出口之日次月起至次年4月30日前的各增值税纳税申报期内，向主管税务机关单独申报退税。逾期的，出口企业和其他单位不得申报退税。申报退税时应填报《出口已使用过的设备退税申报表》（见附件11），提供正式申报电子数据及下列资料：

1. 出口货物报关单；

2. 委托出口的货物，还应提供受托方主管税务机关签发的代理出口货物证明，以及代理出口协议；

3. 增值税专用发票（抵扣联）或海关进口增值税专用缴款书；

4. 《出口已使用过的设备折旧情况确认表》（见附件12）；

5. 主管税务机关要求提供的其他资料。

（四）出口企业和其他单位申报附件13所列货物的退（免）税，应在申报报表中的明细表"退（免）税业务类型"栏内填写附件13所列货物对应的标识。

2100

八、退（免）税原始凭证的有关规定

（一）增值税专用发票（抵扣联）

出口企业和其他单位购进出口货物劳务取得的增值税专用发票，应按规定办理增值税专用发票的认证手续。进项税额已计算抵扣的增值税专用发票，不得在申报退（免）税时提供。

出口企业和其他单位丢失增值税专用发票的发票联和抵扣联的，经认证相符后，可凭增值税专用发票记账联复印件及销售方所在地主管税务机关出具的丢失增值税专用发票已报税证明单，向主管税务机关申报退（免）税。

出口企业和其他单位丢失增值税专用发票抵扣联的，在增值税专用发票认证相符后，可凭增值税专用发票的发票联复印件向主管出口退税的税务机关申报退（免）税。

（二）出口货物报关单

出口企业应在货物报关出口后及时在"中国电子口岸出口退税子系统"中进行报关单确认操作。及时查询出口货物报关单电子信息，对于无出口货物报关单电子信息的，应及时向中国电子口岸或主管税务机关反映。

受托方将代理出口的货物与其他货物一笔报关出口的，委托方申报退（免）税时可提供出口货物报关单的复印件。

（三）有关备案单证

出口企业应在申报出口退（免）税后15日内，将所申报退（免）税货物的下列单证，按申报退（免）税的出口货物顺序，填写《出口货物备案单证目录》，注明备案单证存放地点，以备主管税务机关核查。

1. 外贸企业购货合同、生产企业收购非自产货物出口的购货合同，包括一笔购销合同下签订的补充合同等；

2. 出口货物装货单；

3. 出口货物运输单据（包括：海运提单、航空运单、铁路运单、货物承运单据、邮政收据等承运人出具的货物单据，以及出口企业承付运费的国内运输单证）。

若有无法取得上述原始单证情况的，出口企业可用具有相似内容或作用的其他单证进行单证备案。除另有规定外，备案单证由出口企业存放和保管，不得擅自损毁，保存期为5年。

视同出口货物及对外提供修理修配劳务不实行备案单证管理。

九、出口企业和其他单位适用免税政策出口货物劳务的申报

（一）特殊区域内的企业出口的特殊区域内的货物、出口企业或其他单位视同出口的适用免税政策的货物劳务，应在出口或销售次月的增值税纳税申报内，向主管税务机关办理增值税、消费税免税申报。

（二）其他的适用免税政策的出口货物劳务，出口企业和其他单位应在货物劳务免税业务发生的次月（按季度进行增值税纳税申报的为次季度），填报《免税出口货物劳务明细表》（见附件14），提供正式申报电子数据，向主管税务机关办理免税申报手续。出口货物报关单（委托出口的为代理出口货物证明）等资料留存企业备查。

非出口企业委托出口的货物，委托方应在货物劳务免税业务发生的次月（按季度进行增值税纳税申报的为次季度）的增值税纳税申报期内，凭受托方主管税务机关签发的代理出口货物证明以及代理出口协议副本等资料，向主管税务机关办理增值税、消费税免税申报。

出口企业和其他单位未在规定期限内申报出口退（免）税或申报开具《代理出口货物证明》，以及已申报增值税退（免）税，却未在规定期限内向税务机关补齐增值税退（免）税凭证的，如果在申报退（免）税截止期限前已确定要实行增值税免税政策的，出口企业和其他单位可在确定免税的次月的增值税纳税申报期，按前款规定的手续向主管税务机关申报免税。已经申报免税的，不得再申报出口退（免）税或申报开具代理出口货物证明。

（三）本条第（二）项第三款出口货物若已办理退（免）税的，在申报免税前，外贸企业及没有生产能力的其他单位须补缴已退税款；生产企业按本办法第四条第（四）项规定，调整申报数据或全额补缴原免抵退税款。

（四）相关免税证明及免税核销办理

1. 国家计划内出口的卷烟相关证明及免税核销办理

卷烟出口企业向卷烟生产企业购进卷烟时，应先在免税出口卷烟计划内向主管税务机关申请开具《准予免税购进出口卷烟证明申请表》（见附件15），然后将《准予免税购进出口卷烟证明》（见附件16）转交卷烟生产企业，卷烟生产企业据此向主管税务机关申报办理免税手续。

已准予免税购进的卷烟，卷烟生产企业须以不含消费税、增值税的价格销售给出口企业，并向主管税务机关报送《出口卷烟已免税证明申请表》（见附件17）。卷烟生产企业的主管税务机关核准免税后，出具《出口卷烟已免税证明》（见附件18），并直接寄送卷烟出口企业主管税务机关。

卷烟出口企业（包括购进免税卷烟出口的企业、直接出口自产卷烟的生产企业、委托出口自产卷烟的生产企业）应在卷烟报关出口之日次月起至次年4月30日前的各增值税纳税申报期内，向主管税务机关办理出口卷烟的免税核销手续。逾期的，出口企业不得申报核销，应按规定缴纳增值税、消费税。申报核销时，应填报《出口卷烟免税核销申报表》（见附件19），提供正式申报电子数据及下列资料：

（1）出口货物报关单；

（2）出口发票；

（3）出口合同；

（4）《出口卷烟已免税证明》（购进免税卷烟出口的企业提供）；

（5）代理出口货物证明，以及代理出口协议副本（委托出口自产卷烟的生产企业提供）；

（6）主管税务机关要求提供的其他资料。

2. 来料加工委托加工出口的货物免税证明及核销办理

（1）从事来料加工委托加工业务的出口企业，在取得加工企业开具的加工费的普通发票后，应在加工费的普通发票开具之日起至次月的增值税纳税申报期内，填报《来料加工免税证明申请表》（见附件20），提供正式申报电子数据，及下列资料向主管税务机关办理《来料加工免税证明》（见附件21）。

①进口货物报关单原件及复印件；

②加工企业开具的加工费的普通发票原件及复印件；

③主管税务机关要求提供的其他资料。

出口企业应将《来料加工免税证明》转交加工企业，加工企业持此证明向主管税务机关申报办理加工费的增值税、消费税免税手续。

（2）出口企业以"来料加工"贸易方式出口货物并办理海关核销手续后，持海关签发的核销结案通知书、《来料加工出口货物免税证明核销申请表》（见附件22）和下列资料及正式申报电子数据，向主管税务机关办理来料加工出口货物免税核销手续。

①出口货物报关单原件及复印件；

②来料加工免税证明；

③加工企业开具的加工费的普通发票原件及复印件；

④主管税务机关要求提供的其他资料。

十、有关单证明的办理

（一）代理出口货物证明

委托出口的货物，受托方须自货物报关出口之日起至次年4月15日前，向主管税务机关申请开具《代理出口货物证明》（附件23），并将其及时转交委托方，逾期的，受托方不得申报开具《代理出口货物证明》。申请开具代理出口货物证明时应填报《代理出口货物证明申请表》（见附件24），提供正式申报电子数据及下列资料：

1. 代理出口协议原件及复印件；
2. 出口货物报关单；
3. 委托方税务登记证副本复印件；
4. 主管税务机关要求报送的其他资料。

受托方被停止退（免）税资格的，不得申请开具代理出口货物证明。

（二）代理进口货物证明

委托进口加工贸易料件，受托方应及时向主管税务机关申请开具代理进口货物证明，并及时转交委托方。受托方申请开具代理进口货物证明时，应填报《代理进口货物证明申请表》（见附件25），提供正式申报电子数据及下列资料：

1. 加工贸易手册及复印件；
2. 代理进口协议原件及复印件；
3. 主管税务机关要求报送的其他资料。

（三）出口货物退运已补税（未退税）证明

出口货物发生退运的，出口企业应先向主管税务机关申请开具《出口货物退运已补税（未退税）证明》（附件26），并携其到海关申请办理出口货物退运手续。委托出口的货物发生退运的，由委托方申请开具出口货物退运已补税（未退税）证明并转交受托方。申请开具《出口货物退运已补税（未退税）证明》时应填报《退运已补税（未退税）证明申请表》（见附件27），提供正式申报电子数据及下列资料：

1. 出口货物报关单（退运发生时已申报退税的，不需提供）；
2. 出口发票（外贸企业不需提供）；
3. 税收通用缴款书原件及复印件（退运发生时未申报退税的、以及生产企业本年度发生退运的、不需提供）；
4. 主管税务机关要求报送的其他资料。

（四）补办出口报关单证明

丢失出口货物报关单的，出口企业应向主管税务机关申请开具补办出口报关单证明。

申请开具补办出口报关单证明的，应填报《补办出口货物报关单申请表》（见附件28），提供正式申报电子数据及下列资料：

（1）出口货物报关单（其他联次或通过口岸电子执法系统打印的报关单信息页面）；
（2）主管税务机关要求报送的其他资料。

（五）出口货物转内销证明

外贸企业发生原记入出口库存账的出口货物转内销或视同内销货物征税的，以及已申报退（免）税的出口货物发生退运并转内销的，外贸企业应于发生内销或视同内销货物的当月向主管税务机关申请开具出口货物转内销证明。申请开具出口货物转内销证明时，应填报《出口货物转内销证明申请表》（见附件29），提供正式申报电子数据及下列资料：

1. 增值税专用发票（抵扣联）、海关进口增值税专用缴款书、进货分批申报单、出口货物退运已补税（未退税）证明原件及复印件；
2. 内销货物发票（记账联）原件及复印件；
3. 主管税务机关要求报送的其他资料。

外贸企业应在取得出口货物转内销证明的下一个增值税纳税申报期内申报纳税时，以此作为进项税额的抵扣凭证使用。

（六）中标证明通知书

利用外国政府贷款或国际金融组织贷款建设的项目，招标机构须在招标完毕并待中标企业签订的供货合同生效后，向其所在地主管税务机关申请办理《中标证明通知书》。招标机构应向主管税务机关报送《中标证明通知书》及中标设备清单表（见附件30），并提供下列资料和信息：

1. 国家评标委员会《评标结果通知》；
2. 中标项目不退税货物清单（见附件31）；
3. 中标企业所在地主管税务机关的名称、地址、邮政编码；
4. 贷款项目中，属于外国企业中标再分包给国内企业供应的机电产品，还应提供招标机构对分包合同出具的验证证明；
5. 贷款项目中属于联合体中标的，还应提供招标机构对联合体协议出具的验证证明；
6. 税务机关要求提供的其他资料。

（七）丢失有关证明的补办

出口企业或其他单位丢失出口退税有关证明的，应向原出具证明的税务机关填报《关于补办出口退税有关证明的申请》（附件32），提供正式申报电子数据。原出具证明的税务机关在核实确曾出具过相关证明后，重新出具有关证明，但需注明"补办"字样。

十一、其他规定

（一）出口货物劳务除输入特殊区域的水电气外，出口企业和其他单位不得开具增值税专用发票。

（二）增值税退税率有调整的，其执行时间：

1. 属于向海关报关出口的货物，以出口货物报关单上注明的出口日期为准；属于非报关出口销售的货物，以出口发票或普通发票的开具时间为准。
2. 保税区内出口企业或其他单位出口的货物以及经保税区出口的货物，以货物离境时海关出具的出境货物备案清单上注明的出口日期为准。

（三）输入特殊区域的水电气，区内生产企业未在规定期限内申报退（免）税的，进项税额须转入成本。

（四）适用增值税免税政策的出口货物劳务，除特殊区域内的企业出口的特殊区域内的货物、出口企业或其他单位视同出口的货物劳务外，出口企业或其他单位如果未在规定的纳税申报期内按规定申报免税的，应视同内销货物和加工修理修配劳务征免增值税、消费税，属于内销免税的，除按规定补报免税外，还应接受主管税务机关按《中华人民共和国税收征收管理法》做出的处罚；属于内销征税的，应在免税申报期次月的增值税纳税申报期内申报缴纳增值税、消费税。

出口企业或其他单位对本年度的出口货物劳务，剔除已申报增值税退（免）税、免税，已按内销征收增值税、消费税，以及已开具代理出口证明的出口货物劳务后的余额，除内销免税货物按前款规定执行外，须在次年6月份的增值税纳税申报期内申报缴纳增值税、消费税。

（五）适用增值税免税政策的出口货物劳务，出口企业或其他单位如果放弃免税，实行按内销货物征税的，应向主管税务机关提出书面报告，一旦放弃免税，36个月内不得更改。

（六）除经国家税务总局批准销售给免税店的卷烟外，免税出口的卷烟须从指定口岸（见附件33）直接报关出口。

（七）出口企业和其他单位出口财税〔2012〕39号文件第九条第（二）项第6点所列的货物，出口企业和其他单位应按财税〔2012〕39号文件附件9所列原料对应海关税则号在出口货物劳务退税率文库中对应的退税率申报纳税或免税或退（免）税。

出口企业和其他单位如果未按上述规定申报纳税或免税或退（免）税的，一经主管税务机关发现，除执行本项规定外，还应接受主管税务机关按《中华人民共和国税收征收管理法》做出的处罚。

十二、适用增值税征税政策的出口货物劳务，出口企业或其他单位申报缴纳增值税，按内销货物缴纳增值税的统一规定执行。

十三、违章处理

（一）出口企业和其他单位有下列行为之一的，主管税务机关应按照《中华人民共和国税收征收管理法》第六十条规定予以处罚：

1. 未按规定设置、使用和保管有关出口货物退（免）税账簿、凭证、资料的；

2. 未按规定装订、存放和保管备案单证的。

（二）出口企业和其他单位拒绝税务机关检查或拒绝提供有关出口货物退（免）税账簿、凭证、资料的，税务机关应按照《中华人民共和国税收征收管理法》第七十条规定予以处罚。

（三）出口企业提供虚假备案单证的，主管税务机关应按照《中华人民共和国税收征收管理法》第七十条的规定处罚。

（四）从事进料加工业务的生产企业，未按规定期限办理进料加工登记、申报、核销手续的，主管税务机关在按照《中华人民共和国税收征收管理法》第六十二条有关规定进行处理后再办理相关手续。

（五）出口企业和其他单位有违反发票管理规定行为的，主管税务机关应按照《中华人民共和国发票管理办法》有关规定予以处罚。

（六）出口企业和其他单位以假报出口或者其他欺骗手段，骗取国家出口退税款，由主管税务机关追缴其骗取的退税款，并处骗取税款一倍以上五倍以下的罚款；构成犯罪的，依法追究刑事责任。

对骗取国家出口退税款的，由省级以上（含本级）税务机关批准，按下列规定停止其出口退（免）税资格：

1. 骗取国家出口退税款不满 5 万元的，可以停止为其办理出口退税半年以上一年以下。

2. 骗取国家出口退税款 5 万元以上不满 50 万元的，可以停止为其办理出口退税一年以上一年半以下。

3. 骗取国家出口退税款 50 万元以上不满 250 万元，或因骗取出口退税行为受过行政处罚、两年内又骗取国家出口退税款数额在 30 万元以上不满 150 万元的，停止为其办理出口退税一年半以上两年以下。

4. 骗取国家出口退税款 250 万元以上，或因骗取出口退税行为受过行政处罚、两年内又骗取国家出口退税款数额在 150 万元以上的，停止为其办理出口退税两年以上三年以下。

5. 停止办理出口退税的时间以省级以上（含本级）税务机关批准后作出的《税务行政处罚决定书》的决定之日为起始日。

十四、本办法第四、五、六、七条中关于退（免）税申报期限的规定，第九条第（二）项第三款的出口货物的免税申报期限的规定，以及第十条第（一）项中关于申请开具代理出口货物证明期限的规定，自 2011 年 1 月 1 日起开始执行。2011 年的出口货物劳务，退（免）税申报期限、第九条第（二）项第三款的出口货物的免税申报期限、第十条第（一）项申请开具代理出口货物证明的期限，第十一条第（七）项第二款规定的期限延长 3 个月。

本办法其他规定自 2012 年 7 月 1 日开始执行。起始日期：属于向海关报关出口的货物劳务，以出口货物报关单上注明的出口日期为准；属于非报关出口销售的货物，以出口发票（外销发票）或普通发票的开具时间为准；属于保税区内出口企业或其他单位出口的货物以及经保税区出口的货物，以货物离境时海关出具的出境货物备案清单上注明的出口日期为准。

《废止文件目录》（见附件 34）所列文件及条款同时废止。本办法未纳入的出口货物增值税、消费税其他管理规定,仍按原规定执行。

附件:1. 免抵退税申报汇总表(略)
2. 免抵退税申报汇总表附表(略)
3. 免抵退税申报资料情况表(略)
4. 生产企业出口货物免、抵、退税申报明细表(略)
5. 生产企业出口非自产货物消费税退税申报表(略)
6. 生产企业出口货物扣除国内免税原材料申请表(略)
7. 外贸企业出口退税汇总申报表(略)
8. 外贸企业出口退税进货明细申报表(略)
9. 外贸企业出口退税出口明细申报表(略)
10. 购进自用货物退税申报表(略)
11. 出口已使用过的设备退税申报表(略)
12. 出口已使用过的设备折旧情况确认表(略)
13. 退(免)税货物、标识对照表(略)
14. 免税出口货物劳务明细表(略)
15. 准予免税购进出口卷烟证明申请表(略)
16. 准予免税购进出口卷烟证明(略)
17. 出口卷烟已免税证明申请表(略)
18. 出口卷烟已免税证明(略)
19. 出口卷烟免税核销申报表(略)
20. 来料加工免税证明申请表
21. 来料加工免税证明(略)
22. 来料加工出口货物免税证明核销申请表(略)
23. 代理出口货物证明(略)
24. 代理出口货物证明申请表(略)
25. 代理进口货物证明申请表(略)
26. 出口货物退运已补税(未退税)证明(略)
27. 退运已补税(未退税)证明申请表(略)
28. 补办出口货物报关单申请表(略)
29. 出口货物转内销证明申报表(略)
30. 中标证明通知书(略)
31. 中标项目不退税货物清单(略)
32. 关于补办出口退税有关证明的申请(略)
33. 免税卷烟指定出口口岸
34. 废止文件目录

## 关于出口货物劳务增值税和消费税有关问题的公告

(国家税务总局公告2013年第65号)

(2013年11月13日由国家税务总局发布，2014年1月1日起施行，法规类型为规范性文件)

为进一步规范管理，准确执行出口货物劳务税收政策，现就出口货物劳务增值税和消费税有关问题公告如下：

一、出口企业或其他单位申请注销退（免）税资格认定，如向主管税务机关声明放弃未申报或已申报但尚未办理的出口退（免）税并按规定申报免税的，视同已结清出口退税税款。

因合并、分立、改制重组等原因申请注销退（免）税资格认定的出口企业或其他单位（以下简称注销企业），可向主管税务机关申报《申请注销退（免）税资格认定企业未结清退（免）税确认书》（附件1），提供合并、分立、改制重组企业决议、章程、相关部门批件及承继注销企业权利和义务的企业（以下简称承继企业）在注销企业所在地的开户银行、账号，经主管税务机关确认无误后，可在注销企业结清出口退（免）税款前办理退（免）税资格认定注销手续。注销后，注销企业的应退税款由其主管税务机关退还至承继企业账户，如发生需要追缴多退税款的向承继企业追缴。

二、出口企业或其他单位可以放弃全部适用退（免）税政策出口货物劳务的退（免）税，并选择适用增值税免税政策或征税政策。放弃适用退（免）税政策的出口企业或其他单位，应向主管税务机关报送《出口货物劳务放弃退（免）税声明》（附件2），办理备案手续。自备案次日起36个月内，其出口的适用增值税退（免）税政策的出口货物劳务，适用增值税免税政策或征税政策。

三、从事进料加工业务的生产企业，因上年度无海关已核销手（账）册不能确定本年度进料加工业务计划分配率的，应使用最近一次确定的"上年度已核销手（账）册综合实际分配率"作为本年度的计划分配率。

生产企业在办理年度进料加工业务核销后，如认为《生产企业进料加工业务免抵退税核销表》中的"上年度已核销手（账）册综合实际分配率"与企业当年度实际情况差别较大的，可以向主管税务机关提供当年度预计的进料加工计划分配率及书面合理理由后，将预计的进料加工计划分配率作为该年度的计划分配率。

四、出口企业将加工贸易进口料件，采取委托加工收回出口的，在申报退（免）税或申请开具《来料加工免税证明》时，如提供的加工费发票不是由加工贸易手（账）册上注明的加工单位开具的，出口企业须向主管税务机关书面说明理由，并提供主管海关出具的书面证明。否则，属于进料加工委托加工业务的，对应的加工费不得抵扣或申报退（免）税；属于来料加工委托加工业务的，不得申请开具《来料加工免税证明》，相应的加工费不得申报免税。

五、出口企业报关进入国家批准的出口加工区、保税物流园区、保税港区、综合保税区、珠澳跨境工业区（珠海园区）、中哈霍尔果斯国际边境合作中心（中方配套区域）、保税物流中心（B型）（以下统称特殊区域）并销售给特殊区域内单位或境外单位、个人的货物，以人民币结算的，可申报出口退（免）税，按有关规定提供收汇资料时，可以提供收取人民币的凭证。

六、出口企业或其他单位申报对外援助出口货物退（免）税时，不需要提供商务部批准使用援外优惠贷款的批文（"援外任务书"）复印件和商务部批准使用援外合资合作项目基金的批文（"援外任务书"）复印件。

七、生产企业外购的不经过本企业加工或组装，出口后能直接与本企业自产货物组合成成套产品的货物，如配套出口给进口本企业自产货物的境外单位或个人，可作为视同自产货物申报退（免）税。生产企业申报出口视同自产的货物退（免）税时，应按《生产企业出口视同自产货物业务类型对照表》（附件3），在《生产企业出口货物免、抵、退税申报明细表》的"业务类型"栏内填写对应标识，主管税务机关如发现企业填报错误的，应及时要求企业改正。

八、出口企业或其他单位出口适用增值税免税政策的货物劳务，在向主管税务机关办理增值税、消费税免税申报时，不再报送《免税出口货物劳务明细表》及其电子数据。出口货物报关单、合法有效的进货凭证等留存企业备查的资料，应按出口日期装订成册。

九、以下出口货物劳务应按照下列规定留存备查合法有效的进货凭证：

（一）出口企业或其他单位从依法拍卖单位购买货物出口的，将与拍卖人签署的成交确认书及有关收据留存备查；

（二）通过合并、分立、重组改制等资产重组方式设立的出口企业或其他单位，出口重组前的企业无偿划转的货物，将资产重组文件、无偿划转的证明材料留存备查。

十、出口企业或其他单位按照《国家税务总局关于〈出口货物劳务增值税和消费税管理办法〉有关问题的公告》（国家税务总局公告2013年第12号）第二条第（十八）项规定申请延期申报退（免）税的，如省级税务机关在免税申报截止之日后批复不予延期，若该出口货物符合其他免税条件，出口企业或其他单位应在批复的次月申报免税。次月未申报免税的，适用增值税征税政策。

十一、委托出口的货物，委托方应自货物报关出口之日起至次年3月15日前，凭委托代理出口协议（复印件）向主管税务机关报送《委托出口货物证明》（附件4）及其电子数据。主管税务机关审核委托代理出口协议后在《委托出口货物证明》签章。

受托方申请开具《代理出口货物证明》时，应提供规定的凭证资料及委托方主管税务机关签章的《委托出口货物证明》。

十二、外贸企业出口视同内征税的货物，申请开具《出口货物转内销证明》时，需提供规定的凭证资料及计提销项税的记账凭证复印件。

主管税务机关在审核外贸企业《出口货物转内销证明申报表》时，对增值税专用发票交叉稽核信息比对不符，以及发现提供的增值税专用发票或者其他增值税扣税凭证存在以下情形之一的，不得出具《出口货物转内销证明》：

（一）提供的增值税专用发票或海关进口增值税专用缴款书为虚开、伪造或内容不实；

（二）提供的增值税专用发票是在供货企业税务登记被注销或被认定为非正常户之后开具；

（三）外贸企业出口货物转内销时申报的《出口货物转内销证明申报表》的进货凭证上载明的货物与申报免退税匹配的出口货物报关单上载明的出口货物名称不符。属同一货物的多种零部件合并报关为同一商品名称的除外；

（四）供货企业销售的自产货物，其生产设备、工具不能生产该种货物；

（五）供货企业销售的外购货物，其购进业务为虚假业务；

（六）供货企业销售的委托加工收回货物，其委托加工业务为虚假业务。

主管税务机关在开具《出口货物转内销证明》后，发现外贸企业提供的增值税专用发票或者其他增值税扣税凭证存在以上情形之一的，主管税务机关应通知外贸企业将原取得的《出口货物转内销证明》涉及的进项税额做转出处理。

十三、出口企业按规定向国家商检、海关、外汇管理等对出口货物相关事项实施监管核查部门报送的资料中，属于申报出口退（免）税规定的凭证资料及备案单证的，如果上述部门或主管税务机关发现为虚假或其内容不实的，其对应的出口货物不适用增值税退（免）税和免税政策，适用增值税征税政策。查实属于偷骗税的按照相应的规定处理。

十四、本公告自 2014 年 1 月 1 日起执行。

特此公告。

附件：1. 申请注销退（免）税资格认定企业未结清退（免）税确认书（略）
      2. 出口货物劳务放弃退（免）税声明（略）
      3. 生产企业出口视同自产货物业务类型对照表
      4. 委托出口货物证明（略）

附件 3

生产企业出口视同自产货物业务类型对照表

| 序号 | 视同自产货物范围 | 退（免）税业务类型代码 |
|---|---|---|
| 1 | 符合财税〔2012〕年 39 号文件附件 4 第一条所列条件出口企业出口的视同自产货物 | STZC-01 |
| 2 | 同时符合以下条件的外购货物：<br>1. 与本企业生产的货物名称、性能相同<br>2. 使用本企业注册商标或境外单位和个人提供本企业使用的商标<br>3. 出口给进口本企业自产货物的境外单位和个人 | STZC-02 |
| 3 | 与本企业所生产的货物属于配套出口，且出口给进口本企业自产货物的境外单位和个人的外购货物，符合下列条件之一的：<br>1. 用于维修本企业出口的自产货物的工具、零部件、配件；<br>2. 不经过本企业加工或组装，出口后能直接与本企业自产产品组合成成套产品的货物。 | STZC-03 |
| 4 | 经税务机关认定的集团公司及其控股的生产企业之间收购的自产货物 | STZC-04 |
| 5 | 同时符合以下条件的委托加工货物：<br>1. 必须与本企业生产的产品名称、性能相同，或者是用本企业生产的货物再委托深加工的货物；<br>2. 出口给进口本企业自产货物的境外单位和个人；<br>3. 委托方与受托方必须签订委托加工协议，且主要原材料必须由委托方提供，受托方不垫付资金，只收取加工费，开具加工费（含代垫的辅助材料）的增值税专用发票。 | STZC-05 |
| 6 | 用于本企业中标项目下的机电产品 | STZC-06 |

续表

| 序号 | 视同自产货物范围 | 退（免）税业务类型代码 |
|---|---|---|
| 7 | 用于对外承包工程项目下的货物 | STZC-07 |
| 8 | 用于境外投资的货物 | STZC-08 |
| 9 | 用于对外援助的货物 | STZC-09 |
| 10 | 生产自产货物的外购设备和原材料（农产品除外） | STZC-10 |

说明：《国家税务总局关于〈出口货物劳务增值税和消费税管理办法〉有关问题的公告》（国家税务总局公告2013年第12号）附件21第19项"收购视同自产货物申报免抵退税的集团公司的出口货物"退（免）税货物标识作废。

# 关于出口货物劳务增值税和消费税政策的通知①

（财税〔2012〕39号）

（2012年5月25日由财政部、国家税务总局发布；根据2014年12月9日财税〔2014〕98号《财政部 国家税务总局关于以贵金属和宝石为主要原材料的货物出口退税政策的通知》第一次修改，根据财政部、税务总局公告2020年第2号《关于明确国有农用地出租等增值税政策的公告》第二次修改；现行版本自2020年1月23日起施行，法规类型为规范性文件）

各省、自治区、直辖市、计划单列市财政厅（局）、国家税务局，新疆生产建设兵团财务局：

为便于征纳双方系统、准确地了解和执行出口税收政策，财政部和国家税务总局对近年来陆续制定的一系列出口货物、对外提供加工修理修配劳务（以下统称出口货物劳务，包括视同出口货物）增值税和消费税政策进行了梳理归类，并对在实际操作中反映的个别问题做了明确。现将有关事项通知如下：

一、适用增值税退（免）税政策的出口货物劳务

对下列出口货物劳务，除适用本通知第六条和第七条规定的外，实行免征和退还增值税［以下称增值税退（免）税］政策：

（一）出口企业出口货物。

本通知所称出口企业，是指依法办理工商登记、税务登记、对外贸易经营者备案登记，自营或委托出口货物的单位或个体工商户，以及依法办理工商登记、税务登记但未办理对外贸易经营者备案登记，委托出口货物的生产企业。

本通知所称出口货物，是指向海关报关后实际离境并销售给境外单位或个人的货物，分为自营出口货物和委托出口货物两类。

本通知所称生产企业，是指具有生产能力（包括加工修理修配能力）的单位或个体工商

---

① 注释：根据《财政部 国家税务总局关于以贵金属和宝石为主要原材料的货物出口退税政策的通知》（财税〔2014〕98号），本规范的原第九条第（二）款第6项及原附件9（原料名称和海关税则号表）同时废止。

户。

（二）出口企业或其他单位视同出口货物。具体是指：

1. 出口企业对外援助、对外承包、境外投资的出口货物。

2. 出口企业经海关报关进入国家批准的出口加工区、保税物流园区、保税港区、综合保税区、珠澳跨境工业区（珠海园区）、中哈霍尔果斯国际边境合作中心（中方配套区域）、保税物流中心（B型）（以下统称特殊区域）并销售给特殊区域内单位或境外单位、个人的货物。

3. 免税品经营企业销售的货物〔国家规定不允许经营和限制出口的货物（见附件1）、卷烟和超出免税品经营企业《企业法人营业执照》规定经营范围的货物除外〕。具体是指：（1）中国免税品（集团）有限责任公司向海关报关运入海关监管仓库，专供其经国家批准设立的统一经营、统一组织进货、统一制定零售价格、统一管理的免税店销售的货物；（2）国家批准的除中国免税品（集团）有限责任公司外的免税品经营企业，向海关报关运入海关监管仓库，专供其所属的首都机场口岸海关隔离区内的免税店销售的货物；（3）国家批准的除中国免税品（集团）有限责任公司外的免税品经营企业所属的上海虹桥、浦东机场海关隔离区内的免税店销售的货物。

4. 出口企业或其他单位销售给用于国际金融组织或外国政府贷款国际招标建设项目的中标机电产品（以下称中标机电产品）。上述中标机电产品，包括外国企业中标再分包给出口企业或其他单位的机电产品。贷款机构和中标机电产品的具体范围见附件2。

5. 生产企业向海上石油天然气开采企业销售的自产的海洋工程结构物。海洋工程结构物和海上石油天然气开采企业的具体范围见附件3。

6. 出口企业或其他单位销售给特殊区域内生产企业生产耗用且不向海关报关而输入特殊区域的水（包括蒸汽）、电力、燃气（以下称输入特殊区域的水电气）。

除本通知及财政部和国家税务总局另有规定外，视同出口货物适用出口货物的各项规定。

（三）出口企业对外提供加工修理修配劳务。

对外提供加工修理修配劳务，是指对进境复出口货物或从事国际运输的运输工具进行的加工修理修配。

二、增值税退（免）税办法

适用增值税退（免）税政策的出口货物劳务，按照下列规定实行增值税免抵退税或免退税办法。

（一）免抵退税办法。生产企业出口自产货物和视同自产货物（视同自产货物的具体范围见附件4）及对外提供加工修理修配劳务，以及列名生产企业（具体范围见附件5）出口非自产货物，免征增值税，相应的进项税额抵减应纳增值税额（不包括适用增值税即征即退、先征后退政策的应纳增值税额），未抵减完的部分予以退还。

（二）免退税办法。不具有生产能力的出口企业（以下称外贸企业）或其他单位出口货物劳务，免征增值税，相应的进项税额予以退还。

三、增值税出口退税率

（一）除财政部和国家税务总局根据国务院决定而明确的增值税出口退税率（以下称退税率）外，出口货物的退税率为其适用税率。国家税务总局根据上述规定将退税率通过出口货物劳务退税率文库予以发布，供征纳双方执行。退税率有调整的，除另有规定外，其执行时间以货物（包括被加工修理修配的货物）出口货物报关单（出口退税专用）上注明的出口日期为准。

（二）退税率的特殊规定：

1. 外贸企业购进按简易办法征税的出口货物、从小规模纳税人购进的出口货物，其退税率分别为简易办法实际执行的征收率、小规模纳税人征收率。上述出口货物取得增值税专用发票的，退税率按照增值税专用发票上的税率和出口货物退税率孰低的原则确定。

2. 出口企业委托加工修理修配货物，其加工修理修配费用的退税率，为出口货物的退税率。

3. 中标机电产品、出口企业向海关报关进入特殊区域销售给特殊区域内生产企业生产耗用的列名原材料（以下称列名原材料，其具体范围见附件6）、输入特殊区域的水电气，其退税率为适用税率。如果国家调整列名原材料的退税率，列名原材料应当自调整之日起按调整后的退税率执行。

4. 海洋工程结构物退税率的适用，见附件3。

（三）适用不同退税率的货物劳务，应分开报关、核算并申报退（免）税，未分开报关、核算或划分不清的，从低适用退税率。

四、增值税退（免）税的计税依据

出口货物劳务的增值税退（免）税的计税依据，按出口货物劳务的出口发票（外销发票）、其他普通发票或购进出口货物劳务的增值税专用发票、海关进口增值税专用缴款书确定。

（一）生产企业出口货物劳务（进料加工复出口货物除外）增值税退（免）税的计税依据，为出口货物劳务的实际离岸价（FOB）。实际离岸价应以出口发票上的离岸价为准，但如果出口发票不能反映实际离岸价，主管税务机关有权予以核定。

（二）生产企业进料加工复出口货物增值税退（免）税的计税依据，按出口货物的离岸价（FOB）扣除出口货物所含的海关保税进口料件的金额后确定。

本通知所称海关保税进口料件，是指海关以进料加工贸易方式监管的出口企业从境外和特殊区域等进口的料件。包括出口企业从境外单位或个人购买并从海关保税仓库提取且办理海关进料加工手续的料件，以及保税区外的出口企业从保税区内的企业购进并办理海关进料加工手续的进口料件。

（三）生产企业国内购进无进项税额且不计提进项税额的免税原材料加工后出口的货物的计税依据，按出口货物的离岸价（FOB）扣除出口货物所含的国内购进免税原材料的金额后确定。

（四）外贸企业出口货物（委托加工修理修配货物除外）增值税退（免）税的计税依据，为购进出口货物的增值税专用发票注明的金额或海关进口增值税专用缴款书注明的完税价格。

（五）外贸企业出口委托加工修理修配货物增值税退（免）税的计税依据，为加工修理修配费用增值税专用发票注明的金额。外贸企业应将加工修理修配使用的原材料（进料加工海关保税进口料件除外）作价销售给受托加工修理修配的生产企业，受托加工修理修配的生产企业应将原材料成本并入加工修理修配费用开具发票。

（六）出口进项税额未计算抵扣的已使用过的设备增值税退（免）税的计税依据，按下列公式确定：

退（免）税计税依据=增值税专用发票上的金额或海关进口增值税专用缴款书注明的完税价格×已使用过的设备固定资产净值÷已使用过的设备原值

已使用过的设备固定资产净值=已使用过的设备原值-已使用过的设备已提累计折旧

本通知所称已使用过的设备，是指出口企业根据财务会计制度已经计提折旧的固定资产。

（七）免税品经营企业销售的货物增值税退（免）税的计税依据，为购进货物的增值税专用发票注明的金额或海关进口增值税专用缴款书注明的完税价格。

（八）中标机电产品增值税退（免）税的计税依据，生产企业为销售机电产品的普通发票注明的金额，外贸企业为购进货物的增值税专用发票注明的金额或海关进口增值税专用缴款书注明的完税价格。

（九）生产企业向海上石油天然气开采企业销售的自产的海洋工程结构物增值税退（免）税的计税依据，为销售海洋工程结构物的普通发票注明的金额。

（十）输入特殊区域的水电气增值税退（免）税的计税依据，为作为购买方的特殊区域内生产企业购进水（包括蒸汽）、电力、燃气的增值税专用发票注明的金额。

五、增值税免抵退税和免退税的计算

（一）生产企业出口货物劳务增值税免抵退税，依下列公式计算：

1. 当期应纳税额的计算

当期应纳税额＝当期销项税额－（当期进项税额－当期不得免征和抵扣税额）

当期不得免征和抵扣税额＝当期出口货物离岸价×外汇人民币折合率×（出口货物适用税率－出口货物退税率）－当期不得免征和抵扣税额抵减额

当期不得免征和抵扣税额抵减额＝当期免税购进原材料价格×（出口货物适用税率－出口货物退税率）

2. 当期免抵退税额的计算

当期免抵退税额＝当期出口货物离岸价×外汇人民币折合率×出口货物退税率－当期免抵退税额抵减额

当期免抵退税额抵减额＝当期免税购进原材料价格×出口货物退税率

3. 当期应退税额和免抵税额的计算

（1）当期期末留抵税额≤当期免抵退税额，则

当期应退税额＝当期期末留抵税额

当期免抵税额＝当期免抵退税额－当期应退税额

（2）当期期末留抵税额＞当期免抵退税额，则

当期应退税额＝当期免抵退税额

当期免抵税额＝0

当期期末留抵税额为当期增值税纳税申报表中"期末留抵税额"。

4. 当期免税购进原材料价格包括当期国内购进的无进项税额且不计提进项税额的免税原材料的价格和当期进料加工保税进口料件的价格，其中当期进料加工保税进口料件的价格为组成计税价格。则

当期进料加工保税进口料件的组成计税价格＝当期进口料件到岸价格+海关实征关税+海关实征消费税则

（1）采用"实耗法"的，当期进料加工保税进口料件的组成计税价格为当期进料加工出口货物耗用的进口料件组成计税价格。其计算公式为：

当期进料加工保税进口料件的组成计税价格＝当期进料加工出口货物离岸价×外汇人民币折合率×计划分配率

计划分配率＝计划进口总值÷计划出口总值×100%

实行纸质手册和电子化手册的生产企业，应根据海关签发的加工贸易手册或加工贸易电子化纸质单证所列的计划进出口总值计算计划分配率。

实行电子账册的生产企业，计划分配率按前一期已核销的实际分配率确定；新启用电子账册的，计划分配率按前一期已核销的纸质手册或电子化手册的实际分配率确定。

（2）采用"购进法"的，当期进料加工保税进口料件的组成计税价格为当期实际购进的

进料加工进口料件的组成计税价格。

若当期实际不得免征和抵扣税额抵减额大于当期出口货物离岸价×外汇人民币折合率×(出口货物适用税率-出口货物退税率)的,则:

当期不得免征和抵扣税额抵减额=当期出口货物离岸价×外汇人民币折合率×(出口货物适用税率-出口货物退税率)

(二)外贸企业出口货物劳务增值税免退税,依下列公式计算:
1. 外贸企业出口委托加工修理修配货物以外的货物:

增值税应退税额=增值税退(免)税计税依据×出口货物退税率

2. 外贸企业出口委托加工修理修配货物:

出口委托加工修理修配货物的增值税应退税额=委托加工修理修配的增值税退(免)税计税依据×出口货物退税率

(三)退税率低于适用税率的,相应计算出的差额部分的税款计入出口货物劳务成本。

(四)出口企业既有适用增值税免抵退项目,也有增值税即征即退、先征后退项目的,增值税即征即退和先征后退项目不参与出口项目免抵退税计算。出口企业应分别核算增值税免抵退项目和增值税即征即退、先征后退项目,并分别申请享受增值税即征即退、先征后退和免抵退税政策。

用于增值税即征即退或者先征后退项目的进项税额无法划分的,按照下列公式计算:

无法划分进项税额中用于增值税即征即退或者先征后退项目的部分=当月无法划分的全部进项税额×当月增值税即征即退或者先征后退项目销售额÷当月全部销售额、营业额合计

### 六、适用增值税免税政策的出口货物劳务

对符合下列条件的出口货物劳务,除适用本通知第七条规定外,按下列规定实行免征增值税(以下称增值税免税)政策:

(一)适用范围。

适用增值税免税政策的出口货物劳务,是指:
1. 出口企业或其他单位出口规定的货物,具体是指:
(1)增值税小规模纳税人出口的货物。
(2)避孕药品和用具,古旧图书。
(3)含黄金、铂金成分的货物,钻石及其饰品。其具体范围见附件7。
(4)国家计划内出口的卷烟。其具体范围见附件8。
(5)已使用过的设备。其具体范围是指购进时未取得增值税专用发票、海关进口增值税专用缴款书但其他相关单证齐全的已使用过的设备。
(6)非出口企业委托出口的货物。
(7)非列名生产企业出口的非视同自产货物。
(8)农业生产者自产农产品〔农产品的具体范围按照《农业产品征税范围注释》(财税〔1995〕52号)的规定执行〕。
(9)油画、花生果仁、黑大豆等财政部和国家税务总局规定的出口免税的货物。
(10)外贸企业取得普通发票、废旧物资收购凭证、农产品收购发票、政府非税收入票据的货物。
(11)来料加工复出口的货物。
(12)特殊区域内的企业出口的特殊区域内的货物。

(13) 以人民币现金作为结算方式的边境地区出口企业从所在省（自治区）的边境口岸出口到接壤国家的一般贸易和边境小额贸易出口货物。

(14) 以旅游购物贸易方式报关出口的货物。

2. 出口企业或其他单位视同出口的下列货物劳务：

(1) 国家批准设立的免税店销售的免税货物〔包括进口免税货物和已实现退（免）税的货物〕。

(2) 特殊区域内的企业为境外的单位或个人提供加工修理修配劳务。

(3) 同一特殊区域、不同特殊区域内的企业之间销售特殊区域内的货物。

3. 出口企业或其他单位未按规定申报或未补齐增值税退（免）税凭证的出口货物劳务。

具体是指：

(1) 未在国家税务总局规定的期限内申报增值税退（免）税的出口货物劳务。

(2) 未在规定期限内申报开具《代理出口货物证明》的出口货物劳务。

(3) 已申报增值税退（免）税，却未在国家税务总局规定的期限内向税务机关补齐增值税退（免）税凭证的出口货物劳务。

对于适用增值税免税政策的出口货物劳务，出口企业或其他单位可以依照现行增值税有关规定放弃免税，并依照本通知第七条的规定缴纳增值税。

（二）进项税额的处理计算。

1. 适用增值税免税政策的出口货物劳务，其进项税额不得抵扣和退税，应当转入成本。

2. 出口卷烟，依下列公式计算：

不得抵扣的进项税额＝出口卷烟含消费税金额÷（出口卷烟含消费税金额＋内销卷烟销售额）×当期全部进项税额

(1) 当生产企业销售的出口卷烟在国内有同类产品销售价格时：

出口卷烟含消费税金额＝出口销售数量×销售价格

"销售价格"为同类产品生产企业国内实际调拨价格。如实际调拨价格低于税务机关公示的计税价格的，"销售价格"为税务机关公示的计税价格；高于公示计税价格的，销售价格为实际调拨价格。

(2) 当生产企业销售的出口卷烟在国内没有同类产品销售价格时：

出口卷烟含消费税金额＝（出口销售额＋出口销售数量×消费税定额税率）÷（1－消费税比例税率）

"出口销售额"以出口发票上的离岸价为准。若出口发票不能如实反映离岸价，生产企业应按实际离岸价计算，否则，税务机关有权按照有关规定予以核定调整。

3. 除出口卷烟外，适用增值税免税政策的其他出口货物劳务的计算，按照增值税免税政策的统一规定执行。其中，如果涉及销售额，除来料加工复出口货物为其加工费收入外，其他均为出口离岸价或销售额。

**七、适用增值税征税政策的出口货物劳务**

下列出口货物劳务，不适用增值税退（免）税和免税政策，按下列规定及视同内销货物征税的其他规定征收增值税（以下称增值税征税）：

（一）适用范围。

适用增值税征税政策的出口货物劳务，是指：

1. 出口企业出口或视同出口财政部和国家税务总局根据国务院决定明确的取消出口退（免）税的货物〔不包括来料加工复出口货物、中标机电产品、列名原材料、输入特殊区域的水电气、海洋工程结构物〕。

2. 出口企业或其他单位销售给特殊区域内的生活消费用品和交通运输工具。

3. 出口企业或其他单位因骗取出口退税被税务机关停止办理增值税退（免）税期间出口的货物。

4. 出口企业或其他单位提供虚假备案单证的货物。

5. 出口企业或其他单位增值税退（免）税凭证有伪造或内容不实的货物。

6. 经主管税务机关审核不予免税核销的出口卷烟。

7. 出口企业或其他单位具有以下情形之一的出口货物劳务：

（1）将空白的出口货物报关单、出口收汇核销单等退（免）税凭证交由除签有委托合同的货代公司、报关行，或由境外进口方指定的货代公司（提供合同约定或者其他相关证明）以外的其他单位或个人使用的。

（2）以自营名义出口，其出口业务实质上是由本企业及其投资的企业以外的单位或个人借该出口企业名义操作完成的。

（3）以自营名义出口，其出口的同一批货物既签订购货合同，又签订代理出口合同（或协议）的。

（4）出口货物在海关验放后，自己或委托货代承运人对该笔货物的海运提单或其他运输单据等上的品名、规格等进行修改，造成出口货物报关单与海运提单或其他运输单据有关内容不符的。

（5）以自营名义出口，但不承担出口货物的质量、收款或退税风险之一的，即出口货物发生质量问题不承担购买方的索赔责任（合同中有约定质量责任承担者除外）；不承担未按期收款导致不能核销的责任（合同中有约定收款责任承担者除外）；不承担因申报出口退（免）税的资料、单证等出现问题造成不退税责任的。

（6）未实质参与出口经营活动、接受并从事由中间人介绍的其他出口业务，但仍以自营名义出口的。

（二）应纳增值税的计算。

适用增值税征税政策的出口货物劳务，其应纳增值税按下列办法计算：

1. 一般纳税人出口货物

销项税额＝（出口货物离岸价－出口货物耗用的进料加工保税进口料件金额）÷（1＋适用税率）×适用税率

出口货物若已按征退税率之差计算不得免征和抵扣税额并已经转入成本的，相应的税额应转回进项税额。

（1）出口货物耗用的进料加工保税进口料件金额＝主营业务成本×（投入的保税进口料件金额÷生产成本）

主营业务成本、生产成本均为不予退（免）税的进料加工出口货物的主营业务成本、生产成本。当耗用的保税进口料件金额大于不予退（免）税的进料加工出口货物金额时，耗用的保税进口料件金额为不予退（免）税的进料加工出口货物金额。

（2）出口企业应分别核算内销货物和增值税征税的出口货物的生产成本、主营业务成本。未分别核算的，其相应的生产成本、主营业务成本由主管税务机关核定。

进料加工手册海关核销后，出口企业应对出口货物耗用的保税进口料件金额进行清算。清算公式为：

清算耗用的保税进口料件总额＝实际保税进口料件总额－退（免）税出口货物耗用的保税进口料件总额－进料加工副产品耗用的保税进口料件总额

若耗用的保税进口料件总额与各纳税期扣减的保税进口料件金额之和存在差额时,应在清算的当期相应调整销项税额。当耗用的保税进口料件总额大于出口货物离岸金额时,其差额部分不得扣减其他出口货物金额。

2. 小规模纳税人出口货物

应纳税额=出口货物离岸价÷(1+征收率)×征收率

**八、适用消费税退(免)税或征税政策的出口货物**

适用本通知第一条、第六条或第七条规定的出口货物,如果属于消费税应税消费品,实行下列消费税政策:

(一)适用范围。

1. 出口企业出口或视同出口适用增值税退(免)税的货物,免征消费税,如果属于购进出口的货物,退还前一环节对其已征的消费税。

2. 出口企业出口或视同出口适用增值税免税政策的货物,免征消费税,但不退还其以前环节已征的消费税,且不允许在内销应税消费品应纳消费税款中抵扣。

3. 出口企业出口或视同出口适用增值税征税政策的货物,应按规定缴纳消费税,不退还其以前环节已征的消费税,且不允许在内销应税消费品应纳消费税款中抵扣。

(二)消费税退税的计税依据。

出口货物的消费税应退税额的计税依据,按购进出口货物的消费税专用缴款书和海关进口消费税专用缴款书确定。

属于从价定率计征消费税的,为已征且未在内销应税消费品应纳税额中抵扣的购进出口货物金额;属于从量定额计征消费税的,为已征且未在内销应税消费品应纳税额中抵扣的购进出口货物数量;属于复合计征消费税的,按从价定率和从量定额的计税依据分别确定。

(三)消费税退税的计算。

消费税应退税额=从价定率计征消费税的退税计税依据×比例税率+从量定额计征消费税的退税计税依据×定额税率

**九、出口货物劳务增值税和消费税政策的其他规定**

(一)认定和申报。

1. 适用本通知规定的增值税退(免)税或免税、消费税退(免)税或免税政策的出口企业或其他单位,应办理退(免)税认定。

2. 经过认定的出口企业及其他单位,应在规定的增值税纳税申报期内向主管税务机关申报增值税退(免)税和免税、消费税退(免)税和免税。委托出口的货物,由委托方申报增值税退(免)税和免税、消费税退(免)税和免税。输入特殊区域的水电气,由作为购买方的特殊区域内生产企业申报退税。

3. 出口企业或其他单位骗取国家出口退税款的,经省级以上税务机关批准可以停止其退(免)税资格。

(二)若干征、退(免)税规定

1. 出口企业或其他单位退(免)税认定之前的出口货物劳务,在办理退(免)税认定后,可按规定适用增值税退(免)税或免税及消费税退(免)税政策。

2. 开展进料加工业务的出口企业若发生未经海关批准将海关保税进口料件作价销售给其他企业加工的,应按规定征收增值税、消费税。

3. 卷烟出口企业经主管税务机关批准按国家批准的免税出口卷烟计划购进的卷烟免征增值税、消费税。

4. 发生增值税、消费税不应退税或免税但已实际退税或免税的,出口企业和其他单位应当补缴已退或已免税款。

5. 国家批准的免税品经营企业销售给免税店的进口免税货物免征增值税。

（三）外贸企业核算要求

外贸企业应单独设账核算出口货物的购进金额和进项税额，若购进货物时不能确定是用于出口的，先记入出口库存账，用于其他用途时应从出口库存账转出。

（四）符合条件的生产企业已签订出口合同的交通运输工具和机器设备，在其退税凭证尚未收集齐全的情况下，可凭出口合同、销售明细账等，向主管税务机关申报免抵退税。在货物向海关报关出口后，应按规定申报退（免）税，并办理已退（免）税的核销手续。多退（免）的税款，应予追回。生产企业申请时应同时满足以下条件：

1. 已取得增值税一般纳税人资格。
2. 已持续经营2年及2年以上。
3. 生产的交通运输工具和机器设备生产周期在1年及1年以上。
4. 上一年度净资产大于同期出口货物增值税、消费税退税额之和的3倍。
5. 持续经营以来从未发生逃税、骗取出口退税、虚开增值税专用发票或农产品收购发票、接受虚开增值税专用发票（善意取得虚开增值税专用发票除外）行为。

十、出口企业及其他单位具体认定办法及出口退（免）税具体管理办法，由国家税务总局另行制定。

十一、本通知除第一条第（二）项关于国内航空供应公司生产销售给国内和国外航空公司国际航班的航空食品适用增值税退（免）税政策，第六条第（一）项关于国家批准设立的免税店销售的免税货物、出口企业或其他单位未按规定申报或未补齐增值税退（免）税凭证的出口货物劳务、第九条第（二）项关于国家批准的免税品经营企业销售给免税店的进口免税货物适用增值税免税政策的有关规定自2011年1月1日起执行外，其他规定均自2012年7月1日起实施。《废止的文件和条款目录》（见附件9）所列的相应文件同时废止。

    附件：1. 国家规定不允许经营和限制出口的货物
          2. 贷款机构和中标机电产品的具体范围
          3. 海洋工程结构物和海上石油天然气开采企业的具体范围
          4. 视同自产货物的具体范围
          5. 列名生产企业的具体范围
          6. 列名原材料的具体范围
          7. 含黄金、铂金成分的货物和钻石及其饰品的具体范围
          8. 国家计划内出口的卷烟的具体范围
          9. 废止的文件和条款目录

## 附件1

### 国家规定不允许经营和限制出口的货物

1. 《中华人民共和国禁止出境物品表》（海关总署令1993第43号）所列的货物。
2. 《卫生部、对外经贸经济合作部、海关总署关于进一步加强人体血液、组织器官管理有关问题的通知》（卫药发[1996]第27号）规定的血液和血液制品、人体组织和器官（包括胎儿）以及利用人体组织和器官（包括胎儿）加工生产的制剂。
3. 商务部会同有关部门公布的《禁止出口货物目录》所列的货物。
4. 《濒危野生动物国际贸易公约》所列的附录一、二、三级的动物、动物产品和植物、植物产品。
5. 林业部、农业部发布的《国家重点保护野生动物名录》所列的一、二级保护的野生动物及其产品。
6. 国家食品药品监督管理局、公安部、卫生部发布的《精神药品制品种目录》、《麻醉药品管制品种目录》所列的货物。
7. 国家环保局、海关总署发布的《中华人民共和国禁止或严格限制的有毒化学品目录》所列的货物。

## 附件2

### 贷款机构和中标机电产品的具体范围

一、贷款机构的具体范围

| 序号 | 国际金融组织或外国政府贷款国别（机构） | 序号 | 国际金融组织或外国政府贷款国别（机构） |
|---|---|---|---|
| 1 | 世界银行 | 17 | 法国 |
| 2 | 国际农业发展基金 | 18 | 芬兰 |
| 3 | 北欧投资银行 | 19 | 韩国 |
| 4 | 北欧发展银行 | 20 | 荷兰 |
| 5 | 欧洲投资银行 | 21 | 加拿大 |
| 6 | 欧佩克国际发展基金会 | 22 | 科威特 |
| 7 | 亚洲开发银行 | 23 | 卢森堡 |
| 8 | 法国政府贷款 | 24 | 挪威 |
| 9 | 美国进出口银行（项目清单见下页） | 25 | 日本 |
| 10 | 日本协力银行 | 26 | 瑞典 |
| 11 | 英国 | 27 | 瑞士 |
| 12 | 澳大利亚 | 28 | 沙特 |
| 13 | 比利时 | 29 | 西班牙 |
| 14 | 丹麦 | 30 | 以色列 |
| 15 | 德国 | 31 | 意大利 |
| 16 | 波兰 | 32 | 奥地利 |

注：纳入外国政府贷款范围的德国政府混合贷款国别促进贷款；美国进出口银行的贷款按项目批准使用。

美国进出口银行主权担保贷款项目清单

| 序号 | 项目名称 | 贷款国别 | 金额（万美元） | 项目类别 | 转贷银行 |
|---|---|---|---|---|---|
| 1 | 铁道部扩建大连泵房栗机械设备 | 美国 | 20000 | | 工商银行 |
| 2 | 北京军区总医院北263路线引进医疗设备 | 美国 | 110 | 二 | 中国银行 |
| 3 | 内蒙古医学院附属医院等三家单位引进医疗设备（460+497+200） | 美国 | 1157 | | 进出口银行 |
| 4 | 中国矿业学院第一人民医院家山分院 | 美国 | 650 | 二 | 进出口银行 |
| 5 | 山东省聊城人民医院引进医疗设备 | 美国 | 596 | 二 | 进出口银行 |
| 6 | 广西柳州市妇幼保健院引进医疗设备 | 美国 | 350 | 二 | 进出口银行 |
| 7 | 新疆新生产建设兵团引进茶秆机 | 美国 | 11000 | | 进出口银行 |

二、中标机电产品的具体范围

海关出口货物税则号第84~90章所列的货物，但不包括海关总署发布的《外商投资项目不予免税的进口商品目录》所列的货物。

## 附件3

### 海洋工程结构物和海上石油天然气开采企业的具体范围

一、海洋工程结构物的具体范围

| 序号 | 海洋工程结构物的具体范围（海关税则中货物名称） | 所包含在的海关税则号 | 对应的常见名称 | 退税率 |
|---|---|---|---|---|
| 1 | 钢铁制桥梁及桥梁体段 | 7308100000 | 过度支架；生活模块；机泵模块 | 15% |
| 2 | 钢铁制门窗及其框架、门槛 | 7308300000 | | |
| 3 | 其他钢铁结构体及件（包括结构体用件的，加工材料、垫片） | 7308900000 | | |
| 4 | 钻探深度≥6千米其他石油钻机 | 8430411100 | 钻机模块 | 17% |
| 5 | 钻探深度<6千米其他钻探机（自推进的） | 8430412900 | | |
| 6 | 载重量不超过15万吨的原油船 | 8901202100 | 浮式生产储油轮； | 17% |
| 7 | 载重量不超过10万吨的原油船 | 8901201100 | 浮式储油轮；穿梭油轮 | |
| 8 | 10万吨≤载重量≤30万吨成品油船 | 8901201200 | | |
| 9 | 机动多用途船 | 8901905000 | 三用工作船 | 17% |
| 10 | 拖船及顶推船 | 8904000000 | | |
| 11 | 15万吨<载重量≤30万吨的原油船 | 8901202200 | 浮式生产储油轮；单点系泊系统；水下油气井；处理平台；生活楼台。 | 17% |
| 12 | 其他不以航行为主要功能的船 | 8905909000 | | |
| 13 | 有植物性材料的浮质结构体 | 8907900010 | | |
| 14 | 其他浮动结构体 | 8907900090 | | |
| 15 | 浮动或潜水式钻探或生产平台 | 8905200000 | 自升式、半潜式钻井船；固定式钻井船；钻井平台；处理平台；生活平台；储油平台。 | 17% |

二、海上石油天然气开采企业的具体范围

（一）中国海洋石油总公司及其下属企业：
1. 海洋石油实业公司
2. 海洋石油工程股份有限公司
3. 南海西部石油田服务（深圳）有限公司
4. 上海石油天然气有限公司
5. 天津中海油能源发展股份有限公司油田建设维护管理分公司
6. 湛江海洋石油石化运送建设有限公司
7. 中海石油服务股份有限公司
8. 中海油能源发展股份有限公司
9. 中海油能源发展股份有限公司采油服务分公司
10. 中海油能源发展股份有限公司采油技术服务分公司
11. 中海油能源发展股份有限公司管道管理分公司
12. 中海油能源发展股份有限公司油田建设工程分公司
13. 中海油能源发展股份有限公司油田建设维护服务技术服务分公司
14. 中海油能源发展股份有限公司油田建设工程分公司
15. 中海油油环保服务（天津）有限公司
16. 中海油油田开发有限公司
17. 中海油油研究中心
18. 中海石油（中国）有限公司
19. 中海石油（中国）有限公司天津分公司
20. 中海石油（中国）有限公司湛江分公司
21. 中海石油（中国）有限公司上海分公司
22. 中海石油（中国）有限公司深圳分公司
23. 中海石油（中国）有限公司湛江分公司
24. 中海石油（中国）有限公司海南分公司
25. 中海石油（中国）有限公司文昌13-1/2油田作业公司
26. 中海石油（中国）有限公司北部湾涠洲油田作业公司
27. 中海石油（中国）有限公司水文作业公司
28. 中海石油（中国）有限公司惠州油田作业公司
29. 中国海洋石油有限公司
30. 中海石油总公司
（二）中国海洋石油对外合作公司：
1. BP阿莫科（阿肯色）有限公司
2. BP中国勘探开发公司
3. CACT作业者集团
4. 埃尔中国公司
5. 埃尼中国深圳分公司
6. 澳大利亚菲利普斯石油有限公司
7. 澳大利亚BG国际有限公司
8. 阿普雪中国有限公司
9. 赫莫银资本有限公司
10. 超准石油公司
11. 超准能源香港国际有限公司

附件 4

**视同自产货物的具体范围**

一、持续经营以来从未发生骗取出口退税、虚开增值税专用发票或农产品收购发票、接受虚开增值税专用发票（善意取得虚开增值税专用发票除外）行为且其同时符合下列条件的生产企业出口的外购货物，可视同自产货物适用增值税退（免）税政策：

（一）已取得增值税一般纳税人资格。
（二）已持续经营满2年以上。
（三）纳税信用等级A级。
（四）上一年度销售额5亿元以上。
（五）外购出口的货物与本企业自产货物同类型或具有相关性。

二、持续经营以来从未发生骗取出口退税、虚开增值税专用发票或农产品收购发票、接受虚开增值税专用发票（善意取得虚开增值税专用发票除外）行为且其同时符合下列条件的本一条某规定的各种条件之外企业之外，出口的外购货物符合下列条件的可视同自产货物适用增值税退（免）税政策：

（一）同时符合下列条件的外购货物：
1.与本企业生产的货物名称、性能相同。
2.使用本企业注册商标或商标持有人授权本企业使用的商标。
3.出口到本企业已向其出口自产货物的国家或地区。

（二）本企业外购的符合下列条件之一的货物：
1.用于维修本企业出口的自产货物的工具、零部件、配件。
2.不经过本企业加工或组装，出口后revert直接与本企业自产货物组合成套设备的货物。

（三）经集团公司总部所在地地级以上国家税务局认定的集团公司（或总公司，下同），按《公司法》第二百一十七条规定的（母公司）由本企业以同收购的方式从集团公司与其成员企业生产的且同经销的自产货物。

（四）用于下列条件的委托加工货物：
1.与本企业生产的货物名称、性能相同，或者使用本企业的自产货物再委托加工的货物。
2.出口给进口本企业自产货物的外商。
3.委托方与受托方必须签订委托加工协议，且主要原材料必须由委托方提供，受托方不垫付资金，只收取加工费，开具加工费（含代垫的辅助材料）的增值税专用发票。

（五）用于对外承包工程项目下的货物。
（六）用于对外援助的货物。
（七）用于境外投资的货物。
（八）用于对外租赁的货物。
（九）生产自产货物的相关设备和原材料（农产品除外）。

附件 5

**列名生产企业的具体范围**

| 地区 | 序号 | 企业名称 |
|---|---|---|
| 北京市 | 1 | 北京天坛股份有限公司 |
| | 2 | SMC（中国）有限公司 |
| 天津市 | 3 | 天津三星光电子有限公司 |
| | 4 | 飞马（天津）缝纫机有限公司 |
| | 5 | 摩托罗拉（中国）电子有限公司 |
| | 6 | 天津三星通信技术有限公司 |
| | 7 | 天津三星电子有限公司 |
| | 8 | 天津三星电机有限公司 |
| | 9 | 天津三星高新电机有限公司 |
| 河北省 | 10 | 长城汽车股份有限公司 |
| | 11 | 邯郸县修防设备有限公司 |
| 山西省 | 12 | 山西榆次远大模封制品有限公司 |
| | 13 | 山西新和机械设备有限公司 |
| 内蒙古自治区 | 14 | 包头钢铁集团鑫王实业有限公司 |
| 大连市 | 15 | 东芝大连 |
| | 16 | 大连天剑机衣有限公司 |
| | 17 | 大连通能泰建材有限公司 |
| 吉林省 | 18 | 吉林省大众延吉社有限公司 |
| 黑龙江省 | 19 | 哈尔滨马利陶有限公司 |
| | 20 | 绥芬河市友谊木业（集团）有限公司 |
| 上海市 | 21 | 上海索广映像有限公司 |
| | 22 | 上海索广电子有限公司 |
| | 23 | 上海通用汽车有限公司 |
| 江苏省 | 24 | 吴江市英诺时装有限公司 |
| | 25 | 苏州三星电子电脑有限公司 |
| | 26 | 捷玛诺德（连云港）实业有限公司 |
| 浙江省 | 27 | 邓兴振德医用敷料有限公司 |
| | 28 | 浙江中大会器有限公司 |
| | 29 | 嘉兴恒美服饰有限公司 |

| 地区 | 序号 | 企业名称 |
|---|---|---|
| 宁波市 | 30 | 慈溪宏一电子有限公司 |
| | 31 | 宁波天虹文具有限公司 |
| | 32 | 怡人工艺品（宁波）有限公司 |
| 安徽省 | 33 | 博西华家用电器有限公司 |
| | 34 | 奇瑞汽车有限公司 |
| | 35 | 安徽应流集团霍山铸造有限公司 |
| 福建省 | 36 | 泉州褒福鞋服有限公司 |
| | 37 | 福建省晋田丰保鲜有限公司 |
| | 38 | 东南（福建）汽车工业有限公司 |
| 厦门市 | 39 | 厦门日科科电子有限公司 |
| | 40 | 林德（厦门）叉车有限公司 |
| | 41 | 戴尔（厦门）有限公司 |
| 江西省 | 42 | 赣州虔东稀土集团股份有限公司 |
| | 43 | 江西省万载县康生出口烟花制造三厂 |
| 山东省 | 44 | 小松山推工程机械有限公司 |
| | 45 | 三光电子（山东）数码打印有限公司 |
| | 46 | 山东松下电子信息有限公司 |
| 青岛市 | 47 | 山东英吉多运动健康产业有限公司 |
| | 48 | 青岛金王应用化学股份有限公司 |
| | 49 | 青岛快鸟健加工有限公司 |
| | 50 | 中国第汽集团青岛客车厂有限公司 |
| 河南省 | 51 | 郑州宇通客车有限公司 |
| 湖北省 | 52 | 湖北楚红家用纺织品有限公司 |
| | 53 | 东风汽车有限公司 |
| | 54 | 湖北安琪酵母股份有限公司 |
| 湖南省 | 55 | 湖南科力远新能源股份有限公司 |
| 广东省 | 56 | 珠海能力电子股份有限公司 |
| | 57 | 广州市虎头电池集团有限公司 |
| | 58 | 深圳富泰鑫消费通信有限公司 |
| 深圳市 | 59 | 牡丹华国集团有限公司 |
| | 60 | 深圳中大食品兰有限公司 |
| 广西壮族自治区 | 61 | 柳州富达机械有限公司 |

附件 6

| 地区 | 序号 | 企业名称 |
|---|---|---|
| | 62 | 柳州欧维姆机械股份有限公司 |
| 海南省 | 63 | 三星(海南)光通信技术有限公司 |
| 重庆市 | 64 | 重庆宗申发动机制造有限公司 |
| 四川省 | 65 | 川油宏华石油设备有限公司 |
| | 66 | 四川长虹网络科技有限责任公司 |
| 贵州省 | 67 | 贵州瓮福(集团)有限公司 |
| 陕西省 | 68 | 陕西汉江药业集团股份有限公司 |
| | 69 | 宝鸡石油钢管有限责任公司 |
| 青海省 | 70 | 青海新力土畜有限责任公司 |
| | 71 | 西部矿业股份有限公司 |
| 新疆维吾尔自治区 | 72 | 新疆天山毛纺织股份有限公司 |
| | 73 | 新疆美克股份有限公司 |
| | 74 | 新疆特变电工股份有限公司 |

## 列名厚材料的具体范围

| 序号 | 海关税则号 | 货物名称 |
|---|---|---|
| 1 | 3208909000 | 溶于非水介质其他油漆、清漆溶液(包括以聚合物为基本成分的漆,本条注解所述非漆) |
| 2 | 3210000001 | 其他光导纤维用涂料 |
| 3 | 3210000004 | 其他油漆及清漆、皮革用水性颜料(包括皮聚合物为原料的乾漆、大漆及水泥涂料) |
| 4 | 3214100000 | 半导体器件封装材料 |
| 5 | 3214109000 | 其他安装玻璃用油灰等,油工用填料(包括接缝用油灰、树脂胶泥、嵌缝胶及其他胶粘剂) |
| 6 | 4114100000 | 油鞣其他动物皮革(包括组合鞣制的油鞣皮革;野生动物皮革除外) |
| 7 | 4114200000 | 漆皮及层压漆皮;镀金属皮革 |
| 8 | 4115100000 | 再生皮革(以皮革或皮革纤维为基本成分,成块,张,条,不论是否成卷) |
| 9 | 4107121000 | 面剖绵羊皮牛皮(轻鞣制或半鞣后进一步加工,未灰化处理) |
| 10 | 4107199000 | 其他整张牛马皮革(轻鞣制或半鞣后进一步加工,未灰化处理) |
| 11 | 7205100001 | 镜角钢砂(不规则颗粒数量大于80%) |
| 12 | 7205100000 | 铁或生铁、镜铁及钢铁颗粒 |
| 13 | 7208100000 | 轧有花纹的热轧卷材(除热轧片未进一步加工的) |
| 14 | 7208250000 | 厚≥4.75MM其他酸洗的热轧卷材(除热轧片未进一步加工,宽≥600MM,未包、镀、涂层) |
| 15 | 7208261000 | 4.75MM≥厚≥3MM其他大强度热轧卷材(经酸洗,宽≥600MM,屈服强度大于355牛顿/平方毫米) |
| 16 | 7208269000 | 4.75MM≥厚≥3MM其他热轧卷材(经酸洗,宽≥600MM,屈服强度小于等于355牛顿/平方毫米) |
| 17 | 7208271000 | 厚度<1.5MM其他酸洗的热轧卷材(经酸洗,宽≥600MM,未包、镀、涂层) |
| 18 | 7208279000 | 1.5MM≤厚<3MM其他酸洗的热轧卷材(经酸洗,宽≥600MM,未包、镀、涂层) |
| 19 | 7208360000 | 厚度>10MM的其他热轧卷材(除热轧片未进一步加工,宽≥600MM,未包、镀、涂层) |
| 20 | 7208370000 | 10MM≤厚≤4.75MM的其他热轧卷材(除热轧片未进一步加工,宽≥600MM,未包、镀、涂层) |
| 21 | 7208381000 | 4.75MM≥厚度≥3MM的大强度卷材(宽≥600MM,屈服强度大于355牛顿/平方毫米) |

| 序号 | 海关税则号 | 货物名称 |
|---|---|---|
| 22 | 7208389000 | 其他4.75MM≥厚度≥3MM的卷材(宽≥600MM,屈服强度小于等于355牛顿/平方毫米) |
| 23 | 7208391000 | 厚度<1.5MM的其他热轧卷材(除热轧片未进一步加工,宽≥600MM,未包、镀、涂层) |
| 24 | 7208399000 | 1.5MM≤厚<3MM的其他热轧卷材(除热轧片未进一步加工,宽≥600MM,未包、镀、涂层) |
| 25 | 7208400000 | 轧有花纹的其他卷材(除热轧片未进一步加工,宽≥600MM,未包、镀、涂层) |
| 26 | 7208511000 | 厚度>50MM其他热轧非卷材(宽≥600MM,未包、镀、涂层) |
| 27 | 7208512000 | 20MM<厚≤50MM的其他热轧非卷材(宽≥600MM,未包、镀、涂层) |
| 28 | 7208519000 | 10MM<厚≤20MM的其他热轧非卷材(宽≥600MM,未包、镀、涂层) |
| 29 | 7208520000 | 10MM≥厚度≥4.75的其他热轧非卷材(除热轧片未进一步加工,宽≥600MM,未包、镀、涂层) |
| 30 | 7208531000 | 4.75MM>厚≥3MM大强度热轧非卷材(宽≥600MM,屈服强度大于355牛顿/平方毫米) |
| 31 | 7208539000 | 其他4.75MM>厚≥3MM的热轧非卷材(宽≥600MM,屈服强度小于等于355牛顿/平方毫米) |
| 32 | 7208541000 | 厚<1.5MM的其他热轧非卷材(宽≥600MM,未包、镀、涂层) |
| 33 | 7208549000 | 1.5≤厚<3MM的其他热轧非卷材(宽≥600MM,未包、镀、涂层) |
| 34 | 7208900000 | 其他热轧铁或非合金钢平轧轧材(宽≥600MM,未经包,镀,涂层) |
| 35 | 7211130000 | 未轧花纹的四面轧制的热轧卷材(150MM<宽<600MM,厚>4MM,未包、镀、涂层) |
| 36 | 7211140000 | 厚≥4.75MM其他热轧卷材(宽<600MM,未包,镀,涂层) |
| 37 | 7211190000 | 其他铁或非合金钢窄板材(宽<600MM,未包,镀,涂层) |
| 38 | 7211230000 | 含碳量低于0.25%的冷轧卷材(宽<600MM,未包,镀,涂层) |
| 39 | 7211290000 | 冷轧含碳量≥0.25%铁及非合金钢窄板材(宽<600MM,未经包,镀,涂层,含碳量≥0.25%) |
| 40 | 7211900000 | 冷轧的铁或非合金钢其他窄板材(宽<600MM,未经包,镀,涂层) |
| 41 | 7212100000 | 镀(涂)锡的铁或非合金钢窄板材(宽<600MM) |
| 42 | 7212200000 | 电镀锌的铁或非合金钢窄板材(宽<600MM) |
| 43 | 7212300000 | 其他镀锌的铁或非合金钢窄板材(宽<600MM) |
| 44 | 7212400000 | 涂漆或涂前的铁或非合金钢窄板材(宽<600MM) |

| 序号 | 海关税则号 | 货物名称 |
|---|---|---|
| 45 | 7212500000 | 涂镀其他材料的铁或非合金钢窄板材(宽<600MM) |
| 46 | 7212600000 | 包覆的铁或非合金钢窄板材(宽<600MM) |
| 47 | 7213100000 | 铁或非合金钢制粗制盘条(带有轧制过程中产生的变形) |
| 48 | 7213200000 | 铁或易切削钢制粗制盘条(不带有轧制过程中产生的变形) |
| 49 | 7213910000 | 圆截面直径<14MM的其他粗制盘条(不带有轧制过程中产生的变形) |
| 50 | 7213990000 | 其他铁或非合金钢盘条(不带有轧制过程中产生的变形) |
| 51 | 7214200000 | 铁或非合金钢热加工条,杆(带有轧制过程中产生变形,热加工后扭接头条,或热加工后挤压) |
| 52 | 7214300000 | 铁或易切削钢的热加工条,杆(不带有轧制过程中产生变形,热加工后扭接头条,或热加工后挤压) |
| 53 | 7214910000 | 铁或矩形截面条,杆(正方形除外) |
| 54 | 7214990000 | 其他热加工条,杆 |
| 55 | 7215100000 | 铁或易切削钢冷加工条,杆(包括冷成形) |
| 56 | 7215500000 | 其他铁或非合金钢冷加工条,杆 |
| 57 | 7215900000 | 铁及非合金钢其他条,杆 |
| 58 | 7216101000 | 截面高度<80MMH型钢(除加工未经进一步加工) |
| 59 | 7216102000 | 截面高度<80MMI字钢(除加工未经进一步加工) |
| 60 | 7216210000 | 截面高度<80MM的槽钢(除加工未经进一步加工) |
| 61 | 7216220000 | 截面高度<80MM的角钢(除加工未经进一步加工) |
| 62 | 7216230000 | 截面高度<80MMT字钢(除加工未经进一步加工) |
| 63 | 7216310000 | 截面高度>80MM的槽钢(除加工未经进一步加工) |
| 64 | 7216321000 | 截面高度>200MMI字钢(除加工未经进一步加工) |
| 65 | 7216329000 | 80MM<截面高度<200MMI字钢(除加工未经进一步加工) |
| 66 | 7216331000 | 截面高度>800MMH型钢(除加工未经进一步加工) |
| 67 | 7216331900 | 200MM<截面高度<800MMH型钢(除加工未经进一步加工) |
| 68 | 7216339000 | 80MM<截面高度<200MMH型钢(除加工未经进一步加工) |
| 69 | 7216401000 | 截面高度>80MM的角钢(除加工未经进一步加工) |
| 70 | 7216402000 | 截面高度>80MM的T字钢(除加工未经进一步加工) |
| 71 | 7216501000 | 乙字钢(除加工未经进一步加工) |
| 72 | 7216509000 | 其他铁、型材及异型材(除加工未经进一步加工) |
| 73 | 7216610000 | 平轧机加的角材、型材及异型材(除加工未经进一步加工) |
| 74 | 7216690000 | 铁、工角材、型材及异型材(除加工未经进一步加工) |
| 75 | 7216910000 | 铁平轧机的角材、型材、异型材(冷或或冷加工制的) |
| 76 | 7216990000 | 其他铁、型材及异型材(除加工未经进一步加工) |
| 77 | 7217100000 | 未镀或涂层的铁或非合金钢丝(不论是否抛光) |

## 附件7

### 含黄金、铂金成分的货物和钻石及其饰品的具体范围

**一、含黄金、铂金成分的货物**

是指下列两类货物：

（一）下列海关税则号的货物：2843100000、2843300010、2843300090、2843900090（不包括氯化铯、氯化铷溶液、二氯化铷溶体、二氯化铷晶体、二氯化铷溶液、硝酸铷溶液、低浓硝酸铷溶液、醋酸铷体、碳酸铷溶体、三氧化铷晶体、硫酸铷溶液、碘化铷晶体、亚硫酸铷溶体、咸尔森碳值化剂、三（三苯基膦）氯化铷（I）、卡赞碳晶体、醋酸铷晶体）、3824909903、7111000000（不包括银焊料）、7112309000、7112911010、7112911090、7112912000、7112921000、7112922001、7112922090、7112992000、7112999000、7113191100、7113191910、7113191990、7113199910、7113199990、7114190010、7114190090、7114200010、7114200090（不包括镀银铁链）、7115100000、7115901020、7115901090（不包括镀银、镶焊锡、银铜化铝）、7115909000（不包括电弹焊用、锡合焊丝）。

（二）海关税则号为"9113100010、9113100090"中的"黄金属表带"中的"铂金表带"；海关税则号为"9111100010、9111100090"中的"黄金、铂金或包金表壳的零件"；海关税则号为"9111900000"中的"黄金、铂金表壳的零件"；海关税则号为"7118900000"中的"猪年生肖彩色金币和猪年生肖金币"。

**二、钻石及其饰品**

是指下列海关税则号的货物：7102100000、7102310000、7102390000、7104201000、7104909100、7105101000、7113111000、7113191100、7113199100、7113201000、7116200000。

## 附件8

### 国家计划内出口的卷烟的具体范围

一、有出口经营权的卷烟生产企业（具体范围是指湖南中烟工业公司、浙江中烟工业公司、河南中烟工业公司、贵州中烟工业公司、湖北中烟工业公司、陕西中烟工业公司、安徽中烟工业公司）按国家批准的免税出口卷烟计划（以下简称出口卷烟计划）自营出口的产品卷烟。

二、卷烟生产企业按出口卷烟计划委托卷烟出口公司（具体范围是指深圳烟草进出口有限公司、中国烟草辽宁进出口公司、中国烟草黑龙江进出口有限责任公司、中国烟草厦门进出口有限公司、北京烟草厂烟台中烟草厂、福建中烟工业公司、福建中烟工业公司）按出口卷烟计划内出口的采购卷烟。

三、卷烟出口公司自营出口的烟销售自营的卷烟。

四、卷烟出口企业（具体范围是指中国烟草上海进出口有限责任公司、中国烟草厂家进出口公司、中国烟草山东进出口有限公司、云南烟草进出口有限公司、川渝中烟工业公司、福建中烟工业公司）按出口卷烟计划内出口的外购卷烟。

附件9

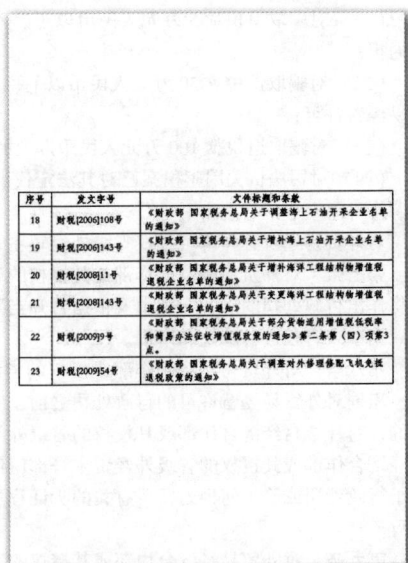

# 关于对骗取出口退税企业给予行政处罚的暂行规定

([2000] 外经贸发展发第513号)

(2000年9月27日由对外贸易经济合作部、国家税务总局发布,2000年9月27日起施行,法规类型为规范性文件)

**第一条** 为严厉打击骗取出口退税行为,根据《中华人民共和国行政处罚法》、《中华人民共和国对外贸易法》、《中华人民共和国税收征收管理法》、《全国人民代表大会常务委员会关于惩治虚开、伪造和非法出售增值税专用发票犯罪的决定》以及有关法律、法规,特制定本规定。

**第二条** 本规定所指的骗取出口退税(以下简称"出口骗税")行为,系指外经贸企业从事"四自三不见"等买单业务和采用伪造、涂改及套取的出口退税凭证申报退税,以取得国家出口退税款的行为。

**第三条** 本规定所指外经贸企业是指外贸公司、自营进出口生产企业和科研院所、有进出口经营权的商业物资企业、对外承包劳务企业、加工贸易企业、边贸企业、旅游小额贸易企业等。

**第四条** 对有出口骗税行为的外经贸企业的行政处罚包括给予警告、暂停或撤销对外贸易经营许可等形式。

**第五条** 税务部门认定有出口骗税行为,在作出追缴骗税款及停止出口退税权等行政处罚后,对外贸易经济合作部可按本暂行规定对出口骗税企业给予处罚。

**第六条** 对外贸易经济合作部依据出口骗税行为的情节轻重,对企业给予如下行政处罚:

(一)对骗取退税款 5 万元人民币以上、不满 50 万元人民币的企业,给予警告处罚并予以通报;

(二)对骗取退税款 50 万元人民币以上、不满 100 万元人民币的企业,暂停其 6 个月对外贸易经营许可;

(三)对骗取退税款 100 万元人民币以上的企业,撤销其对外贸易经营许可;

(四)对司法机关已因骗税案对其法定代表人依法追究刑事责任的企业,撤销其对外贸易经营许可。

对外贸易经济合作部可授权省级外经贸主管部门对出口骗税企业作出上述行政处罚。

**第七条** 对外贸易经济合作部或其授权的省级外经贸主管部门在作出行政处罚决定前,应当将作出行政处罚的事实、理由及依据告知当事人(将被处罚的企业)。

当事人有权进行陈述和申辩。

**第八条** 对外贸易经济合作部或授权的省级外经贸主管部门在对骗税外经贸企业作出暂停、撤销对外贸易经营许可的行政处罚之前,应告知企业有要求举行听证的权利;企业要求听证的,对外贸易经济合作部或其授权的省级外经贸主管部门应组织听证。听证结束后,对外贸易经济合作部或其授权的省级外经贸主管部门依据有关法律、法规及听证情况,最终决定是否给予行政处罚或给予何种处罚。有关的听证程序依照《中华人民共和国行政处罚法》的规定进行。

**第九条** 对外贸易经济合作部或其授权的省级外经贸主管部门决定作出行政处罚的,应当制作行政处罚决定书。

行政处罚决定书应当在宣告后当场交付当事人;当事人不在场的,应当在 7 日内依照《中华人民共和国民事诉讼法》的有关规定,将行政处罚决定书送达当事人。

行政处罚决定书送达后,应同时抄送国家税务总局。

**第十条** 处罚决定书自送达企业之日起生效。

**第十一条** 企业对行政处罚决定不服的,可依照《中华人民共和国行政复议法》,在收到处罚决定书之日起 15 日内,向对外贸易经济合作部行政复议委员会提起行政复议,或依照《中华人民共和国行政诉讼法》提起行政诉讼。被处罚企业申请行政复议或者提起行政诉讼期间,原行政处罚决定不停止执行。

**第十二条** 本规定适用于外商投资企业。对外贸易经济合作部可比照本规定第六条,对有出口骗退税行为的外商投资企业分别给予警告、通知海关暂停或停止办理其进出口业务的行政处罚,并通知外方的母公司。对情节严重的,依法撤销外商投资企业批准证书。

**第十三条** 本规定由对外贸易经济合作部负责解释。

**第十四条** 本规定自发布之日起施行。

## 关于规范出口贸易和退税程序防范打击骗取出口退税行为的通知

(国税发〔1998〕84号)

(1998年6月1日由国家税务总局、对外贸易经济合作部发布;根据2011年1月4日国家税务总局公告2011年第2号《全文失效废止 部分条款失效废止的税收规范性文件目录》第一次修正,根据2018年6月15日国家税务总局公告2018年第31号《关于修改部分税收规范性文件的公告》第二次修正;现行版本自2018年6月15日起施行,法规类型为规范性文件)

各省、自治区、直辖市和计划单列市税务局、外经贸委(厅、局):

为进一步支持外贸出口,加快出口退税进度,同时防范和打击骗取出口退税的违法犯罪行为,税务局和外经贸部决定进一步规范出口贸易和出口退税程序。现将有关事项具体通知如下:

### 一、加强出口贸易管理

(一)出口企业必须端正经营思想。既要努力扩大经营,多创外汇,提高效益,又要遵纪守法,严禁任何形式的弄虚作假。坚决制止少数企业采取"倒汇"手段假冒进出口贸易,骗取退税款的违法犯罪行为,确保对外贸易的健康发展。

(二)出口企业在交易过程中必须做认真细致的工作。要特别注意教育业务人员认真负责地对货源、货物质量、价格以及纳税、客商资信等情况进行认真了解,对交易、仓储、运输、报关等具体出口贸易环节要亲自操作或监管,绝不做"四自、三不见"("客商"或中间人自带客户、自带货源、自带汇票、自行报关和出口企业不见出口产品、不见供货货主、不见外商)的"买单"业务,避免上当受骗。同时内部应建立责任制和奖惩制度,加强制约和处罚。

### 二、出口退税程序

定期审核、审批退税。税务机关在收取已经外经贸主管部门稽核的退税申报资料后,应及时审核退税单证。对单证齐全真实,且电子信息核对无误的,必须在20个工作日内办完退税审核、审批手续。对有疑问的单证且电子信息核对不上的,要及时函调调查,落实清楚后再办理退税;征税机关应按照国家税务总局的有关规定及时、如实回函,在收到退税机关函调后3个月内必须将函调情况回复发函地退税机关,如因特殊情况确实查不清楚的,应先回函说明暂时查不清的原因以及下次回函的时限。凡经税务机关调查一个生产环节仍查不清、需追溯以往的,应由出口企业负责调查举证,然后报退税机关复核无误后方可退税。举证有误和在本年度退税清算期内不能举证其出口真实有效的,不再办理退税。

### 三、严格出口退税电子信息审核工作

(一)各地主管出口退税的税务机关应尽快完善出口退税电子化管理,并严格按照有关规定进行审核。除国家税务总局明文规定不进行电子信息审核的出口项目外,对出口企业申报的每一笔退税申请必须与国家税务总局下发的报关单信息、代理出口货物证明信息等进行核对。对确因电子信息原因通不过的退税申请,应适当采用人机结合的办法进行审核。

(二)各级税务局应按照出口退税专用税票认证系统的有关规定采集、传递、分发、使用专用税票电子信息,确保电子信息的完整性和正确性。具体办法另行规定。

### 四、防范和打击骗取出口退税的违法犯罪行为

(一)各级税务部门、外经贸部门必须时刻注意骗取退税的新动向,密切配合,加强协

作，提醒和教育企业采取切实可行措施，防范骗取出口退税，避免给企业和国家造成损失。

（二）对从事"四自三不见"买单业务的出口企业，一经发现，无论退税额大小或是否申报退税，一律停止其半年以上的退税权。对采取其他手段骗取退税的，也要按规定严惩不贷，情节严重的，由外经贸部及其授权单位批准，撤销其出口经营权。对有关责任人员，要提请司法机关处理，绝不姑息。

五、本通知自一九九八年六月一日起执行。

以上请遵照执行。

## 关于进一步规范外贸出口经营秩序切实加强出口货物退（免）税管理的通知

（国税发〔2006〕24号）

（2006年2月13日由国家税务总局、商务部发布，2006年3月1日起施行，法规类型为规范性文件）

各省、自治区、直辖市和计划单列市税务局，商务主管部门：

为确保我国外贸出口的持续健康稳定发展，进一步规范外贸出口经营秩序，严禁出口企业从事"四自三不见"等不规范的出口业务，严格出口货物退（免）税管理，防范和打击骗取出口退税的违法犯罪活动，现将有关问题通知如下：

一、出口企业要规范出口经营行为，进一步建立和完善内部管理制度，加强对业务人员的素质教育，严格按照正常的贸易程序开展出口业务。出口企业要实质参与出口交易活动，确保出口业务的真实性，严格遵守国家有关出口退税法律法规。

二、为维护我国正常外贸经营秩序，确保国家出口退税机制的平稳运行，避免国家财产损失，凡自营或委托出口业务具有以下情况之一者，出口企业不得将该业务向税务机关申报办理出口货物退（免）税：

（一）出口企业将空白的出口货物报关单、出口收汇核销单等出口退（免）税单证交由除签有委托合同的货代公司、报关行，或由国外进口方指定的货代公司（提供合同约定或者其他相关证明）以外的其他单位或个人使用的；

（二）出口企业以自营名义出口，其出口业务实质上是由本企业及其投资的企业以外的其他经营者（或企业、个体经营者及其他个人）假借该出口企业名义操作完成的；

（三）出口企业以自营名义出口，其出口的同一批货物既签订购货合同，又签订代理出口合同（或协议）的；

（四）出口货物在海关验放后，出口企业自己或委托货代承运人对该笔货物的海运提单（其他运输方式的，以承运人交给发货人的运输单据为准，下同）上的品名、规格等进行修改，造成出口货物报关单与海运提单有关内容不符的；

（五）出口企业以自营名义出口，但不承担出口货物的质量、结汇或退税风险的，即出口货物发生质量问题不承担外方的索赔责任（合同中有约定质量责任承担者除外）；不承担未按期结汇导致不能核销的责任（合同中有约定结汇责任承担者除外）；不承担因申报出口退税的资料、单证等出现问题造成不退税责任的；

（六）出口企业未实质参与出口经营活动、接受并从事由中间人介绍的其他出口业务，但仍以自营名义出口的；

（七）其他违反国家有关出口退税法律法规的行为。

三、出口企业凡从事本通知第二条所述业务之一并申报退（免）税的，一经发现，该业务已退（免）税款予以追回，未退（免）税款不再办理。骗取出口退税款的，由税务机关追缴其骗取的退税款，并处骗取退税款一倍以上五倍以下罚款；并由省级以上（含省级）税务机关批准，停止其半年以上出口退税权。在停止出口退税权期间，对该企业自营、委托或代理出口的货物，一律不予办理出口退（免）税。涉嫌构成犯罪的，移送司法机关依法追究刑事责任。

四、各级税务机关、商务主管部门要进一步加强协作，做好政策宣传工作，积极引导出口企业从事正常的出口贸易，规范外贸经营程序，加强出口货物退（免）税管理。主管出口退（免）税的税务机关继续按现行规定的申报、审核、审批要求，做好出口企业正常出口货物的退（免）税申报、审核、审批管理。同时，税务机关和商务主管部门要加强信息沟通与交流，密切注意骗税新动向，对已发现的违法、违规行为，要严肃处理，不得以任何理由姑息、纵容出口企业从事违反国家有关规定、违背正常出口经营程序的出口业务。

五、本通知自2006年3月1日起执行（以出口货物报关单〔出口退税专用〕上注明的出口日期为准）。

# 关于停止为骗取出口退税企业办理出口退税有关问题的通知

（国税发〔2008〕32号）

（2008年3月25日由国家税务总局发布，根据2018年6月15日国家税务总局公告2018年第31号《国家税务总局关于修改部分税收规范性文件的公告》修改，现行版本自2018年6月15日起施行，法规类型为规范性文件）

各省、自治区、直辖市和计划单列市国家税务局：

为加强出口退税管理，规范税收执法，根据《中华人民共和国税收征收管理法》有关规定，现将停止为骗取出口退税企业办理出口退税的有关问题规定如下：

一、出口企业骗取国家出口退税款的，税务机关按以下规定处理：

（一）骗取国家出口退税款不满5万元的，可以停止为其办理出口退税半年以上一年以下。

（二）骗取国家出口退税款5万元以上不满50万元的，可以停止为其办理出口退税一年以上一年半以下。

（三）骗取国家出口退税款50万元以上不满250万元，或因骗取出口退税行为受过行政处罚、两年内又骗取国家出口退税款数额在30万元以上不满150万元的，停止为其办理出口退税一年半以上两年以下。

（四）骗取国家出口退税款250万元以上，或因骗取出口退税行为受过行政处罚、两年内又骗取国家出口退税款数额在150万元以上的，停止为其办理出口退税两年以上三年以下。

二、对拟停止为其办理出口退税的骗税企业，由其主管税务机关或稽查局逐级上报省、自治区、直辖市和计划单列市税务局批准后按规定程序作出《税务行政处罚决定书》。停止办理出口退税的时间以作出《税务行政处罚决定书》的决定之日为起点。

三、出口企业在税务机关停止为其办理出口退税期间发生的自营或委托出口货物以及代理出口货物等，一律不得申报办理出口退税。

在税务机关停止为其办理出口退税期间，出口企业代理其他单位出口的货物，不得向税务机关申请开具《代理出口货物证明》。

四、出口企业自税务机关停止为其办理出口退税期限届满之日起，可以按现行规定到税务机关办理出口退税业务。

五、出口企业违反国家有关进出口经营的规定，以自营名义出口货物，但实质是靠非法出售或购买权益牟利，情节严重的，税务机关可以比照上述规定在一定期限内停止为其办理出口退税。

六、本通知自2008年4月1日起执行。

# 关于货物贸易外汇管理制度改革试点后有关出口退税问题的通知

（国税函〔2011〕643号）

（2011年11月17日由国家税务总局发布，2011年11月17日起施行，法规类型为规范性文件）

江苏、浙江、福建、山东、湖北省国家税务局，大连、青岛市国家税务局：

根据《国家外汇管理局 国家税务总局 海关总署关于货物贸易外汇管理制度改革试点的公告》（国家外汇管理局公告2011年第2号），自2011年12月1日起，在你地区进行货物贸易外汇管理制度改革试点。为使试点工作顺利进行，现就有关问题通知如下：

一、出口退税申报、审核规定

试点地区试点期间企业报关出口的货物，申报出口退（免）税业务时无须向税务部门提供纸质出口收汇核销单。

试点地区税务部门对企业在试点期间报关出口的货物办理出口退（免）税，不再审核企业的纸质出口收汇核销单及相应的电子核销信息；对试点地区已经试行申报出口退（免）税免予提供纸质核销单的出口企业，税务部门也不再审核其出口收汇核销电子数据。

二、试点前后政策衔接规定

《国家外汇管理局关于货物贸易外汇管理制度改革试点有关问题的通知》（汇发〔2011〕39号）规定，出口企业在2011年12月1日前报关出口且截至该日尚未核销的出口业务，不再办理出口收汇核销手续；在2011年12月1日前已核销的出口业务，试点地区国家外汇管理局分、支局应于2011年12月31日前将出口收汇已核销信息传送税务部门。

试点地区税务部门审核企业2011年12月1日（"出口货物报关单〔出口退税专用〕"海关注明的出口日期）前报关出口货物的出口退（免）税时，对2011年12月1日前已办理正常核销和逾期核销及逾期未核销的出口业务，按试点前的出口退税相关规定办理（出口收汇已核销信息以试点地区国家外汇管理局分支局于2011年12月31日前传送给税务部门的为准）；对2011年12月1日前其他未办理出口收汇核销手续的出口业务，比照本通知第一条规定办理。

三、试点后外汇部门与税务部门交换的数据和信息及实现交换的方式

（一）外汇部门向税务部门提供的数据和信息。外汇部门对企业的分类管理信息，出口企

业货物贸易收汇逐笔数据和 B、C 类企业的总量核查数据。

（二）税务部门向外汇部门提供的信息。税务部门对出口企业的分类管理信息，以及检查发现的收汇异常信息；出口退税骗税企业信息。出口退税审核关注商品目录。

（三）业务数据和监管信息交换实现方式及利用。国家外汇局与国家税务总局搭建专线，实现两部门之间业务数据和监管信息的直接传输，国家税务总局将数据清分到出口退税审核系统，用于出口退税审核的参考和预警分析。

**四、加强出口退税管理规定**

对外汇部门确定的 C 类出口企业，在分类监管期内申报的出口退（免）税业务，税务部门应按出口退税有关规定进行管理。

各地要利用外汇部门相关业务数据和监管信息，结合实际情况，加强出口退税预警分析监控工作。

五、试点地区税务部门应加强与外汇部门的协作，共同做好试点工作。如遇问题请及时与国家税务总局货物和劳务税司联系。

六、试点期间，试点地区暂停执行与本通知相抵触的有关出口退税规定。

七、试点地区有关出口退税审核系统升级事宜，将另行通知。

# 退（免）税管理

## 出口货物退（免）税管理办法（试行）

(国税发〔2005〕51号)

(2005年3月16日由国家税务总局发布，根据2018年6月15日国家税务总局公告2018年第31号《关于修改部分税收规范性文件的公告》修改，现行版本自2018年6月15日起施行，法规类型为部门规章)

### 第一章 总 则

**第一条** 为规范出口货物退（免）税管理，根据《中华人民共和国税收征收管理法》、《中华人民共和国税收征收管理法实施细则》、《中华人民共和国增值税暂行条例》、《中华人民共和国消费税暂行条例》以及国家其他有关出口货物退（免）税规定，制定本管理办法。

**第二条** 出口商自营或委托出口的货物，除另有规定者外，可在货物报关出口并在财务上做销售核算后，凭有关凭证报送所在地税务局（以下简称税务机关）批准退还或免征其增值税、消费税。

本办法所述出口商包括对外贸易经营者、没有出口经营资格委托出口的生产企业、特定退（免）税的企业和人员。

上述对外贸易经营者是指依法办理工商登记或者其他执业手续，经商务部及其授权单位赋予出口经营资格的从事对外贸易经营活动的法人、其他组织或者个人。其中，个人（包括外国人）是指注册登记为个体工商户、个人独资企业或合伙企业。

上述特定退（免）税的企业和人员是指按国家有关规定可以申请出口货物退（免）税的企业和人员。

**第三条** 出口货物的退（免）税范围、退税率和退（免）税方法，按国家有关规定执行。

**第四条** 税务机关应当按照办理出口货物退（免）税的程序，根据工作需要，设置出口货物退（免）税认定管理、申报受理、初审、复审、调查、审批、退库和调库等相应工作岗位，建立岗位责任制。因人员少需要一人多岗的，人员设置必须遵循岗位监督制约机制。

### 第二章 出口货物退（免）税认定管理

**第五条** 对外贸易经营者按《中华人民共和国对外贸易法》和商务部《对外贸易经营者备案登记办法》的规定办理备案登记后，没有出口经营资格的生产企业委托出口自产货物（含视同自产产品，下同），应分别在备案登记、代理出口协议签订之日起30日内持有关资料，填写《出口货物退（免）税认定表》，到所在地税务机关办理出口货物退（免）税认定手续。

特定退（免）税的企业和人员办理出口货物退（免）税认定手续按国家有关规定执行。

**第六条** 已办理出口货物退（免）税认定的出口商，其认定内容发生变化的，须自有关管理机关批准变更之日起30日内，持相关证件向税务机关申请办理出口货物退（免）税认定变更手续。

**第七条** 出口商发生解散、破产、撤销以及其他依法应终止出口货物退（免）税事项的，应持相关证件、资料向税务机关办理出口货物退（免）税注销认定。

对申请注销认定的出口商，税务机关应先结清其出口货物退（免）税款，再按规定办理注销手续。

## 第三章 出口货物退（免）税申报及受理

**第八条** 出口商应在规定期限内，收齐出口货物退（免）税所需的有关单证，使用国家税务总局认可的出口货物退（免）税电子申报系统生成电子申报数据，如实填写出口货物退（免）税申报表，向税务机关申报办理出口货物退（免）税手续。逾期申报的，除另有规定者外，税务机关不再受理该笔出口货物的退（免）税申报，该补税的应按有关规定补征税款。

**第九条** 出口商申报出口货物退（免）税时，税务机关应及时予以接受并进行初审。经初步审核，出口商报送的申报资料、电子申报数据及纸质凭证齐全的，税务机关受理该笔出口货物退（免）税申报。出口商报送的申报资料或纸质凭证不齐全的，除另有规定者外，税务机关不予受理该笔出口货物的退（免）税申报，并要当即向出口商提出改正、补充资料、凭证的要求。

税务机关受理出口商的出口货物退（免）税申报后，应为出口商出具回执，并对出口货物退（免）税申报情况进行登记。

**第十条** 出口商报送的出口货物退（免）税申报资料及纸质凭证齐全的，除另有规定者外，在规定申报期限结束前，税务机关不得以无相关电子信息或电子信息核对不符等原因，拒不受理出口商的出口货物退（免）税申报。

## 第四章 出口货物退（免）税审核、审批

**第十一条** 税务机关应当使用国家税务总局认可的出口货物退（免）税电子化管理系统以及总局下发的出口退税率文库，按照有关规定进行出口货物退（免）税审核、审批，不得随意更改出口货物退（免）税电子化管理系统的审核配置、出口退税率文库以及接收的有关电子信息。

**第十二条** 税务机关受理出口商出口货物退（免）税申报后，应在规定的时间内，对申报凭证、资料的合法性、准确性进行审查，并核实申报数据之间的逻辑对应关系。根据出口商申报的出口货物退（免）税凭证、资料的不同情况，税务机关应当重点审核以下内容：

（一）申报出口货物退（免）税的报表种类、内容及印章是否齐全、准确。

（二）申报出口货物退（免）税提供的电子数据和出口货物退（免）税申报表是否一致。

（三）申报出口货物退（免）税的凭证是否有效，与出口货物退（免）税申报表明细内容是否一致等。重点审核的凭证有：

1. 出口货物报关单（出口退税专用）。出口货物报关单必须是盖有海关验讫章，注明"出口退税专用"字样的原件（另有规定者除外），出口报关单的海关编号、出口商海关代码、出口日期、商品编号、出口数量及离岸价等主要内容应与申报退（免）税的报表一致。

2. 代理出口证明。代理出口货物证明上的受托方企业名称、出口商品代码、出口数量、离岸价等应与出口货物报关单（出口退税专用）上内容相匹配并与申报退（免）税的报表一

致。

3. 增值税专用发票（抵扣联）。增值税专用发票（抵扣联）必须印章齐全，没有涂改。增值税专用发票（抵扣联）的开票日期、数量、金额、税率等主要内容应与申报退（免）税的报表匹配。

4. 出口收汇核销单（或出口收汇核销清单，下同）。出口收汇核销单的编号、核销金额、出口商名称应当与对应的出口货物报关单上注明的批准文号、离岸价、出口商名称匹配。

5. 消费税税收（出口货物专用）缴款书。消费税税收（出口货物专用）缴款书各栏目的填写内容应与对应的发票一致；征税机关、国库（银行）印章必须齐全并符合要求。

**第十三条** 在对申报的出口货物退（免）税凭证、资料进行人工审核后，税务机关应当使用出口货物退（免）税电子化管理系统进行计算机审核，将出口商申报出口货物退（免）税提供的电子数据、凭证、资料与国家税务总局及有关部门传递的出口货物报关单、出口收汇核销单、代理出口证明、增值税专用发票、消费税税收（出口货物专用）缴款书等电子信息进行核计。审核、核对重点是：

（一）出口报关单电子信息。出口报关单的海关编号、出口日期、商品代码、出口数量及离岸价等项目是否与电子信息核对相符；

（二）代理出口证明电子信息。代理出口证明的编号、商品代码、出口日期、出口离岸价等项目是否与电子信息核对相符；

（三）出口收汇核销单电子信息。出口收汇核销单号码等项目是否与电子信息核对相符；

（四）出口退税率文库。出口商申报出口退（免）税的货物是否属于可退税货物，申报的退税率与出口退税率文库中的退税率是否一致。

（五）增值税专用发票电子信息。增值税专用发票的开票日期、金额、税额、购货方及销售方的纳税人识别号、发票代码、发票号码是否与增值税专用发票电子信息核对相符。

在核对增值税专用发票时应使用增值税专用发票稽核、协查信息。暂未收到增值税专用发票稽核、协查信息的，税务机关可先使用增值税专用发票认证信息，但必须及时用相关稽核、协查信息进行复核；对复核有误的，要及时追回已退（免）税款。

（六）消费税税收（出口货物专用）缴款书电子信息。消费税税收（出口货物专用）缴款书的号码、购货企业海关代码、计税金额、实缴税额、税率（额）等项目是否与电子信息核对相符。

**第十四条** 税务机关在审核中，发现的不符合规定的申报凭证、资料，税务机关应通知出口商进行调整或重新申报；对在计算机审核中发现的疑点，应当严格按照有关规定处理；对出口商申报的出口货物退（免）税凭证、资料有疑问的，应分别以下情况处理：

（一）凡对出口商申报的出口退（免）税凭证、资料无电子信息或核对不符的，应及时按照规定进行核查。

（二）凡对出口货物报关单（出口退税专用）、出口收汇核销单等纸质凭证有疑问的，应向相关部门发函核实。

（三）凡对防伪税控系统开具的增值税专用发票（抵扣联）有疑问的，应向同级税务稽查部门提出申请，通过税务系统增值税专用发票协查系统进行核查；

（四）对出口商申报出口货物的货源、纳税、供货企业经营状况等情况有疑问的，税务机关应按国家税务总局有关规定进行发函调查，或向同级税务稽查部门提出申请，由税务稽查部门按有关规定进行调查，并依据回函或调查情况进行处理。

**第十五条** 出口商提出办理相关出口货物退（免）税证明的申请，税务机关经审核符合有关规定的，应及时出具相关证明。

**第十六条** 出口货物退（免）税应当由设区的市、自治州以上（含本级）税务机关根据审核结果按照有关规定进行审批。

税务机关在审批后应当按照有关规定办理退库或调库手续。

## 第五章 出口货物退（免）税日常管理

**第十七条** 税务机关对出口货物退（免）税有关政策、规定应及时予以公告，并加强对出口商的宣传辅导和培训工作。

**第十八条** 税务机关应做好出口货物退（免）税计划及其执行情况的分析、上报工作。税务机关必须在国家税务总局下达的出口退（免）税计划内办理退库和调库。

**第十九条** 税务机关遇有下述情况，应及时结清出口商出口货物的退（免）税款：

（一）出口商发生解散、破产、撤销以及其他依法应终止出口退（免）税事项的，或者注销出口货物退（免）税认定的。

（二）出口商违反国家有关政策法规，被停止一定期限出口退税权的。

**第二十条** 税务机关应建立出口货物退（免）税评估机制和监控机制，强化出口货物退（免）税管理，防止骗税案件的发生。

**第二十一条** 税务机关应按照规定，做好出口货物退（免）税电子数据的接收、使用和管理工作，保证出口货物退（免）税电子化管理系统的安全，定期做好电子数据备份及设备维护工作。

**第二十二条** 税务机关应建立出口货物退（免）税凭证、资料的档案管理制度。出口货物退（免）税凭证、资料应当保存 10 年。但是，法律、行政法规另有规定的除外。具体管理办法由各省税务局制定。

## 第六章 违章处理

**第二十三条** 出口商有下列行为之一的，税务机关应按照《中华人民共和国税收征收管理法》第六十条规定予以处罚：

（一）未按规定办理出口货物退（免）税认定、变更或注销认定手续的；

（二）未按规定设置、使用和保管有关出口货物退（免）税帐簿、凭证、资料的。

**第二十四条** 出口商拒绝税务机关检查或拒绝提供有关出口货物退（免）税帐簿、凭证、资料的，税务机关应按照《中华人民共和国税收征收管理法》第七十条规定予以处罚。

**第二十五条** 出口商以假报出口或其他欺骗手段骗取国家出口退税款的，税务机关应当按照《中华人民共和国税收征收管理法》第六十六条规定处理。

对骗取国家出口退税款的出口商，经省级以上（含本级）税务局批准，可以停止其六个月以上的出口退税权。在出口退税权停止期间自营、委托和代理出口的货物，一律不予办理退（免）税。

**第二十六条** 出口商违反规定需采取税收保全措施和税收强制执行措施的，税务机关应按照《中华人民共和国税收征收管理法》及《中华人民共和国税收征收管理法实施细则》的有关规定执行。

## 第七章 附 则

**第二十七条** 本办法未列明的其他管理事项，按《中华人民共和国税收征收管理法》、《中华人民共和国税收征收管理法实施细则》等法律、行政法规的有关规定办理。

**第二十八条** 本办法由国家税务总局负责解释。

**第二十九条** 本办法自 2005 年 5 月 1 日起施行。此前规定与本办法不一致的，以本办法为准。

# 适用增值税零税率应税服务退（免）税管理办法

（国家税务总局公告2014年第11号）

（2014年2月8日由国家税务总局发布；根据2015年4月30日国家税务总局公告2015年第29号《关于出口退（免）税有关问题的公告》第一次修改，根据2015年12月14日国家税务总局公告2015年第88号《关于〈适用增值税零税率应税服务退（免）税管理办法〉的补充公告》第二次修改，根据2018年4月19日国家税务总局公告2018年第16号《关于出口退（免）税申报有关问题的公告》第三次修改；现行版本自2018年5月1日起施行，法规类型为规范性文件）

为落实营业税改征增值税有关应税服务适用增值税零税率的政策规定，经商财政部同意，国家税务总局制定了《适用增值税零税率应税服务退（免）税管理办法》。现予以发布，自2014年1月1日起施行。《国家税务总局关于发布〈适用增值税零税率应税服务退（免）税管理办法（暂行）〉的公告》（国家税务总局公告2013年第47号）同时废止。

特此公告。

附件：1. 增值税零税率应税服务（国际运输/港澳台运输）免抵退税申报明细表（略）
2. 航空国际运输收入清算账单申报明细表（略）
3. 铁路国际客运收入清算函件申报明细表（略）
4. 增值税零税率应税服务（航天运输）免抵退税申报明细表（略）
5. 提供航天运输服务收讫营业款明细清单（略）
6. 增值税零税率应税服务（研发服务/设计服务）免抵退税申报明细表（略）
7. 向境外单位提供研发服务/设计服务收讫营业款明细清单（略）
8. 外贸企业外购应税服务（研发服务/设计服务）出口明细申报表（略）
9. 放弃适用增值税零税率声明（略）

## 适用增值税零税率应税服务退（免）税管理办法

第一条　中华人民共和国境内（以下简称境内）的增值税一般纳税人提供适用增值税零税率的应税服务，实行增值税退（免）税办法。

第二条　本办法所称的增值税零税率应税服务提供者是指，提供适用增值税零税率应税服务，且认定为增值税一般纳税人，实行增值税一般计税方法的境内单位和个人。属于汇总缴纳增值税的，为经财政部和国家税务总局批准的汇总缴纳增值税的总机构。

第三条　增值税零税率应税服务适用范围按财政部、国家税务总局的规定执行。

起点或终点在境外的运单、提单或客票所对应的各航段或路段的运输服务，属于国际运输服务。

起点或终点在港澳台的运单、提单或客票所对应的各航段或路段的运输服务，属于港澳台运输服务。

从境内载运旅客或货物至国内海关特殊监管区域及场所、从国内海关特殊监管区域及场所载运旅客或货物至国内其他地区或者国内海关特殊监管区域及场所，以及向国内海关特殊监管区域及场所内单位提供的研发服务、设计服务,不属于增值税零税率应税服务适用范围。

**第四条** 增值税零税率应税服务退(免)税办法包括免抵退税办法和免退税办法,具体办法及计算公式按《财政部 国家税务总局关于出口货物劳务增值税和消费税政策的通知》(财税〔2012〕39号)有关出口货物劳务退(免)税的规定执行。

实行免抵退税办法的增值税零税率应税服务提供者如果同时出口货物劳务且未分别核算的,应一并计算免抵退税。税务机关在审批时,应按照增值税零税率应税服务、出口货物劳务免抵退税额的比例划分其退税额和免抵税额。

**第五条** 增值税零税率应税服务的退税率为对应服务提供给境内单位适用的增值税税率。

**第六条** 增值税零税率应税服务的退(免)税计税依据,按照下列规定确定:

(一)实行免抵退税办法的退(免)税计税依据

1. 以铁路运输方式载运旅客的,为按照铁路合作组织清算规则清算后的实际运输收入;

2. 以铁路运输方式载运货物的,为按照铁路运输进款清算办法,对"发站"或"到站(局)"名称包含"境"字的货票上注明的运输费用以及直接相关的国际联运杂费清算后的实际运输收入;

3. 以航空运输方式载运货物或旅客的,如果国际运输或港澳台运输各航段由多个承运人承运的,为中国航空结算有限责任公司清算后的实际收入;如果国际运输或港澳台运输各航段由一个承运人承运的,为提供航空运输服务取得的收入;

4. 其他实行免抵退税办法的增值税零税率应税服务,为提供增值税零税率应税服务取得的收入。

(二)实行免退税办法的退(免)税计税依据为购进应税服务的增值税专用发票或解缴税款的中华人民共和国税收缴款凭证上注明的金额。

**第七条** 实行增值税退(免)税办法的增值税零税率应税服务不得开具增值税专用发票。

**第八条** 增值税零税率应税服务提供者办理出口退(免)税资格认定后,方可申报增值税零税率应税服务退(免)税。如果提供的适用增值税零税率应税服务发生在办理出口退(免)税资格认定前,在办理出口退(免)税资格认定后,可按规定申报退(免)税。

**第九条** 增值税零税率应税服务提供者应按照下列要求,向主管税务机关申请办理出口退(免)税资格认定:

(一)填报《出口退(免)税资格认定申请表》及电子数据;

《出口退(免)税资格认定申请表》中的"退税开户银行账号",必须填写办理税务登记时向主管税务机关报备的银行账号之一。

(二)根据所提供的适用增值税零税率应税服务,提供以下对应资料的原件及复印件:

1. 提供国际运输服务。以水路运输方式的,应提供《国际船舶运输经营许可证》;以航空运输方式的,应提供经营范围包括"国际航空客货邮运输业务"的《公共航空运输企业经营许可证》或经营范围包括"公务飞行"的《通用航空经营许可证》;以公路运输方式的,应提供经营范围包括"国际运输"的《道路运输经营许可证》和《国际汽车运输行车许可证》;以铁路运输方式的,应提供经营范围包括"许可经营项目:铁路客货运输"的《企业法人营业执照》或其他具有提供铁路客货运输服务资质的证明材料;提供航天运输服务的,应提供经营范围包括"商业卫星发射服务"的《企业法人营业执照》或其他具有提供商业卫星发射服务资质的证明材料。

2. 提供港澳台运输服务。以公路运输方式提供内地往返香港、澳门的交通运输服务的,应提供《道路运输经营许可证》及持《道路运输证》的直通港澳运输车辆的物权证明;以水路运输方式提供内地往返香港、澳门交通运输服务的,应提供获得港澳线路运营许可船舶的物权证明;以水路运输方式提供大陆往返台湾交通运输服务的,应提供《台湾海峡两岸间水路运输许可证》及持《台湾海峡两岸间船舶营运证》船舶的物权证明；以航空运输方式提供港澳台运输服务的，应提供经营范围包括"国际、国内（含港澳）航空客货邮运输业务"的《公共航空运输企业经营许可证》或者经营范围包括"公务飞行"的《通用航空经营许可证》；以铁路运输方式提供内地往返香港的交通运输服务的，应提供经营范围包括"许可经营项目：铁路客货运输"的《企业法人营业执照》或其他具有提供铁路客货运输服务资质的证明材料。

3. 采用程租、期租和湿租方式租赁交通运输工具用于国际运输服务和港澳台运输服务的，应提供程租、期租和湿租合同或协议。

4. 对外提供研发服务或设计服务的，应提供《技术出口合同登记证》。

（三）增值税零税率应税服务提供者出口货物劳务，且未办理过出口退（免）税资格认定的，除提供上述资料外，还应提供加盖备案登记专用章的《对外贸易经营者备案登记表》和《中华人民共和国海关进出口货物收发货人报关注册登记证书》的原件及复印件。

**第十条** 已办理过出口退（免）税资格认定的出口企业，提供增值税零税率应税服务的，应填报《出口退（免）税资格认定变更申请表》及电子数据，提供第九条所列的增值税零税率应税服务对应的资料，向主管税务机关申请办理出口退（免）税资格认定变更。

**第十一条** 增值税零税率应税服务提供者按规定需变更增值税退（免）税办法的，主管税务机关应按照现行规定进行退（免）税清算，在结清税款后方可办理变更。

**第十二条** 增值税零税率应税服务提供者提供增值税零税率应税服务，应在财务作销售收入次月（按季度进行增值税纳税申报的为次季度首月，下同）的增值税纳税申报期内，向主管税务机关办理增值税纳税和退（免）税相关申报。

**第十三条** 实行免抵退税办法的增值税零税率应税服务提供者应按照下列要求向主管税务机关办理增值税免抵退税申报：

（一）填报《免抵退税申报汇总表》及其附表；

（二）提供免抵退税正式申报电子数据；

（三）提供增值税零税率应税服务所开具的发票（经主管税务机关认可，可只提供电子数据，原始凭证留存备查）；

（四）根据所提供的适用增值税零税率应税服务，提供以下对应资料凭证：

1. 提供国际运输服务、港澳台运输服务的，需填报《增值税零税率应税服务（国际运输/港澳台运输）免抵退税申报明细表》（附件1），并提供下列原始凭证的原件及复印件：

以水路运输、航空运输、公路运输方式的，提供增值税零税率应税服务的载货、载客舱单或其他能够反映收入原始构成的单据凭证。以航空运输方式且国际运输和港澳台运输各航段由多个承运人承运的，还需提供《航空国际运输收入清算账单申报明细表》（附件2）。

上述原始凭证（不包括《航空国际运输收入清算账单申报明细表》），经主管税务机关批准，增值税零税率应税服务提供者可只提供电子数据，原始凭证留存备查。

2. 对外提供研发服务或设计服务的，需填报《增值税零税率应税服务（研发服务/设计服务）免抵退税申报明细表》（附件6①），并提供下列资料及原始凭证的原件及复印件：

（1）与增值税零税率应税服务收入相对应的《技术出口合同登记证》复印件；

（2）与境外单位签订的研发、设计合同；

（3）从与之签订研发、设计合同的境外单位取得收入的收款凭证；

（4）《向境外单位提供研发服务/设计服务收讫营业款明细清单》（附件7）。

---

① 第十四条及原附件3~附件5的相关条款已根据相关公告修改并删除，为方便读者理解，此处条款及附件序号并未顺改。

（六）主管税务机关要求提供的其他资料及凭证。

**第十五条** 主管税务机关受理增值税零税率应税服务退（免）税申报后，应对下列内容人工审核无误后，使用出口退税审核系统进行审核。对属于实行免退税办法的增值税零税率应税服务的进项一律使用交叉稽核、协查信息审核出口退税。如果在审核中有疑问的，可对企业进项增值税专用发票进行发函调查或核查。

（一）提供国际运输、港澳台运输的，应从增值税零税率应税服务提供者申报中抽取若干申报记录审核以下内容：

1. 所申报的国际运输、港澳台运输服务是否符合适用增值税零税率应税服务的规定；

2. 所抽取申报记录申报应税服务收入是否小于或等于该申报记录所对应的载货或载客舱单上记载的国际运输、港澳台运输服务收入；

3. 采用期租、程租和湿租方式租赁交通运输工具用于国际运输服务和港澳台运输服务的，重点审核期租、程租和湿租的合同或协议，审核申报退（免）税的企业是否符合适用增值税零税率应税服务的规定；

**第十六条** 因出口自己开发的研发服务或设计服务，退（免）税办法由免退税改为免抵退税办法的外贸企业，如果申报的退（免）税异常增长，出口货物劳务及服务有非正常情况的，主管税务机关可要求外贸企业报送出口货物劳务及服务所对应的进项凭证，并按规定进行审核。主管税务机关如果审核发现外贸企业提供的进货凭证有伪造或内容不实的，按照《财政部　国家税务总局关于出口货物劳务增值税和消费税政策通知》（财税〔2012〕39号）等有关规定处理。

**第十七条** 主管税务机关认为增值税零税率应税服务提供者提供的研发服务或设计服务出口价格偏高的，应按照《财政部　国家税务总局关于防范税收风险若干增值税政策的通知》（财税〔2013〕112号）第五条的规定处理。

**第十八条** 经主管税务机关审核，增值税零税率应税服务提供者申报的退（免）税，如果凭证资料齐全、符合退（免）税规定的，主管税务机关应及时予以审核通过，办理退税和免抵调库，退税资金由中央金库统一支付。

**第十九条** 增值税零税率应税服务提供者骗取国家出口退税款的，税务机关应按《国家税务总局关于停止为骗取出口退税企业办理出口退税有关问题的通知》（国税发〔2008〕32号）和《财政部　国家税务总局关于防范税收风险若干增值税政策的通知》（财税〔2013〕112号）的规定处理。增值税零税率应税服务提供者在停止退税期间发生的增值税零税率应税服务，不得申报退（免）税，应按规定缴纳增值税。

**第二十条** 增值税零税率应税服务提供者提供适用增值税零税率的应税服务，如果放弃适用增值税零税率，选择免税或按规定缴纳增值税的，应向主管税务机关报送《放弃适用增值税零税率声明》（附件9），办理备案手续。自备案次月1日起36个月内，该企业提供的增值税零税率应税服务，不得申报增值税退（免）税。

**第二十一条** 主管税务机关应对增值税零税率应税服务提供者适用增值税零税率的退（免）税加强分析监控。

**第二十二条** 本办法要求增值税零税率应税服务提供者向主管税务机关报送的申报表电子数据应均通过出口退（免）税申报系统生成、报送。在出口退（免）税申报系统信息生成、报送功能升级完成前，涉及需报送的电子数据，可暂报送纸质资料。

出口退（免）税申报系统可从国家税务总局网站免费下载或由主管税务机关免费提供。

**第二十三条** 本办法要求增值税零税率应税服务提供者向主管税务机关同时提供原件和复印件的资料，增值税零税率应税服务提供者提供的复印件上应注明"与原件相符"字样，并加盖企业公章。主管税务机关在核对复印件与原件相符后，将原件退回，留存复印件。

第二十四条 本办法自2014年1月1日起施行,以增值税零税率应税服务提供者提供增值税零税率应税服务并在财务作销售收入的日期为准。

## 关于出口企业申报出口退（免）税免予提供纸质出口货物报关单的公告

（国家税务总局公告2015年第26号）

（2015年4月28日由国家税务总局发布，2015年4月28日起施行，法规类型为规范性文件）

为加强出口退税工作，更好地支持外贸发展，服务出口企业，税务总局决定，出口企业或其他单位（以下简称出口企业）申报出口退（免）税及相关业务时，免予提供纸质出口货物报关单（出口退税专用及其他联次，以下统称纸质报关单）。具体公告如下。

一、2015年5月1日（含5月1日，以海关出口报关单电子信息注明的出口日期为准）以后出口的货物，出口企业申报出口退（免）税及相关业务时，免予提供纸质报关单。但申报适用启运港退税政策的货物除外。

二、免予提供纸质报关单后，出口企业申报办理上述货物出口退（免）税及相关业务时，原规定根据纸质报关单项目填写的申报内容，改按海关出口报关单电子信息对应项目填写，其申报的内容，视同申报海关出口报关单对应电子信息。

三、主管税务机关在审批免予提供纸质报关单的出口退（免）税申报时，必须在企业的申报数据与对应的海关出口货物报关单电子数据核对无误后，方可办理。

特此公告。

## 关于出口退（免）税有关问题的公告

（国家税务总局公告2015年第29号）

（2015年4月30日由国家税务总局发布，2015年4月30日起施行，法规类型为规范性文件）

为深入开展"便民办税春风行动"，进一步便利企业办理出口退（免）税，持续优化出口退（免）税管理，现就有关问题公告如下：

一、出口企业或其他单位办理出口退（免）税资格认定时，《出口退（免）税资格认定申请表》中的"退税开户银行账号"从税务登记的银行账号中选择一个填报，不再向主管税务机关提供银行开户许可证。

二、生产企业办理进料加工业务核销，按规定向主管税务机关报送《已核销手（账）册海关数据调整报告表（进口报关单/出口报关单）》时，不再提供向报关海关查询情况的书面说明。

三、委托出口的货物，除国家取消出口退税的货物外，委托方不再向主管税务机关报送

《委托出口货物证明》，此前未报送《委托出口货物证明》的不再报送；受托方申请开具《代理出口货物证明》时，不再提供委托方主管税务机关签章的《委托出口货物证明》。

四、企业在申报铁路运输服务免抵退税时，属于客运的，应当提供《国际客运（含香港直通车）旅客、行李包裹运输清算函件明细表》（见附件1）；属于货运的，应当提供《中国铁路总公司国际货物运输明细表》（见附件2），或者提供列明本企业清算后的国际联运运输收入的《清算资金通知清单》。

申报铁路运输服务免抵退税的企业，应当将以下原始凭证留存企业备查。主管税务机关对留存企业备查的原始凭证应当定期进行抽查。

（一）属于客运的，留存以下原始凭证：
1. 国际客运联运票据（入境除外）；
2. 铁路合作组织清算函件；
3. 香港直通车售出直通客票月报。

（二）属于货运的，留存以下原始凭证：
1. 运输收入会计报表；
2. 货运联运运单；
3. "发站"或"到站（局）"名称包含"境"字的货票。

企业自2014年1月1日起，提供的适用增值税零税率的铁路运输服务，按本条规定申报免抵退税。

五、出口企业从事来料加工委托加工业务的，应当在海关办结核销手续的次年5月15日前，办理来料加工出口货物免税核销手续；属于2014年及以前海关办理核销的，免税核销期限延长至2015年6月30日。未按规定办理来料加工出口货物免税核销手续或者不符合办理免税核销规定的，委托方应按规定补缴增值税、消费税。

六、以双委托方式（生产企业进口料件、出口成品均委托出口企业办理）从事的进料加工出口业务，委托方在申报免抵退税前，应按代理进口、出口协议及进料加工贸易手册载明的计划进口总值和计划出口总值，向主管税务机关报送《进料加工企业计划分配率备案表》及其电子数据。

七、出口企业不再填报《出口企业预计出口情况报告表》。

八、从事对外承包工程的企业在上一年度内，累计6个月以上未申报退税的，其出口退（免）税企业分类管理类别可不评定为三类。

九、本公告除第四条外，自发布之日起施行。《国家税务总局关于发布〈出口货物劳务增值税和消费税管理办法〉的公告》（国家税务总局公告2012年第24号）第三条第（一）项第3目、《国家税务总局关于〈出口货物劳务增值税和消费税管理办法〉有关问题的公告》（国家税务总局公告2013年第12号）第五条第（十四）项、《国家税务总局关于发布〈适用增值税零税率应税服务退（免）税管理办法〉的公告》（国家税务总局公告2014年第11号）第十三条第（五）项第1目之（2）和第十五条第（一）项第4目同时废止。

特此公告。

附件：1. 国际客运（含香港直通车）旅客、行李包裹运输清算函件明细表（略）
 2. 中国铁路总公司国际货物运输明细表（略）

# 关于《适用增值税零税率应税服务退（免）税管理办法》的补充公告

（国家税务总局公告 2015 年第 88 号）

（2015 年 11 月 14 日由国家税务总局发布；根据 2018 年 4 月 19 日国家税务总局公告 2018 年第 16 号《关于出口退（免）税申报有关问题的公告》第一次修改，根据 2018 年 6 月 15 日国家税务总局公告 2018 年第 31 号《关于修改部分税收规范性文件的公告》第二次修改；现行版本自 2018 年 6 月 15 日起施行，法规类型为规范性文件）

根据《财政部、国家税务总局关于影视等出口服务适用增值税零税率政策的通知》（财税〔2015〕118 号），经商财政部同意，现对《适用增值税零税率应税服务退（免）税管理办法》（国家税务总局公告 2014 年第 11 号发布）补充公告如下：

一、适用增值税零税率应税服务的广播影视节目（作品）的制作和发行服务、技术转让服务、软件服务、电路设计及测试服务、信息系统服务、业务流程管理服务，以及合同标的物在境外的合同能源管理服务的范围，按照《营业税改征增值税试点实施办法》（财税〔2013〕106 号文件印发）所附的《应税服务范围注释》对应的应税服务范围执行；适用增值税零税率应税服务的离岸服务外包业务的范围，按照《离岸服务外包业务》（附件 1）对应的适用范围执行。以上适用增值税零税率的应税服务，本公告统称为新纳入零税率范围的应税服务。

境内单位和个人向国内海关特殊监管区域及场所内的单位或个人提供的应税服务，不属于增值税零税率应税服务适用范围。

二、向境外单位提供新纳入零税率范围的应税服务的，增值税零税率应税服务提供者申报退（免）税时，应按规定办理出口退（免）税备案。

三、增值税零税率应税服务提供者收齐有关凭证后，可在财务作销售收入次月起至次年 4 月 30 日前的各增值税纳税申报期内向主管税务机关申报退（免）税；逾期申报的，不再按退（免）税申报，改按免税申报；未按规定申报免税的，应按规定缴纳增值税。

四、实行免抵退办法的增值税零税率应税服务提供者，向境外单位提供研发服务、设计服务、新纳入零税率范围的应税服务的，应在申报免抵退税时，向主管税务机关提供以下申报资料：

（一）《增值税零税率应税服务免抵退税申报明细表》（附件 2）。

（二）《提供增值税零税率应税服务收讫营业款明细清单》（附件 3）。

（三）《免抵退税申报汇总表》及其附表。

（四）免抵退税正式申报电子数据。

（五）下列资料及原始凭证的原件及复印件：

1. 提供增值税零税率应税服务所开具的发票（经主管税务机关认可，可只提供电子数据，原始凭证留存备查）。

2. 与境外单位签订的提供增值税零税率应税服务的合同。

提供软件服务、电路设计及测试服务、信息系统服务、业务流程管理服务，以及离岸服务外包业务的，同时提供合同已在商务部"服务外包及软件出口管理信息系统"中登记并审核通过，由该系统出具的证明文件；提供广播影视节目（作品）的制作和发行服务的，同时提供合同已在商务部"文化贸易管理系统"中登记并审核通过,由该系统出具的证明文件。

3. 提供电影、电视剧的制作服务的,应提供行业主管部门出具的在有效期内的影视制作许可证明;提供电影、电视剧的发行服务的,应提供行业主管部门出具的在有效期内的发行版权证明、发行许可证明。

4. 提供研发服务、设计服务、技术转让服务的,应提供与提供增值税零税率应税服务收入相对应的《技术出口合同登记证》及其数据表。

5. 从与之签订提供增值税零税率应税服务合同的境外单位取得收入的收款凭证。

跨国公司经外汇管理部门批准实行外汇资金集中运营管理或经中国人民银行批准实行经常项下跨境人民币集中收付管理的,其成员公司在批准的有效期内,可凭银行出具给跨国公司资金集中运营(收付)公司符合下列规定的收款凭证,向主管税务机关申报退(免)税:

(1)收款凭证上的付款单位须是与成员公司签订提供增值税零税率应税服务合同的境外单位或合同约定的跨国公司的境外成员企业。

(2)收款凭证上的收款单位或附言的实际收款人须载明有成员公司的名称。

(七)主管税务机关要求提供的其他资料及凭证。

五、实行免退税办法的增值税零税率应税服务提供者,应在申报免退税时,向主管税务机关提供以下申报资料:

(一)《外贸企业外购应税服务出口明细申报表》(附件4)。

(二)《外贸企业出口退税进货明细申报表》(需填列外购对应的增值税零税率应税服务取得增值税专用发票情况)。

(三)《外贸企业出口退税汇总申报表》。

(四)免退税正式申报电子数据。

(五)从境内单位或者个人购进增值税零税率应税服务出口的,提供应税服务提供方开具的增值税专用发票;从境外单位或者个人购进增值税零税率应税服务出口的,提供取得的解缴税款的中华人民共和国税收缴款凭证。

(六)本公告第四条第(六)项所列资料及原始凭证的原件及复印件。

六、主管税务机关受理增值税零税率应税服务退(免)税申报后,应按规定进行审核,经审核符合规定的,应及时办理退(免)税;不符合规定的,不予办理,按有关规定处理;存在其他审核疑点的,对应的退(免)税暂缓办理,待排除疑点后,方可办理。

七、主管税务机关对申报的对外提供研发、设计服务以及新纳入零税率范围的应税服务退(免)税,应审核以下内容:

(一)申报的增值税零税率应税服务应符合适用增值税零税率应税服务规定。

(二)增值税零税率应税服务合同签订的对方应为境外单位。

(三)增值税零税率应税服务收入的支付方应为与之签订增值税零税率应税服务合同的境外单位。对跨国公司的成员公司申报退(免)税时提供的收款凭证是银行出具给跨国公司资金集中运营(收付)公司的,应要求企业补充提供中国人民银行或国家外汇管理局的批准文件,且企业提供的收款凭证应符合本公告的规定。

(四)申报的增值税零税率应税服务收入应小于或等于从与之签订增值税零税率应税服务合同的境外单位取得的收款金额;大于收款金额的,应要求企业补充提供书面说明材料及相应的证明材料。

(五)外贸企业外购应税服务出口的,除应符合上述规定外,其申报退税的进项税额还应与增值税零税率应税服务对应。

八、本公告未明确的其他增值税零税率应税服务退(免)税管理事项,按现行规定执行。

九、本公告自2015年12月1日起施行,以增值税零税率应税服务提供者提供增值税零税率应税服务并在财务作销售收入的日期为准。《适用增值税零税率应税服务退（免）税管理办法》第十二条第二款、第十三条第（五）项第3目、第十四条、第十五条第（二）项同时废止。

特此公告。

附件：1. 离岸服务外包业务
2. 增值税零税率应税服务免抵退税申报明细表（略）
3. 提供增值税零税率应税服务收讫营业款明细清单（略）
4. 外贸企业外购应税服务出口明细申报表（略）

附件1

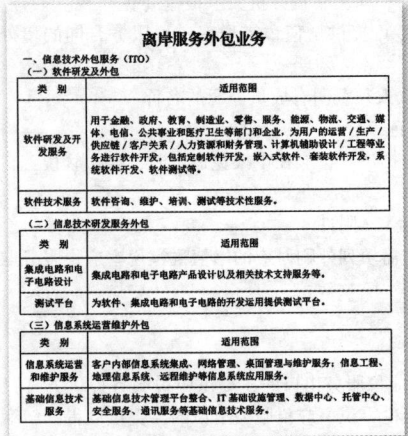
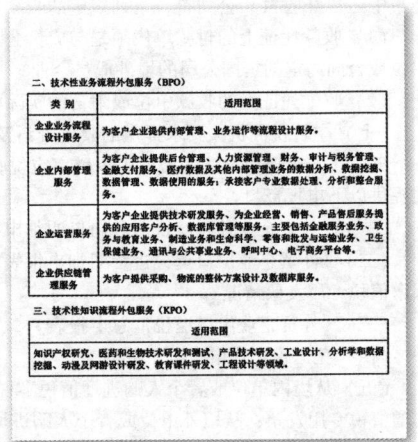

# 关于进一步加强出口退（免）税事中事后管理有关问题的公告

(国家税务总局公告2016年第1号)

(2016年1月7日由国家税务总局发布，2016年1月7日起施行，法规类型为规范性文件)

为深入贯彻《深化国税、地税征管体制改革方案》，进一步加强出口退（免）税事中事后管理，持续优化退税服务，根据各地反映的问题及提出的建议，经研究，现就有关问题公告如下：

一、集团公司需要按收购视同自产货物申报免抵退税的，集团公司总部或其控股的生产企业向主管税务机关备案时，不再提供集团公司总部及其控股的生产企业的《出口退（免）税备案表》（或《出口退（免）税资格认定表》）复印件。

二、出口企业或其他单位办理撤回出口退（免）税备案事项时，如果向主管税务机关声明放弃未申报或已申报但尚未办理的出口退（免）税并按规定申报免税的，视同已结清出口退税款。

因合并、分立、改制重组等原因撤回出口退（免）税备案的出口企业或其他单位（以下简称撤回备案企业），可向主管税务机关提供以下资料，经主管税务机关核对无误后，视同已结清出口退（免）税款：

（一）企业撤回出口退（免）税备案未结清退（免）税确认书（附件1）；

（二）合并、分立、改制重组企业决议、章程及相关部门批件；

（三）承继撤回备案企业权利和义务的企业（以下简称承继企业）在撤回备案企业所在地的开户银行名称及账号。

撤回备案事项办结后，主管税务机关将撤回备案企业的应退税款退还至承继企业账户，如发生需要追缴多退税款的，向承继企业追缴。

三、外贸企业进口货物复出口的，申报退（免）税时不再提供进口货物报关单。

四、自本公告公布之日起，启用本公告制发的《来料加工免税证明申请表》（附件2）、《来料加工免税证明》（附件3）、《代理进口货物证明申请表》（附件4）和《代理进口货物证明》（附件5）。《出口货物劳务增值税和消费税管理办法》（国家税务总局公告2012年第24号发布）附件28、29、33同时废止。

五、本公告自公布之日起施行。《国家税务总局关于部分税务行政审批事项取消后有关管理问题的公告》（国家税务总局公告2015年第56号）第三条第六项第3目，《出口货物劳务增值税和消费税管理办法》第五条第二项第5目之（2）、（5）关于"还需同时提供进口货物报关单"的内容同时废止。

特此公告。

附件：1. 企业撤回出口退（免）税备案未结清退（免）税确认书（略）
2. 来料加工免税证明申请表（略）
3. 来料加工免税证明（略）
4. 代理进口货物证明申请表（略）
5. 代理进口货物证明（略）

# 出口退（免）税企业分类管理办法

（国家税务总局公告2016年第46号）

（2016年7月13日由国家税务总局发布；根据2018年6月15日国家税务总局公告2018年第31号《关于修改部分税收规范性文件的公告》第一次修订，根据2018年10月15日国家税务总局公告2018年第48号《国家税务总局关于加快出口退税进度有关事项的公告》第二次修订；现行版本自2018年10月15日起施行，法规类型为规范性文件）

为深入贯彻落实《深化国税、地税征管体制改革方案》和《国务院关于促进外贸回稳向好的若干意见》（国发〔2016〕27号），进一步优化出口退税管理，更好地发挥出口退税支持外贸发展的职能作用，推进社会信用体系建设，国家税务总局对《出口退（免）税企业分类管理办法》（国家税务总局公告2015年第2号发布）进行了修订，现予重新发布，自2016年9月1日起施行。《国家税务总局关于发布〈出口退（免）税企业分类管理办法〉的公告》（国家税务总局公告2015年第2号）同时废止。

特此公告。

附件：1. 生产型出口企业生产能力情况报告（略）
   2. 出口退（免）税企业内部风险控制体系建设情况报告（略）
   3. 出口退（免）税企业管理类别评定表（略）

## 出口退（免）税企业分类管理办法

### 第一章 总 则

**第一条** 为进一步优化出口退（免）税管理，提高纳税人税法遵从度，推进社会信用体系建设，充分发挥出口退税支持外贸发展的职能作用，根据《中华人民共和国税收征收管理法》及其实施细则、相关出口税收规定，制定本办法。

**第二条** 税务机关应按照风险可控、放管服结合、利于遵从、便于办税的原则，对出口退（免）税企业（以下简称出口企业）进行分类管理。

**第三条** 出口企业管理类别分为一类、二类、三类、四类。

**第四条** 各省、自治区、直辖市、计划单列市税务局（以下简称省税务局）负责组织实施本地区出口企业的分类管理工作。

具有出口退（免）税审批权限的税务局负责评定所辖出口企业的管理类别。

### 第二章 出口企业管理类别的评定标准

**第五条** 一类出口企业的评定标准。

（一）生产企业应同时符合下列条件：

1. 企业的生产能力与上一年度申报出口退（免）税规模相匹配。
2. 近3年（含评定当年，下同）未发生过虚开增值税专用发票或者其他增值税扣税凭证、骗取出口退税行为。
3. 评定时纳税信用级别为A级或B级。
4. 企业内部建立了较为完善的出口退（免）税风险控制体系。

（二）外贸企业应同时符合下列条件：

1. 近3年未发生过虚开增值税专用发票或者其他增值税扣税凭证、骗取出口退税行为。
2. 上一年度的年末净资产大于上一年度该企业已办理出口退税额的60%。
3. 持续经营5年以上（因合并、分立、改制重组等原因新设立企业的情况除外）。
4. 评定时纳税信用级别为A级或B级。
5. 评定时海关企业信用管理类别为高级认证企业或一般认证企业。
6. 评定时外汇管理的分类管理等级为A级。
7. 企业内部建立了较为完善的出口退（免）税风险控制体系。

（三）外贸综合服务企业应同时符合下列条件：

1. 近3年未发生过虚开增值税专用发票或者其他增值税扣税凭证、骗取出口退税行为。
2. 上一年度的年末净资产大于上一年度该企业已办理出口退税额的30%。
3. 上一年度申报从事外贸综合服务业务的出口退税额，大于该企业全部出口退税额的80%。
4. 评定时纳税信用级别为A级或B级。
5. 评定时海关企业信用管理类别为高级认证企业或一般认证企业。
6. 评定时外汇管理的分类管理等级为A级。

7. 企业内部建立了较为完善的出口退（免）税风险控制体系。

**第六条** 具有下列情形之一的出口企业，其出口企业管理类别应评定为三类：

（一）自首笔申报出口退（免）税之日起至评定时未满 12 个月。

（二）评定时纳税信用级别为 C 级，或尚未评价纳税信用级别。

（三）上一年度发生过违反出口退（免）税有关规定的情形，但尚未达到税务机关行政处罚标准或司法机关处理标准的。

（四）存在省税务局规定的其他失信或风险情形。

**第七条** 具有下列情形之一的出口企业，其出口企业管理类别应评定为四类：

（一）评定时纳税信用级别为 D 级。

（二）上一年度发生过拒绝向税务机关提供有关出口退（免）税账簿、原始凭证、申报资料、备案单证等情形。

（三）上一年度因违反出口退（免）税有关规定，被税务机关行政处罚或被司法机关处理过的。

（四）评定时企业因骗取出口退税被停止出口退税权，或者停止出口退税权届满后未满 2 年。

（五）四类出口企业的法定代表人新成立的出口企业。

（六）列入国家联合惩戒对象的失信企业。

（七）海关企业信用管理类别认定为失信企业。

（八）外汇管理的分类管理等级为 C 级。

（九）存在省税务局规定的其他严重失信或风险情形。

**第八条** 一类、三类、四类出口企业以外的出口企业，其出口企业管理类别应评定为二类。

## 第三章 出口企业管理类别评定及调整

**第九条** 评定工作完成的次月起，税务机关对出口企业实施对应的分类管理措施。

**第十条** 申请出口企业管理类别评定为一类的出口企业，应于企业纳税信用级别评价结果确定的当月向主管税务机关报送《生产型出口企业生产能力情况报告》（仅生产企业填报，样式见附件 1）、《出口退（免）税企业内部风险控制体系建设情况报告》（样式见附件 2）。

**第十一条** 县（区）税务局负责评定出口企业管理类别的，应于评定工作完成后 10 个工作日内将评定结果报地（市）税务局备案；地（市）税务局负责评定的，县（区）税务局须进行初评并填报《出口退（免）税企业管理类别评定表》（附件 3），报地（市）税务局审定。

**第十二条** 负责评定出口企业管理类别的税务机关，应在评定工作完成后的 15 个工作日内将评定结果告知出口企业，并主动公开一类、四类的出口企业名单。

**第十三条** 主管税务机关发现出口企业存在下列情形的，应自发现之日起 20 个工作日内，调整其出口企业管理类别：

（一）一类、二类、三类出口企业的纳税信用级别发生降级的，可相应调整出口企业管理类别。

（二）一类、二类、三类出口企业发生以下情形之一的，出口企业管理类别应调整为四类：

1. 拒绝提供有关出口退（免）税账簿、原始凭证、申报资料、备案单证的。

2. 因违反出口退（免）税有关规定，被税务机关行政处罚或被司法机关处理。

3. 被列为国家联合惩戒对象的失信企业。

（三）一类、二类出口企业不配合税务机关实施出口退（免）税管理，以及未按规定收集、装订、存放出口退（免）税凭证及备案单证的，出口企业管理类别应调整为三类。

（四）一类、二类出口企业因涉嫌骗取出口退税被立案查处尚未结案的，暂按三类出口企业管理，待案件查结后，依据查处情况相应调整出口企业管理类别；三类、四类出口企业因涉嫌骗取出口退税被立案查处尚未结案的，暂按原类别管理，待案件查结后，依据查处情况调整出口企业管理类别。

（五）在税务机关完成年度管理类别评定后新增办理出口退（免）税备案的出口企业，其出口企业管理类别应确定为三类。

第十四条 负责评定出口企业管理类别的税务机关在评定出口企业的管理类别时，应根据出口企业上一年度的管理类别，按照四类、三类、二类、一类的顺序逐级晋级，原则上不得越级评定。

四类出口企业自评定之日起，12个月内不得评定为其他管理类别。

第十五条 税务机关应提高税源管理部门、纳税服务部门、稽查部门、进出口税收管理部门之间信息共享的质量和效率，建立相应的信息通报制度，及时传递出口企业的纳税信用级别评定结果、纳税评估情况、税务稽查立案及处理情况等信息。

## 第四章 分类管理及服务措施

第十六条 主管税务机关可为一类出口企业提供绿色办税通道（特约服务区），优先办理出口退税，并建立重点联系制度，及时解决企业有关出口退（免）税问题。

对一类出口企业中纳税信用级别为 A 级的纳税人，按照《关于对纳税信用 A 级纳税人实施联合激励措施的合作备忘录》的规定，实施联合激励措施。

第十七条 对一类出口企业申报的出口退（免）税，税务机关经审核，同时符合下列条件的，应自受理企业申报之日起，5 个工作日内办结出口退（免）税手续：

（一）申报的电子数据与海关出口货物报关单结关信息、增值税专用发票信息比对无误。

（二）出口退（免）税额计算准确无误。

（三）不涉及税务总局和省税务局确定的预警风险信息。

（四）属于外贸企业的，出口的货物是从纳税信用级别为 A 级或 B 级的供货企业购进。

（五）属于外贸综合服务企业的，接受其提供服务的中小生产企业的纳税信用级别为 A 级或 B 级。

第十八条 对二类出口企业申报的出口退（免）税，税务机关经审核，同时符合下列条件的，应自受理企业申报之日起，10 个工作日内办结出口退（免）税手续：

（一）符合出口退（免）税相关规定。

（二）申报的电子数据与海关出口货物报关单结关信息、增值税专用发票信息比对无误。

（三）未发现审核疑点或者审核疑点已排除完毕。

第十九条 对三类出口企业申报的出口退（免）税，税务机关经审核，同时符合下列条件的，应自受理企业申报之日起，15 个工作日内办结出口退（免）税手续：

（一）符合出口退（免）税相关规定。

（二）申报的电子数据与海关出口货物报关单结关信息、增值税专用发票信息比对无误。

（三）未发现审核疑点或者审核疑点已排除完毕。

第二十条 对四类出口企业申报的出口退（免）税，税务机关应按下列规定进行审核：

（一）申报的纸质凭证、资料应与电子数据相互匹配且逻辑相符。

（二）申报的电子数据应与海关出口货物报关单结关信息、增值税专用发票信息比对无误。

（三）对该类企业申报出口退（免）税的外购出口货物或视同自产产品，税务机关应对每户供货企业的发票,都要抽取一定的比例发函调查。

(四)属于生产企业的,对其申报出口退(免)税的自产产品,税务机关应对其生产能力、纳税情况进行评估。

税务机关按上述要求完成审核,并排除所有审核疑点后,应自受理企业申报之日起,20个工作日内办结出口退(免)税手续。

第二十一条 出口企业申报的出口退(免)税,税务机关发现存在下列情形之一的,应按规定予以核实,排除相关疑点后,方可办理出口退(免)税,不受本办法有关办结出口退(免)税手续时限的限制:

(一)不符合本办法第十七条、第十八条、第十九条、第二十条规定的。

(二)涉及海关、外汇管理局等出口监管部门提供的风险信息。

第二十二条 各省税务局应定期组织对已办理的出口退(免)税情况开展风险分析工作,发现出口企业申报的退(免)税存在骗取出口退税疑点的,应按规定进行评估、核查,发现问题的,应按规定予以处理。

## 第五章 附 则

第二十三条 本办法用语的含义:

"出口退(免)税企业",指适用出口退(免)税政策的企业和其他单位,以及适用增值税零税率政策的应税服务提供者。按照出口企业适用的出口退(免)税办法和经营业态,分为生产企业、外贸企业、外贸综合服务企业。

"生产企业",指适用免抵退税办法的出口企业。

"外贸企业",指适用免退税办法的出口企业。

"一类出口企业""二类出口企业""三类出口企业""四类出口企业",指出口退(免)税企业分类管理类别分别为一类、二类、三类、四类的出口企业。

"上一年度",指评定出口退(免)税企业管理类别的上一个自然年度。

"外贸综合服务业务",应同时符合以下条件:

(一)出口货物为国内生产企业自产的货物。

(二)国内生产企业已将出口货物销售给外贸综合服务企业。

(三)国内生产企业与境外单位或个人已经签订出口合同,并约定货物由外贸综合服务企业出口至境外单位或个人,货款由境外单位或个人支付给外贸综合服务企业。

(四)外贸综合服务企业以自营方式出口。

(五)外贸综合服务企业申报出口退(免)税时,在《外贸企业出口退税进货明细申报表》第15栏(业务类型)、《外贸企业出口退税出口明细申报表》第19栏〔退(免)税业务类型〕填写"WMZHFW"。

"办结出口退(免)税手续",指税务机关对出口企业申报的符合规定的退(免)税,开具税收收入退还书并传递至国库。

第二十四条 各省税务局可以根据本办法制定和细化具体实施办法。

第二十五条 本办法自2016年9月1日起施行,以出口企业申报退(免)税时间为准。

# 关于进一步优化外贸综合服务企业出口货物退（免）税管理的公告

（国家税务总局公告 2016 年第 61 号）

（2016 年 9 月 19 日由国家税务总局发布，2016 年 10 月 1 日起施行，法规类型为规范性文件）

为贯彻落实《国务院关于促进外贸回稳向好的若干意见》（国发〔2016〕27 号），加快建立与外贸综合服务企业发展相适应的管理模式，推进外贸综合服务企业试点工作，进一步优化外贸综合服务企业出口货物退（免）税管理，现将有关事项公告如下：

一、税务机关应按照风险可控、放管服结合、利于遵从、便于办税的原则，对外贸综合服务企业（以下简称综服企业）进行分类管理，并严格按照《国家税务总局关于发布修订后的〈出口退（免）税企业分类管理办法〉的公告》（国家税务总局公告 2016 年第 46 号）规定的分类标准，评定和调整综服企业的出口退（免）税企业管理类别（以下简称退税管理类别），有效实施分类管理，落实相关服务措施。

二、税务机关可为退税管理类别为一类的综服企业提供绿色办税通道（特约服务区），优先办理出口退税，并建立重点联系制度，及时解决企业有关出口退（免）税问题。

三、税务机关应根据综服企业退税管理类别，采取以下措施办理退（免）税：

（一）退税管理类别为一类的综服企业申报的出口退（免）税，税务机关经审核，同时符合下列条件的，应自受理企业申报之日起，5 个工作日内办结出口退（免）税手续：

1. 申报的电子数据与海关出口货物报关单结关信息、增值税专用发票信息比对无误。
2. 出口退（免）税额计算准确无误。
3. 不涉及税务总局和省税务局确定的预警风险信息。
4. 接受其提供服务的中小生产企业的纳税信用级别为 A 级或 B 级。

（二）退税管理类别为二类的综服企业申报的出口退（免）税，税务机关经审核，同时符合下列条件的，应自受理企业申报之日起，10 个工作日内办结出口退（免）税手续：

1. 符合出口退（免）税相关规定。
2. 申报的电子数据与海关出口货物报关单结关信息、增值税专用发票信息比对无误。
3. 未发现审核疑点或者审核疑点已排除完毕。

（三）退税管理类别为三类的综服企业申报的出口退（免）税，税务机关经审核，同时符合下列条件的，应自受理企业申报之日起，15 个工作日内办结出口退（免）税手续：

1. 符合出口退（免）税相关规定。
2. 申报的电子数据与海关出口货物报关单结关信息、增值税专用发票信息比对无误。
3. 未发现审核疑点或者审核疑点已排除完毕。

（四）退税管理类别为四类的综服企业申报的出口退（免）税，税务机关应按下列规定进行审核，审核完成并排除所有审核疑点后，应自受理企业申报之日起，20 个工作日内办结出口退（免）税手续：

1. 申报的纸质凭证、资料应与电子数据相互匹配且逻辑相符。
2. 申报的电子数据应与海关出口货物报关单结关信息、增值税专用发票信息比对无误。
3. 对该类企业申报出口退（免）税的外购出口货物，税务机关应对每户供货企业的发票，必须抽取一定的比例发函调查。

四、纳入商务部、海关总署、税务总局、质检总局和外汇局联合开展综服企业试点工作范围的综服企业：中建材国际贸易有限公司、宁波世贸通国际贸易有限公司、厦门嘉晟供应链股份有限公司和广东汇富控股集团股份有限公司，申报出口退（免）税时，经税务机关审核符合本办法规定的，应在5个工作日内办结出口退（免）税手续。

上述试点企业存在以下情形之一的，其申报的出口退（免）税，税务机关应按规定予以核实、处理，不受5个工作日办结出口退（免）税手续时限的限制：

（一）因涉嫌骗取出口退税被立案查处的。

（二）骗取出口退税的。

（三）不配合税务机关实施出口退（免）税管理，以及未按规定收集、装订、存放出口退（免）税凭证及备案单证的。

（四）国家税务总局规定的其他情形。

五、综服企业受中小企业委托代理出口的货物，由综服企业申请开具《代理出口货物证明》的，综服企业应在《代理出口货物证明申请表》"备注"栏内注明"WMZHFW"标识；税务机关不再出具纸质《代理出口货物证明》，将电子信息传递给委托方中小企业的主管税务机关。

由综服企业开具了《代理出口货物证明》的出口业务，按现行规定由委托企业申报出口退（免）税，委托企业申报退（免）税时，不再提供纸质《代理出口货物证明》。

六、本公告自2016年10月1日起施行。

特此公告。

## 关于调整完善外贸综合服务企业办理出口货物退（免）税有关事项的公告

（国家税务总局公告2017年第35号）

(2017年9月13日由国家税务总局发布，2017年11月1日起施行，法规类型为规范性文件)

为促进外贸综合服务企业规范健康发展，建立与企业发展相适应的出口退（免）税管理模式，根据《商务部 海关总署 税务总局 质检总局 外汇局关于促进外贸综合服务企业健康发展有关工作的通知》（商贸函〔2017〕759号）的精神，现将外贸综合服务企业代生产企业办理出口退（免）税事项的有关问题公告如下：

一、外贸综合服务企业（以下简称综服企业）代国内生产企业办理出口退（免）税事项同时符合下列条件的，可由综服企业向综服企业所在地主管税务机关集中代为办理出口退（免）税事项（以下称代办退税）：

（一）符合商务部等部门规定的综服企业定义并向主管税务机关备案。

（二）企业内部已建立较为完善的代办退税内部风险管控制度并已向主管税务机关备案。

二、生产企业出口货物，同时符合以下条件的，可由综服企业代办退税：

（一）出口货物为生产企业的自产货物或视同自产货物。

（二）生产企业为增值税一般纳税人并已按规定办理出口退（免）税备案。

（三）生产企业已与境外单位或个人签订出口合同。

（四）生产企业已与综服企业签订外贸综合服务合同（协议），约定由综服企业提供包括报关报检、物流、代办退税、结算等在内的综合服务，并明确相关法律责任。

（五）生产企业向主管税务机关提供代办退税的开户银行和账号（以下简称代办退税账户）。

三、生产企业应当办理委托代办退税备案。生产企业在已办理出口退（免）税备案后，首次委托综服企业代办退税前，向其所在地主管税务机关报送《代办退税情况备案表》（附件1）并提供代办退税账户，同时将与综服企业签订的外贸综合服务合同（协议）留存备查。

《代办退税情况备案表》内容发生变化时，生产企业应自发生变化之日起 30 日内重新报送该表。

生产企业办理撤回委托代办退税备案事项的，应在综服企业主管税务机关按规定向综服企业结清该生产企业的代办退税款后办理。

生产企业办理撤回出口退（免）税备案事项的，应按规定先办理撤回委托代办退税备案事项。

四、综服企业应当办理代办退税备案。综服企业办理出口退（免）税备案后，在为每户生产企业首次代办退税前，向其所在地主管税务机关报送《代办退税情况备案表》，同时将下列资料留存备查：

（一）与生产企业签订的外贸综合服务合同（协议）。

（二）每户委托代办退税生产企业的《代办退税情况备案表》。

（三）综服企业代办退税内部风险管控信息系统建设及应用情况。

《代办退税情况备案表》的内容发生变化时，综服企业应自发生变化之日起 30 日内重新报送该表。

综服企业首次办理代办退税备案时，应将企业代办退税内部风险管控制度一次性报主管税务机关。

五、综服企业主管税务机关应将综服企业报送的《代办退税情况备案表》内容与相应生产企业的《代办退税情况备案表》内容进行比对，比对相符的，应予以办理代办退税备案；比对不符的，将比对不符情况一次性告知综服企业。

六、生产企业代办退税的出口货物，应先按出口货物离岸价和增值税适用税率计算销项税额并按规定申报缴纳增值税，同时向综服企业开具备注栏内注明"代办退税专用"的增值税专用发票（以下称代办退税专用发票），作为综服企业代办退税的凭证。

出口货物离岸价以人民币以外的货币结算的，其人民币折合率可以选择销售额发生的当天或者当月 1 日的人民币汇率中间价。

代办退税专用发票上的"金额"栏次须按照换算成人民币金额的出口货物离岸价填写。

七、综服企业向其主管税务机关申报代办退税，应退税额按代办退税专用发票上注明的"金额"和出口货物适用的出口退税率计算。

应退税额＝代办退税专用发票上注明的"金额"×出口货物适用的出口退税率

代办退税专用发票不得作为综服企业的增值税扣税凭证。

八、综服企业应参照外贸企业出口退税申报相关规定，向主管税务机关单独申报代办退税，报送《外贸综合服务企业代办退税申报表》（附件2）、代办退税专用发票（抵扣联）和其他申报资料。

九、综服企业应履行代办退税内部风险管控职责，严格审核委托代办退税的生产企业生产经营情况、生产能力及出口业务的真实性。代办退税内部风险管控职责包括：

（一）制定代办退税内部风险管控制度，包括风险控制流程、规则、管理制度等。

（二）建立代办退税风险管控信息系统，对生产企业的经营情况和生产能力进行分析，对代办退税的出口业务进行事前、事中、事后的风险识别、分析。

（三）对年度内委托代办退税税额超过100万元的生产企业，应实地核查其经营情况和生产能力，核查内容包括货物出口合同或订单、生产设备、经营场所、企业人员、会计账簿、生产能力等，对有关核查情况应有完备记录和留存相关资料。

（四）对年度内委托代办退税税额超过100万元的生产企业，应进行出口货物的贸易真实性核查。核查内容包括出口货物真实性、出口货物与报关单信息一致性、与生产企业生产能力的匹配性、有相应的物流凭证和出口收入凭证等。每户委托代办退税的生产企业核查覆盖率不应低于其代办退税业务的75%，对有关核查情况应有完备记录和留存相关资料。

各省（区、市）税务局可根据本省实际情况规定综服企业其他应履行代办退税内部风险管控职责，并对本条第（三）、（四）项规定需实地核查的生产企业代办退税税额和生产企业核查覆盖率进行调整。

十、综服企业应对履行本公告第九条职责的详细记录等信息和每笔代办退税出口业务涉及的合同（协议）、凭证等资料，规范装订、存放、保管并留存备查。

综服企业对代办退税的出口业务，应参照外贸企业自营出口业务有关备案单证的规定进行单证备案。

十一、综服企业主管税务机关应按照综服企业的出口企业管理类别审核办理其代办退税。

十二、综服企业主管税务机关应将核准通过的代办退税款退还至生产企业提供的代办退税账户，并在办结代办退税后，向综服企业反馈退还给每户生产企业的税款明细。

十三、生产企业主管税务机关应参照对供货企业出口退（免）税风险管理有关规定，加强对生产企业的风险管理工作。发现生产企业存在异常情形的，应有针对性的开展评估核查工作。

十四、代办退税的出口业务存在异常情形或者有按规定暂不办理退税情形的，综服企业主管税务机关应按下列规则处理：

（一）未办理退税的，对该出口业务暂缓办理退税。

（二）已办理退税的，按所涉及的退税额，对其已核准通过的应退代办退税税款，等额暂缓办理退税。

（三）排除相应疑点后，按排除疑点的结论，方可继续办理代办退税。

十五、代办退税的出口业务有按规定应予追回退税款情形的，由生产企业主管税务机关向生产企业进行追缴。综服企业主管税务机关应根据生产企业主管税务机关的通知，按照所涉及的退税额对该生产企业已核准通过的应退税款予以暂扣。

十六、代办退税的出口业务有按规定应予追回退税款情形，如果综服企业未能按照本公告第九条规定履行其职责，且生产企业未能按规定将税款补缴入库的，综服企业应当承担连带责任，将生产企业未能补缴入库所涉及的税款进行补缴。

十七、综服企业代办退税存在下列情形的，综服企业主管税务机关应自发现之日起20个工作日内，调整其出口企业管理类别：

（一）连续12个月内，经审核发现不予退税的代办退税税额占申报代办退税税额5%以上的，管理类别下调一级。

（二）连续12个月内，经审核发现不予退税的代办退税业务涉及的生产企业户数占申报代办退税生产企业户数3%以上的，管理类别下调一级。

（三）连续12个月内，被认定为骗取出口退税的代办退税税额占申报代办退税税额2%以上的，管理类别调整为四类。

十八、综服企业连续12个月内被认定为骗取出口退税的代办退税税额占申报代办退税税额5%以上的，36个月内不得按照本公告规定从事代办退税业务。

上述36个月，自综服企业收到税务机关书面通知书次月算起，具体日期以出口货物报关单注明的出口日期为准。

十九、代办退税的出口业务，如发生骗取出口退税等涉税违法行为的，生产企业应作为责任主体承担法律责任。综服企业非法提供银行账户、发票、证明或者其他方便，导致发生骗取出口退税的，对其应按照《中华人民共和国税收征收管理法实施细则》第九十三条的规定进行处罚。

综服企业发生参与生产企业骗取出口退税等涉税违法行为的，应依法承担相应法律责任，且36个月内不得按照本公告规定从事代办退税业务。

上述36个月，自综服企业收到税务机关行政处罚决定（或审判机关判决、裁定文书）次月算起，具体日期以出口货物报关单注明的出口日期为准。

二十、综服企业向生产企业代为办理报关、报检、物流、退税、结算等综合服务取得的收入，应按规定申报缴纳增值税。

二十一、本公告未尽事宜，按照现行出口退（免）税和增值税相关规定执行。

各省（区、市）税务局可以根据本公告规定，结合本地实际，制定具体操作办法。

二十二、本公告自2017年11月1日起施行。具体时间以出口货物报关单上注明的出口日期为准。《国家税务总局关于外贸综合服务企业出口货物退（免）税有关问题的公告》（国家税务总局公告2014年第13号）同时废止。

2017年11月1日后报关出口的货物，如生产企业在2017年11月1日前已向综服企业开具增值税专用发票（除代办退税专用发票外）的，仍按照国家税务总局公告2014年第13号的规定办理出口退税。

特此公告。

附件：1. 代办退税情况备案表（略）
2. 外贸综合服务企业代办退税申报表（略）

# 关于出口退（免）税申报有关问题的公告

（国家税务总局公告2018年第16号）

(2018年4月19日由国家税务总局发布，2018年5月1日起施行，法规类型为规范性文件)

为进一步落实税务系统"放管服"改革要求，简化出口退（免）税手续，优化出口退（免）税服务，持续加快退税进度，支持外贸出口，现就出口退（免）税申报有关问题公告如下：

一、出口企业或其他单位办理出口退（免）税备案手续时，应按规定向主管税务机关填报修改后的《出口退（免）税备案表》（附件1）。

二、出口企业和其他单位申报出口退（免）税时，不再进行退（免）税预申报。主管税务机关确认申报凭证的内容与对应的管理部门电子信息无误后方可受理出口退（免）税申报。

三、实行免抵退税办法的出口企业或其他单位在申报办理出口退（免）税时，不再报送当期《增值税纳税申报表》。

四、出口企业按规定申请开具代理进口货物证明时，不再提供进口货物报关单（加工贸易专用）。

五、外贸企业购进货物需分批申报退（免）税的以及生产企业购进非自产应税消费品需分批申报消费税退税的，出口企业不再向主管税务机关填报《出口退税进货分批申报单》，由主管税务机关通过出口税收管理系统对进货凭证进行核对。

六、出口企业或其他单位在出口退（免）税申报期限截止之日前，申报出口退（免）税的出口报关单、代理出口货物证明、委托出口货物证明、增值税进货凭证仍没有电子信息或凭证的内容与电子信息比对不符的，应在出口退（免）税申报期限截止之日前，向主管税务机关报送《出口退（免）税凭证无相关电子信息申报表》（附件2）。相关退（免）税申报凭证及资料留存企业备查，不再报送。

七、出口企业或其他单位出口货物劳务、发生增值税跨境应税行为，由于以下原因未收齐单证，无法在规定期限内申报的，应在出口退（免）税申报期限截止之日前，向负责管理出口退（免）税的主管税务机关报送《出口退（免）税延期申报申请表》（附件3）及相关举证资料，提出延期申报申请。主管税务机关自受理企业申请之日起20个工作日内完成核准，并将结果告知出口企业或其他单位。

（一）自然灾害、社会突发事件等不可抗力因素；

（二）出口退（免）税申报凭证被盗、抢，或者因邮寄丢失、误递；

（三）有关司法、行政机关在办理业务或者检查中，扣押出口退（免）税申报凭证；

（四）买卖双方因经济纠纷，未能按时取得出口退（免）税申报凭证；

（五）由于企业办税人员伤亡、突发危重疾病或者擅自离职，未能办理交接手续，导致不能按期提供出口退（免）税申报凭证；

（六）由于企业向海关提出修改出口货物报关单申请，在出口退（免）税申报期限截止之日前海关未完成修改，导致不能按期提供出口货物报关单；

（七）有关政府部门在出口退（免）税申报期限截止之日前未出具出口退（免）税申报所需凭证资料；

（八）国家税务总局规定的其他情形。

八、出口企业申报退（免）税的出口货物，应按照《国家税务总局关于出口企业申报出口货物退（免）税提供收汇资料有关问题的公告》（国家税务总局公告2013年第30号，以下称"30号公告"）的规定在出口退（免）税申报截止之日前收汇，未按规定收汇的出口货物适用增值税免税政策。对有下列情形之一的出口企业，在申报出口退（免）税时，须按照30号公告的规定提供收汇资料：

（一）出口退（免）税企业分类管理类别为四类的；

（二）主管税务机关发现出口企业申报的不能收汇原因是虚假的；

（三）主管税务机关发现出口企业提供的出口货物收汇凭证是冒用的。

上述第（一）种情形自出口企业被主管税务机关评定为四类企业的次月起执行；第（二）种至第（三）种情形自主管税务机关通知出口企业之日起24个月内执行。上述情形的执行时间以申报退（免）税时间为准。

出口企业同时存在上述两种以上情形的，执行时间的截止时间为几种情形中的最晚截止时间。

九、生产企业应于每年4月20日前，按以下规定向主管税务机关申请办理上年度海关已核销的进料加工手册（账册）项下的进料加工业务核销手续。4月20日前未进行核销的，对该企业的出口退（免）税业务，主管税务机关暂不办理，在其进行核销后再办理。

（一）生产企业申请核销前，应从主管税务机关获取海关联网监管加工贸易电子数据中的进料加工"电子账册（电子化手册）核销数据"以及进料加工业务的进口和出口货物报关单数据。

生产企业将获取的反馈数据与进料加工手册（账册）实际发生的进口和出口情况核对后，填报《生产企业进料加工业务免抵退税核销表》（附件4）向主管税务机关申请核销。如果核对发现，实际业务与反馈数据不一致的，生产企业还应填写《已核销手册（账册）海关数据调整表》（附件5）连同电子数据和证明材料一并报送主管税务机关。

（二）主管税务机关应将企业报送的电子数据读入出口退税审核系统，对《生产企业进料加工业务免抵退税核销表》和《已核销手册（账册）海关数据调整表》及证明资料进行审核。

（三）主管税务机关确认核销后，生产企业应以《生产企业进料加工业务免抵退税核销表》中的"已核销手册（账册）综合实际分配率"，作为当年度进料加工计划分配率。同时，应在核销确认的次月，根据《生产企业进料加工业务免抵退税核销表》确认的不得免征和抵扣税额在纳税申报时申报调整；应在确认核销后的首次免抵退税申报时，根据《生产企业进料加工业务免抵退税核销表》确认的调整免抵退税额申报调整当期免抵退税额。

（四）生产企业发现核销数据有误的，应在发现次月按照本条第（一）项至（三）项的有关规定向主管税务机关重新办理核销手续。

十、出口企业因纳税信用级别、海关企业信用管理类别、外汇管理的分类管理等级等发生变化，或者对分类管理类别评定结果有异议的，可以书面向负责评定出口企业管理类别的税务机关提出重新评定管理类别。有关税务机关应按照《国家税务总局关于发布修订后的〈出口退（免）税企业分类管理办法〉的公告》（国家税务总局公告2016年第46号）的规定，自收到企业复评资料之日起20个工作日内完成评定工作。

十一、境内单位提供航天运输服务或在轨交付空间飞行器及相关货物，在进行出口退（免）税申报时，应填报《航天发射业务出口退税申报明细表》（附件6），并提供下列资料及原始凭证的复印件：

（一）签订的发射合同或在轨交付合同；

（二）发射合同或在轨交付合同对应的项目清单项下购进航天运输器及相关货物和空间飞行器及相关货物的增值税专用发票或海关进口增值税专用缴款书、接受发射运行保障服务的增值税专用发票；

（三）从与之签订航天运输服务合同的单位取得收入的收款凭证。

《国家税务总局关于发布〈适用增值税零税率应税服务退（免）税管理办法〉的公告》（国家税务总局公告2014年第11号）第九条第二项第1目规定的其他具有提供商业卫星发射服务资质的证明材料，包括国家国防科技工业局颁发的《民用航天发射项目许可证》。

十二、《废止文件、条款目录》见附件7。

本公告自2018年5月1日起施行。

特此公告。

附件：1. 出口退（免）税备案表（略）

2. 出口退（免）税凭证无相关电子信息申报表（略）

3. 出口退（免）税延期申报申请表（略）

4. 生产企业进料加工业务免抵退税核销表（略）

5. 已核销手册（账册）海关数据调整表（略）

6. 航天发射业务出口退税申报明细表（略）

7. 废止文件、条款目录（略）

## 关于统一小规模纳税人标准有关出口退（免）税问题的公告

（国家税务总局公告2018年第20号）

(2018年4月22日由国家税务总局发布，2018年5月1日起施行，法规类型为规范性文件)

根据《财政部 税务总局关于统一增值税小规模纳税人标准的通知》（财税〔2018〕33号）、《国家税务总局关于统一小规模纳税人标准等若干增值税问题的公告》（国家税务总局公告2018年第18号）及现行出口退（免）税有关规定，现将统一小规模纳税人标准有关出口退（免）税问题公告如下：

一、一般纳税人转登记为小规模纳税人（以下称转登记纳税人）的，其在一般纳税人期间出口适用增值税退（免）税政策的货物劳务、发生适用增值税零税率跨境应税行为（以下称出口货物劳务、服务），继续按照现行规定申报和办理出口退（免）税相关事项。

自转登记日下期起，转登记纳税人出口货物劳务、服务，适用增值税免税规定，按照现行小规模纳税人的有关规定办理增值税纳税申报。

出口货物劳务、服务的时间，按以下原则确定：属于向海关报关出口的货物劳务，以出口货物报关单上注明的出口日期为准；属于非报关出口销售的货物、发生适用增值税零税率跨境应税行为，以出口发票或普通发票的开具时间为准；属于保税区内出口企业或其他单位出口的货物以及经保税区出口的货物，以货物离境时海关出具的出境货物备案清单上注明的出口日期为准。

二、原实行免抵退税办法的转登记纳税人在一般纳税人期间出口货物劳务、服务，尚未申报抵扣的进项税额以及转登记日当期的期末留抵税额，计入"应交税费—待抵扣进项税额"，并参与免抵退税计算。上述尚未申报抵扣的进项税额应符合国家税务总局公告2018年第18号第四条第二款的规定。

上述转登记纳税人发生国家税务总局公告2018年第18号第五条所述情形、按照本公告第一条第一款规定申报办理出口退（免）税或者退运等情形，需要调整"应交税费—待抵扣进项税额"的，应据实调整，准确核算"应交税费—待抵扣进项税额"的变动情况。

三、原实行免退税办法的转登记纳税人在一般纳税人期间出口货物劳务、服务，尚未申报免退税的进项税额可继续申报免退税。

上述尚未申报免退税的进项税额应符合国家税务总局公告2018年第18号第四条第二款的规定。其中，用于申报免退税的海关进口增值税专用缴款书，转登记纳税人不申请进行电子信息稽核比对，应经主管税务机关查询，确认与海关进口增值税专用缴款书电子信息相符且未被用于抵扣或退税。

四、转登记纳税人结清出口退（免）税款后，应按照规定办理出口退（免）税备案变更。

委托外贸综合服务企业（以下称综服企业）代办退税的转登记纳税人，应在综服企业主管税务机关按规定向综服企业结清该转登记纳税人的代办退税款后，按照规定办理委托代办退税备案撤回。

五、转登记纳税人再次登记为一般纳税人的，应比照新发生出口退（免）税业务的出口企业或其他单位，办理出口退（免）税有关事宜。

六、本公告自 2018 年 5 月 1 日起施行。

特此公告。

## 关于外贸综合服务企业办理出口货物退（免）税有关事项的公告

（国家税务总局公告 2018 年第 25 号）

（2018 年 5 月 14 日由国家税务总局发布，2018 年 5 月 14 日起施行，法规类型为规范性文件）

《国家税务总局关于调整完善外贸综合服务企业办理出口货物退（免）税有关事项的公告》（国家税务总局公告 2017 年第 35 号）实施以来，部分外贸综合服务企业（以下简称综服企业）反映部分老合同无法按照 35 号公告规定办理退税的问题。为解决综服企业反映的问题，促进综服企业规范健康发展，现将有关出口货物退（免）税问题明确如下：

一、综服企业在 2017 年 11 月 1 日至 2018 年 2 月 28 日期间出口的货物，符合《国家税务总局关于外贸综合服务企业出口货物退（免）税有关问题的公告》（国家税务总局公告 2014 年第 13 号）规定的，允许在 2018 年 6 月 30 日前，按照国家税务总局公告 2014 年第 13 号的规定申报办理出口退（免）税。

出口货物的出口时间，以出口货物报关单上注明的出口日期为准。

二、综服企业按照本公告第一条的规定申报出口退（免）税时，必须在《外贸企业出口退税进货明细申报表》"备注"栏、《外贸企业出口退税出口明细申报表》"备注"栏填写"WMZHFW"。否则，不得执行本公告第一条的规定。

三、本公告自发布之日起施行。

特此公告。

## 启运港退（免）税管理办法

（国家税务总局公告 2018 年第 66 号）

（2018 年 12 月 28 日由国家税务总局发布，2019 年 1 月 1 日起施行，法规类型为规范性文件）

第一条　为规范启运港退（免）税管理，根据《财政部　海关总署　税务总局关于完善启运港退税政策的通知》的有关规定，制定本办法。

第二条　出口企业适用启运港退（免）税政策须同时满足以下条件：

（一）出口企业的出口退（免）税分类管理类别为一类或二类，并且在海关的信用等级为一般信用企业或认证企业（以税务总局清分的企业海关信用等级信息为准）；

（二）出口企业出口适用退（免）税政策的货物，并且能够取得海关提供的启运港出口货物报关单电子信息；

（三）除本公告另有规定外，出口货物自启运日（以启运港出口货物报关单电子信息上注明的出口日期为准，下同）起2个月内办理结关核销手续。

**第三条** 适用启运港退（免）税政策的出口货物，其退税率执行时间以启运港出口货物报关单电子信息上注明的出口日期为准。

**第四条** 出口企业应自启运日起2个月内，凭启运港出口货物报关单电子信息及相关材料向主管出口退税的税务机关申报办理启运港退（免）税。

出口企业自启运日起超过2个月未办理结关核销手续或未申报启运港退（免）税的出口货物，应使用正常结关核销的出口货物报关单电子信息及相关材料按照现行规定申报办理退（免）税。

出口企业申报办理启运港退（免）税时，应在申报明细表的"退（免）税业务类型"栏内填写"QYGTS"标识。外贸企业应使用单独关联号申报适用本办法的出口货物退（免）税。

**第五条** 主管出口退税的税务机关受理出口企业启运港退（免）税首次申报时，即视为出口企业完成启运港退（免）税备案。

**第六条** 主管出口退税的税务机关办理启运港退（免）税相关事项所使用的信息，应以税务总局清分的下列信息为准：

（一）企业海关信用等级信息；

（二）启运港出口货物报关单信息（加启运港退税标识，以下简称"启运数据"）；

（三）正常结关核销的报关单数据（加启运港退税标识，以下简称"结关数据"）；

（四）货物未运抵离境港不再出口，海关撤销的报关单数据（以下简称"撤销数据"）。

**第七条** 主管出口退税的税务机关应使用启运数据受理审核启运港退（免）税。

**第八条** 主管出口退税的税务机关应定期使用结关数据和撤销数据开展启运港退（免）税复核工作。对复核比对异常的，按以下原则进行处理：

（一）启运数据中的出口数量及单位、总价等项目与结关数据不一致的，以结关数据为准进行调整或追缴已退（免）税款；

（二）涉及撤销数据的，根据现行规定进行调整或追缴已退（免）税款；

（三）自启运日起超过2个月仍未收到结关数据（以下简称"到期未结关数据"）的，除本办法第九条规定情形外，根据现行规定追缴已退（免）税款，该笔出口货物不再适用启运港退（免）税政策。

**第九条** 出口企业已申报办理启运港退（免）税的货物，因自然灾害、社会突发事件等不可抗力因素，预计2个月内无法办理结关核销手续的，应自启运日起2个月内向主管出口退税的税务机关提出申请，经主管出口退税的税务机关同意后，暂不追缴已退（免）税款。

上述货物在启运日次年的退（免）税申报期限截止之日前，主管出口退税的税务机关收到结关数据的，应按照本办法第八条规定处理；仍未收到结关数据的（以下简称"次年未结关数据"），该笔出口货物不再适用启运港退（免）税政策，主管出口退税的税务机关根据现行规定追缴已退（免）税款。

**第十条** 按第八条、第九条规定已追缴退（免）税款或进行调整处理的到期未结关数据和次年未结关数据，海关又办理结关核销手续的，出口企业可凭正常结关核销的出口货物报关单电子信息及相关材料重新申报出口退（免）税，主管出口退税的税务机关依据结关数据按照现行规定审核办理退（免）税。

**第十一条** 货物未运抵离境港不再出口，海关撤销出口货物报关单的，出口企业应按照现行规定向主管出口退税的税务机关申请出具《出口货物退运已补税（未退税）证明》，主管出口退税的税务机关在出具证明时，应使用撤销数据进行审核比对。出口企业未申报退（免）税的，不得再申报退（免）税；已申报办理退（免）税的，应补缴已退（免）税款。

**第十二条** 2018年4月10日（以海关出口报关单电子信息注明的出口日期为准）以后的启运港出口货物，出口企业不再提供纸质出口货物报关单（出口退税专用）。

**第十三条** 本办法施行前符合本办法规定的适用启运港退（免）税办法的出口货物，可按本办法申报办理出口退（免）税相关事项。此前已按结关数据办理出口退（免）税事项的，不作调整。

**第十四条** 本办法未尽事宜，按照现行出口退（免）税相关规定执行。

**第十五条** 本办法自2019年1月1日起施行，启运港出口货物报关单电子信息上注明的出口日期为2019年1月1日以后（含）的启运港退（免）税事项按本办法执行。《启运港退（免）税管理办法》（国家税务总局公告2014年第52号发布，国家税务总局公告2018年第31号修改）同时废止。

# 关于扩大跨境贸易人民币结算试点有关问题的通知

（银发〔2010〕186号）

（2010年6月17日由中国人民银行、财政部、商务部、海关总署、国家税务总局、银监会发布，2010年6月17日起施行，法规类型为规范性文件）

人民银行上海总部，天津、沈阳、南京、济南、武汉、广州、成都分行，总行营业管理部、重庆营业管理部，呼和浩特、长春、哈尔滨、杭州、福州、南宁、海口、昆明、拉萨、乌鲁木齐中心支行，各副省级城市中心支行；北京市、天津市、内蒙古自治区、辽宁省、吉林省、黑龙江省、上海市、江苏省、浙江省、福建省、山东省、湖北省、广东省、广西壮族自治区、海南省、重庆市、四川省、云南省、西藏自治区、新疆维吾尔自治区财政厅、商务厅、税务局、银监局；海关总署广东分署、天津、上海特派办、各直属海关：

自2009年7月开展跨境贸易人民币结算试点工作以来，人民币资金结算、清算渠道便捷、顺畅，人民币出口退（免）税及进出口报关政策清晰明确、操作流程便利，受到了试点企业的普遍欢迎。为满足企业对跨境贸易人民币结算的实际需求，进一步发挥人民币结算对贸易和投资便利化的促进作用，经国务院批准，现就扩大跨境贸易人民币结算试点工作的有关问题通知如下：

一、跨境贸易人民币结算的境外地域由港澳、东盟地区扩展到所有国家和地区。

二、增加北京、天津、内蒙古、辽宁、吉林、黑龙江、江苏、浙江、福建、山东、湖北、广西、海南、重庆、四川、云南、西藏、新疆等18个省（自治区、直辖市）为试点地区。

三、广东省的试点范围由4个城市扩大到全省，增加上海市和广东省的出口货物贸易人民币结算试点企业数量。

四、试点省（自治区、直辖市）的企业，可以按照《跨境贸易人民币结算试点管理办法》（中国人民银行财政部商务部海关总署国家税务总局中国银行业监督管理委员会公告〔2009〕第10号，以下简称《试点管理办法》）以人民币进行进口货物贸易、跨境服务贸易和其他经常项目结算。

五、北京、天津、内蒙古、辽宁、上海、江苏、浙江、福建、山东、湖北、广东、广西、海南、重庆、四川、云南等16个省（自治区、直辖市）出口货物贸易人民币结算实行试点企业管理制度。请各省（自治区、直辖市）、计划单列市人民政府协调当地有关部门按照《试点管理办法》第四条有关规定推荐出口货物贸易人民币结算试点企业，人民银行、财政部、商务部、海关总署、税务总局、银监会将在总量控制的前提下，审定试点企业名单。经审定后的试点企业使用人民币结算的出口货物贸易按照有关规定办理出口报关手续，享受出口货物退（免）税政策。

六、内蒙古、辽宁、吉林、黑龙江、广西、云南、西藏、新疆等8个边境省（自治区）具有进出口经营资格的企业，可以在指定口岸与毗邻国家的一般贸易和边境小额贸易出口货物按照《试点管理办法》开展人民币结算试点。其中，内蒙古、辽宁、广西、云南等4省（自治区）按照《试点管理办法》选择的试点企业按本通知第五条规定办理出口报关及退（免）税手续；8个边境省（自治区）的其他企业在指定口岸与毗邻国家的一般贸易和边境小额贸易使用人民币结算的，出口报关及退（免）税手续按照《财政部国家税务总局关于边境地区一般贸易和边境小额贸易出口货物以人民币结算准予退（免）税试点的通知》（财税〔2010〕26号）办理。

七、请开展跨境贸易人民币结算试点所在省（自治区、直辖市）的相关部门按照《试点管理办法》等有关文件积极做好试点工作，保证跨境贸易人民币结算试点工作顺利进行。

# 关于跨境贸易人民币结算试点企业评审以及出口货物退（免）税有关事项的通知

（国税函〔2010〕303号）

（2010年6月29日由国家税务总局发布，2010年6月29日起施行，法规类型为规范性文件）

北京、天津、内蒙古、辽宁、上海、江苏、浙江、福建、山东、湖北、广东、广西、海南、重庆、四川、云南省（自治区、直辖市）国家税务局，大连、宁波、青岛、厦门、深圳市国家税务局：

根据《中国人民银行 财政部 商务部 海关总署 国家税务总局 银监会关于扩大跨境贸易人民币结算试点有关问题的通知》（银发〔2010〕186号）文件规定，你地区被列为跨境贸易人民币结算试点地区。现将跨境贸易人民币结算试点企业评审工作以及出口货物退（免）税有关事项通知如下：

**一、试点企业评审工作要求**

（一）试点地区税务机关应按照《跨境贸易人民币结算试点管理办法》（中国人民银行 财政部 商务部 海关总署 国家税务总局 中国银行业监督管理委员会 公告〔2009〕第10号，以下简称《管理办法》）有关规定，对试点企业进行评审。试点企业应具备以下条件：

1. 财务会计制度健全，且未发生欠税的；

2. 办理出口货物退（免）税认定2年以上，且日常申报出口货物退（免）税正常、规范，能按税务机关要求保管出口退税档案资料；

3. 近二年未发现企业从事"四自三不见"等不规范业务；

4. 近二年未发生偷税、逃避追缴欠税、抗税、骗取出口退税等涉税违法行为；

5. 近二年未发现虚开发票（含农产品收购发票）和使用虚开的增值税专用发票申报出口退税等问题；

6. 评审期间未涉及有关税务违法案件检查。

(二)试点地区地(市)税务机关应严格遵照上述标准,逐项对试点出口企业加以评审,填写《跨境贸易人民币结算试点企业评审表》(见附件1)。据此,由省税务局将本地区拟同意试点的出口企业名单及《跨境贸易人民币结算试点企业评审汇总表》(见附件2)上报国家税务总局(货物劳务税司)。

(三)试点期间,试点地区税务机关应加强对试点企业的日常管理,对于试点企业出现下列情况之一者,要及时将有关情况上报国家税务总局(货物劳务税司):

1. 发生骗取出口退税等涉税违法行为或涉及税务违法案件检查的;
2. 使用虚开的增值税专用发票申报出口退税的;
3. 多次未按规定提供税务部门所需单证、资料且经劝告无效的。

二、试点企业申报办理跨境贸易人民币结算出口货物退(免)税有关规定

(一)试点企业申报办理跨境贸易人民币结算方式出口货物退(免)税时,不必提供出口收汇核销单,但应单独向主管税务机关申报,如与其他出口货物一并申报,应在申报表中对跨境贸易人民币结算出口货物报关单进行标注。

(二)试点地区税务机关受理跨境贸易人民币结算方式出口货物退(免)税后,不再审核出口收汇核销单及进行相关信息的对比,出口退税审核系统中产生的有关出口收汇核销单疑点可以人工挑过。

(三)对属于《管理办法》第二十三条规定情形的试点企业,税务机关可要求试点企业提供相关数据、资料,建立台账制度,加强后续跟踪监管,如有必要可要求试点企业提供有关情况的书面说明,并可根据《管理办法》第十八条有关规定,提请银行部门提供试点企业有关跨境贸易结算的数据、资料,以供对比分析使用。

(四)各试点地区税务机关要积极支持跨境贸易人民币结算试点工作,一方面在严格审核的基础上,及时准确办理出口货物退(免)税;另一方面要加强试点企业有关业务的日常管理和预警评估工作,严防骗税发生。凡审核中发现异常出口业务,应暂缓办理该笔出口货物退(免)税,待核实有关问题后,依法按规定处理。

三、出口退税系统应用有关要求

(一)针对跨境贸易人民币结算出口货物退(免)税业务,国家税务总局已对出口退税审核系统部分模块进行了升级,增加了若干审核疑点配置,审核系统升级内容见附件3。请你局使用升级后的出口退税审核系统对试点企业跨境贸易人民币结算出口货物退(免)税进行审核。

(二)请你局通过国家税务总局电子传输系统出口退税子系统查询试点企业跨境贸易人民币结算的相关数据,在跨境贸易人民币结算业务办理出口退(免)税进行数据分析,做好出口退税预警评估工作。

附件:1. 跨境贸易人民币结算试点企业评审表(略)
    2. 跨境贸易人民币结算试点企业评审汇总表(略)
    3. 跨境贸易人民币结算业务升级说明(略)

## 关于进一步推进出口退（免）税无纸化申报试点工作的通知

（国家税务总局税总函〔2017〕176号）

（2017年5月23日由国家税务总局发布，2017年5月23日起施行，法规类型为规范性文件）

各省、自治区、直辖市和计划单列市税务局：

为支持外贸稳增长，进一步优化出口退税服务，加快出口退税进度，创建优质便捷的退税服务体系，税务总局决定在全国范围内进一步推进出口退（免）税无纸化申报试点工作。现将有关事项通知如下：

一、试点的主要内容

在开展试点工作的地区，试点企业通过提供数字签名证书签名后的正式申报电子数据，可以办理出口退（免）税正式申报以及申请办理出口退（免）税相关证明，不再需要报送纸质申报表和纸质凭证，原规定向主管税务机关报送的纸质凭证留存备查。

二、试点企业的范围

各省国税局应按照"严控风险、企业自愿"的原则，选取有代表性的地区、税法遵从度好的企业，开展出口退（免）税无纸化申报试点工作。

试点企业的条件按照《国家税务总局关于推进出口退（免）税无纸化管理试点工作的通知》（税总函〔2016〕36号）第一条的规定执行。出口企业和其他单位视同出口货物，在提供退（免）税申报资料时，存在无法生成电子数据情形的，不影响该企业申请成为无纸化申报试点企业，该项视同出口业务仍可按现行规定报送纸质申报资料办理退（免）税。

三、有关工作要求

（一）尚未开展出口退（免）税无纸化申报试点的省（区、市），应于2017年10月31日前确定试点地区，开展试点工作。已开展出口退（免）税无纸化申报试点的省（区、市），要继续做好出口退（免）税无纸化审核审批、无纸化退库等业务的试点工作，并根据本单位出口退（免）税管理和信息化建设情况，适时扩大试点范围。

（二）各省国税局分别于2017年6月15日和11月15日前，将《出口退（免）税无纸化管理试点统计表》（见附件），以及本省无纸化试点的已推行情况、推行计划情况、存在困难、问题和意见建议，上报税务总局（货物和劳务税司）。（报送路径：总局FTP、各地上传、总局布置工作、出口退（免）税无纸化管理试点工作开展情况、无纸化申报试点工作情况）

（三）其他有关工作要求，请按照税总函〔2016〕36号文件的相关规定执行。

本通知自下发之日起施行，原规定与本通知不一致的，按本通知执行。

附件：出口退（免）税无纸化管理试点统计表（略）

# 监管方式与退税

## 融资租赁货物出口退税管理办法

(国家税务总局公告2014年第56号)

(2014年10月8日由国家税务总局发布,根据2018年6月15日国家税务总局公告2018年第31号《国家税务总局关于修改部分税收规范性文件的公告》修改,现行版本自2018年6月15日起施行,法规类型为规范性文件)

### 第一章 总 则

**第一条** 根据《财政部 海关总署 国家税务总局关于在全国开展融资租赁货物出口退税政策试点的通知》(财税〔2014〕62号)的规定,制定本办法。

**第二条** 享受出口退税政策的融资租赁企业(以下称融资租赁出租方)的主管税务局负责出口退(免)税资格的认定及融资租赁出口货物、融资租赁海洋工程结构物(以下称融资租赁货物)的出口退税审核、审批等管理工作。

**第三条** 享受出口退税的融资租赁出租方和融资租赁货物的范围、条件以及出口退税的具体计算办法按照财税〔2014〕62号文件相关规定执行。

### 第二章 税务登记、出口退(免)税资格认定管理

**第四条** 融资租赁出租方在所在地主管税务局办理税务登记及出口退(免)税资格认定后,方可申报融资租赁货物出口退税。

**第五条** 融资租赁出租方应在首份融资租赁合同签订之日起30日内,到主管税务局办理出口退(免)税资格认定,除提供《国家税务总局关于发布〈出口货物劳务增值税和消费税管理办法〉的公告》(国家税务总局公告2012年第24号)规定的资料外(仅经营海洋工程结构物融资租赁的,可不提供《对外贸易经营者备案登记表》或《中华人民共和国外商投资企业批准证书》、中华人民共和国海关进出口货物收发货人报关注册登记证书),还应提供以下资料:

(一)从事融资租赁业务的资质证明;

(二)融资租赁合同(有法律效力的中文版);

(三)税务机关要求提供的其他资料。

本办法发布前已签订融资租赁合同的融资租赁出租方,可向主管税务局申请补办出口退税资格的认定手续。

**第六条** 融资租赁出租方退(免)税认定变更及注销,按照国家税务总局公告2012年第

24号等有关规定执行。

## 第三章 退税申报、审核管理

**第七条** 融资租赁出租方应在融资租赁货物报关出口之日或收取融资租赁海洋工程结构物首笔租金开具发票之日次月起至次年4月30日前的各增值税纳税申报期内,收齐有关凭证,向主管税务局办理融资租赁货物增值税、消费税退税申报。

**第八条** 融资租赁出租方申报融资租赁货物退税时,应将不同融资租赁合同项下的融资租赁货物分别申报,在申报表的明细表中"退（免）税业务类型"栏内填写"RZZL",并提供以下资料:

（一）融资租赁出口货物的,提供出口货物报关单（出口退税专用）;

（二）融资租赁海洋工程结构物的,提供向海洋工程结构物承租人收取首笔租金时开具的发票;

（三）购进融资租赁货物取得的增值税专用发票（抵扣联）或海关（进口增值税）专用缴款书。融资租赁货物属于消费税应税货物的,还应提供消费税税收（出口货物专用）缴款书或海关（进口消费税）专用缴款书;

（四）与承租人签订的租赁期在5年（含）以上的融资租赁合同（有法律效力的中文版）;

（五）融资租赁海洋工程结构物的,提供列名海上石油天然气开采企业收货清单;

（六）税务机关要求提供的其他资料。

**第九条** 融资租赁出租方购进融资租赁货物取得的增值税专用发票、海关（进口增值税）专用缴款书已申报抵扣的,不得申报退税。已申报退税的增值税专用发票、海关（进口增值税）专用缴款书,融资租赁出租方不得再申报进项税额抵扣。

**第十条** 属于增值税一般纳税人的融资租赁出租方购进融资租赁货物取得的增值税专用发票,融资租赁出租方应在规定的认证期限内办理认证手续。

**第十一条** 主管税务局应按照财税〔2014〕62号文件规定的计算方法审核、审批融资租赁货物退税。

**第十二条** 对融资租赁出租方申报退税提供的增值税专用发票,如融资租赁出租方为增值税一般纳税人,主管税务局在增值税专用发票稽核信息比对无误后,方可办理退税;如融资租赁方为非增值税一般纳税人,主管税务局应发函调查,在确认增值税专用发票真实、按规定申报纳税后,方可办理退税。

**第十三条** 对承租期未满而发生退租的融资租赁货物,融资租赁出租方应及时主动向主管税务局报告,并按下列规定补缴已退税款:

（一）对上述融资租赁出口货物再复进口时,主管税务局应按规定追缴融资租赁出租方的已退税款,并对融资租赁出口货物出具货物已补税或未退税证明;

（二）对融资租赁海洋工程结构物发生退租的,主管税务局应按规定追缴融资租赁出租方的已退税款。

## 第四章 附 则

**第十四条** 融资租赁出租方采取假冒出口退（免）税资格、伪造或擅自涂改融资租赁合同、提供虚假退税申报资料等手段骗取退税款的,按照有关法律、法规处理。

**第十五条** 融资租赁货物出口退税,本办法未作规定的,按照视同出口货物的有关规定执行。

**第十六条** 本办法自2014年10月1日起施行。融资租赁出口货物的,以出口货物报关单

(出口退税专用）上注明的出口日期为准；融资租赁海洋工程结构物的，以融资租赁出租方收取首笔租金时开具的发票日期为准。《国家税务总局关于发布〈天津东疆保税港区融资租赁货物出口退税管理办法〉的公告》（国家税务总局公告2012年第39号）同时废止。

## 市场采购贸易方式出口货物免税管理办法（试行）

（国家税务总局公告2015年第89号）

（2015年12月17日由国家税务总局发布，2015年12月17日起施行，法规类型为规范性文件）

**第一条** 为规范市场采购贸易方式出口货物的免税管理，根据《中华人民共和国税收征收管理法》、《中华人民共和国增值税暂行条例》及其实施细则、《国务院办公厅关于促进进出口稳定增长的若干意见》（国办发〔2015〕55号），以及《财政部 国家税务总局关于出口货物劳务增值税和消费税政策的通知》（财税〔2012〕39号）和《国家税务总局关于发布〈出口货物劳务增值税和消费税管理办法〉的公告》（国家税务总局公告2012年第24号）等规定，制定本办法。

**第二条** 本办法所称市场采购贸易方式出口货物，是指经国家批准的专业市场集聚区内的市场经营户（以下简称市场经营户）自营或委托从事市场采购贸易经营的单位（以下简称市场采购贸易经营者），按照海关总署规定的市场采购贸易监管办法办理通关手续，并纳入涵盖市场采购贸易各方经营主体和贸易全流程的市场采购贸易综合管理系统管理的货物（国家规定不适用市场采购贸易方式出口的商品除外）。

**第三条** 市场经营户自营或委托市场采购贸易经营者以市场采购贸易方式出口的货物免征增值税。

**第四条** 委托出口的市场经营户应与市场采购贸易经营者签订《委托代理出口货物协议》。受托出口的市场采购贸易经营者在货物报关出口后，应在规定的期限内向主管税务机关申请开具《代理出口货物证明》。

**第五条** 市场经营户或市场采购贸易经营者应按以下要求时限，在市场采购贸易综合管理系统中准确、及时录入商品名称、规格型号、计量单位、数量、单价和金额等相关内容形成交易清单。

（一）自营出口，市场经营户应当于同外商签订采购合同时自行录入；

（二）委托出口，市场经营户将货物交付市场采购贸易经营者时自行录入，或由市场采购贸易经营者录入。

**第六条** 市场经营户应在货物报关出口次月的增值税纳税申报期内按规定向主管税务机关办理市场采购贸易出口货物免税申报；委托出口的，市场采购贸易经营者可以代为办理免税申报手续。

**第七条** 税务机关应当利用海关相关数据和市场采购贸易综合管理系统相关信息，结合实际情况，加强市场采购贸易方式出口货物免税管理工作。

**第八条** 市场经营户未按本办法规定在市场采购贸易综合管理系统中录入商品名称等相关内容、办理免税申报或签订《委托代理出口货物协议》或者存在其他违反税收管理行为的，主管税务机关可以告知有关主管部门停止其使用市场采购贸易综合管理系统。

**第九条** 市场采购贸易经营者未按规定申请开具《代理出口货物证明》或未按本办法规定在市场采购贸易综合管理系统中录入商品名称等相关内容,或者存在其他违反税收管理行为的,主管税务机关除按《中华人民共和国税收征收管理法》及其实施细则规定进行处理外,可告知有关主管部门停止其使用市场采购贸易综合管理系统。

**第十条** 未纳入本办法规定的其他货物出口事项,依照相关规定执行。

**第十一条** 经国务院批准开展市场采购贸易方式试点的市场集聚区,其市场采购贸易综合管理系统的免税管理系统经国家税务总局验收后,出口货物免税管理事项执行本办法规定,不实行免税资料备查管理和备案单证管理。

**第十二条** 本办法自公布之日起施行。《国家税务总局关于浙江省义乌市市场采购贸易方式出口货物免税管理试行办法的批复》(税总函〔2013〕547号)同时废止。

## 关于企业出口集装箱有关退(免)税问题的公告

(国家税务总局公告2014年第59号)

(2014年10月21日由国家税务总局发布,2014年10月21日起施行,法规类型为规范性文件)

经研究,就明确企业出口新造集装箱退(免)税问题,现公告如下:

一、企业出口给外商的新造集装箱,交付到境内指定堆场,并取得出口货物报关单(出口退税专用),同时符合其他出口退(免)税规定的,准予按照现行规定办理出口退(免)税。

二、2014年及以后年度出口的,适用本公告。

特此公告。

## 关于对外承接外轮修理修配业务有关退税问题的通知

(国税发〔1998〕87号)

(1998年5月27日由国家税务总局、海关总署发布,1998年7月1日起施行,法规类型为规范性文件)

为加强对外承接外轮修理修配业务的管理,方便出口企业办理退税申请,经研究决定:从1998年7月1日起,对出口企业对外承接修理修配的外轮,在其修理完毕报关出口时,对该业务中使用国产零部件、原材料按一般贸易另填报关单,海关经审核,按规定签发《出口货物报关单(出口退税联)》,并作一般贸易列入出口贸易统计。

在1998年7月1日以前已完工复出口的上述业务,仍按《财政部、国家税务总局关于出口货物税收若干问题的补充通知》(财税字〔1997〕14号)第十条的规定办理退税。凡不能按照退税管理办法规定提供有关单证原件的,各地主管退税部门一律不得受理出口企业的退税申请。

## 关于境外带料加工装配业务有关出口退税问题的通知

(国税发〔1999〕76号)

(1999年5月5日由国家税务总局、对外贸易经济合作部发布,1999年5月5日起施行,法规类型为规范性文件)

各省、自治区、直辖市和计划单列市税务局、外经贸委(厅、局),中央管理的外经贸企业:

为鼓励企业到境外开展带料加工装配业务,根据《国务院办公厅转发商务部、国家经贸委、财政部关于鼓励企业开展境外带料加工装配业务意见的通知》(国办发〔1999〕17号)精神,现就境外带料加工装配业务有关出口退税问题通知如下:

一、境外带料加工装配是指我国企业以现有技术、设备投资为主,在境外以加工装配的形式,带动和扩大国内设备、技术、零部件、原材料出口的国际经贸合作方式。

二、对境外带料加工装配业务所使用(含实物性投资,下同)的出境设备、原材料和散件,实行出口退税。退税率按国家统一规定的退税率执行。

三、对境外带料加工装配业务方式出口的货物,依以下计算公式计算应退税额:

应退税额=增值税专用发票的列明的金额(进出设备为海关代征增值税专用缴款书列明的完税价格,下同)×适用退税率

其中境外带料加工装配业务中使用的二手设备应退税额计算公式为:

$$应退税额 = 增值税专用发票列明的金额 \times \frac{设备折余价值}{设备原值} \times 适用退税率$$

设备折余价值=设备原值-已提折旧

设备原值和已提折旧按企业会计核算数据计算。

二手设备如是1994年1月1日以前购进的,应退税额按以下公式计算:

$$应退税额 = \frac{购货发票列明的金额}{1+扣除率} \times \frac{设备折余价值}{设备原值} \times 适用退税率$$

上述公式中的扣除率为购物时的货物征税税率。

四、对境外带料加工装配业务方式出口的货物,出口企业在申报退税时,须提供以下凭证:

(一)出口货物报关单(出口退简税联);

(二)增值税专用发票(进口设备为海关代征增值税专用缴款书);

(三)税收(出口货物专用)缴款书(二手设备和进口设备免于提供);

(四)境外带料加工装配企业批准证书(复印件)等。

五、本通知自文到之日起执行。

## 关于对中国免税品(集团)总公司经营的国产商品监管和退税有关事宜的通知

(署监发〔2004〕403号)

(2004年9月30日由海关总署、国家税务总局发布,2004年9月30日起施行,法规类型为规范性文件)

广东分署,天津、上海特派办,各直属海关,各省、自治区、直辖市、计划单列市税务局:

为落实国务院有关文件精神,按照《财政部 国家税务总局 海关总署关于中国免税品(集团)总公司扩大退税国产品经营范围和简化退税手续的通知》(财税〔2002〕201号)要求,现对中国免税品(集团)总公司(以下简称"中免公司")经营国产商品监管和退税有关事宜明确如下:

一、本通知规定仅适用于中免公司统一采购专供出境免税店销售的国产商品(以下简称"国产品")。

二、国产品应存入经海关批准的中免公司专用海关监管仓库,或其下属各类免税店专用于存放免税商品的海关监管仓库。中免公司应提交下列单证办理国产品报关、入库手续:

(一)加盖有"中国免税品(集团)总公司报关专用章"(式样见附件1)的《出口货物报关单》(以下简称报关单)一式四份,具体填写规范见附件2;

(二)中免公司的《国产商品入库明细单》(式样见附件3)。

三、海关验核无误后,在报关单上加盖"海关验讫章",并将其中2份报关单(其中1份为办理退税专用联)退中免公司,同时上传电子数据。

四、对报关进入海关监管仓库的国产品视同出口,退还增值税进项税额及消费税;对出境免税店销售的上述商品免征增值税。

五、国产品报关进入海关监管仓库后,中免公司可凭下列单证按月到其所在地主管退税机关申请办理退税手续:

(一)加盖有"中国免税品(集团)总公司报关专用章"和海关"验讫章"的《出口货物报关单》(出口退税联);

(二)中免公司购进货品的《增值税专用发票》;

(三)消费税税收(出口货物专用)缴款书或出口货物完税分割单;

(四)增值税税收(出口货物专用)缴款书或出口货物完税分割单。中免公司从一般纳税人购进的货物申报退税时免予提供此单证;

(五)税务机关要求的其他单证。

六、主管税务机关对上述单证与相关电子信息审核无误后,按下列计算公式办理退税手续:

应退增值税=购进出口货物增值税专用发票所列明的进项金额×法定增值税退税率

应退消费税=购进出口货物增值税专用发票所列明的进项金额(出口数量)×消费税税率(单位税额)

七、对已报关进入海关监管仓库并办理退税手续的国产品,如因退货等特殊原因需调出海关监管仓库的,已退税款应由中免公司补缴入库。主管中免公司出口退税的税务机关应根据其税收缴款书,为其办理退运补税证明,需转国内销售的并应办理出口转内销证明。主管海关凭有关退运补税证明准其调出海关监管仓库,并办理相关手续。

八、海关和税务部门应互相配合,加强协作,做好对国产品的入、出库监管工作,防止骗税发生,确保此项政策得以顺利有效实施。

以上请遵照执行。原所发文件规定与本通知规定相抵触的,一律以本通知为准。

特此通知。

附件: 1. 中国免税品(集团)总公司报关专用章印模(略)
2. 中国免税品(集团)总公司退税经营国产品报关单填制方法(略)
3. 中国免税品(集团)总公司的《国产商品入库明细单》(略)

## 关于边境地区一般贸易和边境小额贸易出口货物以人民币结算准予退(免)税试点的通知

(财税〔2010〕26号)

(2010年3月29日由财政部、国家税务总局发布,2010年3月1日起施行,法规类型为规范性文件)

内蒙古、辽宁、吉林、黑龙江、广西、西藏、新疆、云南省(自治区)财政厅、国家税务局:

经国务院批准,将现行云南边境小额贸易出口货物以人民币结算准予退(免)税政策扩大到边境省份(自治区)与接壤毗邻国家的一般贸易,并进行试点。经商商务部、人民银行、海关总署、外汇局同意,现将有关事项通知如下:

一、凡在内蒙古、辽宁、吉林、黑龙江、广西、新疆、西藏、云南省(自治区)行政区域内登记注册的出口企业,以一般贸易或边境小额贸易方式从陆地指定口岸出口到接壤毗邻国家的货物,并采取银行转账人民币结算方式的,可享受应退税额全额出口退税政策。外汇管理部门对上述货物出具出口收汇核销单。企业在向海关报关时,应提供出口收汇核销单,对未及时提供出口收汇核销单而影响企业收汇核销和出口退税的,由企业自行负责。

以人民币现金结算方式出口的货物,不享受出口退税政策。

陆地指定口岸是指经国家有关部门批准的边境口岸。名单如:

内蒙古自治区:室韦、黑山头、满洲里、阿日哈沙特、额布都格、二连、珠恩嘎达布其、满都拉、甘其毛道、策克。

辽宁省:丹东、太平湾。

吉林省:集安、临江、长白、古城里、南坪、三合、开三屯、图们、沙坨子、圈河、珲春、老虎哨。

黑龙江省:东宁、绥芬河、密山、虎林、饶河、抚远、同江、萝北、嘉荫、孙吴、逊克、黑河、呼玛、漠河(包括洛古河)。

广西壮族自治区:龙邦、水口、凭祥、友谊关、东兴、平孟、峒中、爱店、硕龙、岳圩、平孟、科甲。

云南省:猴桥、瑞丽、畹町、孟定、打洛、磨憨、河口、金水河、天保、片马、盈江、章凤、南伞、孟连、沧源、田蓬。

西藏自治区：普兰、吉隆、樟木、日屋。

新疆维吾尔自治区：老爷庙、乌拉斯台、塔克什肯、红山嘴、吉木乃、巴克图、阿拉山口、霍尔果斯、都拉塔、阿黑土别克、木扎尔特、吐尔尕特、伊尔克什坦、卡拉苏、红其拉甫。

接壤毗邻国家是指：俄罗斯、朝鲜、越南、缅甸、老挝、哈萨克斯坦、吉尔吉斯斯坦、塔吉克斯坦、巴基斯坦、印度、蒙古、尼泊尔、阿富汗、不丹。

二、出边境省份出口企业口本通知第一条规定的准予退税的货物后，除按现行出口退（免）税规定，提供有关出口退（免）税凭证外，还应提供结算银行转账人民币结算的银行入账单，按月向税务机关申请办理退（免）税或免抵退税手续。结算银行转账人民币结算的银行入账单应与外汇管理部门出具的出口收汇核销单（出口退税专用）相匹配。

对边境省份出口企业不能提供规定凭证的上述出口货物，税务机关不予办理出口退（免）税。

三、其他事项按现行有关出口货物退（免）税管理规定执行。

四、本通知自2010年3月1日起执行。具体执行时间以出口货物报关单（出口退税专用）上海关注明的出口时间为准。同时，《财政部　国家税务总局关于以人民币结算的边境小额贸易出口货物试行退（免）税的通知》（财税〔2003〕245号）、《财政部　国家税务总局关于以人民币结算的边境小额贸易出口货物试行退（免）税的补充通知》（财税〔2004〕178号）予以废止。

五、各地在执行中遇到的问题，应及时向国家税务总局反映。

# 关于边境地区一般贸易和边境小额贸易出口货物以人民币结算准予退（免）税试点的补充通知

（财税〔2011〕8号）

（2011年3月10日由财政部、国家税务总局发布，2011年3月1日起施行，法规类型为规范性文件）

内蒙古、辽宁、吉林、黑龙江、广西、西藏、新疆、云南省（自治区）财政厅、国家税务局：

《财政部　国家税务总局关于边境地区一般贸易和边境小额贸易出口货物以人民币结算准予退（免）税试点的通知》（财税〔2010〕26号）印发执行后，接到部分地区来函，要求明确非陆地指定口岸出口货物退税和人民币核销退税手续等问题。为了简化管理，更好地促进边境地区对外贸易的发展，经国务院同意，现将有关事项补充通知如下：

一、对财税〔2010〕26号文件第一条规定中"以一般贸易或边境小额贸易方式从陆地指定口岸出口到接壤毗邻国家的货物"的内容调整为"以一般贸易或边境小额贸易方式从海关实施监管的边境货物进出口口岸出口到接壤毗邻国家的货物"。

二、外汇管理部门、边境省份出口企业办理以一般贸易或边境小额贸易方式从海关实施监管的边境货物进出口口岸出口到接壤毗邻国家的货物的核销手续，按照《国家外汇管理局关于边境省区跨境贸易人民币结算核销管理有关问题的通知》（汇发〔2010〕40号）及其他相关规定执行。

三、对财税〔2010〕26号文件第二条第一款规定增加以下内容："对确有困难而不能提供结算银行转账人民币结算的银行入账单的边境省份出口企业，可按照《国家外汇管理局关于边境省区跨境贸易人民币结算核销管理有关问题的通知》（汇发〔2010〕40号）相关规定，凭签注'人民币核销'的出口收汇核销单退税专用联向税务机关直接办理退税"。

四、本通知自2010年3月1日起执行。边境省份出口企业在2010年3月1日至本通知发布前报关出口的货物，由于前述非陆地指定口岸出口货物退税和人民币核销退税手续等问题没有明确而未办理出口退（免）税的，按照本通知规定办理出口退（免）税手续。

## 关于印发《融资租赁船舶出口退税管理办法》的通知

（国税发〔2010〕52号）

（2010年5月18日由国家税务总局发布，2010年4月1日起施行，法规类型为规范性文件）

天津市税务局：

为开展融资租赁船舶出口退税试点工作，根据《财政部海关总署国家税务总局关于在天津市开展融资租赁船舶出口退税试点的通知》（财税〔2010〕24号），税务总局制定了《融资租赁船舶出口退税管理办法》，现印发你局，请遵照执行。

你局要做好政策的宣传辅导工作，并及时向税务总局（货物和劳务税司）反馈试点工作中的问题。

附件：融资租赁出口船舶分批退税申报表（略）

### 融资租赁船舶出口退税管理办法

#### 第一章 总 则

**第一条** 根据《财政部海关总署国家税务总局关于在天津市开展融资租赁船舶出口退税试点的通知》（财税〔2010〕24号）的规定，制定本办法。

**第二条** 主管融资租赁船舶出口企业的国家税务局负责融资租赁船舶出口退税的认定、审核、审批及核销等管理工作。

**第三条** 融资租赁船舶享受出口退税的范围、条件和具体计算办法按照财税〔2010〕24号文件相关规定执行。

#### 第二章 认定管理

**第四条** 从事融资租赁船舶出口的企业，应在首份《融资租赁合同》签订之日起30日内，除提供办理出口退（免）税认定所需要的资料外，还应持以下资料办理融资租赁出口船舶退税认定手续：

（一）从事融资租赁业务资质证明；

（二）融资租赁合同（有法律效力的中文版）；

（三）税务机关要求提供的其他资料。

**第五条** 开展融资租赁船舶出口的企业发生解散、破产、撤销以及其他依法应终止业务的，应持相关证件、资料向其主管退税的税务机关办理注销认定手续。已办理融资租赁船舶出口退税认定的企业，其认定内容发生变化的，须自有关管理机关批准变更之日起30日内，持相关证件、资料向其主管退税税务机关办理变更认定手续。

## 第三章 申报、审核及核销管理

**第六条** 采取先期留购方式的，融资租赁企业应于每季度终了的15日内按季单独申报退税；采取后期留购方式的，融资租赁企业应于船舶过户手续办理完结之日起90日内一次性单独申报退税。不同《融资租赁合同》项下的租赁船舶应分开独立申报。

**第七条** 融资租赁出口船舶企业申报退税时，需使用国家税务总局下发的出口退税申报系统，报送有关出口货物退（免）税申报表。

**第八条** 采取先期留购方式分批退税的，融资租赁企业首批申报《融资租赁合同》项下出口船舶退税时，除报送有关出口货物退（免）税申报表以外，还应报送《融资租赁出口船舶分批退税申报表》（见附件），从第二批申报开始，只报送《融资租赁出口船舶分批退税申报表》，同时附送以下资料：

（一）首批申报

1.《出口货物报关单》（出口退税专用）；

2.增值税专用发票（抵扣联）；

3.消费税税收（出口货物专用）缴款书（出口消费税应税船舶提供）；

4.与境外承租人签订的《融资租赁合同》；

5.收取租金时开具的发票；

6.承租企业支付外汇汇款收账通知；

7.税务机关要求提供的其他资料。

（二）第二批及以后批次申报

1.收取租金时开具的发票；

2.承租企业支付外汇汇款收账通知；

3.税务机关要求提供的其他资料。

**第九条** 采取后期留购方式一次性退税的，附送以下资料：

（一）《出口货物报关单》（出口退税专用）；

（二）增值税专用发票（抵扣联）；

（三）消费税税收（出口货物专用）缴款书（出口消费税应税船舶提供）；

（四）与境外承租人签订的《融资租赁合同》；

（五）融资租赁企业开具的该租赁船舶的销售发票；

（六）所有权转移证书以及海事局出具的该租赁船舶的过户手续；

（七）税务机关要求提供的其他资料。

**第十条** 对属于增值税一般纳税人的融资租赁船舶出口企业，主管退税税务机关须在增值税专用发票稽核信息核对无误的情况下，办理退税。对非增值税一般纳税人的融资租赁船舶出口企业，主管退税税务机关须进行发函调查，在确认发票真实、发票所列船舶已按照规定申报纳税后，方可办理退税。

**第十一条** 主管退税税务机关应通过出口退税审核系统受理企业申报，并按照财税〔2010〕24号中规定的计算方法审核、审批融资租赁出口船舶退税。

**第十二条** 凡采取先期留购方式实行分批退税的，租赁期满后，融资租赁企业于90日内，持以下资料向主管退税税务机关办理退税核销手续：

（一）开具的租赁船舶销售发票；
（二）所有权转移证书以及海事局出具的该租赁船舶的过户手续；
（三）税务机关要求提供的其他资料。

**第十三条** 对于逾期未办理退税核销手续以及核销资料不齐备的，主管退税的税务机关应追缴已退税款。

**第十四条** 对承租期未满而发生退租的，主管税务机关应追缴已退税款，同时按当期活期存款利率收取利息。收取利息的计息期间由税款退付转讫之日起到补缴税款入库之日止。

## 第四章 附 则

**第十五条** 对融资租赁船舶出口企业采取假冒退税资格、伪造《融资租赁合同》、提供虚假退税申报资料等手段骗取退税款的，按照现行有关法律、法规处理。

**第十六条** 本办法由国家税务总局负责解释。

**第十七条** 本办法从 2010 年 4 月 1 日起执行。

# 关于在全国开展融资租赁货物出口退税政策试点的通知

（财税〔2014〕62 号）

（2014 年 9 月 1 日由财政部、海关总署、国家税务总局发布，2014 年 10 月 1 日起施行，法规类型为规范性文件）

各省、自治区、直辖市、计划单列市财政厅（局）、国家税务局，海关总署广东分署、各直属海关，新疆生产建设兵团财务局：

为落实《国务院办公厅关于支持外贸稳定增长的若干意见》（国办发〔2014〕19 号）的有关要求，决定将现行在天津东疆保税港区试点的融资租赁货物出口退税政策扩大到全国统一实施。现将有关政策通知如下：

一、政策内容及适用范围

（一）对融资租赁出口货物试行退税政策。对融资租赁企业、金融租赁公司及其设立的项目子公司（以下统称融资租赁出租方），以融资租赁方式租赁给境外承租人且租赁期限在 5 年（含）以上，并向海关报关后实际离境的货物，试行增值税、消费税出口退税政策。

融资租赁出口货物的范围，包括飞机、飞机发动机、铁道机车、铁道客车车厢、船舶及其他货物，具体应符合《中华人民共和国增值税暂行条例实施细则》（财政部国家税务总局令第 50 号）第二十一条"固定资产"的相关规定。

（二）对融资租赁海洋工程结构物试行退税政策。对融资租赁出租方购买的，并以融资租赁方式租赁给境内列名海上石油天然气开采企业且租赁期限在 5 年（含）以上的国内生产企业生产的海洋工程结构物，视同出口，试行增值税、消费税出口退税政策。

海洋工程结构物范围、退税率以及海上石油天然气开采企业的具体范围按照《财政部国家税务总局关于出口货物劳务增值税和消费税政策的通知》（财税〔2012〕39 号）有关规定执行。

（三）上述融资租赁出口货物和融资租赁海洋工程结构物不包括在海关监管年限内的进口减免税货物。

二、退税的计算和办理

（一）融资租赁出租方将融资租赁出口货物租赁给境外承租方、将融资租赁海洋工程结构物租赁给海上石油天然气开采企业，向融资租赁出租方退还其购进租赁货物所含增值税。融资租赁出口货物、融资租赁海洋工程结构物（以下统称融资租赁货物）属于消费税应税消费品的，向融资租赁出租方退还前一环节已征的消费税。

（二）计算公式为：

增值税应退税额＝购进融资租赁货物的增值税专用发票注明的金额或海关（进口增值税）专用缴款书注明的完税价格×融资租赁货物适用的增值税退税率

融资租赁出口货物适用的增值税退税率，按照统一的出口货物适用退税率执行。从增值税一般纳税人购进的按简易办法征税的融资租赁货物和从小规模纳税人购进的融资租赁货物，其适用的增值税退税率，按照购进货物适用的征收率和退税率孰低的原则确定。

消费税应退税额＝购进融资租赁货物税收（出口货物专用）缴款书上或海关进口消费税专用缴款书上注明的消费税税额

（三）融资租赁出租方应当按照主管税务机关的要求办理退税认定和申报增值税、消费税退税。

（四）融资租赁出租方在进行融资租赁出口货物报关时，应在海关出口报关单上填写"租赁货物（1523）"方式。海关依融资租赁出租方申请，对符合条件的融资租赁出口货物办理放行手续后签发出口货物报关单（出口退税专用，以下称退税证明联），并按规定向国家税务总局传递退税证明联相关电子信息。对海关特殊监管区域内已退增值税、消费税的货物，以融资租赁方式离境时，海关不再签发退税证明联。

（五）融资租赁出租方凭购进融资租赁货物的增值税专用发票或海关进口增值税专用缴款书、与承租人签订的融资租赁合同、退税证明联或向海洋工程结构物承租人开具的发票以及主管税务机关要求出具的其他要件，向主管税务机关申请办理退税手续。上述用于融资租赁货物退税的增值税专用发票或海关进口增值税专用缴款书，不得用于抵扣内销货物应纳税额。

融资租赁货物属于消费税应税货物的，若申请退税，还应提供有关消费税专用缴款书。

（六）对承租期未满而发生退租的融资租赁货物，融资租赁出租方应及时主动向税务机关报告，并按照规定补缴已退税款，对融资租赁出口货物，再复进口时融资租赁出租方应按照规定向海关办理复运进境手续并提供主管税务机关出具的货物已补税或未退税证明，海关不征收进口关税和进口环节税。

三、有关定义

本通知所述融资租赁企业，仅包括金融租赁公司、经商务部批准设立的外商投资融资租赁公司、经商务部和国家税务总局共同批准开展融资业务试点的内资融资租赁企业、经商务部授权的省级商务主管部门和国家经济技术开发区批准的融资租赁公司。

本通知所述金融租赁公司，仅包括经中国银行业监督管理委员会批准设立的金融租赁公司。

本通知所称融资租赁，是指具有融资性质和所有权转移特点的有形动产租赁活动。即出租人根据承租人所要求的规格、型号、性能等条件购入有形动产租赁给承租人，合同期内有形动产所有权属于出租人，承租人只拥有使用权，合同期满付清租金后，承租人有权按照残值购入有形动产，以拥有其所有权。不论出租人是否将有形动产残值销售给承租人，均属于融资租赁。

四、融资租赁货物退税的具体管理办法由国家税务总局另行制定。

五、本通知自2014年10月1日起执行。融资租赁出口货物的，以退税证明联上注明的出口日期为准；融资租赁海洋工程结构物的，以融资租赁出租方收取首笔租金时开具的发票日期为准。

## 关于融资租赁货物出口退税政策有关问题的通知

(财税〔2016〕87号)

(2016年8月2日由财政部、海关总署、国家税务总局发布，2016年8月2日起施行，法规类型为规范性文件)

各省、自治区、直辖市、计划单列市财政厅（局）、国家税务局，海关总署广东分署、各直属海关，新疆生产建设兵团财务局：

经研究，现将融资租赁货物出口退税政策有关问题通知如下：

一、《财政部　海关总署　国家税务总局关于在全国开展融资租赁货物出口退税政策试点的通知》（财税〔2014〕62号）第一条第一项中的"融资租赁企业、金融租赁公司及其设立的项目子公司"，包括融资租赁企业、金融租赁公司，以及上述企业、公司设立的项目子公司。

二、融资租赁企业，是指经商务部批准设立的外商投资融资租赁公司、经商务部和国家税务总局共同批准开展融资业务试点的内资融资租赁企业、经商务部授权的省级商务主管部门和国家经济技术开发区批准的融资租赁公司。

金融租赁公司，是指中国银行业监督管理委员会批准设立的金融租赁公司。

# 外汇相关篇

# 中华人民共和国外汇管理条例

(国务院令第 532 号)

(1996 年 1 月 29 日中华人民共和国国务院令第 193 号发布；根据 1997 年 1 月 14 日中华人民共和国国务院令第 211 号《国务院关于修改〈中华人民共和国外汇管理条例〉的决定》修订，2008 年 8 月 1 日国务院第 20 次常务会议修订通过；现行版本自 2008 年 8 月 1 日起施行；法规类型为行政法规)

## 第一章 总 则

**第一条** 为了加强外汇管理，促进国际收支平衡，促进国民经济健康发展，制定本条例。

**第二条** 国务院外汇管理部门及其分支机构（以下统称外汇管理机关）依法履行外汇管理职责，负责本条例的实施。

**第三条** 本条例所称外汇，是指下列以外币表示的可以用作国际清偿的支付手段和资产：

（一）外币现钞，包括纸币、铸币；

（二）外币支付凭证或者支付工具，包括票据、银行存款凭证、银行卡等；

（三）外币有价证券，包括债券、股票等；

（四）特别提款权；

（五）其他外汇资产。

**第四条** 境内机构、境内个人的外汇收支或者外汇经营活动，以及境外机构、境外个人在境内的外汇收支或者外汇经营活动，适用本条例。

**第五条** 国家对经常性国际支付和转移不予限制。

**第六条** 国家实行国际收支统计申报制度。

国务院外汇管理部门应当对国际收支进行统计、监测，定期公布国际收支状况。

**第七条** 经营外汇业务的金融机构应当按照国务院外汇管理部门的规定为客户开立外汇账户，并通过外汇账户办理外汇业务。

经营外汇业务的金融机构应当依法向外汇管理机关报送客户的外汇收支及账户变动情况。

**第八条** 中华人民共和国境内禁止外币流通，并不得以外币计价结算，但国家另有规定的除外。

**第九条** 境内机构、境内个人的外汇收入可以调回境内或者存放境外；调回境内或者存放境外的条件、期限等，由国务院外汇管理部门根据国际收支状况和外汇管理的需要作出规定。

**第十条** 国务院外汇管理部门依法持有、管理、经营国家外汇储备，遵循安全、流动、增值的原则。

**第十一条** 国际收支出现或者可能出现严重失衡，以及国民经济出现或者可能出现严重危机时，国家可以对国际收支采取必要的保障、控制等措施。

## 第二章 经常项目外汇管理

**第十二条** 经常项目外汇收支应当具有真实、合法的交易基础。经营结汇、售汇业务的金融机构应当按照国务院外汇管理部门的规定，对交易单证的真实性及其与外汇收支的一致性进行合理审查。

外汇管理机关有权对前款规定事项进行监督检查。

**第十三条** 经常项目外汇收入，可以按照国家有关规定保留或者卖给经营结汇、售汇业务的金融机构。

**第十四条** 经常项目外汇支出，应当按照国务院外汇管理部门关于付汇与购汇的管理规定，凭有效单证以自有外汇支付或者向经营结汇、售汇业务的金融机构购汇支付。

**第十五条** 携带、申报外币现钞出入境的限额，由国务院外汇管理部门规定。

## 第三章 资本项目外汇管理

**第十六条** 境外机构、境外个人在境内直接投资，经有关主管部门批准后，应当到外汇管理机关办理登记。

境外机构、境外个人在境内从事有价证券或者衍生产品发行、交易，应当遵守国家关于市场准入的规定，并按照国务院外汇管理部门的规定办理登记。

**第十七条** 境内机构、境内个人向境外直接投资或者从事境外有价证券、衍生产品发行、交易，应当按照国务院外汇管理部门的规定办理登记。国家规定需要事先经有关主管部门批准或者备案的，应当在外汇登记前办理批准或者备案手续。

**第十八条** 国家对外债实行规模管理。借用外债应当按照国家有关规定办理，并到外汇管理机关办理外债登记。

国务院外汇管理部门负责全国的外债统计与监测，并定期公布外债情况。

**第十九条** 提供对外担保，应当向外汇管理机关提出申请，由外汇管理机关根据申请人的资产负债等情况作出批准或者不批准的决定；国家规定其经营范围需经有关主管部门批准的，应当在向外汇管理机关提出申请前办理批准手续。申请人签订对外担保合同后，应当到外汇管理机关办理对外担保登记。

经国务院批准为使用外国政府或者国际金融组织贷款进行转贷提供对外担保的，不适用前款规定。

**第二十条** 银行业金融机构在经批准的经营范围内可以直接向境外提供商业贷款。其他境内机构向境外提供商业贷款，应当向外汇管理机关提出申请，外汇管理机关根据申请人的资产负债等情况作出批准或者不批准的决定；国家规定其经营范围需经有关主管部门批准的，应当在向外汇管理机关提出申请前办理批准手续。

向境外提供商业贷款，应当按照国务院外汇管理部门的规定办理登记。

**第二十一条** 资本项目外汇收入保留或者卖给经营结汇、售汇业务的金融机构，应当经外汇管理机关批准，但国家规定无需批准的除外。

**第二十二条** 资本项目外汇支出，应当按照国务院外汇管理部门关于付汇与购汇的管理规定，凭有效单证以自有外汇支付或者向经营结汇、售汇业务的金融机构购汇支付。国家规定应当经外汇管理机关批准的，应当在外汇支付前办理批准手续。

依法终止的外商投资企业，按照国家有关规定进行清算、纳税后，属于外方投资者所有的人民币，可以向经营结汇、售汇业务的金融机构购汇汇出。

**第二十三条** 资本项目外汇及结汇资金，应当按照有关主管部门及外汇管理机关批准的用途使用。外汇管理机关有权对资本项目外汇及结汇资金使用和账户变动情况进行监督检查。

## 第四章 金融机构外汇业务管理

**第二十四条** 金融机构经营或者终止经营结汇、售汇业务，应当经外汇管理机关批准；经营或者终止经营其他外汇业务，应当按照职责分工经外汇管理机关或者金融业监督管理机构批准。

第二十五条　外汇管理机关对金融机构外汇业务实行综合头寸管理，具体办法由国务院外汇管理部门制定。

第二十六条　金融机构的资本金、利润以及因本外币资产不匹配需要进行人民币与外币间转换的，应当经外汇管理机关批准。

## 第五章　人民币汇率和外汇市场管理

第二十七条　人民币汇率实行以市场供求为基础的、有管理的浮动汇率制度。

第二十八条　经营结汇、售汇业务的金融机构和符合国务院外汇管理部门规定条件的其他机构，可以按照国务院外汇管理部门的规定在银行间外汇市场进行外汇交易。

第二十九条　外汇市场交易应当遵循公开、公平、公正和诚实信用的原则。

第三十条　外汇市场交易的币种和形式由国务院外汇管理部门规定。

第三十一条　国务院外汇管理部门依法监督管理全国的外汇市场。

第三十二条　国务院外汇管理部门可以根据外汇市场的变化和货币政策的要求，依法对外汇市场进行调节。

## 第六章　监督管理

第三十三条　外汇管理机关依法履行职责，有权采取下列措施：

（一）对经营外汇业务的金融机构进行现场检查；

（二）进入涉嫌外汇违法行为发生场所调查取证；

（三）询问有外汇收支或者外汇经营活动的机构和个人，要求其对与被调查外汇违法事件直接有关的事项作出说明；

（四）查阅、复制与被调查外汇违法事件直接有关的交易单证等资料；

（五）查阅、复制被调查外汇违法事件的当事人和直接有关的单位、个人的财务会计资料及相关文件，对可能被转移、隐匿或者毁损的文件和资料，可以予以封存；

（六）经国务院外汇管理部门或者省级外汇管理机关负责人批准，查询被调查外汇违法事件的当事人和直接有关的单位、个人的账户，但个人储蓄存款账户除外；

（七）对有证据证明已经或者可能转移、隐匿违法资金等涉案财产或者隐匿、伪造、毁损重要证据的，可以申请人民法院冻结或者查封。

有关单位和个人应当配合外汇管理机关的监督检查，如实说明有关情况并提供有关文件、资料，不得拒绝、阻碍和隐瞒。

第三十四条　外汇管理机关依法进行监督检查或者调查，监督检查或者调查的人员不得少于2人，并应当出示证件。监督检查、调查的人员少于2人或者未出示证件的，被监督检查、调查的单位和个人有权拒绝。

第三十五条　有外汇经营活动的境内机构，应当按照国务院外汇管理部门的规定报送财务会计报告、统计报表等资料。

第三十六条　经营外汇业务的金融机构发现客户有外汇违法行为的，应当及时向外汇管理机关报告。

第三十七条　国务院外汇管理部门为履行外汇管理职责，可以从国务院有关部门、机构获取所必需的信息，国务院有关部门、机构应当提供。

国务院外汇管理部门应当向国务院有关部门、机构通报外汇管理工作情况。

第三十八条　任何单位和个人都有权举报外汇违法行为。

外汇管理机关应当为举报人保密，并按照规定对举报人或者协助查处外汇违法行为有功的单位和个人给予奖励。

## 第七章 法律责任

**第三十九条** 有违反规定将境内外汇转移境外，或者以欺骗手段将境内资本转移境外等逃汇行为的，由外汇管理机关责令限期调回外汇，处逃汇金额30%以下的罚款；情节严重的，处逃汇金额30%以上等值以下的罚款；构成犯罪的，依法追究刑事责任。

**第四十条** 有违反规定以外汇收付应当以人民币收付的款项，或者以虚假、无效的交易单证等向经营结汇、售汇业务的金融机构骗购外汇等非法套汇行为的，由外汇管理机关责令对非法套汇资金予以回兑，处非法套汇金额30%以下的罚款；情节严重的，处非法套汇金额30%以上等值以下的罚款；构成犯罪的，依法追究刑事责任。

**第四十一条** 违反规定将外汇汇入境内的，由外汇管理机关责令改正，处违法金额30%以下的罚款；情节严重的，处违法金额30%以上等值以下的罚款。

非法结汇的，由外汇管理机关责令对非法结汇资金予以回兑，处违法金额30%以下的罚款。

**第四十二条** 违反规定携带外汇出入境的，由外汇管理机关给予警告，可以处违法金额20%以下的罚款。法律、行政法规规定由海关予以处罚的，从其规定。

**第四十三条** 有擅自对外借款、在境外发行债券或者提供对外担保等违反外债管理行为的，由外汇管理机关给予警告，处违法金额30%以下的罚款。

**第四十四条** 违反规定，擅自改变外汇或者结汇资金用途的，由外汇管理机关责令改正，没收违法所得，处违法金额30%以下的罚款；情节严重的，处违法金额30%以上等值以下的罚款。

有违反规定以外币在境内计价结算或者划转外汇等非法使用外汇行为的，由外汇管理机关责令改正，给予警告，可以处违法金额30%以下的罚款。

**第四十五条** 私自买卖外汇、变相买卖外汇、倒买倒卖外汇或者非法介绍买卖外汇数额较大的，由外汇管理机关给予警告，没收违法所得，处违法金额30%以下的罚款；情节严重的，处违法金额30%以上等值以下的罚款；构成犯罪的，依法追究刑事责任。

**第四十六条** 未经批准擅自经营结汇、售汇业务的，由外汇管理机关责令改正，有违法所得的，没收违法所得，违法所得50万元以上的，并处违法所得1倍以上5倍以下的罚款；没有违法所得或者违法所得不足50万元的，处50万元以上200万元以下的罚款；情节严重的，由有关主管部门责令停业整顿或者吊销业务许可证；构成犯罪的，依法追究刑事责任。

未经批准经营结汇、售汇业务以外的其他外汇业务的，由外汇管理机关或者金融业监督管理机构依照前款规定予以处罚。

**第四十七条** 金融机构有下列情形之一的，由外汇管理机关责令限期改正，没收违法所得，并处20万元以上100万元以下的罚款；情节严重或者逾期不改正的，由外汇管理机关责令停止经营相关业务：

（一）办理经常项目资金收付，未对交易单证的真实性及其与外汇收支的一致性进行合理审查的；

（二）违反规定办理资本项目资金收付的；

（三）违反规定办理结汇、售汇业务的；

（四）违反外汇业务综合头寸管理的；

（五）违反外汇市场交易管理的。

**第四十八条** 有下列情形之一的，由外汇管理机关责令改正，给予警告，对机构可以处30万元以下的罚款，对个人可以处5万元以下的罚款：

（一）未按照规定进行国际收支统计申报的；
（二）未按照规定报送财务会计报告、统计报表等资料的；
（三）未按照规定提交有效单证或者提交的单证不真实的；
（四）违反外汇账户管理规定的；
（五）违反外汇登记管理规定的；
（六）拒绝、阻碍外汇管理机关依法进行监督检查或者调查的。

**第四十九条** 境内机构违反外汇管理规定的，除依照本条例给予处罚外，对直接负责的主管人员和其他直接责任人员，应当给予处分；对金融机构负有直接责任的董事、监事、高级管理人员和其他直接责任人员给予警告，处5万元以上50万元以下的罚款；构成犯罪的，依法追究刑事责任。

**第五十条** 外汇管理机关工作人员徇私舞弊、滥用职权、玩忽职守，构成犯罪的，依法追究刑事责任；尚不构成犯罪的，依法给予处分。

**第五十一条** 当事人对外汇管理机关作出的具体行政行为不服的，可以依法申请行政复议；对行政复议决定仍不服的，可以依法向人民法院提起行政诉讼。

## 第八章　附　则

**第五十二条** 本条例下列用语的含义：
（一）境内机构，是指中华人民共和国境内的国家机关、企业、事业单位、社会团体、部队等，外国驻华外交领事机构和国际组织驻华代表机构除外。
（二）境内个人，是指中国公民和在中华人民共和国境内连续居住满1年的外国人，外国驻华外交人员和国际组织驻华代表除外。
（三）经常项目，是指国际收支中涉及货物、服务、收益及经常转移的交易项目等。
（四）资本项目，是指国际收支中引起对外资产和负债水平发生变化的交易项目，包括资本转移、直接投资、证券投资、衍生产品及贷款等。

**第五十三条** 非金融机构经营结汇、售汇业务，应当由国务院外汇管理部门批准，具体管理办法由国务院外汇管理部门另行制定。

**第五十四条** 本条例自公布之日起施行。

# 境内外汇划转管理暂行规定

（〔97〕汇管函字第250号）

（1997年9月25日由国家外汇管理局发布；保险公司及其分支机构境内外汇划转内容已经根据《国家外汇管理局、中国保险监督管理委员会关于发布实施〈保险业务外汇管理暂行规定〉的通知》（汇发〔2002〕95号）第二十二条修改，根据《国家外汇管理局关于完善外商直接投资外汇管理工作有关问题的通知》（汇发〔2003〕30号）调整，根据2015年5月29日中国人民银行公告〔2015〕第12号修改；现行版本自2015年5月29日起施行；法规类型为部门规章）

**第一条** 为规范境内外汇划转行为，根据《中华人民共和国外汇管理条例》第七条的规定，特制定本规定。

第二条　本规定所称"外汇划转"是指境内机构之间通过经营外汇业务的金融机构（以下简称"金融机构"）办理的外汇汇款、转帐等行为。

第三条　国家外汇管理局及其分、支局（以下简称"外汇局"）为境内外汇划转的管理机关。

第四条　境内机构之间的外汇划转，应当遵守本规定。境内金融机构之间的外汇拆借、资金清算等外汇划转，由国家外汇管理局另行规定。

第五条　除本规定第六、七、八条所列情况外，任何单位和个人不得在境内以外币计价结算，金融机构不得为其办理外汇划转手续。国家外汇管理局另有规定的，按照规定办理。

第六条　下列情况，境内机构应当持规定的有效凭证和商业单据，向金融机构申请。金融机构应当在审核规定的有效凭证和商业单据后办理外汇划转手续：

（一）代理出口项下委托方为外商投资企业或者允许保留外汇收入的其他境内机构的，代理方应当在收汇后，持正本代理协议、出口合同、有效凭证和商业单据、委托方的《外商投资企业外汇登记证》（复印件）或者《外汇帐户使用证》（复印件），向金融机构申请。金融机构应当在审核规定的有效凭证和商业单据后办理外汇划转手续，并在汇款附言中注明"贸易，出口收汇，原币划转"字样、收汇日期及金额；

（二）代理进口项下委托方为外商投资企业或者允许保留外汇收入的其他境内机构的，委托方应当持正本代理协议、《外商投资企业外汇登记证》或者《外汇帐户使用证》向金融机构申请；

（三）利用国际贷款国际招标中标项下，发标方和中标方均为境内机构的，发标方向中标方支付工程款项应当持中标合同、中标证明；

（四）经营进出口业务的境内机构从其外汇帐户中向境内保险机构、运输机构支付涉外保险费、运输费，持进出口合同、正本保险费、运输费收据；

（五）境内保险机构向境内机构支付理赔款，持进出口合同、正本保险单据；

（六）偿还境内中资金融机构外汇贷款本息，持借款合同、还本付息通知单、《外汇（转）贷款登记证》；

（七）境内机构向境内中资金融机构偿还债转贷款本息，持《外债登记证》或者《外汇（转）贷款登记证》、转贷合同、还本付息通知单及外汇局核发的"还本付息核准件"；

（八）境内机构向境内融资租凭公司支付外汇租金，持租凭合同、《外汇（转）贷款登记证》；

（九）外商投资企业办理本企业外汇结算帐户间、在各自最高金额内的外汇划转和外汇资本金帐户间外汇划转，持《外商投资企业外汇登记证》和外汇局核定外汇结算帐户最高金额核准件；用于对外支付的，还应当提供对外支付的有效凭证和有效商业单据；

（十）外方投资者作为投资汇入或者携入的外汇资金从其临时外汇帐户中转入外商投资企业的外汇资本金帐户的，持《外商投资企业外汇登记证》、经贸部门的批准文件和工商行政管理部门的营业执照；

第七条　下列情况，境内机构应当持规定的资料向外汇局申请；金融机构凭外汇局的核准件为其办理外汇划转手续：

（一）投资性外商投资企业在境内投资的，持注册会计师事务所的验资报告，新投资企业的批准文件及营业执照，经批准的合同、章程、《外商投资企业外汇登记证》和外汇局要求的其他资料；

（二）投资性外商投资企业所投资的企业将其外汇利润汇回投资性外商投资企业的，持《外商投资企业外汇登记证》、董事会利润分配决议书和完税证明；

（三）外商投资企业外方投资者以外汇利润在境内再投资的，持注册会计师事务所的验资报告、年度财务查帐报告、董事会利润分配决议书、完税证明、外方投资者对利润进行再投资的确认件、《外商投资企业外汇登记证》和外汇局要求的其他资料；

（四）外商投资企业外方投资者所得外汇利润在境内其他企业增资的，持注册会计师事务所的验资报告、年度财务查帐报告、董事会利润分配决议书、完税证明、外方投资者对以利润增资的确认件、原项目审批部门的批准文件、《外商投资企业外汇登记证》和外汇局要求的其他资料；

（五）外商投资企业中、外方投资者所得外汇利润在该企业内增资的，持董事会利润分配决议书、完税证明、中外方投资者对以利润增资的确认件、原项目审批部门的批准文件、《外商投资企业外汇登记证》和外汇局要求的其他资料；

（六）外商投资企业注册资本转让给其他境内机构的，持注册会计师事务所的验资报告、董事会决议书、完税证明、原项目审批部门的批准文件、转让协议、《外商投资企业外汇登记证》和外汇局要求的其他资料；

（七）外商投资企业的中方投资者的注册资本，经批准以外汇投入的，持国家主管部门的批准文件，该企业的合同、章程。

第八条 下列情况，境内机构应当持《外汇帐户使用证》和相关资料，向金融机构申请，金融机构应当按照外汇局核定的外汇帐户收支范围为其办理外汇划转手续：

（一）经海关批准的免税店向其总公司划转货款；

（二）邮电部门国际邮政汇兑业务的国内转汇款；

（三）船务代理公司向国内有关口岸分代理转汇或者划转备用金；分代理向总代理退汇备用金余额；

（四）经营国际海运航线业务的海运总公司对其所属公司用于船舶营运所需备用金的调拨和所属公司上划运费。

第九条 境内机构违反本规定进行境内外汇划转的，由外汇局根据《中华人民共和国外汇管理条例》第四十五条的规定进行处罚；构成犯罪的，依法追究刑事责任。

第十条 金融机构办理境内外汇划转中未按照本规定审核有效凭证和商业单据的，由外汇局根据《中华人民共和国外汇管理条例》第四十五条的规定从重处罚。

第十一条 本规定由国家外汇管理局负责解释。

第十二条 本规定自1997年10月15日起施行。

# 国家外汇管理局外汇检查处罚权限管理规定

（汇发〔2001〕219号）

(2001年12月29日由国家外汇管理局发布，2002年2月1日起施行，法规类型为规范性文件)

一、为使国家外汇管理局及其分支机构依法行使行政处罚权，保证外汇检查处罚工作规范化、程序化、制度化，根据《中华人民共和国行政处罚法》及《中华人民共和国外汇管理条例》，制定本规定。

二、国家外汇管理局及各分局、外汇管理部，各中心支局具有外汇检查处罚权。

三、县（市）级外汇支局的外汇检查处罚权，应逐级报上级局实行初审，经国家外汇管理局批准后，具有外汇检查处罚权。

四、具有外汇检查处罚权的外汇局名单，由国家外汇管理局统一负责向社会公告。

五、县（市）级外汇支局申请外汇检查处罚权应具备的基本条件：

（一）从事外汇检查工作两年以上且取得国家外汇管理局核发《检查证》的专兼职外汇检查人员2名；

（二）专兼职外汇检查人员掌握相应的法律、法规、外汇管理政策及业务知识，并通过上级局组织的外汇检查专业培训及考核；

（三）具备组织开展外汇专项检查工作的能力，能依据《检查处理违反外汇管理行为办案程序》独立完成对常规外汇违法违规案件的调查处理；

（四）在贯彻、执行国家各项外汇管理法规、政策，开展外汇风险监控及日常外汇监管工作中未发生重大的政策性失误。

六、县（市）级外汇支局逐级向本辖区省级分局申请外汇检查处罚权应提供下列资料：

（一）书面申请；

（二）外汇管理部门机构设置、岗位设定的说明和部门负责人、专兼职外汇检查人员名单及工作简历；

（三）当地外汇业务量及外汇检查工作情况的报告；

（四）上级局要求提供的其他材料。

七、外汇检查处罚权限的审批程序：

（一）各省级分局应根据本规定，对辖内县（市）级外汇支局的书面申请进行初审。对符合条件的，应在一个月内向国家外汇管理局转报；对申请材料不全或申报内容不清楚的，应在十五日内通知申请支局补充完善；对不具备外汇检查处罚权条件的，应在十五日内通知申请支局。

（二）国家外汇管理局根据本规定，对各省级分局报送的申请材料进行审核，在接到申请材料之日起两个月内作出批复。

八、具有外汇检查处罚权的县（市）级支局，因不再具备本规定第五条规定的相关条件，或在履行外汇检查职能中发生重大失误的，国家外汇管理局可视情况暂停或撤销其外汇检查处罚权。

九、国家外汇管理局过去发布的有关规定如与本规定有抵触的，以本规定内容为准。

十、本规定由国家外汇管理局负责解释。

十一、本规定自2002年2月1日起执行。

# 国家外汇管理局行政处罚听证程序

（汇发〔2002〕79号）

(2002年8月16日由国家外汇管理局发布，2002年8月16日起施行，法规类型为规范性文件)

## 第一章　总　则

**第一条**　为依法行政，维护当事人合法权益，根据《行政处罚法》、《外汇管理条例》以及国务院其他有关规定，制定本程序。

**第二条** 本程序所称听证,是指国家外汇管理局及其分支机构(以下简称外汇局)根据本程序第三条规定,应当事人请求,组织其全面表达自己对外汇局拟作出行政处罚措施的意见并进行申辩和质证的法定行政行为。

**第三条** 外汇局作出下列重大处罚决定前,应当告知当事人有要求举行听证的权利:
(一)责令暂停或者停止经营结售汇业务;
(二)责令暂停经营外汇业务或者吊销经营外汇业务许可证;
(三)较大数额罚没款;
(四)其他法律、行政法规规定应当举行听证的。

前款(三)项所称较大数额罚没款,是指对自然人的违法行为处以 5 万元人民币以上,对法人或者其他经济组织经营活动中的违法行为处以 100 万元人民币以上的罚没款。

**第四条** 当事人申请听证、外汇局组织听证等事项应当遵守本程序规定。

**第五条** 当事人有权根据本程序规定要求外汇局举行听证,不受任何个人和单位阻碍。

**第六条** 听证程序遵循公开、公正原则。

除涉及国家秘密、商业秘密或者个人隐私外,听证应当以公开的方式进行。

## 第二章 听证组织机关、听证人员和听证参加人

**第七条** 听证由拟作出行政处罚的外汇局组织。

**第八条** 听证人员包括听证主持人和听证员。

听证主持人是指外汇局负责人指定的具体负责主持听证工作的人员。

听证员是指外汇局法制工作部门、案件检查部门、案件所涉业务管理部门各自指定的协助听证主持人组织听证的工作人员。

听证人员的组成应当为单数。

听证案件的调查人员不得担任听证主持人和听证员。

**第九条** 听证过程中,听证主持人、听证员权利义务平等,但听证程序由听证主持人主要负责。

**第十条** 听证参加人是指案件调查人员、当事人、第三人、委托代理人、证人以及鉴定人、翻译、听证记录人等有关人员。

第三人是指与听证案件有利害关系的其他公民、法人或者其他组织。

听证记录人是指听证主持人指定的负责记录听证活动的外汇局工作人员。

**第十一条** 听证人员有下列情形之一的,应当自行回避,当事人也有权以口头或者书面方式申请其回避,并说明理由:
(一)本案调查人员或者当事人的近亲属;
(二)与本案结果有利害关系;
(三)有其他可能影响听证公正进行的情形。

听证人员有前款规定情形之一,但未按规定自行申请回避的,外汇局应当责令其回避。

**第十二条** 听证主持人的回避,由其所在部门负责人决定;部门负责人担任听证主持人的,由其所在外汇局负责人决定是否回避。听证员的回避,由听证主持人决定。

**第十三条** 听证主持人经与听证员协商,在听证活动中依法行使下列职权:
(一)决定举行听证的时间、地点和方式;
(二)决定是否允许旁听及允许旁听的人数;
(三)决定中止、延期或者终止听证;
(四)询问听证参加人,接收并审核有关证据;
(五)主持听证进行,包括申辩、质证等;

（六）维护听证秩序，制止违反听证程序的行为；
（七）提出案件处理意见；
（八）法律、行政法规以及规章赋予的其他职权。

**第十四条** 听证人员在听证活动中承担下列义务：
（一）将听证通知书依法及时送达当事人及其他有关人员；
（二）公正履行职责，保证当事人行使陈述、申辩以及质证的权利；
（三）保守听证案件涉及的国家秘密、商业秘密和个人隐私；
（四）不得徇私枉法，包庇纵容违法行为。

**第十五条** 当事人依法享有下列权利：
（一）依法申请听证人员回避；
（二）可以亲自参加听证，也可以委托一至二名代理人参加听证；
（三）就案件调查人员提出的案件事实、证据和行政处罚建议进行申辩，并对案件的证据向调查人员及证人质证；
（四）听证结束前进行最后陈述；
（五）审核听证笔录。

**第十六条** 当事人依法承担下列义务：
（一）按外汇局要求事前报送参加听证人员的名单及身份；
（二）按时参加听证并依法举证；
（三）如实回答听证主持人的询问；
（四）遵守听证程序及纪律，维护听证秩序。

**第十七条** 当事人委托他人代理参加听证的，应当向外汇局提交由其签名或者盖章的授权委托书。授权委托书应当经听证主持人确认。

授权委托书应当载明委托事项及权限。

**第十八条** 案件调查人员应当参加听证，向听证主持人提出当事人违法的事实、证据和行政处罚建议及其依据，并参与质证。

**第十九条** 听证主持人可以根据实际情况通知与案件有关的证人、鉴定人、翻译人员参加听证。

## 第三章 听证的告知、提起和受理

**第二十条** 外汇局在作出本程序第三条规定的行政处罚决定之前，应当在《行政处罚告知书》（以下简称《告知书》）中告知当事人自接到《告知书》之日起3日内有要求举行听证的权利。

**第二十一条** 当事人要求举行听证的，应当在收到《告知书》之日起3日内，向外汇局书面提出听证要求。以邮寄挂号信方式提出的，以寄出的邮戳日期为准。当事人因不可抗力或者其他特殊情况不能按期提出听证要求的，在障碍消除后3日内，经外汇局批准，可以顺延听证期限。

**第二十二条** 当事人明确提出放弃听证权利的，不得对本案再次提出听证要求。当事人放弃听证权利，应当以书面形式提出。

当事人未在规定的期限内提出听证要求的，视为放弃听证权利，外汇局可以不组织听证，但应当将情况记录在案。

**第二十三条** 当事人可以请求撤回听证要求，但应当以书面形式提出，且不得对本案再次提出听证要求。

**第二十四条** 当事人提出听证要求的，外汇局应当自接到听证要求之日起5日内，审核当事人的听证要求，并书面通知当事人是否受理。

对符合本程序规定的听证要求，外汇局应当组织听证。

对听证要求超过期限或者不符合听证条件的，外汇局应当告知当事人不予听证，并说明理由。

**第二十五条** 外汇局决定听证的，应当在收到当事人提出书面听证要求之日起30日内举行听证。

外汇局应当在听证的7日前向当事人、其他听证参加人送达听证通知书。

**第二十六条** 听证通知书应当载明下列事项：

（一）当事人姓名或者名称；

（二）听证案件的内容；

（三）举行听证的时间、地点、方式；

（四）听证主持人、听证员的姓名；

（五）告知当事人有权申请回避以及回避的条件；

（六）告知当事人报送参加听证人员名单、身份证明以及准备有关证据材料、通知证人等事项。

**第二十七条** 案件调查人员应当自确定听证主持人之日起3日内，将案卷移送听证主持人。

## 第四章 听证的举行

**第二十八条** 听证正式开始前，听证主持人应当负责查明当事人和其他听证参加人是否到会，宣布下列听证纪律：

（一）服从听证主持人的指挥，未经主持人允许不得发言、提问、辩论和中途退场，不得录音、录像和摄影；

（二）不得喧哗、鼓掌、哄闹或者进行其他妨碍听证秩序的行为。

**第二十九条** 违反听证秩序的，听证主持人有权予以制止；情节严重的，责令退场。

当事人或者其代理人无正当理由拒不到场参加听证或者未经主持人允许退场的，视为放弃听证权利。

**第三十条** 听证应当按下列顺序进行：

（一）听证主持人核对案件调查人员和当事人的身份；

（二）听证主持人宣布听证员、听证记录人、鉴定人、翻译人员名单，告知当事人的权利义务，询问当事人是否申请回避。当事人申请听证主持人回避的，听证主持人应当宣布暂停听证，报请外汇局有关负责人决定是否回避；申请听证员、鉴定人、翻译人员回避的，由听证主持人当场决定；

（三）听证主持人宣布听证开始并介绍案由；

（四）不公开举行的听证，听证主持人应当说明理由；

（五）案件调查人员陈述当事人违法事实，出示相关证据，提出拟给予行政处罚的建议和依据；

（六）当事人或其委托代理人进行陈述、申辩和质证；

（七）第三人及其委托人陈述，提出自己的意见和主张；

（八）案件调查人员、当事人、第三人相互辩论；

（九）听证主持人就案件事实、证据、处罚依据进行询问；

（十）当事人作最后陈述。

**第三十一条** 有下列情形之一的，听证主持人与听证员协商后，应当决定延期举行听证：

（一）当事人或者其委托代理人因不可抗力无法到场的；
（二）当事人临时申请回避的；
（三）其他应当延期的情形。

**第三十二条** 有下列情形之一的，听证主持人应当与听证员协商决定中止听证：
（一）需要通知新的证人到场或者需要重新鉴定、补充证据的；
（二）当事人因不可抗力无法继续参加听证的；
（三）当事人死亡或者解散，需要等待权利义务继受人的；
（四）听证参加人不遵守听证纪律，听证秩序混乱的；
（五）其他应当中止听证程序的情形。

**第三十三条** 延期、中止听证的情形消失后，由听证主持人决定恢复听证并按规定重新送达听证通知书。

**第三十四条** 有下列情形之一的，听证主持人与听证员协商后应当决定终止听证：
（一）当事人撤回听证要求的；
（二）当事人无正当理由不参加听证的，或者未经听证主持人允许中途退场的；
（三）当事人死亡或者解散满3个月（含3个月）未确定权利义务继受人的；
（四）拟作出的行政处罚决定改变，已不属于依本程序应当举行听证的范围的；
（五）其他应当终止听证的情形。

**第三十五条** 案件调查人员、当事人和第三人经听证主持人当场许可，可以申请证人作证。
证人不能亲自到场作证的，调查人员、当事人和第三人可以提交证人的书面证言，并当场宣读。

**第三十六条** 听证的全部活动应当记入笔录。听证笔录应当载明下列事项：
（一）案由；
（二）当事人、第三人的姓名或者名称，法定代理人、委托代理人的姓名，案件调查人员的姓名；
（三）听证主持人、听证员以及记录人的姓名；
（四）举行听证的时间、地点和方式；
（五）案件调查人员提出的事实、证据和行政处罚建议及依据；
（六）当事人、第三人陈述、申辩和质证的内容；
（七）证人证言；
（八）听证参加人签名或者盖章；
（九）按规定应当载明的其他事项。

**第三十七条** 听证笔录应当经当事人、第三人、案件调查人员、听证员、听证主持人审阅无误后逐页签名或者盖章。笔录中有关证人证言部分，应当交由证人审阅核对无误后签名或者盖章。

当事人、第三人、案件调查人员拒绝签名或者盖章的，听证记录人应当在笔录中注明，听证主持人签名确认。

## 第五章 听证的适用

**第三十八条** 听证结束后，听证人员应当负责写出听证意见书。听证人员对听证意见不一致的，应当在听证意见书中如实写明。

听证意见书应当作为行政处罚决定的依据之一，并同时分送当事人、案件调查人员、第三人。

**第三十九条** 听证意见书应当包括下列主要内容：

（一）听证案由；
（二）听证人员和听证参加人的姓名、名称及其他情况；
（三）听证的时间、地点、方式；
（四）听证的过程；
（五）案件事实和认定的证据；
（六）对拟实施行政处罚的意见及处理意见。

**第四十条** 听证人员应当在听证意见书中，对听证案件提出如下处理意见：
（一）违法行为事实清楚，调查人员提出的行政处罚建议适用法律、法规正确，证据确凿，程序合法，处罚适当的，提出维持处罚的意见；
（二）违法行为事实清楚，但调查人员提出的行政处罚建议适用法律、法规错误或者处罚裁量不当的，提出纠正调查人员处罚建议的意见；
（三）有应当受行政处罚的违法行为，但调查人员在办案过程中有程序上不足的，提出调查人员补正后再给予行政处罚的意见；
（四）违法行为情节轻微的，依法免予行政处罚的意见；
（五）违法行为不能成立的，依法不予行政处罚的意见；
（六）违法行为符合减轻或者从轻条件的，依法减轻或者从轻处罚的意见；
（七）违法事实不清的，提出继续调查的意见；
（八）发现应当由其他行政机关处理的，提出移送的意见。违法行为已构成犯罪的，提出移送司法机关追究刑事责任的意见；
（九）依法提出的其他处理意见。

**第四十一条** 外汇局应当根据听证意见书和听证笔录、其他案件材料以及有关外汇管理法规，按照《行政处罚法》第三十八条的规定，对听证案件作出处理决定。

**第四十二条** 依本程序规定应当举行听证而未举行听证的案件处罚决定无效，应当撤销。

## 第六章 附 则

**第四十三条** 听证人员应当公正履行职责，不得妨碍当事人、其他听证参加人员行使法律赋予的权利；如违反本程序规定，由外汇局按规定予以行政处分；构成犯罪的，依法追究刑事责任。

**第四十四条** 外汇局主持听证，不得收取当事人以及其他参加人任何费用。

**第四十五条** 法律、行政法规对听证程序另有规定的，从其规定。

**第四十六条** 本程序所称"日"是指工作日，"以上"、"内"及"前"等均包含本数。

**第四十七条** 本程序自公布之日起实施，由国家外汇管理局负责解释。

# 国家外汇管理局行政复议程序

（汇发〔2002〕80号）

（2002年8月16日由国家外汇管理局发布，2002年8月16日起施行，法规类型为规范性文件）

## 第一章 总 则

**第一条** 为了防止和纠正违法的或者不当的外汇管理具体行政行为，保障和监督国家外汇管理局及其分支局（以下简称外汇局）依法行使职权，保护公民、法人或者其他组织的合法权益，根据《中华人民共和国行政复议法》和《中华人民共和国外汇管理条例》，制定本程序。

第二条　公民、法人或者其他组织认为外汇局的具体行政行为侵犯其合法权益，向有管辖权的外汇局提出行政复议申请，作为行政复议机关的外汇局受理行政复议申请、作出行政复议决定，适用本程序。

第三条　本程序所称的作为行政复议机关的外汇局（以下简称行政复议机关），包括国家外汇管理局及其有管辖支局的分局、外汇管理部和中心支局。

第四条　行政复议机关办理行政复议案件时，依法履行下列职责：

（一）决定受理或者不予受理行政复议申请；

（二）向有关组织和人员调查取证，查阅文件和资料；

（三）对当事人提起复议的内容进行审议，审查申请行政复议的具体行政行为是否合法与适当，并作出行政复议决定；

（四）对外汇局违反本程序规定的行为依照规定的权限和程序提出处理建议；

（五）依法对本级和下级外汇局制定的外汇管理规章以下的其他规范性文件的合法性进行审查，并作出处理决定；

（六）处理或者转送具体行政行为所依据的规定的审查申请；

（七）办理因不服行政复议决定提起行政诉讼的应诉事项；

（八）法律、法规规定的其他职责。

第五条　行政复议机关履行行政复议职责，应当遵循合法、公正、公开、及时、便民的原则，坚持有错必纠，保障法律、法规的正确实施。

## 第二章　行政复议范围

第六条　有下列情形之一的，公民、法人或者其他组织可以依照本程序申请行政复议：

（一）对外汇局作出的警告、通报批评、罚款、没收违法所得、强制收兑、责令改正、暂停或者停止办理结汇、售汇业务、暂停或者停止经营外汇业务、撤销外汇帐户等行政处罚决定不服的；

（二）认为符合规定申请办理进口付汇核销和出口收汇核销，外汇局没有依法办理的；

（三）认为符合法定条件，向外汇局申请许可、核准、登记、备案，以及其他申请外汇局审批、登记事项，外汇局没有依法办理的；

（四）认为外汇局的具体行政行为侵犯其合法的经营自主权；

（五）认为外汇局其他具体行政行为侵犯其合法权益的。

第七条　公民、法人或者其他组织认为外汇局的具体行政行为所依据的外汇管理规章以下的其他规范性文件规定不合法，可以在对具体行政行为申请行政复议的同时，一并向行政复议机关提出对该规定的审查申请。对外汇管理规章的审查依照法律、行政法规的规定办理。

第八条　不服外汇局作出的行政处分或者其他人事处理决定的，依照有关法律、行政法规的规定提出申诉。

## 第三章　行政复议申请

第九条　公民、法人或者其他组织认为外汇局的具体行政行为侵犯其合法权益的，可以自知道或者应该知道该具体行政行为之日起六十个工作日内先向行政复议机关提出行政复议申请，对行政复议决定不服的，可以依法向人民法院提起诉讼。因不可抗力或者其他正当理由耽误法定申请期限的，申请期限自障碍消除之日起继续计算。

**第十条** 依照本程序申请行政复议的公民、法人或者其他组织是申请人，作出具体行政行为的外汇局是被申请人。有权申请行政复议的公民死亡的，其近亲属可以申请行政复议。有权申请行政复议的公民为无民事行为能力人或者限制民事行为能力人的，其法定代理人可以代为申请行政复议。有权申请行政复议的法人或者其他组织终止的，承受其权利的法人或者其他组织可以申请行政复议。

同申请外汇局的具体行政行为有利害关系的其他公民、法人或者其他组织，可以作为第三人参加行政复议。

申请人、第三人可以委托代理人代为参加行政复议。

**第十一条** 申请人申请行政复议，可以书面申请，也可以口头申请。

书面申请的，应当在行政复议申请书中载明下列内容：

（一）申请人名称、地址、法定代表人姓名、职务（申请人为自然人的应列明姓名、性别、单位、住址）；

（二）被申请人名称、地址；

（三）申请复议的理由和要求；

（四）提出行政复议申请的日期；

（五）行政处罚决定书或者其他行政决定及其他证据的附件。

口头申请的，行政复议机关应当当场记录申请人的基本情况、行政复议请求、申请行政复议的主要事实、理由和时间，并由申请人签字。

**第十二条** 对外汇局具体行政行为不服的，向上一级外汇局申请行政复议；

对两个或者两个以上外汇局以共同名义作出的具体行政行为不服的，向其共同上一级外汇局申请行政复议。

对被撤销的外汇局在撤销前所作出的具体行政行为不服的，向继续行使其职权的外汇局的上一级外汇局申请行政复议。

对国家外汇管理局具体行政行为不服的，向国家外汇管理局申请行政复议；对国家外汇管理局行政复议决定不服的，可以依法向人民法院提起行政诉讼，也可以向国务院申请最终裁决。

**第十三条** 公民、法人或者其他组织申请行政复议，行政复议机关已经依法受理的，在法定行政复议期限内不得向人民法院提起行政诉讼。

## 第四章 行政复议受理

**第十四条** 行政复议机关收到行政复议申请后，应当在五个工作日内进行审查，对不符合《中华人民共和国行政复议法》和本程序规定的行政复议申请，决定不予受理，并书面告知申请人；对符合规定，但是不属于本局受理的行政复议申请，应当告知申请人向有关行政复议机关提出。除前款规定外，行政复议申请自行政复议机关收到之日起即为受理。

**第十五条** 公民、法人或者其他组织申请行政复议，行政复议机关决定不予受理或者受理后超过行政复议期限不作答复的，公民、法人或者其他组织可以自收到不予受理决定书之日起或者行政复议期满之日起十五个工作日内，依法向人民法院提起行政诉讼。

**第十六条** 公民、法人或者其他组织依法提出行政复议申请，行政复议机关无正当理由不予受理的，上级外汇局应当责令受理；必要时，上级外汇局也可以直接受理。

**第十七条** 行政复议期间具体行政行为不停止执行；但是，有下列情形之一的，可以停止执行：

（一）被申请人认为需要停止执行的；

（二）行政复议机关认为需要停止执行的；

（三）申请人申请停止执行，行政复议机关认为其要求合理，决定停止执行的；

（四）法律规定停止执行的。

## 第五章 行政复议决定

**第十八条** 行政复议机关审理行政复议原则上采取书面审查的办法，但是申请人提出要求或者行政复议机关认为有必要时，可以向有关组织和人员调查情况，听取申请人、被申请人和第三人的意见。

**第十九条** 行政复议机关应当自行政复议申请受理之日起七个工作日内，将行政复议申请书副本或者行政复议申请笔录复印件发送被申请人。被申请人应当自收到申请书副本或者申请笔录复印件之日起十个工作日内，提出书面答复，并提交当初作出具体行政行为的证据、依据和其他有关材料。

申请人、第三人可以查阅被申请人提出的书面答复、作出具体行政行为的证据、依据和其他有关材料，除涉及国家秘密、商业秘密或者个人隐私外，行政复议机关不得拒绝。

**第二十条** 在行政复议过程中，被申请人不得自行向申请人和其他有关组织或者个人收集证据。

**第二十一条** 行政复议决定作出前，申请人要求撤回行政复议申请的，应当书面提出申请并说明理由，可以撤回；撤回行政复议申请的，行政复议终止。

**第二十二条** 申请人在申请行政复议时，一并提出对本程序第七条所列有关规定的审查申请的，外汇局对该规定有权处理的，应当在三十个工作日内依法处理；无权处理的，应当在七个工作日内按照法定程序转送有权处理的外汇局或者其他行政机关依法处理，有权处理的外汇局或者其他行政机关应当在六十个工作日内依法处理。处理期间，中止对具体行政行为的审查。

**第二十三条** 行政复议机关在对被申请人作出的具体行政行为进行审查时，认为其依据不合法，本机关有权处理的，应当在三十个工作日内依法处理；无权处理的，应当在七个工作日内按照法定程序转送有权处理的外汇局或者其他行政机关依法处理。处理期间，中止对具体行政行为的审查。

**第二十四条** 行政复议机关应当对被申请人作出的具体行政行为进行审查，并按照下列规定作出行政复议决定；对于数额巨大、案情复杂的，作出行政处罚前举行过行政听证的，有本程序第七条规定情形的，应当经局办公会议讨论通过后作出行政复议决定。

（一）具体行政行为认定事实清楚，证据确凿，适用依据正确，程序合法，内容适当的，决定维持；

（二）被申请人不履行法定职责的，决定其在一定期限内履行；

（三）具体行政行为有下列情形之一的，决定撤销、变更或者确认该具体行政行为违法；决定撤销或者确认该具体行政行为违法的，可以责令被申请人在一定期限内重新作出具体行政行为：

1. 主要事实不清、证据不足的；
2. 适用依据错误的；
3. 违反法定程序的；
4. 超越或者滥用职权的；
5. 具体行政行为明显不当的。

（四）被申请人不按照本程序规定提出书面答复、提交当初作出具体行政行为的证据、依据和其他有关材料的，视为该具体行政行为没有证据、依据，决定撤销该具体行政行为。

行政复议机关责令被申请人重新作出具体行政行为的，被申请人不得以同一的事实和理由作出与原具体行政行为相同或者基本相同的具体行政行为。

**第二十五条** 申请人在申请行政复议时可以一并提出行政赔偿请求，行政复议机关对符合《国家赔偿法》的有关规定应当给予赔偿的，在决定撤销、变更具体行政行为或者确认具体行政行为违法时，应当同时决定被申请人依法给予赔偿。申请人在申请行政复议时没有提出行政赔偿请求的，行政复议机关在依法决定撤销或者变更罚款，撤销没收违法所得等具体行政行为时，应当同时责令被申请人返还财产，或者赔偿相应的价款。

**第二十六条** 行政复议机关应当自受理申请之日起六十个工作日内作出行政复议决定。情况复杂，不能在规定期限内作出行政复议决定的，可以适当延长，并告知申请人和被申请人；但是延长期限最多不超过三十个工作日。

**第二十七条** 行政复议机关作出行政复议决定，应当制作行政复议决定书，并加盖印章。行政复议决定书一经送达，即发生法律效力。

行政复议决定书应当载明下列内容：

（一）行政复议申请人、被申请人的具体情况，个人应当注明姓名、性别、年龄、住址、工作单位，单位应当注明名称、地址、法人代表，委托代理人代为行政复议的，还应当载明代理人的具体情况；

（二）行政复议申请的事实和理由；

（三）行政复议机关调查的情况；

（四）行政复议决定及其法律依据；

（五）告知当事人行政诉讼权利及期限。

**第二十八条** 被申请人应当履行行政复议决定。

被申请人不履行或者无正当理由拖延履行行政复议决定的，行政复议机关或者上级外汇局应当责令其限期履行。

**第二十九条** 申请人逾期不起诉又不履行行政复议决定的，或者不履行最终裁决行政复议决定的，按照下列规定分别处理：

（一）维持具体行政行为的行政复议决定，由作出具体行政行为的外汇局依法申请人民法院强制执行；

（二）变更具体行政行为的行政复议决定，由行政复议机关依法申请人民法院强制执行。

## 第六章 附 则

**第三十条** 行政复议机关、行政复议机关工作人员、被申请人有违反《中华人民共和国行政复议法》和本程序规定的，由有关部门依法进行处理。

**第三十一条** 行政复议机关受理行政复议申请，不得向申请人收取任何费用。

行政复议活动所需经费，应当列入本局的行政经费。

**第三十二条** 行政复议期间的计算和行政复议文书的送达，依照民事诉讼法关于期间、送达的规定执行。

**第三十三条** 外国人、无国籍人、外国组织在中华人民共和国境内申请行政复议，适用本程序规定。

**第三十四条** 本程序自公布之日起施行，由国家外汇管理局负责解释。

## 国家外汇管理局 海关总署关于印发《携带外币现钞出入境管理暂行办法》的通知

(汇发〔2003〕102号)

(2003年8月28日由国家外汇管理局、海关总署发布,2003年9月1日起施行,法规类型为部门规章)

国家外汇管理局各省、自治区、直辖市分局、外汇管理部,深圳、大连、青岛、厦门、宁波市分局;海关总署广东分署、驻天津、上海特派办,各直属海关、院校;各外汇指定银行:

为了方便出入境人员的对外交往,规范携带外币现钞出入境行为,打击洗钱、货币走私和逃汇等违法犯罪行为,国家外汇管理局、海关总署联合制定了《携带外币现钞出入境管理暂行办法》,现印发给你们,请遵照执行,并就有关问题通知如下:

一、《携带外汇出境许可证》(以下简称《携带证》)仍沿用1999年8月1日开始使用的《携带证》,由国家外汇管理局统一印制,各外汇指定银行应到所在地国家外汇管理局各分支局(以下简称外汇局)领取。

二、出境人员可以携带外币现钞出境,也可以按国家金融管理规定通过从银行汇出或携带汇票、旅行支票、国际信用卡等方式将外币携出境外。

出境人员携带不超过等值5000美元(含5000美元)的外币现钞出境的,无须申领《携带证》,海关予以放行;出境人员携带外币现钞金额在等值5000美元以上至10000美元(含10000美元)的,应向外汇指定银行申领《携带证》,海关凭加盖外汇指定银行印章的《携带证》验放;出境人员原则上不得携带超过等值10000美元的外币现钞出境,对属于下列特殊情况之一的,出境人员可以向外汇局申领《携带证》:

1. 人数较多的出境团组;
2. 出境时间较长或旅途较长的科学考察团组;
3. 政府领导人出访;
4. 出境人员赴战乱、外汇管制严格、金融条件差或金融动乱的国家;
5. 其他特殊情况。

三、考虑到外币支付凭证和外币有价证券将纳入银行管理系统,具体管理办法另行制定,对出入境人员携带上述凭证和证券出入境,海关不再予以管理。

四、国家外汇管理局和海关的各级机构应当组织对《携带外币现钞出入境管理暂行办法》进行学习和培训,并利用各种新闻媒介广泛进行宣传,以便贯彻执行。收到本通知后,国家外汇管理局各分局尽快转发所辖支局、外汇指定银行和相关单位;外汇指定银行应尽快转发所辖分支行;各直属海关应尽快转发所辖海关。执行中如遇问题,请及时向国家外汇管理局经常项目管理司或海关总署监管司反馈。

### 携带外币现钞出入境管理暂行办法

**第一条** 为了方便出入境人员的对外交往,规范携带外币现钞出入境行为,根据《中华人民共和国海关法》和《中华人民共和国外汇管理条例》,特制定本办法。

**第二条** 本办法下列用语含义:

"外币"是指中国境内银行对外挂牌收兑的可自由兑换货币（见附件1）；

"现钞"是指外币的纸币及铸币；

"银行"是指经中国人民银行批准或备案，经营结售汇业务或外币兑换、外币储蓄业务的中资银行及分支机构和外资银行及分支机构；

"出、入境人员"是指出境、入境的居民个人和非居民个人；

"当天多次往返"是指一天内出境或入境超过一次；

"短期内多次往返"是指15天内出境或入境超过一次。

第三条　入境人员携带外币现钞入境，超过等值5000美元的应当向海关书面申报，当天多次往返及短期内多次往返者除外。

第四条　出境人员携带外币现钞出境，凡不超过其最近一次入境时申报外币现钞数额的，不需申领《携带外汇出境许可证》（以下简称《携带证》，见附件2），海关凭其最近一次入境时的外币现钞申报数额记录验放。

第五条　出境人员携带外币现钞出境，没有或超出最近一次入境申报外币现钞数额记录的，按以下规定验放：

一、出境人员携出金额在等值5000美元以内（含5000美元）的，不需申领《携带证》，海关予以放行。当天多次往返及短期内多次往返者除外。

二、出境人员携出金额在等值5000美元以上至10000美元（含10000美元）的，应当向银行申领《携带证》。出境时，海关凭加盖银行印章的《携带证》验放。对使用多张《携带证》的，若加盖银行印章的《携带证》累计总额超过等值10000美元，海关不予放行。

三、出境人员携出金额在等值10000美元以上的，应当向存款或购汇银行所在地国家外汇管理局各分支局（以下简称外汇局）申领《携带证》，海关凭加盖外汇局印章的《携带证》验放。

第六条　"当天多次往返"及"短期内多次往返"的出入境人员携带外币现钞出入境按以下规定验放：

一、当天多次往返的出入境人员，携带外币现钞入境须向海关书面申报，出境时海关凭最近一次入境时的申报外币现钞数额记录验放。没有或超出最近一次入境申报外币现钞数额记录的，当天内首次出境时可携带不超过等值5000美元（含5000美元）的外币现钞出境，不需申领《携带证》，海关予以放行，携出金额在等值5000美元以上的，海关不予放行；当天内第二次及以上出境时，可携带不超过等值500美元（含500美元）的外币现钞出境，不需申领《携带证》，海关予以放行，携出金额超过等值500美元的，海关不予放行。

二、短期内多次往返的出入境人员，携带外币现钞入境须向海关书面申报，出境时海关凭最近一次入境时的申报外币现钞数额记录验放。没有或超出最近一次入境申报外币现钞数额记录的，15天内首次出境时可携带不超过等值5000美元（含5000美元）的外币现钞出境，不需申领《携带证》，海关予以放行，携出金额在等值5000美元以上的，海关不予放行；15天内第二次及以上出境时，可携带不超过等值1000美元（含1000美元）的外币现钞出境，不需申领《携带证》，海关予以放行，携出金额超过等值1000美元的，海关不予放行。

第七条　出境人员可以携带外币现钞出境，也可以按规定通过从银行汇出或携带汇票、旅行支票、国际信用卡等方式将外币携出境外，但原则上不得携带超过等值10000美元外币现钞出境。如因特殊情况确需携带超过等值10000美元外币现钞出境，应当向存款或购汇银行所在地外汇局申领《携带证》。

第八条　出境人员向银行申领《携带证》，携带从自有或直系亲属外汇存款中提取外币现钞出境的，应当持护照或往来港澳通行证、往来台湾通行证，有效签证或签注，存款证明向存款银行申请；购汇后携带外币现钞出境的，应当持规定的购汇凭证，向购汇银行申请。

银行审核出境人员提供的材料无误后，向其核发《携带证》，并留存上述材料复印件5年备查。

第九条　银行向出境人员核发《携带证》时，不得超过本行存款证明的金额或购汇金额核发《携带证》，银行核发的《携带证》每张金额不得超过等值10000美元，但可以低于5000美元。

第十条　出境人员向外汇局申领《携带证》的，应当持书面申请、护照或往来港澳通行证、往来台湾通行证、有效签证或签注、银行存款证明，确需携带超过等值10000美元外币现钞出境的证明材料向存款或购汇银行所在地外汇局申请。

外汇局审核出境人员提供的材料无误后，对符合规定条件的，向其核发《携带证》，并留存书面申请及其他材料的复印件5年备查。

第十一条　《携带证》应盖有"国家外汇管理局携带外汇出境核准章"或"银行携带外汇出境专用章"，并自签发之日起30天内一次使用有效。

第十二条　《携带证》一式三联。原《携带证》是由银行签发的，第一联由携带人交海关验存，第二联由签发银行按月交当地外汇局留存，第三联由签发银行留存。原《携带证》是由外汇局签发的，第一联由携带人交海关验存，第二、三联由签发外汇局留存。

第十三条　出境人员遗失《携带证》，原《携带证》是由银行签发的，应当在出境前持第八条规定的材料到原签发银行申请补办，原签发银行应当审核出入境人员提供的材料和原留存材料无误后，向其出具《补办证明》（见附件3），出入境人员凭银行出具的《补办证明》向银行所在地外汇局申请，凭外汇局的核准件到银行补办《携带证》，银行应当在补办的《携带证》上加注"补办"字样；原《携带证》是由外汇局签发的，应当在出境前，持补办申请以及第十条规定的材料向原签发外汇局申请，外汇局应当审核出入境人员提供的材料和原留存的材料无误后，为其补办《携带证》，并在补办的《携带证》上加注"补办"字样。禁止外汇局和银行在出入境人员出境后为其补办《携带证》。

第十四条　银行应当在每月终了5日内，将上月签发《携带证》的情况，以《携带外币现钞出境统计表》（见附件4）报送所在地外汇局。

第十五条　各外汇局应当汇总辖区内外汇局和银行签发《携带证》的情况，并在每月终了10日以内将《携带外币现钞出境统计表》报送国家外汇管理局。

第十六条　银行应当严格按照本办法规定向出入境人员核发《携带证》，对违反本办法规定的银行，由外汇局给予警告、通报批评、罚款直至取消其签发《携带证》资格的处罚。

第十七条　出入境人员携带外币现钞违反本办法规定的，由海关按有关规定进行处理。

第十八条　出入境人员携带汇票、旅行支票、国际信用卡、银行存款凭证、邮政储蓄凭证等外币支付凭证以及政府债券、公司债券、股票等外币有价证券出入境，海关暂不予以管理。

第十九条　本办法由国家外汇管理局和海关总署负责解释。

第二十条　本办法自2003年9月1日开始施行。1996年12月31日国家外汇管理局、海关总署联合发布，1997年2月10日开始施行的《关于对携带外汇进出境管理的规定》；1999年6月17日国家外汇管理局、海关总署联合发布，1999年8月1日开始施行的《关于启用新版〈携带外汇出境许可证〉有关问题的通知》；1999年6月14日国家外汇管理局发布施行的《关于启用新版〈携带外汇出境许可证〉有关操作问题的通知》；1999年10月25日国家外汇管理局发布施行的《关于加强〈携带外汇出境许可证〉管理的通知》，同时废止。

附件：1. 中国境内银行挂牌收兑货币（略）
　　　2. 携带外汇出境许可证（略）

3. 补办证明（略）
4. 携带外币现钞出境统计表（略）

## 携带外币现钞出入境管理操作规程

（汇发〔2004〕21号）

（2004年3月22日由国家外汇管理局发布，2004年3月22日起施行，法规类型为规范性文件）

国家外汇管理局各省、自治区、直辖市分局、外汇管理部，深圳、大连、青岛、厦门、宁波市分局；各中资外汇指定银行：

为贯彻落实《携带外币现钞出入境管理暂行办法》（汇发〔2003〕102号），规范管理、方便操作，经商海关总署，国家外汇管理局制定了《携带外币现钞出入境管理操作规程》（以下简称《规程》，见附件）。现将《规程》印发给你们，并就有关问题通知如下：

一、对《规程》中列明的各项目，国家外汇管理局各分支局、外汇管理部（以下简称"外汇局"）和外汇指定银行应当认真审核所要求的相关证明材料。外汇局应加强对《规程》执行情况的检查工作，及时纠正违规行为。

二、各地外汇局和外汇指定银行应按《规程》要求，及时报送相关报表。

三、本《规程》自发布之日起施行，以前有关规定与本《规程》不一致的，按本《规程》规定执行。

收到本《通知》后，各分局应尽快转发所辖支局和外资银行；各中资外汇指定银行应尽快转发所属分支行。执行中如遇问题，请及时向国家外汇管理局经常项目管理司反馈。

附件：携带外币现钞出入境管理操作规程

附件

### 携带外币现钞出入境管理操作规程

| 项目 | | | 法规依据 | 审核材料 | 审核原则 | 注意事项 |
|---|---|---|---|---|---|---|
| 携带外币现钞入境 | 单次入境 | | 《携带外币现钞出入境管理暂行办法》汇发[2003]102号 | | 携带等值5000美元（含5000美元）以下的，无需向海关申报；超过等值5000美元的，应向海关书面申报。 | 1. "外币"指中国境内银行对外挂牌收兑的可自由兑换货币。<br>2. "现钞"指纸币及铸币。<br>3. "出、入境人员"指出境、入境的居民个人和非居民个人。<br>4. "当天多次往返"指一天内出境或入境超过一次。<br>5. "短期内多次往返"指15日内出境或入境超过一次。<br>6. 海关申报单正本，作为现钞来源证明长期有效。 |
| | 当天多次入境或短期内多次入境 | 当天或短期内首次入境 | 同上 | | 按照前述"单次入境"审核原则办理。 | |
| | | 当天或短期内第二次及以上入境 | 同上 | | 携带外币现钞入境不论金额大小都需向海关书面申报。 | |
| 携带外币现钞出境 | 单次出境（没有最近一次入境申报外币现钞数额记录的） | 携带总金额在等值5000美元（含5000美元）以下的 | 同上 | | 无需申领《携带外汇出境许可证》（以下简称《携带证》），海关予以放行。 | 1. 《携带证》应盖有"国家外汇管理局携带外汇出境核准章"或"银行携带外汇出境专用章"，并自签发之日起30天内一次使用有效。逾期作废。<br>2. 对使用多张《携带证》的，若加盖银行印章的累计总额超过等值10000美元，海关不予放行。<br>3. 《携带证》一式三联。《携带证》是由签发银行的，第一联由携带人交海关验印，第二联由签发银行按月交当地外汇局留存；第三联由签 |
| | | 携带总金额在等值5000美元以上，10000美元（含10000美元）以下的 | 同上 | 1. 护照或往来港澳通行证、往来台湾通行证<br>2. 有效签证或签注<br>3. 存款证明（利息清单或取款凭条）或相关汇凭证<br>4. 如从直系亲属外汇存折中提取外币现钞的，还应提供亲属关系证明（结婚证、户口本或公证书） | 1. 出境人员应持前述审核材料向存款银行或购汇银行申领《携带证》。<br>2. 银行核查出境人员提供的材料无误后，向其核发《携带证》，并留存上述材料复印件5年备查。海关凭此《携带证》放行。<br>3. 银行向出境人员核发《携带证》时，不得超出本行存款证明的金额或购汇额，银行核发的《携带证》每张金额不得超过等值5000美元，但可以低于等值5000美元。 | |
| 携带外币现钞出境 | 单次出境（没有最近一次入境申报外币现钞数额记录的） | 携带总金额超过等值10000美元 | 《携带外币现钞出入境管理暂行办法》汇发[2003]102号 | 1. 书面申请<br>2. 护照或往来港澳通行证、往来台湾通行证<br>3. 有效签证或签注<br>4. 存款证明（利息清单或取款凭条）或相关汇凭证<br>5. 确需携带超过等值10000美元外币现钞出境的证明材料 | 1. 每位出境人员原则上不得超过等值10000美元外币现钞出境，如属下列特殊情况之一的，可向存款或购汇银行所在地外汇局申请：<br>(1) 人数较多的出境团组；<br>(2) 出境时间较长或旅途较长的科学考察团组；<br>(3) 出境领导人出访；<br>(4) 出境地系战乱、外汇管制严格、金融条件差或金融动乱的国家；<br>(5) 其他特殊情况。<br>2. 外汇局审核出境人员提供的材料无误后，对符合规定条件的，向其核发《携带证》，并留存书面申请及其材料复印件5年备查。海关凭此《携带证》放行。 | 发钞银行留存。<br>4. 《携带证》是由外汇局签发的，第一联由携带人交海关验印，第二、三联由签发外汇局留存。<br>4. 银行应当在每月终了5个工作日内，将上月签发《携带证》的情况，以《携带证》外币现钞出境统计表，报送所在地外汇局。<br>5. 各外汇分局应当汇总辖区内外汇局和银行签发《携带证》的情况，并在每月终了10个工作日内以《携带证》外币现钞出境统计表，报送国家外汇管理局。 |
| | 单次出境 | 携带外币现钞总金额不超过其入境申报数额的 | 同上 | 海关申报记录 | 无需申领《携带证》，海关予以放行。 | |

| | | | | | |
|---|---|---|---|---|---|
| | (有最近一次入境申报外币现钞数额记录的) | 携带外币现钞总金额超过其入境申报数额的 | 同上 | 海关申报记录(申领《携带证》所需材料) | 入境申报记录内的外币现钞金额部分，无需《携带证》，海关予以放行；超过部分根据金额大小，遵照"单次出境(没有最近一次入境申报外币现钞数额记录的)"中的审核原则，等值 5000 美元(含 5000 美元)以下自由携出，等值 5000-10000 美元(含 10000 美元)的向银行申领《携带证》，等值 10000 美元以上向外汇局申领《携带证》。海关凭此《携带证》放行。 | |
| 携带外币现钞出境 | 当天多次出境和短期内多次出境(没有最近一次入境申报外币现钞数额记录的) | | 《携带外币现钞出入境管理暂行办法》汇发〔2003〕102号 | 海关出入境记录 | 1. 当天多次往返的出境人员，当天内第二次及以上出境时，可携带金额不得超过等值 500 美元(含 500 美元)的外币现钞出境。<br>2. 短期内多次往返的出境人员，15天内第二次及以上出境时，可携带金额不超过等值 1000 美元(含 1000 美元)的外币现钞出境。 | 1. 当天多次出境和短期内多次出境人员，首次出境时可携带外币现钞数按照前述"单次出境"中原则管理；<br>2. 对于 15 天内第二次及以上出境的人员，无论此次出境是属于当天的第几次出境，均应按照"短期多次往返"第二次及以上出境时传，即海关放行其携带出境不超过等值 1000 美元(含 1000 美元)的外币现钞。 |
| | 当天多次出境和短期内多次出境(有最近一次入境申报外币现钞数额记录的) | 携带外币现钞总金额不超过其入境申报数额的 | 同上 | 海关申报记录 | 无需申领《携带证》，海关予以放行。 | |
| | | 携带外币现钞总金额超过其入境申报数额的 | 同上 | 海关申报记录 | 入境申报记录内的外币现钞金额部分，无需《携带证》，海关予以放行；超过部分根据金额大小，遵照"当天多次出境和短期内多次出境(没有最近一次入境申报外币现钞数额记录的)"中的审核原则，当天多次往返的出境人员，第二次及以上出境时等值 500 美元(含 500 美元)以下自由携出；短期内多次往返的出境人员，第二次及以上出境时等值 1000 美元(含 1000 美元)以下自由携出。 | |
| 遗失《携带证》的补办和逾期《携带证》的补办 | 原《携带证》由银行签发的 | | 《携带外币现钞出入境管理暂行办法》汇发〔2003〕102号 | 原申请办理《携带证》时出示的材料 | 原签发银行审核入境人员提供的材料和银行原留存材料无误后，出具《补办证明》，出境人员凭银行出具的《补办证明》向银行所在地外汇局申请，凭外汇局的核准件到银行补办《携带证》，银行应当在补办的《携带证》上加注"补办"字样。 | 1. 外汇局和银行应注意审查把握上述的出入境记录，在出入境人员出境后不得为其补办《携带证》；<br>2.《补办证明》、补办的《携带证》上应注明原××××《携带证》同时作废。 |
| | 原《携带证》由外汇局签发的 | | 同上 | 原申请办理《携带证》时出示的材料 | 外汇局审核入境人员提供的材料和原留存的材料无误后，为其补办《携带证》，并在补办的《携带证》上加注"补办"字样。 | |

# 关于融资租赁业务外汇管理有关问题的通知

（汇发〔2017〕21号）

（2017年10月2日由国家外汇管理局发布，2017年10月2日起施行，法规类型为规范性文件）

国家外汇管理局各省、自治区、直辖市分局、外汇管理部，深圳、大连、青岛、厦门、宁波市分局，各中资银行：

为进一步推进自由贸易试验区改革试点经验的复制推广，切实服务实体经济发展，根据《中华人民共和国外汇管理条例》（国务院令2008年第532号）、《商务部　交通运输部　工商

总局 质检总局 外汇局关于做好自由贸易试验区第三批改革试点经验复制推广工作的函》（商资函〔2017〕515号）及其他有关法规，现就融资租赁业务外汇管理有关问题通知如下：

一、本通知所称融资租赁类公司包括银行业监督管理部门批准设立的金融租赁公司、商务主管部门审批设立的外商投资融资租赁公司，以及商务部和国家税务总局联合确认的中资融资租赁公司等三类主体。

二、融资租赁类公司办理融资租赁业务时，如果用以购买租赁物的资金50%以上来源于自身国内外汇贷款或外币外债，可以在境内以外币形式收取租金。

三、在满足前述条件的融资租赁业务下，承租人可自行到银行办理对融资租赁类公司出租人的租金购付汇手续：

（一）出租人出具的支付外币租金通知书；

（二）能够证明出租人"用以购买租赁物的资金50%以上来源于自身国内外汇贷款或外币外债"的文件；

（三）银行要求的其他真实性证明材料。

四、融资租赁类公司收取的外币租金收入，可以进入自身按规定在银行开立的外汇账户；超出偿还外币债务所需的部分，可直接在银行办理结汇。

本通知自发布之日起实施。以前规定与本通知不符的，以本通知为准。请各分局、外汇管理部尽快将本通知转发至辖内中心支局、支局和辖内银行；各中资银行尽快将本通知转发至分支机构。执行中如遇问题，请及时向国家外汇管理局资本项目管理司反馈。

特此通知。

## 调运外币现钞进出境管理规定

（汇发〔2019〕16号）

（2019年5月28日由国家外汇管理局、海关总署发布，2019年6月1日起施行，法规类型为规范性文件）

国家外汇管理局各省、自治区、直辖市分局、外汇管理部，深圳、大连、青岛、厦门、宁波市分局；海关总署广东分署、各直属海关；各全国性中资银行：

为贯彻落实国务院《优化口岸营商环境促进跨境贸易便利化工作方案》（国发〔2018〕37号印发），创新监管方式，提高通关效率，国家外汇管理局会同海关总署联合制定了《调运外币现钞进出境管理规定》（以下简称《规定》，见附件），现印发你们，并就有关事项通知如下：

一、自本通知生效之日起，由国家外汇管理局印制并签章的《调运外币现钞进出境证明文件》失效。取得调运外币现钞进出境资格的境内商业银行、个人本外币兑换特许业务经营机构以及上述机构委托的报关企业，在海关部门办理调运外币现钞进出境相关手续时，无需再提供《调运外币现钞进出境证明文件》。填报进出口货物报关单时，应在"消费使用单位/生产销售单位"栏目内准确填写银行或兑换特许机构名称，在"商品编号"栏目内填写"9801309000"（流通中的外币现钞，包括纸币及硬币）。

二、国家外汇管理局各分局、外汇管理部（以下简称各外汇分局）应于2019年9月30日前将辖内银行、个人本外币兑换特许业务经营机构已申领未使用的《调运外币现钞进出境证明文件》统一回收销毁，并将相关情况报国家外汇管理局国际收支司备案。

三、本通知生效前已获得调运外币现钞进出境业务资格的境内商业银行分支机构，拟继续办理业务的，应自本通知生效之日起3个月内按照《规定》有关要求由其总行向所在地外汇分局备案，原业务资格自备案之日起30个工作日后失效。

四、各外汇分局接到本通知后，应立即转发辖内中心支局、支局、城市商业银行、农村商业银行、外商独资银行、中外合资银行、外国银行分行及农村合作金融机构、个人本外币兑换特许业务调运外币现钞进出境管理规定经营机构，准确传导政策要求，做好《规定》实施的各项工作。

五、各全国性中资银行接到本通知后，应尽快转发所辖分支机构。

六、本通知自2019年6月1日起生效，《国家外汇管理局 海关总署关于印发〈银行调运外币现钞进出境管理规定〉的通知》（汇发〔2014〕24号）同时废止。执行中如遇问题，请及时与国家外汇管理局和海关总署联系。

国家外汇管理局联系电话：010-68402514、68402654

海关总署联系电话：12360

特此通知。

附件：调运外币现钞进出境管理规定

## 调运外币现钞进出境管理规定

**第一条** 为规范境内商业银行、个人本外币兑换特许业务经营机构（以下简称兑换特许机构）调运外币现钞进出境业务管理，根据《中华人民共和国海关法》《中华人民共和国外汇管理条例》，制订本规定。

**第二条** 国家外汇管理局及其分支局（以下简称外汇局）、海关总署及其直属海关为调运外币现钞进出境业务的管理机关。

**第三条** 境内商业银行、兑换特许机构因存取、汇兑及现钞批发业务需要将外币现钞（包括纸币及硬币，下同）调往其他国家（地区）或从其他国家（地区）调入的，适用本规定。

境内机构将外币现钞用作纪念币等非存取、汇兑及现钞批发业务之外用途的，不适用本规定。

**第四条** 境内商业银行办理调运外币现钞进出境业务实行备案制。首次开办业务前，由境内商业银行总行（外国银行分行视同总行，下同）向所在地国家外汇管理局分局或外汇管理部（以下简称外汇分局）提交《银行办理调运外币现钞进出境业务备案表》（见附表1）一式两份及有关材料进行备案。备案材料包括：

（一）可行性报告和业务计划书。

（二）调运外币现钞进出境业务管理制度。

**第五条** 外汇分局收到境内商业银行总行内容齐全的备案材料后，在其提交的《银行办理调运外币现钞进出境业务备案表》上加盖签章予以确认，并将其中一份备案表退还申请银行留存。

**第六条** 外汇分局应自申请银行备案之日起10个工作日内将备案银行情况书面通知当地直属海关，同时抄送国家外汇管理局及辖内中心支局、支局；当地直属海关收到外汇分局通知后，应在10个工作日内转报海关总署。

**第七条** 已获得调运外币现钞进出境业务资格的境内商业银行停办调运外币现钞进出境业务，应当自停办业务之日前30个工作日由其总行向所在地外汇分局提交《银行停办调运外币现钞进出境业务备案表》（见附表2）履行停办备案手续。外汇分局按照第六条程序分别通知有关部门。

第八条 兑换特许机构办理调运外币现钞进出境业务实行审批制，具体程序及要求按照个人本外币兑换特许业务相关规定办理。

国家外汇管理局批准兑换特许机构调运外币现钞进出境业务资格后，应在20个工作日内书面通知海关总署。

第九条 境内商业银行、兑换特许机构分别按规定向所在地外汇分局提交备案材料或取得调运外币现钞进出境业务资格后30个工作日后，可根据经营需要自行选择境内海关口岸办理调运外币现钞进出境业务。

第十条 开办调运外币现钞进出境业务的境内商业银行、兑换特许机构应于每季后10个工作日内，由其总行（总部）通过国家外汇管理局应用服务平台向所在地外汇局报送上季度《调运外币现钞进出境统计表》（见附表3）。

第十一条 国家外汇管理局、海关总署建立数据定期交换机制，于每年二季度将上一年度统计的调运外币现钞数据进行共享。

第十二条 境内商业银行、兑换特许机构违反本规定的，国家外汇管理局、海关总署将根据国家有关法律、法规进行处罚；构成犯罪的，依法追究刑事责任。

第十三条 本规定由国家外汇管理局、海关总署负责解释。

附表1：银行办理调运外币现钞进出境业务备案表（略）
附表2：银行停办调运外币现钞进出境业务备案表（略）
附表3：调运外币现钞进出境统计表（略）

# 国家外汇管理局关于印发《经常项目外汇业务指引（2020年版）》的通知

（汇发〔2020〕14号）

（2020年8月28日由国家外汇管理局发布，2020年8月28日起施行，法规类型为规范性文件）

国家外汇管理局各省、自治区、直辖市分局、外汇管理部，深圳、大连、青岛、厦门、宁波市分局，各全国性中资银行：

为进一步优化营商环境，便利市场主体办理经常项目外汇业务，国家外汇管理局全面整合相关法规，形成《经常项目外汇业务指引（2020年版）》（见附件1），并废止部分规定（见附件2）。本通知自发布之日起施行。此前规定与本通知不一致的，按照本通知执行。

收到本通知后，国家外汇管理局各分局、外汇管理部应及时转发辖内中心支局（支局）、地方性商业银行及外资银行，各全国性中资银行应及时转发下属分支机构。

特此通知。

附件：1. 经常项目外汇业务指引（2020年版）

2. 废止规定目录

# 关于货物贸易外汇管理制度改革的公告

（国家外汇管理局公告 2012 年第 1 号）

（2012 年 6 月 27 日由国家外汇管理局、海关总署、国家税务总局发布，2012 年 8 月 1 日起施行，法规类型为规范性文件）

为大力推进贸易便利化，进一步改进货物贸易外汇服务和管理，国家外汇管理局、海关总署、国家税务总局决定，自 2012 年 8 月 1 日起在全国实施货物贸易外汇管理制度改革，并相应调整出口报关流程，优化升级出口收汇与出口退税信息共享机制。现公告如下：

一、改革货物贸易外汇管理方式

改革之日起，取消出口收汇核销单（以下简称核销单），企业不再办理出口收汇核销手续。国家外汇管理局分支局（以下简称外汇局）对企业的贸易外汇管理方式由现场逐笔核销改变为非现场总量核查。外汇局通过货物贸易外汇监测系统，全面采集企业货物进出口和贸易外汇收支逐笔数据，定期比对、评估企业货物流与资金流总体匹配情况，便利合规企业贸易外汇收支；对存在异常的企业进行重点监测，必要时实施现场核查。

二、对企业实施动态分类管理

外汇局根据企业贸易外汇收支的合规性及其与货物进出口的一致性，将企业分为 A、B、C 三类。A 类企业进口付汇单证简化，可凭进口报关单、合同或发票等任何一种能够证明交易真实性的单证在银行直接办理付汇，出口收汇无需联网核查；银行办理收付汇审核手续相应简化。对 B、C 类企业在贸易外汇收支单证审核、业务类型、结算方式等方面实施严格监管，B 类企业贸易外汇收支由银行实施电子数据核查，C 类企业贸易外汇收支须经外汇局逐笔登记后办理。

外汇局根据企业在分类监管期内遵守外汇管理规定情况，进行动态调整。A 类企业违反外汇管理规定将被降级为 B 类或 C 类；B 类企业在分类监管期内合规性状况未见好转的，将延长分类监管期或被降级为 C 类；B、C 类企业在分类监管期内守法合规经营的，分类监管期满后可升级为 A 类。

三、调整出口报关流程

改革之日起，企业办理出口报关时不再提供核销单。

四、简化出口退税凭证

自 2012 年 8 月 1 日起报关出口的货物（以海关"出口货物报关单〔出口退税专用〕"注明的出口日期为准，下同），出口企业申报出口退税时，不再提供核销单；税务局参考外汇局提供的企业出口收汇信息和分类情况，依据相关规定，审核企业出口退税。

2012 年 8 月 1 日前报关出口的货物，截至 7 月 31 日未到出口收汇核销期限且未核销的，按本条第一款规定办理出口退税。

2012 年 8 月 1 日前报关出口的货物，截至 7 月 31 日未到出口收汇核销期限但已核销的以及已到出口收汇核销期限的，均按改革前的出口退税有关规定办理。

### 五、出口收汇逾期未核销业务处理

2012年8月1日前报关出口的货物，截至7月31日已到出口收汇核销期限的，企业应不迟于7月31日办理出口收汇核销手续。自8月1日起，外汇局不再办理出口收汇核销手续，不再出具核销单。企业确需外汇局出具相关收汇证明的，外汇局参照原出口收汇核销监管有关规定进行个案处理。

### 六、加强部门联合监管

企业应当严格遵守相关规定，增强诚信意识，加强自律管理，自觉守法经营。国家外汇管理局与海关总署、国家税务总局将进一步加强合作，实现数据共享；完善协调机制，形成监管合力；严厉打击各类违规跨境资金流动和走私、骗税等违法行为。

本公告涉及有关外汇管理、出口报关、出口退税等具体事宜，由相关部门另行规定。之前法规与本公告相抵触的，以本公告为准。自2012年8月1日起，本公告附件所列法规全部废止。

特此公告。

附件：废止法规目录（略）

# 关于服务贸易等项目对外支付税务备案有关问题的公告

（国家税务总局 国家外汇管理局公告2013年第40号）

（2013年7月9日由国家税务总局、国家外汇管理局发布，根据2018年6月15日国家税务总局公告2018年第31号《国家税务总局关于修改部分税收规范性文件的公告》修改，现行版本自2018年6月15日起施行，法规类型为规范性文件）

为便利对外支付和加强跨境税源管理，现就服务贸易等项目对外支付税务备案有关问题公告如下：

一、境内机构和个人向境外单笔支付等值5万美元以上（不含等值5万美元，下同）下列外汇资金，除本公告第三条规定的情形外，均应向所在地主管税务机关进行备案：

（一）境外机构或个人从境内获得的包括运输、旅游、通信、建筑安装及劳务承包、保险服务、金融服务、计算机和信息服务、专有权利使用和特许、体育文化和娱乐服务、其他商业服务、政府服务等服务贸易收入；

（二）境外个人在境内的工作报酬，境外机构或个人从境内获得的股息、红利、利润、直接债务利息、担保费以及非资本转移的捐赠、赔偿、税收、偶然性所得等收益和经常转移收入；

（三）境外机构或个人从境内获得的融资租赁租金、不动产的转让收入、股权转让所得以及外国投资者其他合法所得。

外国投资者以境内直接投资合法所得在境内再投资单笔5万美元以上的，应按照本规定进行税务备案。

二、境内机构和个人（以下称备案人）在办理对外支付税务备案时，应向主管税务机关提交加盖公章的合同（协议）或相关交易凭证复印件（外文文本应同时附送中文译本），并填报《服务贸易等项目对外支付税务备案表》（一式两份，以下简称《备案表》，见附件1）。

同一笔合同需要多次对外支付的，备案人须在每次付汇前办理税务备案手续，但只需在首次付汇备案时提交合同（协议）或相关交易凭证复印件。

三、境内机构和个人对外支付下列外汇资金，无需办理和提交《备案表》：

（一）境内机构在境外发生的差旅、会议、商品展销等各项费用；

（二）境内机构在境外代表机构的办公经费，以及境内机构在境外承包工程的工程款；

（三）境内机构发生在境外的进出口贸易佣金、保险费、赔偿款；

（四）进口贸易项下境外机构获得的国际运输费用；

（五）保险项下保费、保险金等相关费用；

（六）从事运输或远洋渔业的境内机构在境外发生的修理、油料、港杂等各项费用；

（七）境内旅行社从事出境旅游业务的团费以及代订、代办的住宿、交通等相关费用；

（八）亚洲开发银行和世界银行集团下属的国际金融公司从我国取得的所得或收入，包括投资合营企业分得的利润和转让股份所得、在华财产（含房产）出租或转让收入以及贷款给我国境内机构取得的利息。

（九）外国政府和国际金融组织向我国提供的外国政府（转）贷款（含外国政府混合（转）贷款）和国际金融组织贷款项下的利息。本项所称国际金融组织是指国际货币基金组织、世界银行集团、国际开发协会、国际农业发展基金组织、欧洲投资银行等；

（十）外汇指定银行或财务公司自身对外融资如境外借款、境外同业拆借、海外代付以及其他债务等项下的利息；

（十一）我国省级以上国家机关对外无偿捐赠援助资金；

（十二）境内证券公司或登记结算公司向境外机构或境外个人支付其依法获得的股息、红利、利息收入及有价证券卖出所得收益；

（十三）境内个人境外留学、旅游、探亲等因私用汇；

（十四）境内机构和个人办理服务贸易、收益和经常转移项下退汇；

（十五）国家规定的其他情形。

四、境外个人办理服务贸易、收益和经常转移项下对外支付，应按照个人外汇管理的相关规定办理。

五、备案人可通过以下方法获取《备案表》：

（一）在主管税务机关办税服务厅窗口领取；

（二）从主管税务机关官方网站下载。

六、备案人提交的资料齐全、《备案表》填写完整的，主管税务机关无须当场进行纳税事项审核，应编制《备案表》流水号，在《备案表》上盖章，1份当场退还备案人，1份留存。

《备案表》流水号具体格式为：年份（2位）+税务机关代码（6位）+顺序号（6位）。"年份"指公历年度后两位数字，"顺序号"为本年度的自然顺序号。

七、备案人完成税务备案手续后，持主管税务机关盖章的《备案表》，按照外汇管理的规定，到外汇指定银行办理付汇审核手续。

八、主管税务机关应自收到《备案表》后15个工作日内，对备案人提交的《备案表》及所附资料进行审查，并可要求备案人进一步提供相关资料。审查的内容包括：

（一）备案信息与实际支付项目是否一致；

（二）对外支付项目是否已按规定缴纳各项税款；

（三）申请享受减免税待遇的，是否符合相关税收法律法规和税收协定（安排）的规定。

九、主管税务机关审查发现对外支付项目未按规定缴纳税款的，应书面告知纳税人或扣缴义务人履行申报纳税或源泉扣缴义务，依法追缴税款，按照税收法律法规的有关规定实施处罚。

十、主管税务机关应加强对外支付税务备案事项的管理，及时统计对外支付备案情况及税收征管情况，填写《服务贸易等项目对外支付税务备案情况年度统计表》（见附件2），并于次年1月31日前上报税务总局（国际税务司）。

十一、各级税务部门、外汇管理部门应当密切配合，加强信息交换工作。执行过程中如发现问题，应及时向上级部门反馈。

十二、本公告自2013年9月1日起施行。《国家税务总局　国家外汇管理局关于加强外国公司船舶运输收入税收管理及国际海运业对外支付管理的通知》（国税发〔2001〕139号）、《国家税务总局　国家外汇管理局关于加强外国公司船舶运输收入税收管理及国际海运业对外支付管理的补充通知》（国税发〔2002〕107号）、《国家税务总局　国家外汇管理局关于境内机构及个人对外支付技术转让费不再提交营业税税务凭证的通知》（国税发〔2005〕28号）、《国家外汇管理局　国家税务总局关于服务贸易等项目对外支付提交税务证明有关问题的通知》（汇发〔2008〕64号）、《国家税务总局关于印发〈服务贸易等项目对外支付出具税务证明管理办法〉的通知》（国税发〔2008〕122号）、《国家外汇管理局关于转发国家税务总局服务贸易等项目对外支付出具税务证明管理办法的通知》（汇发〔2009〕1号）、《国家外汇管理局　国家税务总局关于进一步明确服务贸易等项目对外支付提交税务证明有关问题的通知》（汇发〔2009〕52号）和《国家税务总局关于修改〈服务贸易等项目对外支付出具税务证明申请表〉的公告》（国家税务总局公告2012年第54号）同时废止。

特此公告。

附件：1. 服务贸易等项目对外支付税务备案表（略）
　　　2. 服务贸易等项目对外支付税务备案情况年度统计表（略）

## 关于加强技术进口合同售付汇管理的通知

（外经贸技发〔2002〕50号）

（2002年2月20日由对外贸易经济合作部、国家外汇管理局发布，2002年3月1日起施行，法规类型为规范性文件）

各省、自治区、直辖市及计划单列市外经贸委（厅、局），国家外汇管理局各分局，北京、重庆外汇管理部，大连、青岛、宁波、厦门、深圳分局，各中资外汇指定银行：

为完善技术进口合同的管理，规范和维护金融秩序，防范和打击逃骗汇行为，根据《中华人民共和国技术进出口管理条例》（国务院令〔2001〕第331号）（以下简称《条例》）、《禁止进口限制进口技术管理办法》（外经贸部、国家经贸委令〔2001〕第18号）、《技术进出口合同登记管理办法》（外经贸部令〔2001〕第17号）和《关于加强对引进无形资产售付汇管理有关问题的通知》（〔1998〕汇管函字第092号），现将办理技术进口合同售付汇手续有关问题通知如下：

一、凡进口限制进口技术（指列入《中国禁止进口限制进口技术目录》中限制进口类技术），在办理技术进口合同售付汇手续时，须出示外经贸主管部门颁发的《技术进口许可证》（见附件1）及《技术进口合同数据表》（见附件3），经外汇指定银行审核无误后，方能办理售付汇手续。

二、凡进口自由进口技术（指未列入《中国禁止进口限制进口技术目录》中的技术），在办理技术进口合同售付汇手续时，须出示外经贸主管部门颁发的《技术进口合同登记证书》（见附件2）及《技术进口合同数据表》，经外汇指定银行审核无误后，方能办理售付汇手续。

三、外经贸部根据《条例》和《禁止进口限制进口技术管理办法》，对限制进口的技术合同进行审查，颁发《技术进口许可证》并在经营单位填写的《技术进口合同数据表》上加盖公章。经营单位在办理售付汇手续的同时使用《技术进口许可证》和《技术进口合同数据表》两个正本文件。银行在《技术进口合同数据表》正本文件相关栏目中填写每笔售付汇金额、日期并加盖业务章，售付汇总额不得超过《技术进口合同数据表》中的合同总价。

四、各级外经贸主管部门根据《条例》和《技术进出口合同登记管理办法》对自由进口技术合同进行登记，颁发《技术进口合同登记证书》并在经营单位填写的《技术进口合同数据表》上加盖公章。经营单位在办理售付汇手续的同时使用《技术进口合同登记证书》和《技术进口合同数据表》两个正本文件。银行在《技术进口合同数据表》正本文件相关栏目中填写每笔售付汇金额、日期并加盖业务章，售付汇总额不得超过《技术进口合同数据表》中的合同总价。

五、外商投资企业成立时作为合资合同或章程附件的技术进口合同须填写《技术进口合同数据表》并由外资管理部门加盖公章，在办理售付汇手续时须同时出具有关批件和《技术进口合同数据表》。外商投资企业在企业成立后签订的技术进口合同须按规定办理技术进口合同审查或登记手续。

六、技术进口合同包括：（一）专利权转让合同；（二）专利申请权转让合同；（三）专利实施许可合同；（四）专有技术许可或转让合同；（五）计算机软件许可使用合同；（六）包含专利或专有技术许可内容的商标使用许可或转让合同；（七）技术服务合同；（八）技术咨询合同；（九）合作设计合同；（十）合作研究合同；（十一）合作开发合同；（十二）合作生产合同。

七、各级外经贸主管部门要严格把关，监督经营单位认真填写《技术进口合同数据表》，确保全面真实地反映合同内容。

八、如《技术进口合同数据表》内容发生变更，经营单位应到原登记机关办理变更手续。外经贸主管部门填写《技术进口合同数据变更记录表》（见附件4）并加盖公章，与原《技术进口合同数据表》及其有关批件共同使用。

九、《技术进口合同许可证》和《技术进口合同登记证书》由外经贸部统一印制，《技术进口合同数据表》及《技术进口合同数据变更记录表》随机打印。

十、外经贸部和外汇局将会同有关部门建立联网核查系统。凡有擅自篡改登记证和合同数据表的行为，一经发现，将依法严肃处理。

十一、文件自3月1日起执行，发文之前已注册生效尚未执行完毕的合同，原《技术引进和设备进口合同注册生效证书》及《技术进口合同数据表》继续生效，直到合同有效期结束。原《关于加强技术引进合同及售付汇管理的补充通知》（〔2001〕外经贸技发第98号）和《关于执行〈关于加强对引进无形资产售付汇管理有关问题的通知〉的有关规定的通知》（〔1998〕外经贸技一函字第50号）同时废止。

特此通知。

## 关于取消报关单收、付汇证明联和海关核销联的公告

(海关总署 国家外汇管理局公告 2019 年第 93 号)

(2019 年 5 月 27 日由海关总署、国家外汇管理局发布,2019 年 6 月 1 日起施行,法规类型为规范性文件)

为深化通关作业无纸化改革,完善货物贸易外汇服务和管理,进一步减少纸质单证流转,优化营商环境,海关总署、国家外汇管理局决定,全面取消报关单收、付汇证明联和办理加工贸易核销的海关核销联。企业办理货物贸易外汇收付和加工贸易核销业务,按规定须提交纸质报关单的,可通过中国电子口岸自行以普通 A4 纸打印报关单并加盖企业公章。

本公告自 2019 年 6 月 1 日起执行,《海关总署 国家外汇管理局关于取消打印报关单收、付汇证明联的公告》(海关总署、国家外汇管理局公告 2013 年第 52 号)同时废止。

特此公告。

# 其他相关篇

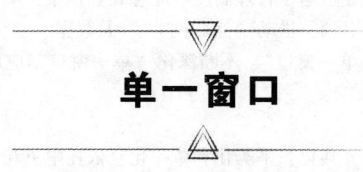

# 关于国际贸易"单一窗口"建设的框架意见

(署岸函〔2016〕498号)

(2016年10月14日由国务院口岸工作部际联席会议办公室发布,2016年10月14日起施行,法规类型为规范性文件)

为贯彻落实党中央、国务院关于我国国际贸易"单一窗口"(简称"单一窗口")建设的一系列决策部署,统筹推进我国"单一窗口"建设,在总结沿海地区"单一窗口"建设试点成果基础上,结合我国口岸管理实际,并充分借鉴国际上"单一窗口"成熟经验,制定本框架意见。

一、指导思想

深入贯彻党的十八大和十八届三中、四中、五中全会精神,认真落实党中央、国务院决策部署,坚持创新、协调、绿色、开放、共享发展理念,进一步推动简政放权、放管结合、优化服务,促进口岸信息互换、监管互认、执法互助,坚持贸易安全与便利并重,优化口岸管理和服务机制,转变职能实现方式,促进口岸综合治理体系和治理能力现代化,构建与我国开放型经济新体制要求相适应的口岸软环境。

二、建设目标

实现申报人通过电子口岸平台一点接入、一次性提交满足口岸管理和国际贸易相关部门要求的标准化单证和电子信息,相关部门通过电子口岸平台共享数据信息、实施职能管理,处理状态(结果)统一通过"单一窗口"反馈给申报人。通过持续优化整合使"单一窗口"功能范围覆盖到国际贸易链条各主要环节,逐步成为企业面对口岸管理相关部门的主要接入服务平台。通过"单一窗口"提高国际贸易供应链各参与方系统间的互操作性、优化通关业务流程,提高申报效率,缩短通关时间,降低企业成本,促进贸易便利化。

三、基本原则

政府主导。由各级政府统筹推动、各口岸管理相关部门平等参与,共同建立并完善"单一窗口"建设协作配合机制,并将"单一窗口"建设纳入本部门的发展规划,实行共建、共管、共享,通过"单一窗口"实现政府管理和服务功能。

协同治理。满足口岸管理相关部门执法和监管要求,充分发挥口岸管理相关部门现有职能作用,推进综合执法,实现单向管理向多元治理的转变。

便利企业。以便利企业为目的,通过协调简化单证格式和数据标准,优化口岸业务流程,减少数据重复录入,让数据多跑路,让企业少奔波,突破时间和空间限制,提供"一站式"服务。

规范安全。统一技术架构,统一数据交换共享和接口标准,统一和规范基本功能;加强信息安全保障性体系建设,建立健全运维管理制度和应急处置预案,确保系统运行和信息安全。

创新驱动。以科技创新为引领,推动"互联网+"、大数据、云计算等新技术与口岸通关业务深度融合,高标准建设"单一窗口",不断深化"单一窗口"应用,实现良性循环和可持续发展。

## 四、总体布局

推进电子口岸公共平台的公共化、平等化和单一化,依托中央和地方两级平台,实现国家部委之间、地区之间以及国家部委与地区之间的互联互通,共同打造全国一体化的"单一窗口"环境。

中央层面依托中国电子口岸平台,以"总对总"方式与各口岸管理和国际贸易相关部门系统对接,实现信息数据互换共享,开展国际合作对接。

各地原则上以省(区、市)为单位,依托本地电子口岸建设一个省域"单一窗口",并实现省域"单一窗口"间互联互通,探索建设符合国家区域发展战略要求的区域"单一窗口"。

## 五、建设内容

(一)应用服务功能建设。

中央层面统筹推进"单一窗口"基本功能建设,包括:

1. 口岸执法与基本服务功能。主要包括货物申报、运输工具申报、税费支付、贸易许可和原产地证书申领、企业资质办理、出口退税申报、查询统计等全流程服务功能,方便企业一次申报和业务办理,满足口岸管理相关部门的要求。

2. 跨部门信息共享和联网应用。加强口岸管理相关部门数据的联网共享与综合利用,进一步提高口岸管理相关部门的联合执法和科学决策能力。

3. 与境外信息交换功能。服务国家"一带一路"发展战略,支持跨境联网合作,开展与"一带一路"沿线国家和地区以及世界主要贸易伙伴国之间的信息互换与服务共享,实现与国际上"单一窗口"的互联互通。

地方层面拓展实施"单一窗口"特色服务功能,包括:

1. 口岸政务服务功能。推广应用"单一窗口"标准版,同时结合本地口岸通关业务特色需求,进一步提升和扩展项目的应用功能,建设本地口岸政务服务项目,如物流监管、特殊区域、港澳台贸易等。

2. 口岸物流服务功能。结合本地口岸业务特点与需求,打通港口、机场、铁路、公路等物流信息节点,促进运输、仓储、场站、代理等各类物流企业与外贸企业的信息共享和业务协同,支持水、陆、空、铁及多式联运等多种物流服务方式,积极开展与地方各类物流信息平台的互联合作,推动外贸与物流联动发展。

3. 口岸数据服务功能。以口岸管理相关部门的通关物流状态信息为基础,整合运输工具动态信息、集装箱信息、货物进出港和装卸等作业信息,形成完整的通关物流状态综合信息库,为企业提供全程数据服务,方便企业及时掌握通关申报各环节状态。

4. 口岸特色应用功能。发挥"单一窗口"信息资源、用户资源集聚优势,与金融、保险、电商、通信、信息技术等相关行业对接,为国际贸易供应链各参与方提供特色服务,有效支持地方口岸新型贸易业态发展。

(二)标准体系建设。

1. 数据简化和标准化。遵循国际贸易便利化领域相关国际及国家标准,遵照国际通行做法积极开展国际贸易数据简化和标准化,通过数据的获取、定义、分析、协调等反复过程,分层级、分内容、有步骤地实施数据协调与简化,形成定义明确并经简化处理的"单一窗口"数据元目录,并建立数据协调和简化长效工作机制(附件:推进国际贸易"单一窗口"数据协调与简化建议书）。

2. 统一门户。统一界面、统一标识、统一域名规范。整体命名为"中国国际贸易单一窗口"，各地平台面对企业的登录界面命名为"中国（XX）国际贸易单一窗口"。

3. 统一认证。统一"单一窗口"的用户管理和身份认证，分步实施，最终实现一次注册、全国通用。

4. 统一数据接口标准。中央层面统一接口的管理与发布，参与各方应当向"单一窗口"统一开放接口标准，为"单一窗口"标准版的制定和推广应用提供必要的技术支持和指导。

5. 统一数据管理规范。根据《国务院口岸工作部际联席会议成员单位数据使用与管理办法》，建立数据资源共享目录，建设多边交换的数据共享池，完善数据共享机制，做到数据授权使用和对外许可提供，在确保数据安全的前提下，"以共享为原则，不共享为例外"，全面推进各口岸管理部门间信息共享。

6. 统一信息安全规范。口岸管理相关部门、"单一窗口"承建和运营单位要坚持"安全第一"原则，加强对系统、网络和数据的安全防护和应急管理，制定信息安全管理指南，明确"单一窗口"建设各方的权利和责任，签订安全管理协议，共同做好信息安全管理工作。

7. 统一运维保障体系。充分依托电子口岸现有运维体系，建立健全一体化"单一窗口"运维保障机制，规范服务接入和服务标准，明确各方运维职责，实现各负其责、联合保障。

六、建设阶段

2016年，在前期试点的基础上加强顶层设计，完善工作机制，中央和地方继续协同推进"单一窗口"建设。中央层面统一标准规范，统一基本功能，完善基础设施，初步实现统一门户，组织制定"单一窗口"标准版。到2017年底前，实现"单一窗口"标准版在全国推广应用。

到2020年底前，实现"单一窗口"功能由口岸通关执法环节向前置和后续环节拓展，进一步覆盖国际贸易链条各主要环节，实现与"一带一路"沿线主要国家"单一窗口"互联互通，使"单一窗口"成为中国全面参与塑造国际经济治理新格局的重要贸易基础设施。

七、保障措施

（一）加强组织领导。

国务院口岸工作部际联席会议统一承担全国及各地方电子口岸建设业务指导和综合协调职责。中央层面通过国务院口岸工作部际联席会议统筹推进"单一窗口"建设，由国家口岸管理办公室牵头，公安部、交通运输部、海关总署、质检总局等口岸查验单位组成的"单一窗口"建设工作组（后期根据建设需要逐步扩大到其他相关成员单位）负责"单一窗口"建设的统筹规划，统一业务规范和技术架构，制定"单一窗口"建设规范和标准体系，统一"单一窗口"共性的基本功能，制定"单一窗口"标准版并推广应用。地方层面由各省（区、市）人民政府牵头形成"单一窗口"建设协调推进机制，负责落地实施，推广应用"单一窗口"标准版，遵循有关标准规范，整合地方资源，完善平台设施，积极拓展地方特色服务功能。"单一窗口"的公共接口，省级人民政府作为使用单位，国家口岸管理办公室作为管理单位，中国电子口岸数据中心作为技术承办单位，探索社会化实体运作方式。

（二）保障资金投入。

中央和地方政府要为"单一窗口"建设和运行维护提供必要的资金保障，同时加强量化评估，确保资金使用效益。地方层面可根据需要向物流商务等领域拓展，在不增加企业负担的前提下，探索适合本地需要的可持续发展模式。

（三）推动完善相关法律制度。

推动"单一窗口"建设相关法律法规和制度框架研究，明确"单一窗口"的法律地位和运作规则，完善部门间职责分工及协作制度，逐步建立起一整套符合国际通行规则和管理理念的法律法规和政策措施体系。

（四）加强交流宣传。

积极借鉴国际先进经验，总结推广国内成熟做法，开展国内国际"单一窗口"建设经验交流，宣传"单一窗口"建设成果，为"单一窗口"建设营造良好的氛围。

附件：推进国际贸易"单一窗口"数据协调与简化建议书

附件

## 推进国际贸易"单一窗口"数据协调与简化建议书

当前我国国际贸易"单一窗口"（以下简称"单一窗口"）已在沿海地区口岸全部建成启用，正在向沿边和内陆地区拓展。为进一步满足"单一窗口"建设和发展的需要，亟需对通过"单一窗口"申报的、口岸管理相关部门监管需要的数据进行协调与简化，使企业和政府有关部门之间的信息交换更加流畅、高效。本建议书旨在通过采取方便务实的国际通行做法来推进"单一窗口"数据协调与简化工作，通过制定工作目标、梳理工作范畴、确定工作步骤、建立工作机制，为全国"单一窗口"建设提供统一的开发标准和工作指导。

一、"单一窗口"数据协调与简化的工作目标

以便利企业申报、简化业务手续、加强部门间协同监管为原则，研究建立能满足口岸服务和管理相关部门需求、定义明确的《国际贸易"单一窗口"数据元目录》（以下简称《数据元目录》），在此基础上推动《数据元目录》在"单一窗口"申报等环节的应用，以及口岸管理相关部门在"单一窗口"环境下的流程再造，实现"三互"大通关建设目标。

（一）构建《数据元目录》。

参与"单一窗口"建设的口岸管理相关部门各自提供经确认的数据字典，通过数据协调与简化步骤，逐步形成一套既满足口岸管理相关部门监管要求，又符合我国"单一窗口"发展需要的《数据元目录》。

（二）应用至"单一窗口"。

"单一窗口"应按照《数据元目录》标准进行开发，制定申报规则，实现"单一窗口"数据"一次性递交"、跨部门、跨系统、跨地区共享交换的建设要求，且有利于开展贸易数据互认互通国际合作。

（三）实现业务协同与联动。

参与"单一窗口"建设的口岸管理相关部门，应按照《数据元目录》标准对企业提出申报要求，协调各自的监管行为，进一步优化业务流程，为实现口岸管理相关部门"信息互换、监管互认、执法互助"提供数据基础。

二、"单一窗口"数据协调与简化的范围和内容

各口岸管理相关部门都有将本部门所涉及的国际贸易数据纳入协调与简化范围的权利和义务。目前，"单一窗口"数据协调与简化的范围及内容主要包括：

（一）与货物监管相关内容。

主要包括海关总署和质检总局对货物进出口和进出境的监管申报要求，涉及进出口（进出境）报关单、报检单等的协调与简化。

（二）与运输工具监管相关内容。

主要包括公安部、交通运输部、海关总署、质检总局对运输工具（船舶、航空器等）进出境的监管申报要求，涉及船舶申报、航空器申报、危险品申报，以及舱单申报等的协调与简化。

（三）与监管证件申领相关内容。

主要包括教育部、科技部、工业和信息化部、国土资源部、环境保护部、农业部、商务部、文化部、卫生计生委、人民银行、质检总局、新闻出版广电总局、体育总局、食品药品监管总局、林业局（濒危物种进出口管理办公室）、文物局、国家密码管理局、中央军委装备发展部、中国人类资源遗传办公室、国防科工委消耗臭氧层物质（ODS）办公室、贸促会等部门对所管理进出口监管证件的申领要求，涉及各类进出口监管证件申领数据的协调与简化。

（四）与企业资质备案相关内容。

主要包括交通运输部、商务部、海关总署、税务总局、质检总局、外汇局对企业从事国际贸易业务类别及所需相关资质的管理要求，涉及外贸业务经营主体（经营单位、收发货单位、申报单位、外贸综合服务单位）外贸经营资格、出口退（免）税备案、外汇企业名录资格，以及货物申报资质等相关数据的协调与简化。

（五）与出口退税相关内容。

主要包括海关总署、税务总局对出口货物退（免、抵）税的申报和管理要求，涉及出口退税申报主体、出口退税申报单证等相关数据的协调与简化工作。

（六）与"单一窗口"功能实现相关的其他内容。

涉及跨境电子商务、服务贸易、出入境团体旅客申报、进出境个人物品申报等，以及随着"单一窗口"功能不断完善涉及到的相关贸易数据的协调和简化。

三、"单一窗口"数据协调与简化的方式和步骤

数据协调与简化是获取、定义、分析、统一监管数据需求的反复过程，应当分层级、分内容、有步骤地完成。当有新的部门加入或原有部门数据字典发生调整，数据协调与简化须随着新部门的加入以及新需求的提出反复进行。步骤如下：

（一）数据获取。

数据获取指收集汇总一份经口岸管理相关部门确认的数据目录清单，目录清单应包括数据元名称、数据元定义、表示法（格式或代码）等。

（二）数据定义。

对上述数据目录清单涉及的数据元所表达、代表的内容进行定义，包括结构化、半结构化和非结构化等数据类型。

（三）数据分析。

将数据目录清单中的数据元进行分类、汇总，整理各部门相同或类似数据元名称，对数据元定义及所包含的数据需求进行分析，通过识别冗余数据和比较数据定义，发现名称相同或似的数据元对应定义上存在的差异，以及同一数据元在不同部门采用不同编码规则的情况。

（四）数据协调并取得一致。

通过各部门充分协商、归并处理，对同一数据名称对应的数据定义和（或）编码达成一致，形成供多部门使用的《数据元目录》。《数据元目录》的数量规模应尽可能小，只包含相关部门目前必需采集的信息。

四、共同推进"单一窗口"数据共享共用

"单一窗口"数据协调与简化工作具有持续性和渐进性，《数据元目录》的建立和应用将伴随"单一窗口"建设的全过程，口岸管理相关部门应共同努力，建立"单一窗口"数据协调与简化工作机制，推进"单一窗口"数据共享共用。

（一）建立"单一窗口"数据协调与简化常态工作机制。

在国务院口岸工作部际联席会议机制下设立"单一窗口"数据协调与简化工作委员会（以下简称"工作委"）。工作委由各部门选派业务和技术专家组成，负责数据协调与简化的论证、协调和推广。工作委为非常设机构，工作委秘书处设在国家口岸管理办公室。工作委根

据需要邀请相关政府部门、商会、第三方机构、企业等参与论证。工作委按照专业领域下设工作组,具体承担专业领域"单一窗口"数据标准的研究、起草、修订和推广等工作。

(二)共同推进"单一窗口"数据协调与简化工作。

鼓励更多部门参与《数据元目录》制定工作,共同努力寻求途径简化国际贸易管理和通关环节程序,消除手续、文件和程序中多余成分和重复操作的过程。加强与相关国际组织的对话与合作,积极按照国际公约、标准和惯例对本国的数据、手续、程序、操作及单证进行调整,积极推进开展国际间的数据比对与交换。

(三)大力推动"单一窗口"数据共享共用。

参与"单一窗口"建设的口岸管理相关部门应通过"单一窗口"平台进行信息共享和执法互助,根据职责和业务需要,可以获取其他部门提供的监管执法类数据,并按照《国务院口岸工作部际联席会议成员单位数据共享和使用管理办法》管理使用。同时,支持各口岸管理相关部门通过"单一窗口"向其他参建部门提供及时、全面和系统的数据共享服务。参与"单一窗口"建设的口岸管理相关部门如本部门数据字典发生变更,需相应调整《数据元目录》时,应提交工作委协商一致后进行变更。

# 关于进行《海关专用缴款书》打印改革试点的公告

(海关总署 国家税务总局公告2018年第10号)

(2018年1月16日由海关总署、国家税务总局发布,2018年1月19日起施行,法规类型为规范性文件)

为加快推进国际贸易"单一窗口"、"互联网+政务服务"建设和实施,实现海关通关全部单证无纸化和全流程线上办理,海关总署、国家税务总局决定:自2018年1月19日起,在上海海关和南京海关进行《海关专用缴款书》打印改革试点。现公告如下:

一、选择以海关税费电子支付方式缴纳税款的进出口企业、单位,在税费支付后,可以通过"互联网+海关"一体化网上办事平台(http://online.customs.gov.cn)自行打印版式化《海关专用缴款书》,也可以向海关申请打印纸质《海关专用缴款书》。

二、自行打印的版式化《海关专用缴款书》与海关打印的纸质《海关专用缴款书》同等效力。

三、参与试点的业务现场范围,由上海海关和南京海关确定。

特此公告。

## 关于进行《海关专用缴款书》打印改革试点的公告

（海关总署　财政部　国家税务总局　国家档案局公告2018年第100号）

（2018年7月24日由海关总署、财政部、国家税务总局、国家档案局发布，2018年8月31日起施行，法规类型为规范性文件）

为加快推进国际贸易"单一窗口""互联网+政务服务"建设和实施，实现海关通关全部单证无纸化和全流程线上办理，在前期试点的基础上，海关总署、财政部、国家税务总局、国家档案局决定：自2018年8月31日起，扩大《海关专用缴款书》打印改革试点范围。现公告如下：

一、进出口企业、单位，以海关电子缴税方式缴纳税款后，可以通过"互联网+海关"一体化网上办事平台（http：//online.customs.gov.cn）"我要查"相关功能下载电子《海关专用缴款书》，或向海关现场申请打印纸质《海关专用缴款书》。

二、电子《海关专用缴款书》包括两部分，符合会计信息化相关标准的数据流文件（相关标准由财政部会同海关总署制定），以及版式文件（样例详见附件）。

三、企业、单位满足《会计档案管理办法》（中华人民共和国财政部国家档案局令第79号）第八条、第九条所列条件的，可以电子《海关专用缴款书》为依据进行会计处理并归档保管；不满足第八条、第九条所列条件的，应以电子《海关专用缴款书》数据流文件为依据进行会计处理，并对电子《海关专用缴款书》进行归档，同时自行打印版式文件进行归档。归档时，应建立纸质文档与对应的电子文件的关联关系。

四、参与试点的业务现场范围，由各直属海关确定，并报总署备案。

特此公告。

附件：专用缴款书版式文件样例（略）

## 关于全面推广《海关专用缴款书》打印改革的公告

（海关总署公告2018年第169号）

（2018年11月16日由海关总署发布，2018年11月19日起施行，法规类型为规范性文件）

为优化口岸营商环境，进一步降低企业通关成本，海关总署决定自2018年11月19日起，全面推广《海关专用缴款书》企业自行打印改革。现就有关事宜公告如下：

一、进出口企业、单位，以海关电子缴税方式缴纳税款后，可以通过"互联网+海关"一体化网上办事平台（http：//online.customs.gov.cn）或国际贸易"单一窗口"标准版（https：//www.singlewindow.cn）下载电子《海关专用缴款书》；或向海关现场申请打印纸质《海关专用缴款书》。

二、有关电子《海关专用缴款书》的会计使用和存档要求按照海关总署、财政部、税务总局、档案局 2018 年第 100 号公告要求执行。进出口企业、单位在使用中遇有问题,可通过 12360 海关热线反馈。

特此公告。

## 关于推广新一代海关税费电子支付系统的公告

(海关总署公告 2018 年第 74 号)

(2018 年 6 月 27 日由海关总署发布,2018 年 7 月 1 日起施行,法规类型为规范性文件)

为进一步提升进出口货物收发货人支付海关税款的便捷性,提高税款入库效率,海关总署决定自 2018 年 7 月 1 日起在全国推广新一代海关税费电子支付系统(以下简称"新一代电子支付系统"),现就有关事项公告如下:

一、新一代电子支付系统通过财关库银横向联网实现海关税费信息在海关、国库、商业银行等部门之间电子流转、税款电子入库。

企业可登录"单一窗口"、"互联网+海关"平台使用新一代电子支付系统缴纳海关税费。

该系统目前可支付的税费种类有:进出口关税、反倾销税、反补贴税、进口环节代征税、废弃电器电子产品处理基金、缓税利息、滞纳金等。

二、商业银行、进出口企业自愿使用新一代电子支付系统参与海关税费电子支付业务,并应遵守《新一代海关税费电子支付业务操作规范》(见附件)。

三、同时符合以下条件,并通过海关总署技术联调测试和业务功能测试的商业银行,可以使用新一代电子支付系统:

(一)经中国银行保险监督管理委员批准设立,并取得中国法人资格;

(二)严格执行《中华人民共和国国家金库条例》、《中华人民共和国国家金库条例实施细则》和《商业银行、信用社代理国库业务管理办法》等法规制度的规定,没有出现挪用、滞压海关税款等情事;

(三)同意使用电子签名技术,并承认税费电子签名数据电文的法律效力;

(四)与海关、企业签订电子支付三方合作协议;

(五)符合海关网络连接、数据传输、信息安全等相关技术要求,以及有关系统安全运行维护管理规范;

(六)符合海关总署其他相关规定。

四、符合以下条件的进出口企业,可以使用新一代电子支付系统:

(一)中国电子口岸的入网用户,取得企业法人卡及操作员卡,具备联网办理业务条件;

(二)与海关和商业银行签订电子支付三方合作协议;

(三)符合海关总署其他相关规定。

五、使用新一代电子支付系统的商业银行应保守进出口企业的商业秘密。

六、对违反相关法律法规的商业银行和进出口企业,海关有权终止其开展电子支付业务。

特此公告。

附件：新一代海关税费电子支付业务操作规范

附件

## 新一代海关税费电子支付业务操作规范

**第一条** 为确保新一代海关税费电子支付系统（以下简称"新一代电子支付系统"）的顺利运行，规范海关、中国电子口岸、商业银行和企业的操作，特制定本规范。

**第二条** 符合相关条件且通过海关总署技术联调测试和业务功能测试的商业银行可以使用新一代电子支付系统。

**第三条** 符合相关条件且通过"单一窗口"、"互联网+海关"与海关和商业银行完成电子签约的企业，可以使用新一代电子支付系统。

**第四条** 直属海关关税、财务部门依其职责指导商业银行和进出口企业（以下简称"企业"）开展新一代电子支付业务。

直属海关财务部门负责在海关业务系统中维护当地国库代理行及账户等信息，确保海关业务系统中的电子信息与实际账号信息保持一致。

**第五条** 进出口报关单电子审结后，海关业务系统自动向电子口岸发送税（费）信息，电子口岸将签约企业的税（费）信息发送至"单一窗口"、"互联网+海关"平台。

企业可登录"单一窗口"、"互联网+海关"平台查询税（费）信息，并发送税（费）扣税指令。企业发送扣税指令后，该份税单在"单一窗口"、"互联网+海关"平台中被标记为支付处理中。

**第六条** 海关业务系统收到电子口岸转发的企业税（费）扣税指令后，对该份税单自动置"新一代电子支付"标志和开征标志，并通过国库 TIPS 系统将扣税指令发送至银行。

**第七条** 银行根据 TIPS 系统转发的扣税指令进行扣税操作，并通过 TIPS 系统向海关业务系统发送扣税结果报文。

扣税成功的，海关业务系统根据 TIPS 转发的扣税成功报文自动核注税（费），核注人为"888888"，核注日期为银行实际扣款日期，并将税费核注信息通过电子口岸发送至"单一窗口"、"互联网+海关"平台。

扣税失败的，海关业务系统根据 TIPS 转发的扣税失败报文自动取消该份税单的支付方式标志和开征标志，并通过电子口岸向"单一窗口"、"互联网+海关"平台发送取消支付报文。"单一窗口"、"互联网+海关"平台将该份税（费）单的支付状态调整为支付失败状态，企业可重新支付。

**第八条** 采用新一代电子支付方式进行支付的税单，海关业务系统不允许进行人工核注、反核注操作。

**第九条** 扣税成功且符合放行条件的，现场海关即可办理放行手续。

**第十条** 根据海关总署 2018 年第 10 号公告等文件开展《海关专用缴款书》打印改革试点的海关，按有关规定办理。

**第十一条** 一份报关单对应的税单通过新一代电子支付方式缴纳税（费）的，只有该份报关单的所有税单核注后，海关业务系统才允许对该报关单进行重审。重审后，税费数据发生变化的，系统将生成退补税税单数据。

**第十二条** 新一代电子支付税（费）单未核注的，业务系统不允许撤销报关单。

**第十三条** 一份报关单生成多份税单的，企业可全部选择新一代电子支付方式，也可选择新一代电子支付与柜台支付的组合支付方式。

**第十四条** 直属海关应设立相应的岗位，对新一代电子支付业务的参与情况进行监控，及时发现和处置异常情况。

第十五条 银行应及时处理新一代电子支付系统的各项电子指令。

第十六条 遇异常情况，企业可通过网络或热线电话向海关、银行、中国电子口岸和"单一窗口"、"互联网+海关"平台提出协查要求，接到协查要求的部门应在保证企业正常通关的原则下及时解决。

第十七条 本规范由海关总署负责解释。

## 关于启用中华人民共和国海关单证专用章电子印章的公告

（海关总署公告2018年第132号）

（2018年10月17日由海关总署发布，2018年10月22日起施行，法规类型为规范性文件）

为推进国际贸易"单一窗口"和"互联网+海关"建设与实施，实现海关通关全部单证无纸化和全流程线上办理，便利进出口纳税企业，海关总署决定启用"中华人民共和国海关单证专用章"电子印章（印模见附件，以下简称"单证专用章"）。现将有关事项通知如下：

一、企业按照海关总署、财政部、税务总局、国家档案局2018年第100号公告要求，自行打印的《海关专用缴款书》（以下简称税单）加盖"单证专用章"，税单名称中的单位和税单内的"填制单位"栏均注明制发海关名称。

二、自2018年10月22日起，参与税单打印改革试点的海关启用"单证专用章"。

特此公告。

附件：中华人民共和国海关单证专用章（印模）（略）

## 关于启动实施中哈海关"关铁通"项目试运行有关事项的公告

（海关总署公告2018年第166号）

（2018年11月13日由海关总署发布，2018年11月15日起施行，法规类型为规范性文件）

为贯彻落实"一带一路"倡议，提高中欧班列货物运输的通关效率和便利化水平，促进中华人民共和国与哈萨克斯坦共和国贸易往来，中哈两国海关正式签署了《中哈海关"关铁通"项目试运行议定书》，决定自2018年11月15日至12月31日启动中哈海关"关铁通"项目试运行。现就试运行期间有关事项公告如下：

一、"关铁通"项目全称为"海关—铁路运营商推动中欧班列安全和快速通关伙伴合作计划"，旨在通过应用数据交换平台和符合共同制定标准的安全智能锁开展数据共享，加快中欧班列沿线国家海关的信息互换和监管互认步伐，增强中欧班列沿线国家间的互惠互利和边境监管合作；同时，建立区域性海关与铁路运营人、货运代理人、收发货人的商界合作伙伴关系，提高中欧班列的全程通关效率和便利化水平。

二、中哈"关铁通"项目试运行路线为：重庆—多斯特克—阿拉木图、乌鲁木齐—多斯特克—阿拉木图的中欧班列路线，以及相应中欧班列回程路线。

试运行路线的中欧班列承运人或其授权的代理企业可自愿选择参加中哈"关铁通"项目试运行，参加试运行的中欧班列及其所载货物可享受中哈双方海关相关通关便利。

三、参加中哈"关铁通"项目试运行的中欧班列出境时，承运人或其授权的代理企业应当在海关审核出境铁路列车申报单前，通过"互联网+海关"或"单一窗口"提交《中哈海关"关铁通"数据交换申请》（具体内容及填写规范见附件）。

本公告自 2018 年 11 月 15 日起实施。

特此公告。

附件：中哈"关铁通"项目数据交换填写内容及规范（略）

# 关于原产地证书打印改革试点的公告

（海关总署公告 2019 年第 49 号）

(2019 年 3 月 22 日由海关总署发布，2019 年 3 月 22 日起施行，法规类型为规范性文件)

为优化口岸营商环境，进一步降低企业通关成本，海关总署决定自 2019 年 3 月 25 日起，在北京、天津、上海、江苏、广东、重庆等省（市）开展原产地证书自助打印改革试点。现就有关事宜公告如下：

原产地证书申请人或代理人（以下简称"申请人"）可通过国际贸易"单一窗口"（https://www.singlewindow.cn）或"互联网+海关"一体化网上办事平台（http://online.customs.gov.cn），自行打印海关审核通过的版式化原产地证书，打印证书种类详见附件。申请人在打印前需在国际贸易"单一窗口"或"互联网+海关"一体化网上办事平台上传原产地证书企业声明栏所需的电子签章和申办员电子签名。操作手册可在国际贸易"单一窗口"自行下载。

特此公告。

附件：自助打印原产地证书的种类（略）

## 关于全面推广原产地证书自助打印的公告

(海关总署公告2019年第77号)

(2019年4月30日由海关总署发布,2019年5月30日起施行,法规类型为规范性文件)

为进一步优化口岸营商环境,促进跨境贸易便利化,海关总署决定自2019年5月20日起,全面推广原产地证书自助打印。现就有关事宜公告如下:

一、原产地证书申请人或代理人可通过国际贸易"单一窗口"(https://www.singlewindow.cn)或"互联网+海关"一体化网上办事平台(http://online.customs.gov.cn),自行打印海关审核通过的版式化原产地证书,打印证书种类详见附件。

二、原产地证书申请人或代理人在打印前需通过国际贸易"单一窗口"或"互联网+海关"一体化网上办事平台,上传原产地证书企业声明栏所需的电子签章和申办员电子签名。操作手册可在国际贸易"单一窗口"自行下载。

特此公告。

附件:自助打印原产地证书的种类(略)

## 关于新增查询报关单数据传输状态信息有关事宜的公告

(海关总署公告2019年第62号)

(2019年4月4日由海关总署发布,2019年4月10日起施行,法规类型为规范性文件)

为配合减税降费措施实施,进一步释放政策红利,自2019年4月10日起,进出口企业、单位可以通过"互联网+海关"一体化网上办事平台(http://online.customs.gov.cn)"我要查"或中国国际贸易单一窗口(https://www.singlewindow.cn)"查询统计"子系统中相关功能,查询海关总署向国家税务总局传输海关出口报关单数据和进口增值税专用缴款书状态信息,方便进出口企业、单位及时办理出口退税和进口增值税抵扣手续。

特此公告。

## 关于统一通过国际贸易"单一窗口"办理主要申报业务的公告

(海关总署 交通运输部 国家移民管理局公告2019年第197号)

(2019年12月12日由海关总署、交通运输部、国家移民管理局发布,2019年12月16日起施行,法规类型为规范性文件)

为进一步提升跨境贸易便利化水平,改善口岸营商环境,海关总署、交通运输部、国家移民管理局决定自2019年12月16日起,进出口货物申报、舱单申报和运输工具申报业务统一通过国际贸易"单一窗口"办理,其他申报通道仅作为应急保障使用。

各有关单位要严格按照本公告精神做好相关落实工作。

系统使用过程中如遇问题,请拨打国际贸易"单一窗口"全国统一服务热线95198。

特此公告。

## 关于"单一窗口"标准版报关单信息、舱单运抵报告状态订阅推送功能推广应用的通知

(国岸函〔2020〕20号)

(2020年3月26日由国家口岸管理办公室发布,2020年3月26日起施行,法规类型为规范性文件)

各省、自治区、直辖市人民政府口岸办公室:

为贯彻落实国务院有关促进跨境贸易便利化部署要求,进一步深化国际贸易"单一窗口"建设,持续提高服务企业水平,"单一窗口"标准版开发完成报关单信息、舱单运抵报告状态订阅推送功能,现决定上线推广应用。有关事项通知如下:

一、业务功能说明

(一)报关单信息订阅推送功能。

"单一窗口"标准版向收发货人企业提供报关单信息订阅推送服务,收发货人企业可订阅报关单申报数据和回执数据,通过自动导入客户端向企业推送已订阅数据。

(二)舱单运抵报告状态订阅推送功能。

"单一窗口"标准版向企业提供舱单运抵报告状态订阅推送服务,企业可订阅水空舱单运抵报告状态数据,通过自动导入客户端向企业推送已订阅数据。

二、工作安排

2020年4月1日,"单一窗口"标准版报关单、舱单运抵报告状态订阅推送功能上线运行,在全国推广应用。

三、相关要求

(一)请各地高度重视,加强新功能推广应用工作,主动联系企业,加强培训宣传和指

导,及时收集、反馈企业有关意见建议,报送推广运行情况。

(二)请中国电子口岸数据中心同步在国际贸易"单一窗口"门户网站上发布上线公告、操作指南等,及时评估解决企业使用中的问题,做好运维服务保障工作。

特此通知。

## 关于开通报关单回执数据订阅服务及接口的公告

(海关总署公告2020年第54号)

(2020年4月9日由海关总署发布,2020年4月9日起施行,法规类型为规范性文件)

为加快货物通关,促进贸易便利,方便进出口收发货人及时掌握货物通关状态,现将报关单回执数据订阅服务开通及接口规范事宜公告如下:

一、收发货人可通过"互联网+海关"一体化网上办事服务平台、"掌上海关"APP、"掌上海关"微信小程序订阅本企业申报报关单回执数据。订阅方式详见《报关单回执数据订阅说明》(见附件1)。

二、为适应企业信息化管理需要,收发货企业可按照《报关单回执报文格式》(见附件2)解析、处理回执数据。

三、报关单回执数据订阅使用说明、回执报文格式如有变更,将通过"互联网+海关"一体化网上办事服务平台"文档资料"栏目及时发布。

以上事宜可咨询海关服务热线:12360。

本公告内容自发布之日起执行。

特此公告。

附件:1. 报关单回执数据订阅说明(略)
      2. 报关单回执报文格式(略)

# 自贸区[①]

## 营商环境

### 关于做好自由贸易试验区新一批改革试点经验复制推广工作的通知

(国发〔2016〕63号)

(2016年11月2日由国务院发布,2016年11月2日起施行,法规类型为规范性文件)

各省、自治区、直辖市人民政府,国务院各部委、各直属机构:

设立自由贸易试验区(以下简称自贸试验区)是党中央、国务院在新形势下作出的重大决策。2015年4月,中国(广东)自由贸易试验区、中国(天津)自由贸易试验区、中国(福建)自由贸易试验区以及中国(上海)自由贸易试验区扩展区域运行。1年多来,4省市和有关部门按照党中央、国务院部署,以制度创新为核心,简政放权、放管结合、优化服务,推动自贸试验区在投资、贸易、金融、事中事后监管等多个方面进行了大胆探索,形成了新一批改革创新成果。经党中央、国务院批准,自贸试验区可复制、可推广的新一批改革试点经验将在全国范围内复制推广。现就有关事项通知如下:

一、复制推广的主要内容

(一)在全国范围内复制推广的改革事项。

1. 投资管理领域:"负面清单以外领域外商投资企业设立及变更审批改革"、"税控发票领用网上申请"、"企业简易注销"等3项。

2. 贸易便利化领域:"依托电子口岸公共平台建设国际贸易单一窗口,推进单一窗口免费申报机制"、"国际海关经认证的经营者(AEO)互认制度"、"出境加工监管"、"企业协调员制度"、"原产地签证管理改革创新"、"国际航行船舶检疫监管新模式"、"免除低风险动植物检疫证书清单制度"等7项。

3. 事中事后监管措施:"引入中介机构开展保税核查、核销和企业稽查"、"海关企业进出口信用信息公示制度"等2项。

(二)在海关特殊监管区域复制推广的改革事项。

包括:"入境维修产品监管新模式"、"一次备案,多次使用"、"委内加工监管"、"仓储货物按状态分类监管"、"大宗商品现货保税交易"、"保税展示交易货物分线监管、预检验和登记核销管理模式"、"海关特殊监管区域间保税货物流转监管模式"等7项。

---

① 指自由贸易试验区。

二、高度重视推广工作

各地区、各部门要深刻认识复制推广自贸试验区改革试点经验的重大意义，将复制推广工作作为贯彻落实创新、协调、绿色、开放、共享的发展理念，推进供给侧结构性改革的重要举措，积极转变政府管理理念，提高政府管理水平，着力推动制度创新，深入推进简政放权、放管结合、优化服务改革，逐步构建与我国开放型经济发展要求相适应的新体制、新模式，持续释放改革红利，增强发展新动能、拓展发展新空间。

三、切实做好组织实施

各省（区、市）人民政府要将自贸试验区改革试点经验复制推广工作列为本地区重点工作，完善领导机制和复制推广工作机制，积极创造条件、扎实推进，确保改革试点经验落地生根，产生实效。国务院各有关部门要按照规定时限完成复制推广工作，需报国务院批准的事项要按程序报批，需调整有关行政法规、国务院文件和部门规章规定的，要按法定程序办理。国务院自由贸易试验区工作部际联席会议办公室要适时督促检查改革试点经验复制推广工作进展情况及其效果。复制推广工作中遇到的重大问题，要及时向国务院报告。

附件：自由贸易试验区改革试点经验复制推广工作任务分工表（略）

# 关于做好自由贸易试验区第四批改革试点经验复制推广工作的通知

（国发〔2018〕12号）

(2018年5月3日由国务院发布，2018年5月3日起施行，法规类型为规范性文件)

各省、自治区、直辖市人民政府，国务院各部委、各直属机构：

建设自由贸易试验区（以下简称自贸试验区）是党中央、国务院在新形势下全面深化改革和扩大开放的战略举措。按照党中央、国务院部署，11个自贸试验区所在省市和有关部门结合各自贸试验区功能定位和特色特点，全力推进制度创新实践，形成了自贸试验区第四批改革试点经验，将在全国范围内复制推广。现将有关事项通知如下：

一、复制推广的主要内容

（一）在全国范围内复制推广的改革事项。

1. 服务业开放领域："扩大内地与港澳合伙型联营律师事务所设立范围"、"国际船舶运输领域扩大开放"、"国际船舶管理领域扩大开放"、"国际船舶代理领域扩大开放"、"国际海运货物装卸、国际海运集装箱场站和堆场业务扩大开放"等5项。

2. 投资管理领域："船舶证书'三合一'并联办理"、"国际船舶登记制度创新"、"对外贸易经营者备案和原产地企业备案'两证合一'"、"低风险生物医药特殊物品行政许可审批改革"、"一般纳税人登记网上办理"、"工业产品生产许可证'一企一证'改革"等6项。

3. 贸易便利化领域："跨部门一次性联合检查"、"保税燃料油供应服务船舶准入管理新模式"、"先放行、后改单作业模式"、"铁路运输方式舱单归并新模式"、"海运进境集装箱空箱检验检疫便利化措施"、"入境大宗工业品联动检验检疫新模式"、"国际航行船舶供水'开放式申报+验证式监管'"、"进境保税金属矿产品检验监管制度"、"外锚地保税燃料油受油船舶'申报无疫放行'制度"等9项。

4. 事中事后监管措施："企业送达信息共享机制"、"边检服务掌上直通车"、"简化外锚地保税燃料油加注船舶入出境手续"、"国内航行内河船舶进出港管理新模式"、"外锚地保税燃料油受油船舶便利化海事监管模式"、"保税燃料油供油企业信用监管新模式"、"海关企业注册及电子口岸入网全程无纸化"等7项。

（二）在特定区域复制推广的改革事项。

1. 在海关特殊监管区域复制推广："海关特殊监管区域'四自一简'监管创新"、"'保税混矿'监管创新"等2项。

2. 在海关特殊监管区域及保税物流中心（B型）复制推广："先出区、后报关"。

二、高度重视复制推广工作

各地区、各部门要以习近平新时代中国特色社会主义思想为指导，全面贯彻党的十九大精神，深刻认识复制推广自贸试验区改革试点经验的重大意义，将复制推广工作作为贯彻新发展理念、推动高质量发展、建设现代化经济体系的重要举措，更大力度转变政府职能，全面提升治理能力现代化水平，着力推动制度创新，进一步优化营商环境，激发市场活力，逐步构建与我国开放型经济发展要求相适应的新体制、新模式，推动形成全面开放新格局，不断增强经济创新力和竞争力。

三、切实做好组织实施

各省（自治区、直辖市）人民政府要将自贸试验区改革试点经验复制推广工作列为本地区重点工作，加强组织领导，加大实施力度，强化督促检查，确保复制推广工作顺利推进，改革试点经验落地生根、取得实效。国务院各有关部门要主动作为，做好细化分解，完成复制推广工作。需报国务院批准的事项要按程序报批，需调整有关行政法规、国务院文件和部门规章规定的，要按法定程序办理。国务院自由贸易试验区工作部际联席会议办公室要适时督查复制推广工作进展和成效，协调解决复制推广工作中的重点和难点问题。复制推广工作中遇到的重大问题，要及时报告国务院。

附件：自由贸易试验区第四批改革试点经验复制推广工作任务分工表（略）

# 关于积极有效利用外资推动经济高质量发展若干措施的通知

（国发〔2018〕19号）

（2018年6月10日由国务院发布，2018年6月10日起施行，法规类型为规范性文件）

各省、自治区、直辖市人民政府，国务院各部委、各直属机构：

利用外资是我国对外开放基本国策和构建开放型经济新体制的重要内容。当前我国经济已由高速增长阶段转向高质量发展阶段，利用外资面临新形势新挑战。为贯彻落实党中央、国务院关于推动形成全面开放新格局的决策部署，实行高水平投资自由化便利化政策，对标国际先进水平，营造更加公平透明便利、更有吸引力的投资环境，保持我国全球外商投资主要目的地地位，进一步促进外商投资稳定增长，实现以高水平开放推动经济高质量发展，现将有关事项通知如下：

一、大幅度放宽市场准入，提升投资自由化水平

（一）全面落实准入前国民待遇加负面清单管理制度。2018年7月1日前修订出台全国和自由贸易试验区外商投资准入特别管理措施（负面清单），与国际通行规则对接，全面提升开

放水平,以开放促改革、促发展、促创新。负面清单之外的领域,各地区各部门不得专门针对外商投资准入进行限制。(发展改革委、商务部牵头,各有关部门、各省级人民政府按职责分工负责)

(二)稳步扩大金融业开放。放宽外资金融机构设立限制,扩大外资金融机构在华业务范围,拓宽中外金融市场合作领域。修订完善合格境外机构投资者(QFII)和人民币合格境外机构投资者(RQFII)有关规定,建立健全公开透明、操作便利、风险可控的合格境外投资者制度,吸引更多境外长期资金投资境内资本市场。大力推进原油期货市场建设,积极推进铁矿石等期货品种引入境外交易者参与交易。深化境外上市监管改革,支持符合条件的境内企业到境外上市,稳妥有序推进在境外上市公司的未上市股份在境外市场上市流通。支持外资金融机构更多地参与地方政府债券承销。(财政部、商务部、人民银行、银保监会、证监会按职责分工负责)

(三)持续推进服务业开放。取消或放宽交通运输、商贸物流、专业服务等领域外资准入限制。加大自由贸易试验区范围内电信、文化、旅游等领域对外开放压力测试力度。(中央宣传部、中央网信办、发展改革委、工业和信息化部、交通运输部、农业农村部、商务部、文化和旅游部、粮食和储备局等有关部门按职责分工负责)

(四)深化农业、采矿业、制造业开放。取消或放宽种业等农业领域,煤炭、非金属矿等采矿业领域,汽车、船舶、飞机等制造业领域外资准入限制。(发展改革委、工业和信息化部、自然资源部、农业农村部、商务部等有关部门按职责分工负责)

二、深化"放管服"改革,提升投资便利化水平

(五)持续推进外资领域"放管服"改革。外商投资准入负面清单内投资总额10亿美元以下的外商投资企业设立及变更,由省级人民政府负责审批和管理。支持地方政府开展相对集中行政许可权改革试点。在全国推行负面清单以外领域外商投资企业商务备案与工商登记"一口办理"。(商务部、市场监管总局等有关部门、各省级人民政府按职责分工负责)

(六)提高外商投资企业资金运用便利度。进一步简化资金池管理,允许银行审核真实、合法的电子单证,为企业办理集中收付汇、轧差结算业务。放宽企业开展跨国公司外汇资金集中运营管理试点备案条件。支持跨国企业集团办理跨境双向人民币资金池业务。(人民银行、外汇局按职责分工负责)

(七)提升外国人才来华工作便利度。研究出台支持政策,依法保障在华工作外国人才享有基本公共服务。为符合国家支持导向的中国境内注册企业急需的外国人才提供更加便利的外国人来华工作许可管理服务。积极推进外国高端人才服务"一卡通"试点,进一步简化工作许可办理程序。(外交部、司法部、人力资源社会保障部、外专局等有关部门按职责分工负责)

(八)提升外国人才出入境便利度。中国境内注册企业选聘的外国人才,符合外国人才签证实施办法规定条件的,可凭外国高端人才确认函向驻外使馆、领馆或者外交部委托的其他驻外机构申请5—10年有效、多次入境、每次停留期限不超过180天的人才签证,免除签证费和急件费,可在2个工作日内获发签证。(外交部、外专局等有关部门按职责分工负责)

三、加强投资促进,提升引资质量和水平

(九)优化外商投资导向。积极吸引外商投资以及先进技术、管理经验,支持外商全面参与海南自由贸易港建设,强化自由贸易试验区在扩大开放吸引外资方面的先行先试作用。(商务部牵头,国务院自由贸易试验区工作部际联席会议成员单位按职责分工负责)引导外资更多投向现代农业、生态建设、先进制造业、现代服务业,投向中西部地区。进一步落实企业境外所得税免、境外投资者以境内利润直接投资以及技术先进型服务企业的税收政策。(发展改革委、财政部、商务部、税务总局按职责分工负责)

（十）支持外商投资创新发展。积极落实外商投资研发中心支持政策，研究调整优化认定标准，鼓励外商投资企业加大在华研发力度。进一步落实高新技术企业政策，鼓励外资投向高新技术领域。（科技部、财政部、商务部、海关总署、税务总局按职责分工负责）

（十一）鼓励外资并购投资。鼓励地方政府根据市场化原则建立并购信息库，引导国内企业主动参与国际合作。允许符合条件的外国自然人投资者依法投资境内上市公司。比照上市公司相关规定，允许外商投资全国中小企业股份转让系统挂牌公司。完善上市公司国有股权监督管理制度，进一步提高国有控股上市公司及其国有股权流转的公开透明程度，为符合条件的国内外投资者参与国有企业改革提供公平机会。（发展改革委、商务部、国资委、证监会等有关部门、各省级人民政府按职责分工负责）

（十二）降低外商投资企业经营成本。允许各地支持制造业企业依法按程序进行厂房加层、厂区改造、内部用地整理及扩建生产、仓储场所，提升集约化用地水平，不再增收地价款。支持外商投资企业科学用工，通过订立以完成一定工作任务为期限的劳动合同、短期固定期限劳动合同满足灵活用工需求。完善外商投资企业申请实行综合计算工时工作制和不定时工作制的审批流程，缩短审批时限。加快推进多双边社会保障协定商签工作，切实履行已签署社会保障协定的条约义务，依据协定内容维护在华外国劳动者的社会保障权益，免除企业和员工对协定约定社会保险险种的双重缴费义务。（人力资源社会保障部、自然资源部、住房城乡建设部按职责分工负责）

（十三）加大投资促进工作力度。鼓励各地提供投资促进资金支持，强化绩效考核，完善激励机制。支持各地在法定权限范围内制定专项政策，对在经济社会发展中作出突出贡献的外商投资企业及高层次人才给予奖励。充分运用因公临时出国管理有关政策，为重大项目洽谈、重大投资促进活动等因公出访团组提供便利。各地在招商引资过程中，应遵守国家产业政策、土地利用政策、城乡规划和环境保护等要求，注重综合改善营商环境，给予内外资企业公平待遇，避免恶性竞争。（中央外办、外交部、发展改革委、财政部、自然资源部、生态环境部、商务部、外专局、各省级人民政府按职责分工负责）

## 四、提升投资保护水平，打造高标准投资环境

（十四）加大知识产权保护力度。推进专利法等相关法律法规修订工作，大幅提高知识产权侵权法定赔偿上限。严厉打击侵权假冒行为，加大对外商投资企业反映较多的侵犯商业秘密、商标恶意抢注和商业标识混淆不正当竞争、专利侵权假冒、网络盗版侵权等知识产权侵权违法行为的惩治力度。严格履行我国加入世界贸易组织承诺，外商投资过程中技术合作的条件由投资各方议定，各级人民政府工作人员不得利用行政手段强制技术转让。加强维权援助和纠纷仲裁调解，推进纠纷仲裁调解试点工作，推动完善知识产权保护体系。（中央宣传部、最高人民法院、全国打击侵权假冒工作领导小组办公室、司法部、市场监管总局、知识产权局按职责分工负责）

（十五）保护外商投资合法权益。完善外商投资企业投诉工作部际联席会议制度，协调解决涉及中央事权的制度性、政策性问题。建立健全各地外商投资企业投诉工作机制，各部门要加强对地方对口单位的指导和监督，及时解决外商投资企业反映的不公平待遇问题。各地不得限制外商投资企业依法跨区域经营、搬迁、注销等行为。（商务部牵头，有关部门、各省级人民政府按职责分工负责）

## 五、优化区域开放布局，引导外资投向中西部等地区

（十六）拓宽外商投资企业融资渠道。允许西部地区和东北老工业基地的外商投资企业在境外发行人民币或外币债券，并可全额汇回所募集资金，用于所在省份投资经营。在全口径跨境融资宏观审慎管理框架内，支持上述区域金融机构或经批准设立的地方资产管理公司按照制度完善、风险可控的要求，向境外投资者转让人民币不良债权；在充分评估的基础上，允许上

述区域的银行机构将其持有的人民币贸易融资资产转让给境外银行。(发展改革委、财政部、人民银行、银保监会、外汇局按职责分工负责)

(十七)降低外商投资企业物流成本。在中西部地区和东北老工业基地建设陆空联合开放口岸和多式联运枢纽,加快发展江海、铁空、铁水等联运。支持增加中西部和东北老工业基地国际国内航线和班次。加强中欧班列场站、通道等基础设施建设,优化中欧班列发展环境,促进中欧班列降本增效。完善市场调节机制,调整运输结构,提高运输效率,加强公路、铁路、航空、水运等领域收费行为监管,进一步降低西部地区物流成本。(发展改革委、交通运输部、海关总署、市场监管总局、铁路局、民航局、中国铁路总公司按职责分工负责)

(十八)加快沿边引资重点地区建设。鼓励地方统筹中央有关补助资金和自有财力,支持边境经济合作区、跨境经济合作区、边境旅游试验区建设。鼓励政策性、开发性金融机构在业务范围内加大对边境经济合作区、跨境经济合作区企业的信贷支持力度。积极支持注册地和主要生产地均在边境经济合作区、跨境经济合作区,符合条件的内外资企业,申请首次公开发行股票并上市。(财政部、商务部、文化和旅游部、人民银行、银保监会、证监会、各省级人民政府按职责分工负责)

(十九)打造西部地区投资合作新载体。在有条件的地区高标准规划建设若干个具有示范引领作用的国际合作园区,试点探索中外企业、机构、政府部门联合整体开发,支持园区在国际资本、人才、机构、服务等领域开展便利进出方面的先行先试。(中央财办、外交部、发展改革委、科技部、人力资源社会保障部、商务部、人民银行、海关总署、市场监管总局、外专局等有关部门、各省级人民政府按职责分工负责)

**六、推动国家级开发区创新提升,强化利用外资重要平台作用**

(二十)促进开发区优化外资综合服务。省级人民政府依法赋予国家级开发区地市级经济管理权限,制定发布相应的赋权清单,在有条件的国家级开发区试点赋予适宜的省级经济管理审批权限,支持国家级开发区稳妥高效用好相关权限,提升综合服务能力。支持国家级开发区复制推广上海市浦东新区"证照分离"改革经验,创新探索事中事后监管制度措施。借鉴国际先进经验,鼓励外商投资企业参与区中园、一区多园等建设运营。(自然资源部、住房城乡建设部、商务部、市场监管总局等有关部门、各省级人民政府按职责分工负责)

(二十一)发挥开发区示范带动提高利用外资水平的作用。省级人民政府依法制定支持国家级开发区城市更新、工业区改造的政策,优化土地存量供给,引进高技术、高附加值外商投资企业和项目。各地在安排土地利用计划时,对国家级开发区主导产业引进外资、促进转型升级等用地予以倾斜支持。在国家级开发区招商引资部门、团队等实行更加灵活的人事制度,提高专业化、市场化服务能力。进一步提升国家级开发区建设的国际化水平。(人力资源社会保障部、自然资源部、住房城乡建设部、商务部、各省级人民政府按职责分工负责)

(二十二)加大开发区引资金融支持力度。引导各类绿色环保基金,按照市场化原则运作,支持外资参与国家级开发区环境治理和节能减排,为国家级开发区引进先进节能环保技术、企业提供金融支持。地方政府可通过完善公共服务定价、实施特许经营模式等方式,支持绿色环保基金投资国家级开发区相关项目。鼓励设立政府性融资担保机构,提供融资担保、再担保等服务,支持国家级开发区引进境外创新型企业、创业投资机构等,推进创新驱动发展。(发展改革委、科技部、工业和信息化部、财政部、生态环境部、商务部等有关部门按职责分工负责)

(二十三)健全开发区双向协作引资机制。在东部地区国家级开发区建设若干产业转移协作平台,推进产业项目转移对接合作。支持地方制定成本分担和利益分享、人才交流合作、产业转移协作等方面的措施,推动东部地区国家级开发区通过多种形式在西部地区、东北老工业基地建设产业转移园区。支持东部与中西部地区国家级开发区合作引入国际双元制职业教育机构,增加外商投资企业人力资源有效供给。(发展改革委、教育部、工业和信息化部、人力资源社会保障部、自然资源部、住房城乡建设部、商务部等有关部门、各省级人民政府按职责分工负责)

各地区、各部门要充分认识新时代推动扩大开放、积极有效利用外资对于建设现代化经济体系、促进经济升级的重要意义,高度重视,主动作为,狠抓落实,注重实效,确保各项措施与已出台政策有效衔接,形成合力。涉及修订或废止行政法规、国务院文件、经国务院批准的部门规章的,由原牵头起草部门或商务部会同有关部门报请国务院修订或废止。商务部、发展改革委要会同有关部门加强督促检查,重大问题及时向国务院请示报告。

# 关于支持自由贸易试验区深化改革创新若干措施的通知

(国发〔2018〕38号)

(2018年11月7日由国务院发布,2018年11月7日起施行,法规类型为规范性文件)

各省、自治区、直辖市人民政府,国务院各部委、各直属机构:

建设自由贸易试验区(以下简称自贸试验区)是党中央、国务院在新形势下全面深化改革和扩大开放的战略举措。党的十九大报告强调要赋予自贸试验区更大改革自主权,为新时代自贸试验区建设指明了新方向、提出了新要求。为贯彻落实党中央、国务院决策部署,支持自贸试验区深化改革创新,进一步提高建设质量,现将有关事项通知如下:

一、营造优良投资环境

(一)借鉴北京市服务业扩大开放综合试点经验,放宽外商投资建设工程设计企业外籍技术人员的比例要求、放宽人才中介机构限制。(负责部门:人力资源社会保障部、住房城乡建设部、商务部;适用范围:所有自贸试验区,以下除标注适用于特定自贸试验区的措施外,适用范围均为所有自贸试验区)

(二)编制下达全国土地利用计划时,考虑自贸试验区的实际情况,合理安排有关省(市)的用地计划;有关地方应优先支持自贸试验区建设,促进其健康有序发展。(负责部门:自然资源部)

(三)将建筑工程施工许可、建筑施工企业安全生产许可等工程审批类权限下放至自贸试验区。(负责部门:住房城乡建设部)

(四)授权自贸试验区开展试点工作,将省级及以下机关实施的建筑企业资质申请、升级、增项许可改为实行告知承诺制。(负责部门:住房城乡建设部)

(五)将外商投资设立建筑业(包括设计、施工、监理、检测、造价咨询等所有工程建设相关主体)资质许可的省级及以下审批权限下放至自贸试验区。(负责部门:住房城乡建设部)

(六)自贸试验区内的外商独资建筑业企业承揽本省(市)的中外联合建设项目时,不受建设项目的中外方投资比例限制。(负责部门:住房城乡建设部)

(七)在《内地与香港关于建立更紧密经贸关系的安排》、《内地与澳门关于建立更紧密经贸关系的安排》、《海峡两岸经济合作框架协议》下,对自贸试验区内的港澳台资建筑业企业,不再执行《外商投资建筑业企业管理规定》中关于工程承包范围的限制性规定。(负责部门:住房城乡建设部)

（八）对于自贸试验区内为本省（市）服务的外商投资工程设计（工程勘察除外）企业，取消首次申请资质时对投资者的工程设计业绩要求。（负责部门：住房城乡建设部）

（九）卫生健康行政部门对自贸试验区内的社会办医疗机构配置乙类大型医用设备实行告知承诺制。（负责部门：卫生健康委）

（十）自贸试验区内医疗机构可根据自身的技术能力，按照有关规定开展干细胞临床前沿医疗技术研究项目。（负责部门：卫生健康委）

（十一）允许自贸试验区创新推出与国际接轨的税收服务举措。（负责部门：税务总局）

（十二）省级市场监管部门可以将外国（地区）企业常驻代表机构登记注册初审权限下放至自贸试验区有外资登记管理权限的市场监管部门。（负责部门：市场监管总局）

（十三）支持在自贸试验区设置商标受理窗口。（负责部门：知识产权局）

（十四）在自贸试验区设立受理点，受理商标权质押登记。（负责部门：知识产权局）

（十五）进一步放宽对专利代理机构股东的条件限制，新设立有限责任制专利代理机构的，允许不超过五分之一不具有专利代理人资格、年满18周岁、能够在专利代理机构专职工作的中国公民担任股东。（负责部门：知识产权局）

（十六）加强顶层设计，在自贸试验区探索创新政府储备与企业储备相结合的石油储备模式。（负责部门：发展改革委、粮食和储备局，适用范围：浙江自贸试验区）

## 二、提升贸易便利化水平

（十七）研究支持对海关特殊监管区域外的"两头在外"航空维修业态实行保税监管。（负责部门：商务部、海关总署、财政部、税务总局）

（十八）支持有条件的自贸试验区研究和探索赋予国际铁路运单物权凭证功能，将铁路运单作为信用证议付票据，提高国际铁路货运联运水平。（负责部门：商务部、银保监会、铁路局、中国铁路总公司）

（十九）支持符合条件的自贸试验区开展汽车平行进口试点。（负责部门：商务部）

（二十）授予自贸试验区自由进出口技术合同登记管理权限。（负责部门：商务部）

（二十一）支持在自贸试验区依法合规建设能源、工业原材料、大宗农产品等国际贸易平台和现货交易市场。（负责部门：商务部）

（二十二）开展艺术品保税仓储，在自贸试验区内海关特殊监管区域之间以及海关特殊监管区域与境外之间进出货物的备案环节，省级文化部门不再核发批准文件。支持开展艺术品进出口经营活动，凭省级文化部门核发的准予进出口批准文件办理海关验放手续；省级文化部门核发的批准文件在有效期内可一证多批使用，但最多不超过六批。（负责部门：文化和旅游部、海关总署）

（二十三）支持自贸试验区开展海关税款保证保险试点。（负责部门：海关总署、银保监会）

（二十四）国际贸易"单一窗口"标准版增加航空、铁路舱单申报功能。（负责部门：海关总署、民航局、中国铁路总公司）

（二十五）支持自贸试验区试点汽车平行进口保税仓储业务。（负责部门：海关总署）

（二十六）积极探索通过国际贸易"单一窗口"与"一带一路"重点国家和地区开展互联互通和信息共享，推动国际贸易"单一窗口"标准版新项目率先在自贸试验区开展试点，促进贸易便利化。（负责部门：海关总署）

（二十七）在符合国家口岸管理规定的前提下，优先审理自贸试验区内口岸开放项目。（负责部门：海关总署）

（二十八）在自贸试验区试点实施进口非特殊用途化妆品备案管理。（负责部门：药监局）

（二十九）支持平潭口岸建设进境种苗、水果、食用水生动物等监管作业场所。（负责部

门：海关总署，适用范围：福建自贸试验区）

（三十）在对外航权谈判中支持郑州机场利用第五航权，在平等互利的基础上允许外国航空公司承载经郑州至第三国的客货业务，积极向国外航空公司推荐并引导申请进入中国市场的国外航空公司执飞郑州机场。（负责部门：民航局，适用范围：河南自贸试验区）

（三十一）在对外航权谈判中支持西安机场利用第五航权，在平等互利的基础上允许外国航空公司承载经西安至第三国的客货业务，积极向国外航空公司推荐并引导申请进入中国市场的国外航空公司执飞西安机场。（负责部门：民航局，适用范围：陕西自贸试验区）

（三十二）进一步加大对西安航空物流发展的支持力度。（负责部门：民航局，适用范围：陕西自贸试验区）

（三十三）支持利用中欧班列开展邮件快件进出口常态化运输。（负责部门：邮政局、中国铁路总公司，适用范围：重庆自贸试验区）

（三十四）支持设立首次进口药品和生物制品口岸。（负责部门：药监局、海关总署，适用范围：重庆自贸试验区）

（三十五）将台湾地区生产且经平潭口岸进口的第一类医疗器械的备案管理权限下放至福建省药品监督管理部门。（负责部门：药监局，适用范围：福建自贸试验区）

### 三、推动金融创新服务实体经济

（三十六）进一步简化保险分支机构行政审批，建立完善自贸试验区企业保险需求信息共享平台。（负责部门：银保监会）

（三十七）允许自贸试验区内银行业金融机构在依法合规、风险可控的前提下按相关规定为境外机构办理人民币衍生产品等业务。（负责部门：人民银行、银保监会、外汇局）

（三十八）支持坚持市场定位、满足监管要求、符合行政许可相关业务资格条件的地方法人银行在依法合规、风险可控的前提下开展人民币与外汇衍生产品业务，或申请与具备资格的银行业金融机构合作开展远期结售汇业务等。（负责部门：人民银行、银保监会、外汇局）

（三十九）支持自贸试验区依托适合自身特点的账户体系开展人民币跨境业务。（负责部门：人民银行）

（四十）鼓励、支持自贸试验区内银行业金融机构基于真实需求和审慎原则向境外机构和境外项目发放人民币贷款，满足"走出去"企业的海外投资、项目建设、工程承包、大型设备出口等融资需求。自贸试验区内银行业金融机构发放境外人民币贷款，应严格审查借款人资信和项目背景，确保资金使用符合要求。（负责部门：人民银行、外交部、发展改革委、商务部、国资委、银保监会）

（四十一）允许银行将自贸试验区交易所出具的纸质交易凭证（须经交易双方确认）替代双方贸易合同，作为贸易真实性审核依据。（负责部门：银保监会）

（四十二）支持自贸试验区内符合条件的个人按照规定开展境外证券投资。（负责部门：证监会、人民银行）

（四十三）支持在有条件的自贸试验区开展知识产权证券化试点。（负责部门：证监会、知识产权局）

（四十四）允许平潭各金融机构试点人民币与新台币直接清算，允许境外机构境内外汇账户办理定期存款业务。（负责部门：人民银行、外汇局，适用范围：福建自贸试验区）

（四十五）推动与大宗商品出口国、"一带一路"国家和地区在油品等大宗商品贸易中使用人民币计价、结算，引导银行业金融机构根据"谁进口、谁付汇"原则办理油品贸易的跨境支付业务，支持自贸试验区保税燃料油供应以人民币计价、结算。（负责部门：人民银行等部门，适用范围：浙江自贸试验区）

（四十六）允许自贸试验区内银行业金融机构按相关规定向台湾地区金融同业跨境拆出短

期人民币资金。（负责部门：人民银行，适用范围：福建自贸试验区）

（四十七）支持"海峡基金业综合服务平台"根据规定向中国证券投资基金业协会申请登记，开展私募投资基金服务业务。支持符合条件的台资保险机构在自贸试验区内设立保险营业机构。（负责部门：银保监会、证监会，适用范围：福建自贸试验区）

**四、推进人力资源领域先行先试**

（四十八）增强企业用工灵活性，支持自贸试验区内制造企业生产高峰时节与劳动者签订以完成一定工作任务为期限的劳动合同、短期固定期限劳动合同；允许劳务派遣员工从事企业研发中心研发岗位临时性工作。（负责部门：人力资源社会保障部）

（四十九）将在自贸试验区内设立中外合资和外商独资人才中介机构审批权限下放至自贸试验区，由自贸试验区相关职能部门审批并报省（市）人力资源社会保障部门备案。（负责部门：人力资源社会保障部）

（五十）研究制定外国留学生在我国境内勤工助学管理制度，由自贸试验区制定有关实施细则，实现规范管理。（负责部门：教育部）

（五十一）鼓励在吸纳非卫生技术人员在医疗机构提供中医治未病服务、医疗机构中医治未病专职医师职称晋升、中医治未病服务项目收费等方面先行试点。（负责部门：中医药局）

（五十二）授权自贸试验区制定相关港澳专业人才执业管理办法（国家法律法规暂不允许的除外），允许具有港澳执业资格的金融、建筑、规划、专利代理等领域专业人才，经相关部门或机构备案后，按规定范围为自贸试验区内企业提供专业服务。（负责部门：人力资源社会保障部、住房城乡建设部、银保监会、证监会、知识产权局，适用范围：广东自贸试验区）

（五十三）支持自贸试验区开展非标准就业形式下劳动用工管理和服务试点。（负责部门：人力资源社会保障部，适用范围：上海自贸试验区）

**五、切实做好组织实施**

坚持党的领导。坚持和加强党对改革开放的领导，把党的领导贯穿于自贸试验区建设全过程。要以习近平新时代中国特色社会主义思想为指导，全面贯彻党的十九大和十九届二中、三中全会精神，深刻认识支持自贸试验区深化改革创新的重大意义，贯彻新发展理念，鼓励地方大胆试、大胆闯、自主改，进一步发挥自贸试验区全面深化改革和扩大开放试验田作用。

维护国家安全。各有关地区和部门、各自贸试验区要牢固树立总体国家安全观，在中央国家安全领导机构统筹领导下，贯彻执行国家安全方针政策和法律法规，强化底线思维和风险意识，维护国家核心利益和政治安全，主动服务大局。各有关省（市）人民政府依法管理本行政区域内自贸试验区的国家安全工作。各有关部门依职责管理指导本系统、本领域国家安全工作，可根据维护国家安全和核心利益需要按程序调整有关措施。

强化组织管理。各有关地区和部门要高度重视、密切协作，不断提高自贸试验区建设和管理水平。国务院自由贸易试验区工作部际联席会议办公室要切实发挥统筹协调作用，加强横向协作、纵向联动，进行差别化指导。各有关部门要加强指导和服务，积极协调指导自贸试验区解决发展中遇到的问题。各有关省（市）人民政府要承担起主体责任，完善工作机制，构建精简高效、权责明晰的自贸试验区管理体制，加强人才培养，打造高素质管理队伍。

狠抓工作落实。各有关地区和部门要以钉钉子精神抓好深化改革创新措施落实工作。国务院自由贸易试验区工作部际联席会议办公室要加强督促检查，对督查中发现的问题要明确责任、限时整改，及时总结评估，对效果好、风险可控的成果，复制推广至全国其他地区。各有关部门要依职责做好改革措施的细化分解，全程过问、一抓到底。各有关省（市）要将落实支持措施作为本地区重点工作，加强监督评估，压实工作责任，推进措施落地生效，同时研究出台本省（市）进一步支持自贸试验区深化改革创新的措施。需调整有关行政法规、国务院文件和部门规章规定的，要按法定程序办理。重大事项及时向党中央、国务院请示报告。

# 关于扩大进口促进对外贸易平衡发展意见的通知

(国办发〔2018〕53号)

(2018年7月2日由国务院办公厅发布，2018年7月2日起施行，法规类型为规范性文件)

各省、自治区、直辖市人民政府，国务院各部委、各直属机构：

商务部、外交部、发展改革委、工业和信息化部、财政部、生态环境部、交通运输部、农业农村部、文化和旅游部、卫生健康委、人民银行、海关总署、税务总局、市场监管总局、国际发展合作署、能源局、林草局、外汇局、药监局、知识产权局《关于扩大进口促进对外贸易平衡发展的意见》已经国务院同意，现转发给你们，请认真贯彻执行。

附件：关于扩大进口促进对外贸易平衡发展意见

附件
## 关于扩大进口促进对外贸易平衡发展意见

为贯彻落实党中央、国务院关于推进互利共赢开放战略的决策部署，更好发挥进口对满足人民群众消费升级需求、加快体制机制创新、推动经济结构升级、提高国际竞争力等方面的积极作用，在稳定出口的同时进一步扩大进口，促进对外贸易平衡发展，推动经济高质量发展，维护自由贸易，现提出以下意见：

一、总体要求

（一）指导思想。全面贯彻党的十九大精神，以习近平新时代中国特色社会主义思想为指导，统筹推进"五位一体"总体布局和协调推进"四个全面"战略布局，坚持稳中求进工作总基调，牢固树立新发展理念，坚持以供给侧结构性改革为主线，以"一带一路"建设为统领，以提高发展质量和效益为中心，统筹国内国际两个市场两种资源，加快实施创新驱动发展战略，在稳定出口的同时，主动扩大进口，促进国内供给体系质量提升，满足人民群众消费升级需求，实现优进优出，促进对外贸易平衡发展。

（二）基本原则。

一是坚持深化改革创新。深化体制机制改革，营造创新发展环境，以制度、模式、业态、服务创新提高贸易便利化水平，以扩大进口增强对外贸易持续发展动力。

二是坚持进口出口并重。在稳定出口国际市场份额的基础上，充分发挥进口对提升消费、调整结构、发展经济、扩大开放的重要作用，推动进口与出口平衡发展。

三是坚持统筹规划发展。坚持内外需协调、内外贸结合，推动货物贸易与服务贸易、利用外资、对外投资、对外援助互动协同发展，遵循市场化原则，内外资一视同仁，促进经常项目收支平衡。

四是坚持互利共赢战略。将扩大进口与推进"一带一路"建设、加快实施自贸区战略紧密结合，增加自相关国家和地区进口，扩大利益融合，共同推动开放型世界经济发展。

## 二、优化进口结构促进生产消费升级

（三）支持关系民生的产品进口。适应消费升级和供给提质需要，支持与人民生活密切相关的日用消费品、医药和康复、养老护理等设备进口。落实降低部分商品进口税率措施，减少中间流通环节，清理不合理加价，切实提高人民生活水平。完善免税店政策，扩大免税品进口。（商务部、发展改革委、工业和信息化部、财政部、农业农村部、文化和旅游部、卫生健康委、海关总署、税务总局、市场监管总局、外汇局、药监局等按职责分工负责）

（四）积极发展服务贸易。调整《鼓励进口服务目录》。加快服务贸易创新发展，大力发展新兴服务贸易，促进建筑设计、商贸物流、咨询服务、研发设计、节能环保、环境服务等生产性服务进口。（商务部、发展改革委、工业和信息化部、生态环境部、交通运输部、卫生健康委、人民银行、海关总署、外汇局等按职责分工负责）

（五）增加有助于转型发展的技术装备进口。结合国内产业发展情况确定进口重点领域，充分发挥《鼓励进口技术和产品目录》的作用，支持国内产业转型升级需要的技术、设备及零部件进口，促进引进消化吸收再创新。优化鼓励进口的成套设备检验模式。（发展改革委、工业和信息化部、财政部、生态环境部、商务部、海关总署、能源局等按职责分工负责）

（六）增加农产品、资源性产品进口。配合国内农业供给侧改革和结构调整总体布局，适度增加国内紧缺农产品和有利于提升农业竞争力的农资、农机等产品进口。加快与有关国家签订农产品检验检疫准入议定书，推动重要食品农产品检验检疫准入。鼓励国内有需求的资源性产品进口。（农业农村部、发展改革委、财政部、商务部、海关总署、市场监管总局、能源局等按职责分工负责）

## 三、优化国际市场布局

（七）加强"一带一路"国际合作。充分发挥多双边经贸合作机制的作用，将"一带一路"相关国家作为重点开拓的进口来源地，加强战略对接，适度增加适应国内消费升级需求的特色优质产品进口，扩大贸易规模。（商务部、发展改革委、外交部、工业和信息化部、农业农村部、海关总署、市场监管总局、能源局等按职责分工负责）

（八）加快实施自贸区战略。继续维护多边贸易体制，坚定不移支持全球贸易自由化。积极推进与有关国家和地区的自贸区谈判，加快建设立足周边、辐射"一带一路"、面向全球的高标准自贸区网络。引导企业充分利用自贸协定优惠安排，积极扩大进口。加大促贸援助力度。（商务部、发展改革委、财政部、工业和信息化部、农业农村部、海关总署、税务总局、市场监管总局、国际发展合作署等按职责分工负责）

（九）落实自最不发达国家进口货物及服务优惠安排。继续落实有关给予同我建交最不发达国家97%税目输华产品零关税待遇的承诺。继续在世界贸易组织框架下给予最不发达国家服务贸易市场准入优惠措施。在南南合作框架下，向最不发达国家提供援助。（财政部、外交部、发展改革委、商务部、国际发展合作署等按职责分工负责）

## 四、积极发挥多渠道促进作用

（十）办好中国国际进口博览会。坚持政府引导、市场运作、企业化经营，努力把中国国际进口博览会打造成为世界各国展示国家发展成就、开展国际贸易的开放型合作平台，推进"一带一路"建设、推动经济全球化的国际公共产品，践行新发展理念、推动新一轮高水平对外开放的标志性工程。（商务部牵头负责）

（十一）持续发挥外资对扩大进口的推动作用。完善外商投资相关管理体制，优化境内投资环境。积极引导外资投向战略性新兴产业、高技术产业、节能环保领域，进一步发挥外资在引进先进技术、管理经验和优化进口结构等方面的作用。促进加工贸易转型升级和向中西部地区转移。（商务部、发展改革委、工业和信息化部、财政部、生态环境部、人民银行、海关总署、税务总局、外汇局等按职责分工负责）

（十二）推动对外贸易与对外投资有效互动。加快推进签订高水平的投资协定，提高对外投资便利化水平。深化国际能源资源开发、农林业等领域的合作，推动境外经贸合作区建设，带动相关产品进口。（商务部、发展改革委、农业农村部、能源局、林草局等按职责分工负责）

（十三）创新进口贸易方式。加快出台跨境电子商务零售进口过渡期后监管具体方案，统筹调整跨境电子商务零售进口正面清单。加快复制推广跨境电子商务综合试验区成熟经验做法，研究扩大试点范围。加快推进汽车平行进口试点。积极推进维修、研发设计、再制造业务试点工作。支持边境贸易发展。（商务部、发展改革委、工业和信息化部、财政部、生态环境部、人民银行、海关总署、税务总局、市场监管总局等按职责分工负责）

**五、改善贸易自由化便利化条件**

（十四）大力培育进口促进平台。充分依托海关特殊监管区域、高新技术产业开发区等各类区域，不断推进监管创新、服务创新，培育形成一批进口贸易特色明显、贸易便利化措施完善、示范带动作用突出的国家进口贸易促进创新示范区。（商务部、海关总署、税务总局、市场监管总局等按职责分工负责）

（十五）优化进口通关流程。加快实施世界贸易组织《贸易便利化协定》，推进全国通关一体化改革，打造具有国际先进水平的国际贸易"单一窗口"。推进海关预裁定制度，开展海关"经认证的经营者"（AEO）国际互认，推动检测报告和认证证书的国际互认，提高进口贸易便利化水平。（商务部、工业和信息化部、农业农村部、海关总署、市场监管总局等按职责分工负责）

（十六）降低进口环节制度性成本。进一步规范进口非关税措施，健全完善技术性贸易措施体系。加强进口行政审批取消或下放后的监管体系建设。落实国家对企业减税降费政策，严格执行收费项目公示制度，清理进口环节不合理收费。（发展改革委、财政部、交通运输部、商务部、海关总署、税务总局、市场监管总局等按职责分工负责）

（十七）加快改善国内营商环境。加强外贸诚信体系建设和知识产权保护，维护公平竞争。推进以缺陷进口消费品召回体系为核心的进口消费品质量追溯体系建设，建立和完善进口消费质量安全投诉平台。严厉打击假冒伪劣商品，规范和完善国内市场秩序。（商务部、发展改革委、工业和信息化部、农业农村部、海关总署、市场监管总局、知识产权局等按职责分工负责）

各地区、各部门要高度重视新形势下扩大进口工作，根据本意见，按照职责分工，明确责任，抓紧制订出台具体政策措施，推进政策落实。商务部要切实发挥牵头作用，加强指导，督促检查，确保各项政策措施落实到位。

# 关于加快发展流通促进商业消费的意见

（国办发〔2019〕42号）

（2019年8月16日由国务院办公厅发布，2019年8月16日起施行，法规类型为规范性文件）

各省、自治区、直辖市人民政府，国务院各部委、各直属机构：

党中央、国务院高度重视发展流通扩大消费。近年来，各地区、各部门积极落实中央决策部署，取得良好成效，国内市场保持平稳运行。但受国内外多重因素叠加影响，当前流通消费领域仍面临一些瓶颈和短板，特别是传统流通企业创新转型有待加强，商品和生活服务有效供给不足，消费环境需进一步优化，城乡消费潜力尚需挖掘。为推动流通创新发展，优化消费环境，促进商业繁荣，激发国内消费潜力，更好满足人民群众消费需求，促进国民经济持续健康发展，经国务院同意，现提出以下意见：

一、促进流通新业态新模式发展。顺应商业变革和消费升级趋势，鼓励运用大数据、云计算、移动互联网等现代信息技术，促进商旅文体等跨界融合，形成更多流通新平台、新业态、新模式。引导电商平台以数据赋能生产企业，促进个性化设计和柔性化生产，培育定制消费、智能消费、信息消费、时尚消费等商业新模式。鼓励发展"互联网+旧货"、"互联网+资源循环"，促进循环消费。实施包容审慎监管，推动流通新业态新模式健康有序发展。（发展改革委、工业和信息化部、生态环境部、商务部、文化和旅游部、市场监管总局、体育总局按职责分工负责）

二、推动传统流通企业创新转型升级。支持线下经营实体加快新理念、新技术、新设计改造提升，向场景化、体验式、互动性、综合型消费场所转型。鼓励经营困难的传统百货店、大型体育场馆、老旧工业厂区等改造为商业综合体、消费体验中心、健身休闲娱乐中心等多功能、综合性新型消费载体。在城市规划调整、公共基础设施配套、改扩建用地保障等方面给予支持。（工业和信息化部、自然资源部、住房城乡建设部、商务部、体育总局按职责分工负责）

三、改造提升商业步行街。地方政府可结合实际对商业步行街基础设施、交通设施、信息平台和诚信体系等新建改建项目予以支持，提升品质化、数字化管理服务水平。在符合公共安全的前提下，支持商业步行街等具备条件的商业街区开展户外营销，营造规范有序、丰富多彩的商业氛围。扩大全国示范步行街改造提升试点范围。（住房城乡建设部、商务部、市场监管总局按职责分工负责）

四、加快连锁便利店发展。深化"放管服"改革，在保障食品安全的前提下，探索进一步优化食品经营许可条件；将智能化、品牌化连锁便利店纳入城市公共服务基础设施体系建设；强化连锁企业总部的管理责任，简化店铺投入使用、营业前消防安全检查，实行告知承诺管理；具备条件的企业从事书报刊发行业务实行"总部审批、单店备案"。支持地方探索对符合条件的品牌连锁企业试行"一照多址"登记。开展简化烟草、乙类非处方药经营审批手续试点。（住房城乡建设部、商务部、应急部、市场监管总局、新闻出版署、烟草局、药监局按职责分工负责）

五、优化社区便民服务设施。打造"互联网+社区"公共服务平台，新建和改造一批社区生活服务中心，统筹社区教育、文化、医疗、养老、家政、体育等生活服务设施建设，改进社会服务，打造便民消费圈。有条件的地区可纳入城镇老旧小区改造范围，给予财政支持，并按规定享受有关税费优惠政策。鼓励社会组织提供社会服务。（发展改革委、教育部、民政部、财政部、住房城乡建设部、商务部、文化和旅游部、卫生健康委、税务总局、体育总局按职责分工负责）

六、加快发展农村流通体系。改造提升农村流通基础设施，促进形成以乡镇为中心的农村流通服务网络。扩大电子商务进农村覆盖面，优化快递服务和互联网接入，培训农村电商人才，提高农村电商发展水平，扩大农村消费。改善提升乡村旅游商品和服务供给，鼓励有条件的地区培育特色农村休闲、旅游、观光等消费市场。（发展改革委、工业和信息化部、农业农村部、商务部、文化和旅游部、邮政局按职责分工负责）

七、扩大农产品流通。加快农产品产地市场体系建设，实施"互联网+"农产品出村进城工程，加快发展农产品冷链物流，完善农产品流通体系，加大农产品分拣、加工、包装、预冷等一体化集配设施建设支持力度，加强特色农产品优势区生产基地现代流通基础设施建设。拓宽绿色、生态产品线上线下销售渠道，丰富城乡市场供给，扩大鲜活农产品消费。（发展改革委、财政部、农业农村部、商务部按职责分工负责）

八、拓展出口产品内销渠道。推动扩大内外销产品"同线同标同质"实施范围，引导出口企业打造自有品牌，拓展内销市场网络。在综合保税区积极推广增值税一般纳税人资格试点，落实允许综合保税区内加工制造企业承接境内区外委托加工业务的政策。（财政部、商务部、海关总署、税务总局、市场监管总局按职责分工负责）

九、满足优质国外商品消费需求。允许在海关特殊监管区域内设立保税展示交易平台。统筹考虑自贸试验区、综合保税区发展特点和趋势，扩大跨境电商零售进口试点城市范围，顺应商品消费升级趋势，抓紧调整扩大跨境电商零售进口商品清单。（财政部、商务部、海关总署、税务总局按职责分工负责）

十、释放汽车消费潜力。实施汽车限购的地区要结合实际情况，探索推行逐步放宽或取消限购的具体措施。有条件的地方对购置新能源汽车给予积极支持。促进二手车流通，进一步落实全面取消二手车限迁政策，大气污染防治重点区域应允许符合在用车排放标准的二手车在本省（市）内交易流通。（工业和信息化部、公安部、生态环境部、交通运输部、商务部按职责分工负责）

十一、支持绿色智能商品以旧换新。鼓励具备条件的流通企业回收消费者淘汰的废旧电子电器产品，折价更换超高清电视、节能冰箱、洗衣机、空调、智能手机等绿色、节能、智能电子电器产品，扩大绿色智能消费。有条件的地方对开展相关产品促销活动、建设信息平台和回收体系等给予一定支持。（工业和信息化部、生态环境部、商务部按职责分工负责）

十二、活跃夜间商业和市场。鼓励主要商圈和特色商业街与文化、旅游、休闲等紧密结合，适当延长营业时间，开设深夜营业专区、24小时便利店和"深夜食堂"等特色餐饮街区。有条件的地方可加大投入，打造夜间消费场景和集聚区，完善夜间交通、安全、环境等配套措施，提高夜间消费便利度和活跃度。（住房城乡建设部、交通运输部、商务部、文化和旅游部、应急部按职责分工负责）

十三、拓宽假日消费空间。鼓励有条件的地方充分利用开放性公共空间，开设节假日步行街、周末大集、休闲文体专区等常态化消费场所，组织开展特色促消费活动，探索培育专业化经营管理主体。地方政府要结合实际给予规划引导、场地设施、交通安全保障等方面支持。（住房城乡建设部、交通运输部、商务部、文化和旅游部、应急部、市场监管总局按职责分工负责）

十四、搭建品牌商品营销平台。积极培育形成若干国际消费中心城市，引导自主品牌提升市场影响力和认知度，推动国内销售的国际品牌与发达国家市场在品质价格、上市时间、售后服务等方面同步接轨。因地制宜，创造条件，吸引知名品牌开设首店、首发新品，带动扩大消费，促进国内产业升级。保护和发展中华老字号品牌，对于中华老字号中确需保护的传统技艺，可按相关规定申请非物质文化遗产保护相关资金。（商务部、文化和旅游部、市场监管总局按职责分工负责）

十五、降低流通企业成本费用。推动工商用电同价政策尽快全面落实。各地不得干预连锁企业依法申请和享受总分机构汇总纳税政策。（发展改革委、财政部、税务总局按职责分工负责）

十六、鼓励流通企业研发创新。研究进一步扩大研发费用税前加计扣除政策适用范围。加大对国内不能生产、行业企业急需的高性能物流设备进口的支持力度，降低物流成本；研究将相关领域纳入《产业结构调整指导目录》"鼓励类"，推动先进物流装备产业发展，加快推进现代物流发展。（发展改革委、科技部、财政部、商务部、税务总局按职责分工负责）

十七、扩大成品油市场准入。取消石油成品油批发仓储经营资格审批,将成品油零售经营资格审批下放至地市级人民政府,加强成品油流通事中事后监管,强化安全保障措施落实。乡镇以下具备条件的地区建设加油站、加气站、充电站等可使用存量集体建设用地,扩大成品油市场消费。(发展改革委、自然资源部、生态环境部、住房城乡建设部、交通运输部、商务部、应急部、海关总署、市场监管总局按职责分工负责)

十八、发挥财政资金引导作用。统筹用好中央财政服务业发展资金等现有专项资金或政策,补齐流通领域短板。各地可因地制宜,加强建设对创新发展流通、促进扩大消费的财政支持。(财政部、商务部按职责分工负责)

十九、加大金融支持力度。鼓励金融机构创新消费信贷产品和服务,推动专业化消费金融组织发展。鼓励金融机构对居民购买新能源汽车、绿色智能家电、智能家居、节水器具等绿色智能产品提供信贷支持,加大对新消费领域金融支持力度。(人民银行、银保监会按职责分工负责)

二十、优化市场流通环境。强化消费信用体系建设,加快建设覆盖线上线下的重要产品追溯体系。严厉打击线上线下销售侵权假冒商品、发布虚假广告等违法行为,针对食品、药品、汽车配件、小家电等消费品,加大农村和城乡结合部市场治理力度。修订汽车、平板电视等消费品修理更换退货责任规定。积极倡导企业实行无理由退货制度。(发展改革委、工业和信息化部、公安部、农业农村部、商务部、应急部、海关总署、市场监管总局、药监局按职责分工负责)

各地区、各有关部门要充分认识创新发展流通、推动消费升级、促进扩大消费的重要意义,切实抓好各项政策措施的落实落地。各地区要结合本地实际完善政策措施,认真组织实施。各有关部门要落实责任,加强协作,形成合力,确保推动各项政策措施落实到位。

# 关于同意深化服务贸易创新发展试点的批复

(国函〔2018〕79号)

(2018年6月1日由国务院发布,2018年6月1日起施行,法规类型为规范性文件)

北京市、天津市、河北省、黑龙江省、上海市、江苏省、浙江省、山东省、湖北省、广东省、海南省、重庆市、四川省、贵州省、陕西省人民政府,商务部:

商务部关于深化服务贸易创新发展试点的请示收悉。现批复如下:

一、原则同意商务部提出的《深化服务贸易创新发展试点总体方案》,同意在北京、天津、上海、海南、深圳、哈尔滨、南京、杭州、武汉、广州、成都、苏州、威海和河北雄安新区、重庆两江新区、贵州贵安新区、陕西西咸新区等省市(区域)深化服务贸易创新发展试点。深化试点期限为2年,自2018年7月1日起至2020年6月30日止。

二、深化试点工作要以习近平新时代中国特色社会主义思想为指导,全面贯彻党的十九大和十九届二中、三中全会精神,统筹推进"五位一体"总体布局和协调推进"四个全面"战略布局,坚持创新、协调、绿色、开放、共享发展理念,以供给侧结构性改革为主线,深入探索适应服务贸易创新发展的体制机制、政策措施和开放路径,加快优化营商环境,最大限度激发市场活力,打造服务贸易制度创新高地。

三、试点地区人民政府(管委会)要加强对试点工作的组织领导,负责试点工作的实施推动、综合协调及措施保障，重点在管理体制、开放路径、促进机制、政策体系、监管制度、发展模式等方面先行先试，为全国服务贸易创新发展探索路径。有关省、直辖市人民政府要加强对试点工作的指导和支持，鼓励试点地区大胆探索、开拓创新。

四、国务院有关部门要按照职能分工，加强对试点工作的协调指导和政策支持，主动引领开放，创新政策手段，形成促进服务贸易创新发展合力。商务部要加强统筹协调、督导评估，会同有关部门及时总结推广试点经验。

五、深化试点期间，暂时调整实施相关行政法规、国务院文件和经国务院批准的部门规章的部分规定，具体由国务院另行印发。国务院有关部门根据《深化服务贸易创新发展试点总体方案》相应调整本部门制定的规章和规范性文件。试点中的重大问题，商务部要及时向国务院请示报告。

附件：1. 深化服务贸易创新发展试点总体方案
2. 深化服务贸易创新发展试点开放便利举措
3. 深化服务贸易创新发展试点任务及政策保障措施

**附件1**

## 深化服务贸易创新发展试点总体方案

优先发展服务贸易是推动经济转型升级和高质量发展的重要举措。2016年2月，国务院批复同意开展服务贸易创新发展试点。试点以来，各试点地区主动创新，探索服务贸易发展新机制、新模式、新路径，取得积极成效，有力推动了服务贸易创新发展。为进一步深化服务贸易创新发展试点，改革创新服务贸易发展机制，制定本方案。

**一、总体要求**

（一）指导思想。

以习近平新时代中国特色社会主义思想为指导，全面贯彻党的十九大和十九届二中、三中全会精神，坚持创新、协调、绿色、开放、共享发展理念，以供给侧结构性改革为主线，充分发挥地方的积极性和创造性，推动在服务贸易管理体制、开放路径、促进机制、政策体系、监管制度、发展模式等方面先行先试，加快优化营商环境，最大限度激发市场活力，打造服务贸易创新发展高地，带动全国服务贸易高质量发展，不断培育"中国服务"核心竞争优势，推动形成全面开放新格局。

（二）基本原则。

重点突破，优先发展。深化试点要把握重点和方向，树立服务贸易优先发展理念，推动资源和政策聚焦。服务新时代开放型经济发展，围绕服务贸易长远发展目标，针对不同阶段面临的主要制度障碍和政策短板，在试点地区率先突破，带动全国服务贸易创新发展。围绕推动解决服务贸易逆差较大问题，重点扩大服务出口。

创新驱动，转型发展。深入实施创新驱动发展战略，优化营商环境，支持创新创业，促进服务贸易领域新技术、新产业、新业态、新模式蓬勃发展，加快推动产业转型升级和经济结构调整。推动以"互联网+"为先导的新兴服务出口，打造开放发展新亮点。

纵横联动，协同发展。顺应数字经济时代服务发展新趋势，强化横向协作、纵向联动，各部门合力保障和指导试点地区开放创新；试点地区间推进经验共享，并与自贸试验区、北京市服务业扩大开放综合试点集成创新、经验互鉴。

有序深化，持续发展。不断适应服务贸易新形势新特点，有序深化改革，持续推进创新。逐项落实试点任务，不断总结推广经验，稳步推进服务贸易全方位改革发展。

二、深化试点地区及期限

深化试点地区为北京、天津、上海、海南、深圳、哈尔滨、南京、杭州、武汉、广州、成都、苏州、威海和河北雄安新区、重庆两江新区、贵州贵安新区、陕西西咸新区等省市（区域）。深化试点期限为2年，自2018年7月1日起至2020年6月30日止。

三、深化试点任务

（一）进一步完善管理体制。加强国务院服务贸易发展部际联席会议工作统筹、政策协调、信息共享。强化地方服务贸易跨部门统筹协调决策机制。加快服务贸易领域地方性法规立法探索，围绕市场准入、管理、促进、统计、监测等形成经验。全面建立地方政府服务贸易发展绩效评价与考核机制。

（二）进一步扩大对外开放。在试点地区分阶段推出开放便利举措。借鉴自贸试验区和北京市服务业扩大开放综合试点等的开放经验，推动服务领域对外开放。扩大新兴服务业双向开放。探索完善跨境交付、境外消费、自然人移动等模式下服务贸易市场准入制度，逐步放宽或取消限制措施，有序推进对外开放。支持试点地区探索建立服务领域开放风险预警机制。

（三）进一步培育市场主体。科学建设运营全国性、区域性公共服务平台，加强对现有公共服务平台的整合与统筹利用，提高服务效率。鼓励金融机构在风险可控、商业可持续的前提下创新适应服务贸易特点的金融服务。探索建设一批服务贸易境外促进中心。充分发挥中国（北京）国际服务贸易交易会的平台作用。更好发挥贸易促进机构、行业协会的贸易促进作用。推动试点地区与重点服务贸易伙伴加强合作，支持企业开拓国际市场。

（四）进一步创新发展模式。依托自贸试验区、经济技术开发区等建设一批特色服务出口基地。发挥海关特殊监管区域政策优势，发展仓储物流、研发设计、检验检测、维修、国际结算、分销、展览等服务贸易，重点建设数字产品与服务、维修、研发设计等特色服务出口基地。探索推进服务贸易数字化，运用数字技术提升服务可贸易性，推动数字内容服务贸易新业态、新模式快速发展。推动以数字技术为支撑、高端服务为先导的"服务+"整体出口。积极拓展新兴服务贸易，重点推进服务外包、技术贸易、文化贸易发展。

（五）进一步提升便利化水平。深入改革通关监管制度和模式，为与展览、维修、研发设计等服务贸易相关的货物、物品进出口提供通关便利。提升跨境交付、自然人移动等方面的便利化水平，完善签证便利政策，健全境外专业人才流动机制，畅通外籍高层次人才来华创新创业渠道，推动职业资格互认。提升移动支付、消费服务等方面的便利化水平，积极发展入境游。

（六）进一步完善政策体系。修订完善《服务出口重点领域指导目录》等服务贸易领域相关目录，充分利用现有资金渠道，积极开拓海外服务市场，鼓励新兴服务出口和重点服务进口。研究完善试点地区面向出口的服务型企业所得税政策。结合全面实施营改增改革，对服务出口实行免税，符合条件的可实行零税率，鼓励扩大服务出口。发挥好服务贸易创新发展引导基金作用。加大出口信用保险和出口信贷对服务贸易的支持力度。拓宽服务贸易企业融资渠道。完善外汇管理措施。加快推进人民币在服务贸易领域的跨境使用。

（七）进一步健全统计体系。完善服务贸易统计监测、运行和分析体系，建立健全服务贸易重点联系企业直报系统，开展重点联系企业统计数据直报，适当增加监测企业数量，开展试点地区的外国附属机构服务贸易统计，实现系统重要性服务贸易企业直报全覆盖。建立政府部门信息共享和数据交换机制，实现服务贸易发展协调机制成员单位相关工作数据共享。

（八）进一步创新监管模式。建立服务贸易重点联系企业运行监测机制，创新事中事后监管举措，切实防范骗税和骗取补贴的行为。探索建立商务、海关、税务、外汇等部门信息共享、协同执法的服务贸易监管体系。全面建立服务贸易市场主体信用记录，纳入全国信用信息共享平台并依法通过国家企业信用信息公示系统、"信用中国"网站向社会公开，实施守信联合激励和失信联合惩戒。探索创新技术贸易管理模式。逐步将有关服务贸易管理事项纳入国际贸易"单一窗口"。

**四、组织实施**

试点地区人民政府（管委会）作为试点工作的责任主体，要结合当地实际细化工作方案，加强组织实施、综合协调及措施保障，逐项落实试点任务，每年向商务部报送试点成效和可复制可推广经验。有关省、直辖市人民政府要加强对试点工作的指导和政策支持。国务院服务贸易发展部际联席会议成员单位要结合各试点地区发展基础、产业结构和资源优势，加强协同指导，积极予以支持，按职责分工做好落实开放举措、政策保障和经验推广工作。商务部要充分发挥国务院服务贸易发展部际联席会议办公室作用，加强统筹协调、跟踪督促，积极推进试点工作，确保任务落实，及时开展经验总结评估与复制推广，重大事项向国务院请示报告。

**附件2**

**深化服务贸易创新发展试点开放便利举措**

| 领域 | 涉及行业 | 开放便利举措 | 现行相关规定 |
|---|---|---|---|
| 金融服务 | 银行业 | | 《中华人民共和国外资银行管理条例》第三十四条规定，外资银行营业性机构的营运资金来自外国银行总行，第三十一条规定业务范围内的人民币业务，应具备下列条件，并经国务院银行业监督管理机构批准：（一）提出申请前在中华人民共和国境内营业3年以上；（二）国务院银行业监督管理机构规定的其他审慎性条件。 |
| 电信服务 | 离岸呼叫中心业务 | 对于全部面向国外市场的服务外包企业经营呼叫中心业务（即委托服务方与服务商均在境外），不占用外贸额度比例限制。 | 《外商投资电信企业管理规定》第四条规定，外商投资电信企业的投资者应当符合以下条件：经营基础电信业务（无线寻呼业务除外）的外商投资者在企业中的出资比例最终不得超过49%，经营增值电信业务（包括基础电信业务中的无线寻呼业务）的外商投资者在企业中的出资比例最终不得超过50%。第十七条规定，外商投资电信企业经营跨地区业务，必须经国务院信息产业主管部门批准设立的国际性跨地区经营企业进入网通。《国务院关于大力数据服务外包产业加快发展的意见》（国办[2010]69号）重点支持中国服务外包示范城市积极承接产业转移任务的离岸服务外包业务，对示范城市实施了专项扶持政策。 |
| 旅行服务 | 签证便利 | 1. 探索建立本市区域签证制度。2. 推动广东全省实施144小时过境免签政策。 | 《中华人民共和国出境入境管理法》第十五条规定，外国人入境，应当向驻外签证机关申请办理签证。第十条规定，因工作、学习、探亲、旅游、商务、人才引进等事务入境的外国人，签发相应类别的普通签证。公务员来华从事公务活动应当依据有关规定。第二十二条规定，移居境外有事先行签发居留证件的外国人，持本人有效护照或者其他国际旅行证件，在中国境内停留不超过二十四小时且不离开口岸的限定区域或者不超过规定时间的，可以免办签证。《中华人民共和国外国人入境出境条例》对签证的类别和签发、停留居留管理、调查和遣返等作了具体规定。 |
| 跨境自营 | | 完善跨境自游监管措施。允许境外投注行经营项目企业合作，拓展自驾游客源渠道，完善自驾游住游、车辆等交通方式、出入境手续，包括保险服务，降低入境成本。 | 《中华人民共和国海关事务担保条例》第五条规定，当事人申请办理担保的，按照海关规定提供担保。《海关总署公告》2011年第15号公告，对境外委托的游艇服务业应当在位境的地域地区其他部门批准设立的企业办理游艇服务单位的租凭停靠及管理业务，也有不发生提供公务用车的其他企业提供服务。 |
| 专业服务 | 工程咨询服务 | 1. 允许符合条件的外籍人员在试点区执业人员工程咨询服务（法律服务除外）。2. 外商投资工程设计企业申请设立《外商投资企业批准证书》和营业执照时，无须提交原产国外（地区）政府主管部门出具的已取得工程设计证书或执业资格等级要求的证明。 | 中国入世服务贸易具体承诺减让表附件《中华人民共和国服务贸易具体承诺减让表》（CPC8671）、工程服务（CPC8672）在缔结文件下市场准入限制为"要求与中国专业机构进行合作，方案设计除外"，《其中，工程服务（CPC8672）项下包括工程咨询服务》。《建设工程勘察设计管理条例》第八条规定，建设工程勘察、设计单位应当具有其所完成勘察设计工程范围内的注册建筑师、注册工程师或者其他专业技术人员，实行执业资格注册管理。《中华人民共和国注册建筑师条例实施细则》第二条规定，外商投资工程设计企业，首次申请工程设计资质时，其持国外国际事务提供《外国投资》的高级专业技术职务人员和以上中国境外的工程设计人员，其中等少一名高级专业技术职务的人员且有其所在国家或地区颁发的工程设计注册证书或资格证明的其他同等效力证明。 |
| | 法律服务 | 探索密切合作（大陆）律师事务所与港澳律师事务所合作的方式和机制。 | 《外商投资产业指导目录（2017年修订）》禁止外商投资中国法律事务咨询（提供有关中国法律环境影响的咨询除外）。 |

附件3

| 试点任务 | | 政策保障措施 | 责任单位 |
|---|---|---|---|
| 进一步完善管理体制 | 加强国务院服务贸易发展部际联席会议工作机制、政策协调、信息共享。 | — | 商务部牵头推进 |
| | 强化服务贸易跨部门统筹协调决策机制。 | — | |
| | 加快服务贸易领域地方性法规立法探索，围绕市场准入、管理、促进、统计、监测等形成经验。 | — | 试点地区负责推进；商务部支持指导 |
| | 全面建立地方政府服务贸易发展绩效评价与考核机制。 | — | |
| 进一步扩大对外开放 | 在试点地区分阶段推出开放便利举措。 | — | 试点地区负责推进；外交部、工业和信息化部、住房和城乡建设部、人民银行、海关总署、港澳办、台办、银保监会、外汇局、中医药局及其他行业主管部门按职责分工落实开放政策和单位支持指导 |
| | 借鉴自贸试验区和北京市服务业扩大开放综合试点的开放经验，推动服务领域对外开放。 | 积极借鉴自贸试验区和北京市服务业扩大开放综合试点对医疗健康、信息服务等服务领域开放经验。 | 试点地区负责推进；商务部会同有关部门和单位支持指导 |
| | | 探索对外资投资旅游项目（国家级旅游名胜区、国家重点文物保护单位、世界自然和文化遗产保护区域推进开放和资源保护项目服务）试行下放的限等事宜。 | 试点地区负责推进；发改委、文化和旅游部、商务部等部门和单位负责落实政策支持 |
| 进一步培育市场主体 | 更好发挥贸易促进机构、行业协会的贸易促进作用。 | — | 试点地区和贸促会负责推进 |
| | 充分发挥中国（北京）国际服务贸易交易会的平台作用。 | — | 商务部、北京市人民政府负责推进 |
| | 推动试点地区与重点服务贸易伙伴加强合作，支持企业开拓国际市场。 | 支持试点地区探索与重点服务贸易伙伴在重点领域加强合作。 | 试点地区和商务部、贸促会等部门和单位负责推进 |
| | | 积极争取国际组织的资金支持，建设紧缺劳务输出基地，推动国家市际间交流与合作。 | 商务部负责推进 |
| 进一步创新发展模式 | 依托自贸试验区、经济技术开发区等建设一批特色服务出口基地。 | — | 试点地区负责推进；商务部、海关总署、财政部等部门和单位支持指导 |
| | 发挥海关特殊监管区域政策优势，发展综合保税区设计、检测维修、再制造、分拨、展览等服务业态，重点建设数字产品与服务、维修、研发设计等特色服务出口基地。 | — | |
| | 探索推进服务贸易数字化，运用数字内容提升服务贸易产品，推动数字内容服务贸易新业态、新模式发展。 | — | 试点地区负责推进；商务部、发改委、工业和信息化部、科技部等部门和单位支持指导 |
| | 推动以数字技术为支撑、高端服务为先导的"服务+"整体出口。 | — | |
| | 积极拓展新兴服务贸易，重点推进服务外包、技术贸易、文化贸易发展。 | 加大技术贸易管理和促进、积极建设文化出口基地等特色服务出口。 | 试点地区负责推进；商务部会同有关部门和单位支持指导 |
| 进一步提升便利化水平 | 探索改革通关监管制度体系，为离展业、维修、研发设计服务提供通关便利，物品进出口通关便利化。 | 加大与服务贸易相关的通关一体化、创新服务与办法，为以服务业务方式产生的货物进出口试验便利化。 | 试点地区负责推进；海关总署负责落实政策保障 |

| 试点任务 | | 政策保障措施 | 责任单位 |
|---|---|---|---|
| | 扩大新兴服务业双向开放。 | — | 试点地区负责推进；商务部会同有关部门和单位支持指导 |
| | 探索完善跨境交付、境外消费、人员移动等模式下服务贸易市场准入管理，逐步放宽或取消限制措施，有序推动对外开放。 | — | 试点地区负责推进；有关行业主管部门实行统计审批并予以支持指导 |
| | 支持试点地区探索建立服务领域开放风险预警机制。 | — | 试点地区负责推进；商务部、有关行业主管部门指导 |
| | 科学完善运营全国统一、区域性公共服务平台的功能，加强对现有公共服务平台的整合与线上线下利用，提高服务效率。 | — | 试点地区和商务部、财政部会同有关部门和单位负责推进 |
| 进一步培育市场主体 | 鼓励金融机构开展针对性可控、商业可持续的普惠下创新建设服务贸易特点的金融服务。 | 在遵守跨境人民币业务管理相关规定的前提下，鼓励政策性金融机构在其有关业务范围内为试点地区开展国际服务贸易探索的境外投资购买业务的支持办法。支持融入实施政策保障 | 试点地区负责推进；银保监会、人民银行等部门和单位负责落实政策保障 |
| | | 金融机构在风险可控的前提下为服务贸易企业提供金融服务。为"轻资产"服务贸易企业提供融资支持。 | 试点地区负责推进；人民银行、银保监会、证监会等部门和单位负责落实政策保障 |
| | 探索建立大数据等技术手段创新服务贸易企业信用信贷评价方式，为其融资创造便利条件。 | — | 试点地区负责推进；人民银行、银保监会、证监会等部门和单位负责落实政策保障予以支持指导 |
| | 探索建设一批服务贸易境外促进中心。 | — | 试点地区负责推进；商务部、财政部、贸促会等部门和单位支持指导 |
| | 创新内陆和沿海口岸服务贸易相关的物流跨境模式，提高通关效率。 | — | |
| | 推动与服务贸易相关货物暂时进口便利化程度及ATA单证簿适用范围。 | — | |
| | 对要检疫审查的生鲜商品特殊需品，改设定审批时间。 | — | 试点地区负责推进；海关总署负责落实政策保障 |
| | 在海关特殊监管区域内，支持国家常审视机展示平台，缩短涉外展品的存管时间，并支持文化产品展览活动。 | — | 试点地区负责推进；海关、文化和旅游部等部门和单位按职责分工落实政策保障 |
| | 实施海关持推港区域国际货货物自贸运输。 | — | 试点地区负责推进；海关总署负责落实政策保障 |
| | 大力支持多式联运监管中心建设，创新多式联运监管方式，促进货物运输便利化。 | — | |
| | 推进船舶综合登记检查，提高国际航行船舶入境通关效率。增加推动船舶进境，创新国际运输服务发展创造便利化条件。 | — | 试点地区负责推进；交通部、海关总署等部门和单位负责落实政策保障 |
| | 对文物、拍卖等进出境展品、艺术品特殊物品予以有效监管的前提下优化服务，完善相关，跨境电子商务通关服务。 | — | 试点地区负责推进；海关总署等部门和单位负责落实政策保障 |
| | 对医疗器械和服务贸易特殊物品进一步优化验检疫流程。扩大快速通验政策。 | — | 试点地区负责推进；海关总署等部门和单位负责落实政策保障 |

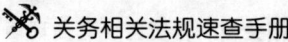

## 关于做好自由贸易试验区第五批改革试点经验复制推广工作的通知

(国函〔2019〕38号)

(2019年4月14日由国务院发布，2019年4月14日起施行，法规类型为规范性文件)

各省、自治区、直辖市人民政府，国务院各部委、各直属机构：

建设自由贸易试验区（以下简称自贸试验区）是党中央、国务院在新时代推进改革开放的一项战略举措，在我国改革开放进程中具有里程碑意义。按照党中央、国务院决策部署，自贸试验区所在省市和有关部门结合各自贸试验区功能定位和特色特点，全力推进制度创新实践，形成了自贸试验区第五批改革试点经验，将在全国范围内复制推广。现就有关事项通知如下：

一、复制推广的主要内容

（一）在全国范围内复制推广的改革事项。

1. 投资管理领域："公证'最多跑一次'"、"自然人'一人式'税收档案"、"网上办理跨区域涉税事项"、"优化涉税事项办理程序，压缩办理时限"、"企业名称自主申报制度"等5项。

2. 贸易便利化领域："海运危险货物查验信息化，船舶载运危险货物及污染危害性货物合并申报"、"国际航行船舶进出境通关全流程'一单多报'"、"保税燃料油跨港区供应模式"、"海关业务预约平台"、"生产型出口企业出口退税服务前置"、"中欧班列集拼集运模式"等6项。

3. 事中事后监管措施："审批告知承诺制、市场主体自我信用承诺及第三方信用评价三项信用信息公示"、"公共信用信息'三清单'（数据清单、行为清单、应用清单）编制"、"实施船舶安全检查智能选船机制"、"进境粮食检疫全流程监管"、"优化进口粮食江海联运检疫监管措施"、"优化进境保税油检验监管制度"等6项。

（二）在自贸试验区复制推广的改革事项。

投资管理领域："推进合作制公证机构试点"。

二、高度重视复制推广工作

各地区、各部门要以习近平新时代中国特色社会主义思想为指导，全面贯彻党的十九大和十九届二中、三中全会精神，深刻认识复制推广自贸试验区改革试点经验的重大意义，将复制推广工作作为贯彻新发展理念、推动高质量发展、建设现代化经济体系的重要举措，更大力度转变政府职能，全面提升治理能力现代化水平，着力推动制度创新，进一步优化营商环境，激发市场活力，逐步构建与我国开放型经济发展要求相适应的新体制、新模式，推动形成全面开放新格局，不断增强经济创新力和竞争力。

三、切实做好组织实施

各省（自治区、直辖市）人民政府要将自贸试验区改革试点经验复制推广工作列为本地区重点工作，加强组织领导，加大实施力度，强化督促检查，确保复制推广工作顺利推进，改革试点经验落地生根、取得实效。国务院各有关部门要主动作为，完成复制推广工作。需报国务院批准的事项要按程序报批，需调整有关行政法规、国务院文件和部门规章规定的，要按法定程序办理。国务院自由贸易试验区工作部际联席会议办公室要适时督查复制推广工作进展和成效，协调复制推广工作中的重点和难点问题。复制推广工作中遇到的重大问题，要及时报告国务院。

附件：自由贸易试验区第五批改革试点经验复制推广工作任务分工表（略）

# 国务院关于中国—上海合作组织地方经贸合作示范区建设总体方案的批复

（国函〔2019〕87号）

（2019年9月20日由国务院发布，2019年9月20日起施行，法规类型为规范性文件）

山东省人民政府、商务部：

你们关于中国—上海合作组织地方经贸合作示范区建设总体方案的请示收悉。现批复如下：

一、原则同意《中国—上海合作组织地方经贸合作示范区建设总体方案》（以下简称《总体方案》），请认真组织实施。

二、中国—上海合作组织地方经贸合作示范区建设要以习近平新时代中国特色社会主义思想为指导，全面贯彻党的十九大和十九届二中、三中全会精神，统筹推进"五位一体"总体布局，协调推进"四个全面"战略布局，坚持以人民为中心的发展思想，牢固树立新发展理念，按照党中央、国务院决策部署，打造"一带一路"国际合作新平台，拓展国际物流、现代贸易、双向投资、商旅文化交流等领域合作，更好发挥青岛在"一带一路"新亚欧大陆桥经济走廊建设和海上合作中的作用，加强我国同上海合作组织国家互联互通，着力推动形成陆海内外联动、东西双向互济的开放格局。

三、山东省人民政府要切实加强组织领导，健全机制，明确分工，落实责任，按照《总体方案》明确的目标定位和重点任务，扎实有序推进中国—上海合作组织地方经贸合作示范区建设发展。

四、商务部要会同有关部门按照职责分工，加强对《总体方案》实施的统筹协调和督促指导，注重总结经验，协调解决建设工作中遇到的困难和问题，为中国—上海合作组织地方经贸合作示范区建设发展营造良好环境。重大问题及时向国务院报告。

# 关于在自由贸易试验区暂时调整实施有关行政法规规定的通知

（国函〔2020〕8号）

（2020年1月15日由国务院发布，2020年1月15日起施行，法规类型为规范性文件）

各省、自治区、直辖市人民政府，国务院各部委、各直属机构：

为保障自由贸易试验区有关改革开放措施依法顺利实施，国务院决定，在自由贸易试验区暂时调整实施《营业性演出管理条例》、《外商投资电信企业管理规定》和《印刷业管理条例》3部行政法规的有关规定（目录附后）。

国务院有关部门和上海市、广东省、天津市、福建省、辽宁省、浙江省、河南省、湖北省、重庆市、四川省、陕西省、海南省、山东省、江苏省、广西壮族自治区、河北省、云南省、黑龙江省人民政府要根据上述调整，及时对本部门、本地区制定的规章和规范性文件作相应调整，建立与试点要求相适应的管理制度。

根据自由贸易试验区改革开放措施的试验情况，本通知内容适时进行调整。

附件：国务院决定在自由贸易试验区暂时调整实施有关行政法规规定目录

附件

## 国务院决定在自由贸易试验区暂时调整实施有关行政法规规定目录

| 序号 | 有关行政法规 | 调整实施情况 |
|---|---|---|
| 1 | 《营业性演出管理条例》<br>第十条第一款、第二款：外国投资者可以与中国投资者依法设立中外合资经营、中外合作经营的演出经纪机构、演出场所经营单位；不得设立中外合资经营、中外合作经营、外资经营的文艺表演团体，不得设立外资经营的演出经纪机构、演出场所经营单位。<br>设立中外合资经营的演出经纪机构、演出场所经营单位，中国合营者的投资比例应当不低于51%；设立中外合作经营的演出经纪机构、演出场所经营单位，中国合作者应当拥有经营主导权。<br>第十一条第二款：台湾地区的投资者可以在内地投资设立合资、合作经营的演出经纪机构、演出场所经营单位，但内地合营者的投资比例应当不低于51%，内地合作者应当拥有经营主导权；不得设立合资、合作、独资经营的文艺表演团体和独资经营的演出经纪机构、演出场所经营单位。 | 暂时调整实施相关内容，允许外国投资者、台湾地区的投资者设立独资演出经纪机构；允许设立中外合资经营的文艺表演团体（须由中方控股）；允许台湾地区的投资者设立合资经营的文艺表演团体（须由大陆合作者控股）。由国务院文化和旅游主管部门制定相关管理办法。 |
| 2 | 《外商投资电信企业管理规定》<br>第二条：外商投资电信企业，是指外国投资者同中国投资者在中华人民共和国境内依法以中外合资经营形式，共同投资设立的经营电信业务的企业。<br>第六条第二款：经营增值电信业务（包括基础电信业务中的无线寻呼业务）的外商投资电信企业的外方投资者在企业中的出资比例，最终不得超过50%。 | 暂时调整实施相关内容，将上海自由贸易试验区原有区域（28.8平方公里）试点政策推广至所有自由贸易试验区执行，由国务院工业和信息化主管部门商有关部门制定相关管理办法。 |
| 3 | 《印刷业管理条例》<br>第十四条：国家允许设立中外合资经营印刷企业、中外合作经营印刷企业，允许设立从事包装装潢印刷品印刷经营活动的外资企业。具体办法由国务院出版行政部门会同国务院对外经济贸易主管部门制定。 | 暂时调整实施相关内容，允许设立外商独资印刷企业，由国家新闻出版主管部门制定相关管理办法。 |

# 综合管理

## 关于复制推广自由贸易试验区新一批改革试点经验的公告

(国家质量监督检验检疫总局公告2016年第120号)

(2016年12月2日由国家质量监督检验检疫总局发布,2016年12月2日起施行,法规类型为规范性文件)

为贯彻落实《国务院关于做好自由贸易试验区新一批改革试点经验复制推广工作的通知》(国发〔2016〕63号),根据工作实际,将涉及检验检疫领域的5项改革试点经验在全国或特殊监管区域进行复制推广,现公告如下:

一、原产地签证管理改革创新。简化原产地证书申请人备案手续,推进全国签证"一体化",便利企业备案、申领原产地证书,特制定《原产地签证管理改革创新指导意见》(见附件1)。推广范围为全国。

二、国际航行船舶检疫监管新模式。优化国际航行船舶申报模式,完善检验检疫措施,加强监督管理,实施风险管理,推进船舶联合监管与信息互换,提高国际航行船舶通行效率,特制定《国际航行船舶卫生检疫管理规范(试行)》(见附件2)。推广范围为全国。

三、免除低风险动植物检疫证书清单制度。制定免于核查输出国家或地区动植物检疫证书的清单,对清单内货物免于提交输出国家或地区动植物检疫证书,特制定《免于核查输出国家或地区动植物检疫证书的清单》(见附件3)。推广范围为全国。

四、入境维修产品监管新模式。重点在特殊监管区域内大力推进《质检总局关于推进维修/再制造用途入境机电料件质量安全管理的指导意见》(国质检检〔2015〕592号,见附件4)的落实;会同当地商务、海关、环境保护部门在省级政府支持试点的进口发动机、变速箱、机械设备、医疗器械等高技术含量、高附加值、低环境污染的行业拓展维修/再制造业务,做好质量安全管理工作。

五、保税展示交易货物检验检疫监督管理模式。对保税展示交易(包括保税展示和保税展销)货物实施检验检疫分线监管、预检验和登记核销等监督管理,特制定《自贸试验区保税展示交易货物检验检疫监督管理工作规范》(见附件5)。推广范围为全国特殊监管区域。

附件:1. 原产地签证管理改革创新指导意见
   2. 国际航行船舶卫生检疫管理规范(试行)
   3. 免于核查输出国家或地区动植物检疫证书的清单
   4. 质检总局关于推进维修/再制造用途入境机电料件质量安全管理的指导意见
    (略)

5. 自贸试验区保税展示交易货物检验检疫监督管理工作规范

附件1

## 原产地签证管理改革创新指导意见

为有效落实国家自由贸易试验区政策，围绕制度创新为核心，简政放权、放管结合、优化服务，推进原产地签证管理改革，便利企业备案、申领原产地证书，提高区域性优惠关税政策利用率，进一步扩大自贸试验区检验检疫原产地签证改革成效，在全国检验检疫系统全面复制推广，特制定本指导意见。

**一、简化原产地证书申请人备案手续，降低备案门槛**

1. 凡具备对外贸易经营者资格的申请人，凭依法取得的《对外贸易经营者备案登记表》（或《外商投资企业批准证书》）以及营业执照，即可向当地检验检疫部门备案，申请人身份包括法人、其他组织或者个人及家庭（如个体工商户）。

2. 不具备对外贸易经营者资格的生产商，允许其作生产商备案。对于自由贸易协定明确赋予其证书申请资格的生产者，允许其申请原产地证书；尚未明确的，以促进对外贸易为原则，可允许其作为申请人。

3. 对申请材料齐全、真实、符合法定形式的申请人，检验检疫机构原则上应当场予以备案。

4. 申请人提交法人营业执照等申请资料电子数据的，免予提交相关资料复印件。

**二、推进全国签证"一体化"，允许申请人在属地完成备案后，选择多个签证、领证机构，向任一检验检疫原产地受理窗口申请签发原产地证书**

1. 原产地证书申请人在属地检验检疫局完成备案后，可随时申请增加异地签证机构，无须审批，属地检验检疫局负责配合申请人完成信息化配置，增加签证、领证机构。

2. 各检验检疫原产地受理窗口不得拒绝异地备案申请人申请签发原产地证书，积极告知机构信息，配合申请人增加签证、领证机构。

3. 异地签证涉及原产地调查的，由签证、领证机构委托申请人所属备案机构进行。

附件2

## 国际航行船舶卫生检疫管理规范（试行）

### 第一章 总 则

**第一条** 为规范和便利出入境（港）国际航行船舶的卫生检疫管理，根据《中华人民共和国国境卫生检疫法》及其实施细则、《中华人民共和国反恐怖主义法》、《国际航行船舶进出中华人民共和国口岸检查办法》（国务院令第175号）、《国际航行船舶出入境检验检疫管理办法》（国家质量监督检验检疫总局令第38号）和《出入境交通工具电讯卫生检疫管理办法》（质检总局公告2016年第78号）的规定，制定本规范。

**第二条** 本规范所称的口岸是指中华人民共和国国境水港口岸（以下简称口岸）。

本规范所称的国际航行船舶（以下简称船舶）是指进出口岸的外国籍船舶和航行国际航线的中华人民共和国国籍船舶，包括中国香港籍和中国澳门籍船舶，两岸直航船舶参照本规范要求执行。船舶种类包括邮轮、客轮、客滚轮、货轮等船舶。

**第三条** 本规范适用于口岸出入境（港）船舶的卫生检疫及监督管理工作。

**第四条** 国家质量监督检验检疫总局（以下简称国家质检总局）统一管理全国出入境

(港）船舶卫生检疫监督管理工作；国家质检总局设在各地的出入境检验检疫机构（以下简称检验检疫机构）负责所辖地区的出入境（港）船舶卫生检疫监督管理工作。

## 第二章 申 报

**第五条** 出入境（港）的船舶，船舶运营者或其代理人应按照有关规定申报船舶信息，并确保申报内容的准确性，如申报内容发生变化的，应及时申请更正。

**第六条** 检验检疫机构应将船舶卫生检疫监管全面纳入地方电子口岸平台建设，落实"信息互换、监管互认、执法互助"，推进"单一窗口"建设。在地方电子口岸平台上与港口、海事及其他相关部门交换船舶相关执法指令和物流信息，推行船舶申报一次录入、多方发送的申报模式。

**第七条** 船舶运营者或其代理人应按照下列时限规定，向检验检疫机构电子申报相关信息：

（一）入境船舶在抵港前24小时，航程不足24小时的，在驶离上一港口时；

（二）出境船舶在离港前4小时，出境船舶在港时间不足24小时的，可在抵达本口岸时；

（三）入境后续航其他港口船舶在抵港前4小时，出港经其他港口出境船舶在离港前4小时。

**第八条** 检验检疫机构应及时审核申报信息，根据对申报信息的风险分析结果，经综合评估后确定船舶的检疫方式，并及时将检疫方式告知船舶运营者或其代理人、港口、海事及其他相关部门。

出入港船舶一般情况下不需批复，如风险评估后需要采取临时检疫或检疫监管措施的，检验检疫机构应电子告知船舶运营者或其代理人。

**第九条** 船舶检疫申报推行无纸化，出入境船舶电子申报后还需提交纸质单证的，暂时保留原有做法直至实现船舶申报全面无纸化。实施无纸化申报的船舶运营者或其代理人应建立纸质档案，以备检验检疫部门核查，纸质单据应至少保留3个月。

**第十条** 需要办理《船舶免予卫生控制措施证书/船舶卫生控制措施证书》的船舶，船舶运营者或其代理人应提交相应证书的电子申请，并按检验检疫机构回执的要求做好相关准备工作。

## 第三章 卫生检疫

**第十一条** 出入境船舶在最先入境或最后离境的口岸，应在指定地点接受检疫，办理出入境检验检疫手续。对在上一港口发现的疫病疫情及经卫生检疫不符合事项进行如实申报。

**第十二条** 检验检疫机构根据风险评估结果，对入境船舶实施电讯检疫、靠泊检疫、锚地检疫、随船检疫等检疫方式；对出境船舶实施登轮检疫与电讯检疫等检疫方式；对出入港船舶实施检疫监管。

**第十三条** 接受入境检疫的船舶，必须按照规定悬挂检疫信号，在检验检疫机构通知检疫完毕以前，不得解除检疫信号。实施电讯检疫的船舶在接到电讯检疫批复时，视同为检疫完毕。

检疫完毕之前，除引航员和经检验检疫机构许可的人员外，其他人员不准上船；不准装卸货物、行李、邮包等物品；其他船舶不准靠近；船上人员，除因船舶遇险外，未经检验检疫机构许可，不得离船；未经检验检疫机构许可，引航员不得擅自将船舶引离检疫锚地。

**第十四条** 检验检疫机构对检疫方式为锚地检疫、靠泊检疫、随船检疫的入境船舶以及登轮检疫的出境船舶实施登轮检查。登轮检查时，检验检疫工作人员应当在船方人员的陪同下，按照工作规程进行检疫查验。

**第十五条** 在船舶上发现卫生检疫风险因子的,应依法实施相应的检疫处理,并进行效果评价。

**第十六条** 对来自疫区且国家明确规定应当实施卫生除害处理的压舱水,在排放前实施相应的检疫处理。对船上的生活垃圾、泔水、废弃物,应当放置于密封有盖的容器中,在移下前实施必要的检疫处理。

**第十七条** 船舶检疫结束后,检验检疫机构依据有关规定签发相应证书。

**第十八条** 船舶出境检疫结束后,未经检验检疫机构许可,不准再进行货物装卸和人员上下船舶。

## 第四章 监督管理

**第十九条** 检验检疫机构对出入港的船舶实施检疫监管,对卫生状况不良和可能导致传染病传播、核生化污染或者病虫害传播扩散的因素提出改进意见,并监督指导采取必要的检疫处理措施。

**第二十条** 检验检疫机构对船舶上的集装箱、货物进行监督管理,未经检验检疫机构许可不得装卸。

**第二十一条** 船舶在口岸停留期间,未经检验检疫机构许可,不得擅自排放压舱水、移下垃圾和污物等,不得擅自启封动用检验检疫机构在船上封存的物品,任何单位和个人不得擅自将船上货物、物品及其他检疫物带离船舶。

**第二十二条** 检验检疫机构接受船方或者其代理人的申请,按照相关规程办理《船舶免予卫生控制措施证书/船舶卫生控制措施证书》(或者延期证书)。

**第二十三条** 来自国内受染地区的船舶,或者在国内航行中发现受染病人、受染嫌疑人,或者有人非因意外伤害而死亡而死因不明的,船舶负责人应当向到达口岸检验检疫机构报告,接受临时检疫。

**第二十四条** 检验检疫机构对从事船舶食品、饮用水供应的单位以及从事船舶检疫处理的单位实行许可管理;对船舶垃圾收集清运单位及从事船舶代理的单位实行备案管理;其从业人员应当按照检验检疫机构的要求接受相应的培训和考核。

## 第五章 风险管理

**第二十五条** 检验检疫机构按照"风险评估、分类管理"的原则对出入境(港)船舶实施卫生检疫及监督管理。

**第二十六条** 检验检疫机构应建立风险研判机制,将船舶卫生状况、航线检疫风险、船舶运营者检疫风险控制能力等因素纳入船舶检疫风险评估体系;完善涉及船舶检疫风险管理的企业信用管理工作规范。

**第二十七条** 检验检疫机构对出入境(港)船舶、船舶运营者、船舶代理人、船舶代理报检人员实施备案管理,参照企业信用管理工作规范对其实施诚信管理,确定相应的诚信等级。

**第二十八条** 检验检疫机构综合船舶检疫风险等级和船舶运营者及其代理人诚信等级,对船舶进行分类定级,根据风险等级实施分类管理,确定船舶检疫方式、卫生监督内容和频次,并实施动态管理。

出入境(港)船舶,以及相关的船舶运营者、船舶代理报检单位未备案的,该船舶视同风险最高等级。

## 第六章 船舶联合监管与信息互换

**第二十九条** 检验检疫机构应加强与港口、海事、海关、边检等相关部门的合作,推进地方电子口岸平台建设,实现船舶服务一次申报,船舶信息动态可视,船舶监管指令协同,船舶基础代码统一,提升海港船舶监管科学化、便利化水平。

第三十条 船舶入境检疫结束后,检验检疫机构及时向港口、海事等相关部门发送放行指令。

第三十一条 检验检疫机构应与港口、海事、海关、边检部门加强在港船舶供应服务监管信息互换和执法合作,实现对船舶饮用水、食品、物料供应单位及供应服务的有效监管。

第三十二条 检验检疫机构应与港口、海事、海关、边检等部门在船舶医疗设施信息共享、海员体检结果信息共享和互认、海上搜救、危险货物监管等领域开展合作,建立更加紧密科学的协作机制。

## 第七章 附 则

第三十三条 发生口岸突发公共卫生事件时,检验检疫机构应当根据各自职责以及相关预案要求进行处置。

第三十四条 本规范中有关名词定义如下:

(一)"出入境船舶"是指出境或入境的国际航行船舶。

(二)"出入港船舶"是指不从该口岸出入境,但停靠该口岸的国际航行船舶。

(三)"卫生检疫风险因子"是指有传染病症状或体征的人员,被传染病病原体污染或有污染嫌疑的物品,突发公共卫生事件,病媒生物、核生化有害因子和其他公共卫生学问题。

(四)"受染"是指受到感染或者污染(包括核放射、生物、化学因子),或者携带感染源或者污染源,包括携带病媒生物和宿主,引起国际关注的传染病或者构成其他严重公共卫生危害。

(五)"受染地区"是指世界卫生组织依据《国际卫生条例(2005)》建议采取卫生措施的某个特定地理区域。

(六)"其他检疫物":指疫苗、血清、诊断试剂、废弃物等。

第三十五条 本规范由国家质检总局负责解释。

第三十六条 本规范自发布之日起施行。

附件3

**免于核查输出国家或地区动植物检疫证书的清单**

| 序号 | 产品范围 | 报检时须提供的附加声明 |
| --- | --- | --- |
| 1 | 使用经防腐处理的动物标本、鞣制过的动物皮毛、经深加工处理的动物蹄骨角牙、昆虫标本等制作而成的文化艺术品。 | 该文化艺术品中动物源材料经过深加工处理的工艺说明。<br>注:对动物蹄骨角牙的深加工处理应至少满足:彻底干燥,无任何皮肤、肉、髓或肌腱残留。 |

续表

| 序号 | 产品范围 | 报检时须提供的附加声明 |
|---|---|---|
| 2 | 已脱脂的羽毛装饰品；羽毛类掸子；生丝；化石类的动物蹄骨角牙；经深加工处理的贝壳、虾壳、蟹壳等水生动物副产品；珊瑚及其制品；珍珠及其制品；天然海绵及其制品；用动物角加工而成的研磨钵、茶叶勺、梳子、鞋拔等动物角制品。 | 产品经过深加工处理的工艺说明。注：1. 脱脂羽毛应至少满足：耗氧量≤10mg、残脂率≤1%。2. 贝壳、虾壳、蟹壳等水生动物副产品的深加工应至少满足：彻底清洗干燥、不带有任何软组织或肉体。 |
| 3 | 饲料样品（重量、件数等特征符合饲料样品的管理要求）。 | 产品动植物成分说明；饲料样品的用途说明。 |
| 4 | 不含动物源性成分但含植物粉类成分的饲料添加剂。 | 产品成分说明；植物粉类成分经过深加工处理的工艺说明。 |
| 5 | 深加工的木制品、木家具、树根雕刻制品、木质雕刻制品、藤蔓编织品、植物枝条编织品、植物粉末、水果粉末。 | 产品经加热、加压等深加工制作的声明。 |
| 6 | 虫胶；树胶；树脂及其他植物液、汁；天然乳胶或硫化天然乳胶；天然橡胶烟胶片。 | 无。 |
| 7 | 经高温、高压等自然生成的泥炭（泥煤）；苔藓（地衣）；泥炭藓有机栽培介质。 | 国外生产加工企业为质检总局动植司批准的优良企业的证明材料。 |
| 8 | 含微量（含量≤5%）动植物源性成分的琼脂培养基、蛋白胨培养基。 | 境外生产商的产品说明书或境外输出单位出具的安全声明。 |
| 9 | 含微量（含量≤5%）动物源性成分用于体外检测的商品化试剂盒。 | 商品化试剂盒在境外市场销售使用的证明；产品说明书。 |
| 10 | 经化学变性处理的科研用动物组织、器官；科研用工业明胶。 | 境外输出单位出具的化学变性处理的工艺说明；进口使用单位的安全承诺书。 |
| 11 | 来自商品化细胞库（包括：ATCC、NVSL、DSMZ、ECACC、KCLB、JCRB、RIKEN）的传代细胞系。 | 境外输出单位出具的安全声明（包括描述传代细胞的来源和细胞冻存液的成分）。 |

附件5

## 自贸试验区保税展示交易货物检验检疫监督管理工作规范

**第一条** 为促进自贸试验区保税展示交易的健康有序发展，规范保税展示交易货物的检验检疫监督管理工作，依据《中华人民共和国进出口商品检验法》及其实施条例、《中华人民共和国进出境动植物检疫法》及其实施条例、《中华人民共和国国境卫生检疫法》及其实施细则、《中华人民共和国食品安全法》及其实施条例等法律法规，以及《保税区检验检疫监督管理办法》（国家质检总局第71号令）等规定，制定本规范。

**第二条** 本规范适用于保税展示交易（包括保税展示和保税展销）货物的检验检疫分线监管、预检验和登记核销等监督管理工作。

**第三条** 检验检疫机构应要求企业建立载明企业、商品、实施检验状态、展品正常损耗情况或销售情况等信息的登记账册。登记账册一式两份，检验检疫机构和企业各留一份。检验检疫机构可采用信息化手段实施电子登记账册管理。

**第四条** 保税展示交易货物首次经"一线"入区报检时，应在《入境货物报检单》中特殊要求一栏录入"保税展示"或"保税展销"字样。

**第五条** 保税展示交易货物经"一线"入区时，检验检疫机构实施入区检疫。企业申请实施预检验的，一次性完成检验检疫工作，经预检验合格的货物，由检验检疫机构登记并签发核销凭证。

**第六条** 保税展示交易货物首次经"二线"出区报检时，除一般报检资料外，企业还需提供登记账册和货物用于保税展示交易的相关证明材料。

**第七条** 保税展示货物首次经"二线"出区时，检验检疫机构实施一次查验，货物再次进出特殊监管区域时，凭登记、核销记录和企业承诺放行。保税展示货物需销售的，按照相关规定办理检验检疫手续。

**第八条** 保税展销货物出区时，对经预检验合格的货物，实行销售核销管理。未实施预检验的货物，在出区前需办理完毕检验检疫手续。

**第九条** 检验检疫机构应当加强对保税展示交易登记账册和实物库存的监督管理，对开展保税展示交易货物的企业实施诚信管理。

**第十条** 检验检疫机构发现企业未按规定核销的，暂停保税展示交易，责令补办相关手续；检验检疫机构发现企业违反检验检疫法律法规行为的，按相关法律规定处理。

**第十一条** 其他特殊监管区保税展示交易货物管理工作参照本规范执行。

**第十二条** 本规范由质检总局负责解释。

**第十三条** 本规定自发布之日起实施。

# 关于复制推广自由贸易试验区第三批改革试点经验的公告

（国家质量监督检验检疫总局 2017 年第 105 号）

（2017年12月5日由国家质量监督检验检疫总局发布，2017年12月5日起施行，法规类型为规范性文件）

为贯彻落实《关于做好自由贸易试验区第三批改革试点经验复制推广工作的函》（商资〔2017〕515号），根据工作实际，质检总局将涉及检验检疫领域的2项改革试点经验在全国进行复制推广，现公告如下：

一、入境研发样品便利化监管制度

对研发科研类企业进口的研发用样品采取信用监管放行新模式，对产品实施风险分类监管，简化办理手续，实施事中事后监管，特制定《入境研发样品检验检疫便利化监管的指导意见》（见附件1）。进境动植物相关生物材料检验检疫工作按《质检总局关于推广京津冀沪进境生物材料监管试点经验及开展新一轮试点的公告》（2017年第94号公告）执行。

二、会展检疫监管新模式

简化审批手续，创新展品监管模式，改口岸查验为场馆集中查验，特制定《出入境展品检验检疫监督管理工作规范》（见附件2）。

附件：1. 入境研发样品检验检疫便利化监管的指导意见
　　　2. 出入境展品检验检疫监督管理工作规范

附件1

## 质检总局关于入境研发样品检验检疫便利化监管的指导意见

为贯彻落实党中央、国务院全面深化改革扩大开放建设自由贸易试验区（以下简称自贸试验区）战略举措的精神，进一步规范入境研发样品检验检疫监管工作，依据有关法律法规规定，并结合实际，提出以下意见。

一、指导思想

全面贯彻习近平总书记系列重要讲话精神和治国理政新理念新思想新战略，充分利用自贸试验区的改革创新引领作用，深入贯彻落实"放、管、服"有关要求，大胆试、大胆闯、自主改，进一步理顺入境研发样品检验检疫监管方式，为企业研发提供保障和支持，促进研发科创产业的发展。

二、基本原则

入境研发样品是指企业及科研院所等研究机构为其自身检测、研发、科技创新等目的，不用于销售的入境试剂、试样等实物。对研发科创类企业、单位入境样品根据风险分级，在实施检疫基础上，简化入境手续，采取信用监管放行新模式，加强事后监管。

三、实施意见

（一）研发类企业、单位的认定。各直属局应制定研发类企业、单位名录，可会同地方政府有关管理部门认定研发类企业、单位，确有入境样品需求的，纳入研发类企业、单位名录，实施便利化监管。

（二）优化审批程序。对入境样品实施风险分级管理。除按有关规定确需对试点企业和相关样品实施风险前置评估的，一般不实施前置考核。确需实施前置审批的，进一步简化审批程序。对低风险入境样品允许一次审批，多次核销。

（三）优化事中管理方式。进一步优化入境样品报检手续和查验程序，实行风险分级监管模式。对符合条件的产品、企业，可按企业意愿实施到货地查验。对B级以上诚信企业低风险入境样品，可通过远程视频方式监控，由企业按照检验检疫要求自助查验。

（四）加强事后监管。各地方检验检疫机构对研发类企业、单位开展定期监督检查，核查入境研发样品保管、存放、使用、流向等情况以及企业样品安全管理制度和档案等，确保研发样品用于原申请用途，确保研发样品的使用和处理符合有关法律法规要求，不产生公共危害。

（五）加强惩戒措施。各地方检验检疫机构日常监督抽查过程中，如果发现有擅自改变使用范围、用途或使用虚假信息或其他方式骗取放行的，一经核实，将按照相应的法律法规对其依法采取相应处罚措施，并将企业从《入境研发样品检验检疫便利化试点企业名录》中删除，同时报地方政府管理部门，记录企业不诚信记录，将其列入相关"黑名单"管理，实施严密监管。

四、有关要求

（一）加强沟通交流。各直属局要高度重视复制推广自贸试验区改革试点经验的重大意义，加强与总局各业务司局沟通交流，主动加强与地方政府相关部门的沟通联系，密切协作配合，形成合力，促进研发企业发展。

（二）制定管理规范。各直属局要结合当地实际制定管理办法和规范，适时开展效果评估和总结，及时调整完善，遇到的重大问题，要及时向总局报告。

（三）做好政策宣贯。各直属局要通过召开培训会议等形式，及时将有关政策向有关企业、单位进行宣贯，确保改革经验落地生根、取得实效，持续释放改革红利。

附件2

## 出入境展品检验检疫监督管理工作规范

### 第一章 总 则

**第一条** 为规范出入境展品检验检疫监督管理工作，促进会展业健康快速发展，根据出入境检验检疫相关法律法规的规定，制定本工作规范。

**第二条** 本规范适用于涉外展会（含港澳台地区，以下简称：展会）的出入境展品（含邮寄、快件和人员携带方式）检验检疫及监督管理。

**第三条** 本规范所称展品，是指用于展会展台布置、展示、品尝、试用、馈赠和少量试销并应依法申报的出入境物品。

本规范所称展会方，包括展会的主办方、承办方、参展商及其代理人等。

**第四条** 国家质检总局通关司负责出入境展品的通关及综合协调工作；总局相关业务司局负责所辖展品的检验检疫及监督管理工作；认监委负责强制性产品认证目录范围内出入境展品的认证监督管理工作。

**第五条** 各直属检验检疫局负责组织实施辖区内出入境展品检验检疫监督管理工作。根据国家质检总局授权开展出入境展品的许可、审批工作。

各地检验检疫机构负责受理辖区内展会及展品的备案、审批申请和出入境展品的申报，开展展品质量安全分析，实施具体检验检疫监督管理工作。

**第六条** 出入境展品免予检验，但法律、法规另有规定的除外。

### 第二章 备案及审批

**第七条** 展会方应当在展会举办前20个工作日内向展会举办地检验检疫机构办理入境展会及展品备案，并提供下列材料：

（一）《涉外展会检验检疫备案表》（附件1）；

（二）政府相关部门签发的关于展会举办的批文复印件（加盖单位公章，同时交验原件）、检验检疫机构认可的参展证明；

（三）《入境展品信息表》（附件2）；

（四）展会结束后对入境展品的处置计划；

（五）展会场地设置平面图（包括提供现场检疫监管的场地图）、进口展商所在展位的编号。

**第八条** 入境动植物及其产品、动植物源性食品、特殊物品等展品需办理检疫审批的，由国家质检总局或其授权的直属检验检疫局办理检疫审批手续。

允许来自非疫区但未获得进口检验检疫准入的动植物产品及动植物源性食品入境参展，但不得用于品尝、销售等除展示之外的其他用途。需要办理检疫审批手续的，按照特许审批办理。

已经深加工可消除动植物疫情传播风险的动植物产品及动植物源性食品免于检疫审批。

**第九条** 强制性产品认证目录内的展品，应获得强制性产品认证。未获得强制性产品认证，但符合免予办理强制性产品认证条件的，可简化相关流程，由展会方提出申请，检验检疫机构批量办理并签发《免予办理强制性产品认证证明》。

属于国家实施许可制度的展品,符合许可制度中免于取得相应许可条件的,应提供相应免于许可的证明文书。

## 第三章 入境展品检验检疫

**第十条** 展会方应当在展品入境前向入境口岸检验检疫机构报检,并提供以下资料:

(一)已经备案的《涉外展会检验检疫备案表》及《入境展品信息表》;

(二)展品为动植物、动植物产品、动植物源性食品的,应提供输出国家或地区官方出具的检疫证书(已经深加工可消除动植物疫情传播风险的动植物产品、动植物源性食品可免于提供);涉及检疫审批的,还应提供相关检疫审批文件;

(三)展品为食品、化妆品的,应按照国家出入境检验检疫部门的要求随附合格证明材料;

(四)展品为转基因标识目录范围内且在参展过程中试吃、试用的,应提交是否含有"转基因"成分的书面声明。如含转基因成分应提交农业部出具的《转基因生物安全证书》;

(五)展品为微生物、人体组织、血液及其制品、生物制品等特殊物品的,应提供《入/出境特殊物品卫生检疫审批单》;

(六)展品为强制性产品认证目录内的,应提交强制性产品认证证明文件;

(七)展品为危险化学品的,应提交中文危险公示标签(散装产品除外)、中文安全数据单的样本;对需要添加抑制剂或稳定剂的展品,还应提交实际添加抑制剂或稳定剂的名称、数量等情况说明;

(八)其他报检所需单证。

**第十一条** 入境后集装箱原封转运至展会举办地的展品,入境口岸检验检疫机构对集装箱箱体外表实施检疫和放射性监测,举办地检验检疫机构依法对展品、集装箱、包装物及铺垫材料实施动植物检疫、卫生检疫及后续监管,并按有关规定实施检疫处理。

**第十二条** 对散装和在口岸需开箱卸货后再转运至展会举办地的展品,由口岸检验检疫机构对展品、集装箱、包装物及铺垫材料实施动植物检疫、卫生检疫、放射性监测,并按有关规定实施检疫处理。后续监管工作由举办地检验检疫机构负责实施。

**第十三条** 通过邮寄、快件或人员携带等方式入境的展品,按照质检总局关于邮寄物、携带物的检验检疫管理办法监管。

**第十四条** 入境展品按规定需要隔离检疫的,应经隔离检疫合格后方准展览。

**第十五条** 入境展品属于危险化学品的,应对其包装及危险公示标签实施检验,合格后方准展览。

**第十六条** 仅供展览的入境预包装食品、化妆品,免予抽样检验,免予加贴中文标签;对展会期间少量试用、品尝、馈赠的入境预包装食品、化妆品,根据食品安全风险评估情况,可在展前抽取样品检验,并可免于加贴中文标签;对样品已经检验合格并在展会现场少量试销的,免于加贴中文标签。对于免于加贴中文标签的进口食品化妆品,应在展品旁以中文注明品名、保质期、禁忌、食用(使用)方法等事项。

**第十七条** 允许展品在展览期间适量损耗,展品在展示中因试用、品尝、馈赠等导致展品损耗无法复运出境的,展会主(承)办单位或其代理人应在开展前填报《入境展品消耗品清单》(附件3),向检验检疫机构说明消耗方式和拟消耗的数量或重量,报检验检疫机构核准后方可开展相关活动。

**第十八条** 展会所在地检验检疫机构应根据展会规模、展品性质等情况,对展会现场实施监督管理。具体措施如下:

(一)发现禁止入境或未按规定如实报检的展品,展会方在检验检疫机构监督下对其进行

封存,并根据相关法律法规规定进行处理;

(二)发现不符合规定的展品或未经批准的试用、品尝、馈赠和少量试销等活动时,应通知展会方停止展示或相关活动,并对相关展品予以封存,按照相关规定处理;

(三)发现动植物、动植物产品、动植物源性食品及特殊物品类的展品,未获得检疫审批或发现疫情的,应通知主办方立即封存在指定场所,并按规定上报展会举办地直属 检验检疫局;

(四)需要隔离展览的动植物(包括附土植物)应在隔离展览区设立"隔离养殖"、"隔离种植"标识,同时做好疫情防控工作;

(五)对展品涉及活体动植物的,视情况在展区附近开展外来疫情监测。发现重大外来疫情,应及时按照有关规定采取紧急处置措施。

## 第四章 入境展品的展后处置

**第十九条** 入境展品展后原则上应在检验检疫机构监督下退回或销毁处理。

对作退回处理的,展会方应在展品出境后将展品出境证明文件交检验检疫机构备案。

对作销毁处理的,展会方应在检验检疫机构监督指导下实施销毁处理。涉及食品、化妆品、动植物、动植物产品及特殊物品等展品,应送到具有相关资质的场所作销毁处理。

**第二十条** 对展后留购的入境展品,应经检验检疫机构同意后,依法补办各项检验检疫手续。

**第二十一条** 对需转运至国内其他地区继续展出的入境展品,举办地检验检疫机构审核无误后,通知下一展会举办地检验检疫机构做好后续监管和处置工作。

**第二十二条** 对发生损耗、丢失或毁坏等情形的入境展品,展会方应提交相关情况说明及证明材料。

**第二十三条** 展会方应在展会结束后30个工作日内,向展会举办地检验检疫机构办理核销手续,填写《入境展品流向申报表》(附件4),并按照本规范第二十至二十三条的规定,提供相关证明材料。

**第二十四条** 检验检疫机构核销无误后归档,并定期或不定期对久未归档且价值较高的入境展品进行调查核实。发现未经检验检疫擅自销售使用的行为,应依法查处。

## 第五章 出境展品检验检疫

**第二十五条** 出境展品报检时,参展方应向检验检疫机构提交举办国的证明文件及相应的展品清单。

涉及动植物及其产品的,应提交输入国家/地区对展品的检疫要求;涉及特殊物品的,应办理《出入境特殊物品卫生检疫审批单》。

**第二十六条** 检验检疫机构依法对出境展品实施检疫和危险化学品包装检验。

**第二十七条** 出境展品退运入境,参展方应在入境报检时,提交该批展品出境时办理的出境货物通关单、出口报关单或相关货物出境参展证明文件。

涉及动植物及其产品、动植物源性食品的,应提交退运国家或地区官方出具的检疫证书,涉及检疫审批的,还应提交相关检疫审批文件;涉及特殊物品的,应办理《出入境特殊物品卫生检疫审批单》。

**第二十八条** 退运展品的检疫工作参照进境检疫的有关规定执行。退运展品涉及危险化学品的,应依法对其包装实施检验。

## 第六章 附 则

**第二十九条** 重大展会举办期间,检验检疫机构应加强与地方政府、展会主(承)办方、口岸相关部门的协调与合作,在展会现场与有关单位实行联合办公、共同查验模式,为参展者提供"一站式"检验检疫服务。必要时设立专用服务咨询电话、报检窗口和查验绿色通道,做到即到即放、即检即放。

**第三十条** 口岸和展会举办地检验检疫机构应加强协调配合。展会举办地检验检疫机构应及时将展会备案信息和展品信息通知口岸检验检疫机构。口岸检验检疫机构应对相关出入境展品提供通关便利。

**第三十一条** 各检验检疫机构可结合展品特点和检验检疫监管要求,积极探索现代信息技术在展会检验检疫监管中的应用,实施展品风险分类管理,提升展品监管服务效能。

**第三十二条** 各直属检验检疫局可结合展会特点,联合有关监管部门,共同打击制售假冒伪劣产品的行为,营造健康规范的展会环境,确保展品质量安全。

**第三十三条** 涉外演艺、赛事、会议等活动中所涉及物品的检验检疫及监督管理参照本规范执行。

**第三十四条** 本工作规范由国家质检总局解释。

**第三十五条** 本工作规范自印发之日起执行。

# 关于授权国务院在自由贸易试验区暂时调整适用有关法律规定的决定

(第十三届全国人民代表大会常务委员会第十四次会议通过)

(2019年10月26日第十三届全国人民代表大会常务委员会第十四次会议通过,2019年12月1日起施行,法规类型为规范性文件)

为进一步优化营商环境,激发市场活力和社会创造力,加快政府职能转变,第十三届全国人民代表大会常务委员会第十四次会议决定:授权国务院在自由贸易试验区内,暂时调整适用《中华人民共和国对外贸易法》《中华人民共和国道路交通安全法》《中华人民共和国消防法》《中华人民共和国食品安全法》《中华人民共和国海关法》《中华人民共和国种子法》的有关规定(目录附后)。上述调整在三年内试行。对实践证明可行的,国务院应当提出修改有关法律的意见;对实践证明不宜调整的,在试点期满后恢复施行有关法律规定。

本决定自2019年12月1日起施行。

附件:授权国务院在自由贸易试验区暂时调整适用有关法律法规目录

附件

| 序号 | 名称 | 法律规定 | 调整内容 |
|---|---|---|---|
| | | 授权国务院在自由贸易试验区暂时调整适用有关法律规定目录 | |
| 1 | 对外贸易经营者备案登记 | 《中华人民共和国对外贸易法》第九条 从事货物进出口或者技术进出口的对外贸易经营者，应当向国务院对外贸易主管部门或者其委托的机构办理备案登记；但是，法律、行政法规和国务院对外贸易主管部门规定不需要备案登记的除外。对外贸易经营者备案办法由国务院对外贸易主管部门规定。对外贸易经营者未按照规定办理备案登记的，海关不予办理进出口货物的报关验放手续。 | 直接取消审批（取消对外贸易经营者备案登记） |
| 2 | 拖拉机驾驶培训学校、驾驶培训班资格认定 | 《中华人民共和国道路交通安全法》第二十条第一款 机动车的驾驶培训实行社会化，由交通主管部门对驾驶培训学校、驾驶培训班实行资格管理，其中专门的拖拉机驾驶培训学校、驾驶培训班由农业（农业机械）主管部门实行资格管理。 | 直接取消审批 |
| 3 | 消防技术服务机构资质审批 | 《中华人民共和国消防法》第三十四条 消防产品质量认证、消防设施检测、消防安全监测等消防技术服务机构和执业人员，应当依法获得相应的资质、资格；依照法律、行政法规、国家标准、行业标准和执业准则，接受委托提供消防技术服务，并对服务质量负责。 | 直接取消审批 |

| 序号 | 名称 | 法律规定 | 调整内容 |
|---|---|---|---|
| 4 | 食品经营许可（仅销售预包装食品） | 《中华人民共和国食品安全法》第三十五条 国家对食品生产经营实行许可制度。从事食品生产、食品销售、餐饮服务，应当依法取得许可。但是，销售食用农产品，不需要取得许可。县级以上地方人民政府食品安全监督管理部门应当依照《中华人民共和国行政许可法》的规定，审核申请人提交的本法第三十三条第一款第一项至第四项规定要求的相关资料，必要时对申请人的生产经营场所进行现场核查；对符合规定条件的，决定准予许可；对不符合规定条件的，决定不予许可并书面说明理由。 | 审批改为备案 |
| 5 | 报关企业注册登记 | 《中华人民共和国海关法》第十一条第一款 进出口货物收货人、发货人、报关企业办理报关手续，必须依法经海关注册登记。未经海关注册登记，不得从事报关业务。 | 审批改为备案 |
| 6 | 公众聚集场所投入使用、营业前消防安全检查 | 《中华人民共和国消防法》第十五条 公众聚集场所在投入使用、营业前，建设单位或者使用单位应当向场所所在地的县级以上地方人民政府消防救援机构申请消防安全检查。消防救援机构应当自受理申请之日起十个工作日内，根据消防技术标准和管理规定，对该场所进行消防安全检查。未经消防安全检查或者经检查不符合消防安全要求的，不得投入使用、营业。 | 实行告知承诺（申请人承诺符合消防安全标准并提供相关材料的，消防救援机构不再进行实质性审查，直接作出审批决定） |
| 7 | 林草种子（进出口）生产经营许可证核发 | 《中华人民共和国种子法》第三十一条第一款 从事种子进出口业务的种子生产经营许可证，由省、自治区、直辖市人民政府农业、林业主管部门审核，国务院农业、林业主管部门核发。第九十三条 草种、烟草种、中药材种、食用菌种的种质资源管理和选育、生产经营、管理等活动，参照本法执行。 | 优化审批服务（取消省级林草部门实施的审核） |

# 关于开展"证照分离"改革全覆盖试点的公告

（海关总署公告2019年第182号）

（2019年11月27日由海关总署发布，2019年12月1日起施行，法规类型为规范性文件）

根据《国务院关于在自由贸易试验区开展"证照分离"改革全覆盖试点的通知》（国发〔2019〕25号）精神，海关总署决定自2019年12月1日起，对海关涉企经营许可事项开展"证照分离"改革全覆盖试点。现就相关事宜公告如下：

一、"审批改为备案"2项

对登记注册在自由贸易试验区的企业申请"报关企业注册登记"实施"审批改为备案"改革；在全国范围内，对"出口食品生产企业备案核准"实施"审批改为备案"改革。

二、"实行告知承诺"1项

对全国自由贸易试验区范围内口岸区域的"口岸卫生许可证（涉及公共场所）核发"实施"实行告知承诺"改革。

三、"优化审批服务"12项

在全国范围内，对"进出口商品检验鉴定业务的检验许可""口岸卫生许可证（涉及食品、饮用水）核发""免税商店设立审批""保税物流中心（A型）设立审批""保税物流中心（B型）设立审批""从事进出境检疫处理业务的单位认定""出口监管仓库设立审批""保税仓库设立审批""海关监管货物仓储审批""出境动物及其产品、其他检疫物的生产、加工、存放单位注册登记""出境植物及其产品、其他检疫物的生产、加工、存放单位注册登记""进口可用作原料的固体废物国内收货人注册登记"实施"优化审批服务"改革。

相关改革事项详细改革信息见附件，办理过程中的具体业务问题，请拨打海关热线：12360。

以上改革试点事项自2019年12月1日起施行。

特此公告。

附件：1. 报关企业注册登记（略）
   2. 出口食品生产企业备案核准（略）
   3. 口岸卫生许可证核发（涉及公共场所）（略）
   4. 进出口商品检验鉴定业务的检验许可（略）
   5. 口岸卫生许可证核发（涉及食品、饮用水）（略）
   6. 免税商店设立审批（略）
   7. 保税物流中心（A型）设立审批（略）
   8. 保税物流中心（B型）设立审批（略）
   9. 出口监管仓库设立审批（略）
   10. 保税仓库设立审批（略）
   11. 海关监管货物仓储审批（略）
   12. 从事进出境检疫处理业务的单位认定（略）
   13. 出境动物及其产品、其他检疫物的生产、加工、存放单位注册登记（略）
   14. 出境植物及其产品、其他检疫物的生产、加工、存放单位注册登记（略）
   15. 进口可用作原料的固体废物国内收货人注册登记（略）

# 在自由贸易试验区开展"证照分离"改革全覆盖试点工作的实施方案

（2019年11月30日由商务部发布，2019年11月30日起施行，法规类型为规范性文件）

根据《国务院关于在自由贸易试验区开展"证照分离"改革全覆盖试点的通知》（国发〔2019〕25号）要求，为做好商务部有关涉企经营许可事项在自由贸易试验区开展"证照分离"改革全覆盖试点工作，特制定以下工作方案。

**一、指导思想**

以习近平新时代中国特色社会主义思想为指导，全面贯彻党的十九大和十九届二中、三中、四中全会精神，按照党中央、国务院决策部署，持续深化"放管服"改革，进一步明晰政府和企业责任，全面清理涉企经营许可事项，分类推进审批制度改革，完善简约透明的行业准入规则，进一步扩大企业自主权，创新和加强事中事后监管，打造市场化、法治化、国际化的营商环境，激发微观主体活力，推动经济高质量发展。

## 二、试点范围和内容

自 2019 年 12 月 1 日起,在上海、广东、天津、福建、辽宁、浙江、河南、湖北、重庆、四川、陕西、海南、山东、江苏、广西、河北、云南、黑龙江等自由贸易试验区,对对外贸易经营者备案登记、石油成品油批发经营资格审批(初审)、石油成品油批发经营资格审批、石油成品油仓储经营资格审批(初审)、石油成品油仓储经营资格审批、从事拍卖业务许可、援外项目实施企业资格认定、进出口国营贸易经营资格认定、供港澳活畜禽经营权审批、报废机动车回收(拆解)企业资质认定、成品油零售资格审批、直销企业及其分支机构设立和变更审批、对外劳务合作经营资格核准等 13 项涉企经营许可事项,按照直接取消审批、审批改为备案、实行告知承诺、优化审批服务等四种方式分类推进改革。

## 三、改革举措

(一)对外贸易经营者备案登记。

1. 改革方式:直接取消审批。

2. 具体改革举措:依据《全国人民代表大会常务委员会关于授权国务院在自由贸易试验区暂时调整适用有关法律规定的决定》(2019 年 10 月 26 日第十三届全国人民代表大会常务委员会第十四次会议通过),自 2019 年 12 月 1 日至 2022 年 11 月 30 日止,依法登记注册的住所位于自贸试验区实施范围内的对外贸易经营者,在货物进出口经营活动中不再办理对外贸易经营者备案登记,在办理货物通关手续时不再提交对外贸易经营者备案登记数据。协调推进政务数据共享利用,加强与市场监管总局、海关总署等部门的协调,加快推进企业登记注册、进出口货物收发货人备案等数据的对接联通和共享利用,让数据"跑路"代替企业"跑腿",确保新旧管理制度平稳衔接。

3. 加强事中事后监管措施:加强对外贸易经营者备案登记取消后的有关监管。指导自贸试验区开展"双随机、一公开"监管等事中事后监管,发现违法违规行为要依法查处并公开结果,对严重违法违规的企业要依法联合实施市场禁入措施。加强信用监管,建立经营主体信用记录,实施失信联合惩戒。支持行业协会发挥自律作用。

(二)石油成品油批发经营资格审批(初审)。

1. 改革方式:直接取消审批。

2. 具体改革举措:暂时调整《国务院对确需保留的行政审批事项设定行政许可的决定》关于"石油成品油批发经营资格审批"的决定,取消初审。市场主体从事石油成品油批发、仓储经营活动,应当符合企业登记注册、国土资源、规划建设、油品质量、安全、环保、消防、税务、交通、气象、计量等方面法律法规,达到相关标准,取得相关资质或通过相关验收,依法依规开展经营。

3. 加强事中事后监管措施:开展"双随机、一公开"监管,发现违法违规经营行为及时通报有关部门查处。加强信用监管,配合有关部门向社会公布相关经营主体信用情况,对失信经营主体开展联合惩戒,对不良信用记录的经营主体提高检查频次。发挥行业协会自律作用。

(三)石油成品油批发经营资格审批。

1. 改革方式:直接取消审批。

2. 具体改革举措:暂时调整《国务院对确需保留的行政审批事项设定行政许可的决定》关于"石油成品油仓储经营资格审批"的决定,取消审批。市场主体从事石油成品油批发、仓储经营活动,应当符合企业登记注册、国土资源、规划建设、油品质量、安全、环保、消防、税务、交通、气象、计量等方面法律法规,达到相关标准,取得相关资质或通过相关验收,依法依规开展经营。

3. 加强事中事后监管措施:开展"双随机、一公开"监管,发现违法违规经营行为及时通报有关部门查处。加强信用监管,配合有关部门向社会公布相关经营主体信用情况,对失信经营主体开展联合惩戒，对不良信用记录的经营主体提高检查频次。发挥行业协会自律作用。

（四）石油成品油仓储经营资格审批（初审）。

1. 改革方式：直接取消审批。

2. 具体改革举措：暂时调整《国务院对确需保留的行政审批事项设定行政许可的决定》关于"石油成品油批发经营资格审批"的决定，取消初审。市场主体从事石油成品油批发、仓储经营活动，应当符合企业登记注册、国土资源、规划建设、油品质量、安全、环保、消防、税务、交通、气象、计量等方面法律法规，达到相关标准，取得相关资质或通过相关验收，依法依规开展经营。

3. 加强事中事后监管措施：开展"双随机、一公开"监管，发现违法违规经营行为及时通报有关部门查处。加强信用监管，配合有关部门向社会公布相关经营主体信用情况，对失信经营主体开展联合惩戒，对不良信用记录的经营主体提高检查频次。发挥行业协会自律作用。

（五）石油成品油仓储经营资格审批。

1. 改革方式：直接取消审批。

2. 具体改革举措：暂时调整《国务院对确需保留的行政审批事项设定行政许可的决定》关于"石油成品油仓储经营资格审批"的决定，取消审批。市场主体从事石油成品油批发、仓储经营活动，应当符合企业登记注册、国土资源、规划建设、油品质量、安全、环保、消防、税务、交通、气象、计量等方面法律法规，达到相关标准，取得相关资质或通过相关验收，依法依规开展经营。

3. 加强事中事后监管措施：开展"双随机、一公开"监管，发现违法违规经营行为及时通报有关部门查处。加强信用监管，配合有关部门向社会公布相关经营主体信用情况，对失信经营主体开展联合惩戒，对不良信用记录的经营主体提高检查频次。发挥行业协会自律作用。

（六）从事拍卖业务许可。

1. 改革方式：实行告知承诺。

2. 具体改革举措：申请取得从事拍卖业务的许可，不需要提交法定代表人证明和简历。修改完善相关管理制度，明确审批具体标准、环节、程序等，对从事拍卖业务需要具备的条件和能力（法人资格、注册资本、固定办公场所、拟聘任拍卖师和相应管理规则等要求）提供告知承诺书示范文本，并将企业承诺内容向社会公开。对企业承诺已具备经营许可条件的，企业领证后即可开展经营。

3. 加强事中事后监管措施：配合相关部门完善企业基本信息共享机制，实现信息实时传递、无障碍交换；健全企业信息公示制度，完善企业经营异常名录制度。完善拍卖企业年度核查制度，明确办理流程和需要提交的材料，提供企业年度检查报告书范本，对核查结果予以公示，并报商务部。厘清与其他政府部门市场监管责任，加强与市场监管、文物、公安等部门的工作联系，建立跨部门的拍卖管理工作机制。积极引导市场主体自制自律，推进行业自律，促进市场主体自我约束、诚信经营；支持、引导行业协会开展拍卖企业服务信用评价，定期发布诚信经营企业和标准化达标企业。

（七）援外项目实施企业资格认定。

1. 改革方式：优化审批服务。

2. 具体改革举措：自2019年11月6日起，不再要求自贸区企业提供由税务主管部门出具的完税证明，可提供经电子税务信息系统查询的纳税记录。

3. 加强事中事后监管措施：对实施援外项目的企业开展重点审计检查，监督实施企业履行纳税义务，结合援外信用评价制度对不合格企业进行惩戒。抽查援外企业的纳税信用等级。

（八）进出口国营贸易经营资格认定。

1. 改革方式：优化审批服务。

2. 具体改革举措：不断优化申请、受理、审查、决定、送达等流程，压减证明事项，精简申请材料，降低企业办事成本。强化政务公开，通过商务部网站、网上政务大厅等平台及时全面准确公开法律法规、政策文件、办事指南等服务指引信息。建立和完善在线办理制度，积极探索电子签名、电子档案、电子印章、电子证照等应用，提高"互联网+政务"服务效率，为企业提供均等化无差异的政务服务，激发市场主体活力。

3. 加强事中事后监管措施：加强进出口国营贸易经营资格认定事项的有关监管。开展"双随机、一公开"监管，及时公布检查情况，发现问题向企业提出整改要求并跟踪整改结果。发现违法行为依法实施行政处罚，将查处结果纳入企业信用记录。加强信用监管，会同有关部门实行失信联合惩戒。

（九）供港澳活畜禽经营权审批。

1. 改革方式：优化审批服务。

2. 具体改革举措：审批时不再征求海关总署和中国食品土畜进出口商会意见。不再要求申请人提供海关总署供港澳活畜禽备案养殖场资格证书。

3. 加强事中事后监管措施：加强供港澳活畜禽经营权审批事项的有关监管。推进部门间协同监管体系建设。加强信用监管，将供港澳活畜禽企业经营情况记入信用记录，实施失信联合惩戒。

（十）报废机动车回收（拆解）企业资质认定。

1. 改革方式：优化审批服务。

2. 具体改革举措：拟从事报废机动车回收活动的，应当向省、自治区、直辖市人民政府负责报废机动车回收管理的部门提出申请。省、自治区、直辖市人民政府负责报废机动车回收管理的部门应当充分利用计算机网络等先进技术手段，推行网上申请、网上受理等方式，为申请人提供便利条件。申请人可以在网上提出申请。取得报废机动车回收企业资质认定，应当符合下列条件：具有企业法人资格；具有符合环境保护等有关法律、法规和强制性标准要求的存储、拆解场地，拆解设备、设施以及拆解操作规范；具有与报废机动车拆解活动相适应的专业技术人员。不再将注册资本、场地面积、从业人员数量等作为报废机动车回收（拆解）企业资质认定条件。

3. 加强事中事后监管措施：一是推进部门间信息共享和协同监管体系建设。二是开展"双随机、一公开"监管，对投诉举报多的单位实施重点监管。在监督检查中发现报废机动车回收企业不具备本办法规定的资质认定条件的，应当责令限期改正；拒不改正或者逾期未改正的，由原发证部门吊销资质认定书。县级以上地方人民政府负责报废机动车回收管理的部门接到举报的，应当及时依法调查处理，并为举报人保密；对实名举报的，负责报废机动车回收管理的部门应当及时将处理结果告知举报人。三是发挥行业协会自律作用。

（十一）成品油零售经营资格审批。

1. 改革方式：优化审批服务。

2. 具体改革举措：暂时调整《国务院对确需保留的行政审批事项设定行政许可的决定》关于审批权限的规定，将审批权限由省级商务主管部门下放至设区的市级政府。取消申请企业提交成品油供应渠道法律文件相关要求。

3. 加强事中事后监管措施：严格做好成品油零售经营企业年度检查，重点关注企业经营中质量、计量、消防、安全、环保等方面情况。配合相关安全职能部门做好成品油零售企业安全生产管理工作，组织开展成品油零售企业安全管理专项检查，做好行业安全监管。完善成品油零售经营主体和零售网点信息系统，指导企业做好信息报送和变更。充分发挥行业协会自律作用。

（十二）直销企业及其分支机构设立和变更审批。

2265

1. 改革方式：优化审批服务。

2. 具体改革举措：通过《直销企业及其分支机构设立与变更行政许可事项服务指南》（网址 https：//egov. mofcom. gov. cn/xzxk/bszn2016/19009-2018. pdf）公开审批依据、申请条件、办理流程，在网上公开办理结果。会同市场监管部门推进"互联网+政务服务"，推动部门间信息共享应用。

3. 加强事中事后监管措施：探索建立以信用监管为基础的行业监管体制。配合监管部门查处严重违法违规企业。

（十三）对外劳务合作经营资格核准。

1. 改革方式：优化审批服务。

2. 具体改革举措：商务主管部门应于收到申报材料后15个工作日内办结；补充材料不计入审批时间。

3. 加强事中事后监管措施：根据《对外投资合作"双随机一公开"监管工作细则（试行）》（商办合函〔2017〕426号）要求，各省级商务主管部门负责本地区对外劳务合作"双随机、一公开"工作，加强对对外劳务合作的事中事后监管。

四、保障措施

（一）加强组织领导。各商务主管部门要高度重视"证照分离"改革全覆盖试点工作，建立健全工作机制，层层压实责任，聚焦企业关切，确保改革举措落实落地见成效。

（二）狠抓工作落实。要做好改革政策宣传解读，扩大政策知晓度，营造有利于改革的良好氛围。要加强与相关部门协作，强化信息共享，加强联合监管。要组织开展培训，加强业务研讨，分享经验做法，推动提升政务服务水平，提高服务效率。

（三）强化评估总结。要密切跟踪改革试点进展，适时评估试点情况，研究完善工作举措。及时总结试点经验，发挥典型示范效应，为深化"证照分离"改革积累可复制可推广的创新成果。

"证照分离"改革全覆盖试点中的重要情况和问题，要及时报商务部。

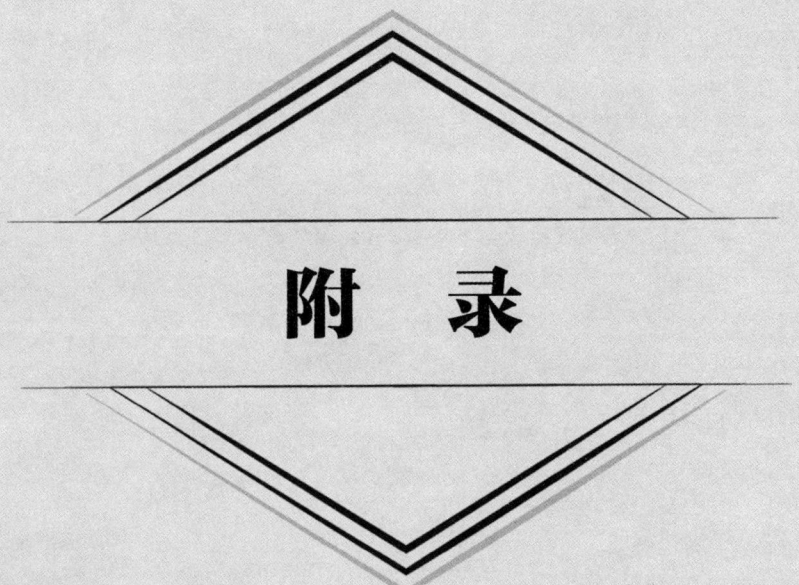

# 附　录

# 归类与原产地

(扫码获取相关内容)

**世界海关组织归类决定**
1. 关于修订《中华人民共和国海关总署商品归类决定汇编(世界海关组织1988—2000年归类决定)》(海关总署公告2007年第39号)
2. 公布《中华人民共和国海关总署商品归类决定(世界海关组织2001-2007年商品归类决定)》(海关总署公告2008年第47号)
3. 关于公布海关总署商品归类决定(海关总署公告2008年第75号)
4. 关于公布世界海关组织2009年至2010年商品归类决定(海关总署公告2010年第75号)
5. 关于公布世界海关组织归类决定的公告(海关总署公告2012年第24号)
6. 关于公布、废止部分世界海关组织商品归类决定的公告(海关总署公告2014年第93号)
7. 关于公布2016年商品归类决定(Ⅵ)的公告(海关总署公告2016年第79号)
8. 关于公布部分商品归类决定的公告(海关总署公告2018年第159号)

**海关总署归类决定**
9. 关于公布协调制度商品归类技术委员会第十一次会议商品归类决定(海关总署公告2008年第36号)
10. 关于废止部分已公布商品归类决定的公告(海关总署2012年第31号)
11. 关于对部分已公布的商品归类决定进行文字更正(海关总署2012年第32号)
12. 关于公布2012年商品归类决定Ⅱ(海关总署公告2012年第60号)
13. 关于公布2013年《中华人民共和国海关进出口货物商品归类管理规定》决定(1)(海关总署公告2013年第26号)
14. 关于公布、废止部分商品归类决定的公告(海关总署公告2014年第2号)
15. 关于公布、修改、废止部分商品归类决定的公告(海关总署公告2014年第46号)
16. 关于公布、废止部分商品归类决定的公告(海关总署公告2015年第13号)
17. 关于公布2015年商品归类决定(Ⅱ)的公告(海关总署公告2015年第31号)
18. 关于公布2015年商品归类决定(Ⅲ)的公告(海关总署公告2015年第49号)
19. 关于公布2016年商品归类决定的公告(海关总署公告2016年第11号)
20. 关于公布2016年商品归类决定(Ⅲ)的公告(海关总署公告2016年第22号)
21. 关于公布2016年商品归类决定(Ⅳ)的公告(海关总署公告2016年第38号)
22. 关于公布、废止部分商品归类决定的公告(海关总署公告2016年第59号)
23. 关于公布、废止部分商品归类决定的公告(海关总署公告2017年第17号)

24. 关于公布、废止部分商品归类决定的公告（海关总署公告 2017 年第 42 号）
25. 关于公布、废止部分商品归类决定的公告（海关总署公告 2017 年第 46 号）
26. 关于发布部分商品归类决定的公告（海关总署公告 2018 年第 183 号）

**商品归类行政裁定**
27. 关于公布商品归类行政裁定的公告（海关总署公告 2015 年第 28 号）
28. 关于公布 2015 年商品归类行政裁定（Ⅱ）的公告（海关总署公告 2015 年第 41 号）
29. 关于发布 2016 年商品归类行政裁定的公告（海关总署公告 2016 年第 12 号）
30. 关于发布 2016 年商品归类行政裁定（Ⅱ）的公告（海关总署公告 2016 年第 21 号）
31. 关于公布 2016 年商品归类行政裁定（Ⅲ）的公告（海关总署公告 2016 年第 31 号）
32. 关于公布 2016 年商品归类行政裁定（Ⅳ）的公告（海关总署公告 2016 年第 33 号）
33. 关于公布 2016 年商品归类行政裁定（Ⅴ）的公告（海关总署公告 2016 年第 78 号）
34. 关于公布 2017 年商品归类行政裁定（Ⅰ）的公告（海关总署公告 2017 年第 21 号）
35. 关于公布 2017 年商品归类行政裁定（Ⅱ）的公告（海关总署公告 2017 年第 31 号）
36. 关于公布 2017 年商品归类行政裁定（Ⅲ）的公告（海关总署公告 2017 年第 63 号）
37. 关于公布 2018 年商品归类行政裁定的公告（海关总署公告 2018 年第 115 号）

**原产地**
38. 中华人民共和国海关关于执行《内地与香港关于建立更紧密经贸关系的安排》项下《关于货物贸易的原产地规则》的规定（海关总署令第 106 号发布，根据海关总署令第 141 号、第 198 号、第 206 号修改）
39. 中华人民共和国海关关于执行《内地与澳门关于建立更紧密经贸关系的安排》项下《关于货物贸易的原产地规则》的规定（海关总署令第 107 号发布，根据海关总署令第 142 号、第 198 号、第 207 号修改）
40. 中华人民共和国海关《中华人民共和国与智利共和国政府自由贸易协定》项下进口货物原产地管理办法（海关总署令第 151 号发布，根据海关总署令第 198 号、第 224 号修改）
41. 中华人民共和国海关《中华人民共和国政府与巴基斯坦伊斯兰共和国政府自由贸易协定》项下进口货物原产地管理办法（海关总署令第 162 号发布，根据海关总署令第 198 号修改）
42. 中华人民共和国海关《中华人民共和国政府和新西兰政府自由贸易协定》项下进出口货物原产地管理办法（海关总署令第 175 号发布，根据海关总署令第 198 号修改）
43. 中华人民共和国海关《亚太贸易协定》项下进出口货物原产地管理办法（海关总署令第 177 号发布，根据海关总署令第 198 号修改）
44. 中华人民共和国海关《中华人民共和国政府和新加坡共和国政府自由贸易协定》项下进出口货物原产地管理办法（海关总署令第 178 号发布，根据海关总署令第 203 号修订）
45. 中华人民共和国海关《中华人民共和国政府和秘鲁共和国政府自由贸易协定》项下进出口货物原产地管理办法（海关总署令第 186 号）
46. 中华人民共和国海关《中华人民共和国与东南亚国家联盟全面经济合作框架协议》项下进出口货物原产地管理办法（海关总署令第 199 号发布，根据海关总署令第 136 号修改）
47. 中华人民共和国海关《海峡两岸经济合作框架协议》项下进口货物原产地管理办法（海关总署令第 200 号）
48. 中华人民共和国海关《中华人民共和国政府和哥斯达黎加共和国政府自由贸易协定》项下进出口货物原产地管理办法（海关总署令第 202 号）
49. 中华人民共和国海关《中华人民共和国政府和冰岛政府自由贸易协定》项下进出口货物原产地管理办法（海关总署令第 222 号）

50. 中华人民共和国海关《中华人民共和国和瑞士联邦自由贸易协定》项下进出口货物原产地管理办法（海关总署令第 223 号）

51. 中华人民共和国海关《中华人民共和国政府和澳大利亚政府自由贸易协定》项下进出口货物原产地管理办法（海关总署令第 228 号）

52. 中华人民共和国海关《中华人民共和国政府和大韩民国政府自由贸易协定》项下进出口货物原产地管理办法（海关总署令第 229 号）

53. 中华人民共和国海关《中华人民共和国政府和格鲁吉亚政府自由贸易协定》项下进出口货物原产地管理办法（海关总署公告 2017 年第 61 号）

# 禁止进出口货物目录

(扫码获取相关内容)

### 禁止进口货物目录

1. 禁止进口货物目录（第一批）（外经贸部公告 2001 年第 19 号）
2. 禁止进口的旧机电产品目录（商务部、海关总署联合公告 2018 年第 106 号）
3. 禁止进口货物目录（第三批）（对外贸易经济合作部、海关总署、国家环境保护总局公告 2001 年第 36 号）
4. 进口废物管理目录（2017 年）（环境保护部等联合公告 2017 年第 39 号）
5. 禁止进口货物目录（第六批）（商务部、海关总署、国家环境保护总局公告 2005 年第 116 号）

### 禁止出口货物目录

6. 禁止出口货物目录（第一批）（外经贸部公告 2001 年第 19 号）
7. 禁止出口货物目录（第三批）（商务部、海关总署、国家环境保护总局公告 2005 年第 116 号）
8. 禁止出口货物目录（第四批）（禁止天然砂出口）（商务部、海关总署公告 2006 年第 87 号）
9. 禁止出口货物目录（第五批）（商务部、海关总署公告 2008 年第 96 号）

# 双反政策

(扫码获取相关内容)

**非色散位移单模光纤**

1. 关于对原产于美国、日本、韩国的进口非色散位移单模光纤反倾销调查的最终裁定（商务部公告 2004 年第 96 号）

2. 公布关于对原产于日本、韩国的进口非色散位移单模光纤进行反倾销期终复审的公告（商务部公告 2009 年第 107 号）

3. 关于对原产于日本、韩国进口非色散位移单模光纤反倾销期终复审裁定的公告（商务部公告 2010 年第 92 号）

4. 关于对原产于日本和韩国的进口非色散位移单模光纤所适用的反倾销措施的期终复审裁定的公告（商务部公告 2016 年第 78 号）

5. 公布关于原产于韩国株式会社 OPTOMAGIC 的进口非色散位移单模光纤的期中复审裁定（商务部公告 2008 年第 19 号）

6. 关于非色散位移单模光纤期中复审裁定的公告（商务部公告 2013 年第 9 号）

7. 公布关于韩国 LG 电线株式会社名称变更的公告（商务部公告 2009 年第 36 号）

8. 关于韩国 LS 电线株式会社更名的公告（商务部公告 2011 年第 44 号）

9. 关于进口非色散位移单模光纤案更名的公告（商务部公告 2012 年第 37 号）

10. 关于对原产于美国和欧盟进口非色散位移单模光纤反倾销调查终裁的公告（商务部公告 2011 年第 17 号）

11. 关于对原产于美国和欧盟的进口非色散位移单模光纤反倾销措施期终复核裁定的公告（商务部公告 2017 年第 20 号）

12. 关于对原产于美国的进口非色散位移单模光纤倾销及倾销幅度期间复审裁定的公告（商务部公告 2018 年第 53 号）

**氯丁橡胶**

13. 氯丁橡胶反倾销终裁公告（商务部公告 2005 年第 23 号）

14. 公布关于原产于日本的进口氯丁橡胶的期中复审裁定（商务部公告 2010 年第 49 号）

15. 关于对原产于日本电气化学工业株式会社进口氯丁橡胶的反倾销期中复审裁定（商务部公告 2013 年第 45 号）

16. 关于同意日本电化株式会社继承日本电气化学工业株式会社氯丁橡胶反倾销税率的公告（商务部公告 2015 年第 68 号）

17. 关于阿朗新科德国有限公司继承朗盛德国责任有限公司在氯丁橡胶反倾销措施中所适用税率的公告（商务部公告 2016 年第 62 号）

18. 关于对原产于日本、美国和欧盟的进口氯丁橡胶反倾销措施期终复审裁定的公告（商

务部公告 2017 年第 19 号）

**马铃薯淀粉**

19. 对原产于欧盟的进口马铃薯淀粉反倾销终裁公告（商务部公告 2007 年第 8 号）

20. 关于原产于欧盟的进口马铃薯淀粉倾销及倾销幅度期中复审的裁定的公告（商务部公告 2011 年第 16 号）

21. 关于决定对原产于欧盟的进口马铃薯淀粉征收反倾销税的公告（商务部公告 2013 年第 4 号）

22. 关于荷兰艾维贝合作社公司适用马铃薯淀粉反倾销反补贴税率的公告（商务部公告 2016 年第 72 号）

23. 关于对原产于欧盟的马铃薯淀粉反倾销措施期终复审裁定的公告（商务部公告 2019 年第 4 号）

24. 关于原产于欧盟的进口马铃薯淀粉反补贴调查的最终裁定的公告（商务部公告 2011 年第 54 号）

25. 关于对原产于欧盟的进口马铃薯淀粉所适用的反补贴措施期终复审裁定的公告（商务部公告 2017 年第 38 号）

**壬基酚**

26. 公布关于原产于印度和台湾地区的进口壬基酚反倾销调查的终裁决定（商务部公告 2007 年第 11 号）

27. 关于壬基酚反倾销期终复审调查最终裁定的公告（商务部公告 2013 年第 15 号）

28. 关于对原产于印度和台湾地区的进口壬基酚反倾销措施期终复审裁定的公告（商务部公告 2019 年第 11 号）

**电解电容器纸**

29. 公布关于原产于日本的进口电解电容器纸反倾销调查的最终裁定（商务部公告 2007 年第 30 号）

30. 关于电解电容器纸反倾销终复审调查最终裁定的公告（商务部公告 2013 年第 19 号）

31. 关于对原产于日本的进口电解电容器纸反倾销措施期终复审裁定的公告（商务部公告 2019 年第 17 号）

**双酚 A**

32. 公布关于原产于日本、韩国、新加坡和台湾地区的进口双酚 A 反倾销调查的终裁决定（商务部公告 2007 年第 68 号）

33. 关于对原产于日本、韩国、新加坡和台湾地区的进口双酚 A 的反倾销期终复审裁定的公告（商务部公告 2013 年第 55 号）

34. 关于原产于日本、韩国、新加坡和台湾地区的进口双酚 A 所适用反倾销措施的期终复审裁定（商务部公告 2019 年第 36 号）

35. 苯酚案、双酚 A 案韩国企业更名公告（商务部公告 2007 年第 96 号）

36. 关于原产于韩国（株）LG 化学进口双酚 A 的期中复审裁定（商务部公告 2009 年第 108 号）

37. 关于对原产于泰国的进口双酚 A 反倾销调查最终裁定的公告（商务部公告 2018 年第 23 号）

**丙　酮**

38. 丙酮反倾销案终裁公告（商务部公告 2008 年第 40 号）

39. 关于丙酮反倾销案韩国锦湖 P&B 株式会社倾销和倾销幅度期中复审裁决的公告（商务部公告 2010 年第 54 号）

40. 关于原产于日本、新加坡、韩国和台湾地区的进口丙酮所适用反倾销措施的期终复审裁定（商务部公告 2014 年第 40 号）

**聚酰胺-6,6 切片**

41. 公布关于原产于美国、意大利、英国、法国和台湾地区的进口聚酰胺-6,6 切片产品反倾销调查的最终裁定（商务部公告 2009 年第 79 号）

42. 关于对原产于美国、意大利、英国、法国和台湾地区的进口聚酰胺-6,6 切片所适用的反倾销措施期的终复审裁定（商务部公告 2015 年第 37 号）

**己二酸**

43. 公布关于原产于美国、欧盟和韩国的进口己二酸产品反倾销调查的最终裁定（商务部公告 2009 年第 78 号）

44. 关于对原产于美国、欧盟和韩国的进口己二酸反倾销措施期终复审裁定的公告（商务部公告 2015 年第 39 号）

45. 关于己二酸反倾销案韩国罗地亚聚酰胺有限公司更名公告的公告（商务部公告 2011 年第 36 号）

46. 关于己二酸反倾销案罗地亚韩国有限公司更名的公告（商务部公告 2014 年第 21 号）

**锦纶 6 切片**

47. 关于原产于美国、欧盟等国家和地区的进口锦纶 6 切片反倾销终裁公告（商务部公告 2010 年第 15 号）

48. 关于原产于美国、欧盟、俄罗斯和台湾地区的进口锦纶 6 切片在反倾销措施期终复审期间继续征收反倾销税的公告（海关总署公告 2015 年第 19 号）

49. 关于原产于美国、欧盟、俄罗斯和台湾地区的进口锦纶 6 切片的反倾销期终复审的公告（商务部公告 2016 年第 4 号）

50. 关于古比雪夫氮公众股份有限公司继承古比雪夫氮开放式股份公司在锦纶 6 切片反倾销措施中所适用税率的公告（商务部公告 2017 年第 14 号）

51. 关于对产自朗盛德国有限公司和朗盛比利时有限公司的进口锦纶 6 切片倾销及倾销幅度期中复审裁定的公告（商务部公告 2017 年第 34 号）

52. 关于艾德凡斯树脂和化学品责任有限公司继承霍尼韦尔树脂和化学品责任有限公司在锦纶 6 切片反倾销措施和己内酰胺反倾销措施中所适用税率的公告（商务部公告 2018 年第 47 号）

**碳钢紧固件**

53. 公布关于原产于欧盟的进口碳钢紧固件产品反倾销调查的最终裁定（商务部公告 2010 年第 40 号）

54. 关于对原产于欧盟的进口碳钢紧固件所适用的反倾销措施期终复审裁定的公告（商务部公告 2016 年第 24 号）

55. 关于进口自荷兰皇家内德史罗夫控股有限公司的碳钢紧固件所适用的反倾销措施进行倾销及倾销幅度期中复审裁定的公告（商务部公告 2017 年第 50 号）

**苯二甲酸**

56. 公布关于原产于韩国和泰国的进口对苯二甲酸反倾销调查的最终裁定（商务部公告 2010 年第 47 号）

57. 关于同意韩华综合化学株式会社继承三星综合化学株式会社精对苯二甲酸反倾销税率的公告（商务部公告 2015 年第 57 号）

58. 关于原产于韩国和泰国的进口精对苯二甲酸的反倾销期终复审的公告（商务部公告 2016 年第 37 号）

59. 关于对苯二甲酸反倾销案韩国乐天化学株式会社更名的公告（商务部公告 2013 年第 52 号）

60. 关于对苯二甲酸反倾销案韩国企业更名的公告（商务部公告 2014 年第 52 号）

61. 关于精对苯二甲酸反倾销案泰国企业更名的公告（商务部公告 2020 年第 4 号）

己内酰胺

62. 关于原产于欧盟和美国的进口己内酰胺反倾销调查的最终裁定（商务部公告 2011 年第 68 号）

63. 关于对原产于欧盟和美国的进口己内酰胺所适用的反倾销措施期终复审裁定的公告（商务部公告 2017 年第 53 号）

相　纸

64. 关于原产于欧盟、美国和日本的进口相纸产品反倾销调查最终裁定的公告（商务部公告 2012 年第 10 号）

65. 关于对原产于富士胶片制造（欧洲）有限公司和富士胶片制造（美国）有限公司进口相纸所适用反倾销措施期中复审的公告（商务部公告 2016 年第 25 号）

66. 关于对原产于欧盟、美国和日本的进口相纸反倾销措施期终复审裁定的公告（商务部公告 2018 年第 29 号）

乙二醇和二甘醇

67. 关于对原产于美国和欧盟进口乙二醇和二甘醇的单丁醚反倾销调查终裁的公告（商务部公告 2013 年第 5 号）

68. 关于调整原产于美国及部分欧盟公司的进口乙二醇和二甘醇的单丁醚所适用的反倾销税率的公告（商务部公告 2018 年第 32 号）

69. 关于对原产于美国和欧盟的乙二醇和二甘醇的单丁醚反倾销措施期终复审裁定的公告（商务部公告 2019 年第 5 号）

间苯二酚

70. 关于间苯二酚反倾销调查最终裁定的公告（商务部公告 2013 年第 13 号）

71. 关于对原产于日本和美国的进口间苯二酚反倾销措施期终复审裁定的公告（商务部公告 2019 年第 10 号）

甲苯胺

72. 关于甲苯胺反倾销最终裁定的公告（商务部公告 2013 年第 44 号）

73. 关于对原产于欧盟的进口甲苯胺反倾销措施期终复审裁定的公告（商务部公告 2019 年第 28 号）

高温承压用合金钢无缝钢管

74. 关于对原产于欧盟、日本和美国的进口相关高温承压用合金钢无缝钢管作出的反倾销初裁决定（商务部公告 2013 年第 91 号）

75. 关于原产于欧盟、日本和美国的进口高温承压用合金钢无缝钢管反倾销最终裁决的公告（商务部公告 2014 年第 34 号）

76. 关于调整原产于美国和欧盟的进口相关高温承压用合金钢无缝钢管所适用的反倾销税率的公告（商务部公告 2019 年第 24 号）

太阳能级多晶硅

77. 关于对原产于美国的进口太阳能级多晶硅反补贴调查的最终裁定（商务部公告 2014 年第 4 号）

78. 关于对原产于美国的进口太阳能级多晶硅反补贴措施期终复审裁定的公告（商务部公告 2020 年第 2 号）

79. 关于对原产于美国和韩国的进口太阳能级多晶硅反倾销调查的最终裁定的公告（商务部公告 2014 年第 5 号）

80. 关于对原产于韩国的进口太阳能级多晶硅倾销及倾销幅度期中复审裁定的公告（商务部公告 2017 年第 78 号）

81. 关于终止对原产于欧盟的进口太阳能级多晶硅的反倾销措施和反补贴措施的公告（商务部公告 2018 年第 86 号）

82. 关于对原产于美国和韩国的进口太阳能级多晶硅反倾销措施期终复审裁定的公告（商务部公告 2020 年第 1 号）

## 浆 粕

83. 关于对原产于美国、加拿大和巴西的进口浆粕反倾销终裁（商务部公告 2014 年第 18 号）

84. 关于 AV 集团 NB 公司继承 AV Nackawic Inc. 和 AV Cell Inc. 两家公司在浆粕反倾销措施中所适用税率的公告（商务部公告 2016 年第 55 号）

85. 关于原产于美国、加拿大和巴西的进口浆粕反倾销措施再调查裁定的公告（商务部公告 2018 年第 37 号）

## 光纤预制棒

86. 关于对原产于日本和美国的进口光纤预制棒反倾销调查最终裁定的公告（商务部公告 2015 年第 25 号）

87. 商务部公告 2020 年第 10 号关于对原产于日本、美国的光纤预制棒反倾销措施期终复审裁定的公告（商务部公告 2018 年第 57 号）

## 甲基丙烯酸甲酯

88. 关于原产于新加坡、泰国和日本的进口甲基丙烯酸甲酯反倾销调查最终裁定的公告（商务部公告 2015 年第 60 号）

89. 关于对原产于新加坡、泰国以及日本三菱丽阳株式会社、日本旭化成化学株式会社和日本住友化学株式会社的进口甲基丙烯酸甲酯倾销及倾销幅度期中复审裁定的公告（商务部公告 2018 年第 9 号）

## 腈 纶

90. 关于原产于日本、韩国和土耳其的进口腈纶反倾销调查最终裁定的公告（商务部公告 2016 年第 31 号）

91. 关于三菱化学株式会社继承三菱丽阳株式会社在腈纶反倾销措施中所适用税率的公告（商务部公告 2017 年第 36 号）

92. 关于对原产于韩国的进口腈纶倾销及倾销幅度期间复审的裁定（商务部公告 2018 年第 74 号）

## 取向电工钢

93. 关于原产于日本、韩国和欧盟的进口取向电工钢反倾销调查最终裁定的公告（商务部公告 2016 年第 33 号）

94. 关于原产于日本、韩国和欧盟的进口取向电工钢反倾销案株式会社 POSCO 价格承诺的公告（商务部公告 2018 年第 11 号）

## 玉米酒糟

95. 关于对原产于美国进口干玉米酒糟反倾销调查最终裁定的公告（商务部公告 2016 年第 79 号）

96. 关于对原产于美国进口干玉米酒糟反补贴调查最终裁定的公告（商务部公告 2016 年第 80 号）

97. 关于对原产于美国的进口干玉米酒糟反倾销及反补贴措施复审裁定的公告（商务部公告 2019 年第 30 号）

白羽肉鸡

98. 关于终止对原产于美国的进口白羽肉鸡产品征收反倾销税和反补贴税的公告（商务部公告 2018 年第 5 号）

99. 关于对原产于巴西的进口白羽肉鸡产品反倾销调查最终裁定的公告（商务部公告 2019 年第 6 号）

共聚聚甲醛

100. 关于对原产于韩国、泰国和马来西亚的进口共聚聚甲醛反倾销调查最终裁定的公告（商务部公告 2017 年第 61 号）

101. 关于泰国聚甲醛有限公司变更英文名称的公告（商务部公告 2018 年第 10 号）

邻氯对硝基苯胺

102. 关于对原产于印度的进口邻氯对硝基苯胺反补贴调查最终裁定的公告（商务部公告 2018 年第 18 号）

103. 关于对原产于印度的进口邻氯对硝基苯胺反倾销调查最终裁定的公告（商务部公告 2018 年第 19 号）

不锈钢钢坯和不锈钢热轧板/卷

104. 关于对原产于欧盟、日本、韩国和印度尼西亚的进口不锈钢钢坯和不锈钢热轧板/卷反倾销调查初步裁定的公告（商务部公告 2019 年第 9 号）

105. 关于对原产于欧盟、日本、韩国和印度尼西亚的进口不锈钢钢坯和不锈钢热轧板/卷反倾销最终裁定的公告（商务部公告 2019 年第 31 号）

苯　酚

106. 关于对原产于美国、欧盟、韩国、日本和泰国的进口苯酚反倾销调查初步裁定的公告（商务部公告 2019 年第 22 号）

107. 关于对原产于美国、欧盟、韩国、日本和泰国的进口苯酚反倾销调查最终裁定的公告（商务部公告 2019 年第 37 号）

四氯乙烯

108. 对原产于欧盟和美国的四氯乙烯反倾销终裁的公告（商务部公告 2014 年第 32 号）

单模光纤

109. 公布对原产于印度的进口单模光纤反倾销调查的最终裁定（商务部公告 2014 年第 56 号）

未漂白纸袋纸

110. 关于原产于美国、欧盟和日本的进口未漂白纸袋纸反倾销调查的最终裁定的公告（商务部公告 2016 年第 8 号）

铁基非晶合金带材

111. 关于对原产于日本和美国的进口铁基非晶合金带材反倾销调查最终裁定的公告（商务部公告 2016 年第 65 号）

偏二氯乙烯-氯乙烯共聚树脂

112. 关于对原产于日本的进口偏二氯乙烯-氯乙烯共聚树脂反倾销调查最终裁定的公告（商务部公告 2017 年第 17 号）

氨　纶

113. 关于终止实施对原产于日本、新加坡、韩国、台湾地区和美国的进口氨纶所适用的反倾销措施的公告（商务部公告 2017 年第 54 号）

甲苯二异氰酸酯

114. 关于终止原产于欧盟的甲苯二异氰酸酯（型号为 TDI80/20）反倾销措施的公告（商务部公告 2018 年第 26 号）

甲基异丁基（甲）酮

115. 关于原产于韩国、日本和南非的进口甲基异丁基（甲）酮反倾销调查最终裁定的公告（商务部公告 2018 年第 27 号）

高粱

116. 关于终止对原产于美国的进口高粱反倾销反补贴调查的公告（商务部公告 2018 年第 44 号）

间苯氧基苯甲醛

117. 关于原产于印度的进口间苯氧基苯甲醛反倾销调查最终裁定的公告（商务部公告 2018 年第 42 号）

磺胺甲噁唑

118. 关于终止对原产于印度的进口磺胺甲噁唑的反倾销措施的公告（商务部公告 2018 年第 45 号）

苯乙烯

119. 关于原产于韩国、台湾地区和美国的进口苯乙烯反倾销调查最终裁定的公告（商务部公告 2018 年第 43 号）

卤化丁基橡胶

120. 关于原产于美国、欧盟和新加坡的进口卤化丁基橡胶反倾销调查最终裁定的公告（商务部公告 2018 年第 40 号）

氢碘酸

121. 关于对原产于美国和日本的进口氢碘酸反倾销调查最终裁定的公告（商务部公告 2018 年第 80 号）

乙醇胺

122. 关于对原产于美国、沙特阿拉伯、马来西亚和泰国的进口乙醇胺反倾销调查最终裁定的公告（商务部公告 2018 年第 81 号）

丁腈橡胶

123. 关于对原产于韩国和日本的进口丁腈橡胶反倾销调查最终裁定的公告（商务部公告 2018 年第 84 号）

正丁醇

124. 关于对原产于台湾地区、马来西亚和美国的进口正丁醇反倾销调查最终裁定的公告（商务部公告 2018 年第 100 号）

邻二氯苯

125. 关于对原产于日本和印度的进口邻二氯苯反倾销调查最终裁定的公告（商务部公告 2019 年第 1 号）

聚氯乙烯

126. 关于终止对原产于美国、韩国、日本和台湾地区的进口聚氯乙烯反倾销期终复审调查的公告（商务部公告 2019 年第 43 号）

吡啶

127. 关于终止对原产于印度和日本的进口吡啶反倾销期终复审调查的公告（商务部公告 2019 年第 50 号）

**甲乙酮**

128. 关于终止对原产于日本和台湾地区的进口甲乙酮反倾销期终复审调查的公告（商务部公告 2019 年第 51 号）

**立式加工中心**

129. 关于终止对原产于日本和台湾地区的立式加工中心反倾销调查的公告（商务部公告 2020 年第 10 号）